W9-AEK-062

GOTT IN WELT

I

GOTT IN WELT

FESTGABE FÜR KARL RAHNER

HERAUSGEGEBEN VON
JOHANNES BAPTIST METZ
WALTER KERN SJ
ADOLF DARLAPP
HERBERT VORGRIMLER

BAND I

HERDER
FREIBURG · BASEL · WIEN

GOTT IN WELT

FESTGABE FÜR KARL RAHNER

BAND I

Philosophische Grundfragen
Theologische Grundfragen
Biblische Themen

SCHRIFTLEITUNG
HERBERT VORGRIMLER

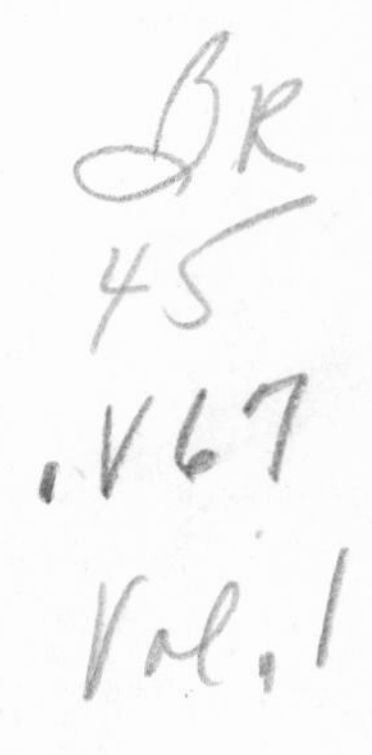

HERDER
FREIBURG · BASEL · WIEN

195164

Alle Rechte vorbehalten — Printed in Germany
© Verlag Herder KG Freiburg im Breisgau 1964
Für die Beiträge katholischer Autoren:
Imprimatur. — Freiburg im Breisgau, den 22, Januar 1964
Der Generalvikar: Dr. Föhr
Herder Druck Freiburg im Breisgau 1964
Bestellnummer 14123

WIDMUNG UND WÜRDIGUNG

Karl Rahner, dem Sechzigjährigen

Karl Rahner, dem Sechzigjährigen, soll dieses Werk gewidmet sein in Verehrung, Dankbarkeit und Freundschaft, und als Zeichen dafür, daß wächst, was er in mühevoller, nicht selten angefochtener Arbeit gesät hat.

Wer ihm nahekommt, hat es schwer, Abstand zu gewinnen, um zu überschauen und gleichmäßig abzuschätzen, und er muß fürchten, daß er die Fülle solcher Theologie und die elementare Leidenschaft solchen Dienstes am Worte Gottes spröde schematisiert und am Ende das Wichtige und Maßgebliche kaum genannt hat. Unter diesem Vorbehalt will ich versuchen, ein Wort zu sagen über die theologische Persönlichkeit des Lehrers und Freundes und ein Wort über seine Theologie, wobei beide Aussagen sich unvermeidlich ineinander spiegeln.

I

Ein entscheidender Zug der theologischen Persönlichkeit Karl Rahners scheint mir zu sein, was ich hier seine *Traditionsbejahung* nennen möchte: seine Verpflichtetheit auf die Geschichte des Glaubens und der Kirche. Freilich bedeutet ihm diese Treue zur Tradition nicht einfach Repristination, sterile „Nacherzählung" eines historischen Befundes (wie er das selbst oft nennt), sondern echten denkerischen Nachvollzug, Geschichtsbetrachtung und Geschichtsforschung im Präsens: Die Frage nach der Tradition geschieht bei ihm immer auch als Frage der Theologie nach sich selbst, nach ihrem je gegenwärtigen Selbstverständnis. Gerade so vermittelt sich für ihn die lebendige Zukunft der Theologie aus ihrer eigenen Herkunft, sucht er selbst das Neue nie um der Modernität willen, sondern aus der Treue zum auferlegten geschichtlichen Anfang. Diese Treue bezeugt sich nicht nur in jenem immensen historischen Wissen, das — oft genug unerkannt und zuweilen gar mißkannt — hinter seinen theologischen Formulierungen steht, sondern gerade auch in jenem „bergenden Zug" seiner theologischen Haltung überhaupt, mit der er frühe Worte, Begriffe und Sentenzen der kirchlich-scholastischen Theologie auf ihre

Bedeutsamkeit abhört, sie für uns und unser gegenwärtiges theologisches Denken „rettet", und mit der er eine subtile und differenzierte, von unvergleichlichem Ernst getragene Hermeneutik lehramtlicher Aussagen entwickelt, um diese in ihrer ganzen Breite und Tiefe zur Sprache zu bringen (man denke etwa an seine Überlegungen zur Kirchengliedschaft, zum Monogenismus, zu Fragen der Bußtheologie, zum Problem der Hominisation). Rahner geht nur so weit „nach vorn", als die große Tradition der Kirche und der Theologie sich selbst mitnehmen läßt, und deshalb ist sein Vorwärtsschreiten ein echter Fort-schritt der Theologie und des kirchlichen Bewußtseins selbst. In diesem lebendigen Verhältnis zur Geschichte äußert sich übrigens immer auch ein Zug Karl Rahners, den ich sein „Vermögen zur Unmittelbarkeit" nennen möchte, seine interpretatorische Fähigkeit, die Dinge in ihrer „Binsenwahrheit" zu sehen (wie oft gebraucht er selbst diesen Ausdruck!), und so einen in unserer Denkgewohnheit längst verblaßten Glanz neu zu entdecken, schlummernde „Selbstverständlichkeiten" zu wecken und geronnene Begriffsgehalte neu zu verflüssigen. Dies und die darin verborgene Kunst des echten Fragenkönnens (weil Hörenkönnens!) in lebendiger Anschaulichkeit immer wieder zu erfahren, bleibt trotz aller Breite und Öffentlichkeit Rahnerschen Wirkens doch auch zu einem Gutteil die kostbare, gleichsam esoterische Erfahrung derer, die seine Schüler sein dürfen und denen er „ihr" Rahner ist, im Hörsaal, in Seminarstunde und Kolloquium und in vielen persönlichen Gesprächen. Wie er da etwa hinter einer im Dämmer der Jahrhunderte verblaßten Schulkontroverse eine echte Intuition, ein wahrhaft religiöses Pathos entdeckt, das uns auch heute noch erregen und befruchten kann!

Ein zweiter Grundzug der theologischen Persönlichkeit Karl Rahners: *sein waches theologisches Verantwortungsbewußtsein gegenüber der Glaubensnot der Zeit* und das darin zutage tretende echt seelsorgerliche, kerygmatische Anliegen seiner Theologie. Bekannt sind seine programmatischen Worte aus dem ersten Band seiner „Schriften zur Theologie": „In Wirklichkeit ist die strengste, die leidenschaftlich der Sache allein ergebene, immer neu fragende, die wissenschaftlichste Theologie selber auf die Dauer die kerygmatischste." In ähnlichen Formulierungen hat er das bekräftigt, als er das Anliegen der „Quaestiones disputatae" formulierte, jener Schriftenreihe, die er seit 1957 zusammen mit Heinrich Schlier herausgibt und in der er selbst schon einige für dieses Verständnis der ursprünglichen Einheit von Theologie und Kerygma beispielhafte Beiträge publiziert hat. Kerygma ist für ihn nie ein — meist nivellierendes, vulgarisierendes — Epiphänomen des theologischen Denkens, und Theologie nie eine absolut theoretisierbare und in diesem Sinne rein akademische Angelegenheit.

Deutlich geht es ihm darum, das Kerygma auf der Höhe des theologischen Gedankens selbst und umgekehrt die Theologie auf der Höhe des kerygmatischen Anspruchs zu sehen. Unvergeßlich sind seinen Schülern in diesem Zusammenhang die Innsbrucker Freitagabendkolloquien, in denen sie — an ganz konkreten Beispielen („Wie sage ich es dem Mann im D-Zug?") — etwas erfahren konnten von der wirklichen Nähe der Theologie zur religiösen Situation des Menschen in der Zeit, zu seinen Fragen (unseren eigenen Fragen!), die hier ganz ernst genommen, ja in ihrem vollen Gewicht und Ausmaß oft erst erraten und interpretiert werden; und dies alles nicht als bloß seelsorgerlicher Appendix zu einer in sich abgerundeten und begrifflich beruhigten Theologie, sondern als deren eigenste Sache. Hier wurden wir etwas gewahr von der Kunst, die Theologie gleichsam in ihre eigene Potenz zu erheben, d. h. sie zu entbinden und darzustellen in der ihr immanenten kerygmatischen und spirituellen Macht. Und nicht zuletzt ist es wohl gerade dieser Zug an der theologischen Persönlichkeit Karl Rahners, der ihn seinen Schülern in einer ganz einzigartigen Weise zum „Lehrer", zum „väterlichen Lehrer" werden ließ, so daß ich von ihm auch an dieser Stelle jenes Pauluswort sagen möchte, das wir ihm — „1 Kor 4, 15" — in ein kleines Geschenk zum 25. Jahrestag seiner Priesterweihe ritzen ließen: „Denn hättet ihr auch viele Lehrmeister in Christus, so doch nicht viele Väter! In Christus Jesus habe ich euch durch die Heilsbotschaft gezeugt." Nie war es mir erschienen, als sei ihm die Lehrkanzel (und mutatis mutandis der Predigtstuhl) eine Stätte, an der er sich rein akademisch über uns erhoben wußte; immer schien sie der Ort zu sein, an der er die Größe und Not, die kaum ermessenen Horizonte unserer eigenen Glaubenserfahrung zur Sprache brachte und in der elementaren Anstrengung des theologischen Begriffes reflektierte. Vieles an Karl Rahners Tätigkeit als Prediger, als Redner, als Briefpartner und vor allem als theologischer Lehrer und Schriftsteller verrät diesen Zug seiner theologischen Persönlichkeit und seiner Theologie; von seinem Schrifttum denke ich dabei etwa an „Worte ins Schweigen", „Von der Not und dem Segen des Gebetes", „Maria, Mutter des Herrn", „Kleines Kirchenjahr", an zahlreiche Aufsätze in der Zeitschrift „Geist und Leben", an den dritten Band seiner „Schriften zur Theologie", an seinen bisher unveröffentlichten Exerzitienband (als Frucht vieler Exerzitienkurse), an den Sammelband „Sendung und Gnade", der wie kein anderer zeigt, wie sehr Rahners hohe Theologie gerade auch das „Kleine" und „Konkrete" ernst nehmen kann. In all dem wird jenes unendliche Interesse sichtbar, das als innerster Antrieb seines strengen theologischen Denkens selbst wirksam ist: die Menschen liebender, frömmer zu machen, ihnen eine Hilfe zu bieten für ihr religiöses Selbstverständnis — „nicht als Herr ihres Glaubens, sondern als Diener ihrer Freude" (vgl. 2 Kor 1, 24). Weil seine Theologie um den Glauben weiß, der sich selbst noch sucht und vor sich bringen muß, weil sie in diesem Sinne echte theologia viatoris ist und die Brüderlichkeit aller Pilgernden ernst nimmt (man denke etwa an seinen Vortrag auf dem Katholikentag in Hannover!), wird sie von Vielen, Ungezählten so hautnah zur eigenen religiösen Situation empfunden und selbst noch (ja, nicht selten gerade) von jenen gesucht und erfragt, die erschreckt und bekümmert meinen, nicht mehr glauben zu können.

II

Karl Rahners Theologie und theologische Gedanken in sich kurz wiederzugeben und zu würdigen, scheint unmöglich zu sein. Es begegnet eine solche Vielfalt an Thematik, ein solcher Reichtum an Gedanken und Perspektiven (man vergleiche seine Bibliographie mit bisher 887 Nummern) — und eben dies ist wohl selbst schon ein bezeichnender, vielleicht der am unmittelbarsten ins Auge springende Zug seiner Theologie*. Ich möchte hier versuchen — die nahezu unvermeidliche Gefahr einer Verkürzung und Schematisierung vor Augen —, die in dieser materialen Vielfalt sich verbergende „formale" Eigenart und geschichtliche Bedeutsamkeit seiner Theologie zu nennen.

Ich möchte diese formale Eigenart mit einem vielleicht nicht ganz unmißverständlichen Stichwort als *„anthropologisch gewendete Theologie"* kennzeichnen. Diese „anthropologisch gewendete Theologie" besagt natürlich nicht die willkürliche Bevorzugung einer theologischen Disziplin gegenüber anderen oder gar das Ausspielen der Anthropologie gegen die Theologie, sondern zunächst — eben etwas „Formales": die Bestimmung des dem Offenbarungswort gemäßen kategorialen Ortes, von dem her alle theologischen Aussagen getroffen und „veranschaulicht" werden müssen, von dem her die geschichtliche Gottverfügtheit des Menschen (also gerade die „Theozentrik" seines Daseins!) in allem Ernst und aller Entschiedenheit gedacht und begrifflich ausgelegt werden kann. Sosehr das damit anklingende Selbstverständnis der Theologie ein grundsätzliches Ja zu jener „anthropologischen Wende" impliziert, die sich denkgeschichtlich im Aufgang der Neuzeit abzeichnet und in der sich der Mensch — gegen ein dominierendes „kosmozentrisches" Seinsverständnis — immer mehr

---

* H. Vorgrimler erwähnt ihn ausdrücklich als Charakteristikum in seinem kleinen Buch über Karl Rahner (Tielt und Den Haag 1962, deutsch München 1963), auf das ich für eine detaillierte, übersichtlich strukturierte Information über die materiale Thematik der Theologie Karl Rahners ausdrücklich verweisen möchte.

in seinem einmaligen ontologischen Rang, in seiner freien geschichtlichen Subjektivität reflex vor sich bringt; sosehr also hier jene „innere Korrelation von Theologie und Philosophie" in Rahners Denken zur Geltung kommt, von der ich noch zu sprechen habe: so gründet seine „anthropologisch gewendete Theologie" doch keineswegs in einer rein philosophischen Einsicht; sie entspringt vielmehr der auf das Offenbarungswort selbst gestellten theologischen Vernunft, für welche die Anthropologie als theologische Aussage über den Menschen nie einfach eine beliebige Disziplin neben anderen theologischen Disziplinen sein kann. In der zentralen Botschaft von der Fleischwerdung des Wortes, die als Kerygma vom „Verbum *homo* factum" zu hören ist, erscheint nämlich gerade der Mensch (und nur er) als der Ort, an dem Gott die Welt und deren Geschichte als sein eigenes Schicksal angenommen hat. Und deshalb, so sagt Karl Rahner selbst in seinem wegweisenden wissenschaftstheoretischen Artikel über „theologische Anthropologie" im „Lexikon für Theologie und Kirche", „gibt es keinen Gegenstandsbereich (mindestens seit der Menschwerdung des Logos), der nicht formell (und nicht bloß indirekt und reduktiv) in die theologische Anthropologie hineingezogen wäre. Das macht die Eigenart einer solchen Anthropologie aus: sie ist auch das Ganze der Theologie." Dies in seiner grundsätzlichen und methodologischen Tragweite für das Selbstverständnis katholischer Theologie wohl erstmals aufzudecken und in wichtigen Einzelansätzen durchzuführen, scheint mir das Bestimmende und Auszeichnende an Karl Rahners Theologie zu sein, dasjenige, worin er auch unser künftiges theologisches Denken maßgeblich beeinflussen wird. Und m. E. erklärt gerade dieser Grundzug auch die *ökumenische* Bedeutsamkeit und Fruchtbarkeit seiner Theologie, die sich mit Rücksicht auf die Vielfalt ihrer Thematik verhältnismäßig selten zu direkten interkonfessionellen Einzelfragen geäußert hat (vgl. etwa Rahners Beiträge über Konversionen, die Transsubstantiationslehre, die vielen Messen und das eine Opfer Christi, den Ablaß, die Bedeutung des Personalen beim Vollzug der Sakramente) und die doch wie kaum eine zweite gerade auch im evangelischen Raum gehört und ernst genommen wird.

Wenn ich Karl Rahners Theologie als „anthropologisch gewendet" zu kennzeichnen suchte, so impliziert dieses Stichwort noch ein Weiteres, worauf ich hier kurz aufmerksam machen möchte. Dieses Stichwort will ja nicht eine theologische Einzelaussage, sondern gerade einen theologischen Entwurf *im ganzen* charakterisieren, und es zeigt damit an, daß wir es bei Rahner mit einem solchen ursprünglichen Gesamtentwurf zu tun haben, eben mit „seiner" Theologie. Das „Neue" an Rahners dogmatischer Theologie besteht ja nicht primär darin, daß sie einem mehr oder weniger fraglos vorgegebenen und übernommenen System der Dogmatik noch die eine oder andere erweiternde bzw. präzisierende „Sentenz" einfügt und es statuarisch mit neuem historischen Material ausschmückt, es äußert sich nicht in einer rein materialen Anreicherung eines allseits schon feststehenden dogmatischen Kanons, sondern darin, daß hier — im ernsten und lebendigen Gespräch mit der Tradition — der dogmatische Entwurf im ganzen neu aufgenommen und in elementarer Anstrengung durchdacht wird: eben als „anthropologisch gewendete Theologie". Zeichnet sich aber damit für das gegenwärtige theologische Bewußtsein im kirchlichen Raum nicht in geschichtlich neuer Exemplarität das ab, was wir den Überschritt von der (einen) Theologie zu den Theologien, oder genauer: *den Überschritt von der (einen) dogmatischen Theologie zu den dogmatischen Theologien* nennen könnten? Immer mehr bestätigt sich, wie sehr Rahners Theologie nicht einfach als die Sache eines vielleicht interessanten „Außenseiters" gewertet werden kann, wie sehr vielmehr seine Theologie das gesamte dogmatische Lehrgut der Kirche berücksichtigt und zur Sprache bringt und wie sehr sie darin doch nicht einfach „die" Dogmatik repetiert, sondern das Ganze ursprünglich neu aufnimmt und als „seine" Dogmatik entfaltet. Wo solches gelingt — und bei Rahner scheint mir dies in der Tat gelungen —, bricht eine echte und lebendige Pluralität von dogmatischen Ansätzen überhaupt auf. Angesichts eines solchen gelungenen neuen Gesamtentwurfes wird nämlich sichtbar, daß das, was gar oft unbefragt als „der" dogmatische Ansatz mit einem eindeutig gereihten Thesenkanon und einem selbstverständlichen kategorialen Rüstzeug galt und gilt, auch nur ein bestimmter Ansatz und ein bestimmter Einteilungsschematismus ist, der selbst einen fixierbaren philosophie- und theologiegeschichtlichen Topos hat — etwa in der Neuscholastik des letzten Jahrhunderts — und der von kategorialen Vorstellungen ausgeht, die nicht ohne weiteres eindeutig mit der verbindlichen Lehre der Kirche gegeben noch als deren einzig mögliche adäquate Interpretationsweise gefordert sind.

Die das Ganze der dogmatischen Aussage bestimmende und durchherrschende Eigentümlichkeit des Rahnerschen Ansatzes zeigt sich schon darin, daß Karl Rahner einen eigenen unverkennbaren Stil hat, „seine" Sprache — eine Tatsache, die am Ende nur der wirklich verdächtigen kann, der die tote Formel, gleichsam den eingefrorenen Begriff für den gemäßen Ausdruck der geschichtlichen Aneignung der einen währenden göttlichen Wahrheit von seiten des Menschen hält. Wesentlich befruchtet, ja ermöglicht scheint mir jedoch diese ursprüngliche Ganzheit seines dogmatischen Entwurfes von jener lebendigen „inneren Korrelation von Theologie und Philosophie" zu sein, die Rahner durchweg auszeichnet und derzufolge ein dogmatisches Denken in aller materialen Aussage immer auch „formal" bestimmt ist, d. h. die theologischen Denkinhalte selbst in und aus einem jeweils kritisch miterhellten geschichtlichen Seinsverständnis reflektiert. Karl Rahner weiß sich dabei den Klassikern christlicher Philosophie verpflichtet, vorweg dem Denken des Thomas von Aquin (man vergleiche seine beiden ersten Hauptwerke „Geist in Welt" und „Hörer des Wortes"), aber eben in einer echt geschichtlichen Verpflichtung, die den „historischen" Thomas dadurch ernst nimmt, daß sie ihn in einen „präsentischen" zu vermitteln sucht — nicht zuletzt durch die von Rahner selbst so fruchtbar vollzogene „thomistische" Begegnung mit dem Denken Martin Heideggers und — im Gefolge von Joseph Maréchal — mit der Transzendentalphilosophie. In dieser lebendigen Verschränkung von philosophischem und theologischem Akt steht für Rahner der philosophische Vollzug nicht einfach in eigener Sache „neben" seiner Theologie, er ist ihm vielmehr immer mehr zum meisterhaft gehandhabten hermeneutischen Instrumentar in der Entfaltung dogmatischer Theologie, ihrer inneren Einheit und ihrer „Form" geworden. Eben dies hat es aber Karl Rahner — darauf will ich nun zurückführen — ermöglicht, Dogmatik nicht nur material, sondern „formal" zu vollziehen, einen sich selbst durchsichtigen geschichtlichen Ansatz theologischen Denkens zu entfalten, „seine" Dogmatik zu entfalten, ohne das verpflichtende Lehrgut willkürlich zu verkürzen, und damit auch im katholischen Raum (erneut) jene echt geschichtliche Pluralität von dogmatischen Theologien zur Geltung zu bringen, die die unerschöpfliche Fülle des Offenbarungsgutes nicht nur im bedachten Inhalt, sondern im dogmatischen Denken selbst lebendig reflektiert.

III

Weil Rahners Theologie eine „Form" hat, kann sie vielfältig sein, ohne uneinheitlich und beliebig zu werden, kann sie offen sein, ohne sich im Fremden und Uneigentlichen zu verlieren. Ich kann hier nicht zeigen, wie die Fülle seiner theologischen Themen und Aussagen gleichsam „von hinten" zusammengehalten, programmiert und strukturiert ist durch die implizierte „Form" seines anthropologisch gewendeten Ansatzes. Das wäre wohl einmal eine eigene theologische Untersuchung wert. Ich will hier nur noch kurz auf die offene Vielfalt seiner Theologie selbst aufmerksam machen, die sich nicht bloß in streng fachdogmatischen Themenkreisen erschöpft (ihnen gelten vor allem seine bisher in fünf Bänden erschienenen „Schriften zur Theologie", seine Publikationen innerhalb der Reihe „Quaestiones disputatae" und im „Lexikon für Theologie und Kirche"), sie steht darüber hinaus im Gespräch mit anderen theologischen Disziplinen und mit den modernen Einzelwissenschaften und dem darin zutage tretenden Welt- und Daseinsverständnis des Menschen heute. Sie steht in offener Kommunikation mit anderen theologischen Disziplinen: Der Fundamentaltheologie hat Karl Rahner durch sein Programm einer „Formalen und Fundamentalen Theologie" eine neue fruchtbare Aufgabe gestellt und eine neue Basis ihres theologischen Selbstverständnisses nahegelegt; durch seine Erörterung über Existentiallogik und Existentialethik hat er wichtige Beiträge für eine Fundamentalmoral geliefert; als Mitherausgeber eines mehrbändigen pastoraltheologischen Handbuches arbeitet er an einer theologischen Grundlegung der Pastoraltheologie; eine Reihe von Studien gelten den heute so wichtigen Grenzfragen zwischen Dogmatik und Exegese (etwa seine Beiträge über „Exegese und Dogmatik", „Theos im Neuen Testament", „Wissen und Selbstbewußtsein Christi", „Theologische Prinzipien der Hermeneutik eschatologischer Aussagen", seine „Quaestio disputata" „Über die Schriftinspiration"). Rahners Theologie konfrontiert sich darüber hinaus mit dem Anspruch des modernen Weltverständnisses und seiner Einzelwissenschaften: Hiervon zeugen etwa seine Beiträge über „Wissenschaft als Konfession?", „Christologie innerhalb einer evolutiven Weltanschauung", „Das Selbstverständnis der Theologie vor dem Anspruch der Naturwissenschaften", „Das Christentum und der ‚neue Mensch'" usw. — Beiträge, die zumeist auf Vorträge und Gespräche in außertheologischen Kreisen (nicht zuletzt im Kreis der Paulusgesellschaft) zurückgehen und die alle bestätigen, wie ernst und geradezu schonungslos er sich den Ansprüchen und Fragen unseres modernen Weltbewußtseins stellt, wie sehr er sein theologisches Wirken als Dienst an der Ankunft des fleischgewordenen Wortes beim Menschen heute versteht, als Dienst an jenem geschichtlichen Dialog Gottes mit der Welt, der in der Menschwerdung des Logos begonnen und besiegelt wurde.

Am Ende spricht alle Vielfalt seiner theologischen Aussagen und seines theologischen Engagements immer von dem Einen, zieht sich in zunehmender Schärfe auf dieses Eine zusammen: auf die dem Menschen in Jesus Christus zugesprochene Vergebung und Liebe Gottes. Am Ende „weiß" seine Theologie nur dies Eine — nicht als Ergebnis eines rein spekulativ durchschauten Glaubens, sondern gleichsam als theologisches Korrelat zum Ernst und zur Einfalt jener γνῶσις Χριστοῦ Ἰησοῦ τοῦ κυρίου μου, die das Neue Testament rühmt (vgl. Phil 3, 8).

IV

Die Wirkung solcher Theologie ist noch kaum abzusehen. Ein erstes Mal dokumentierte sie sich augenscheinlich in dem 1957 in erster Auflage erschienenen Sammelwerk „Fragen der Theologie heute" (man schlage nur einmal das Personenregister nach!); sie äußert sich eindrucksvoll in Geist und Anlage des „Lexikon für Theologie und Kirche", das Karl Rahner zusammen mit J. Höfer seit 1957 in völliger Neubearbeitung herausgibt (und das in vielen Partien die noch ungeschriebene „Dogmatik" Karl Rahners im „theologischen Stenogramm" enthält), und sie bestätigt sich gegenwärtig in weitestem Rahmen durch seine einflußreiche Arbeit auf dem Konzil. Der Heilige Vater selbst hat erst kürzlich Karl Rahner für sein theologisches Werk persönlich gedankt und ihn ermuntert, *seinen* Weg weiterzugehen.

Schließlich möchten auch die beiden Bände dieser Festgabe etwas widerspiegeln von der Fülle und Breite der Anregungen, die die Theologie Karl Rahners unserer Gegenwart auf ihre echte religiöse Zukunft hin vermittelt. Und sie wollen damit zugleich jenen Dank bezeugen, den man schwer in Worte faßt und der am Ende in die eine Bitte mündet: Möge der Herr segnen, was hier für uns begonnen wurde! Möge Er uns den lange erhalten, der sich verzehrt im Dienst an unserer Hoffnung!

Münster, im Advent 1963 Johannes Baptist Metz

TABULA GRATULATORIA

EUGÈNE KARDINAL TISSERANT,
Dekan des Heiligen Kollegiums der Kardinäle, Rom

ACHILLE KARDINAL LIÉNART,
Bischof von Lille, Vorsitzender der französischen Bischofskonferenz

PIERRE MARIE KARDINAL GERLIER,
Erzbischof von Lyon

JOSEPH KARDINAL FRINGS,
Erzbischof von Köln, Vorsitzender der deutschen Bischofskonferenz

STEFAN KARDINAL WYSZYŃSKI,
Primas von Polen, Erzbischof von Gnieżno und Warszawa

PAUL EMILE KARDINAL LÉGER,
Erzbischof von Montréal

VALERIAN KARDINAL GRACIAS,
Erzbischof von Bombay

PAUL KARDINAL RICHAUD,
Erzbischof von Bordeaux

FRANZISKUS KARDINAL KÖNIG,
Erzbischof von Wien, Vorsitzender der österreichischen Bischofskonferenz,
Fachberater am LThK² für Religionswissenschaft und Religionsgeschichte

JULIUS KARDINAL DÖPFNER,
Erzbischof von München und Freising

RAÚL KARDINAL SILVA HENRÍQUEZ,
Erzbischof von Santiago de Chile

LEO JOSEF KARDINAL SUENENS,
Erzbischof von Mecheln und Brüssel

Augustinus KARDINAL Bea,
Präsident des Sekretariats zur Förderung der Einheit der Christen, Rom

Anselmo KARDINAL Albareda,
Rom

Seine Seligkeit Maximos IV. Saigh,
Patriarch von Antiochien und vom Orient, von Alexandrien und von Jerusalem, Damaskus

Seine Seligkeit Paul Pierre Meouchi,
Patriarch von Antiochien und vom ganzen Orient, Bkerké, Libanon

Guido Del Mestri,
Erzbischof von Tuscamia, Apostolischer Delegat in Ostafrika, Nairobi

Joseph Gotthardt OMI †,
Erzbischof von Mopsuestia, Swakopmund

Edgar Aristide Maranta OFMCap,
Erzbischof von Dar es Salam, Tanganyika

Andreas Rohracher,
Erzbischof von Salzburg

Emile Maurice Guerry,
Erzbischof von Cambrai

Franciscus Ayoub,
Erzbischof von Aleppo, Syrien

Alfredo Vicente Scherer,
Erzbischof von Pôrto Alegre, Brasilien

Ignatius Ziadé,
Erzbischof von Beyrouth, Libanon

Denis Eugene Hurley OMI,
Erzbischof von Durban, Südafrika

Eugene D'Souza,
Erzbischof von Nagpur, Indien

François Marty,
Erzbischof von Reims

Petrus Sfair,
Erzbischof von Nisibis, Rom

Lucas August Sangaré,
Erzbischof von Bamako, Mali

Franjo Šeper,
Erzbischof von Zagreb, Präsident der jugoslawischen Bischofskonferenz

Josef Schneider,
Erzbischof von Bamberg

Harold Henry,
Erzbischof von Kwang Ju, Korea

Hermann Schäufele,
Erzbischof von Freiburg i. Br., Protektor des LThK²

Johann Evangelist Erik Müller,
Erzbischof von Pompeopolis in Cilicia, Indersdorf

Jean-Julien Weber,
Erzbischof, Bischof von Strasbourg

Franziskus Jachym,
Erzbischof von Maronea, Koadjutor von Wien

Jean Villot,
Erzbischof von Bosporus, Koadjutor von Lyon mit dem Recht der Nachfolge

Emilio Tagle Covarrubias,
Erzbischof, Bischof von Valparaiso, Chile

Angelo Fernandes,
Erzbischof von Novae Patrae, Koadjutor von Neu-Delhi, Indien, mit dem Recht der Nachfolge

Alfred Bengsch,
Erzbischof, Bischof von Berlin

Miguel Angel Builes,
Bischof von Santa Rosa des Osos, Kolumbien

Jacques Mangers SM,
Bischof von Oslo

ANTOINE ABED,
Bischof von Tripoli, Libanon

SIMON KONRAD LANDERSDORFER OSB,
Bischof von Passau

FRANZISKUS VON STRENG,
Bischof von Basel und Lugano, Solothurn

ALFREDO VIOLA,
Bischof von Salto, Uruguay

JOHANNES THEODOR SUHR OSB,
Bischof von Kopenhagen

MANUEL LARRAÍN ERRÁZURIZ,
Bischof von Talca, Chile

PAUL RUSCH,
Bischof von Meloë in Isauria, Apostolischer Administrator von Innsbruck-Feldkirch

AUGUSTO OSVALDO SALINAS FUENZALIDA SSCC,
Bischof von Linares, Chile

ANDRÉ MARIE CHARUE,
Bischof von Namur

ANGEL MARÍA OCAMPO BERRÍO SJ,
Bischof von Tunja, Kolumbien

MIGUEL ANGEL GARCÍA Y ARÁUZ,
Bischof von Jalapa, Guatemala

JOSEPH KÖSTNER,
Bischof von Gurk in Klagenfurt

ADOLF BOLTE,
Bischof von Fulda

JOSEPH BLOMJOUS,
Bischof von Mwanza, Tanganyika

PETRUS DIB,
Bischof von Kairo

EDWARD ALOYSIUS FITZGERALD,
Bischof von Winona, Minnesota, USA

LEONARD JOSEPH RAYMOND,
Bischof von Allahabad, Indien

KAREL J. CALEWAERT,
Bischof von Gent

AUGUSTIN OLBERT SVD,
Bischof von Tsingtau, Heidelberg

ANSELMO PIETRULLA OFM,
Bischof von Tubarão, Brasilien

JOSEPH SCHRÖFFER,
Bischof von Eichstätt

CARL JOSEPH LEIPRECHT,
Bischof von Rottenburg

BALTASAR ALVAREZ RESTREPO,
Bischof von Pereira, Kolumbien

ANDREW D'SOUZA,
Bischof von Poona, Indien

ANTHONY VICTOR HAELG OSB,
Abt und Bischof von Ndanda, Tanganyika

WILHELM KEMPF,
Bischof von Limburg

ANTOINE KHOREICHE,
Bischof von Saïdā, Libanon

BERNARDO ARANGO HENAO SJ,
Bischof von Barranca Bermeja, Kolumbien

PETER KELLETER CSSP,
Bischof von Bethlehem, Südafrika

ABDALLAH NOUJAIM,
Bischof von Baalbek, Libanon

ALFONS STREIT CMM,
Bischof von Mariannhill, Südafrika

EMILE JOSEF DE SMEDT,
Bischof von Brügge

Aloisius Haene SMB,
Bischof von Gwelo, Südrhodesien

Adolph Gregory Schmitt CMM,
Bischof von Bulawayo, Südrhodesien

Norberto Forero y García,
Bischof von Santa Marta, Kolumbien

Léon Adolphe Messmer OFMCap,
Bischof von Ambanja, Madagaskar

Anton H. Thyssen SVD,
Bischof von Larantuka, Flores, Indonesien

Matthias Wehr,
Bischof von Trier

Guillaume M. van Zuylen,
Bischof von Lüttich

Josef Schoiswohl,
Bischof von Seckau und Graz

Sergio Méndez Arceo,
Bischof von Cuernavaca, Mexico

Jorge Manrique,
Bischof von Oruro, Bolivien

Josef Gargitter,
Bischof von Brixen

Francis Simons SVD,
Bischof von Indore, Indien

Isidor Markus Emanuel,
Bischof von Speyer

Franz Hengsbach,
Bischof von Essen, Fachberater am LThK² für Katholisches Vereinswesen

Johannes Pohlschneider,
Bischof von Aachen

Elias Farah,
Bischof von Cyprus, Libanon

Otto Spülbeck,
Bischof von Meißen in Bautzen

José Joaquín Flórez Hernández,
Bischof von Duitama, Kolumbien

José Manuel Santos Ascarza,
Bischof von Valdivia, Chile

Eladio Vicuña Aránguiz,
Bischof von Chillán, Chile

Joseph Albert Rosario MSFS,
Bischof von Amravati, Bear (Indien)

Odilo Etspueler SVD,
Bischof von Abra, Philippinen

Martien Antoon Jansen,
Bischof von Rotterdam

Michel Doumith,
Bischof von Sarba, Libanon

Pieter Antoon Nierman,
Bischof von Groningen

Joseph Khoury,
Bischof von Tyr, Libanon

Anthony Reiterer MFSC,
Bischof von Lydenburg, Südafrika

Willem M. Bekkers,
Bischof von 's Hertogenbosch

Štefan László,
Bischof von Eisenstadt

Franziskus Žak,
Bischof von St. Pölten

Francisco de Borja Valenzuela Rios,
Bischof von Antofagasta, Chile

Raúl Zambrano Camader,
Bischof von Facatativa, Kolumbien

LAURENTIUS SATOSHI NAGAE,
Bischof von Urawa, Saitama-Ken (Japan)

JOSEPHUS HASLER,
Bischof von St. Gallen

BERNARDIN HOFFMANN OFMCAP,
Bischof von Djibouti, Somali

HEINRICH MARIA JANSSEN,
Bischof von Hildesheim

HELMUT HERMANN WITTLER,
Bischof von Osnabrück

JOHANNES VONDERACH,
Bischof von Chur

BERNARDINO PIÑERA CARVALLO,
Bischof von Temuco, Chile

ALBERTO RENCORET DONOSO,
Bischof von Puerto Montt, Chile

PAUL JOSEPH SCHMITT,
Bischof von Metz

ADOLF FÜRSTENBERG,
Bischof von Abercorn, Nordrhodesien

JAN A. E. VAN DODEWAARD,
Bischof von Haarlem

PIETER J. A. MOORS,
Bischof von Roermond

ALEJANDRO DURÁN MOREIRA,
Bischof von San Carlos de Ancud, Chile

PIERRE MARIE ROUGÉ,
Bischof von Nîmes

VINCENT MCCAULEY CSC,
Bischof von Fort Portal, Uganda

MAURICE RIGAUD,
Bischof von Pamiers

Julius V. Daem,
Bischof von Antwerpen

Rudolf Graber,
Bischof von Regensburg

Joseph Höffner,
Bischof von Münster i. W., Fachberater am LThK² für Sozialwissenschaften

Gérard Huyghe,
Bischof von Arras

Jean Sauvage,
Bischof von Annecy

Gabriel W. Sillekens CP,
Bischof von Ketapang, Borneo

Gerhard H. De Vet,
Bischof von Breda

Hermann Volk,
Bischof von Mainz

Roberto Cáceres,
Bischof von Melo, Uruguay

Rafael Sarmiento Peralta,
Bischof von Ocaña, Kolumbien

Johannes Gunnarson SMM,
Bischof von Holar, Apostolischer Vikar von Island, Reykjavik

Joseph Hascher CSSP,
Bischof von Aeliae, Prälat nullius von Juruá, Cruzeiro do Sul, Brasilien

William Duschak SVD,
Bischof von Abidda, Apostolischer Vikar von Calapan, Mindoro, Philippinen

Johannes Rüth SSCC,
Bischof von Amudarsa, Apostolischer Vikar von Zentral-Norwegen, Trondheim

Jorge Kilian Pflaum OFM,
Bischof von Iziriana, Apostolischer Vikar von Nuflo de Chávez, Bolivien

Juan José Díaz Plata OP,
Prälat nullius von Bertrania, Kolumbien

Wilhelm K. Hartl OFMCap,
Bischof von Stratonicea in Caria, Apostolischer Vikar von Araucanía, Villarrica, Chile

Rudolf Koppmann OMI,
Bischof von Dalisandus in Pamphylia, Apostolischer Vikar von Windhoek, Südwestafrika

Johannes Ross SJ,
Bischof von Tabala, Sophia-Universität Tokio

Friedrich Hünermann,
Bischof von Ostracine, Weihbischof von Aachen

Alejandro Menchaca Lira,
Bischof von Pinara, Santiago de Chile

Bernhard Stein,
Bischof von Dagnum, Weihbischof von Trier

Alfred Ancel,
Bischof von Myrina, Weihbischof von Lyon, Generalsuperior des Prado

Leo Pietsch,
Bischof von Narona, Weihbischof von Seckau und Graz

Johannes von Rudolff,
Bischof von Busiris, Weihbischof von Osnabrück in Hamburg

Wilhelm Cleven,
Bischof von Sasima, Weihbischof von Köln

Heinrich Baaken,
Bischof von Gordus, Weihbischof von Münster i. W.

Walther Kampe,
Bischof von Bassiana, Weihbischof von Limburg

Miguel Antonio Medina y Medina,
Bischof von Cephas, Weihbischof von Medellin, Kolumbien

Friedrich Rintelen,
Bischof von Chusira, Weihbischof von Paderborn in Magdeburg

JOSEPH ZIMMERMANN,
Bischof von Cerynia, Weihbischof von Augsburg

JOSÉ ARMANDO GUTIÉRREZ GRANIER,
Bischof von Pionia, Weihbischof von La Paz, Bolivien

JOSEF MARIA REUSS,
Bischof von Sinope, Weihbischof von Mainz

HONORAAT M. VAN WAEYENBERGH,
Bischof von Gilba, Weihbischof von Mecheln und Brüssel, Rector Magnificus der Katholischen Universität Löwen

BRUNO WECHNER,
Bischof von Cartennae, Weihbischof und Generalvikar in Vorarlberg, Feldkirch

JEAN CHEDID,
Bischof von Arca in Phoenicia, Patriarchalvikar, Bkerké, Libanon

JEAN-BAPTISTE MUSTY,
Bischof von Botriana, Weihbischof und Generalvikar von Namur

ARTHUR ELCHINGER,
Bischof von Antandrus, Koadjutor von Strasbourg mit dem Recht der Nachfolge

HUMBERTO LARA MEIJA,
Bischof von Traianopolis in Phrygia, Weihbischof von Verapaz, Guatemala

HEINRICH PACHOWIAK,
Bischof von Phytea, Weihbischof von Hildesheim

HEINRICH TENHUMBERG,
Bischof von Thuburnica, Weihbischof von Münster i. W.

JULIUS ANGERHAUSEN,
Bischof von Eminentiana, Weihbischof von Essen

HENRI JENNY,
Bischof von Lycaonia, Weihbischof von Cambrai

JOHANNES LENHARDT,
Bischof von Carystus, Weihbischof von Bamberg

EDUARDO TOMÁS BOZA MASVIDAL,
Bischof von Vinda, Weihbischof von San Cristobal de La Habana, Cuba

Albert Descamps,
Bischof von Tunis, Weihbischof und Generalvikar von Tournai, Rektor der Katholischen Universität Löwen

Jan W. M. Bluyssen,
Bischof von Aëtus, Weihbischof von 's Hertogenbosch

Joseph Ludwig Buchkremer,
Bischof von Aggar, Weihbischof von Aachen

Leo Ch. J. De Kesel,
Bischof von Synaus, Weihbischof von Gent, Präsident des Grootseminarie

Karl Gnädinger,
Bischof von Celerina, Weihbischof von Freiburg i. Br.

Nasrallah Sfeir,
Bischof von Tarsus, Patriarchalvikar, Bkerké, Libanon

Mark G. McGrath CSC,
Bischof von Caeciri, Weihbischof von Panamá

Paul Nordhues,
Bischof von Cos, Weihbischof von Paderborn

Hugo Aufderbeck,
Bischof von Arca in Phoenicia, Weihbischof von Fulda in Erfurt

Fortunato Da Veiga Coutinho,
Bischof von Sagalassus, Koadjutor von Belgaum, Indien, mit dem Recht der Nachfolge, Herausgeber der „Indian Ecclesiastical Studies"

André Charles de la Brousse,
Bischof von Antiochia Parva, Koadjutor von Dijon mit dem Recht der Nachfolge

Augustin Frotz,
Bischof von Corada, Weihbischof von Köln

Joseph M. Heuschen,
Bischof von Druas, Weihbischof von Lüttich

Maurits G. De Keyzer,
Bischof von Tinum, Weihbischof von Brügge

Eduard Schick,
Bischof von Ardai, Weihbischof von Fulda, Professor der Neutestamentlichen Exegese

EDUARD MACHEINER,
Bischof von Selja, Weihbischof von Salzburg

ALFONSO URIBE JARAMILLO,
Weihbischof von Cartagena, Kolumbien

ENRIQUE ALVEAR,
Weihbischof von Talca, Chile

LOUIS-SÉVERIN HALLER,
Bischof von Bethlehem, Abt von Saint-Maurice, Abt-Primas der foederierten Augustinerchorherren, Saint-Maurice

BENNO GUT OSB,
Abt-Primas des Benediktinerordens, Rom

CHRISTOPHER BUTLER OSB,
Abt von Downside Abbey, Präses der englischen Benediktinerkongregation

EMMANUEL M. HEUFELDER OSB,
Abt von Niederaltaich

RAIMUND TSCHUDI OSB,
Abt von Einsiedeln

DR. KARL BARTH,
em. Professor der Systematischen Theologie an der Universität Basel

DR. G. C. BERKOUWER,
Professor der Systematischen Theologie an der Freien Universität Amsterdam

D. PETER BRUNNER,
Professor der Systematischen Theologie an der Universität Heidelberg

D. RUDOLF BULTMANN,
em. Professor des Neuen Testamentes und der urchristlichen Religionsgeschichte an der Universität Marburg

DR. HANS FREIHERR VON CAMPENHAUSEN,
Professor der Alten Kirchengeschichte an der Universität Heidelberg

DR. OSCAR CULLMANN,
Professor der Biblischen Theologie und der Kirchengeschichte an der Universität Basel und an der Theologischen Fakultät Paris, Direktor der École des Hautes Études, Paris

Dr. Gerhard Ebeling,
Professor der Systematischen Theologie an der Universität Zürich

Dr. Gustav W. Heinemann,
Bundesminister des Innern a. D., Mitglied des Rates der Evangelischen Kirche in Deutschland, Mitglied des Vorstands der SPD, Essen

Dr. George A. Lindbeck,
Professor der Theologie an der Yale Divinity School, Newhaven, USA

Dr. Heinrich Ott,
Professor der Systematischen Theologie an der Universität Basel

Dr. Arthur Carl Piepkorn,
Professor der Systematischen Theologie am lutherischen Concordia Seminary, St. Louis, USA

Dr. Harald Riesenfeld,
Professor der Neutestamentlichen Exegese an der Universität Uppsala

Dr. Edmund Schlink,
Professor der Systematischen Theologie an der Universität Heidelberg

Dr. Roger Schutz,
Prieur de la Communauté de Taizé

Dr. Kristen E. Skydsgaard,
Professor der Systematischen Theologie an der Universität Kopenhagen, Direktor der Interkonfessionellen Kommission des Lutherischen Weltbundes

Dr. Wilhelm Stählin,
Altbischof von Oldenburg, Professor der Praktischen Theologie an der Universität Münster i. W., Rimsting am Chiemsee

Dr. Max Thurian,
Communauté de Taizé

Dr. Willem Adolf Visser 't Hooft,
Generalsekretär des Ökumenischen Rates der Kirchen, Genf

Dr. Martin Heidegger,
em. Professor der Philosophie an der Universität Freiburg i. Br.

Dr. Julius Abri SVD,
Nagoya (Japan)

Dr. August Adebahr,
Privatdozent der Gerichtlichen Medizin an der Universität Köln

Dr. Paul Adenauer,
Msgr., Direktor des Katholischen Zentralinstituts für Ehe- und Familienfragen, Köln

Dr. Ansgar Ahlbrecht OSB,
Leiter des Ökumenischen Instituts der Abtei Niederaltaich, Schriftleiter der „Una Sancta"

Drs. Piet Ahsmann SJ,
Professor der Theologie, Maastricht

Dr. Juan Alfaro SJ,
Professor der Dogmatik an der Päpstlichen Universität Gregoriana, Rom

Dr. Konrad Algermissen,
Prälat, Domkapitular, Professor der Theologie, Fachberater am LThK² für Konfessionskunde und außerkirchliche Zeitströmungen, Hildesheim

Dr. Zoltan Alszeghy SJ,
Professor der Dogmengeschichte an der Päpstlichen Universität Gregoriana, Rom

Dr. Albert Ampe SJ,
Ruusbroec-Genootschap, Antwerpen

Dr. Paul Anciaux,
Professor der Dogmatik am Erzbischöflichen Priesterseminar Mecheln

Dr. Hans André,
em. Professor der Philosophie, Bonn

Dr. Jos Andriessen SJ,
Ruusbroec-Genootschap, Antwerpen

Dr. José Luis L. Aranguren,
Professor der Philosophie an der Staatlichen Universität Madrid

Dr. Diego Arenhoevel OP,
Professor der Exegese an der Albertus-Magnus-Akademie Walberberg

Dr. Hubert Armbruster,
Professor des Öffentlichen Rechts an der Universität Mainz

Dr. A. Arntz OP,
Zwolle

DRS. J. H. M. ARTS SJ,
Amsterdam

DR. JESUS S. ARRIETA SJ,
Professor der Theologie an der Sophia-Universität Tokio

DR. W. ASSELBERGS,
Professor an der Universität Nijmegen

DR. ROGER AUBERT,
Kanonikus, Professor der Neueren Kirchengeschichte an der Universität Löwen

DR. HEINRICH BACHT SJ,
Professor der Fundamentaltheologie an der Philosophisch-theologischen Hochschule Frankfurt-St. Georgen

DR. LEO BAKKER SJ,
Professor der Theologie, Maastricht

DR. A. J. H. BARTELS,
Utrecht

DR. ROBERT BARTUNEK,
Privatdozent der Chemischen Technologie an der Universität Münster

DR. WOLFGANG BÄSELER,
em. Professor des Eisenbahnwesens an der Technischen Hochschule München

DR. JOHANNES B. BAUER,
Dozent der altchristlichen Literatur an der Universität Graz

FERDINAND BAUMANN SJ,
Fachberater am LThK² für Hagiographie, Rom

DR. CHARLES BAUMGARTNER SJ,
Professor der Theologie an der Theologischen Fakultät Lyon-Fourvière, Fachberater am LThK² für Aszetik und Mystik

DR. HANS BAUSCH,
Intendant des Süddeutschen Rundfunks, Stuttgart

EDUARD BECKER,
Direktor des Religious Instruction Tamilnad Catechetical Center, Tindivanam (Indien)

DR. J. H. VAN DEN BERG SJ,
Professor der Theologie, Maastricht

Drs. W. J. Berger,
De Bilt (Holland)

Dr. Oscar Bettschart,
Leiter des Benziger Verlages, Einsiedeln

Dr. Johannes Betz,
Professor der Dogmatik an der Universität Mainz

Dr. Maurice Bévenot SJ,
Professor der Ekklesiologie am Heythrop College, England

Dr. Karl Binder,
Msgr., Professor der Dogmatik an der Universität Wien

Dr. Eugen Biser,
Oberstudienrat, Heidelberg

D. Klaus von Bismarck,
Intendant des Westdeutschen Rundfunks, Köln

Dr. Peter Bläser MSC,
Professor der Theologie am Johann-Adam-Möhler-Institut Paderborn

H. Bless,
Oerle (Holland)

Dr. Cäcilie Bley,
Fachärztin für Innere Medizin, Bremen

Dr. Josef Boch,
Professor der Parasitologie an der Freien Universität Berlin

Dr. Franz Böckle,
Professor der Moraltheologie an der Universität Bonn

Drs. Maurice Bogaers,
Breda (Holland)

Dr. Paul Böhm,
Dozent der Inneren Medizin an der Universität München

Dr. Alfonso Alvarez Bolado SJ,
Professor der Geschichte der zeitgenössischen Philosophie an der Universität Barcelona

Dr. Albert Bold SVD,
Professor an der Nanzan-Universität, Nagoya (Japan)

Heinrich Böll,
Schriftsteller, Mitglied der Deutschen Akademie für Sprache und Dichtung und der Bayerischen Akademie der Schönen Künste, Köln-Braunsfeld

Dr. Édouard L. Boné SJ,
Lehrbeauftragter für Paläontologie an der Universität Löwen, Professor an der Philosophisch-theologischen Hochschule Eegenhoven-Löwen

H. Borgert CSSR,
Wittem (Holland)

Dr. Karl Borgmann,
Direktor, Fachberater am LThK[2] für Caritaswesen, Freiburg i. Br.

Dr. Ladislaus Boros,
Mitarbeiter an der „Orientierung", Zürich

Franz Boschke,
Diplomchemiker, Schriftleiter der Zeitschrift „Angewandte Chemie", Heidelberg

Dr. Henri Bouillard SJ,
Professor am Institut Catholique, Paris

Dr. Jean Bouvy SJ,
Rektor der Philosophisch-theologischen Hochschule Eegenhoven-Löwen, Professor der Dogmatik ebd.

Dr. Joh. van Boxtel,
Professor an der Universität Nijmegen

Dr. Albert Brandenburg,
Schriftleiter der Zeitschrift „Catholica", Münster

Dr. Rudolf Braun,
Professor der Zoologie an der Universität Mainz

Dr. Marcel Brauns SJ,
Residentie De Gesù, Brüssel

Dr. Karl Brecht,
Professor der Physiologie an der Universität Tübingen

Dr. Hans Breitenstein SJ,
Professor an der Sophia-Universität Tokio

Drs. H. Brentjens,
Heerlen (Holland)

DR. LAURENCE BRIGHT OP,
Blackfriars, Cambridge

DR. B. BRINKMAN SJ,
Studienpräfekt und Professor der Theologie am Heythrop College, England

DR. RICHARD BRINKMANN,
Professor der Deutschen Sprache und Literatur an der Universität Tübingen

DR. J. BRITTO CMI,
Studienpräfekt und Professor der Theologie am Dharmaram College, Bangalore (Indien)

DR. NORBERT BROCK,
Professor der Pharmakologie an der Universität Münster i. W.

DR. HEINZ BROICHER,
Professor der Inneren Medizin an der Universität Bonn

DR. FRANZ BRÜCKE,
Professor der Pharmakologie an der Universität Wien

DR. ROBERT BRÜHL,
Professor der Inneren Medizin an der Universität Bonn

DR. PIET DE BRUIN SJ,
Professor der Theologie, Maastricht

DR. AUGUST BRUNNER SJ,
Professor der Philosophie, München

DR. WOLFGANG BÜCHEL SJ,
Professor der Naturphilosophie an der Philosophischen Hochschule Pullach

DR. FRANZ BÜCHNER,
Professor der Allgemeinen Pathologie an der Universität Freiburg i. Br.

DR. L. BUIJS SJ,
Professor, Rom

DR. PETER BUNGARTEN SJ,
Yokosuka (Japan)

DR. FRIEDRICH BUUCK SJ,
Professor der Dogmatik, Rektor des Päpstlichen Collegium Germanicum, Rom

DRS. M. VAN BUUREN,
Hilversum

DR. FREDERIK J. J. BUYTENDIJK,
Professor der Physiologie an den Universitäten Utrecht und Nijmegen, Mitglied der Päpstlichen Akademie der Wissenschaften

DR. JOSÉ GÓMEZ CAFFARENA SJ,
Professor der Philosophie an der Philosophischen Fakultät Alcalà de Henares, Madrid

DR. IGNACIO M. CAÑADA SJ,
Professor an der Theologischen Fakultät der Sophia-Universität Tokio

DR. ENRICO CASTELLI,
Professor der Philosophie an der Staatlichen Universität Rom, Herausgeber des „Archivio di Filosofia“

DR. LUCIEN CERFAUX,
Prälat, Professor der Neutestamentlichen Exegese an der Universität Löwen

DR. JOHN F. CLARKSON SJ,
Professor an der Theologischen Fakultät der Sophia-Universität Tokio

DR. FELIX CLAUSEN SJ,
Professor der Theologie am Päpstlichen Athenaeum und De Nobili College, Poona (Indien)

P. G. M. COEBERGH,
Haarlem (Holland)

DR. CARLO COLOMBO,
Prälat, Professor der Dogmatik an der Theologischen Fakultät der Erzdiözese Mailand, Venegono

DR. FREDERICK C. COPLESTON SJ,
Professor der Philosophie am Heythrop College, England

DR. THOMAS CORBISHLEY SJ,
London

MR. JOHN COULSON,
Combe Cottage, Stoke St. Michael, England

DR. FRANCIS COURTNEY SJ,
Professor der Dogmatik am Heythrop College, England

DR. FRIEDRICH CRAMER,
Professor der Organischen Chemie an der Medizinischen Forschungsanstalt der Max-Planck-Gesellschaft Göttingen

DR. HUBERT CREMER,
Professor der Mathematik an der Technischen Hochschule Aachen

DR. LOTHAR CREMER,
Professor der Technischen Akustik an der Technischen Universität Berlin

DR. WALTER CROCE SJ,
Professor der Pastoraltheologie an der Universität Innsbruck, Rektor des Internationalen Theologischen Konvikts Canisianum

DR. FRANZ DAMBECK,
Professor der Christlichen Kunstgeschichte, Hauptkonservator, Fachberater am LThK² für kirchliche Kunst, München

DR. FRANZ DANDER SJ,
Professor der Dogmatik an der Universität Innsbruck

DR. JEAN DANIÉLOU SJ,
Professor der Theologie am Institut Catholique, Paris

DR. FELIX D. DARSY OP,
Rektor des Päpstlichen Instituts für Christliche Archäologie, Rom

DR. CHARLES DAVIS,
Professor der Dogmatik am St. Edmund's College, Herausgeber der „Clergy Review", Ware (England)

DR. H. FRANCIS DAVIS,
Prälat, Professor der Theologie an der Theologischen Fakultät Birmingham

DR. ALBERT DEBLAERE SJ,
Professor an der Päpstlichen Universität Gregoriana, Rom, und am St-Jan-Berchmanskollege, Brüssel

DR. HILDEGARD DEBUCH,
Professor der Physiologischen Chemie an der Universität Köln

DR. JOSEPH DEFEVER SJ,
Professor an der Philosophisch-theologischen Hochschule Heverlee-Löwen

DR. KARL-HEINZ DEGENHARDT,
Professor der Humangenetik an der Universität Frankfurt a. M.

WALTER DEGENHARDT,
Pressereferent der Stadt Trier, zugleich für den Diakonatskreis Trier

DR. EVA DEGKWITZ,
Wissenschaftliche Assistentin am Institut für Physiologische Chemie der Universität Gießen

DR. PAUL DE HAES,
Professor am Grand Séminaire, Mecheln

DR. G. DEJAIFVE SJ,
Professor an der Philosophisch-theologischen Hochschule Eegenhoven-Löwen

DRS. J. C. DEKKERS,
Hoeven (N.Br., Holland)

GEORGES DELCUVE SJ,
Schriftleiter des „Lumen Vitae", Brüssel

DR. B. DELFGAAUW,
Professor, Haarlem (Holland)

DR. ALOIS DEMPF,
em. Professor der Philosophie an der Universität München

DR. L. DE RAEYMAEKER,
Msgr., Präsident des Institut Supérieur de Philosophie, Prorektor der Universität Löwen, Mitglied der Académie Royale Fl. des Sciences et des Lettres de Belgique

DR. DE SMEDT SJ,
Professor der Religionswissenschaft und Philosophie am Päpstlichen Athenaeum und De Nobili College, Poona (Indien)

DR. M. DE TOLLENAERE SJ,
Professor der Philosophie an der Philosophisch-theologischen Hochschule Heverlee-Löwen

DR. N. DE VOLDER,
Professor an der Universität Löwen

DR. ALPH. DE WAELHENS,
Professor der Philosophie an der Universität Löwen

DR. EDOUARD DHANIS SJ,
Rektor der Päpstlichen Universität Gregoriana, Rom, Professor der Fundamentaltheologie ebd.

DR. M. DHAVAMONEY SJ,
Professor der Philosophie am Sacred Heart College, Shembaganur (Indien)

DR. WALTER DICK,
Professor der Chirurgie an der Universität Tübingen

Dr. José María Díez-Alegría SJ,
Professor an der Päpstlichen Universität Gregoriana, Rom

Drs. J. J. Dijkhuis,
Heiloo (Holland)

Walter Dirks,
Leiter der Hauptabteilung Kultur des Westdeutschen Rundfunks, Köln

Dr. Heimo Dolch,
Professor der Fundamentaltheologie an der Universität Bonn, Fachberater am LThK² für naturwissenschaftliche Grenzfragen (Physik)

Dr. Franz Dölger,
Professor der Griechischen Philologie und der Byzantinologie an der Universität München, Fachberater am LThK² für Byzantina

Dr. J. Donceel SJ,
Professor der Philosophie an der Fordham University New York

Dr. Hyacinthe-François Dondaine OP,
Direktor des Institut d'Études médiévales, Le Saulchoir

Dr. Albert Dondeyne,
Kanonikus, Professor der Philosophie an der Universität Löwen

Dr. William Cuthbert Donnelly SJ,
Dekan der Theologischen Fakultät des Heythrop College, England

Mr. H. W. van Doorn,
Hilversum (Holland)

Dr. Maria Dorer,
Professor der Psychologie an der Technischen Hochschule Darmstadt

Dr. Günther Dotzauer,
Professor der Gerichtlichen Medizin an der Universität Köln

Dr. Josef Dudel,
Privatdozent der Physiologie an der Universität Heidelberg

Dr. Heinrich Dumoulin SJ,
Professor der Religionswissenschaft an der Sophia-Universität Tokio

Gottfried Dümpelmann SJ,
Novizenmeister, Neuhausen

Dr. Albert Ebneter,
Mitarbeiter der „Orientierung", Zürich

DR. JAIME ECHARRI SJ,
Professor der Philosophie an der Ignatius-Fakultät Loyola (Spanien)

DR. RICHARD EGENTER,
Prälat, Professor der Moraltheologie an der Universität München, Fachberater am LThK² für Moraltheologie und Ethik

DR. FRANZ EHRING,
Professor der Dermatologie an der Universität Münster i. W.

DR. AUGUST WILHELM VON EIFF,
Professor der Inneren Medizin an der Universität Bonn

DR. HELMUT ELLEGAST,
Dozent der Medizinischen Radiologie an der Universität Wien

DR. JOSEF ENDRES CSSR,
Professor der Philosophie an der Päpstlichen Academia Alfonsiana, Rom

DR. PAULUS ENGELHARDT OP,
Professor der Philosophie an der Albertus-Magnus-Akademie Walberberg

DR. PAUL ENGELMEIER,
Professor der Psychiatrie und Neurologie an der Universität Münster i. W.

DR. KARL ENGLMANN,
Professor der Radiologie an der Universität Hamburg

DR. HUGO M. ENOMIYA-LASSALLE SJ,
Hiroshima (Japan)

DR. PEDRO LAÍN ENTRALGO,
Professor der Medizingeschichte an der Staatlichen Universität Madrid

DR. HELMUT ERHARTER,
Schriftleiter, Freiburg i. Br.

DR. CORNELIUS ERNST OP,
Lector Primarius of the House of Philosophy der englischen Dominikanerprovinz, Hawkesyard Priory

DR. ANTONIO GARCÍA EVANGELISTA SJ,
Professor an der Theologischen Fakultät der Sophia-Universität Tokio

DR. IVAN EXTROSS,
Professor der Theologie am St. Joseph's Seminary, Allahabad (Indien)

DR. ANTON FABRY SJ,
Professor an der Theologischen Fakultät SJ Frankfurt a. M.

DR. HEINRICH FALK SJ,
Professor an der Philosophischen Hochschule Pullach

DR. OTTO FALLER SJ,
Studiendirektor a. D., St. Blasien, Schwarzwald

KARL FANK SJ,
Provinzial der Oberdeutschen Provinz der Gesellschaft Jesu, München

DR. KARL FÄRBER,
Herausgeber der Wochenzeitschrift „Der christliche Sonntag", Freiburg i. Br.

DR. KARL GUSTAV FELLERER,
Professor der Musikwissenschaft an der Universität Köln, Fachberater am LThK² für Kirchenmusik

DR. JAKOB FELLERMEIER,
Professor der Sozialwissenschaften, Rektor der Philosophisch-theologischen Hochschule Freising, Fachberater am LThK² für Sozialethik

DR. A. FIOLET OFM,
Alverna (Holland)

DR. BALTHASAR FISCHER,
Professor der Liturgiewissenschaft an der Päpstlichen Theologischen Fakultät Trier

DR. HANS FLASCHE,
Professor der Romanischen Sprachen und Literaturen an der Universität Marburg

DR. HEINZ FLECKENSTEIN,
Prälat, Professor der Pastoraltheologie an der Universität Würzburg

DR. CASIANO FLORISTÁN,
Professor der Pastoraltheologie an der Päpstlichen Universität Salamanca

DR. JOSÉ M. FONDEVILA SJ,
Professor der Dogmatik an der Theologischen Fakultät San Cugat de Vallés, Barcelona

DR. KARL FORSTER,
Msgr., Direktor der Kath. Akademie in Bayern, München

DR. GERTRUD VON LE FORT,
Schriftstellerin, Mitglied der Bayerischen Akademie der Schönen Künste und der Akademie der Künste Berlin, Oberstdorf

DR. H. M. M. FORTMANN,
Professor an der Universität Nijmegen (Holland)

Dr. Marcel Fraeyman,
Kanonikus, General-Präses der Katholischen Arbeiterbewegung Belgiens, Brüssel

Dr. Jean de Fraine SJ,
Professor der Alttestamentlichen Exegese an der Philosophisch-theologischen Hochschule Heverlee-Löwen

Dr. Piet Fransen SJ,
Professor der Dogmatik an der Philosophisch-theologischen Hochschule Heverlee-Löwen, mit Lehrauftrag an der Universität Innsbruck

Dr. Leonhardt Fratz,
Lektor des Jakob-Hegner-Verlages, Köln

Dr. Josef Fuchs SJ,
Professor der Moraltheologie an der Päpstlichen Universität Gregoriana, Rom

Dr. Harro Fuest,
Facharzt für Innere Medizin, Essen

Drs. A. J. van Galen OCarm,
Aalsmeer (Holland)

Dr. Jean Galot SJ,
Professor an der Philosophisch-theologischen Hochschule Eegenhoven-Löwen

Dr. Hans Galinsky,
Professor der Englischen Sprachen und Literaturen an der Universität Mainz

Dr. Aemilian Galles SJ,
Rektor des De Nobili College, Poona (Indien)

Dr. Mario von Galli,
Schriftleiter der „Orientierung", Zürich

Dr. Hans Ganner,
Professor der Neurologie an der Universität Innsbruck

Dr. Mathilde Gantenberg,
Staatssekretärin a. D., Trier

Dr. Alfred Gebauer,
Professor der Röntgenologie an der Universität Frankfurt a. M.

DR. JOSEPH RUPERT GEISELMANN,
em. Professor der Dogmatik an der Universität Tübingen

DR. ALEXANDER GERKEN OFM,
Professor der Theologie, Mönchen-Gladbach

C. FREIHERR VON GEYR,
Stadtpfarrer, Bonn

DR. J. GHOOS,
Kanonikus, Professor der Theologie an der Universität Löwen

DR. JOSEF GLAZIK MSC,
Professor der Missionswissenschaft an der Universität Münster i. W., Fachberater am LThK² für Missionswesen und Missionsgeschichte

DR. ROBERT W. GLEASON SJ,
Chairman Theology Department, Fordham University New York

DR. G. GLOMBEK,
Professor der Biologie an der Pädagogischen Hochschule Neuß

DR. EMMANUEL M. GONZÁLEZ SJ,
Professor an der Theologischen Fakultät der Sophia-Universität Tokio

DR. HERBERT GÖPFERT,
Professor der Balneologie und Klimaphysiologie an der Universität Freiburg i. Br.

DR. HANS GÖPPERT,
Professor der Psychiatrie an der Universität Freiburg i. Br.

DR. CARL JOSEF GÖRRES,
Industrieberater, und
IDA FRIEDERIKE GÖRRES-COUDENHOVE,
Schriftstellerin, Freiburg i. Br.

SILVIA GÖRRES,
Frankfurt a. M.

DR. KARL GÖSSWALD,
Professor der Zoologie an der Universität Würzburg

T. GOVAART-HALKES,
Breda (Holland)

Dr. Josef Goubeau,
Professor der Anorganischen Chemie an der Technischen Hochschule Stuttgart

Dr. F. Grégoire,
Kanonikus, Professor der Philosophie an der Universität Löwen

Dr. Wilhelm Grenzmann,
Professor der Deutschen Sprache und Literatur an der Universität Bonn

Dr. Alois Grillmeier SJ,
Studienpräfekt und Professor der Dogmatik und Dogmengeschichte an der Philosophisch-theologischen Hochschule Frankfurt-St. Georgen

P. C. Groenendijk,
Ubbergen (Holland)

Mr. C. J. J. W. van Groeningen,
Groningen (Holland)

Dr. Jan C. Groot,
Prälat, Konzilsberater der holländischen Bischöfe, Boxtel (Holland)

Dr. Jan Grootaers,
Chefredakteur der Monatszeitschrift „De Maand", Brüssel

Dr. Piet Grootens SJ,
Professor der Theologie, Maastricht

Dr. Hans Grotz SJ,
Dozent an der Theologischen Fakultät der Universität Innsbruck

Dr. Josef Grotz SJ,
Würzburg

Dr. Alois Guggenberger CSSR,
Professor der Philosophie an der Philosophisch-theologischen Hochschule Gars am Inn

Drs. F. Haarsma,
Driebergen (Holland)

Hans Haffenrichter,
Professor, Bildhauer und Maler, Prien am Chiemsee

Dr. Heinz Häfner,
Privatdozent der Neurologie an der Universität Heidelberg

Dr. Alois Halder,
Wissenschaftlicher Assistent an der Philosophischen Fakultät der Universität München

Dr. Mathilde Hain,
Professor der Volkskunde an der Universität Frankfurt a. M.

Dr. Max J. Halhuber,
Professor der Inneren Medizin an der Universität Innsbruck

Dr. Adalbert Hamman OFM,
Professor der Dogmengeschichte an der Universität Québec (Kanada), Besançon

Dr. Eduard Hambye SJ,
Professor der Kirchengeschichte am St. Mary's College, Kurseong (Indien)

Dr. Vinzenz Hamp,
Professor der Alttestamentlichen Exegese an der Universität München, Fachberater am LThK[2] für das Alte Testament

Dr. Rudolf Hänsel,
Professor der Pharmakognosie an der Freien Universität Berlin

Ernst Haensli SJ,
Dozent an der Philosophischen Hochschule Pullach

Dr. Cornelia Harte,
Professor der Entwicklungsphysiologie an der Universität Köln

Dr. Karlheinz Hauptmann,
Diplom-Chemiker, Ingelheim

Dr. Bruno Heck,
Bundesminister für Familien- und Jugendfragen, Bonn

Dr. F. J. Heggen,
Roermond (Holland)

Dr. Johannes Hegyi SJ,
Professor der Philosophie, Rektor des Berchmanskollegs Pullach

Dr. Peter Heidrich SJ,
Professor der Religionswissenschaft an der Sophia-Universität Tokio

Dr. Maurus Heinrichs OFM,
Professor der Dogmatik, Tokio

DR. ERNST HEINSIUS,
Privatdozent der Ophthalmologie an der Universität Hamburg

DR. KARL HEINZ,
Professor der Augenheilkunde an der Universität Innsbruck

DR. THEODOR HELLBRÜGGE,
Professor der Kinderheilkunde an der Universität München

DR. MANFRED HELLMANN,
Professor der Osteuropäischen Geschichte an der Universität Münster i. W.

DR. HANS HELLWEG SJ,
Kobe (Japan)

DR. PETER HENRICI SJ,
Professor der Philosophie an der Päpstlichen Universität Gregoriana, Rom

JOSEF HENSELMANN,
Bildhauer, Professor an der Akademie der Bildenden Künste München

DR. THEOPHIL HERDER-DORNEICH,
Verleger, Freiburg i. Br.

DR. OTTO HERDING,
Professor der Mittelalterlichen Geschichte an der Universität Münster i. W.

DR. BERNHARD HESS,
Professor der Physik an der Philosophisch-theologischen Hochschule Regensburg

DR. HANS HESS,
Privatdozent der Inneren Medizin an der Universität München

DRS. J. VAN HESSEN,
De Bilt (Holland)

DR. THEODOR HEUMANN,
Professor der Metallforschung an der Universität Münster i. W.

DR. V. HEYLEN,
Kanonikus, Professor der Theologie, Professor der Sexualethik am Institut für Sexualwissenschaft der Universität Löwen

DR. ADOLF HEYMER,
Professor der Inneren Medizin an der Universität Bonn

DR. ANTON HILCKMAN,
Professor der Vergleichenden Kulturwissenschaft an der Universität Mainz

Dr. Anton Hittmair,
Professor der Inneren Medizin an der Universität Innsbruck

Dr. Otto Hittmair,
Professor der Physik an der Technischen Hochschule Wien

Dr. Josef Hofmann,
Vorsitzender des Kulturausschusses des Landtags von Nordrhein-Westfalen, Aachen

Dr. Konrad Hofmann,
Chefredakteur, Fachberater am LThK² für kirchliche Geographie und Statistik, für Ordenswesen und Ordensgeschichte, Freiburg i. Br.

Dr. Bernt Hoffmann,
Facharzt für Neurologie und Psychiatrie, Hamburg

Werner Hoffmann,
Caritas-Fürsorger, München, zugleich für den Diakonatskreis München

Dr. A. W. Hoegen,
Amersfoort (Holland)

Dr. Ferdinand Holböck,
Prälat, Professor der Dogmatik an der Universität Salzburg

Dr. Johannes M. Hollenbach SJ,
Professor an der Philosophisch-theologischen Hochschule und Theologischen Fakultät SJ Frankfurt-St. Georgen

Dr. Alexander Hollerbach,
Wissenschaftlicher Assistent an der Rechts- und Staatswissenschaftlichen Fakultät der Universität Freiburg i. Br.

Dr. Rudolf Hopmann,
Professor der Inneren Medizin an der Universität Köln

Paul Hoppe,
Prälat, Kapitelsvikar von Ermland, Osnabrück

Dr. Ludwig Hörbst,
Professor der Ohren-, Hals- und Nasenheilkunde an der Universität Innsbruck

Dr. Charlotte Hörgl,
Dozentin der Theologie, München

Dr. Josef Hornef,
Landgerichtsdirektor i. R., Fulda

Dr. Leopold Horner,
Professor der Organischen Chemie an der Universität Mainz

Dr. Hermann Horster,
Professor der Inneren Medizin an der Universität Münster i. W.

Dr. F. Houtart,
Professor der Theologie, Centre de Recherches Socio-Religieuses, Brüssel

Dr. Paul Hsiao,
Professor der chinesischen Philosophie, ehemals an der Universität Peking, jetzt Universität Freiburg i. Br.

Dr. Anton Huber,
Professor der Anthropologie an der Philosophisch-theologischen Hochschule Regensburg

Dr. Franz Huber,
Professor der Zoologie an der Universität Köln

Dr. Paul Huber,
Professor der Chirurgie an der Universität Innsbruck

Dr. Paul Egon Hübinger,
Professor der Mittelalterlichen und Neueren Geschichte an der Universität Bonn

Dr. Siegfried Hübner,
vom Oratorium Dresden

Dr. P. J. M. Huizing SJ,
Professor, Rom

Dipl.-Ing. Hans von Hünerbein,
Oberingenieur der Siemens & Halske AG, Köln

Dr. Johannes Hürzeler,
Ehrendozent, Naturhistorisches Museum Basel

Dr. Thomas Hussl,
Medizinalrat, Innsbruck

Dr. Karl Inama,
Dozent der Inneren Medizin, Salzburg

Dr. Hans Ulrich Instinsky,
Professor der Alten Geschichte an der Universität Mainz

Dr. Karel van Isacker SJ,
Professor an der Universitätsfakultät St. Ignatius, Antwerpen

Dr. Erwin Iserloh,
Professor der Mittelalterlichen und Neueren Kirchengeschichte an der Päpstlichen Theologischen Fakultät Trier

Dr. Endre von Ivánka,
Professor der Byzantinologie an der Universität Graz

Dr. Joseph Jacobi,
Professor der Inneren Medizin an der Universität Hamburg

Dr. H. Jans SJ,
Professor der Geologie an der Philosophisch-theologischen Hochschule Heverlee-Löwen

Fons Jansen,
Hilversum (Holland)

Dr. Kurt Jaroschek,
Professor der Wärmetechnik an der Technischen Hochschule Darmstadt

Dr. Hubert Jedin,
Msgr., Professor der Mittelalterlichen und Neueren Kirchengeschichte an der Universität Bonn, Fachberater am LThK[2] für Kirchengeschichte der Neuzeit

Dr. M. J. de Jong,
Rotterdam

F. C. M. Josso,
Nijmegen

Dr. Koloman Juhász,
Professor der Theologie, Szeged (Ungarn)

Dr. Nikolaus Junk SJ,
Provinzial der Niederdeutschen Provinz der Gesellschaft Jesu, Köln, Professor der Naturphilosophie an der Philosophisch-theologischen Hochschule Frankfurt-St. Georgen

Dr. Heinrich Kaiser,
Professor der Physik an der Universität Münster i. W.

Dr. Joseph Kaiser,
Professor des Deutschen und Ausländischen Rechts an der Universität Freiburg i. Br.

Dr. Hermann Kämmerer,
Professor der Organischen und Makromolekularen Chemie an der Universität Mainz

Dr. Hellmut Kämpf,
Rektor der Pädagogischen Hochschule Weingarten, Professor der Mittleren und Neueren Geschichte ebd.

Dr. J. H. Kamphuis,
Utrecht

Dr. Max Kantner,
Professor der Anatomie an der Universität Heidelberg

Dr. Otto Karrer,
Luzern

Dr. Otto Kaspar,
Chefredakteur der Wochenzeitschrift „Ruhrwort", Essen

Dr. Altfrid Kassing OSB,
Abtei Maria Laach

Johannes Koichi Kasuya,
Studentenpfarrer an der Universität Tokio

Dr. Rudolf Kautzky,
Professor der Neurochirurgie an der Universität Hamburg

Dr. Friedrich Kempf SJ,
Professor der Mittelalterlichen Kirchengeschichte an der Päpstlichen Universität Gregoriana, Rom

Dr. Walter Kerber SJ,
Dozent an der Philosophischen Hochschule Pullach

Dr. J. Kerkhofs SJ,
Professor an der Philosophisch-theologischen Hochschule Heverlee-Löwen und am Institut für Religionswissenschaft der Universität Löwen

Dr. Ignace-Abdo Khalifé SJ,
Professor der Dogmatik an der St.-Josephs-Universität Beyrouth, Libanon, Herausgeber der theologischen Revue „al Mahriq"

Dr. Friedrich Kienecker,
Professor der Philosophie an der Pädagogischen Hochschule Paderborn

Dr. Engelbert Kirschbaum SJ,
Professor der Archäologie an der Päpstlichen Universität Gregoriana, Rom, Fachberater am LThK² für christliche Archäologie

Dr. Emil Klaus,
Professor der Sportmedizin an der Universität Münster i. W.

Dr. Theodor Klauser,
Professor der Alten Kirchen-, Kultur- und Religionsgeschichte an der Universität Bonn, Fachberater am LThK² für Kirchengeschichte des Altertums

Wilhelm Klein SJ,
Superior, Bonn

Dr. Marga A. M. Klompé,
Kgl. niederländische Ministerin, 's Gravenhage

Dr. Ferdinand Klostermann,
Prälat, Professor der Pastoraltheologie an der Universität Wien

Dr. Adolf Knauber,
Msgr., Professor der Pastoraltheologie an der Universität Freiburg i. Br.

Dr. August Knoll †,
Professor der Soziologie an der Universität Wien

Dr. Anton Koch,
Professor der Biologie an der Philosophisch-theologischen Hochschule Regensburg

Anton Koch SJ,
München

Dr. Gerhard Koch SJ,
Studentenpfarrer und Lehrbeauftragter an der Universität Marburg

Dr. Inge Köck,
Wissenschaftliche Assistentin am Physikalischen Institut der Philosophisch-theologischen Hochschule Regensburg

Dr. Ivo Kohler,
Professor der Experimentellen Psychologie an der Universität Innsbruck

Dr. Alphonsus van Kol SJ,
Professor der Theologie, Maastricht

Dr. Günther Könn,
Professor der Pathologie an der Universität Freiburg i. Br.

Dr. Josef Konrad,
Professor der Dermatologie an der Universität Innsbruck

Dr. Hermann Kopf,
Vorsitzender des Außenpolitischen Ausschusses des Deutschen Bundestages, Freiburg i. Br.

Dr. Walter Kornfeld,
Professor der Alttestamentlichen Exegese an der Universität Wien

Dr. Carl Korth,
Professor der Inneren Medizin an der Universität Erlangen

Dr. Joseph Korth,
Professor der Chirurgie an der Universität Bonn

Dr. Ferdinand Koss,
Professor der Chirurgie und Anaesthesiologie an der Medizinischen Akademie Düsseldorf

Johannes Kramer,
Sozialarbeiter, Freiburg i. Br., zugleich für den Diakonatskreis Freiburg

Drs. St. A. M. Kreykamp OP,
Nijmegen

Dr. Alfred Krings,
Abteilungsleiter am Westdeutschen Rundfunk, Köln

Dr. Heinrich Kronstein,
Professor des Handels- und Wirtschaftsrechts an der Universität Frankfurt a. M.

Dr. Maria Krudewig †,
Professor der Psychologie an der Universität Köln

Dr. Heinz Kruse SJ,
Professor der Biblischen Theologie an der Theologischen Fakultät der Sophia-Universität Tokio

Dr. Günther Küchenhoff,
Professor der Rechtsphilosophie, des Staats- und Verwaltungsrechts an der Universität Würzburg

Dr. Helmut Kuhn,
Professor der Philosophie an der Universität München

Dr. Hans Küng,
Professor der Fundamentaltheologie an der Universität Tübingen

Dr. Wilhelm Künzer,
Professor der Kinderheilkunde an der Universität Freiburg i. Br.

Dr. Heinrich Kutzim,
Professor der Dermatologie und Röntgenologie an der Universität Köln

Dr. R. Kwant OESA,
Professor, Utrecht

Dr. Hermann Lais,
Professor der Dogmatik an der Philosophisch-theologischen Hochschule Dillingen

Dr. Anton Lämmerhirt SVD,
Nagoya (Japan)

Dr. Eberhart Lämmert,
Professor der Deutschen Literaturgeschichte und Allgemeinen Literaturwissenschaft an der Freien Universität Berlin

Dr. Heinrich lampen,
Professor der Inneren Medizin an der Universität Frankfurt a. M.

Dr. Georg Landes,
Professor der Inneren Medizin an der Universität München

Dr. Albert Lang,
Prälat, em. Professor der Fundamentaltheologie an der Universität Bonn, Fachberater am LThK[2] für Fundamentaltheologie

Dr. Artur Paul Lang SVD,
Tajimi, Gifu-ken (Japan)

Dr. Franz Josef Lang,
Professor der Allgemeinen und speziellen pathologischen Anatomie an der Universität Innsbruck

Dr. Maximilian Lang,
Lehrbeauftragter an der Universität Hamburg

Daniel de Lange,
Bilthoven (Holland)

Dr. Jakob Laubach,
Leiter des Matthias-Grünewald-Verlags, Mainz

DR. RENÉ LATOURELLE SJ,
Professor der Fundamentaltheologie und Dekan der Theologischen Fakultät an der Päpstlichen Universität Gregoriana, Rom

DR. RENÉ LAVOCAT,
Professor der Paläontologie an der École des Hautes Études, Paris

DR. HANS LECHNER,
Landeshauptmann des österreichischen Bundeslandes Salzburg

DR. JACQUES LECLERCQ,
Kanonikus, em. Professor der Universität Löwen, Beaufays

DR. KARL LEHMANN,
Rom

DR. HANS LEICHER,
Professor der Hals-, Nasen- und Ohrenheilkunde an der Universität Mainz

DR. FRITZ LEIST,
Professor der Religionsphilosophie an der Universität München

Es gratuliert das ganze Oratorium in LEIPZIG

DR. PETER LENGSFELD,
Hiltrup i.W.

DR. JOSEF LENZENWEGER,
tit. Univ.-Prof., Professor der Kirchengeschichte, Linz a. d. Donau

DR. M. DE LETTER SJ,
Professor der Theologie am St. Mary's College, Kurseong (Indien)

DR. ROGER LEYS SJ,
Professor an der Philosophisch-theologischen Hochschule Heverlee-Löwen

DR. H. VAN DER LINDE,
Nijmegen

DR. GÖTZ LINZENMEIER,
Professor der Medizinischen Mikrobiologie an der Universität München

DRS. L. C. F. LION,
Mook (Holland)

DR. ERNST LIPPERT,
Dozent der Chemie an der Technischen Hochschule Stuttgart

Dr. Josef Lissner,
Privatdozent der Radiologie an der Universität Frankfurt a. M.

Dr. Alfred Locker,
Dozent der Atomphysik an der Universität Wien

Drs. P. C. J. van Loon
's Gravenhage

Sigrid Loersch,
Diplomtheologin, Alttestamentliches Seminar der Universität Freiburg i. Br.

Dr. Franz Lotze,
Professor der Paläontologie und Geologie an der Universität Münster i. W.

Dr. Henri de Lubac SJ,
Professor der Religionsgeschichte und Fundamentaltheologie an der Theologischen Fakultät Lyon-Fourvière, Mitglied der Académie des Sciences morales et politiques, Paris

Dr. Günther Ludwig,
Professor der Physik an der Universität Marburg

Les professeurs de la Faculté de Théologie SJ de Lyon-Fourvière sont heureux de s'associer au témoignage de reconnaissance offert au R. P. Karl Rahner à l'occasion de son soixantième anniversaire et de lui exprimer leur admiration et leur gratitude pour le travail théologique qu'il poursuit et les services qu'il rend à l'Église du Christ: Jacques Misset SJ, Recteur; Jacques Guillet SJ, Préfet des Études.

Dr. Donald J. MacLean SJ,
Wissenschaftlicher Mitarbeiter am Institut für Physikalische Chemie der Universität Göttingen

Dr. Felix Mainx,
Professor der Biologie an der Universität Wien

Ernst Majonica,
Vorsitzender des Außenpolitischen Arbeitskreises der CDU-Fraktion des Deutschen Bundestages, Bonn

Dr. Louis Malevez SJ,
Professor der Theologie an der Philosophisch-theologischen Hochschule Eegenhoven-Löwen

Alfred Mame,
Président de la Maison Mame, Verleger der Heiligen Ritenkongregation, Paris

Wolfgang Mann,
Diplomtheologe, Leiter des Calig-Verlags, Freiburg i. Br.

Dr. René Marlé SJ,
Paris

Dr. Michael Fr. J. Marlet SJ,
Professor der Philosophie an der Universität Innsbruck

Dr. Ch. Martin SJ,
Professor an der Philosophisch-theologischen Hochschule Eegenhoven-Löwen

Adalbert Martini OSB,
Abtei St. Bonifaz, München

Dr. Heinrich Martini,
Facharzt für Innere Medizin, Trier

Dr. Ch. Matagne SJ,
Professor der Theologie an der Philosophisch-theologischen Hochschule Eegenhoven-Löwen, Direktor der „Nouvelle Revue Théologique“

Dr. Paul Matussek,
Professor der Psychiatrie und Neurologie an der Universität München

Dr. Joseph Matzker,
Professor der Hals-, Nasen- und Ohrenheilkunde an der Universität Mainz

Dr. Albert Maucher,
Professor der Geologie und Mineralogie an der Universität München

Dr. Franz X. Mayer,
Professor der Biologie an der Philosophisch-theologischen Hochschule Eichstätt

Dr. Edmund Mazurek,
Oberstudienrat, Bielefeld

Dr. Heinrich Meessen,
Professor der Pathologie an der Medizinischen Akademie Düsseldorf

Dr. Elmar Meinke,
Facharzt für Innere Medizin, Berlin

Dr. A. G. M. van Melsen,
Professor an der Universität Nijmegen

DR. JOSEPH MEURERS,
Professor der Astronomie an den Universitäten Bonn und Wien

DR. GERBERT M. MEYER OP,
Professor der Philosophie an der Albertus-Magnus-Akademie Walberberg

DR. HANS BERNHARD MEYER SJ,
Dozent der Liturgik an der Universität Innsbruck

PAUL MIANECKI SJ,
Provinzial der Ostdeutschen Provinz der Gesellschaft Jesu, Berlin

DR. HEINZ MIES,
Professor der Pathologischen Physiologie an der Universität Köln

DR. PAUL MIKAT,
Kultusminister des Landes Nordrhein-Westfalen, Professor der Rechtsgeschichte an der Universität Würzburg, Düsseldorf

DR. VLADIMIR MILOJCIC,
Professor der Ur- und Frühgeschichte an der Universität Heidelberg

DR. LODEWIJK MOEREELS SJ,
Vorsitzender der Ruusbroec-Genootschap, Antwerpen

DR. FRANZ PETER MÖHRES,
Professor der Zoophysiologie an der Universität Tübingen

DR. CHRISTINE MOHRMANN,
Professor der altchristlichen Literatur an den Universitäten Nijmegen und Amsterdam, Herausgeberin der „Vigiliae christianae"

DR. WALDEMAR MOLINSKI SJ,
Professor an der Pädagogischen Hochschule, Direktor, Berlin

DR. JOSEPH MOLITOR,
Professor der altchristlichen Literatur an der Philosophisch-theologischen Hochschule Bamberg, Fachberater am LThK² für Orientalia

DR. J. B. W. M. MÖLLER,
Huis ter Heide (U) (Holland)

DR. LOUIS MONDEN SJ,
Professor der Fundamentaltheologie an der Philosophisch-theologischen Hochschule Heverlee-Löwen

DR. CLAUDE MONDÉSERT SJ,
Professor der Theologie an der Theologischen Fakultät Lyon-Fourvière

EDWARD VAN MONTFOORT AA,
Nijmegen

DRS. P. L. J. MOONEN,
Roermond

DR. JACQUES MULDERS SJ,
Professor der Theologie, Maastricht

DR. ERICH MÜLLER,
Professor der Allgemeinen Pathologie und pathologischen Anatomie an der Universität Erlangen

EVA MÜLLER,
Archivarin, München

DR. HERBERT MUELLER,
Professor der Energiewirtschaftslehre an der Technischen Hochschule Karlsruhe

DR. HEINZ MÜLLER SJ,
Professor an der Sophia-Universität Tokio

DR. MAKAR M. MÜLLER OFM,
Tokio

DR. MAX MÜLLER,
Professor der Philosophie an der Universität München

DRS. J. MUNNICHS,
Nijmegen

DR. HEINZ NASSENSTEIN,
Privatdozent der Physik an der Universität Köln

DR. PETRUS VON NEMESHEGYI SJ,
Professor an der Theologischen Fakultät der Sophia-Universität Tokio

DR. WILHELM NEUHANN,
Facharzt für Augenkrankheiten, München

DR. LUDWIG NEUNDÖRFER,
Professor der Soziologie an der Universität Frankfurt a. M.

DR. BURKHARD NEUNHEUSER OSB,
Professor am Päpstlichen Liturgischen Institut S. Anselmo, Rom

DRS. F. J. C. J. NUYENS,
Heerlen (Holland)

Dr. Wilhelm Nyssen,
Studentenpfarrer an der Universität Köln

Dr. Gerhard Oberhoffer,
Privatdozent der Inneren Medizin und medizinischen Statistik an der Universität Bonn

Dr. Matthew J. O'Connell SJ,
Professor der Theologie am Woodstock College, USA

Augustinus vom Heiligen Geist I. Okumura OCD,
Ujina bei Kyoto (Japan)

Dr. C. A. J. van Ouwerkerk CSSR,
Wittem (Holland)

Renée Maria Kenneth C. Parry-Hausenstein,
London

Dr. Bernhard Pauleikhoff,
Professor der Psychiatrie und Neurologie an der Universität Münster i. W.

Cornelius Paulus OP,
Freiburg i. Br.

Drs. H. Penders,
Amersfoort (Holland)

Dr. Cyrill Pereira SJ,
Rektor des Päpstlichen Athenaeums und des Päpstlichen Zentralseminars Poona (Indien)

Dr. Karl Peters,
Professor des Strafrechts an der Universität Tübingen

Dr. Franz Petersohn,
Privatdozent der Gerichtlichen Medizin an der Universität Mainz

Dr. Aleksy Petrani,
Professor der Theologie an der Katholischen Universität Lublin, Polen

Dr. Josef Pfammatter,
Professor der Exegese am Priesterseminar Chur

Dr. Hans Pfeil,
Professor der Philosophie an der Philosophisch-theologischen Hochschule Bamberg

DR. PAUL PFISTER SJ,
Professor an der Theologischen Fakultät der Sophia-Universität Tokio

DR. GÉRARD PHILIPS,
Prälat, Professor der Dogmatik an der Universität Löwen

DR. GERHARD PIEKARSKI,
Professor der Medizinischen Parasitologie und Mikrobiologie an der Universität Bonn

DR. JOSEF PIEPER,
Professor der Philosophie an der Universität Münster i. W.

ALFONS POHL,
Lehrer, Aachen, zugleich für den Diakonatskreis Aachen

DR. WILLEM HENDRIK VAN DE POL,
Professor an der Universität Nijmegen

DR. W. POMPE,
Professor an der Universität Utrecht

DR. ADOLF PORTMANN,
Professor der Zoologie an der Universität Basel

DR. CÁNDIDO POZO SJ,
Professor der Theologie an der Theologischen Fakultät Granada

SERAFIN PREIN OFM,
Provinzial der Franziskaner in Recife, Brasilien

JÜRGEN VON PRELLWITZ,
Journalist, Buenos Aires

DR. HANS PUHL,
Generalkonsul der Bundesrepublik Deutschland in Salzburg

DR. HEINRICH PUHL,
Facharzt für Innere Medizin, Bad Godesberg

DR. JOSEF PÜTZ SJ,
Dekan der Theologischen Fakultät St. Mary's, Kurseong (Indien)

DR. JEAN RADERMAKERS SJ,
Professor an der Philosophisch-theologischen Hochschule Eegenhoven-Löwen

Dr. Albert Raignier SJ,
Professor der Philosophie an der Philosophisch-theologischen Hochschule Heverlee-Löwen, Mitglied der königl. fläm. Akademie von Belgien

Dr. Uta Ranke-Heinemann,
Schriftstellerin, Essen

Dr. Hermann Rauen,
Professor der Physiologischen Chemie an der Universität Münster i. W.

Dr. Fritz Rauh,
Professor der Biologie an der Philosophisch-theologischen Hochschule Eichstätt

Dr. Marcel Reding,
Professor der katholischen Weltanschauung an der Freien Universität Berlin

Dr. Melchior Reiter,
Professor der Pharmakologie an der Universität München

Dr. Herbert Remmer,
Professor der Pharmakologie an der Freien Universität Berlin

Drs. Henrick Renckens SJ,
Professor der Exegese, Maastricht

Dr. Léon Renwart SJ,
Professor der Dogmatik an der Philosophisch-theologischen Hochschule Eegenhoven-Löwen

Dr. Heinrich Reploh,
Professor der Hygienekunde und Bakteriologie an der Universität Münster i. W.

Dr. Karl Reiff SJ,
Nagatsuka bei Hiroshima (Japan)

Dr. Leontius Reypens SJ,
Professor, Ruusbroec-Genootschap, Antwerpen

Dr. Hans Rheinfelder,
Professor der Romanischen Sprachen und Literaturen an der Universität München, Fachberater am LThK² für Kultur-, Literatur- und Geistesgeschichte im außerdeutschen Sprachraum

Dr. Helmut Ridder,
Professor des Öffentlichen Rechts an der Universität Bonn

Dr. Helmut Riedlinger,
Privatdozent der Dogmatik an der Universität Freiburg i.Br.

Mr. Jan Rietmeijer SJ,
Professor der Theologie, Maastricht

Drs. Aloisius van Rijen MSC,
Professor der Theologie, Gronsveld (L) (Holland)

Dr. L. M. de Rijk,
Professor, Amersfoort (Holland)

Luise Rinser,
Schriftstellerin, Mitglied der Akademie der Künste Berlin, Rom

Dr. Otto B. Roegele,
Professor der Publizistik an der Universität München

Dr. Joseph Roggendorf SJ,
Professor an der Sophia-Universität Tokio

Dr. L. J. Rogier,
Professor der Neueren Kirchengeschichte an der Universität Nijmegen

Dr. Gerd B. Roemer,
Professor der Bakteriologie an der Universität Hamburg

Dr. Gerhard Römer,
Subregens, Dozent der Pastoraltheologie am Priesterseminar St. Peter, Schwarzwald

Dr. Paul Römhild,
Dozent an der Evangelisch-Lutherischen Volkshochschule Alexanderbad

Dr. Henri Rondet SJ,
Professor der Dogmatik an der Theologischen Fakultät Lyon-Fourvière

Anita Röper,
Schriftstellerin, Bingen a. Rh.

Dr. Maximilian Roesle OSB,
Professor der Philosophie an der Universität Salzburg

Dr. Karl Rothschuh,
Professor der Medizingeschichte an der Universität Münster i.W.

Rudolf Ruby,
Leiter der Fono-Verlagsgesellschaft, Freiburg i.Br.

Dr. Ernst Ruckensteiner,
Professor der Röntgenologie an der Universität Innsbruck

Dr. Karl Rudolf,
Prälat, Domkapitular, Herausgeber der Zeitschrift „Der Seelsorger", Wien

Dr. Ambrosius Ruf OP,
Studentenpfarrer an der Universität Freiburg i. Br.

Dr. Wolfgang Ruf,
Studentenpfarrer an der Universität Freiburg i. Br.

Dr. Hanns Ruffin,
Professor der Psychiatrie an der Universität Freiburg i. Br.

Dr. Jan Rupert SJ,
Professor der Theologie, Maastricht

Dr. John L. Russell SJ,
Professor der Theologie am Heythrop College, England

Dr. August Rütt,
Professor der Orthopädie an der Universität Würzburg

Dr. H. Ruygers,
Professor an der Universität Nijmegen

Dr. Hans Sachsse,
Professor der Physikalischen Chemie an der Universität Mainz

Johannes Takeshi Sakuma,
Tokio

Dr. Josef Santeler SJ,
em. Professor der Philosophie an der Universität Innsbruck

H. J. van Santvoort,
Amersfoort (Holland)

Dr. Johannes K. Sawada,
Professor der Theologie, Motomachi Kawaguchi-shi (Japan)

Franz Schad,
Referent im Kultusministerium des Landes Baden-Württemberg, Stuttgart

Dr. Richard Schaeffler,
Privatdozent der Philosophie an der Universität Tübingen

Dr. Anton Schall,
Professor der Neueren Semitistik und Islamwissenschaft an der Universität Heidelberg

Dr. Johannes Schasching SJ,
Professor der Sozialwissenschaften an der Universität Innsbruck, Provinzial der Österreichischen Provinz der Gesellschaft Jesu, Wien

Dr. Oskar Schatz,
Referent für Wissenschaft und Kultur am Österreichischen Rundfunk, Radio Salzburg

Dr. Ferdinand Scheminzky,
Professor der Physiologie und Balneologie an der Universität Innsbruck

Dr. Norbert Schiffers,
Wissenschaftlicher Assistent an der Technischen Hochschule Aachen

Dr. Alfred Schinzel,
Professor der Hygiene an der Universität Innsbruck

Dr. Heinrich Schipperges,
Professor der Medizingeschichte an der Universität Heidelberg

Dr. Franz Schleyer,
Professor der Gerichtlichen Medizin an der Universität Bonn

Dr. Walter Schlorhaufer,
Dozent der Hals-, Nasen- und Ohrenheilkunde an der Universität Innsbruck

Dr. Dietrich Schlüter OP,
Professor der Philosophie an der Albertus-Magnus-Akademie, Walberberg

Dr. Maria Schlüter-Hermkes,
Vizepräsidentin der deutschen UNESCO-Kommission, Bonn

Dr. Michael Schmaus,
Prälat, Professor der Dogmatik an der Universität München, Fachberater am LThK² für Dogmatik

Dr. Josef Schmid,
em. Professor der Neutestamentlichen Exegese an der Universität München, Fachberater am LThK² für das Neue Testament

Dr. Günther Schmilowski,
Direktor, Facharzt für Innere Medizin, Berlin

DR. BERNARDIN SCHNEIDER OFM,
Leiter des Studium Biblicum, Tokio

DR. MARIUS SCHNEIDER,
Professor der Vergleichenden Musikwissenschaft an der Universität Köln

DR. BRUNO SCHNEKENBURGER SJ,
Dozent an der Philosophisch-theologischen Hochschule Frankfurt-St. Georgen

DR. LUIS ALONSO SCHÖKEL SJ,
Professor am Päpstlichen Bibelinstitut, Rom

DR. WERNER SCHÖLLGEN,
em. Professor der Moraltheologie an der Universität Bonn, Fachberater am LThK² für Pastoralmedizin

DR. MATTHIAS SCHOOG,
Professor der Dermatologie und Venerologie an der Universität Köln

DR. CLEMENTIUS SCHOONBROOD OFM,
Professor der Philosophie, Venray (Holland)

DR. PIET SCHOONENBERG SJ,
Professor der Dogmatik, Nijmegen

DR. HANS SCHROLL SJ,
Rektor der Philosophisch-theologischen Hochschule und der Theologischen Fakultät SJ, Frankfurt-St. Georgen

DR. KURT SCHUBERT,
Professor der Semitistik an der Universität Wien, Fachberater am LThK² für Judaica

DR. BRUNO SCHÜLLER SJ,
Dozent der Moraltheologie an der Philosophisch-theologischen Hochschule Frankfurt-St. Georgen

HANS JÜRGEN SCHULTZ,
Hauptabteilungsleiter am Süddeutschen Rundfunk, Stuttgart

DR. NORBERT SCHÜMMELFEDER,
Professor der Allgemeinen Pathologie und pathologischen Anatomie an der Universität Köln

DR. JOSEF SCHURZ,
Dozent der Physikalischen Chemie an der Universität Graz

Hanns Schütz,
Berufsberater, Rheinhausen

Dr. Livinus André Schuwer OFM,
Professor der Philosophie am Päpstlichen Athenaeum Antonianum, Rom

Dr. Michele Federico Sciacca,
Professor der Philosophie an der Staatlichen Universität Genua

Dr. J. Seynaeve,
Professor der Theologie an der Universität Lovanium, Léopoldville (Congo)

Dr. Johannes B. Siemes SJ,
Professor der Philosophie an der Sophia-Universität Tokio

Dr. Carmo da Silva,
Prälat, Professor, Rektor des Seminars Rachol, Goa (Indien)

Oskar Simmel SJ,
Schriftleiter der Monatszeitschrift „Stimmen der Zeit", München

Dr. Josef Sint SJ,
Professor der Neutestamentlichen Exegese an der Universität Innsbruck

Drs. J. P. de Smet,
Heiloo (Holland)

Dr. Piet Smulders SJ,
Professor der Theologie, Maastricht

Dr. J. Th. Snijders,
Professor, Haren (Gr) (Holland)

Dr. Gottlieb Söhngen,
em. Professor der Fundamentaltheologie an der Universität München

Dr. Jesús Solano SJ,
Professor der Theologie am Colegio S. Francisco Javier, Oña (Burgos)

Dr. Konrad Spang,
Professor der Inneren Medizin an der Universität Heidelberg

Dr. Raphael Spann,
Geschäftsführer der Österreichischen Studiengesellschaft für Atomenergie, Wien

Dr. Armin Spitaler †,
Professor des Finanz- und Steuerrechts an der Universität Köln

Dr. Johannes Spörl,
Professor der Mittelalterlichen Geschichte an der Universität München, Fachberater am LThK² für Kultur-, Literatur- und Geistesgeschichte im deutschen Sprachraum

Dr. Günter Stachel,
Dozent, Lektor des Echter-Verlags, Würzburg

Dr. Hans Staffner SJ,
Professor der Theologie am Päpstlichen Athenaeum, Poona, Indien

Mr. Drs. Luud Stallaert,
Dozent der Philosophie, 's Graveland (Holland)

Dr. Hansjörgen Staudinger,
Professor der Physiologischen Chemie an der Universität Gießen

Mr. Drs. C. J. Straver,
Amersfoort (Holland)

Dr. Friedrich Stegmüller,
Prälat, Professor der Dogmatik an der Universität Freiburg i. Br., Fachberater am LThK² für Theologiegeschichte

Dr. Rudolf Steinmaurer,
Professor der Experimentalphysik an der Universität Innsbruck

Dr. Friedrich Stelzner,
Professor der Chirurgie an der Universität Hamburg

Dr. Alois Stenzel SJ,
Professor der Dogmatik und Liturgiewissenschaft an der Philosophisch-theologischen Hochschule Frankfurt - St. Georgen

Dr. Bernhard Stoeckle OSB,
Professor der Theologie am Päpstlichen Collegium S. Anselmo, Rom

Dr. Paul Stöcklein,
Professor der Deutschen Sprache und Literatur an der Universität Frankfurt a. M.

Dr. Richard Stöhr,
Professor der Medizinischen Chemie an der Universität Innsbruck

Dr. Hans Strassl,
Professor der Astronomie an der Universität Münster i. W.

Dr. Karl Sträter SJ,
Professor der Theologie, Maastricht

Dr. Josef Ströder,
Professor der Kinderheilkunde an der Universität Würzburg

Dr. Walter Strolz,
Lektor im Verlag Herder, Freiburg i. Br.

Dr. Paul Sunder-Plassmann,
Professor der Chirurgie an der Universität Münster i. W.

Dr. Alois Sustar,
Professor der Moraltheologie am Priesterseminar Chur

Dr. Siegfried Tapfer,
Professor der Frauenheilkunde und Geburtshilfe an der Universität Innsbruck

Dr. F. Ph. A. Tellegen,
Professor, Aalet (Holland)

Dr. Klaus Terfloth,
Legationsrat, Bad Honnef

Dr. Karl Thieme †,
Professor der europäischen Geschichte, Lörrach

Dr. F. H. Thijssen,
Mitglied des Sekretariats zur Förderung der Einheit der Christen, Utrecht

Dr. Gustave Thils,
Kanonikus, Professor der Fundamentaltheologie an der Universität Löwen

Drs. L. M. Thomas,
Ubbergen (Holland)

Dr. Beda Thum OSB,
Professor der Philosophie an der Universität Wien

Georg Thurmair,
Schriftleiter der Katholischen Aktion in Bayern, München

Dr. Klemens Tilmann,
vom Oratorium München

Dr. Ernst Topitsch,
Professor der Soziologie an der Universität Heidelberg

Dr. C. J. B. J. Trimbos,
Facharzt für Psychiatrie, Utrecht

Dr. Walter Tröger,
Wissenschaftlicher Assistent an der Universität München

Dr. Roger Troisfontaines SJ,
Prorektor und Professor an den Facultés Universitaires Namur

Dr. Carl Troll,
Professor der Geographie an der Universität Bonn

Dr. Wilhelm Troll,
Professor der Botanik an der Universität Mainz

Dr. Stephan Trooster SJ,
Professor der Theologie, Maastricht

Dr. Karl Vladimir Truhlar SJ,
Professor der Theologie an der Päpstlichen Universität Gregoriana, Rom

Dr. Josef Trütsch,
Professor der Fundamentaltheologie am Priesterseminar Chur

Dr. Franziskus X. Y. Tsuchiya SJ,
Professor an der Theologischen Fakultät der Sophia-Universität Tokio

Johannes S. Tsunoda,
Tokio

Dr. Roberto Tucci SJ,
Direktor der Zeitschrift „Civiltà Cattolica", Rom

Dr. Hermann Tüchle,
Professor der Mittelalterlichen und Neuen Kirchengeschichte an der Universität München, Fachberater am LThK[2] für Kirchengeschichte des Mittelalters

Dr. Hans Tuppy,
Professor der Biochemie an der Universität Wien

Dr. Ferdinand Ulrich,
Professor der Philosophie an der Pädagogischen Hochschule Regensburg

Dr. J. M. M. de Valk,
Waddinxveen (Holland)

Dr. Nikolaus Valters,
Professor des Völkerrechts an der Universität Wien

Dr. M. Van Caster SJ,
Schriftleiter der Zeitschrift „Lumen Vitae“, Brüssel

Fr. Van Bladel SJ,
Schriftleiter der Monatsschrift „Streven“, Brüssel

Dr. Louis Van Bladel SJ,
Professor an der Philosophisch-theologischen Hochschule Heverlee-Löwen

Dr. Hermann Leo Van Breda OFM,
Professor der Philosophie an der Universität Löwen, Direktor des Husserl-Archivs in Löwen

Dr. E. J. Vandenbussche SJ,
Schriftleiter der Zeitschrift „De linie“, Brüssel

Dr. Libert Vander Kerken SJ,
Professor an den Universitätsfakultäten St. Ignatius, Antwerpen

Dr. C. Vanhengel OP,
Schriftleiter der Internationalen Theol. Zeitschrift „Concilium“, Utrecht

Dr. Albert Van Roey,
Professor der Theologie an der Universität Löwen

Dr. J. J. M. van der Ven,
Professor an der Universität Utrecht

N. J. M. Vendrick,
Utrecht

Dr. Johannes Venhofen,
Facharzt für Innere Medizin, München

Dr. Gerard Verbeke,
Kanonikus, Professor der Philosophie an der Universität Löwen

Dr. Matthias Vereno,
Schriftleiter der religionswissenschaftlichen Zeitschrift „Kairos“, Salzburg

Dr. A. Vergote,
Professor an der Universität Löwen

Drs. J. A. Vermeulen,
Driebergen (Holland)

Dr. Lucio Viegas-Coutinho,
Professor der Theologie am Priesterseminar Rachol, Goa (Indien)

Dr. Leopold Vietoris,
Professor der Mathematik an der Universität Innsbruck

Dr. Cyrille Vogel,
Professor der Theologie an der Katholischen Theologischen Fakultät der Universität Strasbourg

Dr. Heinz Vogelsang,
Wissenschaftlicher Assistent an der Universität Köln

Dr. Josef Vogt,
Professor der Alten Geschichte an der Universität Tübingen

Joseph Völker,
Kreisjugendpfleger, Bergisch-Gladbach, zugleich für den Diakonatskreis Köln

Mr. F. J. G. Baron van Voorst tot Voorst,
Wassenaar (Holland)

Dr. Josef de Vries SJ,
Dekan der Philosophischen Hochschule Pullach

Dr. Wilhelm de Vries SJ,
Professor am Päpstlichen Orientalischen Institut, Rom

Hans Wagemans,
Utrecht

Hans Waldenfels SJ,
Tokio

Georg Waldmann SJ,
Studentenpfarrer, München

Dr. J. H. Walgrave OP,
Professor der Theologie am Dominikanerstudium Löwen

Dr. Karl Walter,
Oberlandesgerichtsvizepräsident, Stuttgart

Leo Waltermann,
Leiter des Kirchenfunks am Westdeutschen Rundfunk, Köln

Dr. Victor Warnach OSB,
Professor der Philosophie an der Universität Salzburg

Dr. Paul Weikart,
Professor der Zahnärztlichen Materialkunde und Metallurgie an der Universität Köln

Dr. A. G. Weiler,
Nijmegen

Dr. Ignaz Weilner,
Professor der Moraltheologie an der Philosophisch-theologischen Hochschule Regensburg

Dr. Karl Hermann Weinert,
Professor der Romanischen Sprachen und Literatur an der Universität Tübingen

Dr. Emil Weinig,
Professor der Gerichtlichen Medizin und Kriminalistik an der Universität Erlangen

Dr. Eduard Welte,
Professor der Inneren Medizin an der Universität Bonn

Dr. Theodor Wense,
Professor der Allgemeinen und experimentellen Pathologie an der Universität Innsbruck

Dr. Aloys Wenzl,
em. Professor der Philosophie an der Universität München

Hermann Josef Werhahn,
Kaufmann, Neuß a. Rh.

Dr. Gustav Andreas Wetter SJ,
Professor an der Päpstlichen Universität Gregoriana und am Päpstlichen Orientalischen Institut, Rom

Dr. Norbert Wildiers OFMCap,
Professor der Theologie, Antwerpen

Dr. Jan G. M. Willebrands,
Prälat, Sekretär des Päpstlichen Sekretariats zur Förderung der Einheit der Christen, Rom

Dr. Th. Willemse OP,
Zwolle (Holland)

Dr. J. Wils,
Professor an der Universität Nijmegen

Dr. Hans Windischer,
Professor der Philosophie an der Universität Innsbruck

Dr. Alfred Winkelmann,
Fachanwalt für Steuerrecht, München

Dr. Ernst Winter,
Professor der Soziologie, New York und Wien

Raymund von Witzleben,
Deutsche Presse-Agentur, Münster i. W.

Dr. Robert Wizinger,
Professor der Organischen Chemie an der Universität Basel

Hans Wollasch,
Direktor, Leiter des Seminars für Wohlfahrtspfleger, Freiburg i. Br.

Friedrich Wulf SJ,
Schriftleiter von „Geist und Leben“, München

Mr. L. B. M. Wüst,
Hilversum (Holland)

Dr. Bartolomeo M. Xiberta OCarm,
Professor der Theologie, Generalkurie des Karmeliterordens, Rom

Dr. Ernst Walter Zeeden,
Professor der Neueren Geschichte an der Universität Tübingen

Dr. Hermann Zeller SJ,
Professor der Fundamentaltheologie an der Universität Innsbruck

Dr. Josef G. Ziegler,
Professor der Moraltheologie an der Universität Mainz

Dr. Theodor van Zijl SVD,
Nagoya (Japan)

DIE MITARBEITER AN DIESER FESTGABE

Dr. Alfons Auer,
Professor der Moraltheologie an der Universität Würzburg

Ludolf C. Baas,
Vorsitzender der niederländischen Katholischen Aktion, Leiter des Pastoralinstituts der niederländischen Bischöfe, Amersfoort

Paul Brand jr.,
Verleger, Ankeven (Holland)

Dr. Walter Brugger SJ,
Professor der Philosophie an der Philosophischen Hochschule Pullach

Dr. Yves M.-J. Congar OP,
Generaltheologe des Dominikanerordens, Strasbourg

Dr. Emerich Coreth SJ,
Professor der Philosophie an der Universität Innsbruck, Rektor des Jesuitenkollegs Innsbruck

Adolf Darlapp,
Innsbruck

Dr. Alfons Deissler,
Professor der Alttestamentlichen Exegese an der Universität Freiburg i.Br.

Dr. Karl Delahaye,
Professor der Pastoraltheologie an der Universität Bonn

Dr. Johannes Feiner,
Professor der Dogmatik am Priesterseminar Chur

Dr. Heinrich Fries,
Professor der Fundamentaltheologie an der Universität München

Dr. Albert Görres,
Professor der Psychologie an der Universität Mainz, Fachberater am LThK² für Psychologie und Tiefenpsychologie

Dr. Heinrich Gross,
Professor der Alttestamentlichen Exegese an der Päpstlichen Fakultät Trier

Dr. Eduard Grünewald,
Psychotherapeut, Innsbruck

Dr. Romano Guardini,
Prälat, em. Professor der Religionsphilosophie und christlichen Weltanschauung an der Universität München

Dr. Adolf Haas SJ,
Professor der Naturphilosophie und Biologie an der Philosophischen Hochschule Pullach, Fachberater am LThK² für naturwissenschaftliche Grenzfragen (Biologie)

Dr. Bernhard Häring CSSR,
Professor der Moraltheologie an der Päpstlichen Lateranuniversität Rom

Dr. Josef Höfer,
Apostolischer Protonotar, Botschaftsrat I. Klasse, Professor der Theologie, Rom, Mitherausgeber des LThK² und Fachberater für Oecumenica, Una Sancta und Protestantische Theologie

Dr. Franz Josef Holzer,
Professor der Gerichtlichen Medizin an der Universität Innsbruck

Dr. Arthur Jores,
Professor der Inneren Medizin an der Universität Hamburg

D. Wilfried Joest,
Professor der Systematischen Theologie an der Universität Erlangen

Dr. Josef A. Jungmann SJ,
em. Professor der Liturgik und Pastoraltheologie an der Universität Innsbruck, Fachberater am LThK² für Liturgiewissenschaft und Hymnologie

Dr. Josef Kälin,
Professor der Zoologie an der Universität Fribourg

Dr. Erich Kellner,
Geschäftsführer der Paulus-Gesellschaft, München

Dr. Walter Kern SJ,
Professor an der Philosophischen Hochschule Pullach

D. Ernst Kinder,
Professor der Systematischen Theologie an der Universität Münster i. W.

Dr. Oskar Köhler,
Professor der Universalgeschichte an der Universität Freiburg i. Br.

Dr. Heribert Konzett,
Professor der Pharmakologie und Toxikologie an der Universität Innsbruck

Dr. Hermann Krings,
Professor der Philosophie an der Universität Saarbrücken

Dr. Norbert Lohfink SJ,
Dozent der Alttestamentlichen Exegese an der Philosophisch-theologischen Hochschule Frankfurt - St. Georgen

Dr. Magnus Löhrer OSB,
Professor der Dogmatik am Päpstlichen Collegium S. Anselmo, Rom

Dr. Johannes B. Lotz SJ,
Professor der Philosophie an der Päpstlichen Universität Gregoriana, Rom, und an der Philosophischen Hochschule Pullach

Dr. Felix Malmberg SJ,
Professor der Dogmatik an der Theologischen Fakultät Maastricht

Dr. Gustave Martelet SJ,
Professor der Dogmatik an der Theologischen Fakultät Lyon-Fourvière

Dr. Paul Martini,
em. Professor der Inneren Medizin an der Universität Bonn

Dr. Franz Mayr,
Wissenschaftlicher Assistent am Kirchengeschichtlichen Institut der Universität Innsbruck

Dr. Johannes B. Metz,
Professor der Fundamentaltheologie an der Universität Münster i. W.

Dr. Otto Muck SJ,
Dozent der Philosophie an der Universität Innsbruck

Dr. Otfried Müller,
Professor der Dogmatik an der Theologischen Hochschule Erfurt

Dr. Georg Muschalek SJ,
Dozent der Dogmatik an der Universität Innsbruck

Dr. Franz Mussner,
Professor der Neutestamentlichen Exegese an der Päpstlichen Fakultät Trier

Dr. Josef Neuner SJ,
Professor der Dogmatik, Dekan der Theologischen Fakultät des Päpstlichen Athenaeums Poona (Indien)

Dr. Ludger Oeing-Hanhoff,
Privatdozent der Philosophie an der Universität Münster i. W.

Dr. Paul Overhage SJ,
Frankfurt a. M.

Dr. Herlinde Pissarek-Hudelist,
Wissenschaftliche Assistentin am Dogmatischen Institut der Universität Innsbruck

Dr. Erich Przywara SJ,
Murnau

Dr. Hugo Rahner SJ,
Professor der Kirchengeschichte des Altertums und der Patrologie an der Universität Innsbruck, Fachberater am $LThK^2$ für Patrologie

Dr. Joseph Ratzinger,
Professor der Dogmatik an der Universität Münster i. W.

Dr. Vladimir Richter SJ,
Dozent der Philosophie an der Päpstlichen Universität Gregoriana, Rom, und an der Universität Innsbruck

Dr. Gustav Sauser,
Professor der Anatomie, Histologie und Embryologie an der Universität Innsbruck

Dr. Hans Schaefer,
Professor der Physiologie an der Universität Heidelberg

Dr. Robert Scherer,
Literarischer Direktor, Freiburg i. Br.

Dr. Eduard H. Schillebeeckx OP,
Professor der Dogmatik an der Universität Nijmegen

Dr. Heinz Robert Schlette,
Professor der Philosophie an der Pädagogischen Hochschule Bonn

Dr. Heinrich Schlier,
Professor der Altchristlichen Literatur an der Universität Bonn

Dr. Rudolf Schnackenburg,
Professor der Neutestamentlichen Exegese an der Universität Würzburg, Fachberater am $LThK^2$ für Biblische Theologie

Dr. Burkhart Schneider SJ,
Professor der Neueren Kirchengeschichte an der Päpstlichen Universität Gregoriana, Rom

Dr. Heinz Schürmann,
Professor der Neutestamentlichen Exegese an der Theologischen Hochschule Erfurt

Dr. Viktor Schurr CSSR,
Professor der Pastoraltheologie an der Päpstlichen Lateranuniversität Rom, Fachberater am $LThK^2$ für Homiletik

DR. HEINZ SCHUSTER,
Schriftleiter, Wissenschaftlicher Assistent an der Universität Saarbrücken

DR. WOLFGANG SEIBEL SJ,
München

DR. OTTO SEMMELROTH SJ,
Professor der Dogmatik an der Philosophisch-theologischen Hochschule Frankfurt - St. Georgen

DR. GUSTAV SIEWERTH †,
Rektor der Pädagogischen Hochschule Freiburg i. Br.

DR. ROBERT SPAEMANN,
Professor der Philosophie und Pädagogik an der Technischen Hochschule Stuttgart

FRANÇOIS VANDENBROUCKE OSB,
Professor der Aszetik, Abtei Mont César, Löwen

DR. MIRAN VODOPIVEC,
Innsbruck

DR. HERBERT VORGRIMLER,
Freiburg i. Br.

DR. LEONHARD M. WEBER,
Prälat, Regens des Priesterseminars Solothurn, Professor der Pastoraltheologie, Lehrbeauftragter der Universität Fribourg

DR. BERNHARD WELTE,
Professor der Christlichen Religionsphilosophie an der Universität Freiburg i. Br., Fachberater am LThK² für Philosophie

DR. GUSTAVE WEIGEL SJ †,
Professor der Dogmatik am Woodstock College, USA

DR. JOHANNES L. WITTE SJ,
Professor der Theologie an der Päpstlichen Universität Gregoriana, Rom

DR. ERIK WOLF,
Professor der Rechtsphilosophie an der Universität Freiburg i. Br.

DR. EDUARD ZELLINGER,
Professor der Psychologie an der Universität München

INHALT

II. Theologische Grundfragen

III. Biblische Themen

ZUR EINFÜHRUNG

Die Thematik dieser Festschrift

Über Fug oder Unfug einer Festschrift läßt sich streiten und wird gestritten. Nachdem es aber im literarischen Wald weiterhin sehr „festschriftet“, war es den Schülern (im engeren Sinn) Karl Rahners ziemlich klar, daß auch er und gerade er eine Festgabe bekommen müsse, zur Vollendung seines 60. Lebensjahres am 5. März 1964.
Schwerer war die Entscheidung, welche Thematik für diese Festgabe gewählt werden solle, da wir fest entschlossen waren, keine „Mélanges“ alter Schubladenarbeiten zuzulassen, anderseits die Bereiche, an denen Karl Rahner Freude und Interesse hat, nicht eben sehr homogen sind. So kamen wir zunächst überein, keine „rein historischen“ Beiträge in diese Festschrift aufzunehmen (ohne dadurch den Historikern Unrecht tun zu wollen). Aber auch so zeichnete sich noch keine mögliche innere Einheit des Sammelwerkes ab. Schließlich baten wir unsere Mitarbeiter, die Beiträge möchten *sachlich-vorausschauenden* Charakter haben. Innerhalb dieses „Vorwärtsweisenden“, in gewissem Sinn „Eröffnenden“, ließen wir völlige Freiheit. Wir waren davon überzeugt, daß das Vorwärtsweisende eines Beitrags schon in der Natur der sachlichen Arbeit liege. Für manche Einzelfragen oder sogar bestimmte Teilbereiche erhielten wir eine Art Forschungsrésumé mit herausgearbeiteten, „nach vorn“ weisenden „Fragespitzen“. Und so glauben wir, daß dieses Werk doch zu einer Art Spiegel der heutigen Geistes- und Naturwissenschaften bzw. deren Begegnung wurde, der freilich nicht von allem und jedem spricht, der ein Bild des Heterogenen und Pluralen zurückwirft, aber gleichwohl ein gutes Stück der Gegenwart einfängt. Die sieben Gruppen der beiden Bände hätten ursprünglich durch sieben einleitende Kapitel, soweit möglich, miteinander verknüpft werden sollen, aber wegen des Ehrgeizes, eine Festschrift einmal pünktlich vorzulegen, haben wir schließlich auf diese Zwischentexte verzichtet. Sehr viele unserer Beiträge bieten Stoff zum Weiterdenken und zur Diskussion, und diese Aufgabe kann dem Leser ohnedies nicht durch Einleitungskapitel abgenommen werden.

Die Tabula gratulatoria

Die Ausarbeitung dieser Festschrift fiel in eine für ruhiges wissenschaftliches Arbeiten ungünstige Zeit. Viele Freunde Karl Rahners sind seit 1960 vollauf mit Gutachten und Entwürfen für das Konzil befaßt, und ich möchte hier ganz herzlich jenen Konzilstheologen danken, die sich trotz ihrer Beanspruchung die Zeit zur Niederschrift eines Beitrags abgerungen haben. Andere aber mußten auf eine Mitarbeit wohl oder übel verzichten. Das brachte mich auf den Gedanken, der Festschrift eine Tabula gratulatoria, aber ohne Subskriptionsbindung, voranzustellen, durchaus keine neue Erfindung auf dem Gebiet des Festschriftenwesens. Diese Tabula gratulatoria und die Einladung an die gerade hier vertretenen Persönlichkeiten habe ich ganz allein zu verantworten. Dies möge dafür als Entschuldigung gelten, daß nicht alle Freunde Karl Rahners darauf vertreten sind. Es ist einem Einzelnen nicht möglich, sie alle zu kennen. Ich habe die große Bitte an alle, die sich übergangen fühlen, sie möchten sich im Geist der Brüderlichkeit hier mitgemeint und mitrepräsentiert sehen. Aber ich darf auch ein Wort zur Verteidigung dieser Tabula sagen. Sie ist ganz einfach, menschlich, natürlich, kollegial gedacht. Es handelt sich wahrhaftig nicht um die Aufstellung eines Schutzkomitees für Karl Rahner, wie dies etwa bei den Werken des P. Teilhard de Chardin fungiert! Ich finde die Form einer solchen Tabula nicht abwegig, wenn einem bedeutenden Mann zu einem bestimmten Geburtstag Anerkennung, Verbundenheit und Dank bezeugt werden sollen, denn es ist ja eine Gratulation, keine Demonstration, wenn jemand hier signiert. Aus diesem Grund habe ich auch die hier vertretenen Hochwürdigsten Herren Kardinäle, Patriarchen, Erzbischöfe und Bischöfe eingeladen: sie sollten sich damit nicht „engagieren“, sondern Gelegenheit zum Dank an den Mann haben, der für sie auf dem Konzil bis zur physischen Erschöpfung gearbeitet hat, so wie ja auch Papst Paul VI. Karl Rahner in den Privataudienzen am 7. und 25. November 1963 nicht nur zur Fortsetzung seiner Arbeit ermunterte, sondern ihm auch für seine bisherige Arbeit für die Kirche gedankt hat.

Ein besonderer Dank

Eigens danken möchte ich hier den evangelischen Freunden Karl Rahners, die an dieser Festschrift mitgearbeitet haben, den Herren Professoren W. Joest, E. Kinder und E. Wolf. Auch sie stehen stellvertretend für viele, die wegen der intensiven ökumenischen Arbeit der letzten Jahre keinen Beitrag geben konnten. Außerdem danke ich zwei Herren, die es in je verschiedener Verantwortlichkeit, aber mit unermüdlicher Hilfsbereitschaft ermöglicht haben, diese Festschrift gut und rechtzeitig fertigzustellen: dem Hochwürdigsten Herrn Domkapitular Dr. Robert Schlund und Herrn Franz Johna.

Schließlich möchte ich noch dankbar, aber betrübt jener Karl Rahner eng verbundenen Freunde gedenken, die an dieser Festgabe mitarbeiteten und nun schon vom Herrn heimgeholt wurden, Gustav Siewerths und Gustave Weigels SJ, sowie jener, die noch um Eintragung ihres Namens in die Tabula gratulatoria gebeten haben und während des Drucks dieses Werkes heimgegangen sind.

Als letzten Beitrag (und darum als „Epilog") durfte ich bei Abschluß der Arbeiten Hugo Rahners kostbares „Eucharisticon fraternitatis" entgegennehmen.

Meine Mitherausgeber und Mitschüler bei K. Rahner „von der ersten Stunde an" haben mich nach Kräften und Möglichkeiten unterstützt (von den 73 Autoren gewannen J.B. Metz neun, W. Kern sieben, A. Darlapp vier zur Mitarbeit); W. Kern bin ich für eine sorgsame Mitlektüre der Korrekturen besonders verpflichtet.

Bei einer großen Arbeitslast war es nicht möglich, den wissenschaftlichen Apparat der Festschrift einheitlich zu halten. Ich hoffe, der Benützer möge sich dennoch zurechtfinden. Wo rigorose Abkürzungen vorkommen, sind sie dem „Lexikon für Theologie und Kirche" entnommen.

Freiburg i.Br., im Januar 1964 — Herbert Vorgrimler

I

PHILOSOPHISCHE GRUNDFRAGEN

WISSENSCHAFTLICHER EMPIRISMUS UND ERFAHRUNGSWISSENSCHAFT

Über die empiristische Manier eines methodologischen Rationalismus und das eigentliche Problem der Erfahrungsbegründung

Von Eduard Zellinger, München

I. *Metasprache und Objektsprache*

Die maximale Sicherstellung der sprachlichen Objektivität und Kontrollierbarkeit unseres Wissens in Form einer nach streng rationalen Gesetzen zu erzwingenden Eindeutigkeit der Symbole und Exaktheit ihrer Kombinationsregeln, um eine nahezu absolute Einheit und Gleichheit in der Wissensformulierung und Wissensvermittlung zu erreichen, steht im Zentrum der vom „logischen" bzw. „wissenschaftlichen Empirismus" aufgeworfenen Wissenschaftsproblematik. Von der gleichfalls proklamierten empirischen Verifizierbarkeit unseres Wissens wird hier vorerst bewußt abgesehen. In bezug auf sie wurde vom wissenschaftlichen Empirismus außer der an sich selbstverständlichen Forderung ohnehin nichts eingebracht.

Wenn daher der „moderne Empirismus" als die „Zusammenarbeit zahlreicher Forscher" bewertet wird, „die zum erstenmal in der Philosophiegeschichte einen deutlich sichtbaren Erkenntnisfortschritt ... mit sich bringe" [1], so muß angesichts der bisher vorliegenden Theorien und Ergebnisse einschränkend festgestellt werden, daß sich jener beanspruchte Erkenntnisfortschritt nicht auf die Grundlagen- und Entstehungsproblematik der Erfahrungserkenntnis bezieht. Wir wissen nicht nur nicht mehr über den sachlichen Geltungsgrund unserer Wirklichkeitserkenntnis, sondern wir wissen auch nach wie vor nichts darüber, wie Erkenntnis überhaupt möglich ist. Wir können zwar allenthalben feststellen, daß es sie gibt, bemühen uns darüber hinaus mit unverändertem Erfolg um die Beibringung der Kriterien für ihre sachliche Gültigkeit, das „Wie" ihres Zustandekommens bleibt weiterhin ein Mysterium.

Mitteilbar und übertragbar, fixierbar und aufbewahrbar, intersubjektiv greifbar, faßbar und dadurch erst verfügbar und kontrollierbar wird nur

---

[1] *W. Stegmüller,* Hauptströmungen der Gegenwartsphilosophie (Stuttgart 1960) 350. Stegmüller verdanken wir neben Kraft die wohl umfangreichste, informativste und zugleich kritischste deutschsprachige Darstellung des modernen Empirismus und der analytischen Philosophie.

ein *vergegenständlichtes* Wissen. Erst die Objektivierung unseres Wissens ermöglicht seine für die intersubjektive Verständigung geforderte Objektivität. Diese Vergegenständlichung ereignet sich nicht in seiner auf die augenblickhafte und numerisch einmalige Existenz des Wahrnehmungserlebnisses beschränkten, sondern nur in Gestalt seiner intersubjektiv vernehmbaren Repräsentation, die wir als Sprache bezeichnen, welche ihrerseits wiederum an materielle Medien (Zeichen, Töne usw.) gebunden ist. Nur in dieser Form ist Wissen wissenschaftlich überhaupt diskutabel. Alles außersprachliche, ungegenständliche Wissen ist, unter diesem Aspekt gesehen, unwirklich. Es entzieht sich — da ausschließlich im Bewußtseinsraum des Subjekts eingeschlossen — jeder Art von Verfügbarkeit und wird damit wissenschaftlich wertlos. Daher kommt im Wissenschaftsbetrieb einzig das sprachlich investierbare bzw. investierte Wissen in Frage. Das heißt, wissenschaftliches Wissen steht und fällt mit seiner linguistischen Investierbarkeit. Somit handeln alle wissenschaftstheoretischen Fragen nur von ihr.

Für die Wissenschaft ist demnach ausschließlich ein greifbares und kontrollierbares Wissen von Belang. Ein solches existiert nur in sprachlicher Form. Also drehen sich sämtliche Wissens- und Erkenntnisprobleme um sprachanalytische Aufgaben und Themen. Außerhalb des Sprachbereichs über Dinge, Vorgänge oder Erkenntnisse etwas ausmachen zu wollen bleibt ein unkontrollierbares und unverbindliches Unterfangen und Wissen. Es ergibt sich das Paradox: Wenn überhaupt, so könnte nur sprachlich etwas Verbindliches über Außer- bzw. Nichtsprachliches geltend gemacht werden. Wir scheinen, sofern wir auf verbindlichem und kontrollierbarem Wissen bestehen, aus dem Bannkreis der Sprache gar nicht heraus zu können. Folglich liegen in der Sprache sämtliche Möglichkeiten, Bestimmungen und Grenzen intersubjektiv und d. h. objektiv verbindlichen Wissens beschlossen. Aus diesem Grunde hat jede Philosophie letztlich eine Theorie des Wissens und diese eine Theorie der Sprache zu sein. Mit einem Wort, die Philosophie erweist sich, wenn sie den Anspruch auf Wissenschaftlichkeit erhebt, eigentlich als Sprachphilosophie. Dementsprechend handelt es sich bei der Logik nicht mehr auch und wesentlich um eine Sachlogik, ja nicht einmal mehr um eine Begriffslogik, sondern ausschließlich um ein System von bloßen Zeichen und deren formalen Beziehungsgesetzlichkeiten, d. h. um eine rein semantisch-syntaktische Theorie[2]. Nicht anders steht es mit dem Aufbau, den Gesetzen, Verfahren,

---

[2] „Logic thus rests . . . on a general theory of signs, formal logic tracing the relations between signs within a language. So conceived, logic deals with the language in which statements about nature are made, and does not itself make statements about the non-

Zwecken und schließlich mit der Einheit der Wissenschaft. Sie sind zu keinen Teilen mehr onto-logisch ausgerichtete, in der Sache bzw. Wirklichkeit fundierte Größen, sondern ohne Ausnahme sprachtheoretische Charakteristika, Bestandteile und Bestimmungsstücke eines formalen Kalkulationssystems[3].

Dies ist in kurzem der Gang der Überlegungen, von denen sich der moderne „wissenschaftliche Empirismus" bzw. sprachanalytische Neopositivismus leiten läßt.

Die Bündigkeit dieser Schlußfolgerungen dünkt uns fürs erste unwiderlegbar zu sein.

Und doch offenbart sich hier bei näherem Zusehen ein zunächst zwielichtiger Sachverhalt. Trotz jenes unentrinnbaren Bannes wissen wir nämlich mit der größten uns zu Gebote stehenden Gewißheit, daß wir sprachlich, wenn wir uns nicht gerade über die Sprache selbst unterhalten, Nichtsprachliches „zur Sprache bringen". Mögen wir uns auch der Unentrinnbarkeit noch so bewußt sein, so wissen wir doch um den genuin außersprachlichen Charakter sprachlich dargestellter Dinge. Räumt man der Sprache ähnlich wie im alten Empirismus der Wahrnehmung eine omnipotente Stellung ein, so löst sich alles (gewußte) Sein zwar nicht in ein Wahrgenommenwerden, dafür aber in ein Gesprochenwerden auf. Jenem damaligen „esse est percipi" entspräche nunmehr ein „esse est dici", wobei sich noch die weitere Gleichsetzung von „cognoscere (cogitare) est loqui, dicere, impertire" usw. ergibt.

Sowenig wie die Gleichsetzung des alten Empirismus kann auch diejenige des Neopositivismus aufrechterhalten werden. Die Gleichsetzung des letzteren ergibt sich folgerichtig aus seinen Prämissen und Postulaten wie allgemein aus der ganzen Intention seiner Wissenschaftstheorie. Der Unterschied zwischen altem und neuem Empirismus wurzelt in ihrer unter-

---

linguistic world" (*Charles W. Morris,* Scientific Empiricism: International Encyclopedia of Unified Science, Vol. I, Chicago [6]1955, 67). „Logic is grounded on semiotic; metaphysics is replaced by sign analysis . . ." (*ders.,* a. a. O. 71). „In any case, when we ask whether there is a unity in science, we mean this as a question of logic, concerning the logical relationship between the terms and the laws of the various branches of science . . . Instead of the word 'term' the word 'concept' could be taken, which is more frequently used by logicians. But the word 'term' is more clear, since it shows that we mean signs, e. g. words, expressions consisting of words, artificial symbols, etc." (*R. Carnap,* Logical Foundations of the Unity of Science: International Encyclopedia of Unified Science, Vol. I, Chicago [6]1955, 49).

[3] „The question of the unity of science is meant here as a problem of the logic of science, not of ontology. We do not ask: 'Is the world one?' 'Are all events fundamentally of one kind?'" (*R. Carnap,* Logical Foundations of the Unity of Science: International Encyclopedia of Unified Science, Vol. I, Chicago [6]1955, 49).

schiedlichen wissenstheoretischen Wertschätzung der Wahrnehmung und der Sprache. Da für den Neopositivismus die Wahrnehmung wie generell jede Erkenntnisleistung — weil ein ausschließlich psychisches Faktum (die Wahrnehmungsevidenz gilt nur als ein Überzeugungsgefühl) — das Allersubjektivste und damit Unkontrollierbarste ist, so glaubt er mit dem ausschließlichen Rekurs auf die sprachliche Objektivation unser Wissen auf das einzig objektive Fundament einer streng allgemeinen Gültigkeit und Verbindlichkeit gestellt zu haben.

Die Sprachgenese nun wird besonders dann zu einem akuten Problem, wenn, wie es von seiten des wissenschaftlichen Empirismus mit Nachdruck geschieht, von der neu geschaffenen Sprache behauptet wird, sie sei die erste und einzige, welche die Begründung und Formulierung eines wahrhaft wissenschaftlichen Wissens ermöglicht und gewährleistet. Dieser Anspruch auf eine wissenschaftliche Una-sancta-Sprache wird ständig mit dem Hinweis auf ihre Vollkommenheiten bekräftigt, etwa auf den höchsten erreichbaren Grad an Objektivität und Exaktheit, an Beweisbarkeit und Kontrollierbarkeit. Nur sie allein sei imstande, wissenschaftlich sinnvolle und sinnlose Sätze voneinander zu unterscheiden, nur ihr gelänge es, versteckten und scheinbar unausweichlichen Widersprüchen zu entgehen, nur ihr sei es zu verdanken, daß bisher unlösbare Antinomien behoben werden konnten, nur sie allein sei überhaupt fähig, bündige Abfolgen und Argumentationen zu bewerkstelligen, ganz abgesehen davon, daß wir erst durch sie wissen, was ein wahres Urteil bzw. ein wahrer Satz ist, so daß wir durch ihre Vertreter zum erstenmal seit Bestehen des menschlichen Geisteslebens darüber Kenntnis besitzen, unter welchen Bedingungen und Kriterien eine Aussage wissenschaftlich vertretbar ist, kurzum, erst seit der Geburtsstunde der sogenannten wissenschaftlichen Empiristen bzw. Neopositivisten kann in der ganzen Wissenschaftsgeschichte von Wissenschaft gesprochen werden. Das ist in der Tat der Tenor, in welchem sich die meisten Anwälte dieser modernen Wissenschaftstheorie ergehen und gefallen.

Ganz abgesehen von der Konsequenz eines solchen Anspruchs, der alle bisherige und andersgeartete, d. h. nicht linguistisch bzw. semiotisch ausgerichtete und formalisierte wissenschaftliche Arbeit in ihrem wissenschaftlichen Wert desavouiert oder bestenfalls zur bloßen Vorstufe oder Übergangserscheinung erniedrigt, interessiert uns hier die Entstehungssituation dieser Kunstsprache als eines logisch-mathematischen Formalsystems.

Zunächst gilt die Alternative: entweder war jene formalisierte Sprache schon da, dann brauchte sie nicht geschaffen zu werden, oder sie war noch nicht da, dann konnte sie nicht mittels ihrer selbst geschaffen werden. Da das erstere von den logischen Empiristen bestritten wird, weil sie ja als die Entdecker und Inauguratoren der neuen Wissenschaftssprache zu gelten haben, so bleibt die reichlich merkwürdige Entstehung einer solchen als Problem. Zu Lasten welcher Leistung geht die Schaffung einer derartigen neuen Sprache? Der alten Sprache? Des Denkens als einer — wenigstens potentiell möglichen — sprachfreien Verstandesoperation? Auf keinen Fall jedoch der erst zu schaffenden neuen Sprache! Was bildete die Matrix, die Entstehungsgrundlage für die von den logischen Empiristen begründete, ihrer Meinung nach völlig neue Sprache, die vorher noch nirgends vorhanden und höchstens ansatzweise in den bislang gesprochenen und von den Wissenschaftlern verwendeten Sprachen enthalten gewesen war? Behauptet man, ohne jene formalisierte Sprache nichts in wissenschaftlich verbindlicher Weise ausmachen zu können, wie konnte es dann zur wissenschaftlich verbindlichen Begründung und Formulierung jener formalisierten Sprache kommen? Wie ist es, allgemein gesprochen, nach dem behaupteten unentrinnbaren Bannkreis sprachlicher Fixierung überhaupt möglich, in allgemeinverbindlicher Weise eine bisher noch nicht dagewesene und unter den gegebenen Mitteilungssystemen nicht auffindbare Sprache hervorzubringen? Muß es doch nach der radikal sprachimmanentistischen Auffassung der Neopositivisten ein höchst mirakulöser Vorgang sein, wie es zur Entstehung einer neuen Sprache kommt, die mit den bestehenden angeblich soviel wie nichts oder doch nur einige Teilstücke gemein hat?

Da die neu geschaffene Sprache sich nicht selbst hervorgebracht haben kann, so kommt als ihr Entstehungsgrund nur die alte, z. B. Alltags- bzw. Umgangssprache, und die Leistung eines weitgehend sprachungebundenen Denkens in Frage. Allein schon das Stellen der Ursprungsfrage zwingt also notgedrungenermaßen zur Preisgabe des für die formalisierte Kunstsprache (scil. symbolische Logik) fortwährend geltend gemachten wissenschaftssprachlichen Immanenz- und Autonomiestandpunktes.

Da sämtliche Neopositivisten ihre Objektsprache — wie eben nicht anders möglich — mittels der Umgangssprache eingeführt und hinsichtlich der in ihr geltenden Grundregeln und -bestimmungen begründet haben, so kann die Metasprache gegenüber der Objektsprache unter keinen Umständen zu einem in den entscheidenden Formulierungsleistungen minderwertigen Sprachmodus deklassiert werden, da eine solche Herabsetzung der Metasprache gleichzeitig eine gleich große Wertminderung der Objektsprache zur Folge hätte. M. a. W.: man kann das Vollkommene als Vollkommenes nicht durch das Unvollkommene begründen und darstellen. Versucht man diesem Dilemma mit dem Hinweis zu entgehen, die formalisierte Sprache könne ja nach gewissen Anfangsgründen sich selbst, also ohne Inanspruchnahme einer Metasprache, gleichsam in ihrer eigenen Sprache und mittels ihrer eigenen Formungsregeln weiterentwickeln und vervollkommnen, so ist dies eine unbezweifelbare Tatsache, wie z. B. die Mathematik und jedes andere Formal- und Repräsentationssystem beweisen. Doch auf die Anfangsgründe kommt es gerade an, denn auf ihnen soll sich ja das ganze Mitteilungs- und Darstellungssystem erheben. Da der Systembau nur so viel wert ist wie seine Fundamente, so muß also bereits bei der Errichtung wie Darstellung derselben jener Grad an Exaktheit erreicht werden, der hinterher der ganzen Kunstsprache zugesprochen wird. Daraus folgt, daß die Metasprache, scil. Umgangssprache, mittels der jene Anfangsgründe in wissenschaftlich allgemeinverbindlicher Weise gelegt, intersubjektiv kontrollierbar mitgeteilt und dargestellt werden, an Exaktheit der formalisierten Wissenschaftssprache nicht nachstehen kann und darf. Die Metasprache kann also in bezug auf die Erstellung der Anfangsgründe kein gegenüber der durch sie eingeführten Objektsprache minderwertigeres Objektivationssystem sein. Niemand wird bestreiten wollen, daß jede Umgangssprache eine Unmenge von irrationalen, ungenauen, verworrenen, ja geradezu irreführenden Ausdruckselementen und Formulierungsgewohnheiten enthält und mit sich führt. Jedoch muß sie imstande sein (und sie ist es auch immer), sich selbst von jenen Mängeln zu befreien und zu einer immer präziseren Ausdrucksgebung zu vervollkommnen, was gerade durch die Aufstellung und Formulierung der Grundregeln und theoretischen Ergebnisse der künstlichen Objektsprache bestätigt, ja vorausgesetzt wird.

Wem zur Einführung der künstlichen Symbolsprache die Umgangssprache wegen der ihr anhaftenden Unzulänglichkeiten nicht genügt, könnte versucht sein, diese zuvor gleichfalls zu formalisieren. Dann müßte aber zur Formalisierung der Metasprache eine Metametasprache verwendet werden und so fort. Die Unvermeidbarkeit eines solchen Regressus in infinitum ist schon wiederholt bemerkt worden und unterstreicht noch einmal die ursprungsmäßige Dependenz eines jeden (sprachlich einzuführenden) linguistischen Formalsystems von einer nichtformalisierten Sprache.

Im übrigen muß festgestellt werden, daß nicht nur die Einführung einer neuen Sprache durch eine bereits bestehende, sondern jede Übersetzung einer Sprache in eine andere ein Fundament voraussetzt, das allen ineinander übersetzbaren Sprachen gemeinsam ist. Das heißt, Umformungen, Hin- und Rückübersetzungen, Einführungen und Interpretationen von Sprachen untereinander setzen eine Basis streng allgemeinheitlicher Bestimmungen voraus, in der sich die formale Einheit und Gleichheit der Sprache als Sprache bezeugt. Durch die de facto praktizierten gegenseitigen Einführungen, Übersetzungen und Interpretationen der Sprachen wird diese Voraussetzung in ihrer einsichtigen Notwendigkeit ständig unter Beweis gestellt. Aus diesem Grunde kann ich in der Trennung von Metasprache und Objektsprache keine Aufhebung der Einheit bzw. semantischen Geschlossenheit der Sprache erblicken, es sei denn, man versteht unter Semantik nur die der formalisierten Symbolsprache, die man — was nach oben angeführten Gründen unhaltbar ist — zu der allein wahren (wissenschaftlichen) Sprache deklariert. Desgleichen ist mir uneinsichtig, wie die Beibehaltung der elementaren logischen Grundsätze und Deduktionsgesetze zur Aufhebung der semantischen Geschlossenheit und damit Einheit der Sprache zwingen, und umgekehrt die Beibehaltung der semantischen Geschlossenheit bzw. Einheit der Sprache zu einer Preisgabe der logischen Elementargesetze nötigen soll. Der mit zwingender Einsicht der Sprache als Sprache zuzuschreibende Grundbestand an streng einheit- und gleichheitlichen sprachlogischen Prinzipien und Formregeln, der die Einheit der Sprache und mit ihr auch die Existenz andersgearteter, aufeinander bezogener und wechselseitig abhängiger, ineinander überführbarer und gegenseitig einführbarer Sprachen überhaupt ermöglicht, widerspricht von sich aus einem gegenseitigen Ausschluß von semantischer Geschlossenheit bzw. Einheit der Sprache und der Geltung logischer Grundgesetze.

II. Mitteilbarkeit und Nachprüfbarkeit

Von seiten des logischen Empirismus und der analytischen Philosophie werden Mitteilbarkeit und Nachprüfbarkeit für alle wissenschaftlich überhaupt verwertbaren Aussagen gefordert. Daß beide Bestimmungen die Grundleistung der kognitiven Kommunikation zu ihrer „unhintergehbaren“ Voraussetzung haben, sei hier nur angemerkt. Selbstredend wird die Nachprüfbarkeit erst durch die Mitteilbarkeit ermöglicht. Anderseits genügt die Mitteilbarkeit erst dann dem wissenschaftlichen Anspruch, wenn sie nachprüfbar ist. Ob alle Wissensvermittlung und kognitive Kommunikation bis in ihre letzten Grundlagen kontrolliert werden kann, ist eine Frage, die m. E. verneint werden muß.

Nachprüfbare Mitteilung kann nur dort erreicht werden, wo im sprachlichen Verkehr restlose Eindeutigkeit und Notwendigkeit herrschen. Nur dadurch wird die für die Wissenschaft erforderliche absolute Identität in der Wissensformulierung und Wissensvermittlung garantiert. Diesen rigorosen Anforderungen kann nach der Überzeugung der logischen bzw. wissenschaftlichen Empiristen allein nur ein logisch-mathematisches Formalsystem bzw. ein streng rationales Kalkulationssystem genügen.

Die der absoluten Einheit und Gleichheit des Wissens bzw. der Wissenschaft wegen zu erzwingende Identität kann sich einmal auf die Bestandteile (Vokabular und Formregeln, d. h. die Struktur der Ausdrücke und die ihrer Beziehungen) der Sprache als rein formales Repräsentations- und Mitteilungssystem beziehen, und zum anderen auf den durch die Sprache dargestellten und vermittelten Bedeutungsgehalt. Von der Sachentsprechung dieses Bedeutungsgehalts resp. Wissens sei vorerst abgesehen.

So gesehen muß nun festgestellt werden, daß jene Forderungen auch außerhalb des wissenschaftlichen Empirismus als eines methodologischen Rationalismus erfüllt werden. Denn mitteilbar und offensichtlich nachprüfbar im gleichnamigen Sinne sind auch nichtwissenschaftliche, nichtbeweisbare, nichtempirisch sinnvolle, gehaltvolle und belegbare Wissensbestände. Man denke nur an die buchstabengetreue Überlieferung von Geheimlehren oder Religionen, z. B. an das jahrhundertelange Auswendiglernen des Korans, so daß sich im Islam eine Kontinuität identischer Glaubenssätze von weit über tausend Jahren erhielt. Mit der gleichen Exaktheit mitteilbar können demnach nach definitiver Festlegung alle beliebigen, also auch restlos imaginären Bewußtseinsgehalte und Sätze sein. Die (kontrollierbare) Identität der Bezeichnungen wie die der Manipulation (Kombination, Umformung usw.) dieser Zeichen samt der ihnen zugeordneten Bedeutung liegt demnach in jedem festgesetzen, d. h. per definitionem eingeführten und konstituierten Darstellungs- und Sprachsystem vor, nicht nur in einem streng wissenschaftlichen. Solche Systeme gibt es beliebig viele, wie die Neopositivisten selbst zugestehen, so u. a. auch das der nach ihnen gänzlich unwissenschaftlichen Metaphysik oder einer dogmenhaft axiomatisierten Weltanschauung und Glaubenslehre. Daraus wird ersichtlich, daß identische Mitteilbarkeit und Nachprüfbarkeit als rein semiotische, d. h. innersprachliche bzw. (sprach-)systemimmanente Bestimmungen gleichermaßen in einer wissenschaftlichen wie außerwissenschaftlichen Verständigung anzutreffen und zu verwirklichen sind. Sie können daher von sich aus kein Unterscheidungskriterium zwischen Wissenschaft und Nichtwissenschaft abgeben. Dieses besteht vielmehr in der Rationalität sowie in der nachprüfbaren Sachentsprechung bzw. in der kontrollierbaren sachlichen Objektivität der durch Zeichen und Formregeln vermittelten Bedeutungsgehalte und nicht in deren rein linguistischen Intersubjektivität, d. h. semiotischen Objektivität. Daher beruht in der sachverhaltsidentischen Mitteilbarkeit und Nachprüfbarkeit von empirischen Feststellungen die erkenntnis- und verfahrenstheoretische Problematik aller Erfahrungswissenschaft und nicht in der sprachidentischen Mitteilbarkeit und Nachprüfbarkeit von ausschließlich sprachgebundenen Bedeutungsgehalten. Letztere ist zwar eine notwendige, keineswegs aber eine zureichende Bedingung.

Was die künstliche Symbolsprache des modernen wissenschaftlichen Empirismus von allen anderen Sprachsystemen und Wissenstheorien unterscheidet, ist, daß sie die streng sprachliche Identität, in der die linguistische Intersubjektivität resp. Objektivität beschlossen liegt, durch Verwendung von mathematischen Symbolen und logisch-mathematischen Kombinations- und Umformungsregeln mit rationaler Notwendigkeit zu erzwingen versucht und dergestalt eine streng formalistische Exaktheit erzielt. Darüber hinaus besteht der Neopositivismus nur auf Aussagen, die empirisch zureichend verifizierbar sind. Auf das Verifikationsproblem als das Basisproblem der Erfahrungswissenschaft wird später eingegangen werden. Vorerst genügt es, zu wissen, daß Identität, Intersubjektivität bzw. Objektivität, verstanden als sprachinterne Kriterien, nicht über die sachliche Objektivität unserer Erkenntnis entscheiden. Das heißt, mit der Errichtung selbst von logisch-mathematischen Formalsystemen werden die Grundfragen der Erfahrungserkenntnis nicht gelöst. M. a. W. durch kein gleichwie geartetes Darstellungs- und Mitteilungssystem wird die Erfahrungserkenntnis in ihrer Basis begründet und als wahres Wissen ausgewiesen. Es sei hier noch hinzugefügt, daß Ursprung und sprachliche Objektivation unserer Erkenntnis zwei heterogene Seiten der Wissensproblematik darstellen.

III. Erkenntnis und Sprache

1. Der Unterschied zwischen Sprach- und Erkenntnisleistung

Unsere Auseinandersetzung mit der sprachmonistischen Doktrin der analytischen Philosophie erfordert, den gegenteiligen Standpunkt in die Abhandlung kurz einzublenden. Dabei knüpfen wir wieder an der paradox anmutenden Tatsache an, daß wir mit der höchsten uns zu Gebote stehenden Gewißheit wissen, in der Sprache genuin Nicht- bzw. Außersprachliches mitzuteilen bzw. darzustellen. Daß wir überhaupt imstande sind, das Außersprachliche in seinem nichtsprachlichen Charakter sprachlich zu formulieren, gehört zu der merkwürdigen Verschränkung von Erkenntnis- und Sprachleistung. Haben wir nicht das untrügliche Bewußtsein, daß wir bei unseren den Gegenständen unmittelbar zugewandten Feststellungs- und Denkoperationen gar nicht primär nach Objektivationsregeln verfahren und uns also bei der Erfassung von Realitäten nicht zuvörderst nach den Möglichkeiten und Bestimmungen ihrer sprachlichen Fixierung richten? Man erkennt das, was man erkennt, und man denkt das, was man denkt, in erster Linie nicht im Hinblick auf die sprachliche Darstellung und Mitteilung des Erkannten und Gedachten. Man erkennt primär nicht das Erkannte und denkt nicht das, was es zu denken gilt, nach der Art und Weise, wie man es sprachlich darstellen und mitteilen kann. Ist es unter diesem Gesichtspunkt nicht symptomatisch für die gewaltsame Reduktion des Erkenntnis- bzw. Wissensproblems auf eine ausschließliche Sprachanalytik, wie sie von seiten des Neopositivismus vorgenommen wird, wenn dieser gegen die Phänomenologen Sturm läuft, die auf einem reinen, unmittelbaren, also nicht schon irgendwie mediatisierten und objektivierten Erfassen als dem eigentlichen Ursprung unserer Erkenntnis bestehen, wenngleich manche unter ihnen wiederum über das Ziel hinausschossen, indem sie in jeder Form von Objektivierung eine zwangsläufige Verfälschung des unmittelbar (sinnlich oder geistig) Erschauten behaupten zu müssen glaubten? Was jedoch von ihnen im Gegensatz zu den Linguisten mit aller Deutlichkeit gesehen wurde, ist, daß es sich bei der Erkenntnis- und Denkleistung um etwas realiter und qualitativ anderes handelt als bei der Objektivations- resp. Sprachleistung. Kann doch die Behauptung nicht aufrechterhalten werden, welche die Erkenntnisleistung voll und ganz in der Sprachleistung aufgehen läßt. Das unmittelbare Betrachten, Vergleichen, Unterscheiden, Erfassen usw. von Dingen und Vorgängen verläuft weder notwendig noch in der Mehrzahl der Fälle nach sprachlichen Regeln und Bestimmungen. Vielmehr handelt es sich bei ihnen um weitgehend sprachungebundene Wissensleistungen. Diese Feststellung wird keineswegs dadurch in Frage gestellt, daß man zur Mitteilung, Darstellung und Fixierung von Erfahrungen unumgehbar der Sprache bedarf und daher das Denken durch die Sprache in Gang gebracht, gelenkt, geschult und u. U. in sprachtypischer Weise geprägt werden kann. Trotz diesem Angewiesensein und Einfluß vollzieht sich jedoch die Erkenntnis als unmittelbare, konkrete Leistung im Prinzip nicht unter notwendiger Beteiligung der Sprache. Mit einem Satz: die Sprachleistung ist nicht unbedingt konstitutiv für die originäre Erkenntnisleistung, wohl aber für die mitgeteilte, dargestellte Erkenntnis. Das unmittelbare Erkennen und das Mitteilen eines Gegenstandes sind zwei verschiedene Vorgänge. Zwischen originärer und mitgeteilter Erkenntnis besteht ein sachlicher Unterschied. Eine mitgeteilte Erkenntnis ist nicht mehr eine originäre, und eine originäre ist von sich aus und von vornherein nicht eine mitgeteilte. Diese essentielle Unabhängigkeit des ursprünglichen Erkenntnisvollzuges von der Sprachfunktion ermöglicht es dem Menschen überhaupt, in bezug auf die Änderung, Verbesserung oder Begründung von Sprachen zu neuen Einsichten zu gelangen. Was die sprachanalytischen Philosophen vielfach als einzig legitime Basis wissenschaftlichen Wissens gelten lassen, ist nicht der erkennende, reale, konkrete Geist, sondern der in nichtrealgeistigen Medien „objektivierte Geist". Insofern und insoweit sich dennoch bei der Gegenstandserfassung eine Beteiligung von Objektivationsregeln herausstellen sollte, haben wir die Überzeugung, daß in diesem Falle die Objektivationsgesetze den Gegenstandsgesetzen entsprechen, daß wir also in der Sprachlogik sachlogisch verfahren.

2. Mitteilbarkeit beruht auf der Erkennbarkeit der Mitteilung und des Mitgeteilten

Das Problem der nachprüfbaren Mitteilung ist in jedem Falle wesentlich ein wahrnehmungs- und damit ein erkenntnismetaphysisches Problem[4].

Mitteilbarkeit und Nachprüfbarkeit stehen unter ganz anderen wissenstheoretischen Bedingungen und Kriteriumsanforderungen, je nachdem, ob es sich um die Mitteilbarkeit und Nachprüfbarkeit von bloß formalsprachlichen Determinanten (Vokabeln, Formregeln), von imaginären, irrealen oder auch bloß von gesetzten Sätzen einerseits oder von empirisch zu verifizierenden Aussagen anderseits handelt, von nur sprachgebundenem oder von sachfundiertem Wissen, um die Begründung einer kontrollierbaren sprachlichen Objektivität oder um die einer kontrollierbaren sachlichen Objektivität. Was immer für Beziehungen zwischen ihnen bestehen mögen, sicher ist jedenfalls, daß die empirische Verifikation in keiner gleichwie gearteten (sprachlichen) Formalisierung oder Kalkülisierung besteht und von diesen auch gar nicht geleistet werden kann. Die Maximen objektivationslogischer Widerspruchslosigkeit, Schlüssigkeit, Bündigkeit, Koordinierbarkeit usw. sind alles andere als zureichende Kriterien für die sachliche Richtigkeit und Gültigkeit von Begriffen und Behauptungen. Es ist aber nicht diese an sich unbezweifelbare und immer wieder nachgewiesene Tatsache, die uns hier beschäftigen soll, obwohl an ihr das ganze Ungenügen und — entgegen allem Fortschrittsgerede — das Versagen des modernen logischen bzw. wissenschaftlichen Empirismus zutage treten, dem es nach wie vor nicht gelungen ist, zwischen sprachlicher Objektivation und Sacherfassung den für die Erfahrungswissenschaft unerläßlichen Begründungszusammenhang aufzuzeigen bzw. zu erstellen, wobei seine Vertreter nicht einmal über die bloß denkbare Auffassung eines solchen Zusammenhangs eines Sinnes sind, von einer allgemeinverbindlichen, mit zwingender Gewißheit einsichtigen Grundlegung ganz zu schweigen. Unser Interesse richtet sich vielmehr auf das jedenfalls bei den meisten logischen Empirikern vorzufindende reichlich

[4] Wir bezeichnen alle diejenigen Grundlagen der Erkenntnis bzw. Erfahrung als erkenntnismetaphysisch, die weder in irgendeiner Form kalkülisierbar sind noch auf Setzungen beruhen.

merkwürdige Gebaren, als könnten sie die Errichtung, Einführung, Anwendung und Ausübung einer künstlichen Symbolsprache ohne eine *gleichzeitige* Begründung und Inanspruchnahme einer erkenntnistheoretisch zureichend fundierten Erfahrungserkenntnis bewerkstelligen. Ihrem Gehaben nach erwecken sie den offenbar von ihnen selbst geglaubten Anschein, als handle es sich bei der Sprache um ein von der Wirklichkeit getrenntes, emanzipiertes und autonomes Systemgebilde, eine Kuriosität insonderheit dann, wenn, was sie unentwegt tun, ohne Ausnahme auf Mitteilbarkeit bestanden wird, so als ob ein mitteilbares Wissen bzw. eine „mitteilbare" Sprache (der Gedanke einer nichtmitteilbaren Sprache ist ein Widerspruch in sich selbst) anders als in der hörbaren und sichtbaren Realität einer gesprochenen und geschriebenen Sprache bestehen könnte.

Zu dieser Tendenz gehört die ausgesprochene Bevorzugung von gesetzten Sätzen gegenüber den empirischen auf Grund der besseren Nachprüfbarkeit ihres identischen Bedeutungsgehalts im Mitteilungsprozeß. Denn bei der sachverhaltsidentischen Nachprüfung von empirischen Sätzen fungiert die beobachtete Wirklichkeit nicht als kontrollierender und korrigierender Korrespondent wie der Setzer bezüglich seiner von anderen aufgenommenen Setzungen. Die Rückäußerung der vom Setzer gesetzten Setzung wird von diesem selbst als der hier einzig kompetenten Instanz auf ihre Identität und d. h. Richtigkeit hin überprüft, und wenn nötig verbessert. Dieses dialogische Verhältnis fehlt in der Beziehung von Mensch und nichtmenschlicher Realität. Ob eine Beobachtung richtig ist oder nicht, d. h. ob die wahrgenommene der tatsächlichen Wirklichkeit entspricht, „sagt" uns nicht diese Wirklichkeit (z. B. die Natur) selbst, sondern (lassen wir einstweilen das Kriterium der objektiven Evidenz beiseite) nur ein anderer Mensch bzw. andere Personen, die dasselbe Naturereignis bzw. denselben Vorgang beobachtet haben. Jedoch in den Bestimmungen „dasselbe" bzw. „derselbe", also bezüglich der Identität des beobachteten Vorganges eröffnet sich bereits eine Schwierigkeit, die — so scheint es — durch keine unmittelbare Kontrolle geklärt werden kann (es gibt keine durch Fremdbeobachtung kontrollierbare Gegenstandsbeobachtung). Die Natur selbst „sagt" uns eben nicht, ob es derselbe, streng identische Sachverhalt war, der von den verschiedenen Personen wahrgenommen wurde. Während uns bei einer Setzung ihr Ursprung selbst als richtende und entscheidende Autorität gegenübertritt und sich in die Überprüfung der von ihr mitgeteilten Setzungen miteinschaltet, fehlt bei der Feststellung und Mitteilung von Naturvorgängen diese allein ausschlaggebende Kontrollinstanz. Hier gibt es keine unmittelbare, im wahren Sinne des Wortes autoritäre, sondern nur eine mittelbare, eben durch andere vermittelte und durch die Widerspruchslosigkeit der verschiedenen Beobachtungsresultate indirekt ausgewiesene Überprüfung. Während uns der Setzer selbst die Identität seiner erlassenen, von anderen vernommenen und rückgeäußerten Setzung in genuiner Weise bezeugt, vermissen wir in der Erkenntnis der nichtmenschlichen Realität eine derartige authentische Bürgschaft.

Diese Überlegungen erwecken den Anschein, als müßten bei gesetzten Sätzen nicht wie bei beobachteten Naturvorgängen die Leistungen des sachverhaltsidentischen Wahrnehmens und Mitteilens samt der Zuverlässigkeit ihres Funktionierens in Anspruch genommen werden.

Sieht man jedoch schärfer zu, so haben die Mitteilung und Überprüfung von Setzungen gleichermaßen die eben erwähnten Leistungen und ihr richtiges Funktionieren zur unumgänglichen Voraussetzung. Denn das von einer Person (oder Gruppe) Gesetzte muß (in einer vernehmbaren Sprache) geäußert und die solchermaßen geäußerte Setzung von dem Empfänger bedeutungsidentisch wahrgenommen und zur Kontrolle durch den Setzer (ob richtig verstanden) vom Empfänger wieder zurückgeäußert werden. Wenn also gewisse Vertreter des Neopositivismus glauben, mit einer Festsetzung und Bestimmung der Beobachtungs- resp. Basissätze dem Wahrnehmungsproblem ausweichen zu können[5], so unterliegen sie einer Täuschung. Denn die von irgendeiner Person erfolgte Setzung muß zu ihrer Kenntnisnahme und Billigung durch andere von diesen zuerst wahrgenommen werden. Das heißt, es handelt sich bei einer jeden Setzung, sofern sie mitteilbar sein bzw. mitgeteilt werden soll, nicht um eine bloße Setzung allein, sondern stets um eine *wahrnehmbare* bzw. wahrgenommene Setzung. Bestreitet man generell jegliche Wahrnehmungsevidenz — eine direkte Kontrolle von Wahrnehmungsleistungen bzw. -akten ist ohnehin nicht möglich —, so trifft eine solche von den Neopositivisten geltend gemachte Verneinung auch sie selbst. Denn die Wahrnehmungsproblematik besteht unverändert, ganz gleich ob es sich um die Wahrnehmung von Naturvorgängen oder von gesetzten Sätzen handelt, um das Sehen von Skalastrichen, Zahlenreihen und Signallichtern an physikalischen Meß- und Beobachtungsinstrumenten oder von Buchstaben und Zeichen bei schriftlich fixierten Sätzen, um das Hören von Glockenschlägen bei Kontrollgeräten, des Tickens von Zeitmessern und Geigerzählern oder der Klang- und Geräuschabfolge bei gesprochenen Sätzen. Um eine Wahrnehmung von realen Vorgängen handelt es sich nicht nur bei physikalischen, allgemein naturwissenschaftlichen Vorgängen, sondern

[5] Ganz abgesehen davon, daß sie damit das Fundament und folglich auch den Anspruch einer Erfahrungswissenschaft aufheben.

gleichermaßen auch beim Bekanntgeben und Vernehmen von Mitteilungen jedweder Art. Denn das ganze Mitteilungsgeschehen ereignet sich nur mittels physikalischer Trägersubstanzen[6] (ganz abgesehen vom Sinnverständnis). Es gilt also festzuhalten, daß in dieser Rücksicht erkenntnistheoretisch prinzipiell kein Unterschied besteht zwischen dem Konstatieren von Sätzen und von realen Vorgängen und daß, sobald man bei Setzungen und Sätzen die Forderung ihrer Mitteilbarkeit und Nachprüfbarkeit erhebt — ohne die es keine Wissenschaft wie allgemein keine Verständigung gäbe —, mit dieser Forderung eine adäquate und sachgerechte Erfassung der hier in Frage stehenden Wirklichkeit (und der Bedeutungsgehalte) mitbehauptet und in Anspruch genommen wird. Das heißt, die gezwungenermaßen von allen Wissenschaftlern und Wissenschaftstheoretikern geforderte Mitteilbarkeit enthält als ihre Voraussetzung die mögliche sachliche Entsprechung von Wahrnehmung und (sprachlicher) Realität. Da die logischen Empiristen bzw. Neopositivisten über alle Maßen auf der Mitteilbarkeit bestehen und sich auf die Kalkülisierung von Mitteilungs- und Darstellungssystemen verstehen, machen sie sich damit nolens volens zum entschiedenen Anwalt einer realistischen Erkenntnistheorie. Diese Konsequenz muß mit aller Entschiedenheit unterstrichen werden, da die hektische Betriebsamkeit, mit der sich die Neopositivisten linguistischen Aufgaben zuwenden, den — zum Teil beabsichtigten — Eindruck erweckt, als bestünden für eine sprachanalytische „Erfahrungswissenschaft" nur diese und keine erkenntnismetaphysischen Probleme mehr, ja als könnte auf die Lösung dieser Probleme — wenn nicht ganz, so doch weitgehend — verzichtet werden, als wäre mit der Aufstellung von formalisierten Symbolsprachen das im Grunde erkenntnismetaphysische Problem der (wissenschaftlichen wie allgemeinen) Wissensermittlung und Wissensvermittlung im Prinzip behoben.

Der Einbildung der Linguisten, ihr gesetztes Sprachsystem verbürge die sachlich-objektive, kontrollierbare Intersubjektivität, muß entgegengehalten werden, daß eben nicht die Aufstellung formalisierter Kunstsprachen, sondern primär die Sicherstellung der Wahrnehmungsgewißheit diese unerläßliche Intersubjektivität begründet. Wer vermöchte es je, bei mitteilbaren Setzungen bzw. mitteilbar gesetzten Sätzen hinter die Wahr-

[6] Der Tatsachencharakter der Sprache kann auch von den Vertretern des logischen Empirismus bzw. methodologischen Rationalismus nicht geleugnet werden, obgleich er von ihnen erkenntnistheoretisch nicht in Rechnung gezogen wird. *R. Carnap:* „A statement is a kind of sequence of spoken sounds, written marks, or the like, produced by human beings for specific purposes" (Logical Foundations of the Unity of Science: International Encyclopedia of Unified Science, Vol. I, Chicago [6]1955, 43). — *Charles W. Morris:* „Science exists as a body of written characters and spoken words" (a. a. O. 69).

nehmungsleistung zurückzutreten? Man muß um jeden Preis ihre Funktionstauglichkeit voraussetzen, und zwar eine solche, daß diese (und nichts anderes) die Intersubjektivität des Wahrgenommenen garantiert. Wie dies als möglich gedacht werden kann, ist eine andere Frage. Vorerst hat zu gelten, daß — wenn überhaupt — kein anderes Begründungsverhältnis in Betracht kommen kann.

Die Mitteilbarkeit beruht somit nicht auf einer Leistung der Setzung, sondern auf der Leistung verstehbarer Äußerung und der Wahrnehmung! Diese kann wiederum nicht durch Setzungen, sondern einzig durch eine neue, immer noch Wahrnehmung bleibende Wahrnehmung (wenn wir uns demonstrativ dieser tautologischen Wendung bedienen dürfen) überprüft und verbessert werden.

IV. Metaphysischer Rationalismus und logischer Empirismus

(Der metaphysische Rationalismus einer jeden zur Erfahrungstatsache realisierten Logik und Mathematik)

Da nun alle logischen und mathematischen Kalküle im wissenschaftlichen Verkehr zu einer verlautbarten und wahrgenommenen Sprache werden, so gibt es in ihm schließlich nur *erfahrbare* Formalsysteme. Das heißt, als wissenschaftliche Verkehrssprache sind sämtliche Formalsysteme unausweichlich auch *Erfahrungstatsachen.* Denn nur die in Gestalt von Schriftzeichen sichtbaren und in Form von Lautgebilden hörbaren Formalsysteme stehen hier überhaupt zur Debatte. Also treffen sämtliche für die Erfahrungserkenntnis geltend gemachten Kriterien, Probleme und Schwierigkeiten in gleichem Umfange auch für die logisch-mathematischen Formalsysteme zu, wenn diese wissenschaftlich überhaupt verfügbar und relevant sein sollen.

Wenn z. B. Stegmüller mit Recht die Voraussetzung der Erinnerungsevidenz für sämtliche Sprachsysteme geltend macht[7], also auch für die formalisierte Kunstsprache, so betrachtet er diese Sprache entgegen dem neopositivistischen Reduktionismus nicht nur in ihrem formallogischen Gehalt, sondern auch als Erfahrungstatsache, also unter Miteinbezug des Sprechens als Realvorgang bzw. des Sprechers. Es liegt aber hier darüber hinaus eine Abhängigkeit von jeglicher objektiven Evidenz vor, also auch von der Wahrnehmungsevidenz. Denn jede Art von Mitteilung beruht, wenn sie überhaupt wissensmäßig bzw. wissenschaftlich wirksam und relevant sein soll, auf der Erkennbarkeit der Mitteilung und des Mitgeteilten.

Man könnte in diesem Zusammenhang, recht verstanden, von der mit-

[7] *W. Stegmüller,* Metaphysik, Wissenschaft, Skepsis (Wien 1954) 272.

teilbaren Logik und Mathematik als Erfahrungstatsache sprechen. Denn da sich wie jede Sprache so auch die logisch-mathematischen Formalsysteme in Gestalt von Fakten und Realvorgängen präsentieren und als solche überhaupt existent sind, so handelt es sich bei ihrer Erfassung vorgängig bzw. gleichzeitig um eine empirische Erkenntnis in Form von Wahrnehmungen und Erinnerungen. Man nimmt gegenüber solchen Formalsystemen meistens fälschlich an, daß in bezug auf sie ausschließlich eine rein logische bzw. rationale Erkenntnis gefordert und notwendig sei. Eine solche Reduktion — gerade gegenüber ihrem eigenen formalisierten Sprachsystem — erachten die meisten logischen Empiristen als völlig legitim, so daß es sich erübrigt, von ihr überhaupt Aufsehen zu machen. Wenn es aber beim Umgang, bei der Verwendung, Mitteilung und Darstellung von logisch-mathematischen Formalsystemen keine Idealerkenntnis ohne Realerkenntnis gibt und damit auch keine logischen, ohne Wirklichkeitsgehalt versehenen Aussagen bzw. Sätze ohne aposteriorische bzw. empirische, so gibt es auch keine formallogische Wahrheit ohne die sog. Tatsachenwahrheit. Meiner Überzeugung nach gibt es auch, vor allem in bezug auf die mitteilbare Logik und Mathematik, das Umgekehrte nicht und daher auch keine vertretbare Trennung zwischen analytischen und synthetischen Urteilen. Die logischen Empiristen bestehen u. a. deshalb auf ihrer Trennung, weil sie in ihren Argumentationen den Wirklichkeitsaspekt aller mitteilbaren und darstellbaren Logik und Mathematik und damit ihrer formalisierten Kunstsprache unterschlagen und so tun, als lägen bei ihren Kalkülen ausschließlich formallogische und keine empirischen Erkenntnisprobleme vor, gleichsam als ob es sich bei ihnen um im luftleeren Raum schwebende Idealgebilde handeln würde.

Nun ist es die von den logischen bzw. wissenschaftlichen Empiristen uno sono vertretene Überzeugung, daß es bei der durch ihre Kunstsprache sichergestellten Verständigung die größtmögliche Gewißheit und Exaktheit, Eindeutigkeit und Objektivität gibt. Da der logischen Erfassung ihrer Kunstsprache die empirische ihrer Faktizität vorhergeht bzw. vorgeschaltet ist, so muß man für diese ihre empirische Erkenntnis dieselben Gewißheiten und dieselbe Objektivität gelten lassen, die man ihrer logischen Erkenntnis zuspricht. Desgleichen kann in bezug auf die mitteilbare Kunstsprache keine logische Evidenz, d. h. keine Evidenz für logisch-mathematische Operationen, ohne gleichzeitige Inanspruchnahme der Erfahrungs- bzw. Wahrnehmungsevidenz behauptet und getätigt werden. Dies ist eine Konsequenz, um die kein logischer Empirist herumkommt.

Der Logizismus kann für sich geltend machen, daß es keine wissenschaftliche Erkenntnis ohne logischen Formalismus gibt (in welchem Umfange und in welcher Art, ist eine andere Frage). Darin liegt auch der unabweisbare Anspruch des logischen Transzendentalismus, daß er nachweisen kann, daß alle Erkenntnis notwendig immer schon logisch und kategorial formuliert ist, daß keine Erkenntnis existiert und denkbar ist ohne den Gebrauch logischer Formregeln und Grundsätze.

Anderseits untergraben die Logik und Sprachanalytik ihre eigene Existenz, wenn sie nur Logik und Sprachanalytik sein wollen, denn es gibt de facto beide nur in Gestalt konkret wahrnehmbarer Realgebilde. Da sie in dieser ihrer Tatsächlichkeit trotzdem noch als Logik und formalisierte Sprache auszumachen sind, in eben ihrer strengen Allgemeingültigkeit und Exaktheit, Gewißheit und Sicherheit, so wird hier mit aller Deutlichkeit offenkundig, wie mit jeder gleichwie gearteten realisierten Sprache, Logik und Mathematik ein *metaphysischer Rationalismus* behauptet und geltend gemacht wird, der seit Parmenides auf der Einheit von Denken und Sein besteht. Denn unter dem metaphysischen Rationalismus bzw. Realidealismus ist eine Lehre zu verstehen, die — in welchem Umfange bleibt vorerst ohne Belang — die faktische Einheit von Realität und Ratio behauptet, eine Intelligibilität des Seienden, in unserem Betracht in Gestalt einer realisierten Logik bzw. Mathematik, wie sie — im strengen Sinne eines λόγος ἔνυλος — mit höchster Präzision etwa bei den physikalischen Beobachtungsinstrumenten, Meßapparaten und Kontrollgeräten vorliegt, in den ganzen experimentellen Arrangements der exakten Naturwissenschaften sowie bei allen logisch und quantitativ formalisierten Darstellungs- und Mitteilungssystemen. Dergestalt gibt es Logik und Mathematik als Erfahrungstatsachen und Erfahrungserkenntnis, aber in der Form absolut eindeutiger, gewisser und sicherer „Realallgemeinaussagen", die eben zumindest dort möglich ist, wo wir selbst Ideen, Begriffe, Logik und Mathematik in exakter Weise zu realisieren vermögen. Bei dieser besonderen Art von Erfahrungserkenntnis handelt es sich auf keinen Fall um eine sogenannte induktive Erfahrung. Das heißt, die als realisierte Logik bzw. Mathematik erfahrbare Logik bzw. Mathematik erweist sich als keine empirisch-induktive Größe. Wenn nur dort apriorische Wirklichkeitserkenntnis als möglich gedacht werden kann, wo Realität nach den rationalen Gesetzen denkender Wesen geschaffen wird, so gibt es sie wenigstens in der immer mehr sich ausdehnenden Wirklichkeit aller zu Realgebilden bzw. Realvorgängen realisierten Rationalität, Logik und Mathematik. Es kann somit generell kein Gegensatz bzw. gegenseitiger Ausschluß von apriorischer (d. i. nicht-induktiver) Wissensgewißheit und Erfahrungsgewißheit statuiert werden.

Es bliebe noch zu bedenken, wieso es dazu kommt, daß von den logischen Empiristen Logik und Mathematik als Realität, Erfahrungstatsache und Erfahrungserkenntnis und die sich daraus ergebenden erkenntnismetaphysischen Konsequenzen so gut wie überhaupt nicht beachtet und gewertet werden, ein Gebaren, das man mit Recht als Reduktionismus bezeichnen kann.

Gegen eine aus methodologischen Rücksichten betriebene Abstraktion ist im Prinzip nichts einzuwenden. Man kann gedanklich von unerläßlichen Bedingungen absehen und ein Gesamtphänomen auf die an ihm ins Auge zu fassenden Aspekte verkürzen. Man kann aber aus verfahrenslogischen und sachlogischen Gründen auf keinen Fall den durch Reduktion herauspräparierten Gegenstandsbereich für autonom erklären gegenüber Bedingungsbeständen, von denen er nur gedanklich abstrahiert wurde. Dies geschieht aber überall dort, wo die Realität samt den zu ihrer Erfassung notwendigen Kriterien unbeachtet bleibt, ohne die jene formalisierten Kunstsprachen keine Erfahrungstatsachen und d. h. gar nicht mitteilbar und wißbar sein würden. Die Unbegreifbarkeit dessen, wie wir es überhaupt anstellen und vermögen, Logik und Mathematik zu absolut eindeutigen und sicheren Erfahrungstatsachen, zu apriorischen Gewißheiten zu realisieren, steht bei den logischen Empiristen nicht auf der Liste bemerkenswerter Daten, noch viel weniger die Tatsache, daß sie mit ihrer unentwegt realisierten Logik und Mathematik bzw. formalisierten Sprache nichts anderes als Ontologie und Erkenntnismetaphysik betreiben, behaupten und beanspruchen. Dieses hartnäckige Verschweigen ist mehr als verwunderlich. Man leistet sich eine beispiellose Inkonsequenz, um keine Konzessionen an die herkömmliche Philosophie bzw. Metaphysik machen zu müssen, mit der man nach dem vorgefaßten Ideal einer exakten Erfahrungswissenschaft nichts mehr gemein haben will.

V. Sicherstellung einer objektiven erfahrungswissenschaftlichen Erkenntnisgrundlage

Nach den soeben erörterten Verhältnissen bedarf es offenbar gegenüber der zu apriorisch gewissen und sicheren Erfahrungstatsachen realisierten Logik, Mathematik und formalisierten Kunstsprache keiner Erörterung der hierzu erforderlichen Erkenntniskriterien und -grundlagen. Diese werden vielmehr von den logischen Empiristen zu keinem Augenblick in Frage gestellt.

Wenn man unter Erfahrung Realitätserfassung versteht, so müßte man eigentlich zwei Formen von Erfahrungserkenntnis unterscheiden: 1. gegenüber der Realität der realisierten Logik und Mathematik, und 2. gegenüber aller übrigen Realität. Realitätserfassung sind, wie gesagt, beide, weshalb beide etwas Gemeinsames aufweisen müssen, so daß wesentliche

Bestimmungsstücke der ersteren auch der zweiten eigen sind, ein äußerst fruchtbarer Aspekt zur allgemeinen Klärung des Erfahrungsbegriffs.

Wenn wir überhaupt keine Realitätserfassung hätten, die uns als gewiß, sicher und exakt erscheint, wie wir und besonders die exakten Naturwissenschaftler sie in der Erfassung der zu Realdingen und Realvorgängen realisierten Logik und Mathematik zu besitzen glauben, dann wäre es um die Erfahrungserkenntnis schlecht bestellt, und es bliebe immer noch, um mit Kant zu reden, „ein Skandal der Philosophie und allgemeinen Menschenvernunft, das Dasein der Dinge außer uns bloß auf Glauben annehmen zu müssen". Die bei einigen erkenntnistheoretisch bemühten Physikern[8] sich bemerkbar machende Tendenz zum logischen Idealismus bzw. Transzendentalismus hat Brouwer wie folgt zum Ausdruck gebracht: „Seit dreißig Jahren sind wir stufenweise Augenzeugen der Zertrümmerung der Außenwelt. Ich möchte den Philosophen gern eine Frage aufgeben: Ist das Verlorengehen dieser äußeren Welt ein so großer Verlust für die Philosophen?"[9]

Dies ist aber nun ganz und gar nicht der erklärte Standpunkt der auf und nur auf Erfahrungswissenschaft und ausschließliche Realitätsbezeugung unseres Wissens ausgehenden und bestehenden logischen Empiristen.

Da es also eine gewisse, eindeutige und sichere Realitätserkenntnis, wenn auch einer ganz bestimmten Realität gegenüber, zu geben scheint und dem Gebaren und Anspruch der logischen Empiristen nach auch zweifelsfrei gibt, so möchte man annehmen, daß grundsätzliche Probleme, die die Realitätserkenntnis als Realitätserkenntnis betreffen, offenbar lösbar sind oder sich von selbst erledigen, insofern diese Art von Realitätserkenntnis sich selbst hinreichend legitimiert. Diese Folgerung ist von entscheidender Bedeutung für die Klärung aller nicht auf realisierte Logik bzw. Mathematik gerichteten Erfahrungserkenntnis, welche die logischen Empiristen fast ausschließlich im Auge haben bei ihrer fragwürdigen Erörterung der von ihnen in Frage gestellten Erkenntnisbasis, ohne dabei den eben genannten Zusammenhang zu bedenken, d. h. sich dessen inne zu werden, daß sie mit einer hypothetischen, irrationalen oder gar konventionalistischen „Begründung" der Realitätserkenntnis im allgemeinen in gleichem Ausmaß ihre eigene Kunstsprache als realisierte Logik und Mathematik entwerten, ja letztlich die eindeutige, gewisse und sichere Verstehbarkeit ihrer diesbezüglichen, zu der sichtbaren und hörbaren Wirklichkeit der geschriebenen und gesprochenen Sprache vergegenständlichten Argumentationen in Abrede stellen. Diese im Folgenden zu

---

[8] Wie z. B. M. Born, A. Eddington, W. Heisenberg, J. Jeans, A. March.

[9] *L. E. J. Brouwer,* Problèmes de Connaissance en physique moderne (1949) 49.

beachtende Konsequenz ist der neuralgische Punkt in den erkenntnistheoretischen Erörterungen der meisten logischen Empiristen bzw. Neopositivisten, nicht zuletzt deshalb, weil sie krampfhaft allen metaphysischen Fragen auszuweichen versuchen.

In der Basisproblematik der Erkenntnistheorie geht es um die Auffindung der Grundlagen der empirischen Erkenntnis, die sie eben zu einer empirischen Erkenntnis machen und als solche ausweisen. In jeder Erfahrungswissenschaft muß es, wenn sie sich, worüber einmütige Übereinstimmung bei den Erfahrungswissenschaftlern besteht, von der Formalwissenschaft bzw. einem bloßen logisch-mathematischen Kalkül unterscheiden soll, empirische Grund-Sätze geben, die von anderen logisch nicht mehr abgeleitet und auf die alle übrigen Behauptungssätze zu ihrer empirischen Bestätigung bzw. Begründung zurückgeführt werden können. Bei solchen nicht mehr weiter zurückführbaren Erfahrungssätzen muß sich dann ein verbindlicher Begründungszusammenhang mit der erfahrbaren Wirklichkeit aufzeigen lassen, wenn sie sich in erkenntnistheoretisch zureichender Weise als Erfahrungswissen ausweisen sollen.

Ganz gleich also, wie diese Grund-Sätze bezeichnet werden, als Atom-, Elementar-, Protokoll- oder Basissätze, und abgesehen davon, in welcher Nuancierung man zwischen ihnen Unterschiede geltend macht, es muß sich an ihnen, solange an der Erfahrung und Erfahrungswissenschaft festgehalten wird, in allgemeinverbindlicher Weise ein eindeutiger und unbestreitbarer Bezug zur erfahrbaren Wirklichkeit feststellen lassen. Es geht nicht an, solchen Anfangssätzen[10] hinsichtlich ihres empirischen Bestätigungswertes nicht einen Vorrang vor allen übrigen Sätzen eines wissenschaftlichen Systems einzuräumen. Ihre Gleichsetzung mit jedem beliebigen anderen wissenschaftlichen Satz würde ihnen diese ihre erkenntnistheoretische Besonderheit aberkennen.

Jeder Versuch, den unmittelbaren Zusammenhang zwischen Erfahrungswissen und erfahrbarer Wirklichkeit aufzuzeigen, kommt um die zentrale Stellung des Erlebnisses nicht herum[11]. Denn alle Wahrnehmungs- und

---

[10] *E. Zellinger,* Zu den philosophischen Voraussetzungen der Psychologie als Erfahrungswissenschaft (Das materiale Apriori des exakten Erfahrungswissens): Psychol. Rundschau Jg. XIV, H. 4 (1963) 227—262.

[11] Jedes Vorhaben, diesem Begründungszusammenhang auszuweichen, weil man der „Subjektivität" und „Unkontrollierbarkeit" der Erlebnis- bzw. Erkenntnisleistung mißtraut, führt zu einem Kalkulieren mit bloßen Wortkörpern bzw. Zeichengebilden und deren (falls ihnen überhaupt zugeordnet) im Grunde bedeutungslosen Bedeutungsgehalten, das zwar mathematisch präzisiert werden kann, wissensmäßig aber nichts einbringt. Dies zeigt sich besonders in der erlebnisscheuen und daher jeder Introspektion abholden modernen Psychologie als einer Psychophysik bzw. Psychomathematik. Siehe *E. Zellinger,* a. a. O.

Beobachtungsleistung ereignet sich in Gestalt des Erlebnisses. Ob man in ihm gleich den sprachmonistischen Neopositivisten nur ein psychisches Faktum zu sehen hat, ist eine ganz andere Frage. Zunächst jedenfalls kann unter bestimmten Aspekten dem Einwand Poppers[12] zugestimmt werden, der sich gegen eine bloße unmittelbare Erlebnisbegründung solcher Basissätze richtet unter dem Hinweis, daß in jeder geltend gemachten Beobachtung weitaus mehr behauptet wird, als ein singuläres unmittelbares Erlebnis herzugeben bzw. zu decken vermag. Die Neigung Poppers jedoch, die Erstellung der Basissätze aus diesem Grunde auf willkürliche Festsetzung bzw. einen Entschluß zurückzuführen, der durch die Wahrnehmungsleistung keinesfalls formal- oder sachlogisch begründet, sondern durch sie nur psychologisch motiviert wird, führt in gerader Linie zum Konventionalismus und damit zur Preisgabe der Erfahrungs- und Tatsachenwissenschaft. „Wir können", so führte er aus, „ihre (scil. der Basissätze) Anerkennung als konventionellen Entschluß interpretieren und die anerkannten Sätze als Festsetzungen."[13] Der allgemeine Hinweis, „daß der Beschluß, einen Basissatz anzuerkennen, mit Erlebnissen zusammenhängt"[14] bzw. daß irgendein Zusammenhang zwischen den anzuerkennenden Basissätzen und den singulären Erlebnisaussagen besteht, darf nicht darüber hinwegtäuschen, daß Popper gar nicht daran denkt, darin einen sachlogisch und objektiv verbindlichen und gültigen Begründungszusammenhang zu sehen. Das Erlebnis bzw. die Wahrnehmungsleistung wird — wie übrigens von vielen Neopositivisten — nach wie vor erkenntnistheoretisch weder als eine zuständige noch gar als eine hinreichende Bedingung für die objektive Gültigkeit von empirischen Sätzen anerkannt. Sie spielen demnach verfahrenslogisch wie wissenstheoretisch überhaupt keine maßgebliche Rolle. Die innerhalb des früheren Empirismus vertretene These, daß Erlebnisaussagen die Erkenntnisgrundlagen abgeben, wird somit von Popper bestritten. Daß in singulären Erlebnisaussagen jeder Art, wie wir sie in der alltäglichen „Ding-Sprache" (Carnap) verwenden, z.B. zur Beschreibung von beobachtbaren „Ding-Prädikaten", bei weitem über das unmittelbare Erlebnisgegebene hinausgegangen und damit viel mehr behauptet wird, als der bloß sinnenhaft wahrgenommene Wirklichkeitsausschnitt tatsächlich beinhaltet, wird schon durch den schlechthin unvermeidbaren Gebrauch von Begriffen, die ihrem Wesen nach immer (bei den empirischen: Real-)Allgemeinbestimmungen sind[15],

---

[12] *K. Popper*, Logik der Forschung (Wien 1935).

[13] A. a. O. 203. [14] A. a. O. 62.

[15] Daß es Begriffe und Urteile geben soll, die eine weniger allgemeine Allgemeinheit und eine weniger allgemeingültige allgemeine Gültigkeit betreffen, widerspricht der nun einmal so und nicht anders gearteten logischen Struktur des Begriffs bzw. Urteils.

offenbar, besonders dann, wenn man sie in Satzbildungen krampfhaft auszuschalten versucht, wie z. B. B. Russell, indem er zur Vermeidung eines solchen empirisch ungedeckten Behauptungsumfanges fordert, bei allen Wahrnehmungsurteilen alles Hypothetische auszumerzen, um allein nur das tatsächlich gesehene Vorhandene zu Wort kommen zu lassen. Jedoch gelingt die Einhaltung dieser Forderung offenbar auch ihm selbst nicht. Sieht man z. B. einen Hund, so behauptet die Beobachtungsaussage „Da befindet sich ein Hund" nach Russell zuviel. Sie müßte vielmehr hypothesenfrei lauten: „Da befindet sich ein hundsförmiger Farbfleck." [16] In diesem also reduzierten Urteil werden aber unvermeidbar immer noch Wissensbestände beansprucht, die in ihrer Allgemeinheit und allgemeinen Gültigkeit nicht aus der augenblicklichen, gegenwärtigen sinnlichen Beobachtung entstammen, Inhalte, die das Resultat umfangreicher Erfahrungen und denkerischer Arbeit sind, und daher ein Vergangenheitswissen, so daß sie unter diesen Vorzeichen gerade nach der Auffassung Russells als hypothetisch bezeichnet werden müssen. Solche hypothetischen Elemente sind in dem angeblich bereinigten Satz u. a. „hunds-", „Farb-", „Fleck ".Von der begrifflichen Bedeutung dieser Worte weiß ich nur aus früheren Erfahrungen und deren denkerischer Verarbeitung, an die ich mich obendrein noch täuschungsfrei zu erinnern habe. Zum anderen betreffen diese Worte bzw. Begriffe Bestimmungen von realer Allgemeinheit, die durch die Konsistenz ganz spezifischer Propria eindeutig umschrieben und festgelegt sind.

Es ist daher folgendes festzuhalten: 1. Der Gebrauch von Realallgemeinbestimmungen ist bei empirischen Begriffen bzw. Erfahrungsurteilen gänzlich unvermeidbar. 2. Als hypothetisch kann man sie nur erklären, wenn man a) täuschungsfreie Erinnerung im Prinzip verneint und b) nur an einer empirisch-induktiven und d. i. quantitativ-induktiven Begründung von Allgemeinbestimmungen festhält. Unter diesen Vorzeichen geht natürlich jede Art von empirischer Aussage über den überhaupt erfaßbaren Tatsachenbestand hinaus.

Inwieweit die bei jeder — und vor allem wissenschaftlich verbindlichen — Beschreibung einer Einzelbeobachtung in Anspruch zu nehmende Allgemeinheit und allgemeine Gültigkeit, z. B. von Prädikatsbestimmungen, empirisch zureichend fundiert und gerechtfertigt werden können, ist hier das entscheidende Problem.

In diesem Zusammenhang ist es nunmehr m. E. das Verdienst von Popper, gezeigt zu haben, daß die in wissenschaftlichen Sätzen behauptete Allgemeinheit und die für sie geltend gemachte allgemeine Gültigkeit

---

[16] *B. Russell,* Inquiry into Meaning and Truth (London 1948) 139 f.

durch die Induktion niemals begründet und legitimiert werden können. Dieselben Argumente Poppers gegen den Induktivismus müssen auch gegen die Voraussagekalküle in Anschlag gebracht werden, bei denen man, oft unter Abhebung von bisherigen induktiven Bewahrheitungsmethoden, in der nachträglichen Bestätigung hypothesenhaft vorhergesagter Bestimmungen ein zureichendes Verifikationsverfahren behauptet. Jedoch unterliegen Verifikationen dieser Art in gleicher Weise dem Gesetz der Zahl und damit dem Problem der Induktion (eine Induktion ist exakt nur als quantitative Induktion). Wie vieler solcher nachträglicher Bestätigungen von Voraussagen bedarf es, um Gesetze oder Allgemeinbestimmungen empirisch zureichend begründet behaupten zu können?

Vom Standpunkt des induktivistischen oder gar nominalistischen Empirismus aus überziehen wir mit der zwangsläufigen Verwendung von Realallgemeinbestimmungen ständig das Konto unserer Aussageberechtigung. Das heißt, die Wechsel, die wir mit unseren Behauptungen ausstellen, bleiben empirisch-induktiv ungedeckt, und zwar nicht bloß in einem Mehr oder Weniger, sondern qualitativ schlechthin undeckbar. Nun können wir aus erkenntnismäßiger und sprachlicher Notwendigkeit nicht anders als in Allgemeinheiten wahrnehmen, denken und sprechen. Wir vermögen nur in allgemeinheitlicher Form etwas über die Realität verbindlich auszumachen. Sonach scheint es nur die Alternative zu geben: Entweder sind uns Allgemeinheiten bzw. Realallgemeinbestimmungen erfahrungsmäßig irgendwie einsichtig gegeben (wie viele dies sind, ist zunächst gleichgültig), was zur Anerkennung synthetisch-apriorischer Urteile zwingt, oder wir müssen auf wissenschaftliche Erfahrung gänzlich verzichten. Man kann natürlich die genannte Notwendigkeit als ein rein linguistisches Problem erklären, wobei man dann den Tatsachenbezug des sprachlichen Ausdrucks preisgibt, allerdings mit der einen einzigen Ausnahme, nämlich der von den Linguisten selbst verwendeten sicht- und hörbaren Sprache. Die sprachanalytische Philosophie ist in bezug auf sich selbst unausweichlich auch Realwissenschaft.

Von hier aus will es scheinen, daß die Erfahrungswissenschaft und mit ihr auch der Empirismus nur durch die Anerkennung und Inanspruchnahme (in welchem Umfange bleibt vorerst eine sekundäre Frage) eines metaphysischen Rationalismus bzw. Idealrealismus begründet und gehalten werden kann, wobei wir unter einer solchen Erkenntnis die im nichtinduktiven Sinne apriorische Einsicht in die ontologische Notwendigkeit (Realallgemeinbestimmtheit) verstehen.

Soll an der Forderung einer Erfahrungswissenschaft festgehalten werden, so müssen zwei unerläßliche Bedingungen anerkannt werden: 1. daß ein sachlogisch und objektiv verbindlicher Begründungszusammenhang zwischen den Basissätzen und der Wahrnehmungs- bzw. Erkenntnisleistung besteht; 2. daß — in welchem Umfange bleibt hier ohne Belang — in bestimmten Grenzen ein metaphysischer Rationalismus bzw. Idealrealismus möglich ist, ohne den die in jeder erfahrungswissenschaftlichen Behauptung zwangsläufig in Anspruch genommene Allgemeinheit und allgemeine Gültigkeit von Wirklichkeitsaussagen nicht begründet und legitimiert werden können.

VI. Überzeugungsgefühl, unbegründbarer Glaube an Einsicht oder unmittelbare Wahrheitsgewißheit

Im vorletzten Kapitel wurde auf den von seiten des logischen Empirismus geflissentlich verschwiegenen Tatsachencharakter der zu Beobachtungsapparaten, Meßinstrumenten und Kontrollgeräten wie auch zu sicht- und hörbaren Kunstsprachen realisierten Logik und Mathematik hingewiesen. Das dort zum Anklang gebrachte Problem der erfahrungswissenschaftlichen Begründung und Sicherstellung dergestalt realisierter Formalwissenschaften soll hier wieder aufgegriffen werden. Die von den logischen bzw. wissenschaftlichen Empiristen als methodologischen Rationalisten eingeführte symbolische resp. mathematische Logik gilt als eine Sprache, die im Gegensatz zu allen anderen Sprachen als einzige eine eindeutige, exakte sowie rational absolut gewisse und sichere Darstellung und Mitteilung gewährleistet. Aus diesem Anspruch ergibt sich mit zwingender Notwendigkeit, daß dieselben wissenstheoretischen Superlative auch für die Erfassung der materiellen Gebilde geltend gemacht werden, in welche die logischen und mathematischen Gehalte jeweils verkörpert wurden.

Die formalisierte Sprache etabliert sich — wie jede gewöhnliche Sprache auch — in einem mehr oder minder umfangreichen Bestand von Zeichen, in denen das Vokabular und die verschiedenen Kombinations- bzw. Formregeln Gestalt annehmen, d. h. Buchstaben oder andere (z. T. geometrische) Schriftzeichen. Bleiben wir z. B. bei den Verknüpfungszeichen: Das Disjunktionszeichen ‚v‘ entspricht dem deutschsprachigen Wort ‚oder‘, das Konjunktionszeichen ‚.‘ dem Wort ‚und‘, das Negationszeichen ‚~‘ dem Wort ‚nicht‘, das Äquivalenzzeichen ‚≡‘ der Wortgruppe ‚dann und nur dann, wenn‘ usw. Die Verknüpfungszeichen sind zunächst sichtbare Figuren, also sinnliche gegebene Tatsachen, die dann durch Festsetzung zum Träger bestimmter Bedeutungen gemacht werden. So besteht das Äquivalenzzeichen aus drei waagrecht übereinanderliegenden Strichen. Die Feststellung dieser Figur erfolgt durch eine Wahrnehmungsleistung, ihre Formulierung in Gestalt einer singulären Erlebnisaussage über unmittelbar Gegebenes. „Dies ist rot“, „Dies ist ein hundsförmiger Farbfleck“ sind

z. B. formulierte Erfahrungsurteile, die sich auf unmittelbar Auffindbares beziehen und es beschreiben. Nicht anders verhält es sich mit der Erfassung und Formulierung der symbolischen Logik als Zeichenbestand. „Dies sind drei waagrecht übereinanderliegende Striche" ist desgleichen ein singulärer sachhaltiger Satz, der uns die faktische Kenntnis eines unmittelbar Gegebenen vermittelt. Das heißt also, unser jeweiliges konkretes Wissen um die Sprachbestandteile erweist sich als eine Tatsachenkenntnis, ausgedrückt und einzig nur ausdrückbar in singulären Erfahrungssätzen. Die von der Kunstsprache verwendeten Zeichen müssen daher in Form von singulären Erlebnisaussagen über unmittelbar Aufgefundenes bzw. Auffindbares eingeführt werden und dergestalt im Prinzip formulierbar sein bzw. bleiben.

Wie bei allen, so geht es auch bei diesen elementaren Erfahrungs- bzw. Basissätzen darum, daß sie an Hand von eindeutigen Wahrheitskriterien mit unbezweifelbarer Gewißheit als objektiv wahr oder falsch auszumachen sind. Es handelt sich bei ihnen um solche formulierte Urteile, die ihre Bewahrheitung nicht auf deduktivem Wege von anderen schon als wahr erwiesenen Sätzen erfahren, sondern als letzte bzw. erste aller erfahrungs- bzw. sachhaltigen Sätze sich selbst beglaubigen und d. h. in sich selbst gewiß sein müssen. Eine derartige in ihrer Objektivität zureichende Selbstlegitimierung erfolgt durch die sogenannte objektive Evidenz.

Bevor wir auf die für das Verständnis und den Gebrauch der logisch bzw. mathematisch formalisierten Kunstsprache unerläßliche Wahrnehmungs- und Erinnerungsevidenz eingehen, soll der hier zur Diskussion stehende Sachverhalt noch genauer umrissen werden.

Unser Sprechen über Objekte vollzieht sich in der Verknüpfung von Worten zu Sätzen und von Sätzen zu mehr oder minder umfangreichen Darstellungen und Mitteilungen, so auch in bezug auf die Kunstsprachen selbst zu deren Darstellung, Einführung, Interpretation und Anwendung. Worte sind entweder „deskriptive Zeichen" zur Bezeichnung von Gegenständen (sog. „Individuen"), Prädikaten und Relationen, oder „logische Zeichen", die Verknüpfungsmodi bezeichnen, mittels deren die Prädikate oder Relationen den Gegenständen zugeordnet bzw. zugeschrieben werden. Logisch sind, wie ihre attributive Bestimmung schon besagt, nur jene Verknüpfungszeichen und die mit ihnen bezeichneten verschiedenen Verknüpfungsmöglichkeiten, sei es von dekriptiven Zeichen oder von ganzen Sätzen untereinander.

Nehmen wir — Carnap[17] folgend — als Beispiel die Verknüpfung von

---

[17] *R. Carnap,* Symbolische Logik (Wien 1960) bes. A 4, S. 10 ff, und B 25 c, S. 99 ff.

zwei voneinander unabhängigen Sätzen A und B. Da jeder Satz entweder wahr oder falsch ist, so ergeben sich für sie von vornherein vier mögliche Wahrheitswerte: entweder sind beide wahr oder beide falsch, oder der eine wahr und der andere falsch oder umgekehrt. Dementsprechend gibt es für jede Form logischer Verknüpfung dieser beiden Sätze — für die Konjunktion, Negation, Disjunktion, Implikation und Äquivalenz — gleichfalls vier mögliche Wahrheitswerte. Für die Konjunktion gilt z. B., daß sie nur dann logisch wahr ist, wenn beide Sätze wahr sind, und notwendig falsch in allen übrigen Fällen. Von seiten der kombinationslogischen Wahrheit aus kann ich daher nur das eine grundsätzlich geltend machen, daß, wenn zwei voneinander unabhängige Sätze miteinander durch Konjunktion in Beziehung gesetzt werden sollen, beide wahr sein müssen, wenn diese Verbindung eine „wahre" sein soll. Ob jedoch beide Sätze tatsächlich wahr sind, darüber befindet nicht die Kombinations- bzw. Konjunktionslogik. Das heißt, ob beide Sätze wahr sind oder ob nur der eine und der andere nicht, oder ob der andere und der eine nicht, oder ob beide falsch sind, entscheidet nicht die kombinationslogische Wahrheit, in unserm Falle der logischen Konjunktion nicht der Grundsatz, daß beide Sätze wahr sein müssen, um in Wahrheit miteinander verbunden werden zu können, sondern einzig und allein die „Tatsachenkenntnis", also der Umstand, daß man „aus der Beobachtung ersieht" (Carnap), ob der in den Sätzen ausgesagte Sachverhalt faktisch zutrifft oder nicht. Dasselbe gilt natürlich nicht nur für die Verknüpfung von Sätzen, sondern gleichfalls von Prädikats- und Relationsbestimmungen mit Gegenständen, von denen sie ausgesagt werden. Auch hier bildet die kombinationslogische Wahrheit nur *eine* Wahrheitsbedingung, die angibt, unter welchen weiteren zusätzlichen, von ihr nicht mehr erstell- und entscheidbaren Wahrheitsbedingungen eine ganz bestimmte Kombination statthaft bzw. wahr ist oder nicht[18]. Die Erfüllung jener anderen Wahrheitsbedingungen erfolgt nicht mehr durch die Kombinationslogik, sondern ausschließlich durch das *Ersehen* des Sachverhaltes, das in den Abhandlungen der logischen Empiristen (so auch von Carnap) wenn überhaupt, so nur am Rande erwähnt, aber keinesfalls in seiner eminenten Bedeutung und erkenntnistheoretischen Problematik gewürdigt und aufgegriffen wird. In diesem Ersehen erstellt sich erst die Tatsachenwahrheit, welche die Vorausetzung für jede angewandte (formal-, kombina-

[18] „Die (scil. semantischen) Regeln liefern ... nur eine Wahrheitsbedingung, d. h. eine hinreichende und notwendige Bedingung dafür, daß der Satz wahr ist. Die Feststellung, ob der betreffende faktische Satz wahr ist oder nicht, d. h. ob die durch die semantischen Regeln gegebene Wahrheitsbedingung tatsächlich erfüllt ist oder nicht, liegt außerhalb der Semantik; sie gehört zum Bereich der empirischen Wissenschaft" (*Carnap*, a. a. O. 100).

tions-)logische Wahrheit und damit für jede operative Logik und Mathematik ist.

Nunmehr zurück zu den Prädikats- und Satzkombinationen über die Kunstsprache selbst. Wir verfolgen dabei den von logischen Empiristen aus taktischen Gründen eingeschlagenen Rückzug auf die bzw. auf ihre eigene Sprache, um an diesem ihrem sprachimmanentistischen Standpunkt aufzuzeigen, daß ihnen dieses Ausweichmanöver gegenüber dem wissenstheoretisch verbindlichen Tatsachenbezug der Sprache bei ihrer eigenen Sprache nicht gelingt. Um von ihrer Kunstsprache überhaupt etwas wissen und formuliert aussagen zu können, bedürfen wir gleichfalls der Wahrheit in beiderlei Gestalt, der Tatsachenwahrheit wie der logischen Wahrheit. Uns interessiert hier die formalisierte Sprache (oder symbolische bzw. mathematische Logik) nur als Tatsachenwahrheit. Als solche kann sie nur „ersehen" werden mittels einer sinnlichen und geistigen Schau, die, soll sie wirklich die Tatsachenwahrheit gewährleisten, in sich selbst gewiß sein muß. Eine solche Selbstbewahrheitung leistet nur die sogenannte objektive Evidenz. Neben dieser Wahrnehmungsevidenz ist uns noch die Erinnerungsevidenz vonnöten. Das für die Kunstsprache geltend gemachte Vokabular bzw. Zeichenarrangement muß samt seinen Bedeutungen und Gebrauchsregeln von jedem erlernt und immer wieder aus dem Gedächtnis reproduziert werden. Die richtige Handhabung der Kunstsprache setzt also voraus, daß man sich allzeit täuschungsfrei an ihren Zeichen- und Regelbestand erinnert. Das heißt, die unbedingt erforderliche Identität und Kontinuität des Sprachverständnisses und Sprachgebrauchs wird einzig und allein durch die Erinnerungsevidenz ermöglicht und gewährleistet. Darauf hat in kritisch treffender Weise Stegmüller aufmerksam gemacht[19]. Eine andere Frage ist, wie man zu dieser wie generell zur Evidenz als solcher[20] steht, welchen erkenntnis- und wissenstheoretischen Begründungswert man ihr zumißt, ob man sie als ein, wenn nicht gar als ein zureichendes Wahrheitskriterium erachtet oder als ein bloßes Überzeugungsgefühl oder als ein Verifikationsmerkmal, das nur durch einen irrationalen Glauben beglaubigt wird.

Letztere Version wird z. B. von Stegmüller vertreten. Die Zuverlässigkeit nicht irgendeines, sondern des Erinnerungsurteils überhaupt kann prinzipiell in Frage gestellt werden, indem ausnahmslos bei jedem Akt von erinnerungsmäßiger Bereitstellung von Wissensgehalten die Möglichkeit einer Täuschung behauptet wird. Demzufolge gäbe es keine einzige

[19] *W. Stegmüller*, Metaphysik, Wissenschaft, Skepsis (Wien 1954) u. a. 266 f 269—277.

[20] Wobei hier die Evidenz in ihrer doppelten Gestalt ins Auge gefaßt wird, gegenüber den logisch-mathematischen Zusammenhängen und dem unmittelbar faktisch Gegebenen, in bezug auf die logische Wahrheit und auf die Tatsachenwahrheit.

Erinnerungsleistung von untrüglicher Gewißheit, so daß die Zuverlässigkeit der Erinnerung auf bloßen („irrationalen", „metaphysischen") Glauben hin angenommen werden muß, der in Form eines „vorrationalen Entschlusses" getätigt wird.

Einem solchen Standpunkt gegenüber wäre folgendes einzuwenden: Über die Erinnerung weiß ich nur mittels und kraft der Erinnerung. Um über die Erinnerungstäuschung wie allgemein über die Zuverlässigkeit der Erinnerungsleistung etwas Verbindliches aussagen zu können, muß man die Urteilsfähigkeit der Erinnerung selbst in Anspruch nehmen. Daher steht und fällt die Richtigkeit, Exaktheit und Gewißheit des Wissens um die Erinnerung mit der Richtigkeit, Exaktheit und Gewißheit der Urteilsleistung der Erinnerung. Darum kann man von Erinnerungstäuschung 1. überhaupt und 2. in Form von apodiktischen, allgemeine Gültigkeit beanspruchenden Urteilen nur sprechen vermöge einer nichttäuschenden, absolut zutreffenden und gewissen Erinnerung. Die Behauptung „Es gibt keine täuschungsfreie Erinnerung" hat, wenn sie objektive und allgemeine Gültigkeit beansprucht, nolens volens eine absolut zweifelsfreie und sichere Erinnerungsleistung zur Voraussetzung, die Erinnerung nämlich, daß bei sämtlichen Erinnerungen, an die ich mich jetzt erinnere, die Möglichkeit einer Täuschung prinzipiell gegeben ist. M. a. W., man entwertet die Gültigkeit und Gewißheit seines eigenen Urteils über die Erinnerung in dem Ausmaße, als man a limine die Gültigkeit und Gewißheit des Erinnerungsurteils in Abrede stellt, weil es sich bei beiden Urteilen um ein und dieselbe Leistung, nämlich die des Erinnerns handelt. Ich sehe hier keine Möglichkeit, wie man sich dem Bannkreis dieser logisch zwingenden Folgerung entziehen könnte.

Diese Überlegungen haben uns mitten in die Evidenzproblematik geführt, in die sämtliche wissens- und erkenntnistheoretischen Fragen einmünden.

Zu den gewichtigen Autoren, die das Gegebensein der objektiven Evidenz leugnen und damit ein „Gewißheitsbewußtsein, welches wirklich die zureichende Gewähr für das Wahrsein einer Einsicht leistet", gehört N. Hartmann. Unberührt von der andernorts[21] behandelten Frage, ob und inwieweit es Hartmann gelungen ist, die von ihm bestrittene objektive Evidenz durch andere Erkenntnisinstanzen und -kriterien (das von ihm sog. „Mehrinstanzenzeugnis") zu ersetzen, steht die Tatsache, daß er zum stringenten Nachweis seiner These diese von ihm angefochtene Evidenz fortwährend voraussetzen und in Anspruch nehmen mußte und daß

---

[21] *E. Zellinger*, Psychologie als Wissenschaft (unveröffentlichte Habilitationsschrift; München 1956) 2. Abschnitt, 25—98.

er damit nolens volens gerade durch seine eigenen Demonstrationen den schlagendsten Beweis für ihre schlechthinnige Apriorität lieferte. Diesen offensichtlichen Widerspruch Hartmanns beanstandete u. a. auch Stegmüller, indem er folgerichtig bemerkte: „Daher liegt, dies ist unser Einwand, in der Überlegung Hartmanns eine Kontradiktion vor. Das vorgebrachte Argument soll doch zur objektiven Einsicht bringen, daß es Einsicht gar nicht gibt; oder in Hartmanns Terminologie: daß es kein absolutes Wahrheitskriterium gibt, soll nicht nur subjektive Evidenz besitzen. Hartmann möchte doch offenbar nicht im Leser, ebenso wie in sich selbst, ein ‚bloßes Überzeugungsgefühl' hervorrufen ... Die Argumentation hebt sich also, wenn man ihr Ergebnis auf sie selbst anwendet, tatsächlich auf." [22] So weit, so gut. Nun bildet aber diese Kritik Stegmüllers nur den Auftakt zu einer gleichfalls gegen die objektive Evidenz als ein erkenntnistheoretisch gültiges und zureichendes Wahrheitszeugnis gerichteten Kontroverse. In Anbetracht des gegen Hartmann erhobenen Einwandes sieht man bei Stegmüller um so gespannter dem entgegen, wie es ihm gelingen wird, selbst der Gefahr einer Kontradiktion zu entgehen.

Das Ergebnis der von Stegmüller geführten Auseinandersetzung lautet: Das Evidenzproblem ist unlösbar. Denn wer für die Evidenz ist und sie zu rechtfertigen bzw. zu begründen versucht, bedarf ihrer selbst zu dieser Begründung. Er beweist und begründet damit gar nichts. Wer gegen sie argumentiert, trifft niemals sie selbst, weil auch er sie zur unumgänglichen Voraussetzung hat. Sowohl der, der für sie, als auch der, der gegen sie ist, vermag nicht ohne sie zu sein [23]. Daher heißt (man beachte den apodik-

---

[22] *W. Stegmüller*, Metaphysik, Wissenschaft, Skepsis (Wien 1954) 111 f.

[23] „Man kann über die Zulassung oder Nichtzulassung bestimmter Einsichtsarten oder auch der Evidenz im allgemeinen Festsetzungen treffen. Dies ist natürlich nicht eine Entscheidung in dem Sinne, wie wir sie verstehen. Wir wollen, sobald wir die Annahme einer Evidenz als problematisch empfinden, nicht festsetzen, ob wir an Evidenz glauben oder nicht, sondern wir wollen eine wissenschaftliche Begründung für die Richtigkeit oder Unrichtigkeit dieses Glaubens. Alle diese Begründungen, ob sie von der Für- oder Gegenseite aus erfolgen, sind jedoch zum Scheitern verurteilt. Denn alle Argumente für die Evidenz stellen einen circulus vitiosus dar und alle Argumente gegen sie einen Selbstwiderspruch. Wer für die Evidenz eintritt und dafür Begründungen zu geben glaubt, verschleiert sich selbst damit die Tatsache, daß er nur seinem Glauben an die Evidenz Ausdruck verleiht; wer gegen sie zu Felde zieht und dabei ebenfalls mit Begründungen aufwartet, drückt damit nur seinen Unglauben aus und straft sich selbst zugleich Lügen, da er gar nicht versuchen durfte, zu argumentieren, wenn er wirklich nicht an die Evidenz glaubte. Wer für die Evidenz argumentiert, begeht einen Zirkel, denn er will beweisen, daß es eine Evidenz gibt; das zu Beweisende soll also das Endergebnis der Überlegungen darstellen, während er vom ersten Augenblick seiner Argumentation an Evidenz voraussetzen muß. Wer gegen sie argumentiert, begeht einen Selbstwiderspruch; denn er muß ebenfalls voraussetzen, daß seine Argumentationen evident sind" (a. a. O. 102 f).

tischen Behauptungsanspruch) „unsere These: das Evidenzproblem ist absolut unlösbar, die Frage, ob es Einsicht gibt oder nicht, absolut unentscheidbar. Das ‚absolut' soll ... nur besagen: es ist *apriori gewiß,* daß dieses Problem niemals einer Entscheidung wird zugeführt werden können. Die *Begründung* dieser *Behauptung* ist höchst einfach" (Fortsetzung s. Anm. 23). Wer dennoch an der fraglichen Geltung der Evidenz festhält, bekundet dadurch nur seinen Glauben an etwas prinzipiell Unbegründbares. „Um diese Art von Dogmatismus kommen wir nicht herum. Es ist nur wichtig *einzusehen, daß es* ein Dogmatismus im Sinne des Glaubens an etwas nicht weiter Begründbares *ist*" [24] (Hervorhebungen vom Verf.).

Bei dieser von Stegmüller als begründet erachteten Behauptung drängt sich einem unmittelbar die Frage auf, ob sie sich etwa nicht als eine gewisse und damit allgemeine Verbindlichkeit erheischende Einsicht in einen so und nicht anders bestehenden Sachverhalt präsentiert? Während Stegmüller das Für und Wider gleicherweise für unbegründbar hält, glaubt er jedoch, diese beiderseitige Unbegründbarkeit selbst begründen zu können. Da man aber nach Stegmüllers eigenen Worten nur dort begründen kann, wo die objektive Evidenz gegeben ist bzw. anerkannt wird, so könnte man das paradoxe Unterfangen Stegmüllers auch so ausdrücken: Während er das Für und Wider die Einsicht gleicherweise für uneinsichtig hält, glaubt er jedoch, diese beiderseitige Uneinsichtigkeit selbst einsichtig machen zu können. M. a. W., für Stegmüller ist es evidenterweise weder evident, daß es Evidenz gibt, noch evident, daß es keine Evidenz gibt. Es ist also für ihn evident, daß es in bezug auf die Evidenz — ob für oder gegen — keine Evidenz gibt.

Schon hier wird klar, daß Stegmüller in seinen Ausführungen keinen einzigen Schritt aus dem Bannkreis der Evidenz herauszutreten vermochte, daß sich also in ihnen gegenüber der herkömmlichen Auffassung, welche die Evidenz als die schlechthinnige Voraussetzung aller in Behauptungsform vorgetragenen und d. h. allgemeine Geltung beanspruchenden Aussagen betrachtet, kein Jota geändert hat. Es ist in der Tat auch unerfindlich, wie man eine Feststellung anders als im Stil der Behauptung formulieren könnte. So auch hier. Die Bejahung der Evidenz ist eine Behauptung. Ihre Verneinung gleicherweise. Das Sichverwahren gegen die Bejahung wie gegen die Verneinung nicht minder. Der Rekurs auf den bloßen Glauben (sofern es sich um eine wahre, richtige, verbindliche Aussage handelt) um keinen Buchstaben anders. Denn es ist ja nach Stegmüllers eigener Formulierung „einsichtig" bzw. „a priori gewiß", daß Einsicht nur auf Glauben beruhen kann. Das heißt, selbst in einer beinahe

[24] A. a. O. 121.

bis zum Widersinn zugespitzten Formulierung ist die Situation dieselbe: wir bedürfen selbst dann noch der Einsicht, wollten wir anderen einsichtig machen, daß die Einsicht keine Einsicht sei[25]. Wer brächte es je fertig, hinter die Grundleistung des Einsehens zurücktreten zu können, die alles geistig verbindliche Tun umgreift?

Die Evidenz kann daher niemals a limine bestritten werden. Sie müßte vorerst zumindest für die eine Behauptung zugestanden werden, daß generell die Evidenz auf Glauben beruht. Dem nicht genug. Da nach Stegmüller am Beginn jeder einzelnen Erkenntnis der Glaube steht[26] und alles wissenschaftliche Denken sich stets seiner Voraussetzungen zu vergewissern hat, so hebt jeder einzelne Erkenntnisakt mit der Einsicht an, daß er notwendig und unausweichlich aus einer unbegründbaren Vorentscheidung resultiert. Dies wäre immerhin eine Anzahl objektiver Evidenzen, die ins Unzählbare ginge.

Stegmüller könnte vielleicht einem Kritiker entgegenhalten, er bestreite ja die Evidenz gar nicht, denn dazu, dessen sei er sich voll bewußt, müßte er ja die Gültigkeit der Evidenz wieder voraussetzen. Er argumentiere also weder gegen das Für noch für das Gegen, denn jedes Argumentieren setze die Evidenz voraus. Also argumentiere er aus Prinzip überhaupt nicht (so müßte man jedenfalls seinem Ansatz nach folgern). Das einzige, zu was er sich auf Grund des vorliegenden Sachverhalts überlegungsmäßig genötigt sähe, wäre die Aufstellung der These, daß die Evidenz (eben infolge ihrer Unaufweisbarkeit) nur auf einem „unbegründbaren Glauben" bzw. einer „vorrationalen Entscheidung" beruhen könne. Daß dem so sei, glaubt er aber dennoch und sogar „höchst einfach" begründen zu können (s. Anm. 23). Da aber nach Stegmüllers eigenen Worten alles Begründen wie Argumentieren die Evidenz voraussetzt, müßte sich Stegmüller hinsichtlich seiner Glaubensthese jeglicher Begründung und Argumentation enthalten. Konsequenterweise dürfte Stegmüller bezüglich seines Glaubenspostulats nur in Bekenntnisformeln sprechen, etwa folgendermaßen: Ich glaube an den Glauben, der den Glauben wie den Unglauben an die Evidenz gleicherweise für glaubwürdig hält. Der Tenor der Ausführungen Stegmüllers ist aber ein gänzlich anderer. Erinnern wir uns an das von

---

[25] M. a. W., man kann zwar konstatieren, daß die Einsicht in irgendeinen Sachverhalt nur eine vermeintliche sein und demzufolge fehlgehen kann. Man kann jedoch keinesfalls darauf bestehen, daß grundsätzlich jede Einsicht fehlgeht, denn diese Feststellung beriefe sich ja wiederum auf die nichtfehlgehende Einsicht, daß jede Einsicht fehlgeht.

[26] „Es ist eine ‚vorrationale Urentscheidung', die hier getroffen werden muß, und zwar in jedem einzelnen Falle, wo etwas erkannt werden soll ... Jeder einzelne Erkenntnisakt setzt somit eine Entscheidung voraus; die Entscheidung ist immer schon vollzogen, wenn ein Urteil in dem Bewußtsein gefällt wird, Wissen zu verbürgen" (a. a. O. 103).

Stegmüller Gesagte: „... das Evidenzproblem ist absolut unlösbar, die Frage, ob es Einsicht gibt oder nicht, absolut unentscheidbar. Das ‚absolut' soll ... nur besagen: es ist a priori gewiß, daß dieses Problem niemals einer Entscheidung wird zugeführt werden können. Die Begründung dieser Behauptung ist höchst einfach." „An Einsicht kann man glauben oder nicht glauben, man kann diesen Glauben oder Unglauben aber weiter nicht begründen." Ferner: „Ob man also die Evidenz als Wahrheitskriterium interpretiert oder in anderer Weise, ihre Annahme bleibt Sache des Glaubens, für den man keinerlei Argumente ins Treffen führen kann. Ebenso bleibt ihre Ablehnung ein ‚negatives' Glaubensdogma." Diese wie alle übrigen hier einschlägigen Sätze sind alles andere als ein bloßes Bekenntnis oder ein schlichtes Hinweisen. Sie beinhalten vielmehr ganz lapidare Feststellungen bzw. Behauptungen. Indem Stegmüller diesen Sachverhalt konstatiert und dem Leser als so und nicht anders zu verstehen gibt, befindet er sich gar nicht mehr im Zustand des Glaubens bzw. der „Glaubensgewißheit", sondern er ist bereits einen Schritt zurückgetreten auf die Ebene der allgemein verbindlichen Aussage und damit der „Wissensgewißheit". In der Behauptung, auf Grund deren onto-logischer Struktur etwas als so und nicht anders seiend konstatiert wird, geht nicht der Glaube der Evidenz, sondern die Evidenz dem Glauben voraus! Es gibt im Bereich der Allgemeingültigkeit beanspruchenden Aussage kein anderes Begründungsverhältnis. Man müßte konsequent auf jegliche Aussage in Behauptungsform und damit auf jede Erkenntnisleistung verzichten, wollte man sich zu einer „vorrationalen Entscheidung" als Akt bloßen Glaubens entschließen[27], wobei dann diese Entscheidung selbst wiederum für uns keine gewiß gewußte sein könnte bzw. dürfte.

Nicht nur in bezug auf das erkennende Tun, sondern ganz allgemein gilt: Sobald ich mich wissend meines Daseins vergewissere, daß etwas so und nicht anders ist, sei es außerhalb von mir oder in und an mir, also auch daß das, was ich als Glaube (z. B. an die Evidenz) empfinde, ein Glaube und nicht etwas anderes ist, setze ich die Gültigkeit der objektiven Evidenz voraus.

Zitieren wir noch einmal die für Stegmüller „a priori gewisse" These: „An Einsicht kann man glauben oder nicht glauben, man kann diesen Glauben oder Unglauben aber nicht begründen." Jedoch, ist Stegmüller unter den Ingredienzien seiner Erkenntnistheorie nicht völlig außerstande, diese seine Feststellung selbst zu begründen, also zu begründen,

---

[27] Offenbar rekurriert der Verfasser auf eine derartige Geisteshaltung, wenn er sein erkenntnistheoretisches Werk mit dem Satz beschließt: „‚Wo das Wort versagt, schreitet Entscheidung zur schlichten Tat'" (390).

daß man letztlich nicht begründen kann? Welches Gewicht soll man aber in der Wissenschaft einem Standpunkt zumessen, der bar jeglicher Begründung ist, weil er sich selbst jeder Begründungsmöglichkeit entäußert hat? Konkreter: Welcher Erkenntniswert und welche Verbindlichkeit kommt in der Wissenschaft einer unbegründeten bzw. von vornherein als unbegründbar deklarierten Behauptung zu, daß etwas (scil. die Evidenz) unbegründbar ist? Wie kann überhaupt etwas selbst Unbegründetes bzw. Unbegründbares ein anderes als unbegründet bzw. unbegründbar behaupten? Oder anders: Wie kann etwas durch ein selbst Unbegründetes bzw. Unbegründbares zureichend als unbegründet bzw. unbegründbar ausgewiesen werden? Dazu Stegmüllers eigener Kommentar: „Bedeutet die Verankerung aller Wissenschaft und Philosophie in einem ‚vorrationalen Entschluß' nicht deren Auslieferung an etwas gänzlich Blindes, Willkürliches? Diese Frage ist ohne Sinn(!). Es ist die äußerst erreichbare Grenze, auf ihn hinzuweisen; zum Gegenstand einer Diskussion können wir ihn nicht machen ... Bauen wir alles auf Einsicht auf? Aber ‚hinter' der Einsicht steht der Entschluß. Haben wir also alles auf nichts gestellt? Die einzige Antwort: Wir haben überhaupt nicht auf etwas gestellt. Wir schweben" (390).

Stellen wir uns einmal auf den Standpunkt, wir hätten uns in das Unvermeidbare, nämlich in die Unaufweisbarkeit der Evidenz zu fügen, so daß uns nichts anderes übrigbliebe, als auf die Tauglichkeit jener unhintergehbaren Voraussetzung zu vertrauen oder — mit Stegmüllers Ausdruck — ihr zu glauben bzw. an sie zu glauben. Zu einem solchen Glauben stünde aber dann immer und überall im krassen Gegensatz der apodiktische, allgemeine Gültigkeit erheischende Tenor unserer ausschließlich in Form von Feststellungen und Behauptungen sich vollziehenden verbindlichen Erkenntnis- und Urteilsleistungen. Das heißt, der absolute Geltungsanspruch als solcher stünde in allen Stücken wider einen solchen Glauben. Er könnte aus diesem in keiner Weise abgeleitet oder von ihm aus begründet bzw. gerechtfertigt werden. Abgesehen von der bereits erörterten Tatsache, daß mit der Feststellung, die Evidenz beruhe auf Glauben, nicht dieser Glaube der Geltung, sondern die Geltung jenem — verbindlich behaupteten — Glauben logisch vorgeordnet ist, ergäbe sich also, wollte man Stegmüllers These zustimmen, eine höchst widersinnige Situation: Wir bestehen in unseren Erkenntnissen fortwährend auf einem Richtigkeits- bzw. Geltungsanspruch, den wir rechtmäßig gar nicht erheben dürften, weil ein bloßer Glaube, auf welchem jegliche Erkenntnis beruhen soll, von sich aus keinen allgemein verbindlichen Anspruch geltend machen kann. Falls man nicht dazu neigt, die nun einmal in keiner Weise abzuändernde allgemeingültige Form unserer Erkenntnisleistung als eine bloße Marotte unserer Natur abzutun, ergibt sich aus dem schlechthin inkommensurablen Charakter des (onto-)logischen Geltens und des bloßen Glaubens, daß zwischen beiden unmöglich ein Begründungs- oder Folgezusammenhang bestehen und behauptet werden kann. In Anbetracht dessen, daß dem Kritiker zuerst die Beweislast zufällt, müßte Stegmüller, da er dem Glauben die Priorität zuerkennt, mit dieser Behauptung gleichzeitig nachweisen, wie jener ohne Unterlaß erhobene Geltungsanspruch aus einem bloßen Glauben erklärt bzw. verständlich gemacht werden kann.

Wie erwähnt, beruht nach Stegmüller die Einsicht auf einer vorrationalen Entscheidung. Dies hört sich so an, als ob die objektive Evidenz und ihre Geltung in unserem Belieben stünde. Für etwas, was man ohne Ausnahme tun muß, kann man sich nicht mehr entscheiden. Was soll hier überhaupt noch eine Entscheidung?[28] Ein Sichentscheiden hat nur dort einen Sinn, wo ich das, wofür ich mich entscheide, tun oder lassen kann. Ein solches Tun oder Lassen kommt aber gegenüber der Evidenz gar nicht in Frage. Mit anderen Worten: Für eine Leistung, die ohnehin bei jedem Atemzug zu geschehen hat und auch de facto ohne Ausnahme geschieht, d. h. gegenüber einer absoluten Notwendigkeit, erübrigt sich jede Entscheidung, desgleichen auch jegliches Wollen und jeder Glaube. Infolgedessen ist es m. E. nicht richtig, zu sagen, an objektive Evidenz kann man glauben oder nicht glauben, oder man kann über ihre Zulassung oder Nichtzulassung Festsetzungen treffen. An dieser ehernen Mauer des Inanspruchnehmenmüssens der objektiven Evidenz, des restlosen Angewiesen- und Ausgeliefertseins an bzw. auf sie zerschellt ein jeder Positivismus, mag er sich überlegungsmäßig drehen und wenden wie er will. Entscheiden, Wollen, Glauben haben eben nur dort einen Sinn, wo etwas nicht geglaubt, gewollt oder durch Entscheidung akzeptiert werden kann. Dies ist aber bei einer Leistung von ausnahmsloser Notwendigkeit unmöglich[29]. Erläutern wir an einem Beispiel: Beruht etwa unser Atmen auf einer vorhergehenden Entscheidung? Es wäre reichlich grotesk, diese unser Leben erhaltende Funktion in ihrem Auftreten und Funktionieren von unserer Entscheidung für oder gegen sie abhängig machen zu wollen. Entschieden wir uns gegen sie (nehmen wir an, dies wäre uns möglich, obgleich es uns in Wirklichkeit niemals gelingt), dann wäre es im selben Augenblick um unser Leben geschehen. Entscheiden wir uns für sie, was haben wir dann

---

[28] In einer solchen Reduktion unseres Wissens auf einen irrationalen Grund äußert sich jede Form des Positivismus, für den alle Erkenntnisleistung mit einer (im Grunde willkürlichen) Setzung beginnt.

[29] Zunächst könnte man sagen: Nicht das richtige Denken als Tatsache, wohl aber die Inanspruchnahme der objektiven Evidenz geschieht mit unentrinnbarem Zwang.

in bezug auf das Atmen erreicht? Haben wir es damit etwa erschaffen oder sonst in seiner lebenswichtigen Leistung begründet? Auf die objektive Evidenz angewandt: Entschieden wir uns gegen sie (nehmen wir ebenfalls an, es gelänge uns dies, was uns aber in Wirklichkeit ebenso mißlingen würde), so käme dies gleich dem sofortigen Tode alles geistigen Lebens, das sich im verbindlichen Erkennen äußert. Entscheiden wir uns für sie, was haben wir dann mit einer solchen Entscheidung bewirkt? Mit ihr bewerkstelligen wir in bezug auf die objektive Evidenz rein gar nichts. Wir schaffen sie nicht, noch bestimmen wir sie in ihren wesentlichen Merkmalen und Kriterien. Hierin zeigt sich, wenn man es so sehen will, die ganze Ohnmacht unserer Subjektivität. Wir sind weder der Ursprung bzw. Erzeuger noch die Vollstrecker der objektiven Evidenz. Sie ist gleichsam unser Gläubiger, wir ihre Schuldner. Ich kann mich gegen sie entscheiden, wie ich will, ich muß ihr trotzdem nolens volens bedingungslos gehorchen, ich bin ihr ausgeliefert, sobald ich mich erkennend einem Gegenstand oder Problem zuwende. Ich kann als Erkennender und Wissender aus dem Bannkreis ihrer alles Wissen umspannenden Macht nicht herausfallen oder entweichen. Sie vollzieht sich einfach an mir in dem Augenblick, als ich verbindliches Wissen erstrebe oder geltend mache. Daher hat es, wie bereits gesagt, auch keinen Sinn, sich für sie zu entscheiden. Denn entscheide ich mich, und sei es noch so gewollt, für sie, so ergibt sich aus einer solchen Entscheidung noch lange keine objektive Evidenz in Form einer unmittelbaren Wahrheitsgewißheit. Eine solche kann ich also weder wollen noch durch einen Akt des Glaubens in Aktion setzen oder „logisch beglaubigen“ oder in ihrem erkenntnistheoretischen Wert rechtfertigen. Beide Arten von „Leistungen“, scil. der irrationale Glaube bzw. die Entscheidung und die objektive Evidenz, sind im Grunde inkommensurabel, woraus wiederum folgt, daß die objektive Evidenz essentiell durch keinen Akt des Glaubens bzw. Wollens herbeigeführt, eingeführt, zur Anerkennung und Geltung gebracht oder gar begründet werden kann.

Unsere Ausführungen, die ja, wie manche andere auch, nichts anderes sind und sein können als einfallsweise Bemerkungen zum Problem der Evidenz, bedürfen noch einer Ergänzung. Aus der Notwendigkeit der generellen Inanspruchnahme bzw. Geltendmachung einer objektiven Evidenz folgt nicht, daß sie sich in einem beliebigen oder gar in jedem Einzelfall mit ebensolcher Notwendigkeit tatsächlich einstellt. Dies „beweist“ die Tatsache des leider häufigen Irrens. Welche Tatsache könnte uns je gewisser sein als die des Irrtums? Bezüglich seiner Existenz und Möglichkeit glauben wir uns in keiner Weise zu irren. In diesem Falle sind wir uns jedenfalls gewiß, daß wir uns nicht irren. Und in diesem einen Falle bezieht sich die Notwendigkeit nicht nur auf die Inanspruchnahme, sondern auch auf das tatsächliche Vorhandensein einer wirklich objektiven Evidenz. Nach der soeben gezogenen Folgerung „Aus der Notwendigkeit der generellen Inanspruchnahme usw." scheint festzustehen, daß wir uns — wollen wir es einmal extrem formulieren — in keinem einzigen Falle der objektiven Evidenz gewiß und sicher sind: bis auf die eine einzige Ausnahme eben dieser Folgerung selbst.

Wir müssen also eine zweifache Notwendigkeit unterscheiden: 1. die generelle des bloßen Inanspruchnehmens bzw. Geltendmachens, und 2. die des tatsächlichen Vorhandenseins, die mindestens in dem einen Falle der Feststellung vorliegt, daß sie nicht in jedem Falle, oder gar, daß sie in keinem Falle gegeben ist. Mit Gewißheit kann man daher sagen, daß die objektive Evidenz — wenn nicht in allen oder mehreren Fällen, so doch — in diesem einen Falle mit notwendiger Sicherheit wirklich vorhanden ist.

Dies ist nun immerhin *ein* unangreifbares und unerschütterliches Fundament unserer Erkenntnis- und Wissensgewißheit, das uns schlechthin vorgegeben ist, sobald wir uns erkennend um verbindliches Wissen bemühen, weil es eben die absolute Voraussetzung[30] unseres Erkenntnisvermögens ist, die man weder erstellen noch ignorieren oder gar außer Kraft setzen kann, der gegenüber wir subjektiv rein nichts vermögen und gegenüber der jedes Wollen oder Nichtwollen, Glauben oder Nichtglauben, Entscheiden oder Nichtentscheiden völlig unangemessene, vergebliche und deshalb nutz- und zwecklose Einstellungen und Aktionen sind.

---

[30] Das Wort „Voraussetzung" ist eigentlich ein zugunsten des Positivismus irreführender Begriff. Denn das hier gemeinte Phänomen wird alles andere als „gesetzt". Es muß nolens volens als schlechthin vorgegeben und „unhintergehbar" akzeptiert werden.

PROLEGOMENA ZUR PHILOSOPHIE UND THEOLOGIE DER SPRACHE

VON FRANZ MAYR, INNSBRUCK

Karl Rahner, dem Menschen, Lehrer und Priester, mögen die folgenden Zeilen als kleiner Dank zum 60. Geburtstag zugeeignet sein. Zugeeignet, wenn damit gemeint ist, daß der Schüler das jahrelang und dankbar vom Lehrer Empfangene erst selbst sich noch in der gemäßen Weise zu eigen machen müsse. Ob und wie dies glückt oder mißlingt, steht nicht immer in der Macht des Menschen. Zumal dann nicht, wenn das Überkommene, auch und gerade im Denken, nicht ein κτῆμα εἰς ἀεί ist, sondern immer ein erst noch zu Übernehmendes, darin das Überkommene in seinem Eigentlichsten zum Vorschein kommen kann. Das Überkommene geht uns Menschen immer in der Sprache an. Sie gehört zum Selbstverständlichsten in unserem Dasein, und doch wissen wir auf die Frage, was sie eigentlich sei, noch immer keine rechte Antwort. Die Einzelwissenschaften, wie Linguistik, Philologie, Sprachpsychologie und Sprachsoziologie, sagen uns manches *über* die Sprache, aber die Sprache selbst verbirgt ihr Wesen in ihrer Geschichte. Deshalb lohnt es sich vielleicht, dieser Geschichte ein wenig nachzugehen, um in ihr etwas vom Schicksal des Wesens der Sprache selbst zu erfahren. Wir müssen uns hier auf ein paar Hinweise für eine mögliche Frage nach dem Wesen der Sprache beschränken. Diese Frage führt uns zunächst (I) als Frage der Sprachphilosophie an den Anfang des abendländischen Denkens im Griechentum zurück und weist uns (II) von da aus in den Bereich der Theologie der Sprache.

I. Zur Philosophie der Sprache

Was hier versuchsweise gefragt werden soll, kann nicht zum voraus „definiert" werden, sondern kann sich erst aus dem Ganzen der Überlegung ergeben, die um die Sprache kreist. Das Resultat solcher Überlegung kann dabei nur die Anzeige eines Weges sein, den das Denken und in ihm die Sprache selbst schon gemacht hat, bevor wir hier und jetzt ihr nachzufragen beginnen. Und umgekehrt: Die Sprache ist uns auf Grund ihrer Herkunft in bestimmter Weise auch schon voraus, unser Menschentum geht allemal schon Wege, die nur im Licht oder im Dunkel der Sprache selbst verlaufen. Aber was ist das — die Sprache?

1. Sein und Sprache

Unserem heutigen Durchschnittsbewußtsein erscheint die Sprache bei genauerem Zusehen als die erlebte, von K. Bühler als solche analysierte Einheit des dreistrahligen Sprachvollzugs im Modus des Ausdrucks eines Sprechenden, der Mitteilung an einen Angesprochenen und der Aussage des Besprochenen, wobei meistens das Besprochene der ausdrückliche Inhalt unseres Denkens ist. Was uns so in der Sprache gegeben ist, ist das, was wir an- und aussprechen: uns selbst und alles andere um uns. Dies „alles" wird dabei vorgestellt als das All der Dinge und Gegenstände, die uns begegnen und begegnen können, sogar wir selbst als Gegenstand für uns selbst. Der gewußte Gegenstand, über den Aussagen gemacht werden, ist der Zielpunkt unseres Sprechens. Sprechen muß dabei nicht immer sich phonetisch verlautendes Sprechen sein. Es gibt auch das lautlose Sprechen, das etwas bedeutet, den meinenden Bezug zu einem Gegenstand, der deswegen, weil wir die Lippen nicht bewegen (oder kein Ton an unser Ohr gelangt), nicht weniger Bezug und vor allem nicht weniger Gegenstandsbezug sein muß. Aber in diesem gegenstandsbezogenen Sprechen waltet auch schon immer ein unthematisches Mitverstehen und Mitmeinen des Seins, von dem her jeder Gegenstand erst als Seiendes erkannt und gesagt werden kann. Dieses ursprüngliche Seinsverständnis expliziert sich in der Synthesis des Urteils, in dem Subjekt und Prädikat im „ist" der Kopula als zusammengehörig ausgesagt werden. Seiendes wird *als* Seiendes, d. h. in seinem Sein, erkannt und gesagt, indem über es geurteilt wird. Im urteilenden Sprechen wird das Sein des Seienden gesagt: Seiendes *ist*. Und: jedes Seiende ist. Als was und wie muß aber die Vielheit der Seienden gedacht werden, daß sie mit der Einheit des Seins zusammenstimmen kann? Des *Parmenides* Antwort lautet: als Schein. Was vom Seienden gedacht und gesagt werden kann, ist nur das einzige, daß es ist und nicht nicht ist. Worin zeigt sich aber ursprünglich das Sein des Seienden? Im Denken und Sprechen. Was ist aber das Denken, was das Sprechen? Antwort des Parmenides: Das Denken und Sprechen des Seins (des Seienden), und sonst nichts. Zum erstenmal im abendländischen Denken werden so Sein und Sprache (Denken) in ihrer wechselseitigen Bedingtheit gesehen. Der erste Satz der ersten Reflexion über die Sprache steht bei Parmenides: Οὐ γὰρ ἄνευ τοῦ ἐόντος, ἐν ὧι πεφατισμένον ἐστίν, εὑρήσεις τὸ νοεῖν — denn nicht ohne das Seiende, in dem es als Ausgesprochenes ist, kannst du das Denken antreffen (Fr. 8, 35)[1]. Das ὄν und das πεφατισμένον entsprechen einander, in die Sprache kommt immer das Sein des Seienden. Was das Sein ist, bewegte schon vor Parmenides das Denken, insbesondere von Thales und Anaximander, indem sie, jeder auf seine Weise, nach der ἀρχή, dem ursprünglichen Anwesen des Seins im Seienden, zu fragen begannen. Anaximander dachte erstmals das Sein des Seienden als ἄπειρον, indem er vom πέρας, der Grenze des und am Seienden, das Sein als ἄπειρον, d. h. als das Nichts zum Seienden, als die Entgrenztheit des Seienden dachte. Seit Heidegger wissen wir wieder oder erst, daß Grenze, griechisch gedacht, gerade nicht das ist, wobei etwas aufhört (im Sinne: omnis determinatio est negatio), sondern jenes, von woher etwas sein Wesen beginnt, als Seiendes ins Sein kommt. So denkt auch Anaximander nicht Sein *und* dann Seiendes (oder umgekehrt) im Sinne der späteren Verursachung, gegenseitigen Bestimmtheit usw.

„In der reinen Ontologie des Anaximander kann davon keine Rede sein. Die Auffassung des Apeiron als eines ‚Urstoffes', der bestimmt würde, einer Ursubstanz, die sich bestimmte, hat sich ebenso erledigt wie die Auffassung, das Apeiron sei als ein einziges Gemenge von Gegensätzen anzusehen. So wird das Apeiron immer wieder doxisch verraten ans Seiende. Man muß hier ganz streng mit Anaximanders großem Hörer Parmenides denken. Das Apeiron kann nie bestimmt werden, es bleibt von allen Onta, von aller Genesis und Phthora unberührt. Wohl aber können in ihm und nur in ihm als ihrem Sein alle Onta ‚bestimmt' sein durch Grenze und Gegensatz. Nicht das Sein bestimmt sich und macht aus sich Onta, nicht expliziert das Sein die in ihm implizierten Gegensätze zum einen Kosmos. Koinzidenz und Explikation können hier nicht die relevanten ontologischen Aussagen sein, denn immer ist darin vom Seienden aus gedacht, das Sein als das vollkommenste Seiende, das Sein nicht als das Raumbietende, sondern als das Größte, alles in sich Enthaltende, nicht als die verborgene Offenbarkeit alles Seienden, sondern als das Verborgene hinter seinen offenbarten Gestalten bzw. Inhalten, das Sein nicht als das Anfänglichste, als die Ursprünglichkeit des Seienden, sondern als das Vollendetste."[2]

Das Sein des Seienden, das εἶναι des ὄν (wofür auch oft nur das ὄν im Gegensatz zum μὴ ὄν steht) darf also bei Parmenides nicht als bloß Seiendes oder bloßer Begriff mißverstanden werden, denn dann hätte man

---

[1] Wir zitieren im Folgenden immer nach: *H. Diels - W. Kranz,* Die Fragmente der Vorsokratiker I, Berlin 1954.

[2] *Th. Ballauf,* Vom Ursprung. Interpretationen zu Thales' und Anaximanders Philosophie: Tijdschrift voor Philosophie 15 (1953) 18—67, bes. 60 f.

schon mit Hilfe der aristotelischen „Logik" eine Vorentscheidung zugunsten des einen oder anderen getroffen. Hier gilt noch, was Heidegger sich herauszustellen bemüht hat: daß das Sein des Seienden schon *vor* jeder „realistischen" oder „idealistischen" Interpretation ins Vernehmen des Menschen gekommen ist, denn „Sache des Seins ist es, das Sein des Seienden zu sein"[3]. Das τετελεσμένον ἐστὶ πάντοθεν heißt deswegen bei Parmenides nicht: es ist in bestimmte Grenzen gebracht von allen Seiten her, sondern: von überallher *ist* es in seinen Grenzen, die selbst dann von der äußersten Grenze (πεῖρας πύματον) dem Nichtsein gegenüber sich für Parmenides gerade als Scheingrenzen herausstellen werden, sofern er das Sein als Sein zu denken versucht (vgl. Fr. 8, 42—43). Damit ist hier bei Parmenides das Problem von Sein und Sprache gestellt: eine Aussage über das Sein impliziert schon immer eine solche über die Sprache und umgekehrt.

Noch Thomas von Aquin (und auf ihre Weise auch Kant und Hegel, welch letzterer das erste- und letztemal auf dem Boden der Metaphysik den scheiternden Versuch eines spekulativen Absolutheitsverständnisses der Sprache gemacht hat[4]) nimmt die Sprache zum Leitfaden der kategorialen Auslegung des schon nacharistotelisch angesetzten und deshalb vom Akt-Potenz-Gefüge des Seienden her entfalteten Seinsverständnisses: Modus praedicandi consequitur diversum modum essendi[5].

Die Sprache wird aber im Verlauf des griechischen Denkens, das selbst in unseren Tagen bis in die Logistik hinein noch immer erst am Kommen zu sein scheint[6], durchwegs und immer mehr vom primär am Seienden orientierten Seinsverständnis her verstanden. Das herrschende Sprachmodell bleibt die Prädikation, die Wahrheit hat ihr Kriterium von der Sicherheit des erkennenden und sprachlichen Zugangs zu Seienden (adaequatio intellectus cum re). Die erkenntnismäßige Relation zwischen erkennendem Subjekt und erkanntem (oder erkennbarem) Objekt drückt sich in der Sprache aus. Sprache ist der Ausdruck eines im artikulierten Sprechen zum Zweck der Mitteilung auf eine erkannte Sache hinzeigenden und darin be-deutenden Subjekts. Das Wesen der Sprache wird im Darstellen eines denkend Vorgestellten mittels der Worte als Zeichen für die

---

[3] *M. Heidegger,* Holzwege: Der Spruch des Anaximander (Frankfurt a. M. 1950) 431.

[4] Vgl. u. a. *J. van der Meulen,* Hegel. Die Gebrochene Mitte (Hamburg 1958).

[5] *Thomas von Aquin,* In Metaphys. 5, 8 (Marietti) n. 890.

[6] Vgl. *L. Weisgerber,* Sprache und Wahrheit in der gegenwärtigen Situation der Philosophie: Philos. Rdsch. 7 (1959) 161—184; Zur Auseinandersetzung mit der sprachanalytischen Philosophie des log. Positivismus, dessen Leitbild von der Sprache als reiner „Bezeichnung" (designatio) selbst vom späten Wittgenstein für unzureichend erklärt wird, weisen wir auf die hervorragende Einleitung in das Buch von *Karl Otto Apel,* Die Idee der Sprache in der Tradition des Humanismus von Dante bis Vico (Archiv für Begriffsgeschichte, Bd. 8) (Bonn 1963) hin (mit ausführlicher Lit.).

Sache gesehen. Klassisch hat dies Thomas im Anschluß an Aristoteles formuliert und dabei das Schicksal der Sprache bis in unsere Zeit gekennzeichnet: Secundum Philosophum (Aristotelem) voces sunt signa intellectuum, et intellectus sunt rerum similitudines. Et sic patet quod voces referuntur ad res significandas mediante conceptione intellectus. Secundum igitur quod aliquid a nobis intellectu cognosci potest, sic a nobis potest nominari[7]. Die Geschichte des Verständnisses des Seins hebt zwar mit der Geschichte des Verständnisses der Sprache an, wandelt sich aber selbst immer mehr in ein Verstehen des bloß Seienden, von dem her die Sprache endgültig seit Aristoteles auch immer mehr von *einer* ihrer Funktionen, nämlich der kataphatisch-semantischen Funktion der Urteilslogik her begriffen wird. Darin liegt auch der bleibende Anfang unseres heute gängigen Sprachverständnisses, sofern Aristoteles erstmals den systematischen Grundriß der abendländischen Ontologie und so auch der Ontologie der Sprache entworfen hat[8].

Hat sich für Parmenides das Sprachproblem an der Frage nach dem Sein entzündet, dann muß ihm schon vorher das Sein als Sein des Seienden aufgegangen sein. Denn die ganze Anstrengung des Denkens des Seins erwächst bei ihm gerade daraus, die unterscheidende Einheit von Sein und Seiendem, die ursprüngliche „ontologische Differenz" beider in den Blick zu bekommen. Es ist nämlich noch immer zu beherzigen, was K. Reinhardt[9] schon vor Jahrzehnten dargelegt hat: daß nämlich von der Gesamtsicht des eleatischen Denkens her (in dem noch in der Form des von orphischer Weisheit durchprägten parmenideischen Lehrgedichtes schon die Problemstellung der „Logik" des Heraklit angebahnt war) der Denkweg über Parmenides zu Heraklit sachlich und historisch eher zu verstehen sei als umgekehrt von Heraklit zu den Eleaten (nach der üblichen Auffassung). Dementsprechend muß schon bei Parmenides die Frage nach dem Sein des Seienden als sprachphilosophische Frage nach dem Verhältnis von ἀλήθεια und δόξα aufgebrochen sein, ohne daß für dieses anfängliche Denken die Erfahrung des Seins im Seienden sich schon (wie O. Gigon meint[10]) im späteren „Begriff des Seins" festgelegt hätte. Was

---

[7] *M. D. Chenu,* Das Werk des hl. Thomas von Aquin (deutsch Heidelberg 1960) 127; *F. Manthey,* Die Sprachphilosophie des hl. Thomas von Aquin (Paderborn 1937); *Th. Bonhoeffer,* Die Gotteslehre von Thomas von Aquin als Sprachproblem (Tübingen 1961).

[8] Vgl. *M. Heidegger,* Unterwegs zur Sprache (Pfullingen [2]1960).

[9] *K. Reinhardt,* Parmenides und die Geschichte der griechischen Philosophie (Frankfurt a. M. [2]1959).

[10] *O. Gigon,* Der Ursprung der griechischen Philosophie (Basel 1945). Wenn im Folgenden der Ausdruck „ontologische Differenz" gebraucht wird, so ist in Anlehnung an das von Heidegger Gemeinte mit dem in der folgenden Interpretation als λόγος (Heraklit) und γένος (ἕτερον, ἐξαίφνης: Platon) Gesagten nicht etwas „außerhalb" des Seins gemeint, zum wenigsten ein „absolutes Sein", sondern nur auf die Nähe hingewiesen, in der

bei Heraklit dann radikal offenbar wurde, daß die Differenz von Sein und Seiendem als solche zu denken sei, ließ auch Parmenides nicht zur Ruhe kommen. An der Sprache, in der schon immer auch das Seiende (in seiner Vielzahl und Verschiedenheit) ausgesprochen ist, in der schon immer in vielen Sätzen und Urteilen geredet wird, sollte sich der dem Sein nachdenkende Geist messen; der Negativität als dem Abgrund der Differenz von Sein und Seiendem, der in der Differenz von Aletheia und Doxa der Abgrund der *Sprache selbst* ist, mußte standgehalten werden. Deshalb ist Parmenides, der üblicherweise als der eigentliche Metaphysiker des Seins als solchen betrachtet wird, gerade darin nochmals der *Grund*leger der Metaphysik, daß er — so paradox es klingt — als Sprachdenker zum erstenmal den *Unterschied* von Sein und Seiendem als Unterschied von Aletheia und Doxa, d. h. den Abgrund der Sprache selbst in Frage stellte. Dabei ergibt sich das Sonderliche, daß diese ontologische

---

in diesen zwei griechischen Problemworten die ontologische Differenz als *Problem* innerhalb eines Denkens „noch" gesehen wurde, das selbst schon ins Vergessen des Seins und der Differenz von Sein und Seiendem hervorging, *indem* es das Fragwürdigste nicht mehr mit den schon selbstverständlichen Namen des ὄν, der ἰδέα nennen konnte. Deshalb ist dieses „Zwischen" von Sein und Seiendem nicht im Sinn der scholastischen (aristotelischen) relatio logica oder realis zu verstehen, sondern nur in dem Sinn, „daß Seiendes und Sein irgendwie aus-einander-getragen, geschieden und gleichwohl aufeinander bezogen sind, und zwar von sich aus, nicht erst auf Grund eines ‚Aktes' der ‚Unterscheidung'" (*Heidegger,* Nietzsche, Pfullingen 1961, Bd. II, 209). Wenn aber das Wesen des Menschen (ontologisch *vor* der sich im Denken und Sprechen erst zeigenden Zwiefalt von „Geist" und „Sinnlichkeit", von „Subjekt" und „Objekt", „Beisichsein" und „Außersichsein", aber doch *diese* und ihr Ausgesagtsein ermöglichend) es ist, im offen Abgründigen dieser Differenz zu stehen, worin „Geschichtlichkeit" gegenüber „Geschichte" währt, dann ist von hier aus der Mensch der ursprünglichste „Hörer" des so immer „geschichtlichen" (indes nicht irgendwo *in* der „Geschichte" vorkommenden) Seins, und die „ontologische Differenz" (auch als λόγος) das Ur-Ereignis des wesenden (d. h. alles Seiende geschichtlich ins je verschieden seinsentsprechende „Wesen" mit einer „Geschichte" verfügenden) Seins. Deshalb ist das Wesen der Sprache und ihrer Geschichte, das λέγειν nicht von einem Logos des Seins (als eines metaphysisch-*über*geschichtlichen Prinzips), sondern vom Logos der „ontologischen Differenz" her zu denken, welches Denken dann allerdings immer wieder vor der (von ihm selbst her unaufhebbaren) Sprachnot schlechthin steht. „Analogia entis" und „Dialektik des Geistes" sind dann keine „Instrumente", dieser Not ein für allemal Herr zu werden, sondern vielmehr Artikulationen der *Einübung* des gegenstandsbezogenen Denkens, im Sagen des Seins des Seienden dessen dazu ontologisch differenten Abgrund (der alles Sagen ge-währt) als die „Geschichtlichkeit" dieses Sagens, worin die „*Philo*-sophie" sich vollzieht, auszuhalten. Diese Einübung wird um so schwieriger, je vorschneller das eigentlich Einzuübende als „Verhältnis von Gott und Welt" angesetzt wird, ohne daß darauf geachtet wird, daß, wenn überhaupt von Gott gesprochen werden soll, er doch gerade seine Göttlichkeit im unvordenklichen Seinlassen des „Verhältnisses" selbst, sofern es vom Menschen *nicht* mehr „über-stiegen" werden kann auf ein „absolutes Sein" hin, der Sprache des Menschen entzieht.

Differenz von Sein und Seienden einerseits nur von der Huld der Göttin, der Dike, her dem menschlichen Denken aufleuchtet und dabei auch schon wieder in ihrem *positiven* Sinn im Wesen des Göttlichen verborgen bleibt und anderseits selbst in ihrem *negativen* Sinn, d. h. als Irre des Menschen, zur Willkürmeinung der Menschen geworden ist: μορφὰς γὰρ κατέθεντο δύο γνώμας ὀνομάζειν (Fr. 8, 53). „Irgendwann einmal ist eins zu zwei geworden, hat man aus der Einheit einen Gegensatz geschaffen, und die Menschen haben den Irrtum sanktioniert", interpretiert Reinhardt[11] die Situation der Sterblichen hinsichtlich der ontologischen Differenz. Diese selbst als der Grund und Abgrund der menschlichen Sprache ist nach Parmenides der über das menschliche Denken und Sprechen schon immer verfügt habende Abgrund des Göttlichen. Dieses Göttliche als die Dike ist der letzte Richter über die Wahrheit und Unwahrheit (Fr. 8, 54) der Sterblichen wie auch über das immerwährende Sein (des Seienden). Dieses, das Sein, οὐδὲ διαιρετόν ἐστιν, ἐπεὶ πᾶν ἐστιν ὁμοῖον (Fr. 8, 22), läßt von sich aus keine Diairese, kein von ihm der Zeit, dem Ort, der Herkunft und dem Sein nach Unterschiedenes und Anderes zu: denn Sein ist, Nichts dagegen ist nicht. Sein eröffnet sich aber dem Denken, das selbst sein eigentliches Wesen nur im Denken des Seins hat: τὸ γὰρ αὐτὸ νοεῖν ἐστίν τε καὶ εἶναι (Fr. 3). Das Sein des Seienden wird von Parmenides auf das Geheiß der Göttin so radikal gedacht, daß das Seiende nur mehr im Schein der Sinneserkenntnis Bestand hat. Was denkend gesagt werden kann, ist nur: daß immer und überall Sein ist. Das Bedenken der ontologischen Differenz kann von den Grundworten der Sprache (σήματα πολλά), die selbst sehr widersprüchlich (weil ja doch vom Seienden her genommen) nur die eine Weg-Kunde zum Sein (μόνος ... μῦθος ὁδοῖο) markieren, nur mehr in Form zweier Fragen sich hervorwagen, um sogleich wieder ins Denken des Seins zurückgewiesen zu werden: τίνα γὰρ γέννα διζήσεαι αὐτοῦ; πῇ πόθεν αὐξηθέν — denn was für einen Ursprung willst du für dieses (nämlich das Sein) ausfindig machen? Wie, woher sein Heranwachsen? (Fr. 8, 6—7.) Und ist es von ungefähr, daß dort, wo (wie bei Parmenides) das Denken noch der Frage nach der ontologischen Differenz zwischen Sein und Seiendem folgt, aber dann — wenn wir so sagen dürfen — vor Schrecken, was daraus an „Widersprüchen" im Meinen und Vorstellen der Sterblichen geworden ist, ins Denken der reinen Identität des Seins abbiegt, daß dort also, wo der Heraufgang (γέννα) des Seins des Seienden in ihre Zwiefalt noch *Problem* ist, dieser Heraufgang gerade dort als Problem verspürt wird, wo in der Genese des

[11] Ebd. 81 f.

Menschen in die Zwiefalt der Geschlechter herauf die ontologische Differenz an *dem* Seienden und seiner Verfügtheit ins Sein *erfahren* werden kann, wo diese Erfahrung in einem das *Denken* und Nennen dieser ontologischen Differenz immer wieder auf sich zurückweist als auf das denkend nicht mehr bewältigbare Geheimnis der Abgründigkeit des Menschenwesens? Wäre damit nicht ein Zusammenhang in die Fragmente 12, 13, 16, 17, 18 gebracht, in denen zwar nach Parmenides sich im Gedanken von Einheit und Unterschiedenheit menschlicher Liebe und menschlicher Geschlechtlichkeit nur die Scheinmeinungen der Sterblichen (δόξαι βροτεῖαι: Fr. 8, 51) aussprechen, ein *ontologischer* Zusammenhang, gemäß dem das parmenideische Identitätsdenken notwendigerweise in der Ausklammerung des διαιρετόν (Fr. 8, 22) bis in die Zwiefalt der Geschlechter hinein das darin ursprünglich erfahrbare Problem der ontologischen Differenz mitausklammert? Was aber, wenn in diesem Problem auch das letzte Problem der menschlichen Sprache geborgen und vergessen wäre? Die Sprache spricht nämlich immer das Sein des Seienden aus und nie nur das ihr von Parmenides Vindizierte: das Sein und nur es. Parmenides hat der Doxa, d. h. hier der schon immer in der Menschensprache geschehenden Auslegung des Seins des Seienden in der Vielheit und Unterschiedenheit der Worte, Sätze und Urteile, einen großen Teil des Lehrgedichtes gewidmet und sie doch fast geringschätzig als widersprechenden Schein entlarven wollen. Und für diese Dinge (nämlich in ihrer Verschiedenheit: Licht und Nacht, Himmel und Erde, Sonne und Mond, Rechts und Links, Anfang und Ende, Mann und Frau: Fr. 9—18) haben die Menschen einen Namen festgesetzt, einen bezeichnenden für jedes: τοῖς δ' ὄνομ' ἄνθρωποι κατέθεντ' ἐπίσημον ἑκάστωι: Fr. 19). Wie die Dinge selbst in ihrer Vielfalt und Gegensätzlichkeit den vor dem Denken und Sprechen des Seins nicht rechtfertigbaren Widerspruch in sich tragen, sich vor diesem *einen* Sein nicht ausweisen können, so auch die menschliche Sprache in der Verschiedenheit und Gegensätzlichkeit ihrer Worte und Urteile nicht: sie ist als solche (wir würden sagen: kategoriale) Sprache nur Schein. Man ermißt kaum wo die abgrundtiefe Abneigung des Seins-Metaphysikers gegen alles Differente, Gegensätzliche und Widersprüchliche (und darin auch gegen die Doxa der sterblichen Sprache mit ihren Unterschiedsaussagen) besser als dort, wo er die Genesis des Menschen selbst in grausiger Geburt und Paarung (... στυγεροῖο τόκου καὶ μίξιος ... Fr. 12) zum Scheingeschehen und ihre Aussage zur Scheinaussage erklärt und in einem verlorengegangenen Fragment (das uns nur über Caelius Aurelianus lateinisch überliefert ist[12]) den Zwiespalt zum Ausdruck brachte, der grauenvoll in den Abgründen

[12] Vgl. *Diels,* Fragmente, 244.

des Geschlechtes wohnen kann (Fr. 19). Parmenides erklärt so die Genesis des Menschen und damit den Hervorgang des Menschen ins Sein, also die ontologische Differenz, in der und aus der sich Sein und Mensch einander übereignet sind, als Scheinproblem. War damit nicht ein Weg in die kommende Metaphysik gewiesen, die zwar das Sein des Seienden zu denken versuchte, aber nicht die Differenz zwischen beiden? Mußte aber dann nicht notwendig die Sprache selbst entweder nur vom Sein oder nur vom Seienden und deren Ausgesagtheit durch den Menschen her begriffen werden? Das Losungswort: κρῖναι δὲ λόγωι, mit dem Denken bring zur Entscheidung (Fr. 7, 5) — war gefallen, und schon war die Sprache vom λέγειν, dem Denken und Sprechen des Menschen her auf ihren geschichtlichen Weg geschickt. Ein dunkler Spruch des Heraklit (Fr. 72), der mit dem Eingangsfragment zum Gesamtwerk zusammenstimmt (Fr. 1), bringt nun aber das Sprachdenken des Parmenides auf dessen eigenen, schon halb oder fast ganz vergessenen Fragegrund zurück: ὧι μάλιστα διηνεκῶς ὁμιλοῦσι λόγωι (τῶι τὰ ὅλα διοικοῦντι), τούτωι διαφέρονται, καὶ οἷς καθ' ἡμέραν ἐγκυροῦσι, ταῦτα αὐτοῖς ξένα φαίνεται — mit dem Logos, mit dem sie doch am meisten ständig verkehren (dem Verwalter des Alls), mit dem entzweien sie sich, und die Dinge, auf die sie täglich stoßen, die scheinen ihnen fremd. Der Logos erscheint als Fremder, obwohl und indem er doch der Vertrauteste (der βαθὺς λόγος der ψυχή: Fr. 45) zu sein scheint. Wie gehört aber nun die Fremdheit in die Vertrautheit selbst? Anders und schon im voraus formuliert: Wie stimmen beide, das Sein und das Seiende, ursprünglich vom Logos her zusammen?

2. Sein und Logos

Die Aporie, in die das parmenideische Seins- und Sprachdenken von seinem Ansatz der Identität von Sein und Denken (Sprache) her gerät, wird zum neuen und sich verwandelnden Thema der herakliteischen Sprachauslegung. Das ποταμοῖς τοῖς αὐτοῖς ἐμβαίνομέν τε καὶ οὐκ ἐμβαίνομεν, εἶμέν τε καὶ οὐκ εἶμεν — in dieselben Flüsse steigen wir und steigen wir nicht, wir sind und wir sind nicht (Fr. 49 a) — wird erstmals zum Problem der Aussage und Sprache selbst (vgl. Fr. 113—116). Das Wissen um das Seiende war schon bei Parmenides als das durch den Spruch der Göttin entlarvte „Nicht-wissen" der Sterblichen gekennzeichnet. In diesem Nichtwissen der Sterblichen, der δόξα, in der indes menschliches Denken und Sprechen als *unterscheidendes* schon immer sich vollzieht (σήματ' ἔθεντο χωρὶς ἀπ' ἀλλήλων: Parm. Fr. 8, 55—56), kommt nun die Frage des Heraklit zu stehen, wie Wissen und Nichtwissen, Gesagtes und Ungesagtes von einem Grund her zusammengehören, der weder im Sagen des Seins noch im Sagen des Seienden als je für sich genommenen Weisen menschlicher Rede an den Tag kommt, sondern im Sagen des Seins des Seienden. War noch bei Parmenides das Göttliche in Gestalt der Δίκη, die selbst *über* das Sein des Seienden, seine Erkenntnis und Aussprechbarkeit verfügte, gedacht und vorgestellt, so gerät dieses vorstellende Denken und Reden (das sich bei Parmenides ausdrücklich als einfache Aussage des Seins begreifen wollte) in die Krise, der verborgene Grund des parmenideischen Denkens bricht um so gewaltiger auf, je tiefer er vorher übersehen war. Wie aus einer anderen Welt, die nun ihre Andersheit gerade im Denken und Sprechen (λέγειν) erweist, steht der Spruch des Ephesiers da: Δίκης ὄνομα οὐκ ἂν ᾔδεσαν, εἰ ταῦτα μὴ ἦν, der Dike Namen würden sie nicht kennen, wenn es dieses — nämlich das Andere und von ihr Unterschiedene (wie man aus dem Zusammenhang ergänzen muß) — nicht gäbe (Fr. 23). Dike und Adikia, Göttliches und Nichtgöttliches, die wirkliche Wahrheit des Göttlichen und die Scheinwahrheit der Sterblichen stimmen aus dem Grund der Sprache und des Denkens (ὄνομα — ᾔδεσαν), die selbst sich jetzt in das hinein- und zurückverwandeln, was Heraklit sogleich mit *seinem* λόγος nennen wird, zusammen. Göttliches Recht und menschliches Unrecht stehen nun nicht mehr wie bei Parmenides unter der Kritik des menschlichen (wenn auch gottbelehrten) Logos (Parm. Fr. 7, 5), sondern sind von einem ursprünglichen „Ge-richt" (Heraklit, Fr. 66) in ihr Wesen gebracht. Dieses „Gericht" darf dabei nicht als ontisches Ereignis im Sinne von Strafgericht und Weltgericht mißverstanden werden, sondern meint gerade nur das, von woher und woraufhin alles, was ist und ins Denken kommt, und so auch die menschlich-sterbliche Sprache, allererst ihre Richtung erhält, es meint den Logos, von dem Heraklit spricht, weil er selbst — der Logos — der verborgene Abgrund alles menschlichen Sprechens ist: die Ferne und Tiefe in der oberflächlichen Nähe aller menschlichen Logoi (κεχωρισμένον und βαθύς: Fr. 108 u. 45). Er ist die Wurzel, die im Anfang des Baumes der menschlichen „Logik", im Geäst der Aussage des Seins des Seienden innerhalb der kommenden Metaphysik und Ontologie um so tiefer ins Verborgene wächst, je mehr solche Ontologie als die Vergessenheit ihres eigenen Grundes „sich selbst begründet".

Menschliches Wissen und Sprechen, das immer schon auf je bestimmte Weise das Sein des Seienden ausspricht (auch dort, wo es über dieses Sprechen spricht), wird so bei Heraklit nach seinem Grund, d. h. der Bedingung der Möglichkeit (nicht im Kantischen Sinn, sondern vielmehr diesen selbst erst als Problem ermöglichenden Sinn) seiner selbst, befragt. Und die resignierte Antwort des Heraklit, die auch uns, und uns vermutlich erst recht, ins eigentlichere Fragen nach der Sprache zurückbringen könnte, lautet: οὐ ξυνιᾶσιν ὅκως διαφερόμενον ἑωυτῶι ὁμολογέει· παλίντροπος ἁρμονίη ὅκωσπερ τόξου καὶ λύρης — sie verstehen nicht, wie es auseinandergetragen mit sich selbst im Logos zusammengeht: wider-strebendes Gestimm wie das des Bogens und der Leier (Fr. 51).

Alles Stimmen des menschlichen λέγειν in der Unstimmigkeit des Sprechens über das Sein des Seienden (welche Unstimmigkeit den Menschen staunend und zweifelnd in die philosophische Frage hineintreibt) hat seine Gestimmtheit vom Gestimm des Logos. Man muß hier, wenn man das von Heraklit Gemeinte nicht schon wieder im späteren Wort dieser oder jener Tradition sagen will, zu Worten greifen, die in ihrer Un-Selbstverständlichkeit wenigstens die Frage des Heraklit offenhalten. Worte wie Übereinkunft, Verschiedenheit oder gar Harmonie verstellen die gemeinte Sache. Dieses im auseinander- und zusammengehenden Stimmen der menschlichen Sprache immer schon diese erst „sprechend" machende Gestimm *ist* der Logos, gemäß dem aber auch alles seine Her- und Heraufkunft ins Sein des Seienden (γινομένων γὰρ πάντων: Fr. 1) und darin sein Aufscheinen in Welt (nicht: *in der* Welt, was selbst schon eine Wesensfolge von Welt ist) hat, wenngleich die Menschen in ihrem Denken und Sprechen, auch wenn sie ihn einmal vernommen, immer wieder auf ihn vergessen (ἐπιλανθάνονται: Fr. 1). Steckt in dem ἀεὶ ἀξύνετοι γίνονται ἄνθρωποι (immer unkundig — des Logos nämlich — „werden" Menschen) schon ein der bloßen Philologie unzugänglicher Hinweis darauf, daß der Mensch nicht nur ab und zu, gewissermaßen als vorübergehende Unstimmigkeit, weil er nicht „aufgelegt" (d. h. mit seinem üblichen Gelegtsein von seinem λέγειν her im Widerspruch) ist, den Logos zufällig nicht „hört", sondern vielmehr von seiner Herkunft her schon vorbelastet ist als der „Hörer des Wortes" des λόγος, dem er weder vor noch nach dem Hören (καὶ πρόσθεν ἢ ἀκοῦσαι καὶ ἀκούσαντες: Fr. 1) sich von seiner Herkunft her zu-gehörig erfährt? Weist dann nicht jedes menschliche λέγειν bis in jeden Gedanken und jedes Wort hinein schon eine ursprüngliche Defizienz auf, wonach der ursprüngliche Logos nur deswegen nicht gehört und überhört wird, weil der Mensch ihn schon dort ver-hört hat, wo er sich in der Genesis des Menschen, die immer eine Herkunft aus der Geschichte der Menschheit überhaupt ist, dem Menschen unvordenklich als Ab-grund seines eigenen Redens (und Hörens: die beide wesentlich zusammengehören) eröffnet *und* entzogen zumal hat? Deutet sich aber dann in der wesentlichen Unstimmigkeit zwischen menschlichem λέγειν (als das λέγειν des Seins des Seienden) und ursprünglichem Logos nicht eine Un-gehörigkeit des Menschenwesens hinsichtlich seiner Herkunft an, gemäß der der Logos ursprünglich den Menschen in sein λέγειν verfügte, indem er ihn in eine Geschichte hinein „werden" (γίγνεσθαι) ließ mit der Möglichkeit, das Sein des Seienden in der hörenden Zugehör zum Logos zu sagen *und* es in der verhörenden Ungehör dem Logos zu ver-sagen? Ist aber dann in solcher Herkunft (γένος) des Menschen, die sich in die Geschichte der denkenden Menschheit entfaltet, nicht überhaupt das Geheimnis des Offenbarwerdens und des Entzugs des Logos verwahrt, verwahrt als das Gehört- oder Nichtgehörtwerden im menschlichen Denken und Sprechen, das das Sein des Seienden denkt und spricht? Solche und andere Fragen führen vom 1. Fragment, das uns von Heraklit überliefert ist, zu dessen Logosverständnis hin, in welchem sich der Grund der menschlichen Sprache erstmals als ihr Ab-grund im herkünftig-zukünftigen, d. h. geschichtlichen δια-λέγεσθαι zwischen Menschenwesen und Logos gezeigt hat.

Dieser im menschlichen Denken und Reden nie selbstmächtig einholbare Ursprung, als welcher der Logos das Sein des Menschen (und abgeleitet davon das Sein jedes Seienden) sein-läßt in die Zugehör oder Ungehör zu sich, stiftet die ursprüngliche Ge-lassenheit oder Ver-lassenheit des Menschen. Gelassenheit ist das anfänglichste, weil alles weitere Trauen und Vertrauen ermöglichende Vertrautsein zwischen Logos und Mensch. Solches Vertrautsein ist das im λέγειν des Menschen nicht mehr zur Sprache kommende Ereignis der Liebe, das gleichwohl verborgen alles Sprechen des Menschen, weil vordem den Menschen selbst sein läßt. Im Fragment 17, 20—29 des Empedokles wird sie als die Φιλότης gedacht und ausgesprochen. Aber zugleich geschieht der Hinweis auf die Erfahrung der Sterblichen, in der eine abgeleitete Weise von Liebe gar leicht den Ursprung solcher Ableitung vergessen lassen kann: ἥτις καὶ θνητοῖσι νομίζεται ἔμφυτος ἄρθροις, τῆι τε φίλα φρονέουσιν καὶ ἄρθμια ἔργα τελοῦσι, Γηθοσύνην καλέοντες ἐπώνυμον ἠδ' Ἀφροδίτην — und diese gilt auch den Sterblichen als eingewurzelt ihren Gliedern, und mit ihr hegen sie Liebesgedanken und vollenden Eintrachtswerke, wobei sie die Wonne benennen und Aphrodite (Fr. 17, 22—24). Daß in diesen ontischen Liebesbezügen schon immer, wenn auch in ihr selbst oft verdeckt und unter anderem Namen, jene andere ontologische Ursprungsliebe als die Anvertrautheit von Logos und Mensch waltet, das hat im Grunde kein sterblicher Mann erkannt (οὔ τις ... δεδάηκε θνητὸς ἀνήρ: Fr. 17, 25—26), sagt Empedokles. Ja, diese Liebe kommt, wie man an zahlreichen Stellen der vorsokratischen Texte ersehen kann, gerade als die Liebe des Geschlechtes und der Geschlechter zumeist ins Wort. Aber so sind diese Texte nicht als „Psychologie" oder „Soziologie" der Geschlechter zu verstehen, sondern haben ontologischen Rang: sie weisen, einmal so formuliert, an den Phänomenen von Zeugung, Geburt und Tod im Menschenreich, am Phänomen der Zwiefalt der Geschlechter in den Bereich der, wenn überhaupt, so eben darin erfahrbaren „ontologischen Differenz" von Sein und Seiendem, von Sein und menschlichem Dasein, als welche Differenz, unsagbar und doch alles Sagen gründend, der Logos erfahren wird. Der Erfahrung der Gelassenheit ist aber unter den Sterblichen auch immer schon die Ver-lassenheit als die Unvertrautheit von Logos und Mensch zugesellt (ohne daß bei Heraklit die Frage des Warum eigens bedacht würde): ἀλλὰ τῶν μὲν Θείων τὰ πολλὰ ... ἀπιστίῃ διαφυγγάνει μὴ γιγνώσκεσθαι — das meiste des Göttlichen entzieht sich der Erkenntnis aus Mangel an Zutrauen (Fr. 86). Von hier aus zeigt sich nun bei Heraklit im Wandel des Sprachverständnisses auch eine vom Logos-Problem her inaugurierte Wandlung des Verständnisses des Göttlichen.

Ἕν — das Ur-Eine, das Parmenides als μοῦνον μουνογενές τε ... ἀγένητον mit göttlichen Prädikaten ausstattete — λέγεσθαι οὐκ ἐθέλει καὶ ἐθέλει Ζηνὸς ὄνομα — will nicht und will doch mit dem Namen des Zeus (d. h. des vorgestellten und gedachten Gottes) benannt werden (Fr. 32). Das heißt: den Namen für Gott als den verborgenen Logos haben die Sterblichen zwar schon immer mit Zeus festgelegt, indem sie der Meinung waren, es stände in ihrem Belieben, ein als höchstes Seiendes vorgestelltes Sein „Gott" zu nennen. Heraklit bedeutet uns aber: der Mensch hätte von seinem Wesen her (ἦθος) bezüglich des θεῖον (wie überhaupt auch bezüglich des Seins des Seienden) keine Einsicht (Fr. 78), d. h., er wäre überhaupt nicht Mensch, wenn dieses Göttliche als δαίμων nicht schon unvordenklich zum Geschick des Menschen selbst, also auch seines Denkens und seiner Sprache, geworden wäre. Das Wesen des Menschen als dessen Sein darf dabei nicht wieder ontisch-gegenständlich in einem Gegenüber zum Göttlichen gedacht werden, sondern ist und erfährt sich immer als das vom Logos her sich selbst Anvertrautsein, *indem* der Logos selbst den Menschen sein-läßt: ἦθος ἀνθρώπωι δαίμων (Fr. 119), welches Seinlassen im menschlichen Denken nicht mehr reflektiert, sondern immer schon vorausgesetzt ist. (Daß später die aristotelische „Ethik" mit dem λόγος ὀρθός ringen wird, bahnt sich hier bei Heraklit an.) Von daher wäre die Möglichkeit, daß auch die gewohnte Vorstellung Gottes als Zeus wirklich etwas Wahres behielte (ἐθέλει), darin begründet, daß der göttliche Gott, der da ist der Logos als σοφόν (Fr. 41), in jedem Menschenwort am Werk ist (πάντα κυβερνᾶ, wie es bei Parmenides hieß und jetzt ähnlich bei Heraklit heißt: Fr. 41), es auch zur Aussage des Göttlichen (λέγειν des Λόγος) ermächtigt, und doch zugleich (οὐκ ἐθέλει) sich darin auch schon wieder dem menschlichen Wort entzieht, weil σοφόν ἐστι πάντων κεχωρισμένον (Fr. 108), d. h. gerade nicht auf diese Weise des Seins des Seienden der übrigen ὄντα-πάντα ist, erkannt und ausgesagt werden kann, sondern (man kann nur mehr sagen) Logos-Sein ist. Hier ist der Ansatzpunkt im Sprachdenken des Heraklit, von dem her erst das eigentliche Problem der menschlichen Sprache als der schon immer vollzogenen und im menschlichen λέγειν sich geschichtlich immer vollziehenden Auslegung des Seins des Seienden in der Gelassenheit und Verlassenheit vom Logos her angegangen werden könnte (worauf hier nur eben aufmerksam gemacht werden kann). Sprache im menschlich-ausdrücklichen Sinn hat die zwei Dimensionen der „Rede" (ὀνομάζειν — νόμος, worin das Menschenwesen und alles Sein des Seienden auf abgründige Weise vom Göttlichen her „gehütet" wird: νέμεται: Fr. 11) und des „Schweigens" (im Sinne des wortlos geschehenden ποιεῖν als reine Hörigkeit auf das Sein als φύσις : Fr. 112), deren beider, sie erst in ihr eigenes Wesen seinlassende Differenz *die* Frage aller Sprachphilosophie ist. Empedokles nennt ausdrücklich Reden und Schweigen (Σωπή τε καὶ Ὀμφαίη . . .: Fr. 123) als die zwei auf ihren Ursprung hindeutenden Weisen der Sprache. Dieser Ursprung als Sein und Seiendes und so auch Schweigen und Reden im menschlichen λέγειν einander übereignendes Ereignis ist selbst kein Vorkommnis innerhalb der „Logik der Sprache", sondern weist von sich her alle Logik (transzendentaler und kategorialer Sprache) erst in ihr (hörend-verhörendes) Wesen. Hören und Verhören kann dabei im Schweigen wie im Reden der Charakter der menschlichen Sprache sein, weil beide in der Zugehör oder Ungehör zum Logos als dem θεῖον-σοφόν stehen und stehen können. Es sei noch angemerkt, daß bei Heraklit in einem sehr tiefsinnigen Verständnis der Sprache des delphischen Gottes, wonach dieser οὔτε λέγει οὔτε κρύπτει — weder redet noch schweigt (worin die Menschensprache beheimatet ist), sondern bedeutet (ἀλλὰ σημαίνει: Fr. 93), die Menschensprache in ihren „Bezeichnungen" auf eine ursprünglichere, zu ihr „ontologisch differente", weil in das Wesen des Logos gehörende „Be-deutung" zurückweist, die dann seit Aristoteles im Sprachdenken des Abendlandes von der logisch-semantischen „Bedeutung", die sich im Raum der Ontologie allmählich in den Vordergrund schob, immer mehr ins Vergessen geriet.

Dabei entschied sich aber auch das geschichtliche Schicksal des menschlichen Denkens und Sprechens mit: aus dem „An-denken" und der „An-sprache" des Logos, woher das Menschenwesen im frühen Denken der Griechen seine Herkunft (γένος — γίγνεσθαι) im Achten auf die ontologische Differenz des Seins des Seienden zur anfänglichsten (aber darin auch schon die Logos-Verlassenheit anzeigenden) Sprache brachte, aus diesem Andenken und Ansprechen ging Schritt für Schritt das bloße Denken und Sprechen des Seins des Seienden, das unser Schicksal heute ist, hervor[13]. Sprache wurde zur je geschichtlich anderen Weise der Auslegung des Seins des Seienden, das geschichtliche *Geschick* der Auslegung *selbst* aus dem Abgrund der ontologischen Differenz, in welcher alles Sprechen dem Logos und dieser dem Sprechen von vornherein im Menschen anvertraut ist, blieb

[13] Vgl. *F. Wiplinger,* Sein in der Sprache: Wissenschaft u. Weltbild 12 (1959) 369—384; *ders.,* Wahrheit und Geschichtlichkeit (Freiburg-München 1961).

ungedacht und ungesprochen. Was dann etwa bei Aristoteles im Problem von μέσον—μεσότης, im christlichen Denken bei Thomas als die Frage nach Gott — Mensch — Welt, bei Kant im synthetischen Urteil a priori, bei Hegel etwa als die Selbstvermittlung der absoluten Idee an den Tag kam, steht schon unter diesem Geschick, sofern dieses nicht vom Willen und von der Anstrengung des Begriffes je eines Denkers selbst bestimmt wird, sondern das Verborgene des Logos im Ermöglichen des λέγειν ist.

Was nun bei Parmenides die Aporie seines Denkens war, die er bezüglich des ἕν des ὄν in seinem εἶναι in die Frage brachte: πῆι πόθεν αὐξηθέν; (Fr. 8, 7), und was auch eine Aporie der Sprache selbst, der Aussagbarkeit des Seins des *Seienden* (und *der* Seienden) war, findet seinen Ausweg (der für Parmenides' Identitätsdenken noch keiner war; Parm. Fr. 8, 10—11) in der Formulierung des Heraklit im 115. Fragment: ψυχῆς ἐστι λόγος ἑαυτὸν αὔξων — der Psyche (als dem Vernehmungsgrund des Seins des Seienden) ist der Logos inne, der sich selbst vermehrt. An dem Satz ist vieles dunkel, am dunkelsten die Zusammengehörigkeit von Mensch und Logos (die wir oben schon erwähnt haben). Aber bevor wir darauf kurz eingehen, ist noch etwas anderes denkwürdig, was in den Fragmenten 53 und 67 bezüglich der Frage nach Gott zu lesen steht. Ausdrücklich kommt auf Gott die Rede im Fr. 67: Ὁ θεὸς ἡμέρη εὐφρόνη, χειμὼν θέρος, πόλεμος εἰρήνη, κόρος λιμός ... — der Gott ist Tag-Nacht, Winter-Sommer, Krieg-Friede, Sattheit-Hunger. Dieser erste Teil der Aussage, der mit einer wahrscheinlich nicht von Heraklit, sondern von einem Scholiasten stammenden und erläuternden Überleitung[14] den im zweiten Teil mit ἀλλοιοῦται δὲ (er wandelt sich aber...) anfangenden Vergleich (ὅκωσπερ [Lücke] ...) mit dem umstrittenen[15] Verhältnis von Feuer und Räucherwerk (bzw. Öl und Parfüm) ausdrücklich als Sprachproblem (ὀνομάζεται...) zur Geltung bringt, zeigt deutlich in die Richtung, wo für Heraklit (im Gegensatz zu Parmenides) das Göttliche als der Gott zu finden sei: nicht im einen, ganzen, werdelosen Sein noch im vielfältig sich darstellenden und in Veränderung begriffenen Seienden (sonst wäre der Vergleich, in dem ja dann nicht der Gott, sondern ebenfalls Seiende — Tag, Nacht ... — mit anderen Seienden — Feuer, Räucherwerk... — verglichen würden, in sich sinnlos), sondern nur eben *in jenem*, im vergleichenden *Sprechen* („ist ... Tag, ist ... Nacht, wie Feuer ... ist") des Seins des Seienden unausdrücklich bleibenden Abgrund solchen Sprechens, den Heraklit als den Logos denkt.

---

[14] *H. Fränkel,* Heraklit über Gott und die Erscheinungswelt: Wege und Formen frühgriechischen Denkens (München 1955) 237—250.
[15] Ebd. 240.

Dabei darf aber der Gott (in der zweiten Reflexion auf den Vollzug der Sprache des Menschen) nicht ontisch als ein Drittes „hinter“ (μετά) den ontisch vorgestellten Gegensätzen des Seins des Seienden (als der griechisch erfahrenen φύσις) und den logisch-phonetisch gesprochenen Worten als Bedeutungsausdrükken dieser Gegensätze angesetzt werden, um dann den so vorgestellten und in der abendländischen Metaphysik (mit der ihr zugehörigen Logik) gedachten „Gott“ als das transzendente Sein eines obersten und höchsten Seienden (und in diesem Sinn das differenzlose Sein der Eleaten) fraglos „schon bei Heraklit“ zu finden. Hier ist noch von keiner Transzendenz und Immanenz Gottes die Rede und auch nicht von dem, als was H. Fränkel die „Theologie“ von Heraklit deuten möchte: „Sobald die Entwicklung der Philosophie eine gewisse Stufe erreicht hat, wird sich die Idee einstellen, daß sich das Eine in der Vielheit entfaltet.“ [16] Es ist vielmehr so, daß sich bei Heraklit im Worte ὁ θεός (dem δαίμων, λόγος u. a. entspricht) gerade die Sprachnot des Menschen im Hinblick auf das Woher seines Sprechens meldet, welches Woher in die Herkunft seines Wesens zurückweist, *aus* der erst das Denken und Sagen des Seins des Seienden möglich ist, *innerhalb* dessen dann erst von Gott geschwiegen und geredet werden kann, innerhalb dessen aber auch die Ontologie erst ihren Weg als „Aufstieg“ von der Vielheit der seienden Welt zur Einheit eines einen und überweltlichen Gottes als dem Seiendsten von allen Seienden antreten kann, um darin Gott als den Abgrund jeder Ontologie schon zu vergessen. In diesem Vergessen zeigt sich das Schicksal des menschlichen λέγειν, das, selbst von der gelassenen Zugehör zum Logos zu sich ermächtigt, auch dort noch die Macht des Wortes hat, von Gott zu reden, wo solche Rede schon anfänglich aus der ver-lassenen Ungehör zum Logos diesen nicht mehr als das ursprüngliche Gegenüber der Liebe *erfährt,* in ihrer herkünftig-zukünftigen *Geschichte* erfährt, sondern ihn „jenseits“ des Seins des Seienden als das Seiendste zu denken und auszusprechen sucht. Die Versuchung des Denkens ist es, Gott nicht immer und überall im Abgrund der ontologischen Differenz des Denkens und Sagens des Seins des Seienden als das unvordenklichste Geheimnis der Herkunft des Menschenwesens zu *suchen,* sondern zu vermeinen, Gott schon mit Hilfe der Ontologie und Metaphysik als das Sein und das Seiendste begreifend gefunden zu *haben.* Gesucht kann er aber offenbar dann nur dort werden, wo der Mensch sich als die radikale Sichselbstgegebenheit (daß er das Seiende in seinem Sein in der begreifenden Sprache und der umgreifenden Tat sich vor sich bringen kann) *in* der Weggegebenheit (daß das Sein des Seienden ihn selbst schon im Unbegreiflichen der Sprache und der Unumgreifbarkeit der Tat vor sich selbst gebracht hat) erfährt und erfahren kann. In diesem *In-sein,* welches die Erfahrung seiner Geschichte im Modus des *In-der-Welt-seins* ausmacht, ist schon immer der Wurzelgrund dieses geschichtlichen In-der-Welt-seins miterfahren: das *Im-Geschlecht-sein.* In diesem ist das räumlich-zeitliche In- und Auseinandersein des In-der-Welt-seins „zwischen“ Anfang und Ende erfahren als die Radikalität, d. h. Gründ-lichkeit des Lebens „zwischen“ Ge-

[16] Ebd. 247.

burt (als zeugend-gebärender Herkunft) und Tod (als vollendender Zukunft). Dem entspricht eine gründlichere Sichselbstgegebenheit in Weggegebenheit des Menschenwesens, die sich in das Gründlichste des *Da-seins* übersteigt. Dies ist die Erfahrung, die der Mensch als Geist „zwischen" Sein und Nichts macht. Wir können hier nicht näher auf diese sich gegenseitig fundierenden, „ungegenständlichen" Bezüge eingehen, sondern deuten nur an, daß das jeweilige „Zwischen" als die je größere Sichselbstgegebenheit des Menschen *als* Weggegebenheit auch die je größere Erfahrung des Logos im λέγειν des Menschen ist. Den ontischen Vollzugsweisen des Menschen, d. h. den Weisen, wie er sich als Seiendes erfährt (raum-zeitlich-seiend, lebendig seiend, geistig seiend), entsprechen die ontologischen Grundweisen des Menschen, d. h. die Weisen, wie er sich in der ontischen Erfahrung schon immer ontologisch, in seinem Sein „versteht" (In-der-Welt-sein, Im-Geschlecht-sein, Da-sein). Dabei kommen die ontologischen Grundweisen an den ontischen an den Tag: das Sein des Menschen offenbart sich am Seienden an ihm. Am Sein des Seienden, das der Mensch in einem ausgezeichneten Sinn ist, weil in seinem Dasein als Geist sich das Sein des Seienden an ihm selbst zeigt, welches Zeigen im λέγειν geschieht, offenbart sich im jeweiligen λέγειν (im Denken und Sprechen des „Einzelnen", „Besonderen", „Allgemeinen", als „Subjekt", „Prädikat" und „ist" der Kopula) die jeweilige Abgründigkeit solcher Sprache: daß sie selbst in der Aussage des Seins des Seienden im Modus der Aussage des Seins vom Einzelseienden ihre Prädizierbarkeit (das „Prädikat"-sein im Satz) nur vom „Zwischen" des Seins des Seienden im logischen Sinn her erhält, nämlich von der bestimmten Allgemeinheit der sich in die Art- und Einzelbegriffe entfaltenden Gattungsbegriffe. Der Mensch ist ontisch der im Geiste auf das Sein hin Eröffnete, indem und dadurch daß er in seiner Sinnlichkeit der das Seiende Hinnehmende ist. Er ist ontologisch als Da-sein in einem (und nicht nachträglich) das In-der-Welt-sein. Dasein und In-der-Welt-sein sind aber ontologisch in dem Im-Geschlecht-Sein als der ontologischen „Herkunft" beider verwurzelt. Damit ist nicht das biologische Geschlechtlichsein gemeint, das selbst ja wie das Räumlich-zeitlich-sein und das Geist-sein schon ontischer Vollzug des Menschen ist, sondern die ursprüngliche Möglichkeit, daß sich der Mensch schon immer als im Geiste und in der Sinnlichkeit miterfahrenes Dasein und In-der-Welt-sein erfahren kann und diese Erfahrung immer aus jenem Abgrund herkommt, der als γένος (wie Plato sagen wird) der ursprüngliche Abgrund des Seins des Seienden überhaupt ist. Daraus ist das Sein des Seienden, wie es im Vollzug des menschlichen Daseins sich *als* solches zeigt, indem es zur Aussprache kommt, mit dem Logos als dem Seinlassen der ontologischen Differenz, welches bei Heraklit der Gott ist, zusammengebracht.

Von diesem Gott spricht das Fragment 53: Πόλεμος πάντων μὲν πατήρ ἐστιν, πάντων δὲ βασιλεύς ... Wir übersetzen sinngemäß: Der Krieg als der Unterschied des Seins des Seienden ist in einem der Ursprung (πατήρ) und der königlich Herrschende des Seins der Seienden. Daß man hier wirklich das Wesen der ontologischen Differenz als den

Abgrund der Sprache des Seins des Seienden im Logos als den göttlicheren Gott (im Gegensatz zu dem in der kommenden Metaphysik gedachten) denken muß, zeigt ganz deutlich der Hinweis: τοὺς μὲν Θεοὺς ἔδειξε τοὺς δὲ ἀνθρώπους — die einen erweist er als Götter, die anderen als Menschen, d. h., die übliche Gottesvorstellung (θεοί, Ζεῦς; vgl. Fr. 32), wonach das Göttliche das Seiendste innerhalb des Seins des Seienden sein soll, kommt in die Krise, so in die Krise, daß sogar der Name des Göttlichen nun anfänglicher aus der ontologischen Differenz (πόλεμος) gedacht wird. Zu beachten ist, daß das Ontologische der Differenz am Ontischen der Differenz des Krieges aufgeht. Der Logos erscheint im gründenden Rückgang des menschlichen λέγειν und seiner Krisis als der Ab-grund, der einerseits die Aussprache des Seins des Seienden und dabei auch des Göttlichen unter den Menschen schon immer in Gang gesetzt hat, aber anderseits dieses menschliche Sprechen (und Denken) auch schon in die Un-gehör zu sich selbst (πόλεμος als den schmerzlich-tödlichen Unterschied in das Sein des Seienden hinaus), als das verlassene Nennen Gottes in der Versteifung auf das Sein (Parmenides) oder das Seiende (im Ablauf der Metaphysik) entlassen hat. Der Gott des Heraklit ist nicht das Sein oder ein höchstes Seiendes, sondern der Abgrund des Seins des Seienden, das im Menschen ins λέγειν kommt, welches wiederum selbst aus diesem Abgrund im Modus des ontologischen Im-Geschlecht-sein (das das menschliche Dasein als In-der-Welt-sein trägt) den Logos als den Gott erfahren kann oder auch nicht. Das Gottesproblem ist so zum Problem der Sprache geworden, der λόγος ist als der Abgrund des Sprechens der zum Sein des Seienden und auch zum Sein des Menschen ontologisch differente πόλεμος und *so* ὁ θεός (im Gegensatz zum πόλεμος des Fr. 67, das noch den ontischen Krieg als ontischen und logischen Unterschied zum Frieden innerhalb des Seins des Seienden meint, und *beide* erst in ihrer *ontologischen* Differenz als den Gott in den Blick nimmt). Der Gott als der Abgrund des Logos hat sich im λέγειν der Götter und des Zeus zuletzt schon gezeigt, aber gerade in der üblichen „Gotteserkenntnis" und „Aussage über Gott" schon verborgen in das Aussprechen und Denken des Seins des Seienden. Und solchermaßen ist nicht der Gott seiner Göttlichkeit entzogen, sondern das λέγειν in die Un-gehör (Fr. 1) zum Logos getreten, welche Un-gehör nun den göttlichen Gott nur mehr als die logische *Negation* von Gott und Mensch (Ζεῦς — ἄνθρωποι: Fr. 53; Fr. 32) ins Sagen des Seins des Seienden bringt (vermittels des logisch selbstverständlich gewordenen Widerspruchsatzes). Daß in dieser Negation (in der die Sprache des Seins des Seienden schon früh ihren Weg in die bloße „Logik" des Sprechens hinein beginnt) der göttliche Gott sich indes als der Wider-spruch zum λέγειν des (schon bei Parmenides anhebenden) zu *vermeidenden* Widerspruches anmeldet, sagt der Name des πόλεμος für den göttlichen Gott als Logos. Inwiefern das Denken und Sagen des Menschen wieder heimfinden könnte in die Zu-gehör des An-denkens und der An-sprache des Logos, was nicht primär eine vom menschlichen λέγειν des Seins des Seienden her bewerkstelligbare Umkehr im Denken und Sagen, sondern die ursprünglichste Möglichkeit des Logos selbst ist, insofern *dieser* das Menschenwesen in seinem herkünftig-zukünftigen Hervorgang aus der ontologischen Differenz des Seins des Seienden in die „Um-kehr" (ἀλλοιοῦται: Fr. 67) zum καλόν, ἀγαθόν und δίκαιον seiner Göttlichkeit bringen kann, dies deutet uns Heraklit im (oben schon genannten) Fr. 115: der sich selbst vermehrende, d. h. der selbst als die ontologische Differenz allem menschlichen Denken und Reden schon vorwegseiende göttliche Logos ermächtigt wie das Seiende in sein Sein, so auch den Menschen in sein logoshöriges Sprechen. Das so im Logos auf den Weg zu ihm gebrachte Denken und Reden muß sich aber dann selbst wandeln. Es muß, weil es in die Herkunft (γένος) des Menschen und seiner Sprache als der Sprache des Seins des Seienden zurück-denkt und so ins An-denken des Logos kommt, sich selbst aus der schweigend-redenden Differenz der „Logik" in die ontologische Differenz des „Logos" zum λέγειν wandeln. Heraklit merkt im Fr. 86 die „Flucht" des Göttlichen als Moment jenes Denkens an, das als Denken des Seins des Seienden im Vergessen der ontologischen Differenz, im Bezug der ἀπιστία zum Logos als dem Göttlichen steht. Wäre dann ein Denken zurück in die ontologische Differenz und so ein Vor-Gott-Kommen als πίστις, als gelassenes Vertrauen in die Weisung des Logos selbst zu verstehen? Und wäre dann dieses Denken und Sprechen des Menschen vom Göttlichen, das selbst gemäß Fr. 18 das nur im „Hoffen" zugängliche „Unerhoffte" ist, die Selbstaufgabe des Denkens und der Sprache in das ποιεῖν κατὰ φύσιν ἐπαίοντας, in das Handeln nach der Physis im reinen Hören auf sie, worin das λέγειν sich zum σωφρονεῖν, zum vor sich selbst geretteten Denken und Sprechen verwandelte (Fr. 112 116)? Wir fragen mit K. H. Volkmann-Schluck[17] bis Parmenides zurück und der eben von Heraklit gestellten Frage nach: „Wenn aber nun das Denken sich anschickt, dieses Ungedachte zu denken, unternimmt es dann nicht den Versuch, das dem λέγειν sich Versagende gewalttätig in den λόγος (nämlich der menschlichen Sprache) hineinzuzwingen und es so in seinem Wesen zu zerstören? Ein Denken,

---

[17] *K. H. Volkmann-Schluck,* Der Satz vom Widerspruch als Anfang der Philosophie: Festschrift für M. Heidegger (Pfullingen 1959) 149; vgl. auch den Beitrag v. *Vl. Richter* in diesem Band.

das auch nur die Frage nach dem Wesen jener Zwiefalt von Sein und Seiendem stellt, hat in gewisser Weise den Umkreis des λέγειν verlassen, ohne es deshalb als falsch zu verwerfen. Ein solches Denken befindet sich schon auf dem Weg zu der Quelle, aus der das λέγειν des ὄν entsprungen ist und in dem seine Wesensmöglichkeiten verwahrt sind."

Wir fragen noch weiter, indem wir auf den 92. Spruch des Heraklit hinhören, wonach die Sibylle διὰ τὸν θεόν, durch den Gott selbst in ihr λέγειν gebracht ist. Ist diese Sprache, die hier direkt in der (ursprünglichen oder neuen?) Zugehör zum Logos erfahren wird, das Sprechen des Göttlichen *in* der Sprache der Sterblichen, der λόγος im λέγειν des Seins des Seienden? Muß dann solcher Logos als das „Wort" des Gottes selbst in den Worten der sterblichen Sprache sich nicht wie Ungelachtes, Ungeschminktes, Ungesalbtes aus rasendem Munde ausnehmen (μαινομένωι στόματι ἀγέλαστα καὶ ἀκαλλώπιστα καὶ ἀμύριστα φθεγγομένη)? Wäre dann *im* menschlichen Sprechen (und nicht „jenseits" davon) die Möglichkeit verborgen, daß darin der Gott, der Logos als διὰ — (τὸν θεόν) — λόγος des sterblichen λέγειν zur Sprache käme? Damit wäre wohl aber dann alles Denken und Aussprechen Gottes im λέγειν des Seins des Seienden ständig schon unter der ihm innersten Kritik des Logos selbst. Hat hier Heraklit das Wesen der Sprache, für immer unvergeßlich und doch immer wieder vergessen, aus der ontologischen Differenz von Sein und Seiendem gedacht und den Grund als den Abgrund aller kommenden Philosophie gedacht: daß der Gott selbst schon je und je sowohl im Schweigen (als der epoché der Rede) als auch im Reden (als der epoché des Schweigens) der Menschen, also im λέγειν des Seins des Seienden, sich als die ontologische Differenz und *deswegen* als die unvordenkliche Ermöglichung des Seinlassens des Seins des Seienden zeigt, welches der Ur-Dialog der Liebe zwischen dem Gott und dem Sein des Seienden ist? Das Wesen solcher Liebe ist es aber, daß sie sich dem menschlichen Denken des Seins des Seienden und seiner Sprache schon immer als „Nichts" entzieht und entzogen hat, um sich gerade so als *Liebe* zu erweisen, d. h. als unausdenkbarer Abgrund (λόγος βαθύς) des grundlosen Heraufgangs des Seienden ins Sein, des Menschen ins Sein *und* (was seine Einmaligkeit unter Seienden ausmacht) des Seins *in ihm* zur ontologischen Differenz zurück, die (weil sie ja das Urereignis der Liebe ist) als der in der *Pluralität* des menschlichen λέγειν sich meldende λόγος ἑαυτὸν αὔξων, das Göttliche *in* der Menschensprache selbst ist.

Von daher könnte ein wenig Licht kommen in das Wesen der Philosophie selbst, sofern sie in ihren eigenen Abgrund als die ontologische Differenz zurückblickt, um von dorther sich in ihrem geschichtlichen Schicksal in ihre Zukunft hinein zu begreifen: weil ihr λόγος in der Zu-gehör zum θεός-λόγος auf den Ab-grund des ihr λέγειν des Seins des Seienden erst als „Mehr" der Liebe des Logos selbst (λόγος αὔξων) be-deutenden Geheimnisses gegründet ist (auch noch in der Un-gehör von Logos und Sprache), ist diese Philosophie — unter der Weisung ihres so „theo-logischen" Abgrundes — notwendig nicht bloß das Schweigen vor dem unaussprechlichen Sein, sondern die Sage des Seins des Seienden, wenn anders nicht auch schon das Schweigen als Nichtsage ein λέγειν ist. Heraklit sagt im Fr. 35: Χρὴ γὰρ ... πολλῶν ἵστορας φιλοσόφους εἶναι — notwendig müssen die Philosophen der πολλά, d. h. der vielen Seienden in ihrem Sein kundig sein. Es ist die Notwendigkeit der im Denken und Sprechen der Sterblichen schon immer geschehenden Präsenz des Logos im Abgrund der ontologischen Differenz, in der und aus der schon immer Seiendes in seinem Sein erschienen ist als das unvordenkliche Scheinen der Liebe. Dieses Scheinen der Liebe, welche als der Logos der Grund auch der menschlichen Sprache, ihrer vielfältig-einen Prädikation des Seins des Seienden ist, steht seit früh schon (wie wir bei Parmenides sahen) als der bloße „Schein des Nichts" ins Denken des Seins des Seienden herein und treibt es so ins Vergessen der ontologischen Differenz. Dieses Denken formuliert sogar eigens (bei Parmenides: Fr. 8, 8) und abwehrend den Schein des Nichts, um das darin geborgene Scheinen der Liebe in der ontologischen Differenz nicht zum Vorschein kommen zu lassen: οὐ γὰρ φατὸν οὐδὲ νοητόν ἐστιν ὅπως οὐκ ἔστι — denn unaussprechbar und undenkbar ist, daß „Nicht ist" ist. Inwiefern ist aber gerade im Unaussprechlichen von „Nichts", das dennoch das „Nicht" der menschlichen Sprache *innerhalb* des Sprechens und Nennens des Seins des Seienden in ihren „logischen" Differenzen anzeigt, immer auch schon der Wider-spruch des Denkens und Sprechens hinsichtlich von Sein und Nichts in der Möglichkeit, an sich selbst den Zu-spruch des Logos aus der ontologischen Differenz in einem „neuen" und „anderen" Denken zu erfahren? Oder aber in der geschichtlich wirksam gewordenen Ungehör zum Logos der ontologischen Differenz als der Liebe des herakliteischen ὁ θεός (der selbst als das anfängliche κοινόν alle Gemeinsamkeit des Unterschiedenen abgründig gründet: Fr. 2) sich auf das isolierte, abstrakte und so *bloße* Denken des Seins des Seienden (entweder als Sein *oder* als Seiendes, als Eines *oder* Vieles, Sein *oder* Nichts usw.) und seiner menschlichen Aussage zu verlegen, wie es die logosvergessenen Vielen tun (οἱ πολλοὶ ὡς ἰδίαν ἔχοντες φρόνησιν: Fr. 2)?

Jedenfalls denkt Heraklit das Wesen der Sprache vom λόγος ἑαυτὸν αὔξων her: die Vielfalt menschlichen Denkens und Aussprechens des Seienden in seinem Sein, das πολλαχῶς ὂν λεγόμενον des Aristoteles, wird noch als von der ontologischen Differenz selbst her ermöglicht erklärt. Was meint aber dann das andere dunkle Wort des Heraklit (Fr. 11), gemäß dem alles Seiende in seinem Sein, also auch das menschliche λέγειν, vom Geißelschlag (des Gottes?) in jene Vielfältigkeit zerschlagen ist, die nur die andere Seite der logos-ungehörigen „Selbstvermehrung" menschlicher Sprache und menschlicher Worte im νόμος des willkürlichen ὀνομάζειν ist? Entspricht dem πᾶν ... ἑρπετὸν πληγῇι νέμεται (Fr. 11), also dem Verschlagensein der menschlichen Sprache von der Logoszugehörigkeit in der ontologischen Differenz (woraus die echte Vielfalt des λέγειν herstammt) jene Verschlagenheit des Menschen selbst von seinem Ursprung und seiner Herkunft, wonach sein ursprünglicher, noch dem Logos entsprechender und so von *diesem* in die Vermehrung (αὔξησις als γένεσις) der Menschen in der Zwiefalt des Geschlechtes ent- und ge-lassener Daseinswille (ἐθέλουσι) in die Gebrochenheit kommt, in der die einzige Hinterlassenschaft des Menschen (παῖδας καταλείπουσιν) wieder nur der in der Vielfalt der Generationen[18] (von Geburt und Tod) sich manifestierende Daseinswille in seiner verschlagenen Ver-lassenheit vom λόγος ἑαυτὸν αὔξων, von dem göttlicheren Gott der Liebe ist, der selbst dann im λέγειν der ontologischen Theologie nicht mehr zu Wort kommen kann? (vgl. Fr. 20)? Heraklit läßt diese Fragen als Fragen stehen.

3. Sein und Genos

Was das Denken der Vorsokratik, insbesonders bei Heraklit, im Rückgang auf die ontologische Differenz von Sein und Seiendem bewegt hat, der Versuch, in den Grund der Ontologie zurückzudenken, gerät beim Ausbau dieser Ontologie bei Platon und Aristoteles immer mehr ins Vergessen. Das Verstehen des Seienden in seinem Sein hat sich endgültig festgelegt als Denken und Sagen des ὄν als ὄν, d. h. des Seienden in seiner Seiendheit (οὐσία), als welche fürderhin das Sein gedacht und ausgesagt wird. Ontologie hat ihren „Auf-stand“ im Bedenken des Seienden gewonnen, sie hat sich darin als Metaphysik ihr Wesen gegeben, sich selbst be-gründet. Ἔστιν ἐπιστήμη τις, ἣ θεωρεῖ τὸ ὂν ᾗ ὂν ... Sie ist die Wissenschaft, die das Seiende als Seiendes betrachtet ...[19] Die Sprache erhält ihre bis auf uns herauf vorherrschende Auslegung als λέγειν des ὄν. Platon (der selbst in seiner Spätphilosophie, vor allem im „Sophistes“ und „Parmenides“, sich aber nochmals in seinem Denken wandelt!) denkt die Seiendheit des Seienden als ἰδέα (εἶδος), Aristoteles als ἐνέργεια (ἐντελέχεια). Demgemäß wird der Logos der Sprache als Urteil, d. h. als logisch unterscheidende Einigung von ὄν — ἰδέα einerseits und ὄν — ἐνέργεια anderseits im Denken und Sprechen des Menschen verstan-

[18] Das heraklitische Generationsproblem (Fr. A 19) ist noch immer nicht ontologisch durchdacht. Vgl. *K. Reinhardt*, Parmenides, 185—195; *H. Fränkel*, Wege und Formen frühgriechischen Denkens, 251 ff.

[19] *Aristoteles*, Met. 1003 a 21 ff.

den. Das Sein als die Seiendheit wird zum „Allgemeinen" (καθόλον)[20] in dem durch das Denken und Sprechen hergestellten Bezug zum ὂν ᾗ ὄν. Heidegger hat darauf hingewiesen, daß sich damit alle von Aristoteles herleitende Ontologie der Sprache im Horizont der Auslegung des Sprechens als Bezeichnen eines Bezeichneten bewegt: „Seit dem Griechentum wird das Seiende als das Anwesende erfahren. Sofern die Sprache ist, gehört sie, das je und je vorkommende Sprechen, zum Anwesenden. Man stellt die Sprache vom Sprechen her in der Hinsicht auf die gegliederten Laute, die Träger von Bedeutungen, vor. Das Sprechen ist eine Art der menschlichen Tätigkeit."[21] Sprache wird nicht mehr vom Logos als der ontologischen Differenz her, sondern als bloße Sprache des Menschen erfahren. Sprache wird zur Eigenschaft des Menschen, er ist das ζῷον λόγον ἔχων, das lebendige, sprachbegabte Seiende. Inwiefern die Gabe der Sprache den Menschen erst zu einem Sprechenden macht, wird nicht mehr zur Frage.

Indes gehört es zur für uns Heutige schon vergessenen Größe und Tiefe des platonischen Denkens, daß wir in seiner Spätphase noch einmal der Frage begegnen, wie und worin das Sein und das Seiende zusammengehören, ohne daß dieses Zusammengehören als ein Drittes „hinter" dem Sein des Seienden zu denken wäre, wenn anders nun der späte Platon das Sein des Seienden auch nicht mehr von der Methexis des sichtbaren Seienden am unsichtbaren Sein her denkt. Im „Sophistes" nimmt Platon noch einmal den Kampf gegen die eleatische Position seines eigenen Denkens auf. Und er tut dies, indem er die Frage nach dem Sein des Seienden wieder auf ihren parmenideischen Anfang als die Frage nach dem Verhältnis von Sein und Nichts zurückbringt, um sie dort *als Frage* nach dem Nichts zu widerlegen. Hat Parmenides das μὴ ὄν vom εἶναι unter dem Geheiß der Göttin radikal ausgeschlossen, in welchen Ausschluß auch das Seiende selbst in seinem Werden, seiner Her- und Zukunft ins Sein (τίνα γὰρ γέννα̣ν διζήσεαι αὐτοῦ;: Parm. Fr. 8, 6) als Schein erklärt wurde, so hat sich dieses Nichts, das als ἄφατον und ἄλογον doch gerade gedacht und gesagt wird, im λέγειν des Menschen schon immer als zum Sein selbst gehörig erwiesen. Der als Gesprächspartner im „Sophistes" eingeführte Fremdling deutet nun erstmalig die Absage Platons an Parmenides mit den Worten an: Κινδυνεύει τοιαύτην τινὰ πεπλέχται συμπλοκὴν τὸ μὴ ὂν τῷ ὄντι — es scheint das Nichtseiende mit dem Seienden in eine solche Verflechtung verflochten (240 c). Damit ist aber schon das Problem des

[20] Met. 1003 a 23. Vgl. für den mittleren Platon: *M. Heidegger*, Platons Lehre von der Wahrheit (1947).

[21] *M. Heidegger*, Unterwegs zur Sprache, 245 f.

Seins des Seienden selbst gegeben, und zwar wiederum von der Sprache her. In der Aussage Sein-Eines (und nicht Sein des Seienden) widerlegt sich implizit schon das Ausgesagte selbst, weil ja auf solche Weise schon *zwei* Namen und Worte gebraucht werden. Ja, auch *ein* Name würde die angebliche Identität des Seins widerlegen, weil ja dann auch schon Sein und Ausgesprochensein wieder zwei wären. Das Umgekehrte gilt auch für die Aussage: Eines ist. Das Festhalten am Einen läßt dieses Eine auch nicht mehr seiend sein, ja nicht einmal mehr gedacht und gesagt, mit welchem Problem dann die erste Erörterung des „Parmenides" beginnen wird. Die entscheidende Widerlegung erfährt also Parmenides vom λέγειν des menschlichen Denkens und Sprechens selbst her: entweder man gibt die These Sein-Eines auf und läßt die Möglichkeit menschlicher Erkenntnis und Sprache zu, oder man hält an ihr fest und verzweifelt an der Sprache, die dessenungeachtet sich auch dann als Schweigen über das und vor dem Sein implizit nochmals setzt. Damit bewegt sich die menschliche Sprache selbst schon immer im Bereich des Seins des Seienden, nicht des Seins *oder* des Seienden (wie es noch beim frühen Platon den Anschein hatte). Von größter Wichtigkeit ist nun das unter dem Stichwort κοινωνία oder συμπλοκὴ τῶν γενῶν verhandelte Problem des Seins des Seienden, nachdem Platon schon zu Beginn des „Sophistes" die drei Genera Sein, Ruhe und Bewegung herausgearbeitet hat. Dies geschah aber gerade so, daß das Sein nicht mehr (wie noch bei Parmenides) in letzter Unbezüglichkeit zum Denken und Reden der Sterblichen (was ja implizit auch Parmenides nicht durchhalten konnte, sobald er davon sprach!), also zum Sein des Menschen selbst, angesetzt wurde, „jenseits" davon es erst sei, sondern als *Sein,* das mindestens dort, wo es überhaupt erkannt und gesagt, ins λέγειν des Menschen hereinsteht, schon immer Sein des *Seienden* ist. Damit ist aber grundsätzlich im κοινωνία-Problem der Genera die noch im „Phaidon" waltende, vom ἕν — ὄν des parmenideischen Ansatzes her entwickelte Gegensätzlichkeit zwischen einer unsichtbaren Ideenwelt und der sichtbaren Welt der Dinge und des Menschen gerade vom Denken und der Sprache des Menschen her überwunden — und im Verfolg der Zusammengehörigkeit der Genera (bis in die κοινωνία von Sein-Nichts hinein) die Frage nach dem Sein des Seienden nochmals von der (im frühen Platon selbst schon umrißhaft gegebenen) „Meta-physik" in den *Grund* der Metaphysik zurückgebracht, der bei Heraklit als der Ab-grund des Logos der ontologischen Differenz zur Frage stand. Der Einwand, daß gerade hier Platon erst recht in ein „logisches" und „anthropozentrisches" Mißverständnis des Seins (des Seienden) hineingerate, indem er im „Sophistes" (248 e — 249 a) dem vollendet Seienden (παντελῶς ὄντι) die menschlichen Eigenschaften von Bewegung, Leben, Einsicht, Denken, ja eine Seele zuschreibe, verfängt nicht, wenn man mit Platon sich streng an Hand der erst alles logische Denken und Sprechen ermöglichenden Vergemeinschaftung der Genera (die hier nicht als logische „Begriffe", sondern als die im logischen Begreifen eines ausgezeichneten Seienden, Mensch genannt, schon immer aufscheinenden Grundweisen des Seins des Seienden verstanden werden müssen!) vor das *Problem* der „ontologischen Differenz" von Sein und Seiendem beim späten Platon hinführen läßt. B. Liebrucks merkt hierzu (ohne auf die für uns hier leitende Frage nach der ontologischen Differenz einzugehen) an: „Hier kommt es auf den genauen Wortlaut an. Platon hatte nicht gesagt, daß das Sein Leben, Seele usw. *ist,* sondern daß ihm Bewegung und anderes *gegenwärtig* ist. Mit diesem Unterschied ist hier Ernst gemacht. Das Sein in Bezüglichkeit zu a, b, c, d... heißt nicht, daß das Sein = a, b, c, d... ist." [22] Dieses παρεῖναι (248 e ff) ist nicht ein logisches Zusprechen von menschlichen Attributen an ein oberstes Seiendes, sondern vielmehr (und vor jedem nachträglichen anthropozentrischen Gottesverständnis!) der Name für die Bedingung der Möglichkeit, daß das menschliche λέγειν des Seins des Seienden, d. h. aber das λέγειν der κοινωνία von Sein und Leben, Sein und Einsicht usw., letztlich von Sein und Mensch, überhaupt möglich ist. Dieses ursprüngliche παρεῖναι (und nicht parmenideisch mit dem Menschen bloß hinsichtlich seines Denkens zusammengehende εἶναι) eröffnet erst die Möglichkeit dazu, daß das Sein des Seienden und so auch ein göttlich „vollendetes" Sein, als welches dann der kommende Gott der metaphysischen Ontologie (mit seinen „Attributen") vorgestellt wird, überhaupt und grundsätzlich im Denken und Reden der Sterblichen erscheinen kann. Zugleich zeigt sich aber darin etwas für das metaphysische Vorstellen Gottes Grund-legendes (im wörtlichen Sinn): daß dieser so vom Denken und Reden des Menschen her entworfene Gott *nicht nur* (negativ) die „schlechte Unendlichkeit" eines höchsten Endlichen ist, sondern der Name für den ständigen Auf- und Abbruch des Denkens und der Sprache des Seins des Seienden in ihren eigenen Abgrund hinein (als unthematischer Grund der theologia negativa), aus dem *auch schon* immer der göttlichere λόγος ἑαυτὸν αὔξων unverfügbar im Denken und Sagen des Menschen anwest (παρεῖναι), ohne sich je mit der Vorstellung des Menschen von einem „transzendenten" Gott zu decken. Der *Weg* der metaphysischen Gottesvorstellung und Gottessage als ständige

[22] *B. Liebrucks,* Platons Entwicklung zur Dialektik (Frankfurt 1949) 145; vgl. *N. Hartmann,* Zur Lehre vom Eidos bei Platon und Aristoteles: Kleinere Schriften II (Berlin 1957) 129—164: *J. Stenzel,* Kleine Schriften zur griechischen Philosophie (Darmstadt 1957) 60—71, der allerdings die κοινωνία als „Begriffspyramide" mißdeutet.

Frage muß so einerseits selbst schon als die das Sein des Seienden und seine menschliche Sage gewährende Präsenz der Grundlosigkeit des ontologisch differenten göttlichen Gottes und anderseits als die darin je schon auch geschehende Selbst-begründung des menschlichen Denkens und Sagens in einem als „Grund" und „prima causa" vorgestellten λόγος verstanden werden. Der im Denken und Sagen des Menschen sich als der „nicht" von ihm überholbare Abgrund der ontologischen Differenz meldende Logos *und* der doch währende menschliche Versuch dieser Überholung in einer durch eine „onto-theologische" Differenz vermittelten Aussage des „Gottes der Philosophen" ist *in einem* das geschickhafte Kommen des Logos ins Sein des Seienden (und die menschliche Sprache) *und* das herkünftig-zukünftige Schicksal des menschlichen λέγειν selbst. In der Macht und Ohnmacht des menschlichen λέγειν zeigt sich das je andere Wesen der Parusie des Logos selbst.

Der Weg des späten Platon zeigt sich im Bedenken der κοινωνία der Genera als „Unterwegs" zum göttlichen Gott der ontologischen Differenz in der Zwiefalt des Seins des Seienden, in der dieser Gott als der Abgrund der Sprache und nicht mehr mit dem üblichen Vokabular der Gottesvorstellung und Göttersagen des Griechentums genannt wird. Inwiefern? Indem Platon, ausgehend vom einfachen Satz (etwa: der Mensch ist gut), in die *ontologische* Möglichkeitsbedingung dieses Satzes (daß nämlich die Genera Menschsein und Gutsein die Möglichkeit ihrer Übereinkunft *vor* der logisch-satzhaften Aussage haben müssen) und so des λέγειν zurückfragt und dabei zum Ergebnis kommt, daß man entweder a) eine völlige Unvereinbarkeit der Genera oder b) eine völlige Vereinbarkeit dieser Genera oder c) eine teilweise Vereinbarkeit der Genera notwendig voraussetzen müsse, wobei aber nur c) die Aussage des Seins des Seienden ermögliche. Diese in jedem Denken und Reden schon immer vorausgesetzte κοινωνία (συμπλοκή) der Genera wurzelt letztlich (nach dem Aufweis der Genera des Seins, der Ruhe, der Bewegung, des Selben) im Genus des ἕτερον, des „Anderen". Dieses ist das alles Sein des Seienden und dessen Aussage im Menschen durchherrschende Genus. Denn jedes Einzelne ist ein Anderes seines Anderen, welcher sprachlich nicht mehr anders als mit dem überanstrengten Wort ἕτερον sagbare Bezug in den Ab-grund des Seins des Seienden und der menschlichen Sprache, nämlich in die ontologische Differenz weist. Platon sagt das Unsagbare des ἕτερον und weist so in die ontologische Differenz *zurück*, aus der aber schon immer alles Seiende und der Mensch mit seinem λέγειν *her*gekommen ist: ὅτιπερ, ἂν ἕτερον ᾖ, συμβέβηκεν ἐξ ἀνάγκης ἑτέρου τοῦτο ὅπερ ἐστὶν εἶναι (255 d) — das, was ein Anderes ist, ist das, was es ist, aus der Notwendigkeit eines Anderen.

Jedes Genus steht im Bezug zu sich selbst *und* im Bezug zu einem Anderen. Nur das ἕτερον *ist* der Bezug zu sich darin, *daß* es Bezug zu Anderen ist. Das Wesen dieses ἕτερον ist so der abgründige, nirgends mehr bestimmte, sondern alles bestimmende Grund der Gemeinschaft der Genera, auch von Sein und Nichts, Wahrheit und Irrtum (der selbst nur hinsichtlich der Verwechslung der Genera in bezug auf ihr jeweiliges ἕτερον Irrtum sein kann: 263 a ff). Die Bestimmung des ἕτερον in 256 d/e entdeckt das „Nichts" für das Denken als die allem Denken schon voraufgehende Präsenz des ἕτερον im menschlichen λέγειν, das in dieser Präsenz selbst sich immer schon in den (nur mehr in der herakliteisch angedeuteten πίστις: Fr. 86, zugänglichen) Ab-grund seiner selbst im göttlichen Logos ge-lassen angenommen hat. Κατὰ πάντα γὰρ ἡ θατέρου φύσις ἕτερον ἀπεργαζομένη τοῦ ὄντος ἕκαστον οὐκ ὂν ποιεῖ. Das heißt: In seiner Bezüglichkeit auf alles bewirkt die Natur des Anderen ein Anderes. Dadurch macht sie jedes von den Seienden nichtseiend. Das im menschlichen Denken des Seins des Seienden gedachte „Nichts" als ens rationis der Metaphysik ist (ähnlich wie das „Nichts" der Wahrheit im Irrtum) nicht bloß die von Gnaden des Seins her ermöglichte Fiktion, der bloße Schein des Seins, sondern die dem Denken und Sprechen selbst als solchem nicht mehr begreifbare, wenngleich in ihm waltende Physis des ἕτερον als das Geheimnis des Logos, dessen Göttlichkeit als ursprünglichste Liebe sich in der Gewähr des Seins des Seienden und deren Sage im Menschen *als* sie selbst in der „ontologischen Differenz" entzieht. Gewähr im Entzug oder platonisch gesagt: κοινωνίᾳ παθήματος ἑτέρου θάτερον (252 b) — Anderes auf Grund der Gemeinschaft des Erleidnisses des Anderen, ist das göttlich zu denkende, immer erst noch zu denkende Wesen der Liebe. Sie ist das *in* der reinen Bezüglichkeit alles Seienden zum Sein waltende *Un*bezüglichsein des ἕτερον (der ontologischen Differenz). Heraklit deutet diesen gewährenden Entzug des Sein-lassens der Liebe (die hier der Logos selbst ist) in den drei dunklen Worten des 123. Fragmentes: φύσις κρύπτεσθαι φιλεῖ. Von Platon her gedacht, könnte vermutlicherweise ihr Sinn sein: *Im* Heraufkommenlassen (des Seins des Seienden) *ent*zieht sich der Logos als das Andere des Anderen (des Seins des Seienden) und erweist sich so im entziehenden Bezug zu allem (κατὰ πάντα, sagte Platon: 256 d/e) als das ursprünglichste Wesen der Liebe. Das so sich im menschlichen λέγειν zeigende „Nichts" (abgründig schon verborgen im Nicht-sagen) ist das Wesen des Logos als des ursprünglichen (aber gerade deswegen nicht wieder als drittes „Gegenüber" zum Sein des Seienden zu denkenden) ἕτερον der Liebe. Im Seinlassen des Seienden in seinem Sein erweist sich der Logos *im* „Nichts" des menschlichen Denkens und menschlicher Sprache (die das Sein des Seienden im „zu vermeidenden Widerspruch“ zum Nichts sagen) *gerade* als die unsägliche *Liebe* des Gottes, den Platon gerade noch mit dem total über sich selbst hinaus- und in die ontologische Differenz hineinweisenden ἕτερον zu nennen wagt (ἐτολμήσαμεν εἰπεῖν), *indem* er — die Sprache in die äußerste Dialektik zu dem in ihr verborgenen Logos bringend — vom Sein des Seienden sagt, daß es seienderweise das Nichtseiende (in seinem Sein) ist (ὡς αὐτὸ τοῦτό ἐστιν ὄντως τὸ μὴ ὄν 258 e). So denkt Platon also den abgründigen Ursprung der menschlichen Sprache *in* der Sprache selbst als den Logos, der nicht das Sein und nicht ein (wenn auch höchstes) Seiendes, sondern das Sein-lassen der Zwiefalt beider als das unsägliche Wesen der Liebe ist, für deren alles be-gründende Totalität Platon den Namen des γένος schlechthin, d. h. der reinen, selbst nicht wieder auf „etwas“ anderes rückführbaren, Bezüglichkeit des ἕτερον gebraucht. Darin spricht die Sprache selbst ihr herkünftiges Wesen aus. Und Platon bemerkt, unwissend das Schicksal der kommenden Metaphysik aussprechend: „Denn wenn wir des Logos beraubt würden, so wären wir des Hauptstückes der Philosophie beraubt“ (260 a). Sein, Logos und Wahrheit sind hier noch nicht „logistisch“ gedacht.

Was Platon nun im „Sophistes“ erarbeitet hat, wird im Dialog „Parmenides“ am konkreten Beispiel des Bezuges einiger Genera untereinander im Hinblick auf seine Konsequenzen betrachtet, indem in acht Hypothesen vor allem die κοινωνία des Einen und des Seins, des Einen und des Vielen usw. durchgenommen (διαίρεσις nicht im bloß logischen, sondern ontologischen Sinn) wird. Das Sein der „Idee“ als ἀγαθόν wird vom ἕτερον her bestimmt. Für die Gemeinschaft der Genera von besonderer Bedeutung ist die Zeitanalyse, die Platon im Parmenides gibt, indem er (nach Ausschluß des undenkbaren und unnennbaren, sich selbst ad absurdum führenden „nichtseiend Einen“) das seiend Eine in seinem dialektischen Charakter betrachtet. War schon im „Sophistes“ (244) in der Frage nach dem Sein des Seienden von Platon gesagt worden, daß es unmöglich sei, es (parmenideisch) *nur* als ἕν zu bestimmen, so wird in der 1. Hypothese des „Parmenides“ ausdrücklich gefragt, was das ἕν sei, wenn es zu keinem Genus, nicht einmal zum Sein in Beziehung stehe. Antwort: unerkennbares, unsagbares Nichts. Das Sein-sein des Einen schließt schon sein Eins-sein aus. Entscheidend ist nun gerade, daß dieses nichtseiend Eine nicht als „Gott“ angesetzt werden kann (wie es im Zuge jeder theologia negativa geschieht), da ja Gott (wie wir aus dem „Sophistes“ schon wissen) zwar nicht als Sein, aber als Abgrund der Möglichkeit der *Sprache* selbst, die das Sein des Seienden spricht und ausspricht, als der Logos der ontologischen Differenz, vorausgesetzt werden muß — nicht als „jenseitiges“ Sein, welches Sein ja selbst nochmals die *sprachliche* Koinonie des Seins des Seienden zur Voraussetzung hätte.

Mit Recht bemerkt Liebrucks: „... daß das zu allen Genera unbezügliche Eine weder an der Zeit, noch am Sein teilhat und somit nicht nur nicht wahrgenommen werden kann, was ihm nach seinem eleatischen Charakter nur recht wäre, sondern gerade nicht durch das Denken erreicht werden kann, wie z. B. die Idee des Guten im Staate, die ἐπέκεινα τῆς οὐσίας sein sollte, bei der sich Platon aber nicht im klaren darüber war, daß sie wegen dieser ihrer Unbezüglichkeit zum Sein nicht nur nicht erkannt, sondern ebenso nicht einmal nur gemeint oder auch nur ausgesprochen werden kann... Denn dieses Eine ist nicht nur nicht das höchste Sein oder etwas Höchstes, das jenseits des Seins läge, sondern eben durch diesen seinen Jenseitscharakter... durch seinen Unbezüglichkeitscharakter zu allen übrigen Genera als Nichts erwiesen.“ [23]

In der 2. Hypothesis werden die Folgerungen aus dem ἓν εἰ ἔστιν (wenn das Eine *ist)* gezogen, wobei das seiende Eine sich als Vieles herausstellt. Will das (Denken und) Sprechen nun aber an der Einheit des Einen festhalten, indem es dieses vom Sein abtrennen will, so erfährt es, „daß das Sein des Einen etwas Verschiedenes ist von ihm selbst. Der ontische Grund aber für dieses Verschiedensein liegt weder im Eins-sein noch im Sein-sein des Einen, sondern im Genus des Anderen (pleonastisch: τῷ ἑτέρῳ τε καὶ ἄλλῳ), durch das sie einander Andere sind... Jemand könnte entgegnen: In Hinsicht auf sein Eins-sein ist das Eine doch nicht Vieles, sondern Eines. Dieser Tatbestand ist ontologisch unangreifbar. Nur beruht er in seiner ontischen Möglichkeit auf dem Grunde des Genus des Anderen. Die Natur des Anderen, die im Sophistes die entscheidende Rolle spielte, ist also hier der Grund nicht nur für die Verbindbarkeit der beiden Genera des Seins und des Einen, sondern auch der Grund für ihre Trennbarkeit durch die Dianoia. Die Dialektik liegt nicht in der Dianoia, die sie gerade durch die scharfe Auseinanderhaltung der Hinsichten zu vermeiden sucht, sondern im Sein der Genera selbst. Es ist Seinsdialektik und nicht eine solche des Verstandes.“ [24] So hat sich auch im Parmenides der Vorrangs-

---

[23] *Liebrucks*, a. a. O. 189 f.

[24] *Liebrucks*, a. a. O. 197 f. Zur Platonliteratur vgl. *E. M. Manasse*, Bücher über Platon: Philosophische Rundschau 5 (1957), Sonderheft Platonliteratur; O. *Wichmann*, Existenziale Platondeutung: Kantstudien 53 (1961/62) 441—489, der das Denken Heideggers mißversteht. Zur Sprachphilosophie des platonischen „Kratylos“ (auf die wir hier nicht eingehen können) vgl. *H.-G. Gadamer*, Wahrheit und Methode. Grundzüge einer philosophischen Hermeneutik (Tübingen 1960) bes. 383—395; *J. Derbolav*, Der Dialog Kratylos im Rahmen der platonischen Sprach- und Erkenntnisphilosophie (Wien 1953); *ders.*, Erkenntnis und Entscheidung (Wien 1954). Über das Problem der „sprachfreien Erkenntnis“ bei Platon, worin Platon den Ab-grund der Sprache andeutet, vgl. Kratylos 438 c;

charakter des ἕτερον im ganzen Bereich des Seins des Seienden und seiner Erkenntnis und Aussprache, modifiziert in der κοινωνία von Einem und Sein, wieder gezeigt. *In* ihm ist das Sein des Seienden zu- und auseinandergehalten, das Eigensein des ἕτερον *ist* (kein „transzendentes" Drittes „hinter" dem Sein des Seienden und seiner Genushaftigkeit, sondern) das Anderssein in allen Bezügen der Wirklichkeit. Die Göttlichkeit Gottes als ἕτερον wird selbst nicht wieder im menschlichen Denken und Sprechen objektivierbar, sondern ist eigentlich das unsagbare Ereignis der Erfahrung, in der die Sprache sich selbst zugeeignet ist, *indem* sie sich in das Unverfügbare, *daß* sie spricht, enteignet ist. Diese vereignete Enteignung ist das reine Bestimmen des ἕτερον, Gott als Gott ist von keinem Sein des Seienden ableitbar, sondern geht *vor* aller denkenden Ableitung so ins Denken und Sprechen des Menschen *ein,* daß dieses als nach dem Sein des Seienden *fragendes* Denken und Sprechen sich selbst schon immer als die Antwort jenes „Anderen" erfahren hat. Die ursprüngliche Gotteserfahrung ist die Erfahrung der sich je schon geschichtlich *im* Sagen des Seins des Seienden sich ereignenden Unsagbarkeit jenes „ist", daß Sein „nicht" Seiendes ist. Darin denkt der späte Platon die ontologische Differenz, in der Gott, sich dem Sein des Seienden gewährend, *als* Geheimnis der sein-lassenden Liebe (κοινωνία) er selbst bleibt.

In der 3. Hypothesis (155 e—157 b) wird die schon am Ende der 2. Hypothesis begonnene Zeitanalyse auf ihren Höhepunkt geführt, indem Platon das Eine in seinem Bezug zum Genus des Werdens betrachtet. Die Frage geht darnach, wann das Eine in das Sein übergeht, also wird. Die geniale Antwort Platons ist auf ein paar Zeilen zusammengedrängt: „Wenn es — das ἕν — aus dem bisherigen Zustand der Ruhe in einen folgenden der Bewegung übertreten soll und aus einem bisherigen Zustand der Bewegung in einen folgenden der Ruhe, so kann es dies doch nicht ohne Veränderung durchmachen (πάσχειν)" (156 c 3—5). Dieser Umschlag des Einen in sein Sein (was anders gewendet der Heraufgang des Seins des Seienden aus der ontologischen Differenz in seine Zwiefalt ist) kann nicht ein der Zeit angehörender, weil ja die Zeit selbst erst konstituierender Umschlag sein. Denn: Χρόνος δέ γε οὐδεὶς ἔστιν, ἐν ᾧ τι οἷόν τε ἅμα μήτε κινεῖσθαι μήτε ἑστάναι — es gibt keine Zeit, in der es möglich ist, daß etwas weder in Bewegung noch in Ruhe ist. „Aber es (das Eine) kann sich doch auch nicht ohne Veränderung verändern." Wann verändert es sich also? Jedenfalls nicht, wenn es ruht oder sich bewegt (denn dann

---

VII. Brief 342 A—344 C: Das Eigentliche und Letzte der Wirklichkeit und Wahrheit kann man nach Platon nur durch „Verwandtschaft" verstehen wegen der „Schwäche der Sprache" — διὰ τὸ τῶν λόγων ἀσθενές (ebd. 342 E).

müßte ja die Bewegung aufhören), noch überhaupt in der Zeit. Ἆρ' οὖν ἔστι τὸ ἄτοπον τοῦτο, ἐν ᾧ τότ' ἂν εἴη, ὅτε μεταβάλλει; — Τὸ ποῖον δή; — Τὸ ἐξαίφνης. Das Fragen kommt hier ans Äußerste: „Wäre also dies unbegreifliche Etwas, in dem es sich dann befindet, wenn es sich verändert, etwa — nun was denn? der Augenblick" (156 c 1—3). Der Augenblick als das „Plötzliche" kann selbst weder auf das Eine noch das Sein noch die Zeit zurückgeführt werden, sondern aus ihm heraus ereignet sich allererst (ἐξ ἐκείνου ...) alles Gemeinsam- und Unterschiedensein(können) aller Seienden ins Sein herauf (εἰς ...). Zwischen (μεταξύ) Bewegung und Ruhe hat das „Plötzliche" seinen Sitz, jener in keiner Zeit seiende (ἐν χρόνῳ οὐδενὶ οὖσα: 156 e) Augenblick, in den hinein (εἰς ταύτην ...) und aus dem heraus (ἐκ ταύτης) der Umschlag des Einen in das Sein und umgekehrt schon immer erfolgt. Das Eine ist im Augenblick des Umschlags weder Eines noch Vieles, sondern der reine Bezug des μεταξύ, der beide einander erst sich zeitigen läßt. Aber wiederum wird hier nicht eine „Ewigkeit" hinter und jenseits der Zeit gedacht, sondern das Immer-gewährende in der Zeit selbst. Das ἐξαίφνης ist nicht der Ausdruck dafür, daß ein höchst Eines als „Gott" sich mit den anderen Genera des Seins des Seienden verbindet, so daß dann im Denken und in der Sprache das Problem der „Vermittlung" zwischen einem meta-physischen Gott und den Seienden durch einen „actus essendi de se illimitatus" oder gar nur durch einen „conceptus entis" auftauchte. Ein solcher vorgestellter und gedachter Gott jenseits des Seins des Seienden kann *ja* selbst nur wieder *im* Horizont des Seins des Seienden, also als ein, wenn auch höchstes, Seiendes, gedacht und genannt werden. Gott wird aber hier gerade nicht als das zeitlose Sein oder ein zeitlos Seiendes, sondern als die ontologische Differenz des zeitlosen Hervorgangs des zeitlich Seienden selbst verstanden. Darin ist Gott nochmals als ἕτερον nicht die Zeit selbst, sondern die Zeit seinlassende und so innerste Bezüglichkeit (κοινωνία) *im* zeitlichen Sein des Seienden. Auf den Menschen zu gedacht, wäre so der platonische Augenblick die verborgene Präsenz (παρεῖναι) des Logos im menschlichen Denken und Sprechen, sofern darin das alle „Bezeichnungen" des Denkens und Sprechens (im Sinne des Sinn-Sinnenhaften des Wortes) allererst ermöglichende „Be-deuten" (σημαίνειν) des Logos als das „Plötzliche" *im* zeitlichen Sprechen des Menschen sich gewährend entzieht (156 D 3). Dieses Bedeuten des Logos selbst eröffnet erst vorgängig im λέγειν des Menschen die Zwiefalt aller anderen Aussagen, wie Sein des Seienden, Bedeutung des Bezeichneten, Geist und Leib, Form und Materie, Subjekt und Objekt — und ermöglicht auch die schon immer nachträgliche Auslegung der Sprache selbst im Schema von „Idealismus" oder „Realismus".

So hat der späte Platon ausdrücklich jene verborgene Einheit von Denken (Sprache) und Sein bedacht, auf die erstmals Parmenides im orphischen Bild einer alles lenkenden Macht in der „Mitte" des Seins des Seienden hingewiesen hat (ἐν δὲ μέσωι τούτων δαίμων ἣ πάντα κυβερνᾶι: Parm. Fr. 12). Weil Platons Denken und Sprache noch aus der Unruhe der Frage nach der ontologischen Differenz von Sein und Seiendem her lebte, konnte er auch schon in seiner frühen „Ideenlehre" die *echte* Zwiefalt alles Seienden zu seinem Sein gewahren, wenngleich der Grund dafür noch ungedacht blieb.

Dies wird nun anders bei Aristoteles. Die übliche, primitivierende Vorstellung, der Realist Aristoteles hätte das platonische Sein aus dem Ideenhimmel in die Welt des Seienden heruntergeholt, als ob es im Belieben des jeweiligen Denkens stünde, das Sein so oder anders zu denken, ist eher eine Kritik an Aristoteles selbst als an Platon, seinem größeren Lehrer: Nicht als ob Aristoteles als der Gründer der Wissenschaft der Logik das Sein des Seienden immer und überall schon als Sein der „Logik" gedacht hätte (wogegen etwa die zwei Ethiken sprechen) und so in die von Heidegger als Grundzug der Metaphysik herausgestellte „Seinsvergessenheit" geraten sei. Die Aristotelesforschung und -interpretation der letzten Jahre hat uns dem wirklichen Aristoteles wieder nähergebracht[25]. In den paar folgenden Anmerkungen handelt es sich daher nur um einen für unsere Fragestellung *dominierenden* Zug des aristotelischen Denkens, sofern damit über die Stoa, die Scholastik, Leibniz („mathesis universalis") und das technisch-szientifische Sprachmodell der Logistik (vgl. Wittgensteins „Tractatus") die Idee der Sprache als „Zeichensystem", d. h. mit dem Anspruch der Einklammerung der immer schon vorausgesetzten und *vor* jeder Zeichengebung von sich aus „bedeutenden" Welt- und Seinsauslegung, wirksam werde.

Aus der Weise der Polemik des Aristoteles gegen Platon (vgl. Met. 991 a 8 ff, 991 a 29 ff, 938 b 24 ff u. a.) und vor allem seines eigenen Grundansatzes, daß das (wahrnehmbare) Ding (ὄν — οὐσία) das Erst- und Nur-Gegebene sei, an dem das „Allgemeine" mitgesetzt und durch Abstraktion (ἀφαίρεσις) als „Begriff" gewonnen werden kann, ersieht man, als was die Ontologie (auch der Sprache) bei Aristoteles nun festgelegt ist: als Bedenken des Seienden in seinem Seiendsein, welches, als das Allgemeine (καθόλον: Met. 1003 a 24) des Seienden gedacht, nun selbst ein höchstes

[25] Vgl. Bibliographische Einführungen in das Studium der Philosophie 1. Reihe Nr. 8, hrsg. von *J. M. Bocheński* (Bern 1948); Aristote et les Problèmes de Méthode (Communications présentées au Symposium Aristotelicum tenu à Louvain du 24 août au 1er septembre 1960) (Louvain-Paris 1961).

Seiendes als höchste Ursache (ἀκροτάτη αἰτία: Met. 1003 a 26—27) seines Be-gründetseins verlangt. Die Radikalität, mit der Heraklit und der späte Platon vom Sein des Seienden in dessen ontologische Differenz als den darin sich be-deutenden Logos zurückfragten, gerät denkgeschichtlich (und seinsgeschichtlich) in jenes Unverständnis, mit dem Aristoteles Platon mißversteht, wenn er, die „Ideen" als ontisches „Doppel" der ὄντα abwehrend, sagt: Τὸ δὲ λέγειν παραδείγματα αὐτὰ εἶναι καὶ μετέχειν αὐτῶν τἆλλα κενολογεῖν ἐστὶ καὶ μεταφορὰς λέγειν ποιητικάς (991 a 20 ff) — und wenn man sagt, sie seien die Urbilder und die Dinge hätten an ihnen Anteil, so heißt das gar nichts oder ist nur ein dichterisches Gleichnis. Der Logos Platons als sein-lassender Bezug im Heraufgang des Seienden in sein Sein, aus welchem Logos die menschliche Sprache selbst unvordenklich zur dialektischen Sage des Auf-scheinens und Nicht-aufscheinens des Seienden in seinem Sein und so ins Innerste der „Wahrheit" (vgl. Parm. 166 B 5) ermächtigt ist (wie auch entmächtigt sein kann), wird bei Aristoteles zur „Begriffsdichtung" des nichts-sagenden κενολογεῖν. Inwiefern das „Nichts-sagen" selbst schon ein Sagen ist, bleibt fraglos. Desgleichen wird in der aristotelischen Lehre von den ἀρχαί des ὄν (Met. 1013 a 24 ff) das „Sein" dieser Archai selbst vom seins-„entleerten" λέγειν des ὄν her begriffen: Sein ist zum logisch-abstrakten Allgemeinen des Seienden geworden. Dieses „Allgemeine" ist im konkreten ὄν (der aristotelischen οὐσία πρώτη, auf die aller Logos der gegenständlich-bestimmenden Sprache des Menschen geht) verwirklicht und kann abstraktiv (ἀφαίρεσις) erhoben werden als Wesenheit (οὐσία δευτέρα) des konkreten Seienden, die sich selber wieder in die allgemeine „Gattung" (genus) als die allgemeinste Bestimmung und die bestimmtere „Art" (species) aussondert.

Dabei ist nun aber sehr entscheidend, daß gemäß Met. 1045 b 18 ff nur die Arten als die spezifischen εἴδη mit dem ὄν immer verbunden sind (so daß εἶδος — μορφή und spezifizierte Materie dasselbe sind und diese Eide nach Met. 1059 b 37 allein den Charakter *seins*mäßiger ἀρχαί haben), während den Gattungen nur ein begriffliches, logisches Sein zukommt. Die Frage nach den Genera im ontologischen Sinn, wie noch bei Platon, wird bei Aristoteles zur Frage der bloßen „Logik" [26]. Der Ursprungsgrund der Sprache wird daher nicht mehr im Logos der ontologischen Differenz, *von* der her erst Sein des Seienden in seinem „Sinn" genannt werden kann, gesehen, sondern in der „Fähigkeit" des Menschen (λόγον ἔχων im Gegensatz zum heraklitischen λόγος αὔξων), vom ὄν (οὐσία) zur bloß logischen

---

[26] Vgl. W. *Veauthier*, Analogie des Seins und ontologische Differenz: Symposion. Jahrbuch für Philosophie 4 (Freiburg-München 1955) 7—89, bes. 43.

„Allgemeinheit" der γένη (im Gegensatz zur platonischen κοινωνία) aufzusteigen. Damit war die Frage nach dem Verhältnis von Zeichenkalkül und lebendiger, geschichtlich gewordener Sprache erstmals gestellt. Hatte bei Aristoteles die Logik der (generischen) „Allgemeinbegriffe" durch die Abstraktion noch ihren Bezug zur lebendigen Umgangssprache behalten (wie auch noch im Mittelalter), so geht dieser Bezug seit Leibniz in der Neuzeit verloren: aus der Abstraktion wird die entwerfende Konstruktion eines Zeichenkalküls, der dann als Sprache (bzw. als Meta-sprache) zu deuten versucht wird. Hermeneutische Welt- und Seinserschließung in ihrer Konstitution aus den „Sprachspielen" der Daseinspraxis soll radikal durch den konstruktiven Kalkül überholt werden. Sein (und entsprechend auch Eines) bedeutet so einerseits ontisch das ὄν als Gegenstand und logisch anderseits die im Urteilsprädikat aussagbare Bestimmtheit „seiend" in seiner logischen Universalität: ἐστὶ καθόλου μάλιστα πάντων (Met. 1001 a 21). Der Boden, auf dem dieses Seinsverständnis erwächst, mit dem die von Parmenides eröffnete γιγαντομαχία (Platon, Soph. 246 A) ihren Abschluß findet, ist das Urteil und die logische Prädikation im Sinn der affirmativen (σύνθεσις) oder negativen (διαίρεσις) Verknüpfung von Subjekt und Prädikat im Satz[27]. Der Grund der Verknüpfung wird im Seienden (πρώτη οὐσία) und seiner jeweiligen Bestimmtheit als a) ὂν κατὰ συμβεβηκός, b) ὂν καθ' αὑτό (abgewandelt nach den σχήματα τῆς κατηγορίας) und c) als ὂν δυνάμει bzw. ἐνεργείᾳ gesehen (Met. 1017 a ff). Daß dabei das Sein (des Seienden) selbst schon im logischen Kopula-Sein des Satzes aufgegangen ist, die „ontologische Differenz" nicht mehr als der ontologische Abgrund der Zwiefalt des Seins des Seienden und der Zwiefalt von Subjekt und Prädikat im Sprechen vernommen ist, zeigt nichts ausdrücklicher als die Stelle in De Int. 3, 16 b 1925, wo Aristoteles ausdrücklich dem „Ist" jede Sachbedeutung (die ja jetzt vom ὄν her fundiert ist) abspricht, so daß es selbst *nur* Ausdruck der logischen Urteilsverknüpfung ist: „Denn das Wort ‚sein' oder der Ausdruck ‚nicht sein' besitzt keine gegenständliche Bedeutung, nicht einmal das vereinzelte Wort ‚seiend' besitzt derartiges. Denn es als solches ist gar nichts, wohl aber zeigt es eine bestimmte Verknüpfung an, eine Verknüpfung, unter der sich ohne die Verknüpfungsglieder (d. h. ohne Satz-Subjekt und Prädikat) gar nichts denken läßt."

Das Fundament für alle künftige Sprachphilosophie (bis zu Humboldt herauf und über ihn hinaus), das bei Plato noch als solches *Problem* war, verwandelt sich nun bei Aristoteles in das, was Heidegger das „klassi-

[27] Die eigentliche ontologische Relevanz des Satzes zeigt sehr gut auf *V. Warnach*, Satz und Sein: Studium Generale 4 (1951) 161—175.

sche Baugefüge" nennt, „worin die Sprache als das Sprechen geborgen bleibt"[28].

Daß es bei Aristoteles deshalb auch zu einem Wandel des Verständnisses Gottes kommt, wonach „der Gott" (Heraklits und Platons) bei Aristoteles nicht im ontologischen Weiterverfolg der ἀρχαί des ὄν (ἐνέργεια — δύναμις) in den im λέγειν dieser Gründe sich zeigenden Abgrund der ontologischen Differenz, sondern aus dem Ansatz eines ontisch-gegenständlichen obersten Seienden (der reinen ἐνέργεια absoluten „Beisichseins") gedacht wird, sei eben noch erwähnt. Aus ihrem ursprünglichen Problemansatz bei Erörterung der Gründe des Seienden, wo das ἀνάλογον συνορᾶν gerade der Ausweg aus einem ontisch-begrifflichen Mißverständnis der Seinsgründe (οὐ δεῖ παντὸς ὅρον ζητεῖν, ἀλλὰ ..: Met. 1048 a 36) sein sollte, fällt die Aussage über Gott im 12. Buch der Metaphysik wieder zurück auf die Ebene der Ontik: Gott ist οὐσία τις ἀίδιος καὶ ἀκίνητος καὶ κεχωρισμένη τῶν αἰσθητῶν (1073 a 4), das πρῶτον κινοῦν ἀκίνητον (1073 a 27), von dem gegenständlich gesagt werden kann: τοῦτο γὰρ ὁ θεός (ebd.). Gott selbst ist vom Seienden her, nicht vom Sein, geschweige denn vom Unterschied beider her gedacht (vgl. Met. 1028 a 17). Gott kann dabei als oberstes ὄν nur in Entsprechung zur Aussage (λόγος im aristotelischen Sinn) des wirklichen, wahrnehmbaren Seienden, d. h. κατ' ἀναλογίαν vorgestellt und genannt werden: ὡς ἄλλο πρὸς ἄλλο (Met. 1016 b 34)[29]. Das spätplatonische (ἕτερον ἄλλο), das als Abgrund jedes Denkens und Sprechens noch in die ontologische Differenz von ἕν — ὄν wies, von der her erst die κοινωνία des Seins des Seienden und dessen Aussage möglich war, gerät nun als „Gott" *innerhalb* der Aussage des Seins des Seienden, als ein τοῦτο (Dieses-da) zu stehen. Das oberste ὄν (οὐσία τις ἀίδιος) und das unterste ὄν (οὐσία πρώτη) sind nicht mehr zurückgedacht auf ihren gemeinsamen Grund, der als der Logos die ursprünglichste Bedingung der Möglichkeit des menschlichen λέγειν von so etwas wie Sein und Seiendem überhaupt (und darin nachträglich auch von einem Gott als dem „absoluten Sein" der Metaphysik) ist, sondern sind jetzt „logisch" untereinander in Zusammenhang gebracht durch die Allgemeinheit der Gattung (genus im logischen Sinn), vor allem durch die μέγιστα γένη (Met. 1059 b 25 ff; 1003 b 6 ff; 1024 b 6). Insofern nun aber Aristoteles die Gründe des Seienden nur mehr vom ὄν selbst her zu

---

[28] *M. Heidegger*, Unterwegs zur Sprache, 245 f.

[29] *J. Stenzel*, Zur Theorie des Logos bei Aristoteles: Kleine Schriften, 188—219. Vgl. *E. Tugendhat*, Τὶ κατὰ τινός. Eine Untersuchung zu Struktur und Ursprung aristotelischer Grundbegriffe: Symposion 2 (Freiburg-München 1958), der die Zwiefalt der Präsenz des Seins auch im aristotelischen Seinsverständnis herauszuarbeiten sucht.

denken vermag (οὐσία ... ὡς μορφὴ καὶ ἐνέργεια: Met. 1043 a 28) und Gott selbst als die reine ἐνέργεια (Met. 1049 b 10) vorgestellt wird, wird die Frage nach der inneren Möglichkeit der Einkehr des Seins ins Seiende nicht mehr gestellt, sondern alles Seiende von einem höchsten Seienden her erklärt. Die „ontologische Differenz" als das Nicht zwischen Sein und Seiendem wird nicht mehr wie bei Heraklit und Platon als der gewährende Ab-grund alles Seienden ins Sein und alles Sprechen des Menschen in die Sage des Seins erfahren, sondern als das logische „Nichts" vorgestellt, dessen ganzer Fraglichkeit nur ein absolutes und transzendentes Sein, jenseits des Seins des Seienden standhalten konnte. Die von Heidegger gestellte und von ihm auf seine Weise beantwortete Frage nach der ontologischen Differenz lautet indessen: „Wodurch kann, wenn das Sein das Einzigartige des Seienden ist, das Sein noch übertroffen werden? Nur durch sich selbst, nur durch sein Eigenes, und zwar in der Weise, daß es in sein Eigenes eigens einkehrt. Dann wäre das Sein das Einzigartige, das schlechthin sich übertrifft. Aber dieses Übersteigen geht nicht hinüber und zu einem anderen hinauf, sondern herüber zu ihm selbst und in das Wesen seiner Wahrheit zurück. Das Sein durchmißt selbst diesen Herübergang und ist selbst dessen Dimension." [30]

Entsprechend seinem Seinsverständnis erfährt nun auch bei Aristoteles das Sprachverständnis jenen entscheidenden Wandel, aus dem wir heute noch und vielleicht erst recht leben. Wiederum hat Heidegger auf die maßgebliche Auslegung der Sprache bei Aristoteles, wie sie in der Einleitung zu περὶ ἑρμηνείας niedergelegt ist, hingewiesen [31]. Die Buchstaben zeigen die Laute, die Sprachlaute zeigen die Erleidnisse der Seele und diese wieder die sie angehenden Sachen. In der Trias von σύμβολα, σημεῖα und ὁμοιώματα wird die Sprache endgültig vom Menschen und seinem Sprechen her, welches ein ausdrückendes Angleichen an den Eindruck der Dinge ist, verstanden [32]. Die Sprache ist vom Subjekt-Objekt-Schema, genauer: vom Modell des Wortes als „Träger von Bedeutung" ausgelegt. Deshalb konnte in der kommenden Metaphysik des Abendlandes die Sprache „anthropologisch" am Leitbild von Seele und Leib, forma und materia gedeutet, aber noch mehr mißdeutet werden. Der Wandel des Sinnes von

---

[30] *M. Heidegger,* Holzwege (Frankfurt a. M. 1950) 285; *J. Lohmann,* M. Heideggers ontologische Differenz und die Sprache: Lexis I (Lahr i. B. 1948) 49—106.

[31] Unterwegs zur Sprache 244.

[32] Vgl. von einem anderen Gesichtspunkt aus: *G. Siewerth,* Philosophie der Sprache (Einsiedeln 1962); *H.-G. Gadamer,* Wahrheit und Methode, Grundzüge einer philosophischen Hermeneutik (Tübingen 1960), bes. 361—465; Ermeneutica e Tradizione, ed *E. Castelli* (Rom 1963); *E. Heintel,* Sprachphilosophie (Dt. Philologie i. Aufr., hrsg. v. *W. Stammler,* Bd. I, 2. Aufl., Spalte 563 ff).

σημεῖον — σημαίνειν von Heraklit bis Aristoteles als der Wandel des λόγος — λέγειν und des γένος — γίγνεσθαι birgt das Schicksal der Sprachphilosophie bis heute.

II. Zur Theologie der Sprache

Der Titel meint eine Verlegenheit, auf die Karl Rahner schon vor Jahren hingewiesen hat, indem er selbst auf katholischer Seite, auf dem Boden der Theologie den ersten, d. h. in den Grund zurückgehenden Schritt nach vorne ins Neuland der Sprachtheologie getan hat[33]. Nach vorne einen Schritt tun in der theologischen Reflexion heißt im christlich-gläubigen Daseinsverständnis (und hier mehr als anderswo): denkend zu Grunde zu gehen in jener Radikalität, von der Paulus spricht: „Niemand kann einen anderen Grund legen als den, der gelegt ist: nämlich Jesus Christus" (1 Kor 3, 10).

Gesetzt nun, die Verlegenheit beziehe sich nur auf das, was eine Theologie der *Sprache* eigentlich sein solle, sofern die Sprache (des Menschen) mit dem geschichtlich offenbarend ergangenen „Wort Gottes" in Christus Jesus, dem göttlichen Logos, konfrontiert werden solle, bräche solche Verlegenheit nicht noch einmal ins Selbstverständliche dessen ein, was eine *Theologie* der Sprache sein solle? Die Frage erhebt sich ja, als was die -logie verstanden werden müsse, wenn das darin geschehende λέγειν im Bedenken und Nennen *des* Gottes bestehen soll, den Christus seinen „Vater" nennt und von dem er sagt: „Niemand kennt den Vater als der Sohn und wem es der Sohn offenbaren will" (Mt 11, 27). Die Theologie kann demgemäß nur denken und sagen, was sie selbst aus dem geschichtlich ergangenen, in Selbstoffenbarung ergangenen Worte Gottes verstehend hört.

In welcher Sprache spricht sie dann? Was ist die ἀρχή ihres Sprechens? Johannes beginnt sein Evangelium mit den Worten, die seitdem das Fundament jeder Theologie der Sprache geworden sind: Ἐν ἀρχῇ ἦν ὁ Λόγος, καὶ ὁ Λόγος ἦν πρὸς τὸν Θεόν, καὶ Θεὸς ἦν ὁ Λόγος ... καὶ ὁ Λόγος σὰρξ ἐγένετο καὶ ἐσκήνωσεν ἐν ἡμῖν. Daß hier aber gerade neutestamentlich nicht jener λόγος gemeint sein kann, der uns im griechischen Denken etwa bei Heraklit als der Abgrund der ontologischen Differenz im λέγειν des Seins des Seienden begegnete, und auch nicht das platonische ἕτερον als das Ur-γένος der κοινωνία aller anderen Genera,

---

[33] *K. Rahner,* Schriften zur Theologie III (Einsiedeln 1956) 349—375 379—390; IV (Einsiedeln 1961) 11—99 275—355 401—428 441—454.

geht in unserem Zusammenhang schon aus dem erklärenden Einschub im Johannes-Prolog hervor: „Die sind es, die an seinen Namen *glauben,* die nicht aus Blut noch Fleischeswillen oder aus des Mannes Begehren, sondern *aus Gott* geboren sind" (1, 13). Und Paulus (der sowohl um die griechische Weltweisheit des „unbekannten Gottes" — Apg 17, 23 — als auch um das Sinaigebot: „Du sollst kein Bild dir machen..." — Ex 20, 4 — wußte) interpretiert das Ungeheuerliche, das mit der Menschwerdung Gottes in seinem Logos-Christus geschehen ist: „Wo bleibt der Weise, wo der Schriftgelehrte und wo der Wortfechter dieser Welt? Hat Gott denn nicht die Weisheit der Welt zur Torheit werden lassen? ... Die Juden fordern Wunder, die Griechen suchen Weltweisheit, wir aber verkündigen einen Christus, den man gekreuzigt hat: den Juden zwar ein Ärgernis, den Griechen eine Torheit, doch allen, die berufen sind, ob Jude oder Grieche, Christus als Gottes Kraft und Gottes Weisheit" (1 Kor 1, 20 ff).

Damit ist vom Zeugnis der Offenbarung her jenes „Skandalon" zum Ausdruck gebracht, das auch jedes sprachphilosophische Verständnis des „Wortes" (und der Sprache) immer wieder in eine von ihm selbst her unentdeckte und unentdeckbare Frage bringt. Das Sein Gottes als das Geheimnis seiner vom menschlichen Denken und Sprechen her nicht auffindbaren und nicht forderbaren Selbstpräsenz der Liebe (als *ἀγάπη* 1 Jo 4, 8 16) ist nur in seinem Sohne, dem einzigen „Logos" und dem „Eingeborenen" des Vaters, gedacht und zur Sprache gebracht. Von daher ist Theologie nur dort die wirkliche Sage Gottes, wo sie das einzige Wort Gottes denkt und sagt. Die Frage ist aber, inwiefern der Gott Jesu Christi, der Logos-Christus, so ins menschliche λέγειν eingehen könne, daß dieses λέγειν einerseits wirklich das des *Menschen* ist und bleibt und anderseits darin das Geheimnis des göttlichen *Logos* nicht zur notwendigen Selbstverständlichkeit des menschlichen λέγειν von Anbeginn depotenziert wird. Für eine Philosophie der Sprache formuliert, heißt die Frage: Inwiefern kann das metaphysische Denken und Sagen Gottes (genetivus obiectivus!), das von sich her in den Abgrund der ontologischen Differenz des Seins des Seienden zurückweist, zum Denken und Sagen Gottes selbst (genetivus subiectivus!) werden, *wenn* dieser Logos (Gottes), wie Johannes bezeugt, εἰς τὰ ἴδια ἦλθεν, in das Eigene kam, indem er sich so als die freieste, nicht vom Wesen des Menschen und der Welt (des Seins des Seienden) ableitbare Liebe erwies, daß er den Menschen in dessen eigenste Möglichkeit freigab, Gott als das Geheimnis der Liebe *glaubend* anzunehmen oder abzulehnen. Von daher wird aber auch die Frage laut, als was dann die Geschichte der menschlichen Sprache (in der Differenz der Geschichte der Aussage des Seins des Seienden zu der darin verborgenen Unsagbarkeit der ontologischen Differenz) selbst verstanden werden könne und müsse, wenn in *ihrem* Verstehenshorizont das Geschick der geschichtlich herkünftigen und zukünftigen *Selbst*offenbarung Gottes als des (christlichen) Logos aufgeht. Wir können hier auf diese Fragen nur hinweisen. Wenn man von seiten der Exegese und biblischen Theologie (meist in Abwehr synkretistischer Logosauffassung religionsgeschichtlicher Schulen) darauf hingewiesen hat, daß der johanneische Logos und sein Wesen „im Anfang" das abgründige Geheimnis des *geschichtlich* von der Schöpfung bis auf Christus hin sich offenbarenden Gottes sei (ohne daß die naturale Schöpfung im „Gott sprach, und also ward ..." [Gn 1, 3 ff] als sie selbst schon die eigentliche *Selbst*mitteilung des absoluten und in Christus erst endgültig gewordenen Geheimnisses der Liebe Gottes ist)[34], dann müßte eine Theologie des Wortes das in der christlichen Offenbarung, d. h. im Logos-Christus, sich ereignet habende „unvermischte und ungetrennte" Verhältnis von Logos und Menschenwort nicht bloß als das in der Einmaligkeit des Gottmenschen gewissermaßen punktuell *innerhalb* der menschlichen „Wort-und-Sprach"-geschichte gegebene, sondern als das die Geschichte und Geschichtlichkeit des Menschen und seines Wortes *überhaupt* erst ermöglichende und gründende Ur-ereignis Gottes selbst in dem innertrinitarischen Bezug der liebenden Erkenntnis des „Vaters" im „Sohn" zu meditieren beginnen. Karl Rahner hat in seiner gesamten theologischen, im Gespräch mit der Tradition der Kirche und der Christenheit bleibenden Arbeit wiederholt auf das hingewiesen, was Paulus im Kolosserbrief als das Mysterium des Verhältnisses von Schöpfung und des diese Schöpfung (auch in ihrer todgezeichneten, erlösungsbedürftigen Verfallenheit an sich selbst und den „Fürsten der Welt") in seinem Logos-Christus umhaltenden Gottes sagt: „Er (nämlich Christus) ist das Bild des unsichtbaren Gottes, der Erstgeborene vor aller Schöpfung; denn in ihm ward alles erschaffen, was im Himmel und auf Erden ist: das Sichtbare und das Unsichtbare ... — alles ist durch ihn und auf ihn hin geschaffen. Und er ist vor allem, und das All hat in ihm seinen Bestand" (Kol 1, 15—18). Man kann die Grundfrage jeder Theologie der Sprache nach dem Verhältnis des menschlichen λέγειν und des im Geheimnis der Inkarnation geschehenen und offenbar gewordenen Angenommenseins der Menschensprache und ihres von ihr selbst her nicht zu bewerkstelligenden Rückganges vom λέγειν des Seins des Seienden in die ontologische Differenz (als welche schon im frühen griechischen Denken bei Heraklit und Platon der θεός-λόγος als das dem Menschen und seinem Denken unverfügbare Geheim-

[34] Vgl. *K. Rahner,* Schriften zur Theologie IV, 266—271; *ders.,* Anthropologie, dogmatisch: LThK² I, 618—627.

nis seiner und der Sprache Herkunft [γένος] aufgegangen ist) kaum tiefer theologisch sagen, als es K. Rahner selbst tut: „In der Tat: wenn wir *Christen* und nicht nur Metaphysiker des dunklen Urgrundes sein wollen, dann müssen wir bekennen, daß das ewige Wort, in das hinein der für uns dunkle, aber personhaft ursprunglose Urgrund in der Gottheit, auf den wir mit dem Wort ‚Vater' hindeuten, sich restlos in seine eigene Ewigkeit hinein aussagt und in dem er bei sich ist, Fleisch geworden ist und unter uns gewohnt hat. Das *Wort,* eben das, worin das ursprunglose Geheimnis zu sich selber kommt, das unendliche Wort, das kein anderes neben sich hat, weil es allein in sich alles sagt, was gesagt werden kann — dieses ist Fleisch geworden, ist, ohne aufzuhören, alles zu sein, dieses Bestimmte geworden, sagt ‚hier' und ‚jetzt' sich aus, ohne aufzuhören, überall und immer zu wesen. Und darum und seitdem und in diesem fleischgewordenen Wort ist das menschliche Wort voll der Gnade und Wahrheit geworden. Es weist nicht nur wie ein stumm deutender Finger weg von dem, was es erhellend umgrenzt, in eine unendliche Ferne, in der unnahbar die stumme Unbegreiflichkeit wohnt; diese ist vielmehr als die erbarmende Gnade in das menschliche Wort selbst hineingekommen; im Kreis, den das menschliche Wort umgrenzt, hat sich die Unendlichkeit ein Zelt gebaut, die Unendlichkeit selbst ist da in dem Endlichen; das Wort benennt, es enthält wahrhaft, was es scheinbar nur durch einen stummen Verweis noch mitsagt, es bringt bei, was es proklamiert, es ist das Wort, das eigentlich erst im sakramentalen Wort ganz zu seiner letzten Wesenserfüllung kommt, die ihm durch Gott gnadenhaft gewährt wurde, da er sein ewiges Wort selbst im Fleisch des Herrn aussagt ... In dem irdisch engen Brunnen des menschlichen Wortes, tief drinnen und drunten, springt selbst die Quelle, die ewig fließt, im Dornbusch des menschlichen Wortes selbst brennt die Flamme ewiger Liebe. Solche Eigentümlichkeit des Wortes ist in ihrem wahren und vollen Wesen gewiß schon Begnadigung des Wortes, und das Hörenkönnen solchen Wortes im strengen Sinn schon Gnade des Glaubens. Aber seit es das menschliche Wort als Leib des unendlich bleibenden Wortes Gottes und das Hören *dieses* Wortes *inmitten* seiner bleibenden Leibhaftigkeit gibt, liegt ein Glanz und eine geheime Verheißung auf jedem Wort; in jedem kann sich die Fleischwerdung der Begnadigung mit Gottes eigenem, bleibenden Wort und darin mit Gott selbst ereignen, und alles rechte Hören des Wortes lauscht eigentlich in die innerste Tiefe jeden Wortes hinab, ob es nicht gerade darin, daß es den Menschen und seine Welt aussagt, plötzlich das Wort der unendlichen Liebe wird."[35]

---

[35] *K. Rahner,* Schriften zur Theologie IV, 446—448.

Wäre aber solchermaßen jedes philosophische Fragen nach der Sprache im Horizont des Christentums hinsichtlich der je geschichtlichen Auslegung des menschlichen λέγειν als *fragendes Auslegen* selbst nicht nur durch eine ganze Welt vom biblischen Logos-verständnis getrennt, wie etwa M. Heidegger den Logos Heraklits von dem des Johannes getrennt sein läßt[36], sondern auf eine dieses fragende Auslegen selbst am Problem der „ontologischen Differenz" je geschichtlich fraglich werden lassende Weise in eine erst von der christlichen Offenbarung her erhellbare Einigkeit gebracht? Müßte dann aber eine Theologie der Sprache, die sich immer in der Ermächtigung und unter der Kritik der Aus-sprache Gottes im Ereignis des Lebens, des Todes und der Auferstehung des Logos-Christus und seines Wortes weiß, nicht erst recht eine Philosophie der Sprache als die in der totalen Geschichte des menschlichen Daseinsverständnisses angelegte *Frage* verstehen, deren *Antwort* sie selbst vom Geheimnis der Inkarnation her ist? Wäre aber dann der λόγος ἑαυτὸν αὔξων des Heraklit unbeschadet seiner wesentlichen Unterschiedenheit vom Logos des Neuen Testamentes wirklich nur der reine Widerspruch zum Worte Gottes? Oder wäre die κοινωνία τῶν γενῶν des späten Platon das absolut Disparate zum Logos-Christus als dem μονογενής des Vaters? Und noch weiter gedacht: Ist die Geschichte der Metaphysik unbeschadet ihres Geschickes im Vergessen der ontologischen Differenz von Sein und Seiendem *nur* die reine, widerspruchsvolle Abständigkeit und Defizienz von ihrem eigenen ungedachten und ungesagten Abgrund? Die Frage wäre doch nicht nur, wie und warum die Sprache der Metaphysik in der „Seinsvergessenheit", weil in der Vergessenheit der „ontologischen Differenz", beheimatet sei (obwohl diese Frage schon genug des Dunklen, *als* philosophische Frage vermutlich das einzig Fragwürdige enthält), sondern vielmehr, wie und warum es überhaupt Sprache und ein geschichtliches Schicksal solcher Sprache (in der Metaphysik) gibt.

Vorausgesetzt, wir hätten schon genug in die Geschichte des menschlichen λέγειν in einem philosophischen Sinn hineingehört und wir wüßten von daher das Geschick der Sprache in der Metaphysik des Abendlandes (die auch ins Denken und Sprechen der Theologie eingegangen ist) trotz und *in* aller Seins- und Logosvergessenheit gerade als die größere, freilich nur vom göttlichen Logos selbst her eröffnete und offenbare Möglichkeit des Selbsterweises des Gottes der unaussprechlichen, so aber erst jedes menschliche Sprechen ermöglichenden Liebe zu deuten, die im

---

[36] *M. Heidegger,* Einführung in die Metaphysik, 103. Vgl. *H. Ott,* Denken und Sein (Zürich 1959); *H. Franz,* Das Denken Heideggers und die Theologie: Zeitschr. f. Theol. u. Kirche 58 (1961) Beiheft 2, 81—118.

Christus-Logos auch allem Verfall und jeder seinsgeschichtlichen Vergessenheit des menschlichen Logos schon zuvorgekommen ist, hätte dann eine Theologie der Sprache nicht allererst die Aufgabe, die Karl Barth im Umriß skizziert hat, wenn er über das Verhältnis des *einen* Wortes Gottes zu seinen sekundären Formen in Schrift und Verkündigung hinaus ausdrücklich nach dem Verhältnis zu allen *anderen* kreatürlichen Worten, also auch etwa zu den Ur-worten der geschichtlichen Daseinserhellung des philosophischen Denkens, zu fragen beginnt?[37] Hätte solche Theologie, ohne daß sie dem Gegenstand und der Methode nach zur Philosophie würde (sie soll ja Auslegung des einen im Geheimnis der Menschwerdung Gottes zwar an alle Menschen ergangenen, aber nur im Glauben hörbaren „Wortes" schlechthin sein), nicht „Grundlagenforschung" in dem Sinn zu treiben, daß sie auch in den Selbstzeugnissen philosophischen Denkens und Sagens und ihrer Geschichte (die heute sich allmählich als die Geschichte der Metaphysik im *Unterschied* zu dem darin verborgenen und doch anwesenden Ab-Grund ihrer selbst lichtet) einerseits den in Christus offenbar gewordenen Logos Gottes als die κτίσις (Kol 1, 15—18; Hebr 2, 8) auch des philosophischen λόγος — λέγειν zu hören sucht und anderseits dessen eingedenk bleibt, daß alles Denken und Sprechen der Menschheit unter der Beirrung der Gottabgewandtheit des „ersten Menschen" (Röm 5, 12—21; 1 Kor 15, 22) steht? Die Dialektik der Anwesenheit und Verborgenheit des göttlichen nur in seiner Selbstmitteilung hörbaren Logos auch im Denken und in der Sprache des Menschen hat Johannes in den knappen Worten gesagt: ἐν τῷ κόσμῳ ἦν und ὁ κόσμος αὐτὸν οὐκ ἔγνω (Jo 1, 10 f). Daß dabei die Dialektik nicht mehr (wie noch *vor* dem Offenbarwerden des absoluten Geheimnisses der Liebe Gottes in seinem Logos-Christus) der noch offene und unentschiedene Dialog zwischen Gott und Mensch (und in ihm mit seiner Welt und Geschichte) ist, sondern in Jesus Christus die aus geschichtlich freien Ursprüngen (biblisch: dem satanischen und adamitischen Existenzwiderwiderspruch zu Gott) ihrer eigenen sündhaften Endlichkeit preisgegebene kreatürliche Wirklichkeit von Gott her grundsätzlich und endgültig in sein gnädiges Erbarmen hinein aufgehoben und erlöst ist (ohne daß damit die solchermaßen erst in ihre Heils*möglichkeit* gebrachte individuelle Freiheit des Menschen ihres eigenen Ja oder Nein der Annahme oder Ablehnung

---

[37] *K. Barth*, Die Kirchliche Dogmatik IV/3, 122—188. Vgl. *H. Küng*, Karl Barths Lehre vom Wort Gottes als Frage an die katholische Theologie: Einsicht und Glaube (Festschrift G. Söhngen; Freiburg i. Br. 1962) 75—97 (Lit.); *H. Noack*, Sprache und Offenbarung. Zur Grenzbestimmung von Sprachphilosophie u. Sprachtheologie (Gütersloh 1960), bes. 207—221.

des angebotenen Heils enthoben wäre), das ist das in der Menschwerdung Gottes, im geschichtlichen Dasein des Logos unwiderruflich geschehene Angenommensein jedes Menschenwortes als eines möglichen Wortes der Wahrheit, sofern dieses Angenommensein selbst erst alle Wahrheit des Daseins und dieser Erde aus ihrer faktisch-geschichtlichen Selbstverschlossenheit („incurvatio" nennt es Luther) und Anthropozentrik ins abgründig Offene ihrer Herkunft und Zukunft hinaus sein-läßt, welches abgründig Offene nur der sein „Beisich-sein" drangebend, in den Tod Christi hinein drangebend Glaubende mit dem Namen „Du" zu nennen wagt. Inwiefern so — christlich gesehen — die eigentlichste Macht des „Wortes" (natural Gegenstände unterscheidend zu „bezeichnen") aus der letzten Ohnmacht einer „Ant-wort" (auf jenes sich davor schon „bedeutende" Du) lebt, kann hier nicht mehr dargelegt werden. Weil, biblisch gesprochen, der „Fürst dieser Welt" im Logos-Christus schon „hinausgeworfen" ist (Jo 12, 31: ἐκβληθήσεται), auch hinausgeworfen aus dem Abgrund der Menschensprache (in der „ontologischen Differenz" der wurzelhaft schon begnadetheilen Zwiefalt des Seins des Seienden), *ist* nun auch erst überhaupt menschliches λέγειν zum Symbol-sein (als συμβάλλειν schon des formalen Subjekt-Prädikat-Verhältnisses in der Synthesis des Satzes und Urteils) für das Geheimnis des göttlichen Logos grundsätzlich ermächtigt, können die vielen Menschenworte im gläubigen Sagen des Seins des Seienden und ihrer ontologischen Differenz (ausgesprochen oder unausgesprochen) die „Gleichnisse des Himmelreiches" künden. Was Paulus an die Korinther schreibt bezüglich seiner apostolischen Verkündigung, daß sein Wort nicht Ja und Nein zugleich sei im Hinblick auf das endgültige Ja aller Worte in Christus („Beim Sohne Gottes, Jesus Christus ... gab es kein Ja und Nein zugleich; mit ihm ist das Ja verwirklicht worden, denn alle Verheißungen Gottes haben in ihm ihr Ja gefunden": 2 Kor 1, 19), müßte für eine Theologie der Sprache zum hermeneutischen Prinzip auch der Findung und Erschließung (A-letheia) des eigentlich Gemeinten in allen philosophischen λόγοι als der λόγοι σπερματικοί des (vom philosophischen Denken allein her nicht sagbaren) Logos Gottes selbst werden. Unter dieser Rücksicht wäre dann auch das metaphysische Denken und Sprechen nicht mehr nur als die „Seinsvergessenheit" gesehen, sondern in sein relatives Recht auch für ein theologisches Bedenken der gläubig gehörten Botschaft des Evangeliums eingesetzt. Dann müßte aber doch wohl erst eine eigentlich theologische Methode der Interpretation der je verschiedenen philosophischen Daseinsauslegungen nicht im Hintereinander der Denkgestalten und ihrer Aussagen, sondern aus dem Wesen der Geschichtlichkeit selbst gewonnen werden, wenn anders der Logos Gottes (in der in Christus geschehenen göttlichen Selbstaussage) nicht bloß mit diesem oder jenem Denker der Tradition bezüglich Nähe oder Ferne zum Logos-Christus „konfrontiert“ werden soll, sondern das geschichtliche Geschick des menschlichen λέγειν *überhaupt* in seiner Präformiertheit durch den Logos, der, selbst *in* der Geschichte anwesend, sich gerade so *als* ihr Ab-grund ins Anwesen bringt, begriffen werden soll. Karl Rahner hat hierzu einmal formuliert: „In Christus ist der Logos nicht nur (statisch) Mensch geworden, er hat eine menschliche Geschichte angenommen. Diese ist aber nach vor- und rückwärts ein Teil einer ganzen Welt- und Menschengeschichte, und zwar ihre Fülle und ihr Ende. Wird aber die Einheit der Geschichte und ihre Zentriertheit auf Christus ernst genommen, dann bedeutet dies eben, daß Christus immer schon als prospektive Entelechie in der ganzen Geschichte steckte.“ [38] Müßten dann eine Philosophie der Sprache (die den Grund ihrer eigenen Herkunft und Heraufkunft bis ins Gespräch der neuzeitlichen Logoi der Wissenschaften zu erhellen sucht, was eine noch ungelöste Aufgabe ist) und eine Theologie des Logos in aller Unterschiedenheit nicht doch mehr als bisher in die Nähe des Nächsten, und zwar des christlich „Nächsten“, zueinander kommen?

Um zum Schluß noch ein Beispiel zu nennen: Hat die Metaphysik (sofern sie in einer „christlichen Philosophie“ auch ein praeambulum der Aussagen der Theologie ist) die Aussage vom „Deus transcendens omnia genera“ schon daraufhin durchdacht, daß derselbe Gott in seinem Logos-Christus sich selbst schon von urher in der Menschensprache als dem kreatürlichen Wort die (diesem Wort selbst verborgene) Möglichkeit vorbereitet hat, in seinem endgültigen und freien Eingang ins „Geschlecht“ der Menschheit den Grund und das Ziel davon zu offenbaren, daß das menschliche λέγειν schon immer (wenn und weil es *überhaupt* geschah), also auch metaphysisch von Gott im logischen Gefüge der sprachlichen „Genera“ nur vordeutend auf das Geheimnis der Inkarnation sprechen konnte, wo die Dialektik von „Deus extra genus“ und „Deus intra genus“ von Gott selbst her „aufgehoben“, d. h. für uns, die wir nicht Gott sind, als das Geheimnis der Sprach-„werdung“ Gottes selbst offenbar wurde? Müßte aber dann das 28. Kapitel des 5. Buches der Metaphysik des Aristoteles, wo er vom γένος in der Vieldeutigkeit von Geschlecht, Gattung und Gattungsbegriff spricht, *theologisch* nicht gerade vom johanneischen Λόγος σὰρξ ἐγένετο her neu gesehen werden? Und wenn das Letzte dieses gött-

---

[38] *K. Rahner,* Chalkedon — Ende oder Anfang?: Das Konzil von Chalkedon III, hrsg. von A. Grillmeier u. H. Bacht (Würzburg 1954) 19; vgl. *A. Darlapp,* Geschichtlichkeit: LThK² IV (1960) 780—783 (Lit.); *ders.,* „Geschichtlichkeit“ u. „Heilsgeschichte“: Handbuch theolog. Grundbegriffe, hrsg. v. H. Fries, I (München 1962); *J. B. Metz,* Weltverständnis im Glauben: Geist u. Leben 35 (1962) 165—184.

lichen Logos, von *woher* auch alle menschliche Sprache uranfänglich bis in ihre logische Ausgliederung von genus und species hinab ihr Werden und ihren geschichtlichen Fortgang hat (λόγος ἑαυτὸν αὔξων wurde bei Heraklit der unreflektierbare, und so alles „begründende" Abgrund des Menschen und seiner Sprache genannt!), das Geheimnis der in Christus offenbar gewordenen *Liebe*[39] ist, die Gott selbst im Seinlassen der Kreatur und der *Pluralität* menschlicher Worte und Sprachen als naturaler Vorentwurf des übernatürlichen Logos-Christus *ist,* dann müßten die biblischen Aussagen über das Wort Gottes (in allen Gestalten) *in* den Menschenworten auch einmal unter der Rücksicht von λόγος — γένος (Gattung — Geschlecht *als* Ausdruck des paulinischen „Genus ergo cum simus Dei", worin das erst in Christus geoffenbarte Geheimnis jedes ontischen oder logischen „genus" gründet: Apg 17, 29) betrachtet werden. Daß Gottes Kommen in das Geschlecht und die Geschichte und die Sprache der Menschheit in seinem „Einziggeborenen" durch das dem menschlichen Liebesverständnis entnommene Bild des „Bundes" (im Gleichnis der Höchstform menschlicher Liebe) im Alten Testament präludiert wird, gibt dann genauso zu denken, wie wenn nach Eph 5, 32 das Mysterium der Liebe zwischen Christus und seiner Kirche (das ins innertrinitarische Geheimnis der Liebe des Vaters zu seinem Sohn zurückweist) sich im Verhältnis der personal-geschlechtlichen Liebeseinheit der Ehe nicht nur mehr als ein geschöpfliches, sondern übernatürlich sakramentales (d. h. die bedeutete Wirklichkeit selbst anwesend sein lassendes) Symbol repräsentiert, im meinenden Wort sich die Wirklichkeit selbst, die die göttliche Liebe ist, als solche vergegenwärtigt. Von hier aus müßte theologisch erst der Zusammenhang der verschiedenen Topoi der biblisch-christlichen Sprachtheologie (Erschaffung der Welt durch Gottes Wort, die paradiesische Namensgebung durch Adam, Turmbau zu Babel als göttliches Gericht über die gottvergessene Verschiedenheit und „Vermehrung" der Worte, Inkarnation des göttlichen Logos in Jesus Christus und Sprachwunder der Geistausgießung an die

---

[39] *V. Warnach,* a. a. O. 169: „Wort und Liebe gehören aufs engste zusammen: die Liebe, die sich äußert, zeugt das Wort, und das Wort, wenn es verstanden wird, begründet die Gemeinschaft, in der sich die Liebe vollendet." Vgl. auch *J. B. Lotz,* Geschichtlichkeit und Tradition: Ermeneutica e Tradizione (s. Anm. 32), wo Lotz vom Begriff der Tradition her auf die Zusammengehörigkeit von „Zeugnis" und „Zeugung" (für unsere Frage von λόγος und γένος sehr erhellend) hinweist: „Die andere Weise ist das *Zeugnis,* das, wie schon das Wort sagt, sich mit der Zeugung auf das innigste durchdringt und vor allem das Gemeinsame weitergibt. Hierbei treten aus dem konkreten Lebensvollzug der abstrakte Begriff und die allgemeingültige Wahrheit hervor, ohne die ein Zeugnis nicht möglich ist. In der Zeugung lebt immer schon das Zeugnis, und im Zeugnis lebt immer noch die Zeugung; in dieser Spannungseinheit lebt das Zusammengehören von Geschichtlichkeit und Tradition" (230).

Apostel zu Pfingsten usw.) mit der anfänglichen und währenden Menschheitserfahrung, wie sie sich im frühen griechischen Denken im λόγος-γένος-Problem aussprach und verschwiegen hat, erhoben werden. Das genuin Christliche der „Logosmystik" von Pseudo-Dionysius Areopagita über die Patristik (Origenes, Maximus, Augustinus ...) bis herauf zu Eckhart und Böhme und dem Cusaner müßte in seiner inneren theologischen Sinneinheit mit der Lehre „von der Geburt Christi im Herzen der Gläubigen"[40] neu gesehen werden, das Geschick der abendländischen Metaphysik der Sprache in der Dialektik des Rückgangs in die „ontologische Differenz" (als dem vergessenen γένος) und des Hervorgangs in die technische Weltbemächtigung der „Logik" (als dem vergessenen λόγος) könnte uns vielleicht einen Weg weisen in die selige Armut des Wortes und der Sprache, die vom Logos-Christus her unaussprechlich und doch schon immer ausgesprochen unser Dasein durchwaltet. Wäre dies schon genauer durchdacht, dann stände eine Theologie der Sprache, die vom Logos Gottes her alles menschliche λέγειν und seine „Vermehrung (αὔξησις und γένεσις der *kategorialen* Worte in der gesamten geschichtlichen Erfahrung der Menschheit) als das abgründige Geheimnis der göttlichen Liebe (trotz aller und gegen alle Verfallenheit im *menschlichen* Denken und Sprechen) zu sagen begänne, erst an ihrem eigentlichen Anfang.

---

[40] Vgl. *H. Rahner,* Die Lehre der Kirchenväter von der Geburt Christi im Herzen der Gläubigen: ZkTh 59 (1935) 333—418.

APRIORI, EVIDENZ UND ERFAHRUNG

Von Otto Muck SJ, Innsbruck

Blickt man aus einem Abstand von mehr als zwei Jahrzehnten auf die ersten beiden philosophischen Bücher Karl Rahners[1] zurück, so kann man feststellen, daß sie vielen eine entscheidende Hilfe waren, Sinn und Geltung grundlegender Begriffe und Prinzipien der thomistischen Metaphysik besser zu verstehen. Dennoch fehlt es auch nicht an ablehnenden Stellungnahmen. So werden etwa einige Begriffsbildungen und Formulierungen für zu vage, gewagt, ja sogar falsch gehalten — sie seien apriorische Konstruktionen.

Dieser Vorwurf soll dazu dienen, die Problemstellung dieses Beitrags zu motivieren. Sieht man nämlich näher zu, so zeigt sich, daß solche Begriffe und Analysen keineswegs vage im Sinn von Unkontrollierbarkeit sind. Sie sind eher als Frucht der Durchführung eines Programms zu verstehen, das gerade auch für die Metaphysik eine strenge Rechenschaftsablage über Sinn der Begriffe und Berechtigung ihrer Analysen verlangt. Dementsprechend sind die gewonnenen Begriffe und Zusammenhänge nicht als rationalistische, willkürlich aprioristische Konstruktionen aufzufassen, die keinen Bezug zur Erfahrung haben und ihr sogar widersprechen — sie sind vielmehr durch das Verfahren ihrer Sinnbestimmung eindeutig auf die Erfahrung bezogen und mit ihr vereinbar, weil sie als deren Möglichkeitsbedingung gewonnen sind. Diese eindeutige Erfahrungsbezogenheit gibt aber zugleich die Mittel an die Hand, einer unkritischen Verwendung dieser Begriffe und Grundbeziehungen über den gerechtfertigten Anwendungsbereich hinaus vorzubauen.

Worin besteht nun dieses Programm? Dazu müssen wir auf die Anregungen zurückgehen, die K. Rahner von J. Maréchals transzendentalphilosophischer Grundlegung der thomistischen Metaphysik und von

[1] *Karl Rahner,* Geist in Welt. Zur Metaphysik der endlichen Erkenntnis bei Thomas von Aquin (Innsbruck 1939; München ²1957); *ders.,* Hörer des Wortes. Zur Grundlegung einer Religionsphilosophie (München 1941, ²1963).

M. Heideggers fundamentalontologischer Daseinserhellung gewonnen hat. Wir werden daraus erkennen können, wie K. Rahner berechtigte Anliegen der transzendentalen und der phänomenologischen Methode in sachgerechter Weise vereinigt und dadurch zu jenem Vorgehen gelangt, das sein Denken so fruchtbar macht und von dem auch die Ergebnisse, zu denen er gelangt, verstanden werden müssen.

J. Maréchal gab dem neuthomistischen Philosophieren durch seine positive Auseinandersetzung mit Kant neue Impulse[2]. Nicht als ob er zu einer neuen Metaphysik gelangt wäre — inhaltlich stimmt sie im wesentlichen mit der thomistischen überein. Vielmehr ist der Weg, auf dem er zu dieser Metaphysik gelangt, ein neuer. Und auch diesen Weg versteht Maréchal nicht so, als wäre er der einzig mögliche und als müsse er unbedingt an die Stelle früherer Verfahrensweisen treten, die alle untauglich wären. Ausdrücklich hält er den Weg „der Alten" — von Aristoteles und Thomas — grundsätzlich für gangbar. Wohl aber hält er es für notwendig, daß dieser Weg auf Grund der geistesgeschichtlichen Situation der Neuzeit und Gegenwart durch einen anderen Zugang zur Metaphysik ergänzt wird. Das wird besonders durch zwei Gründe deutlich. In der Philosophie der Neuzeit und Gegenwart sind neue Fragestellungen aufgetreten, durch die sich viele Philosophen zu einer neuen Weise des Vorgehens veranlaßt sahen. Daraus ergibt sich erstens die Aufgabe, zu untersuchen, ob und in welchem Maße es möglich ist, die Thematik der traditionellen Metaphysik von diesen Fragestellungen und dem ihnen entsprechenden methodischen Ansatz aus zu entfalten. Gelingt dies, so ist eine Diskussionsbasis für eine positive Auseinandersetzung mit der nicht-scholastischen Philosophie gegeben; es wird möglich, aufzuzeigen, wie deren offene Fragen von der Weiterführung ihres methodischen Ansatzes eine weitere Klärung erlangen können und daß diese Lösung mit der Thematik der thomistischen Philosophie sachlich im wesentlichen übereinstimmt. Zweitens erlaubt ein solches Vorgehen, auch neu aufgetretene philosophische Fragen unter Verwendung des durch diese Fragen nahegelegten methodischen Ansatzes in die traditionelle Philosophie zu integrieren und auf diese Weise die thomistische Philosophie hinsichtlich der neuen Fragen zu erweitern. Die Entwicklung vom Ansatz dieser Fragestellungen aus erleichtert es, bisherige Untersuchungen — auch wenn sie unvollständig sein sollten — entsprechend zu benützen.

Als entscheidenden methodischen Ansatzpunkt der neuzeitlichen Philosophie sieht Maréchal Kants transzendentalphilosophische Methode, die

---

[2] *J. Maréchal,* Le point de départ de la métaphysique (Paris) I 1922, II u. III 1923, IV 1947, V 1926.

bereits vor Kant vorbereitet wurde und die sich im nachkantischen Denken weiterentfaltete. Aus dem Vergleich der verschiedenen konkreten Ausprägungen der Methode im Laufe dieser Entwicklung kann Maréchal mit Recht die wesentlichen Züge der transzendentalen Methode von bestimmten nebensächlichen Zügen unterscheiden. So gehört etwa Kants transzendentaler Idealismus nicht zum Wesen der transzendentalen Methode.

Will man den für unsere Fragestellung wesentlichen Zug der transzendentalen Analyse kennzeichnen, so kann man kurz sagen: Die transzendentale Methode geht aus von den intentionalen Akten des menschlichen Bewußtseins, sucht die Beziehungen, die kraft ihrer Intentionalität zwischen ihnen bestehen, zu analysieren, um von da aus den Sinn der Gegenstandsbeziehung bestimmter Arten intentionaler Akte zu bestimmen. So sucht Kant durch eine transzendentale Analyse des Erkenntnissubjekts festzustellen, wie sich das, worauf sich synthetische Urteile a priori beziehen, zu dem verhält, worauf sich einfache Erfahrungsurteile, Urteile über das „Ding an sich" und Urteile der praktischen Vernunft beziehen.

Das Vorgehen unterscheidet sich also wesentlich von jenem, das manchmal als „objektive" Methode der transzendentalen entgegengestellt wird. Die objektive Methode fragt etwa, welche Kennzeichen ein intentionaler Akt aufweisen muß, damit er sich tatsächlich in bestimmter Weise auf einen Gegenstand bezieht, damit er etwa wahr im Sinn der Übereinstimmung von Denken und Sein ist. In der transzendentalen Methode ist das Vorgehen umgekehrt. Hier wird gefragt, wie der Gegenstand und die Beziehung des Denkens zu ihm zu kennzeichnen sind, wenn er der Gegenstand eines Aktes mit bestimmten Kennzeichen ist, wenn der Akt etwa ein Urteil ist, dessen Unausweichlichkeit durch Retorsion ausgewiesen ist.

Als Faktoren, welche die transzendentale Fragestellung nahelegten, kann man ansehen: erstens eine durch das Spätmittelalter vorbereitete Haltung, welche die Evidenz, als letztes Kriterium der Wahrheit, zu sehr von der Erfahrung loslöste. Dadurch wurde einerseits der Rationalismus gefördert, anderseits das Vertrauen in die Evidenz erschüttert. Zweitens bahnte sich damit die Suche nach einem neuen Fundament der Sicherung der Erkenntnis an, die nun nicht mehr in der problematisch gewordenen Gegebenheit der objektiven Wirklichkeit gefunden werden konnte, weshalb sie vom erkennenden Subjekt aus erwartet wurde. Drittens wurde damit die Versuchung stärker, die Erkenntnis nur in dem Ausmaß gelten zu lassen, als man sie von einer Analyse der Erkenntnisfähigkeiten des Menschen her erklären konnte, wobei diese Erkenntnisfähigkeiten häufig von einem einseitigen Modell der Erkenntnis her bestimmt wurden — wie wir dies etwa im englischen Empirismus finden.

Tatsächlich lassen sich alle diese Faktoren etwa bei Kant, zu Beginn seiner kritischen Periode, als wirksam erweisen. Seither hat sich die Lage nicht verbessert. Geschichtliche und vergleichende Methoden haben das Bewußtsein gestärkt, daß unter verschiedenen Bedingungen jeweils Verschiedenes und Gegensätzliches für einsichtig gehalten wurde, was das Vertrauen in die Einsicht als Kriterium der Wahrheit weiter erschütterte. Die Vielfalt von Einzelwissenschaften und ihrer spezifischen methodischen Zugänge zur Wirklichkeit erschwert es weiter, ein einheitliches Bild der Wirklichkeit zu gewinnen. Zahlreiche Formen von Empirismen, Psychologismen und Soziologismen begrenzen und relativieren den Wahrheitsanspruch der menschlichen Erkenntnis.

Wir brauchen uns darum nicht zu wundern, wenn unter diesen Umständen die philosophische Frage, die ja wesentlich aufs Ganze zielt und das Einzelne aus dem Ganzen und im Hinblick auf dieses zu verstehen sucht, nicht bei der Einheit der Gegenständlichkeit, die ja gerade noch nicht gegeben ist, ansetzt, sondern bei der Einheit des menschlichen Bewußtseins, das als einheitliches für die ganze Fülle der verschiedenen Zugänge zur Wirklichkeit und auch der versuchten Interpretationsweisen der menschlichen Erkenntnis offen ist. Warum soll die Frage nach dem Ganzen, nach der Einheit der Vielfalt nicht dort beginnen, wo die Einheit sich zunächst zeigt? Hier setzen zwei philosophische Methoden an, für die wir uns in diesem Zusammenhang interessieren: die transzendentale Methode Kants und Maréchals und die existentiale Phänomenologie Heideggers. Bleiben wir einstweilen noch bei Maréchal.

Maréchal legt den Ansatzpunkt von Kant zugrunde und sucht sowohl historisch wie auch systematisch nachzuweisen, daß erstens die Möglichkeit jedes Gegenstandsbewußtseins erst durch eine Erkenntnisfunktion ermöglicht wird, die man passend als berechtigte metaphysische Seinsbejahung bezeichnen muß, daß zweitens diese Seinsbejahung sich nicht nur auf die Ordnung der möglichen Erfahrung bezieht, sondern auch die Grundlagen der thomistischen Metaphysik einschließt, und daß sie drittens auch eine notwendige Verbindung zur praktischen Vernunft darstellt. Diese Seinsbejahung wird nicht nur von den verschiedenen Einzelwissenschaften vorausgesetzt, sondern auch von jeder Reflexion über den menschlichen Erkenntnisvollzug. Erkenntnistheorien, welche meinen, die metaphysische Seinsbejahung mit ihren Implikationen für unmöglich halten zu müssen, heben sich daher selbst auf.

Worin zeigt sich nun in der logischen Struktur der Unterschied dieses Vorgehens von dem der objektiven Methode? Nehmen wir etwa als Beispiel den Begriff, der das meint, was man unter dem Wort „Seiendes“ versteht. Beruft man sich für den Ausweis der Realgültigkeit des Seinsbegriffes und einiger notwendiger Beziehungen, in denen jedes Seiende steht, auf die Evidenz der Gegebenheit von Seiendem und auf Einsicht in Wesenszusammenhänge, in denen jedes Seiende stehen muß, so ist es notwendig, sich den Bedeutungsgehalt des Seinsbegriffes ausdrücklich bewußt zu machen, da man sonst seine Verwirklichung in einem konkreten Fall nicht ausdrücklich zur Gegebenheit bringen kann. Das bringt mit sich, daß man von einem minimalen Begriff ausgehen muß und daß man als Inhalt des Seinsbegriffs nur diesen minimalen, ausdrücklichen Inhalt bezeichnen kann — andernfalls hätte man nicht seine Realgültigkeit überprüft. Eine Vertiefung der Seinserkenntnis durch Einsichtigmachen des notwendigen Zusammenhanges mit anderen Bestimmungen setzt wieder einen ausdrücklichen Vergleich voraus. Im Zusammenhang eines solchen methodischen Ansatzes erscheint es vielen als unmöglich, von einer unausdrücklichen Erkenntnis zu sprechen. Denn erkannt ist etwas nur, wenn ich weiß, daß ich es erkenne. Darum muß es im Ausdrücklichen enthalten sein, zwar nicht notwendig explizit, aber doch so, daß es ein Moment des ausdrücklich Gewußten darstellt (formaliter implizit) oder eine Bestimmung, deren notwendige Zugehörigkeit durch Besinnung auf das ausdrücklich Gemeinte einsichtig wird (virtualiter implizit). Von hier aus ist auch nicht einzusehen, wie durch Besinnung auf die Möglichkeitsbedingungen dafür, daß ein erkennendes Subjekt solche Gehalte wissen kann, etwas über die Realgeltung von Erkenntnisgehalten ausgemacht werden kann[3].

Vom Ansatz der objektiven Methode her sind solche Überlegungen sehr bestechend. Es bleibt aber zu fragen, ob dieser Ansatz der einzig mögliche ist und ob er in seinem Ausschließlichkeitsanspruch dem tatsächlichen Erkennen gerecht wird. Bevor man nämlich die Erkenntnis durch ausdrückliche Zurückführung auf Einsichten, aus denen sie logisch aufgebaut gedacht werden kann, überprüfen will, muß das erkennende Subjekt tatsächlich schon eine große Fülle von Erkenntnissen besitzen. Insofern diese Erkenntnisse berechtigt sind und insofern die Evidenz als letztes Wahrheitskriterium anzusehen ist, gründen diese Erkenntnisse bereits in Evidenz, ohne daß dies noch ausdrücklich gemacht ist. Wieso soll aber dann nicht ein reduktives Verfahren grundsätzlich in der Lage sein, einige von diesen Erkenntnissen herauszufinden, von denen gilt, daß sie unersetzlich sind, daß sie selbst von dem Versuch ihrer Bestreitung bereits als berechtigt vorausgesetzt werden?[4] Ein solcher Aufweis zeigt einmal die Unausweichlichkeit und konstitutive Funktion dieser Erkennt-

---

[3] *A. Pechhacker,* Vérités de fait — vérités éternelles: *Kohler-Windischer,* Erkenntnis und Wahrheit (Innsbruck 1958) 93—133 107. Vgl. *J. de Vries,* Urteilsanalyse und Seinserkenntnis: Scholastik 28 (1953) 382—399 387.

[4] *J. de Vries,* Der Zugang zur Metaphysik: Objektive oder transzendentale Methode?: Scholastik 36 (1961) 481—496.

nisse für alles Denken, damit aber auch die Unrelativierbarkeit hinsichtlich jedes besonderen Denk- oder Fragegehaltes — also auch hinsichtlich des Zweifels, ob es sich bei diesen notwendigen und unausweichlichen Voraussetzungen alles Denkens nicht vielleicht nur um eine subjektive Notwendigkeit handelt, die nicht die Realität erfaßt. Denn auch dies wäre nicht ohne die berechtigte Anwendung der für alles Denken konstitutiven Bedingungen möglich. Somit ist auf indirektem Weg die absolute und darum auch die Realgültigkeit der für alles Denken konstitutiven Bedingungen ausgewiesen.

Wendet man ein, das sei deshalb nicht möglich, weil ein Ausweis der Realgeltung nur durch Evidenz geschehen könne, so übersieht man folgendes: Durch den angedeuteten indirekten Aufweis wird nichts über die Evidenz gesagt — sie wird weder als Berufungsinstanz gebraucht, noch aber wird ausgeschlossen, daß diese Erkenntnis bereits in einer Evidenz gründet und deshalb als realgültig gewußt wird. Die Möglichkeit eines solchen indirekten Ausweises der Realgeltung bestimmter Erkenntnisse kann man sich ja auch so verständlich machen: Weil gezeigt wurde, daß diese Erkenntnisse realgültig sein müssen, weil das erkennende Subjekt auch darum weiß und weil die Realgültigkeit letztlich nur durch Evidenz begründet sein kann, so folgt daraus, daß damit gezeigt wurde, daß diese Erkenntnisse in Evidenz gründen, auch wenn man nicht positiv und ausdrücklich die Evidenz zur Gegebenheit gebracht hat, in der sie gründen. Das hat aber zur Folge, daß man zugestehen muß, daß sich in der menschlichen Erkenntnis Evidenz auswirken kann, ohne daß sie als solche ausdrücklich gemacht worden war. Das heißt aber weiter: Erhebt man für die objektive Methode einen Ausschließlichkeitsanspruch, fordert man unter allen Umständen, daß berechtigte Erkenntnis erst auf ausdrückliche Evidenz des Behaupteten zurückgeführt werden muß, dann stellt man sich in Gegensatz zu der Struktur des tatsächlichen menschlichen Erkennens. Erhebt man weiter das Bedenken, man könne sich nicht denken, wie das möglich sei, dann unterscheidet sich die Weise dieses Einwandes nicht wesentlich von der eines Sensualisten, der sich nicht denken kann, wie der Kontakt mit der Wirklichkeit durch die Sinne eine Erkenntnis begründen kann, die mehr erkennt, als die Sinne bieten können: es wird ein Modell der Erkenntnis verabsolutiert, und zwar so weit, daß dadurch sogar die Voraussetzungen des Einwandes unmöglich werden, ohne daß man sich dessen bewußt ist.

Folgt man dem indirekten Weg der transzendentalen Methode, so gelangt man zunächst zur Feststellung bestimmter objektgerichteter Funktionen, welche konstitutiv für alle gegenstandsgerichteten Akte sind. Wird nun der durch diese Funktion intendierte objektive Gehalt durch einen

Begriff festgelegt, so unterscheidet sich diese Sinnbestimmung wesentlich von der der objektiven Methode. Der Inhalt des Begriffs wird nicht festgelegt durch bestimmte Züge, von denen ich in einem Urteil, das durch ausdrückliche objektive Evidenz begründet ist, aussagen kann, daß sie in einem gegebenen Gegenstand realisiert sind. Der Inhalt des Begriffes wird vielmehr indirekt bestimmt als das, worauf sich diese intentionale Funktion bezieht. Erst durch weitere Analyse, durch Vergleich mit dem, worauf sich andere gegenstandsgerichtete Funktionen beziehen und wie sich diese Funktionen zu jener verhalten, kann ich Zusammenhänge der durch die betreffenden Begriffe festgelegten Gegenstände ausmachen. Durch Besinnung darauf, wie der Gegenstand einer bestimmten Funktion gegeben ist, kann ich mir auch den Inhalt vergegenwärtigen. Dabei kann man die Ableitung der Zusammenhänge als transzendentale Analyse im engeren Sinn kennzeichnen, während die Besinnung, welche die in diesen Akten intendierte Gegenständlichkeit zur Gegebenheit bringt, mehr phänomenologischer Art ist.

Diese Eigenart der transzendentalen Analyse macht nun einige Ausdrucksweisen verständlich, die vom Ansatz der objektiven Methode her wenig oder keinen Sinn haben. Da Begriffe indirekt bestimmt werden, kommt es nicht auf den Grad der Ausdrücklichkeit an, in dem ein intendiertes Moment gemeint ist: ob es explizit, formaliter oder virtuell implizit oder sogar nur durch einen Schluß explizierbar in der Erkenntnis enthalten ist. Weiter wird als erkannt alles das gekennzeichnet, dessen Bejahbarkeit als konstitutive Bedingung indirekt aufgewiesen werden kann. So ist in einem Denkakt alles das „implizit erkannt", dessen Bejahbarkeit transzendentale Möglichkeitsbedingung für diesen Denkakt ist — auch wenn es, von der objektiven Methode her betrachtet, nicht einmal virtualiter implizit in diesem Denkakt enthalten ist. Das macht verständlich, wie einige Autoren sagen können, daß Gottes Dasein in jedem Urteil implizit mitbejaht wird.

Weiter kann man sich von da aus klarmachen, wie die Kennzeichnung „a priori" zu verstehen ist. A priori sind alle jene Erkenntnisse, deren konstitutive Funktion für alle intentionalen Akte oder für die Akte, die sich mit einem bestimmten Bereich beschäftigen, indirekt nachgewiesen werden kann. Terminologisch könnte man dementsprechend reines Apriori und Bereichsapriori unterscheiden. A priori wird diese Erkenntnis genannt, weil sie nicht bloß durch Erfahrung im empiristischen Sinn hinreichend begründet werden kann. Sie ist in dem Sinn unabhängig von der Erfahrung, daß sie bereits von jedem Erfahrungsurteil logisch als berechtigt vorausgesetzt wird — was nicht heißt, daß sie vorher schon ausdrücklich sein müßte oder daß sie überhaupt vor der Auseinandersetzung des Menschen mit Erfahrungsgegebenheiten bereits als Erkenntnis konstituiert sein könnte. Auch soll das nicht heißen, daß alles, was tatsächlich vorausgesetzt wird, wenn man sich der Erfahrung zuwendet, um von ihr eine Antwort zu erhalten, schon dadurch ein Apriori oder wenigstens ein Bereichsapriori wäre. Denn hier spielen viele andere Faktoren herein, etwa Erwartungen, Verallgemeinerungen, Vorurteile, die psychologisch in der bisherigen Erfahrung gründen, die aber oft auch unberechtigt sein können. Darum bedarf es eben eines eigenen Nachweises, einer transzendentalen Deduktion, welche aus diesem „Selbstverständlichen" das Apriori herauslöst — welche also zeigt, was wirklich objektiv evident ist, im Gegensatz zu anderem, wovon man nur überzeugt ist. Freilich beruft man sich bei solchem Aufweis der objektiven Evidenz nicht auf diese, sondern weist nur indirekt nach, welche Erkenntnisse letztlich in objektiver Evidenz gründen müssen, da sie als berechtigt und realgültig aufgewiesen werden können.

Der wissenschaftstheoretische Nutzen dieser zunächst mehr transzendental-logischen Apriori-Forschung liegt auf der Hand. Erstens kann hier genau Rechenschaft über den Sinn der verwendeten Begriffe gegeben werden, da sie operativ von den intentionalen Funktionen her festgelegt werden. Übrigens verwenden bereits Aristoteles und Thomas dieses Vorgehen zur Festlegung metaphysischer Grundbegriffe, die nicht mehr im eigentlichen Sinn definiert werden können[5]. Zweitens können Urteile, welche grundlegende Zusammenhänge zum Ausdruck bringen, ohne Berufung auf die Evidenz dieser Zusammenhänge abgeleitet werden. Eine Vorform dieser transzendentalen Deduktion, die nach Maréchal bereits die wesentlichen Züge dieser Deduktion an sich trägt[6], stellt die Retorsion dar, die „redarguitio elenchica", die auch bereits bei Aristoteles und Thomas zum Geltungsausweis der ersten Prinzipien vorkommt[7]. Drittens wird in diesem Vorgehen das berechtigte Anliegen der kritischen Funktion der transzendentalen Methode wirksam. Sie vermag nämlich „Selbstverständlichkeiten", die letztlich in objektiver Evidenz gründen, von anderen „Selbstverständlichkeiten" zu scheiden, die mehr auf Denkgewohnheiten beruhen oder durch andere subjektive Faktoren bedingt sind[8]. Anders gewendet, bedeutet das: Es wird die Grenze des Geltungsbereiches oder Anwendungsbereiches allgemeiner Prinzipien geklärt, oder wenn

---

[5] *P. Hoenen,* De definitione operativa: Gregorianum 35 (1954) 371—405.

[6] *J. Maréchal:* a. a. O. (s. Anm. 2) I 52.

[7] *G. Isaye,* La justification critique par retorsion: Revue philosophique de Louvain 52 (1954) 204—233.

[8] *J. B. F. Lonergan,* Insight. A Study of Human Understanding (London 1957) XII f 400 f 738 f.

man will, es wird der Sinn des logischen Subjekts dieser Aussagen verdeutlicht, so daß man das Prinzip nicht unkritisch dort anwendet, wo man nur auf den ersten Blick meint, es sei der Subjektsbegriff verwirklicht, ohne daß dies zutrifft. Dies ist etwa wichtig für die Vermeidung eines illegitimen Sprunges aus einem Wissensgebiet in ein anderes, wie dies bei voreiligen metaphysischen Folgerungen aus „Ergebnissen" der Einzelwissenschaften häufig der Fall ist[9]. Viertens wird aber dadurch zugleich der Weg gebahnt zu einer echten Beziehung der verschiedenen Wissensbereiche aufeinander. Operative Definition der Grundbegriffe und transzendentale Deduktion der Prinzipien beziehen nämlich die Erkenntnisgehalte der verschiedensten Wissensbereiche auf die Einheit des Bewußtseins und geben dadurch bereits einen Ansatzpunkt für eine kritische Feststellung nicht nur ihres Unterschiedes, sondern auch ihres Zusammenhanges. Es ist beachtenswert, daß zum Beispiel Karl Rahner den Zugang zur Behandlung der Thematik von „Hörer des Wortes" in der wissenschaftstheoretischen Frage nach dem Verhältnis zweier Wissensbereiche findet, nämlich in der Frage nach dem Verhältnis von Religionsphilosophie und Theologie.

Von hier aus können wir auch verstehen, wie die Frage nach dem Verhältnis von Apriori und Erfahrung zu sehen ist. Man trifft manchmal die Anschauung, das Apriori sei ohne Beziehung zur Erfahrung und stehe oft sogar in Gegensatz zu ihr. Das mag vielleicht für die Aufstellungen rationalistischer Philosophen gelten, welche sich auf die Einsicht in notwendige Zusammenhänge zwischen Begriffen berufen, ohne die Begriffe hinlänglich durch Beziehung auf die Erfahrung in ihrer Realgeltung gerechtfertigt und hinsichtlich ihres Sinnes genau bestimmt zu haben. Da kann es leicht geschehen, daß diese „Prinzipien" unkritisch angewendet werden. So kommt es zu Folgerungen, die der Erfahrung widersprechen oder sie vergewaltigen. Die Wirklichkeit wird in vorgefaßte Schemata gepreßt. Gerade das soll die transzendentale Erforschung des Apriori verhindern — es war bereits bei Kant eines der Hauptanliegen, den unkritischen Gebrauch der Vernunft einzudämmen, wenn Kant auch in seinem Ergebnis nicht ganz glücklich war.

Faßt man das Apriori streng in dem oben angegebenen Sinn, dann konstituiert es jede Erkenntnis überhaupt oder jede Erkenntnis eines bestimmten Bereiches, daher auch die Erfahrungserkenntnis. Darum kann es auch keinen Widerspruch zwischen Apriori und Erfahrung geben. Genetisch betrachtet, setzt übrigens der Aufweis des Apriori bereits Er-

---

[9] O. *Muck*, Methodologie und Metaphysik: *Coreth - Muck - Schasching*, Aufgaben der Philosophie (Innsbruck 1958) 97—157 103 f 126—133.

fahrungserkenntnis voraus und macht an der Erfahrungserkenntnis jene Momente ausdrücklich, die den Gegenstand von beliebiger Erfahrung oder wenigstens dieser Art von Erfahrung überhaupt erst als Gegenstand an sich und als Gegenstand der Erfahrung möglich machen. Weil sie aber den Gegenstand der Erfahrung überhaupt oder auch einer besonderen Art von Erfahrung ermöglichen, gelten sie für alle Gegenstände der Erfahrung oder derartiger Erfahrung und können darum dieser Erfahrung nicht widersprechen. Man kann darum das Apriori als einen allgemeinen Rahmen auffassen, der die einzelne Erfahrung erst ermöglicht und der durch diese Erfahrung weiter differenziert und erfüllt wird. Das Apriori legt den Horizont fest, in dem Gegenstände erfahren werden können. Sollte sich tatsächlich ein Gegensatz einstellen, so ist er ein Zeichen dafür, daß entweder die transzendentale Deduktion oder die Interpretation der Erfahrung nicht sauber durchgeführt wurde.

So ist das transzendentale Apriori weit davon entfernt, eine „aprioristische" Konstruktion zu sein, die sich nicht um die erfahrbare Wirklichkeit kümmert und sie verfälscht. Das Gegenteil ist der Fall. Richtig angewendet, verhindert die transzendentale Analyse der apriorischen Bedingungen eine unkritische, rationalistische und fehlerhafte Anwendung von Prinzipien und Interpretation der Erfahrung, die aus mangelnder Rechenschaftsablage über Sinn und Geltung dessen, was man für selbstverständlich hält, entsteht.

Bisher wurde das Apriori mehr seiner logischen Eigenart nach betrachtet. Die Weiterführung der transzendentalen Analyse führt aber zu der Frage, wie nun dieses apriorische Element in der Erkenntnis weiter erklärt werden kann. Wie muß die menschliche Erkenntnisfähigkeit beschaffen sein, damit sie Grund für einen Vollzug der Erkenntnis sein kann, wie wir ihn tatsächlich erleben? Das führt zu einem erkenntnismetaphysischen Verständnis des Apriori. Maréchal findet dies in einem bestimmt gearteten Dynamismus des erkennenden Subjekts, durch den es in einer, ihm wenigstens implicite bekannten Weise, auf das absolute Sein ausgerichtet ist. Durch die Auseinandersetzung mit Heideggers fundamentalontologischem Anliegen befruchtet, führt Rahner die Frage weiter: Wie kann die Erkenntnis und ein erkennendes Subjekt, das fragen kann und muß, als ein Seiendes, als eine bestimmte Weise des Seinsvollzugs verstanden werden? Hier führt die Analyse, die zu Beginn von „Hörer des Wortes" durchgeführt wird, weiter. In dieser Analyse kommen zugleich zur Geltung: erstens die transzendentallogische Aprioriforschung, zweitens die phänomenologische Besinnung, wie die durch intentionale Funktionen indirekt festgelegten gegenständlichen Momente inhaltlich zur Gegebenheit gebracht werden können, und drittens ein durch die vorausgehenden Schritte ermöglichtes erkenntnismetaphysisches Verstehen des aufgewiesenen Apriori vom Sein her. In allen drei Punkten geht Rahner über Maréchal hinaus — wenigstens in den letzten beiden Punkten scheint dies Frucht der Auseinandersetzung mit Heidegger zu sein.

Bei Maréchal war die konkrete Ausprägung der transzendentalen Analyse vorwiegend bestimmt durch den Vergleich von Kant und Thomas. Damit war sie von vornherein in einen mehr erkenntnismetaphysischen Kontext gerückt, und außerdem war es nicht so wichtig, einige Voraussetzungen der transzendentallogischen Analyse näher zu rechtfertigen, weil sie von Kant nicht angezweifelt wurden und sich auch von der thomistischen Erkenntnismetaphysik her verständlich machen ließen. Wird jedoch eine mehr systematische Absicht verfolgt, so muß man deutlicher zeigen, wie der gegenstandsgerichtete Vollzug auf sein Apriori verweist, womit die transzendentale Analyse in Schwung gebracht wird. Das geschieht bei Rahner in „Hörer des Wortes“ durch die wissenschaftstheoretische Fragestellung und durch die Besinnung auf die Voraussetzungen der Frage. Die Rechtfertigung des Apriori geschieht nicht erst wie bei Maréchal am Schluß der Analyse, sondern wird schrittweise geleistet durch Retorsion. So wird etwa die Notwendigkeit der Seinsfrage durch den Aufweis gezeigt, daß selbst der, der Metaphysik ablehnt, dadurch bereits eine bestimmte Antwort auf die Seinsfrage gegeben hat.

Insofern die transzendentale Fragestellung aus einer Besinnung auf das menschliche Leben, auf die bewußten, gegenstandsgerichteten Akte in Bewegung gebracht wurde, ist bereits eine Beziehung zu einer existentialen und einer metaphysischen Analytik des Menschen gegeben. Zunächst wäre freilich eine bloße Frage nach dem abstrakten und formalen Verhältnis der verschiedenen Vollzüge und ihrer Gegenstände möglich. Indem sich aber gerade als letztes Gesetz des menschlichen Erkenntnisvollzugs der Seinsbezug herausstellt, schlägt die Frage nach den apriorischen Bestimmungen des Gegenstandsbewußtseins, schränkt man sie nicht willkürlich ein, in die Frage nach dem Wesen des Menschen um, in die Frage, wie er durch das Sein konstituiert ist, damit er solche Tätigkeiten als seine ihm eigentümliche Daseinsweise vollziehen muß. Die Frage nach dem logischen Apriori vertieft sich zu erkenntnismetaphysischem Verständnis und zu einer ontologischen Fundierung dieser Erkenntnismetaphysik, wobei sich anderseits das Seinsverständnis und die Fundierung der Ontologie und Metaphysik aus dieser Analytik des menschlichen Daseins ergibt.

Hier finden wir, daß K. Rahner wesentlich über M. Heidegger hinausgeht. Die existentiale Analyse des menschlichen Daseins muß zwar mit einer phänomenologischen Besinnung beginnen und immer auf sie zurückbezogen bleiben. Diese Analyse geht dann aber notwendig in eine diskursive Verarbeitung des Aufgewiesenen über. Dabei bleibt sich aber Rahner bewußt, daß metaphysische Spekulation, so notwendig sie auch für die Erhellung des menschlichen Daseins und für das dazu notwendige letzte Seinsverständnis ist, in der Gefahr bleibt, ihren Sinn zu verlieren, wenn sie nicht auf die zu erhellende Wirklichkeit des menschlichen Daseins in seiner Weltbegegnung rückbezogen bleibt. Dadurch wird das Bewußtsein um den Anwendungsbereich des metaphysischen Verständnisses lebendig erhalten und einem rationalistischen Mißbrauch entgegengearbeitet. Das spekulative Denken rechtfertigt sich dadurch, daß es sich aus der als notwendig und berechtigt erkannten Eigengesetzlichkeit des Bewußtseins in seinem Bemühen um Selbstverständnis seines Weltbezuges ergibt. Es überschreitet wesentlich das phänomenologisch Aufweisbare, aber es erfüllt seinen Sinn nur, wenn es das konkret Erfahrene und Gelebte erhellt.

Man könnte dieses Denken als konkrete Spekulation charakterisieren. In dieser Einheit von existentialer Phänomenologie, transzendental fundierter Spekulation und Rückbeziehung auf das konkret Erlebte scheint uns die Stärke des Denkens K. Rahners zu liegen. Diese Einheit zeigt sich darin, daß bei allen Grundbegriffen immer die phänomenologische Grundlage und Gegebenheitsweise und das erkenntnismetaphysische Verständnis mit dem ontischen Gehalt einer formal-ontologischen oder metaphysischen Aussage mitschwingt und zusammengesehen wird. Dies ist wohl der Grund der methodischen Fruchtbarkeit und Schärfe dieses Denkens, aber auch die Wurzel der Schwierigkeit, welche dieses Denken einem Nachvollzug bereitet, wenn man nicht offen ist für alle diese Gesichtspunkte und sie in ihrem Zusammenhang verstanden hat.

WIE IST ANALOGIE MÖGLICH?

Von Hermann Krings, Saarbrücken

I

Dem Problem der Analogie liegt das Problem der Einheit und Mannigfaltigkeit des menschlichen Erkennens zugrunde. Alles Erkennen entspringt in der Einheit der Person und ist je auf einen Gegenstand gerichtet, der eine Einheit bildet oder als eine Einheit gebildet werden soll. Weist nun die Gegenstandssphäre eine Mannigfaltigkeit auf, so findet und vernimmt das Erkennen einerseits „dieses“ und „jenes“ als ein jeweils ungeteiltes und unteilbares Eines. Anderseits aber besteht Erkennen wesentlich darin, Mannigfaltiges als Teile einer Einheit zu konstituieren und dadurch als Einheit zu setzen. Diese jeweiligen Einheiten verlangen abermals synthetisiert zu werden — und so fort bis zu der Idee der Einheit des wahren Ganzen.

Dieses schon die griechische Philosophie beherrschende Problem des Vielen und Einen wirft ganz allgemein die Frage auf, in welchen Weisen denn überhaupt Einheit im Erkennen konstituiert ist. Ein Text von Aristoteles, der als ein locus classicus für die Analogie gelten kann (Met. Δ 6; 1016 b 34—1017 a 6), gibt folgende Reihe: numerische Einheit, eidetische Einheit, generische Einheit, analogische Einheit. Was der Zahl nach eines ist, besitzt seine Einheit auf Grund der Selbigkeit des Stoffes (dieses Haus), was der Zahl nach mehreres, aber dem Eidos nach eines ist, besitzt sie auf Grund der Einheit des Logos (Begriff Haus), was der Zahl und der Art nach mehreres und verschiedenes, aber der Gattung nach eines ist (Gebäude), ist durch die Gemeinsamkeit der zugrunde liegenden Kategorie („gebaut“) als eine Einheit aufgefaßt.

Wenn nun die menschliche Erkenntnis die Mannigfaltigkeit ihrer Gegenstände in der Weise antreffen und erkennen würde, daß alles auf eine gemeinsame Gattung gebracht werden könnte — etwa in der Form: alles, was ist, ist Substanz; oder: alles, was ist, ist Lebewesen; oder: alles, was ist, ist Bewußtsein oder Seele o. a. —, so wäre in der Einheit dieser Gattung die Einheit des All des Seienden realisiert. Sollte sich aber nicht die alles umgreifende und begreifende Kategorie finden — und es ist die bei Platon sich anbahnende, bei Aristoteles artikulierte Erkenntnis, daß das All des Seienden nicht durch einen universellen Gattungsbegriff gefaßt werden kann —, dann ergibt sich für die Begründung der menschlichen Erkenntnis ein schlechthin fundamentales Problem: Wie kann das, was unter keine geltende Gattung, mithin überhaupt nicht auf *einen* Begriff gebracht werden kann, was also schlechthin ungleich und im strengen Sinn hetero-gen ist, noch als eine Einheit und mithin überhaupt begriffen werden? Sollte diese Frage unbeantwortbar bleiben, so fiele das menschliche Erkennen in diskontinuierliche Teilstücke je nach der obersten Gattung auseinander; es wäre nicht mehr in Wahrheit Erkennen. Was bliebe, wäre ein bares Festhalten des Heterogenen als des Heterogenen. Das All des Seienden wäre nicht mehr συνεχής, zusammenhaltend; es bräche auseinander.

An dieser bedeutungsvollen Stelle der Analyse des Einheitsproblems steht das aristotelische ἓν κατ' ἀναλογίαν oder ἓν ἀναλογίᾳ, Eins durch Analogie[1]. Das Heterogene kann auf Grund der Analogie als eine Einheit begriffen werden; das heißt, das Mannigfaltige A und B, das heterogen nebeneinander steht, „verhält sich wie das andere zum anderen", wie C zu D. Die Einheit dieses Mannigfaltigen beruht in einer Verhältnisgleichheit.

Der Begriff der Analogie enthält drei Momente. Erstens bezieht er sich auf Verhältnisse (λόγοι), nicht auf das Materiale oder die Form, nicht auf das Wesen oder das Dasein der Sache. Diese Verhältnisse können an der Sache selbst oder zwischen der einen Sache und einer anderen angetroffen werden. — Zweitens: er betrifft ein Verhältnis solcher Verhältnisse. In der Analogie werden Verhältnisse, die in verschiedenen Bereichen angetroffen oder gedacht werden, zueinander in ein Verhältnis gesetzt. — Drittens: dieses Verhältnis der Verhältnisse ist ein ganz bestimmtes, nämlich das der Gleichheit. Es besteht „eine vollkommene Ähnlichkeit zweier Verhältnisse zwischen ganz unähnlichen Dingen", wie ein anderer locus classicus bei Kant (Prolegomena § 58) lautet. Sofern also Gegenstände des Erkennens nicht mehr unter einer gemeinsamen Kategorie begriffen werden können, mithin unvergleichlich sind, können doch „Entsprechungen" an ihnen gefunden werden, die es erlauben, sie ἀνὰ λόγον als eine Einheit aufzufassen[2].

---

[1] Vgl. *J. Stenzel,* Zur Theorie des Logos: Kleine Schriften (Darmstadt 1956) 188—200. — Ferner: „Eins durch Analogia" und *Logos Aoristos:* Zahl und Gestalt bei Platon und Aristoteles (Homburg ³1959) 156—174. — Vgl. *H. Kuhn,* Das Sein und das Gute (München 1962) 57.

[2] Denselben Befund stellt Aristoteles in der Topik dar. Er spricht A 13 von den Organa, welche für die Durchführung von Syllogismus und Induktion erforderlich sind. Nachdem er das Auffinden der Sätze, von denen man auszugehen hat, die Unterscheidung der

Das Denken und Sprechen in Analogien reicht so weit zurück wie die Zeugnisse menschlicher Sprache. Auch die Philosophie hat seit ihren Anfängen die Einheit durch Analogie gekannt[3]. Heraklit, der erste Klassiker des Denkens analoger Einheit in der Philosophie, hat, wenn auch anscheinend ohne Reflexion auf die Methode, diesen Denkweg höchst bewußt gewählt und beschritten, um vom Ganzen des Weltlaufs, vom Logos und anderen, wahrhaft unvergleichlichen, außerhalb jeder bekannten Kategorialität liegenden Gegenständen zu sprechen. Die Pythagoreer bildeten diese Methode aus; Archytas entwickelte die klassische Lehre von der arithmetischen, der geometrischen und der harmonischen Proportion (Diels I 47, B 2). Sie diente in der Mathematik u. a. dazu, die irrationale Größe zu bestimmen. Von Sokrates und Platon wurde die Analogie in den Rang einer philosophischen Methode erhoben[4] und war nach ihnen sowohl in der Akademie[5] wie im Peripatos[6] lange Zeit eine maßgebliche Methode der wissenschaftlichen Forschung. Aristoteles bedient sich der Analogie als Methode, um z. B. von einem so unvergleichlichen und undefinierbaren Begriff wie ἐνέργεια zu sprechen[7] oder um einen Weg anzuweisen, wie auch noch etwas durchaus Inkommensurables wie das δίκαιον für eine einzelne Person hic et nunc (etwa das Maß der Ehrung, das Achill zusteht) zu bestimmen[8]. Dieser Begriff der Analogie hat seither zum immer wieder erörterten Rüstzeug der wissenschaftlichen Methodik gehört, nicht zuletzt bei Kant[9] und Hegel[10]. Er ist es auch, der — sei es als analogia entis oder analogia fidei — in die Theologie eingegangen ist. Dabei ist die Ana-

---

mannigfachen Bedeutungen der Wörter und das Auffinden der Unterschiede (διαφορά) genannt hat, führt er als letztes das Aufsuchen der Übereinstimmung (τοῦ ὁμοίου σκέψις) an. Die Übereinstimmung oder das Gleiche liegt nach A 17 bei den Dingen, die unter einen gemeinsamen Gattungsbegriff fallen, eben in diesem gemeinsamen Genus. Bei Dingen verschiedener Gattungen aber liegt das Gemeinsame darin, daß sich „Verschiedenes zu Verschiedenem wie Anderes zu Anderem verhält" (ὡς ἕτερον πρὸς ἑτερόν τι, οὕτως ἄλλο πρὸς ἄλλο 108 a 8). — 108 b 27 sagt Aristoteles übrigens, daß das Gemeinsame (τὸ κοινόν), welches für das Heterogene gefunden wird, also der analoge Begriff, „als Gattung" für alle angegeben werden könnte. Der Begriff der Gattung wird also formalisiert und auch auf jene Einheit angewandt, die sonst von der Gattungseinheit streng unterschieden wird.

[3] Vgl. *H. Fränkel*, Wege und Formen frühgriechischen Denkens (München 1955).

[4] Vgl. *E. W. Platzek*, Von der Analogie zum Syllogismus (Paderborn 1954).

[5] Vgl. *J. Stenzel*, Art. Speusippos: RE² III 1636 ff.

[6] Vgl. O. *Regenbogen*, Art. Theophrastos: RE Suppl. VII 1393 f 1551 ff.

[7] Met. Θ 6, 1048 a 35 — b 9.

[8] Eth. Nic. V 6—8. — Vgl. *Aristoteles*, Werke in deutscher Übersetzung, hrsg. v. *E. Grumach*, Bd. 6 Nikomachische Ethik, übers. v. *F. Dirlmeier* (Darmstadt 1956) 408.

[9] Kritik der reinen Vernunft, B 222 ff. Prolegomena § 58.

[10] Vgl. *E. K. Specht*, Der Analogiebegriff bei Kant und Hegel, Erg.-Hefte der Kantstudien 66 (1952). *E. Coreth*, Dialektik und Analogie des Seins. Zum Seinsproblem bei Hegel und in der Scholastik: Scholastik 26 (1951) 56—86.

logie allerdings einesteils zu einem allzu selbstverständlich, schulmäßig gehandhabten Tropos verflacht worden; anderenteils hat das Problem der Analogie den Rang eines der großen theologischen Kontroversthemen gewahrt[11].

Die Bedeutung des Einen κατ' ἀναλογίαν in der Logik und Metaphysik kann nach Aristoteles gar nicht überschätzt werden, ist es doch nach der von ihm aufgestellten Reihe evident, daß ein Ganzes der menschlichen Erkenntnis, soweit es überhaupt herstellbar ist, nur auf Grund von Verhältniseinheiten hergestellt werden kann. Würde das „Ganze" des Seienden bloß als ein Gesamt von Dingen aufgefaßt, so bliebe dem Denken am Ende nur eine Summe sinnlos nebeneinander stehender Gattungen.

Es ist notwendig, sich die Konsequenzen eines bloßen Gattungsdenkens, d. i. eines begrifflich objektivierenden Denkens, das lediglich materialinhaltliche Einheiten faßt, klarzumachen. Der Gattungsbegriff, der gegenüber der Artbestimmtheit ein materiales Moment erfaßt, ist einerseits unbestimmt, nämlich im Hinblick auf eine Differenzierung in Arten; anderseits aber ist er bestimmt, denn das „Materiale", das er bedeutet, hat einen eigenen Inhalt. Oberste Gattung heißt eine solche bestimmte Unbestimmtheit (z. B. Substanzialität oder Bewußtsein o. a.), sofern sie nicht abermals als das Spezifische einer höheren, ihrerseits bestimmten Unbestimmtheit differenziert werden kann. Sie ist also die letzte, einer Vielzahl von Arten und Seienden zukommende materiale Bestimmtheit, die selbst nicht wiederum unter eine höhere Gattung gebracht werden kann. Oberste Gattungen stehen darum, was ihre Inhaltlichkeit angeht, unverbunden nebeneinander. Wollte man es trotzdem unternehmen, die obersten Gattungen unter höhere Allgemeinbegriffe zu fassen, so würden diese allgemeinsten Begriffe nicht eine inhaltlich-bestimmte, sondern bloß eine inhaltslose, also unbestimmte Unbestimmtheit bedeuten. Würde etwa der Seinsbegriff (aber auch etwa der Begriff der Relation oder der Reflexion) logisch fehlerhaft als ein höchster „Gattungsbegriff" gebraucht, so würde seine Bedeutung zu leerer Unbestimmtheit denaturiert. Ein solcher Begriff konstitutiert keine Homogenität, sondern zeigt allenfalls die zwischen dem Heterogenen gähnende Leere an. Durch einen leeren Begriff wird kein Ganzes denkbar. Das Ganze des Seienden ist mithin nicht anders denkbar denn als eine Einheit von Verhältnissen. Das bedeutet aber, daß das wahre Ganze nur gedacht werden kann, sofern alle Logoi in einem Logos ver-

---

[11] Vgl. *G. Söhngen,* Analogia entis oder analogia fidei: Die Einheit in der Theologie (München 1952); *E. Coreth* und *E. Przywara,* Art. Analogie: LThK² I 468—473 (Lit.). *G. Söhngen,* Art. Analogie: Handbuch theologischer Grundbegriffe I (München 1962) 49—61 (dort auch Lit. zur Auseinandersetzung mit K. Barth).

sammelt und begriffen sind. Der Begriff einer Einen Welt ist von seinem *logischen* Ursprung her der Begriff einer Verhältniseinheit[12].

Die Verhältniseinheit, durch die das Heterogene als Teil einer Einheit gedacht werden kann, stellt im Hinblick auf die menschlichen Denkmöglichkeiten einen ausgezeichneten Fall dar. „Das Analogische umfaßt", um mit Theophrast zu reden, „den weitesten Umkreis"[13], und das nicht nur im formallogischen, sondern im transzendental-logischen Sinn. Die Reihe der Einheitsarten, die Aristoteles aufstellt, ist eine *Begründungsreihe*, die in dem Eins durch Analogie ihren Ursprung hat: die numerische Einheit ist durch die eidetische, diese wiederum durch die generische Einheit, sie alle aber sind durch die analogische Einheit *ermöglicht*[14]. So wie der Körper die Fläche, die Fläche die Linie, die Linie aber den Punkt voraussetzt, so daß der Punkt das geometrisch Erste ist[15], so ist die Analogie das „erste Maß" für jedwede Einheit. Die Verhältniseinheit ist also nicht ein Sonderfall und schon gar nicht ein Behelf oder eine defiziente Form der Einheit[16],

---

[12] Dieser strukturelle Weltbegriff ist bei Platon grundgelegt, wenngleich im „Timaios" mit der Weltseele und dem „einen Himmel" ein Ursprung vorgestellt ist, durch den das Gesamt der Dinge auf eine Wesenseinheit zurückgeführt ist. Charakteristischer und offensichtlich in der alten Akademie vorherrschend (s. o. Anm. 5) ist aber die strukturelle Auffassung. Das Weltall, sofern es geworden und körperlich ist, ist dadurch in sich eines, daß die vier Elemente zueinander in dem Verhältnis a : b = b : c = c : d stehen: Feuer zu Luft wie Luft zu Wasser wie Wasser zu Erde (vgl. *E. Zeller*, Die Philosophie der Griechen II/1, Leipzig [3]1875, 671 ff). Diese Verhältnisgleichheit der vier, nicht mehr auf ein gemeinsames Grundelement reduzierbaren Elemente macht den Grund der Einheit des Weltalls aus (vgl. eine andere Verhältnisgleichheit zwischen den vier Elementen bei Heraklit B 76). — Unter diesem Gesichtspunkt ist es weder angängig, die Analogie mit Berufung auf Tim 52 b als die „niedrigste Erkenntnisstufe" zu klassifizieren, wie es *H. Höffding* (Der Begriff der Analogie, Leipzig 1924, 30) tut, nennt doch Platon kurz vorher (31 c) die Analogie „das schönste Band", noch auch sie mit Zeller als eine „spielende Künstelei" abzutun, die Hegel ohne Grund bewundert habe (a. a. O. 674). Nach Höffdings Einschätzung wäre — wollte man der aristotelischen Reihe folgen — die Erkenntnis, daß ein Baum der Zahl nach ein Baum ist, die „höchste" Erkenntnisstufe; hier wird offenbar unbewußt die quantitative Exaktheit mit dem Erkenntniswert gleichgesetzt. Zellers Auffassung bestünde aber nur dann allenfalls zu Recht, wenn man das Ganze der Wahrheit schon in seinen Besitz gebracht zu haben glaubt.

[13] Zit. nach *J. Stenzel*, Eins durch Analogie 159.

[14] „. . . : immer ‚folgt' (ἀκολουθεῖ) das spätere dem vorhergehenden so, daß das folgende zwar dem vorhergehenden zukommen muß, aber nicht umgekehrt; zweite Reihe: was der Zahl nach eins ist, ist es notwendig dem Eidos nach, aber nicht umgekehrt, und so entsprechend bis zum Eins durch Analogie, das offenbar allumfassend ist, ein Prinzip, das aufgehoben alle anderen mitaufhebt, selbst aber von dem Wegdenken der anderen unabhängig ist" (a. a. O. 160).

[15] Met. Δ 6; 1016 b 24—31.

[16] *H. G. Gadamer* sagt, es sei „das Vorurteil einer sprachfremden logischen Theorie, wenn der übertragene Gebrauch eines Wortes zum uneigentlichen Gebrauch herabgedrückt

sondern sie ist die transzendental primäre, schlechthin grundlegende „Gestalt", in welcher Einheit gedacht wird. Das Eine der Analogie nach begreift alle anderen Formen der Einheit in sich und entläßt sie aus sich.

Damit gewinnt die Frage, wie Analogie möglich sei, eine geradezu unüberbietbare metaphysische Dringlichkeit.

Der logische Integrationspunkt der Analogie liegt in jenem Begriff, der das Verhältnis erfaßt, auf Grund dessen das im übrigen Unvergleichliche miteinander verglichen und für gleich befunden wird. Dieser vermittelnde Begriff ist der analoge Begriff.

Der analoge Begriff muß einerseits eine selbig bleibende Bedeutung haben; sonst könnte er keine Einheit begründen. Anderseits muß er aber auch verschiedene Bedeutungen annehmen können; sonst könnte er nicht in verschiedenen Gattungsbereichen gelten. Damit ergeben sich eine Reihe kritischer logischer Fragen: Wenn der Begriff eine von jedem Verhältnis unabhängige, also absolute, rein immanente und identische Bedeutung besitzt, so ist einmal zu fragen, woher diese Bedeutung des Begriffs, der doch „unser" Begriff ist, stammt. Zum andern aber ist zu fragen, wie der Begriff, da er eindeutig ist, verschiedene Bedeutungen aufnehmen könne. — Wenn aber, um einen zweiten denkbaren Fall zu nennen, der Begriff gar keine von jedem Verhältnis unabhängige Bedeutung besitzen sollte, sondern lediglich ein bestimmtes Verhältnis als primär gilt [17] und dieses lediglich auf andere Gattungen „übertragen" wird (z.B. „wohnen": primär wird vom Menschen gesagt, daß er wohnt; daß der Vogel im Baum und Gott im Himmel wohnt, ist „übertragene" Bedeutung), so ist zu fragen, wie solches „Übertragen" möglich sei. — Sollte jedoch schließlich der Begriff in jeder Gattung seine besondere und unübertragbare Bedeutung haben, so ist zu fragen, wie denn die Äquivozität vermieden werden könne und eine einheitliche Bedeutung überhaupt Geltung habe.

Damit ist die Frage nach der Möglichkeit der Analogie thematisiert, und zwar in doppelter Hinsicht. Einmal im Hinblick auf die Verhältnisse: Wie ist es möglich, daß Verhältnisse, die an völlig verschiedenen Dingen und in heterogenen Bereichen angetroffen werden, gleich sind? Wieso sind die Verhältnisse nicht ebenso unvergleichlich wie die Gattungen und ihre inhaltlichen Bestimmungen? Welchen Grund hat eine Gleichsetzung der Verhältnisse? — Zum anderen im Hinblick auf die analogen Begriffe: Wie

---

wird": Wahrheit und Methode (Tübingen 1960) 406. — Vgl. *G. Söhngen,* der sie als eine „Grundstruktur in allen Seins- und Wissensregionen" darstellt: Handbuch I 50.

[17] Aristoteles nennt es Met. 1028 a 14 das πρῶτον.

ist es möglich, daß ein Begriff univok ist und doch analog gebraucht wird? Und wie ist es möglich, daß die Analogizität sich nicht in Äquivozität auflöst?

II

Zuerst muß eine „Selbstverständlichkeit" in Erinnerung gerufen werden, die allerdings für die Beantwortung der aufgeworfenen Frage von entscheidender Bedeutung ist: Verhältnisse sind nicht direkt sichtbar; denn das primär Gesehene ist ein ungeteiltes Ganzes. Verhältnisse werden, da sie als das Mittlere zwischen Relaten konstituiert sind, allererst „sichtbar", sofern das ungeteilte Ganze in irgendeiner Weise „geteilt" wird. Solche Teilung aber geschieht nicht durch Sehen, sondern durch Denken. Verhältnisse wie Selbstsein, Gleichsein, Bezug oder Rückbezug können nicht gesehen werden; aber auch nicht Verhältnisse wie Erhellen oder Begründen; nicht einmal empirische Verhältnisse wie Umgeben, Wohnen oder Überragen können direkt gesehen werden.

Gewiß kann ich „sehen", daß X hier wohnt. Transzendental-analytisch gesprochen, wird jedoch zunächst ein Ganzes gesehen, dessen Teilgehalte (Haus, Tisch, Regenmantel) als solche ebensowenig erblickt werden wie das Wohnen. Mit einer Aufgliederung des im ganzen Gesehenen und mit einer Unterscheidung einzelner Gehaltstücke wird nun aber auch das Verhältnis „sichtbar", das die Stücke als Teilgehalte des Ganzen und mithin das Ganze als „Wohnung" konstituiert. Das Wohnen und so jedes Verhältnis kann nicht direkt gesehen werden; es wird jeweils mitgesehen. Die Verhältnisse treten also als Verhältnisse erst hervor, wenn das sinnlich oder geistig Gesehene aufgegliedert ist. „Vorher" sind sie in die Ganzheit des Gesehenen eingesenkt; logisch gesprochen: das Formale ist gänzlich vom Materialen umschlossen. Sofern ein ungeteiltes Ganzes vernommen ist, sind die Verhältnisse nur mitvernommen.

Verhältnisse „erscheinen" allererst als Verhältnisse, wo das primär vernommene Ganze durch den logischen Akt des Denkens als ein aufgegliedertes Gebilde gesetzt und in einem Satz, genauer in der Rede, dargestellt ist. Damit „erscheint" aber auch das Ganze; dieses ist nun nicht nur in seiner Ungeteiltheit vernommen, sondern eben dadurch, daß die Verhältnisse, die es konstituieren, hervortreten, selber als Sach-Verhalt offenbar. Jedoch nicht allein die Verhältnisse und das Ganze, auch das Materiale des Sachverhaltes „erscheint" in neuer Weise, und zwar als dasjenige, dem ein bestimmtes Verhältnis zukommt oder nicht zukommt. In den einfachen Urteilen „A ist von B umgeben" (die Stadt von der Mauer; der Regent von den Ratgebern) oder „zur Vollkommenheit gehört Glückseligkeit" erscheint also nicht allein das Formale erstmals, nämlich das „umgeben" und

„gehören"; auch das Materiale, nämlich A, B, Vollkommenheit, Glückseligkeit sowie das Ganze der Sachverhalte erscheinen in einer neuen, nämlich begrifflich aufgegliederten Weise.

Die einzelnen Begriffe, die sich bei jener im Urteil vollzogenen Aufgliederung der primären Anschauungseinheit ergeben, haben ihren Ursprung darin, daß sie als Glieder dieses logischen Gebildes „Urteil" fungieren. Dieses gilt ebenso für die Begriffe, die einen materialen Gehalt bedeuten, wie für jene, die einen formalen Gehalt bedeuten; und dazu gehören die Verhältnisbegriffe. Der Gehalt, den jeder von ihnen bedeutet, ist darum einerseits durch die undifferenzierte Gehaltfülle der Anschauungseinheit, anderseits durch die jeweiligen logischen Funktionen und gegenseitigen Beziehungen im Urteil begründet.

Damit zeichnet sich ein erstes, die Analogie betreffendes Ergebnis ab: Der Begriff entspringt nicht absolut. Er steht ursprünglich — in des Wortes logisch strengem Sinn — *im Verhältnis.* Das heißt: er ist als Begriff durch sein Verhältnis zu anderen Begriffen mitbegründet, so wie der andere Begriff durch sein Verhältnis zu ihm. Das aber bedeutet: *der Begriff ist ursprünglich analog.* Sofern er sich bildet, bildet er sich immer schon in einer Entsprechung zu anderen Begriffen. Der logische Ort dieser ursprünglichen Entsprechung ist das Urteil.

Sofern der Begriff sich allererst im Urteil konstituiert und seine Bedeutung erst innerhalb des Urteilszusammenhangs ihre volle Bestimmtheit erlangt, gibt es keine *absolute* Univozität. Univozität des Begriffs muß hergestellt werden. Sie kann hergestellt werden, wenn der Begriff aus der Verflechtung in die Verhältnisse, durch die er im Urteil seine Bedeutung hat, herausgelöst und für sich gesetzt wird. Der Begriff einer solchen Herauslösung des Begriffs aus dem Urteil und seine Setzung „als Begriff" ist der transzendental-logische Sinn von Abstraktion.

Der aus dem Urteilszusammenhang abstrahierte und für sich gesetzte Begriff ist aber nicht der ursprüngliche, sondern er ist das Produkt einer künstlichen logischen Operation. Der abstrakt gesetzte Begriff kann nun weiterhin seiner allgemeingültigen und gleichbleibenden Bedeutung nach festgesetzt werden. Dieses geschieht allerdings wiederum dadurch, daß der Begriff in der Definition zu anderen Begriffen in ein Verhältnis gesetzt wird. Doch da es sich bei der Definition nicht im ursprünglichen Sinn um eine Begriffs*bestimmung*, sondern um eine Begriffs*abgrenzung* handelt, gehen diese Verhältnisse nicht in den Begriff ein, sondern bleiben ihm äußerlich.

Der univoke Begriff ist der abstrakte Begriff; er bedeutet einen materialen oder formalen Gehalt, sofern er aus allen im Urteil gesetzten Verhältnissen herausgenommen ist. Seine Bedeutung ist rein immanent; da sie den modifizierenden Faktoren entzogen ist, ist die Bedeutung gleichbleibend und gilt allgemein.

Der abstrakte und dadurch univoke Begriff steht, sofern er als solcher in ein Urteil als Urteilsgegenstand oder als Urteilsaussage eingeht, wiederum in Entsprechungen, die seine Univozität antasten müssen. In den Urteilen „Der Begriff ‚Hauptstadt' ist ein zusammengesetzter Begriff" und „Der Begriff ‚Hauptstadt' trifft auf die Stadt X nicht zu" ist das Subjekt einmal als logischer Gegenstand, dann als mögliches Prädikat verstanden. In den Urteilen „Thersites ist ein Mensch", „Alkibiades ist ein Mensch", „Jesus ist ein Mensch", in denen es gerade auf die Selbigkeit der Bedeutung des Begriffs Mensch ankäme, ist er durch die verschiedenen Verhältnisse, in denen er steht, „entsprechend" verstanden: einmal nämlich im Hinblick auf die Häßlichkeit, dann im Hinblick auf die Kalokagathie, dann im Hinblick auf die Göttlichkeit. Der abstrakte Begriff, sofern er im Urteil konkretisiert ist, ist nicht mehr rein univoker Begriff. Daraus ergibt sich, daß selbst dort, wo durch die logische Operation der Abstraktion die Univozität hergestellt und der univoke Begriff gerade als univoker festgehalten werden soll, sie nur in einem eingeschränkten Sinn, nicht aber als absolute Univozität erhalten bleibt — wofern nur überhaupt gedacht und gesprochen wird.

Die Kehrseite der Univozität liegt also darin, daß der univoke Begriff in keinem wirklichen Urteil auftritt; denn im wirklichen Urteil auftretend, ist die Bedeutung jedes Begriffs je durch die Verhältnisse mitbestimmt. Dies gilt auch z.B. für Eigennamen (Peter ist zehn Jahr alt. Peter hat gelogen.) und für mathematische Begriffe. In den Urteilen: „Die Pythagoreer haben das Dreieck zum Gegenstand ihrer Forschungen gemacht", „Die Winkelsumme im Dreieck ist gleich zwei Rechten", „Das Dreieck kann spitzwinklig, rechtwinkling und stumpfwinklig sein" bedeutet der Begriff Dreieck dadurch, daß er in den drei Urteilen je verschiedenen Begriffen entsprechen muß, einmal den Forschungsgegenstand, dann die geometrische Figur von bestimmter Qualifikation, dann die Gattung.

Offensichtlich ist der Anteil, welchen die Verhältnisse und Entsprechungen an der Bedeutungsbestimmung haben, größer, wenn der Begriff einen geringen oder gering bestimmten Eigengehalt aufweist. Die Selbständigkeit und Abgeschlossenheit des Bedeutungsgehaltes ist beim Eigennamen (Roter Sand) größer als beim Artbegriff (rot), bei diesem größer als bei dem Gattungsbegriff (Farbe) und bei diesem wieder größer als bei einem kategorialen Begriff (Qualität, Inhärenz). Darum sind die letzten in höherem Maß darauf angewiesen, aber auch in höherem Maß befähigt, aus den Verhältnissen zu anderen Begriffen Bedeutung zu gewinnen.

Der Grenzfall dieser Reihe wäre ein Begriff, der von sich aus weder einen materialen noch einen formalen Gehalt bedeuten würde, der mithin, abstrakt gesetzt, lediglich die leere Formalität markieren würde. Dieser Begriff könnte nicht univok gesetzt werden, da die ratio nominis, die zu abstrahieren wäre, in diesem Fall gleich Null ist. Er könnte mithin auch nicht definiert werden (es sei denn, man ließe diese Bestimmung, daß er leere Formalität oder nichts bedeute, als eine solche gelten). Sein wirklicher Bedeutungsgehalt würde voll und ganz den Verhältnissen entstammen, in denen er zu anderen Begriffen im Urteil steht. Er wäre der analoge Begriff schlechthin. — Diesen Grenzfall stellt der Begriff „sein" dar. Was das *Wort* „sein" *nennt*, muß hier noch außer Betracht bleiben; hier ist nur von dem *Begriff* die Rede. Durch den Begriff „sein" ist nichts begriffen, wenn er nicht im Zusammenhang mit anderen Begriffen steht. Steht er aber im Urteil in derartigen Zusammenhängen, dann stammt das, was *gehaltlich* durch „sein" bedeutet wird, gänzlich aus den Entsprechungen. Der Begriff „sein" ist analoger Begriff schlechthin. Dadurch ist nicht ausgeschlossen, daß durch ihn möglicherweise „mehr" begriffen ist als durch alle möglichen eigengehaltlichen Begriffe; denn das Begreifen realisiert sich im Urteil als ganzem.

Wenn wir sprechen, subsumieren wir nicht Anschauungsgehalte unter allgemeine und univoke Begriffe, sondern wir sprechen in Sätzen, in denen jedes Wort durch jedes andere Wort im Satz und durch den Gesamtsinn des Satzes und der Rede bestimmt ist. Für das Wort gilt, was vom Begriff, und für den Satz gilt, was vom Urteil im Hinblick auf die Analogie gesagt worden ist. In den Sätzen „Was ist der Mensch?" und „Kein Mensch ist gekommen" ist das Wort „Mensch" analog gebraucht; in den Sätzen „er läßt ihn gehen" und „er läßt sich gehen" desgleichen der Ausdruck „gehen lassen". Schon eine geringe Modifikation des Verhältnisses kann eine tiefgehende Veränderung der Bedeutung zur Folge haben. Eine solche Modifikation kann zum Beispiel auch die Umwandlung eines positiven Ausdrucks in einen negativen bewirken und umgekehrt. Selbst in gleichlautenden Sätzen können die bedeutungsgebenden Verhältnisse dadurch modifiziert werden, daß derselbe Satz in einem anderen Redezusammenhang oder mit anderer Betonung gesprochen wird. Die Analogie durchwaltet strukturell den Satz und die Rede, und kein Wort in der Rede ist nicht ἀνὰ λόγον gesprochen[18]; denn die Bedeutung keines der Worte kann sich aus der Mitbestimmtheit durch das andere Wort und durch das Ganze der Rede frei machen, es sei denn, es scheidet aus der Rede aus.

Endliche Vernunft realisiert sich als Denken in Urteil und Begriff, als

---

[18] *H. G. Gadamer* spricht von einer „grundsätzlichen Metaphorik der Sprache" (a. a. O. 406 ff).

Sprechen in Satz und Rede. Mit dem transzendentalen Grundcharakter der ursprünglichen Denk- und Sprachgebilde hat sich die endliche Vernunft schlechthin als analogisch erwiesen. Darum ist die Verhältniseinheit der schlechthin primäre Einheitsvollzug; das heißt, sofern die Vernunft ein Eines setzt, hat dieses von seinem Ursprung her die Struktur eines Einen kraft Entsprechung. Sofern wir denken und erkennen, denken und erkennen wir je eines durch das andere und das andere durch das eine. Erst auf Grund eines solchen ἓν ἀναλογίᾳ konstituiert sich ein generisches, eidetisches oder numerisches Eines.

Diese analogische Grundverfaßtheit unseres Denkens, Erkennens und Sprechens findet ihren Ausdruck in dem Axiom, daß das Ganze früher ist als sein Teil. Sofern wir ein Einzelnes begreifen, begreifen wir es dadurch, daß es in Entsprechung (in eine positive oder negative Entsprechung) zum anderen *gesetzt,* das heißt das Ganze der Entsprechung vollzogen ist. Haben wir nicht das Ganze, haben wir auch nicht das Einzelne. Das Einzelne, absolut gedacht, ist „ineffabile".

Damit hat die Frage, wie Analogie möglich sei, eine Teilantwort gefunden. Analogie ist darum möglich, weil sie im Denken und Sprechen des Menschen „von Anfang an" mitgegeben ist; ohne sie wären Denken und Sprechen aufgehoben. Die Analogie ist mithin ein transzendentaler Charakter der endlichen Vernunft. Sie ist möglich, weil ihre Unmöglichkeit nicht gedacht werden kann. Das bedeutet aber: Analogie ist deswegen möglich, weil sie notwendig ist. Sofern die Vernunft — ihrem formalen Wesen nach ein Setzen und Begreifen von Einheit — nicht in einer „intellektuellen Anschauung" das Ganze als Eins und das Eine als Ganzes realisiert, setzt und begreift sie die Einheit notwendig und ursprünglich als eine Einheit kraft Entsprechung des einen und des anderen. Darin besteht ihre transzendentale Analogizität, die sie im Urteil realisiert.

Der transzendentale Begriff der Analogie erklärt die Möglichkeit jenes besonderen logischen und sprachlichen Phänomens Analogie, das zunächst gemeint ist, wenn von Analogie die Rede ist: daß nämlich eine Gleichheit der Entsprechungen statthaben kann. Die ursprüngliche Form des Denkens — Einheit als Entsprechung — gilt auch für die Entsprechungen selber. Die Entsprechungen, welche das einzelne Urteil konstituieren, können ihrerseits einander entsprechen, so daß eine Verhältniseinheit in doppelter Bedeutung entsteht. Die Einheit ist nicht allein durch ein Verhältnis begründet, sondern sie ist auch eine Einheit zwischen Verhältnissen: die Analogie im engeren Sinn.

In solcher Entsprechung der Entsprechungen wiederum liegt begründet, warum der Ausdruck, welcher die eine Entsprechung bezeichnet, auch die andere bezeichnen kann. Der Ausdruck kann „übertragen" werden, sei es in der Weise der analogen Benennung (körperliche Größe, sittliche Größe), eines Bildausdrucks (Metapher) oder eines Bildvergleichs (Eikon) [19].

Das transzendental-analogische Wesen des Erkennens findet in der analogen Benennung oder Rede eine spezifische Ausprägung. Sie begründet jedwede Übertragung, auch die verfehlte. Die transzendentale Begründetheit der Analogie präsumiert keine Entscheidung darüber, ob die behauptete Entsprechung der Verhältnisse auch bestehe oder auch nur real möglich sei. Die begründende Analogizität ermöglicht formal in gleicher Weise die real mögliche wie die real nicht mögliche Analogie, so wie die Struktur des Denkens überhaupt das wahre wie das falsche Urteil ermöglicht. Das Eigentümliche der verfehlten Analogie liegt allerdings gerade in der Nichtentsprechung der Verhältnisse, so daß die Alternative zwischen treffender und verfehlter Analogie keine gleich-gültige ist. Die verfehlte Analogie weist eine logische Defizienz auf; nur die treffende Analogie ist wahre Analogie.

III

Die Frage nach der Möglichkeit der Analogie hat auf den transzendentalen Notwendigkeitscharakter der Analogie geführt. Es bleibt die schwerwiegende Frage, warum Analogie notwendig ist. Eine Einsicht in diesen Notwendigkeitscharakter kann nicht in der Weise gewonnen werden, daß der Fragende, sich außerhalb solcher Notwendigkeit stellend, sie wie einen Gegenstand behandelt, der am Ende erklärt ist. Diese Abstraktion würde den Zirkel enthalten, daß das Sichfreisetzen aus dieser Notwendigkeit durch eben diese Notwendigkeit begründet wäre. Die Frage kann allenfalls dadurch gefördert werden, daß innerhalb des transzendentalen Charakters eine Anzeige für den Grund jener Notwendigkeit gesucht wird.

Solche Anzeige suchend, wird die oben aufgestellte Reihe, die von den materialen Gehalten über die formalen Gehalte bis zu dem Grenzbegriff einer leeren Formalität führte, in der entgegengesetzten Sinnrichtung ebenfalls bis zum Grenzbegriff weitergedacht. Dieser Grenzbegriff ist ein Inbegriff aller Gehalte, der materialen wie der formalen, und aller durch sie möglichen Bedeutungen. Er ist damit der Begriff des Ganzen schlecht-

---

[19] „Übertragung von einem Bereich in einen anderen hat nicht nur eine logische Funktion, sondern ihr entspricht die grundsätzliche Metaphorik der Sprache selbst. Die bekannte Stilfigur der Metapher ist nur die rhetorische Wendung dieses allgemeinen, zugleich sprachlichen und logischen Bildungsprinzips. So kann Aristoteles geradezu sagen: ‚Gut übertragen heißt das Gemeinsame erkennen' (Poetik 22, 1459 a 8)." *H. G. Gadamer*, a. a. O. 407.

hin, der vollkommenen Fülle. Diesen Inbegriff kennt die Philosophie als den Begriff des Seins als Sein oder des wahren Seins.

Daß hier wiederum das Wort „sein" auftaucht, um den Begriff einer Fülle schlechthin zu bezeichnen, während es doch eben den einer leeren Formalität bezeichnen sollte, mag zunächst verwundern. Doch abgesehen davon, daß eben offengelassen wurde, was das Wort „sein" *nennt*, ist der sich unwillkürlich aufdrängende Eindruck eines Widerspruchs zu prüfen. Angenommen, das Wort „sein" nennt in der Tat je das Ganze und vorgreifend das Ganze schlechthin, so ist es unmöglich, daß es einen Teil nennt. Da nun die endliche Vernunft ein Ganzes nur als eine Verhältniseinheit erkennt und ausspricht, kann das Wort „sein" nur den Vollzug der Einheit und diese selbst bezeichnen, jedoch keinen der Teile, mithin auch keinen bestimmten materialen oder formalen Gehalt. In dieser Hinsicht ist der Begriff leer. Wäre er es nicht, könnte er nicht das Ganze nennen. Diese Alternative gilt überhaupt[20]: Welches Wort auch immer das Ganze nennt, es wird, formal genommen, „leer" sein müssen.

Der Begriff des Ganzen und des wahren Seins kann, da er alle positiven Bedeutungen einschließt und umschließt, keine neuen Bedeutungen dadurch hinzugewinnen, daß er in einem Verhältnis oder in einer Entsprechung zu anderen Begriffen steht. Alle materialen und formalen Gehalte, die er allenfalls hinzugewinnen könnte, wären schon in ihm enthalten. Und ebenso gilt umgekehrt, daß in allen möglichen materialen und formalen Teilgehalten und ihren Entsprechungen die Fülle des Seins zu einer endlichen und partiellen Erscheinung kommt. Dieses Je-Erscheinen des Seins, welches das endliche Erkennen in der Konstituierung einer Verhältniseinheit von Teilen realisiert, ist je „similitudo" des wahren Ganzen.

Die vollkommene Fülle geht in kein Urteil ein; denn dieses setzt immer ein bedeutungs*gebendes* Verhältnis. Der Fülle aber kann nichts hinzugegeben werden. Sofern sie sich ausspricht, spricht sie sich nicht in einem urteilsartigen Sprachgebilde aus, sondern im Wort schlechthin, in einem Namen über alle Namen. Dieser Name wäre, jenseits des logischen Problems von Univozität und Analogie, in einem eminenten Sinne univok — damit aber auch der menschlichen Sprache entzogen.

Darum ist der Name Gottes verborgen[21]. Sofern Gott sich in der biblischen Offenbarung einen Namen gibt, geschieht dies in einem Namen, der

---

[20] Einer Bezeichnung pars pro toto geht ein Begreifen des in Rede stehenden Ganzen in irgendeiner Weise schon voraus.

[21] Auf das Verhältnis des philosophischen Begriffs „Sein" und des Begriffs „Gott" kann hier nicht eingegangen werden. Es sei jedoch darauf hingewiesen, daß der Name „Gott" nicht einen dialektischen Grenzbegriff bezeichnet, wie umgekehrt der Grenzbegriff „Sein" nicht Gegenstand der religiösen Erfahrung, sondern des strengen Denkens ist.

„den Menschen gegeben" ist. Es ist ein Name, der in die Sprache der Menschen eingehen kann und daher den transzendentalen Charakter aller Namen, analog zu sein, besitzt. Daß er ein geschichtlich bestimmter Name und aus der menschlichen Sprache genommen ist, ergibt sich daraus.

Die transzendentale Univozität des Vollkommenen schlechthin ist der menschlichen Vernunft verwehrt; ihr transzendentaler Charakter ist die Analogie. Univozität erreicht sie nur in der abgeleiteten und abstrakten Form des formal-logisch univoken Begriffs. Wäre ihr die transzendentale Univozität nicht verwehrt, so wäre der Mensch wie Gott. Der transzendental-analoge Charakter des menschlichen Denkens und Sprechens ist eine Anzeige dafür, daß der Mensch nicht wie Gott ist. Hinwiederum ist er insofern eine „similitudo" Gottes, als das durch Verhältniseinheit konstituierte Ganze eine „similitudo" des wahren Ganzen ist.

Wenn Gott nicht ist, dann ist die Analogizität des menschlichen Denkens und Sprechens ein Defekt, der möglichst zu beseitigen und durch die Univozität einer reinen Rationalität zu ersetzen ist. Die Idee eines solchen Unterfanges hat Faszinationskraft, doch ist es mit dem Nachteil belastet, daß es nicht absolut durchführbar ist. Selber eine Operation des Denkens, würde es sich innerhalb des transzendentalen Charakters vollziehen müssen, den es abzulösen trachtet. Letztes Beharren auf Univozität ist darum ein Beharren gegen eine Notwendigkeit, welche die Vernunft als ihr eigenes transzendentales Wesen weiß. Das Warum dieser Notwendigkeit liegt allerdings nicht in ihr selbst; es zeigt sich nur im Hinblick auf Gott.

Wenn Gott ist, dann ist die Analogizität des menschlichen Denkens und Sprechens kein Defekt. Sein transzendental-analogischer Charakter kann und muß in seiner Notwendigkeit anerkannt werden. Umgekehrt aber erweist sich die Notwendigkeit der transzendentalen Analogie als eine indirekte Anzeige Gottes im menschlichen Denken und Sprechen.

DIE ANALOGIE DES SEIENDEN

VON GUSTAV SIEWERTH †, FREIBURG I. BR.

Die Philosophie ist die Wissenschaft vom „Seienden als Seienden". Von diesem Seienden (ens, on) wird von Aristoteles aufgeführt, daß es „vielfältig gesagt" werde[1]. Diese „Viel- oder Mehrfältigkeit" ist später mit dem aristotelischen Wort als „analog" bezeichnet worden.

1. Ἀναλογισμός *und Analogie*

Dieses Wort „ana-log" kann dem Wortsinn nach Verschiedenes besagen. Geht man auf das Tätigkeitswort (ἀναλέγω) zurück, so trifft man zunächst auf die Bedeutung von „Auf-lesen" und „Sammeln" in einem gegenüber dem einfachen λέγειν verstärkten Sinn. Irgendwie wird das Gesammelte „aufgenommen" oder „wieder gesammelt", was offenbar auf eine einigendere Zuordnung im Sinne einer „Ver-sammlung" verweist. Diese Versammlung setzt daher die Dinge oder Elemente in das „rechte Verhältnis" zueinander; d. h., sie werden in ihren „Beziehungen" gesehen, durch die sie aus dem lockeren Nebeneinander heraustreten und aufeinander „zu-gehalten" werden. In diesem „Ver-halten" kommt es dadurch zu ordnender Versammlung, daß sie miteinander „überein-kommen" oder daß sie sich einander anpassen. In dieser Anpasssung werden sie durcheinander und aneinander „gemessen".

Dadurch ergibt sich auf seiten der Sache, daß der verschärfte λόγος als ἀνάλογος ein „Maß-verhältnis" enthüllt, auf Grund dessen Verschiedenes in eine Ordnung oder in ein Ganzes verfügt ist. Diese Verschiedenen sind offenbar nicht „gleich", da sonst die „Wiedersammlung" angesichts des vorausgegangenen Vorliegens des schon Gesammelten nicht sinnvoll ist. Also ergibt erst die messende Zuordnung eine „An-gemessenheit" des einen an das andere. Nur durch ihr „Ver-halten" oder ihren „Be-zug" kommen sie über-ein oder auf *Eines* hin. In diesem Zusammenkommen erweisen sich die Verschiedenen daher zugleich als einig; sie sind

[1] Met. Γ 1.

durch ihr Verhalten in der Ineinsfügung vergleichbar und können deshalb als „ähnlich" bezeichnet werden, und zwar im ursprünglichen Sinne des Wortes: als „ainlich" oder „an-gelich", das dem gotischen „analeiko" verwandt ist und soviel wie „angeglichen" bedeutet[2].

Diese „Ähnlichkeit" besagt daher nicht mehr eine „konfuse Übereinkunft", sondern die Durchklärung ihrer „Angeglichenheit" durch den „verschärften Logos". Durch ihn ergibt sich eine strenge unterscheidende Maß-nahme, die das Verschiedene unter das Maß der Angleichung des einen auf ein anderes, beider aufeinander oder beider auf ein Drittes hin stellt, wobei immer eine Bezugsrichtung der Angleichung auf ein Erstes und Maßgebendes hin vorliegt, auch wenn dieses bei gegenseitiger Angleichung wechselt und bald das eine, bald das andere maßgebend wird.

Bei dieser beziehenden Angleichung tritt nun das Verschiedensein ebenso heraus, wie die einigenden Bezüge ins Walten kommen. Zugleich zeigt sich, daß in jeder „analogen" Sache ein komplexes Bau- oder Ordnungsgefüge vorliegt, dessen Fügung und Ordnung nicht durch einfache Elemente, Momente oder Merkmale, sondern durch mehrgliedrige Bezüge oder Verhältnisse bestimmt ist.

Deshalb ist das analoge Denken oder der „ἀναλογισμός" ein „gesteigerter Logos", der nicht mehr nur als „urteilende Verknüpfung", sondern (auch dem griechischen Sprachgebrauch gemäß) als „abwägende Erwägung", als durchmessende „Über-legung" oder „Berechnung" verstanden werden muß. Es werden ordnende Verhältnisse auf Gleichheit oder Überein-kunft hin bedacht und miteinander verglichen. Deshalb besagt ἀναλογίζεσθαι im griechischen Sprachgebrauch auch ein „nochmaliges, mehrfaches Abwägen", sofern die Erfassung eines Verhältnisses immer schon das verknüpfende λέγειν des λόγος in sich enthält und voraussetzt. Übersetzt man mit Heidegger dieses λέγειν als sehen lassendes Zurecht-„legen", so ist das deutsche Wort „über-legen" als „abwägendes Vergleichen" von Verhältnissen eine erstaunlich gleichlaufende Bezeichnung. Denn in diesem Abwägen geht es immer um ein angleichendes Vergleichen, in welchem die vorliegenden Verhältnisse einander nahe- und zur Deckung gebracht werden sollen.

Im griechischen Medium liegt indes nicht nur (wie die Grammatiker sagen) die „Intensivierung", d. h. die Steigerung der Tätigkeit, die als „gesammelte Anstrengung" zugleich die „Reflexion" auf den Denkenden in sich schließt, sondern offenbar auch ein passivischer Bezug, sofern der λόγος von der Sache eingenommen und in ihr Verhalten hineingehalten

---

[2] Trübners Deutsches Wörterbuch (1939); *J. L. Frisch*, Teutsch-Latein. Wörterbuch (1741); *F. Kluge*, Etymolog. Wörterbuch (1934).

ist. Der objektive Akkusativ hat daher stets (im Sinne des accusativus graecus) die Bedeutung des Bestimmt-werdens im Hin-blick auf die Sache, die im Über-legen zutage kommt und den Erkennenden bestimmt. Das mediale Wort ist daher Anzeige einer Verschärfung, eines Rückbezugs und einer Eingenommenheit von einer Sache her.

Diese Betrachtung wehrt von vornherein die gängige Meinung oder Vorstellung ab, als sei das „analoge Denken" ein unstrenges „Sich-bewegen" in konfusen, unauflösbaren „Ähnlichkeiten", die (an der Einheit von definierten Begriffen gemessen) im Bereich der strengen Wissenschaft weder Recht noch Heimat haben. Sie zeigt im Gegenteil, daß es sowohl von der Sache wie von ihrer denkenden Durchdringung her die höchste und strengste Weise ist, komplexe Gegebenheiten aus ihren konfusen und fließenden Ähnlichkeiten in genau durchmessene Bezüge aufzulösen und so die „Ähnlichkeit" selbst sach- und wesensgerecht in ihrer „Angeglichenheit" und „Angleichung" (similitudo und assimilatio) aufzuhellen.

Denn in allen ähnlichen Dingen walten vergleichbare „Verhältnisse" und „Bezüge", die freilich in ihrer Übereinkunft und Verschiedenheit nur durchmessen werden können, wenn ein Maßgrund gegeben ist, der Gleiches und Ungleiches, Nähe und Ferne, Zuordnung und Abweichung unterscheiden und in ihrem Grad, in ihrem Richtungssinn und ihrer sich angleichenden oder abfallenden Tendenz bestimmen läßt.

Ein solches ἀναλογίζεσθαι könnte nun dem Gesagten gemäß immer wieder aus der analogen Erwägung in die „einsinnige" Betrachtung übergehen, wenn das mitwaltend Verschiedene ausgeschieden wird und nur das „Gleiche" festgehalten und streng umgrenzt wird. In diesem Sinne lösen die modernen Wissenschaften die „analogen", ganzheitlichen Synthesen der Atome, der Moleküle oder Zellen in die gleichen Zuordnungsfaktoren und in gleiche Verhältnisse auf und scheiden alles, was sich diesem Ordnungs- und Maßsystem nicht einordnen läßt, aus der Betrachtung aus.

2. Der Ἀναλογισμός *im Bedenken des Seienden als Seienden*

Ein solches Verfahren ist für den philosophischen Denker von vornherein ausgeschlossen. Denn der Philosophierende ist durch das „Seiende als Seiendes", d. h. durch das Seiende im Ganzen seines Seiendseins, ins Bedenken gerufen. Dieses „Seiende" aber ist einerseits die höchste und letzte eingefaltete Einheit, das Einfachste, das in der Wirklichkeit der Welt angetroffen wird, wie es anderseits ein unauflösbar Allgemeines ist, das alle Merkmale und Bezüge sowohl in ihrem Verschiedensein wie in ihrem

Übereinkommen auf sich hin (eingefaltet) zusammen- oder inne-hält und seinshaft durchwaltet. Es umgreift daher mit den versammelnden, einigenden Bezügen auch alle Weisen von Verschiedenheit und Mannigfaltigkeit, die an einer Sache hervortreten.

Dadurch erhält die im Seienden waltende „Analogie" wie auch das ihr entsprechende ἀναλογίζεσθαι eine radikale Schärfe. Ist die erste ein Wesenszug des Seiendseins, so kennzeichnet das ἀναλογίζεσθαι das Seinsdenken als solches. Es erhebt solchermaßen Anspruch und Würde eines allein seinsgerechten Denkens, gegenüber dem sich das phänomenologische Vernehmen wie das urteilende Verknüpfen einsinnig definierter Begriffe und Erfassungen als oberflächenhaft und vorder-gründig erweist. Deshalb kann gesagt werden, daß der denkende Entfaltungsgang der Philosophie oder die ihr zeitgemäße Methode nur als ἀναλογίζεσθαι begriffen werden kann [3].

Wie gesagt, waltet in diesem ἀναλογισμός eine im durchmessenden Zuordnen hervortretende Übereinkunft. Dieses „Übereinkommen" betrifft von vornherein die Einheit des Bezugs, die Bezüge selbst und das bezogene Mannigfaltige. Dieses Dreifache ist nun beim Seienden durch eine unauflösliche Selbigkeit und Einfachheit wie zugleich durch eine innehaltende oder durchwaltende Allgemeinheit bestimmt. So aber kann und muß die analoge Vielfalt kraft ihrer unauflöslichen Einheit auch nach der Weise des Allgemeinen, des Selbigen und Einigen in den „Begriff" wie ins „Wort" kommen und durch deren Merkmale bestimmt werden. Sofern aber im Begriff wie im Wort „einsinnige Bedeutungen" vorwalten, tritt jener Schein hervor, als sei die analoge Bezugsmannigfaltigkeit nichts als ein (univoker) gattungshafter Umriß, eine klassifizierende Zusammenfassung oder eine konfuse Verschmelzung verschiedener Begriffe und Erscheinungen gemäß einer vagen, nicht mehr bestimmbaren „Ähnlichkeit". Auf diese Weise wird sie in der Reihe der Begriffe und Worte zu einer vagen, unwissenschaftlichen „Verschleifung" oder zu einem (logischen) Klassifizierungrahmen ohne sachhaltige Bedeutung.

---

[3] Daher ist jeder vermittelte „Schluß" im metaphysischen Denken (wie im Denken überhaupt) ein ἀναλογιζόμενον, da die Vermittlung von Extremen im suchenden Denken nur durch ein komplexeres, aber sichtgebenderes Medium geschehen kann. Dies aber bedeutet im Seienden stets eine gesammeltere und damit einfachere und grundhaftere Wirklichkeit. Wird daher eine Qualität mit der Substanz zusammengeschlossen, so geschieht dies über das Quantum, das durch seine „Kontinuität" eine größere Nähe zur realen Einheit der substantiellen Form aufweist und zugleich durch Kontinuität, Diskretion und Figuration eine reichere und komplexere Sicht darbietet. Auch der Zusammenschluß des Dreiecks mit dem Halbkreis (2 rechte Winkel) geschieht über Rhombus und Rechteck, die 4 rechte Winkel wie der Kreis sichtbar machen, deren Halbierung jedes Dreieck bestimmt.

3. *Die Analogie im Wortgebrauch*

Deshalb ist von vornherein auf den wesensverschiedenen Charakter der Worte selbst zu achten. Ein Wort ist durch seinen Verweisungscharakter stets auf einen Umkreis von Gegebenheiten bezogen, den es als seine „Bedeutung" an sich nimmt. Solchermaßen ist ein Wort immer selbig mit seiner Bedeutung und seinem Bedeuten.

Unter dem Gesichtspunkt des Bedeutungsumkreises sind die Worte daher stets durch Einheit bestimmt. Ist eine solche Einheit nicht gegeben, oder deutet das Wort auf verschiedene Wesenheiten oder Sachen hin, so wird die verlautbare Übereinstimmung „zufällig"[4]. Das Wort wird „mehrsinnig" oder „äquivok", entweder auf Grund wesensverschiedener Gehalte oder deren verschiedener Seinsweisen. Im ersten Falle liegt eine beziehungslose Vielfalt vor (wie im Wort „Strauß", das Kampf, einen Vogel und einen Blumenstrauß bedeuten kann), während im zweiten Falle eine „Verhältnisordnung" innerhalb der Bedeutungen selbst waltet. So kann das Wort „Haus" auf ein wirkliches Haus, auf die Wortbedeutung (intentio logica), auf den Planentwurf des Architekten[5] und auf die Verlautbarung selbst bezogen werden. Dieser mehrfältige Bezug jedes Wortes läßt seinshaft verschiedene (geistige und materielle) Gegebenheiten sichtbar werden, auf Grund deren Verschiedenheit es sogar als „äquivok"[6] bezeichnet werden muß, da das Haus als „Planentwurf" und das „wirkliche Haus" seinshaft völlig verschiedene Gegebenheiten sind[7]. Hält man indes die Bezüge dieser Gegebenheiten aufeinander im Blick, so wird die Wortbedeutung „analog" im Sinne einer oder mehrerer „Beziehungseinheiten".

Daraus ergibt sich für das Wesen der Sprache, daß ihre isolierten Wortbedeutungen *allesamt von Äquivokationen und Analogien oder auch von „äquivoken Analogie-bezügen" durchwaltet* sind, deren verwirrende Vielfalt sich mit dem Beziehungsreichtum des analogisierenden Denkens steigert und nur durch die angestrengteste Sorgfalt in ihrer beirrenden Macht eingegrenzt und überwunden werden kann. Not und Geheimnis einer „philosophischen Sprache" liegen in diesem Ineinander von Einsinnigkeit, Analogie und Äquivokation aller möglichen Worte beschlossen.

4. *Die Analogie in der Aussage*

Aus diesem äquivoken und analogen Bedeutungsumkreis ergibt sich die gleiche Struktur für die *Aussageweise*, die sich zunächst im Bereich der Sprach- oder Aussage-logik zu halten scheint. In der mitteilenden und

[4] Pot. 7. 7. [5] Vgl. Pot. 7. 7. [6] Vgl. ebd. [7] Vgl. ebd.

urteilenden Aussage geht es offenbar um Bezeichnungen und Worte, die mit dem Anspruch „der Einsinnigkeit“ vorgebracht werden. Sollen sie nämlich verstehbar sein, so müssen sie auf Einheiten gehen, die als solche aufgefaßt werden können. Solche Einheiten sind das einzelne Individuum, das der Zahl nach eines[8] ist; „der Artbegriff“, der stets eine definierte Bedeutung enthält, und die „Gattung“, deren „Aussageweise“ (modus praedicandi) als einig oder selbig bezeichnet wird[9]; schließlich die Einheit des Verhältnisses (proportio) oder der Analogie[10], die in doppelter Weise betrachtet werden kann. Es können nämlich verschiedene Verhalte (habitudines) auf Eines hin geordnet sein, wie das Wort „gesund“ den verweisenden Bezug des „guten Aussehens“ oder auch die gesundmachende Wirksamkeit einer „Arznei“ bezeichnen kann. Oder aber derselbe Verhalt findet sich in verschiedenen Wesenheiten, die sich auf Verschiedenes hin auf gleiche Weise verhalten, wie man bei Künstlern von der „guten Beherrschung“ der Farben wie der Musikinstrumente sprechen kann.

Thomas sagt nun von diesen Unterscheidungen, daß sie „mehr logisch“[11] seien und deshalb das Wort und seinen Gebrauch in der Aussage betreffen. Dieser Hinweis ist wichtig, weil er die Einheit, die hier waltet, in besonderer Weise kennzeichnet: So ist das „der Zahl nach eine“ primär das im Sprechen gemeinte bestimmungsfähige eine logische „Subjekt“; der eine Artbegriff (species) ist keine dingliche Sache, sondern eine umgrenzte „Wortbedeutung“; die Einheit der Gattung geht nicht primär auf einen gemeinten Sachverhalt, sondern auf die Selbigkeit der Einordnung oder der Klassifizierung der Arten[12]. Die Einheit der „Analogie“ ist primär die Zusammenfassung von verschiedenen Verhältnissen in *einem Wortausdruck*, der, wie die obigen Beispiele zeigen, jederzeit in verschiedene Worte und Aussagen aufgelöst werden kann (gesund = gesundmachend; Gesundheit anzeigend).

Alles „logische Bestimmen“ ist jedoch in seiner absoluten abstrakten Isolierung wesenswidrig und verfälschend, weil es im urteilenden und mitteilenden Sprechen[13] immer um Seiendes und Wesenhaftes geht, von dem her allein das Begriffliche und die Weise des Aussagens in ihrem vermittelnden und aufzeigenden Wesen enthüllt werden können. Deshalb ist

---

[8] Met. V 8 (876). [9] Ebd. (878).
[10] Ebd. (879) und III Sent. c. 1 q. 1 a. 1.
[11] Ebd. (879).
[12] Vgl. das in Boet. de Trin. l. 1 q. 1 a. 2 ad 2 et l. 2 q. 2 a. 3 über die genera logica Gesagte.
[13] Im Urteil wird stets das „inesse“ ausgesagt oder verneint; daher kann der urteilende intellectus dividens et componens zwar „trennen“, aber „nicht abstrahieren“ (vgl. In Boet. de Trinitate l. 2 q. 1 a. 3).

alles „Logische" nicht nur vorläufig und unvollständig, sondern es enthält immer schon verborgen jene seinshaften Bezüge, denen es die Eröffnung des eigenen Wesens zu danken hat. So wird im zitierten Text das „numerisch Eine" von Aristoteles durch die Materie und von Thomas im materiellen Weltzusammenhang durch „die signierten räumlichen Erstreckungen" als „singulär" bestimmt und erscheint solchermaßen als Ding unter Dingen.

5. Die Analogie im Seinsurteil

Wird nun unter diesem Betracht auf die „logische Struktur" des Begreifens von *Seiendem* geachtet, so zeigt sich, daß es im Seinsdenken so etwas wie „species" und „genera", d. h. bloße definierte Wortbedeutungen und Aussageweisen, auch in „rationaler" oder vorläufiger Isolierung nicht mehr geben kann. Denn das „Seiende" als „bloßer Begriff" oder als „Kategorie" wäre nichts als ein geistloser Widerspruch, sofern dann das Wort und sein Be-deuten das nicht enthielte, das es wesenhaft aussagt und bezeichnet. Deshalb ist im Sagen von Seiendem das begriffliche Bedeuten immer schon in die urteilende Erfassung des In-sich- und Durch-sich-Wirklichen übergegangen. Es ist transzendierend in ein Einziges und Wirkliches verfügt, das es nicht mehr aus der Weise seines Wirklichseins herauslösen kann, ohne es zugleich unrückholbar zu verlieren und unwiderruflich zu verfehlen, weil „man aus universalen Begriffen durch Zusammensetzung kein Einzelnes mehr gewinnen kann" [14]. Deshalb kann die urteilende Erfassung sich nur noch eröffnend aus und in diesem Wirklichen bewegen und bleibt seinem Wirklich- und Seiendsein verhaftet. Deshalb „umfassen die ersten Erkenntnisse, die dem abstrahierenden Intellekt zuerst begegnen, mehreres sowohl nach der Weise eines universalen, wie nach der Weise eines integralen Ganzen" [15]. Das heißt: „Der Vernunft ist früher einsichtig das Universalere vor dem weniger Universalen, das zusammengesetzte Ganze vor dem Zusammensetzenden und das definierte Ganze vor den Teilen der Definition." [16] Also ist das Erste im Erkennen das universale wie das vollendet konstituierte und erkannte *Seiende*, wobei obendrein zu beachten ist, daß das so Bekannte im „singulären" Medium der sinnlichen Wahrnehmung aufscheint, da „das vom Sinn her Erkennbare uns zuerst offenbar ist im Vergleich zu dem, was von der Vernunft her erkennbar ist" [17]. *Also hat am Ursprung das universale ens immer schon eine Subsistenz wie seine partikuläre Individualität bei sich.*

---

[14] Met. VII 13 (1580), vgl. auch ebd. (1576).

[15] In Boet. de Trin. Prooem. q. 1 a. 3.

[16] Ebd. [17] Ebd.

Nimmt man daher dieses zuerst Erkannte nur nach der Weise des begrifflichen Allgemeinen ins Wort oder ins Bedeuten, so verhält man sich nicht mehr der Sache gemäß. Man vergißt oder überspringt die immer schon geschehene urteilende Verfestigung des Denkens in der „ganzen Sache" selbst und nimmt die vollendete Erkenntnis und eröffnete Wahrheit zurück in die Form einer unmittelbaren Begriffsbedeutung, die man in Wahrheit bereits unrückholbar hinter sich gelassen hat oder die nur eine Seite der ersten Erkenntnisse oder Wahrheiten ausmacht.

Deshalb gibt es, strenggenommen, in der Philosophie keine „analogen Worte" als einfache Bezeichnungen, wie auch keine „analogen Begriffe", sondern nur analoge „Erwägungen" oder ein analoges „Begreifen". Es gibt keinen conceptus, sondern nur eine conceptio entis. Wird das Sein oder das Seiende daher ein „analoger Begriff" genannt, so bezeichnet er stets einen schon vollendeten Erkenntnisgang und keine bloße „logische intentio". Seine „analoge Prädikation" oder „Aussageweise" darf daher nicht mehr den Urteilsgang der seinsgerechten „Überlegung" und „Erwägung" verlassen, der allein der Reflexion auf das intuitiv vollendete Wahrheitsurteil der „Prinzipien" gemäß ist.

6. Das Bezugs-Eine als seiende Natur

Deshalb sagt Thomas, daß bei den „analogen Aussagen" die „Bedeutungen" (rationes) zwar „verschiedene Verhaltensweisen mit sich führen"; diese sind jedoch zugleich selbig oder einig, „sofern die verschiedenen Verhaltensweisen auf ein Eines und Selbiges bezogen werden (referuntur)" [18]. „Zugleich aber ist zu wissen, daß dieses Eine ... bei analogen Aussagen *eines der Zahl nach* und nicht nur eines dem Begriff (der Bedeutung, der Art oder Gattung oder dem Verstande) nach ist, wie es jenes Eine ist, das durch ein einsinniges Wort bezeichnet wird. Und deshalb sagt Aristoteles, daß das Seiende, wenn es auch vielfältig ausgesagt wird, dennoch nicht mehrsinnig (auseinanderfallend) gesagt wird, sondern im Hin-blick auf Eines. Aber nicht auf Eines, das nur im Begriffe (im Verstande, in ratione) eines ist. Es ist vielmehr *„eines wie eine gewisse Natur"* (sicut una quaedam natura) [19].

Natur heißt ein Seiendes, sofern es hervorgehen-lassender Ausgang oder als Grund oder Ursache begriffen ist. Als Ursache oder „Prinzip" aber kann nur ein seinshaft oder wirklich waltendes Wesen begriffen werden. Wird daher dem aristotelischen Beispiel gemäß das Wort „gesund" „analog" von der Diät, der Arztkunst, dem Urin und dem

[18] Met. IV 1 (535). [19] Ebd. (536).

Lebewesen ausgesagt, so enthüllt es reale Wirksamkeiten. Die Diät „erhält die Gesundheit", die Arztkunst „bewirkt sie"; der Urin „zeigt sie an", und das „Lebewesen nimmt das Erwirkte an oder hält die Anzeige an sich"[20]. „Tätigsein und Erleiden aber kommen den Seienden nicht zu, sofern diese in unserer Betrachtung stehen, sondern sofern sie im Sein (esse) sind."[21]

Demgemäß erscheint in der Aussagevielfalt des einen Wortes stets eine in mehrfachen Wirkbezügen sich ausfaltende Ursächlichkeit, wobei gemäß der Vielfalt der Ursache selbst die Richtung des Bezuges sich wandeln kann und bald vom „Ausgang", bald vom „Ziel", bald vom an sich haltenden oder aufnehmenden „Subjekt" her denselben Namen erhält. Nur sofern dieselbe „Natur" zugleich als Ausgang, Ziel und Subjekt selbig ist, ist die Einheit der Aussage gewährleistet, während die Bezüge selbst in ihrem Charakter wesenhaft verschieden sind. Sie kommen in *einem* Moment ihrer Bezugsmannigfalt überein und unterscheiden sich zugleich in den andern Momenten.

7. Geklärte und konfuse „Ähnlichkeit"

Durch diese Unterscheidungen wird die unmittelbar und konfus erfaßte „Ähnlichkeit" von Sachverhalten und Worten dem eingangs Gesagten gemäß durch die Analogie aufgelöst und in die Helle, Strenge und Genauheit einsinniger Aussagen erhoben. Demnach können wir sagen, daß die „Analogie" nicht „Ähnlichkeit" von Worten und Begriffen besagt, sondern ihre durchgeklärte und durchmessene Beziehungsmannigfalt wie zugleich deren Einheit und Verschiedenheit auf Grund beziehender, vergleichender und unterscheidender Urteile und Zusammen-„schlüsse". Analogie als Erkenntnis ist stets ein vermitteltes Urteils- und Schlußgewebe; es ist das Ergebnis des verschärften, des denkend gesammelten und in die Bezüge der waltenden Wirklichkeit eröffneten ἀναλογίζεσθαι als „abwägender Überlegung"[22].

Wird von dieser Erkenntnis her ein Blick geworfen auf die „einsinnigen Konzepte" der suarezischen Tradition mit ihren Verschmelzungen der formell verschiedenen Gegensätze in „einsinnige rationes", so erscheint

---

[20] Met. IV 1 (537).

[21] In Boet. de Trin. l. 2 q. 1 a. 4 ad 7.

[22] Vgl. hierzu die Zurückführung des genus auf die Materie, die erstens aus dem „Vergleich" mit den Beziehungen von Naturdingen zueinander (Holz und Haus) und zweitens aus den „Ähnlichkeitsbezügen" geschieht, die die verschiedenen Gattungen der Natur durch ihren Vollkommenheitsgrad zwischen dem reinen Akt und der reinen Potenz aufweisen (In Boet. de Trin. l. 1 q. 2 a. 2).

deren nicht mehr auflösbare „ähnliche Unähnlichkeit" mit einem nicht bestimmbaren „fundamentum in re" als eine Abstumpfung und Verschwommenheit des Denkens, das mit dem Verlust seines Sachbezugs notwendig in den nominalistischen Begriffsrationalismus oder in die idealistische Konstruktion der verlorenen Sache aus den Bedingungen des Denkens selbst übergehen mußte. Vom ἀναλογίζεσθαι des seinsgerechten philosophischen Denkens her ist es ein Ausweichen oder ein Rückfall in die vage Einheit von „Wortbedeutungen", wie sie der seinsvergessene oder nicht philosophierende „Redner" oder der einübende „Dialektiker" dem durchschnittlichen Verständnis gemäß gebraucht und den Regeln der Grammatik oder Logik gemäß verknüpft. Denn „der Logiker betrachtet den Gattungsbegriff nur von seinem Formalen her" [23], oder „er betrachtet die Begriffe auf absolute Weise", weshalb er wesentliche Sachunterschiede verschleifen kann, was für den Philosophen unmöglich ist [24].

8. Die unauflösbare Einfalt und Bezugs-Einheit der Seinsanalogie

Die in der Analogie eröffnete „eine Natur" mit ihren Wirk-bezügen steht nun im analogen Begreifen des *Seienden* in einer für uns letzten Einfalt, die nicht mehr überstiegen und aufgelöst werden kann. Deshalb kann füglich im *Seinsdenken* keine Bestimmung mehr aus dem relationalen Ordnungsgefüge wie aus der analogen Einheit des Wortes gelöst und ohne Bezug zur Aussage kommen [25]. Sagt man deshalb das Wort „ens" aus, so spricht man stets aus einem Bezugsganzen und hat die abwägende Überlegung schon vorausgesetzt oder fordert zu ihr auf.

Da aber die Philosophie alles unter der Sicht des Seienden als Seienden betrachtet und durchmißt, so gibt es in ihr keine „einsinnigen Begriffsbedeutungen" oder „Aussageweisen", wie es auch am Ausgang keine einfachen „Phänomene" im Sinne einer Phänomenologie geben kann [26]. Vielmehr ist alles von vornherein in die immer schon komplexe Wirklichkeit des ausgefalteten Seienden verfügt. „Deshalb ist das Sich-Verhalten der zehn Kategorien nicht durch eine Hinzufügung zum Seienden bestimmt, wie die Artbegriffe sich durch Hinzufügung der Differenzen zu den Gattungen verhalten, sondern von dem, was das Seiende ist, ist offenbar, daß es nicht auf etwas Hinzugefügtes wartet, auf daß es ein dieses, nämlich

[23] In Boet. de Trin. l. 1 q. 2 a. 2.
[24] Ebd. l. 2 q. 2 a. 3.
[25] Wird deshalb die Quantität für sich „abstrahiert", so wird sie notwendig Subjekt einer anderen Wissenschaft, die es nicht mit dem Seienden zu tun hat, nämlich der Mathematik.
[26] Die methodische Ausklammerung des Daseins in der Husserlschen Phänomenologie tritt so in ihrer Notwendigkeit wie in ihrer unphilosophischen Vorläufigkeit zutage.

eine Substanz, werde oder ein Quantum oder Quale; sondern *sofort vom Ausgang her* ist es Substanz oder Quantum oder Quale." Deshalb kann das Seiende oder Eine nicht als „Gattung" genommen werden, weil es sich nicht „wie eine Materie zu den Artbestimmungen" verhält, durch die es erst „zum Seienden oder zur Substanz oder zum Quale würde", weil es dies immer schon ist[27].

Wird nun vom ens in diesem wirklichen, vielfältigen Sinne gesprochen, so tritt als das Bezugs-Eine das „*Subjektsein*" hervor, ohne das es in der Philosophie keine Aussage geben kann. Deshalb ist alles, was ist, entweder eine „Substanz", das heißt ein gründend tragendes In-sich-Seiendes oder ein „Unterliegendes" (ὑποκείμενον); oder es ist eine der Substanz zukommende Bestimmung, eine hinzukommende Erleidung oder Eigentümlichkeit (passio, proprietas, accidens); anderes aber ist, wie Bewegung und Werden, „Weg zur Substanz" oder, als „Vergehen", „ein Weg zum Nicht-sein" (der Substanz)[28]. Schließlich sind auch die „Bejahungen und Verneinungen", wie die „Beraubungen", „von denen wir sagen, daß sie im Verstande *seien*" (weil sie nur durch Gedächtnis und rückbeziehendes Bedenken dessen, was nicht mehr ist, ausgesagt werden können), noch eine „schwache Weise des Seins". Ohne Schwäche, d.h. „ohne Beimischung von Privation", aber ist allein „das feste und solide Sein der Substanz", die „per se existiert"[29].

„Auf diese Substanz wird alles andere Seiende bezogen als auf das Erste und Hauptsächliche"[30] oder als auf das „Erste, und hervorgehenlassend, das begründend Anfängliche" (principale).

9. *Die verdeckte Analogie im univoken Urteil*

Wird von diesem Text her auf die „mehr logischen" Unterscheidungen der einsinnigen Artbegriffe und die Selbigkeit der Aussageweise der Gattungen reflektiert, so erweist sich, daß sie nur in *einem* Moment, d.h. „abstrakt", aufgefaßt worden sind, wie sie sich als Weise des Erkennens und Sagens darbieten. Werden sie indes in ihrem „Sein" erfaßt oder auf das ausgesagte „Seiende" bezogen, so zeigt sich erstens, daß der Artbegriff und die durch ihn bezeichnete wirkliche Natur verschieden sind in ihrer Seinsweise. Also sind sie in diesem Bezug nur als analog und das Wort, das sie beide zugleich bezeichnen wollte, als „äquivok" zu begreifen[31]. Wird zweitens die Gattung in ihrer Bestimmbarkeit wie die Artdifferenz in ihrem Bestimmen auf die wirkliche Natur der Dinge bezogen, so „wird die

---

[27] Met. VIII 5 (1763). [28] Met. IV 1 (535). [29] Ebd. (540).
[30] Ebd. (543). [31] Pot. 7. 7.

Gattung von der Materie her genommen und die Art von der Form"[32], wobei sie „sich auf deren *Ähnlichkeit* (mit ihnen) hin (d.h. analog) verhalten". Drittens geht auch ihre bejahende und verneinende Aussage analog auf die Substanz[33]. Also kann die Aussage selbst ohne diese dreifache Bezugs- und Ähnlichkeits-„Analogie" nicht wesensgerecht begriffen werden.

In diesem Bezug auf das Seiende ändert sich auch die „Einsinnigkeit der Aussageweise". Denn wird das „Lebewesen" vom Menschen oder vom Hund ausgesagt und nach dem jeweils der Aussage zugrunde liegenden, bestimmbaren *wirklichen* Grund gefragt, so trifft man nicht auf ein allgemeines Lebenselement, das spezifiziert wird, sondern auf eine je verschieden disponierte (beseelte und beseelbare) Leiblichkeit, von der her sich die Gattungseinheit nicht mehr als einsinnig, sondern nur noch als „analog" erweist.

10. Die Analogie der Potenz

Nimmt man nun die Analogie des Seienden schärfer in den Blick, so stößt man erstens auf eine „gemeinsame Natur", kraft deren das ganze Seiende seinshaft durchwaltet ist, so daß jede Gegebenheit nur noch „seinshaft" bestimmt werden kann. Dies besagt, daß „in jeder Bestimmung das Sein (esse) angetroffen wird, aber doch verschieden gemäß der Erfassung seiner größeren oder geringeren Vollendung"[34].

Danach liegt im Grad der Vollendung oder in der Verminderung des Seins in den einzelnen Gegebenheiten der Substanz das unterscheidende Moment. Dieser Unterschied ist für die Betrachtung von größter Bedeutung, da er die Mannigfaltigkeit der entia als solche durch das ἀναλογίζεσθαι aufschließt und selbst als analog kennzeichnet[35]. Wird er nicht mehr bedacht und an seine Stelle eine qualitative Wesensdifferenz gerückt, so fällt das Seiende in absolute Artbestimmungen auseinander, die nur noch „begrifflich", d.h. in einer sachlich nicht mehr aufweisbaren Verschwommenheit, als Einheit hervortreten können; oder aber das durchwaltende esse wird zu einer nicht mehr auflösbaren und ununterscheidbaren Selbigkeit, zu einem Moment an den essentiell und qualitativ absolut besonderten Einheiten. Es wird (mit Scotus) „in quid" ausgesagt und geht in eine konfuse Wesensbestimmung über, oder es ändert seinen Sinn in eine bestimmbare gattungshafte Allgemeinheit.

Eine Unterscheidung im Sein oder Seienden nach „minder oder minder" kann jedoch nur durch das mitgedachte „Nichtsein" begriffen werden, da

[32] Met. III 8 (442). [33] Met. IV 1 (540).
[34] I Sent. d. 19 q. 5 a. 2 ad 1. [35] In Boet. de Trin. l. 1 q. 2 a. 2.

es im Sein oder Seienden keine andere Weise der Andersheit oder Verschiedenheit gibt[36]. Also kann das Sein oder Seiende als solches überhaupt nicht oder nur „nach Akt und Potenz geschieden werden“[37]. Das Nichtsein, die Potenz, die Möglichkeit oder ein reines Prinzip der Ermöglichung wie die erste Materie aber hat keinerlei An-sich-selbst-sein. Es subsistiert nicht in sich selbst, sondern dankt seine Weise, wirklich zu sein, schlichthin dem verwirklichenden Akt. Dadurch aber existiert es nur kraft seines „Bezuges“ auf etwas, das es selbst nicht ist. Damit aber ist es in seinem „Für-sich-sein“ oder in seinem Eigensein durch den „Bezug selbst“ gekennzeichnet.

Das Ergebnis ist daher wiederum eine erstaunliche Bestätigung der relationalen Analogie. Wenn daher Thomas von den „10 Kategorien“ als „Gattungen“ spricht und ihnen eine „eigene Aussageweise zuspricht“, so erscheint das jeweils Eigene als „modale Ausprägung“[38] eines Ersten, nämlich der Substanz selbst, die oder von der her der Denkende dem nicht substantiell Seienden das „Maß“ seines Seinsanteils zumißt. Wird es aber in seinem Eigensein bestimmt, so scheidet es sich in eine „debile“ (nichtige) Potenz, die als „non ens“ schlichthin ein „esse ad ens“ besagt, und in eine Aktualität, die als aktuierendes Wirken der Substanz entfließt und von ihr „hergeleitet“ werden muß, so daß nur von *einem* Seienden der Zahl nach gesprochen werden kann[39].

11. Das Seiende als relationales Gefüge

Daher ist das wirklich Seiende in seinen seinshaften Unterschieden nur als relationales Gefüge aufweisbar. Es ist durch eine „Gründung“ oder „einen Hervorgang“ das, was es als „eine Natur“ ist, wie es zugleich durch seine Materie als ein innehaltender Grund „die resultierte Ausfaltung seiner Vermögentlichkeit auf sich zurücknimmt“[40]. Bestimmt man daher die Substanz als „Ursache der Akzidentien“[41], so muß man diese Ursächlichkeit als „resultatio naturalis“, d.h. als formal-effizienten Hervorgang wie als zurücknehmendes Innehaben, bezeichnen. Dieser „Hervorgang“ ist jedoch

---

[36] In Boet. de Trin. l. 1 q. 2 a. 1.

[37] Met. IX 1 (1769).

[38] De pr. nat. nn. 15/16; I Sent. d. 22 q. 1 a. 3 ad 2.

[39] S. th. 1 II q. 20 a. 3 ad 3; „Die Figur und alle Akzidentien folgen der Substanz als ihrer Ursache, weshalb sich das Subjekt nicht nur als potentia passiva, sondern auch in gewisser Weise als potentia activa zu den Akzidentien verhält“ (In Boet. de Trin. l. 2 q. 1 a. 4).

[40] In Boet. de Trin. l. 1 q. 2 a. 2.

[41] C. Gent. 1. 34; In Boet. de Trin. l. 2 q. 1 a. 4.

im Wirkgesamt der materiellen Welt aus seiner „Vermögentlichkeit" schlichthin in den empfangenden und den sich entäußernden Akt übergegangen, so daß Aristoteles ihn κατὰ συμβεβηκός kennzeichnet, d. h. gemäß dem vollendeten „Mitgekommensein". Er bleibt jedoch schlichthin durch das Hervorgehenlassen wie das Innehaben gekennzeichnet, so daß er trotz der „Differenz von Ursache und Wirkung" „im Namen und im Begreifen (nomine et ratione) mit der Ursache irgendwie übereinkommt" [42].

Also kann das Seiende in seiner Mehrfältigkeit nur analog oder relational gekennzeichnet werden, wenn es auch kraft der immer mitwaltenden Nicht-ursächlichkeit des Seins zugleich an einer Unableitbarkeit teil hat, die im bestimmten Wesen der Substanz selbst, aber auch in der figuralen Bestimmtheit des Quantum und in den Qualitäten in seiner Ursprünglichkeit nur schlicht hingenommen werden kann. Was immer aber auf diese Weise erscheint, hat zugleich als „modus oder genus *entis*" seinen analogen Bezug, kraft dessen es vom Sein her durchspielt ist und auf das Sein hin zurückverweist.

12. Die Beziehungsweisen und ihre Bezeichnungen

Alle Bezüglichkeit ist jedoch zwei-sinnig, sofern „verschiedene aufeinander hingehalten werden". Kraft dieses Hinseins werden die „genera entis" zu Recht „habitudines" [43], Verhaltungen und mit Einschluß der Bezugstermini „proportiones", „Verhältnisse" [44] genannt. Da jedoch in diesen Verhältnissen immer ein „Übereinkommen", eine „convenientia" waltet, so werden sie allesamt „auf ein Erstes" und „Eines bezogen" (referuntur) [45]. Sie werden auf es „zurückgeführt" [46] (reducuntur); während der Erkennende in einem „Rück-blick" (re-spectus) steht [47] und sie in ihrem Sein-sein der Substanz „zuerteilt" (attribuit) [48].

Da jedoch „die Substanz früher ist in der Erkenntnis, in der Natur der Dinge und im Hinblick auf die Wortbedeutung (des ens)" [49], so ist in den Bestimmungen, die den Erkenntnisgang betreffen oder den resultierenden Hervorgang der Akzidentien, das Verhältnis umgekehrt. Dann werden die akzidentellen Seinsweisen abgeleitet (derivari) [50], sie „hängen ab" (de-pendent ab uno primo) wie das Gute von seinem Ziel [51]; sie werden vom Ersten her „benannt" (denominantur) [52] und „de-finiert" [53], wie man

---

[42] I Sent. d. 8 q. 1 a. 2. [43] Met. IV 1 (536); V 2. 11. [44] Ethik 1, 7.
[45] Met. IV 1 (536). [46] Met. XI (2196). [47] Pot. 7. 7. [48] De pr. nat. nn. 15/16.
[49] C. Gent. 1. 34. [50] S. th. 1 II q. 20 a. 3 ad 3. [51] Ethik 1. 7.
[52] S. th. I q. 16 a. 6. [53] Ebd. q. 13 a. 10.

vom Ersten und Ursächlichen zum Weniger-Seienden „herabsteigt" (descendit); oder sie „folgen (consequuntur) ihrem Subjekt als ihrer Ursache"[54].

Wird aber drittens *die Beziehung selbst* genannt, so ist von „einer Ordnung der mehr oder minder großen Annäherung zum Ersten hin"[55] die Rede oder von einer „Teilhabe am Einen"[56], von einer „Verbindung" (conjunctio)[57], von einem „Übereinkommen" (convenientia) oder „Vergleich" (comparatio)[58]; von einer „Ähnlichkeit" (similitudo), die eine Wirkung mit der Ursache gemein hat"[59], oder unmittelbar vom „In-sein" (in-esse), vom „Hinstreben" (tendere), vom „Wegziehen" (removere)[60], schließlich von einer „dispositio" der Substanz durch die Qualität oder einer „mensura entis per se" durch das Quantum[61].

13. Die logischen genera entis

Viertens kann die Differenz betont werden, indem die differenten Ausgangstermini ohne die Relation hervortreten. Dann wird die komplexe Seinsnatur und ihre Beziehungsordnung irgendwie verlassen, und die verschiedenen Gegebenheiten treten in phänomenaler Unmittelbarkeit oder als „Begriffe" des abstrahierenden intellectus quidditativus[62] auf und werden als Substanz, als Quantum und Quale nach „Gattungen"[63] und „Aussageweisen"[64] unterschieden. Als „Gattungsbegriffe" stellen sie jedoch nur eine konfuse Zusammenfassung aller Substanzen, aller möglichen quantitativen oder qualitativen Gegebenheiten dar, wobei die analoge Bezogenheit zur Substanz nicht eigens betont wird. Der intellectus quidditativus, in dem diese Sichtbegrenzung statthaben kann, urteilt hierbei über keinen Seinsbezug, sondern hält sich in der Schwebe einer Indifferenz, in der „er weder etwas über die Getrenntheit noch über die Einheit erkennt". So gesehen, ist die „Gattung des Quantitativen" nur auf die verschiedenen Quanta bezogen und als solche wie jede Gattung eine „intentio" des Verstandes, die freilich notwendig ihren Bezug zur substantiellen Realität be-

[54] In Boet. de Trin. l. 2 q. 1 a. 4.
[55] S. th. I q. 13 a. 6.
[56] I Sent. prol. q. 1 a. 2 ad 2.
[57] III Sent. d. 1 q. 1 a. 1.
[58] De pr. nat. nn. 15/16 et Met. V 8 (879).
[59] Vgl. S. th. I q. 13 a. 5.
[60] Met. IV 1 (543).
[61] In Boet. de Trin. l. 1 q. 2 a. 2; Ethik 1. 7.
[62] In Boet. de Trin. l. 2 q. 1 a. 3.
[63] De pr. nat. nn. 15/16.
[64] I Sent. d. 22 q. 1 a. 3 ad 2.

wahrt und deshalb als Akzidens in der analogen Beziehungsordnung der wirklichen Dinge steht. Wenn sogar die abstrahierten Momente dem Wesen der Abstraktion gemäß „zugleich gemäß der Sache“[65] sind, so bleibt die hier gemeinte Heraushebung einer Sicht von Grund aus im Seienden verwurzelt.

Nur die Gattung der Substanzen verträgt diese Ablösung von den Akzidentien, weil „die Substanz in die Definition der Akzidentien gesetzt wird, aber nicht umgekehrt“[66]. Würde sie aber vom Seiendsein abgelöst und zum bloßen „Gattungsbegriff“ und als Substanz in einer „logischen“ Aussage z.B. vom Menschen ausgesagt, der als existierend gedacht wird, so „hätte eine Substanz ein Sein in einem (anderem) Zugrundeliegenden; was gegen das Wesen der Substanz ist“[67]. Also tritt der reine Widerspruch zutage, der zeigt, daß die Substanz als „Begriff“ (2. Substanz) keine „Gattung“ ist und nie als „reine logische intentio“ gebraucht werden kann. Sie muß daher in der metaphysisch gedeuteten Aussage in das subsistente, reale Seiendsein zurückgedacht werden, in dem sie ursprünglich schon verwurzelt war. Der „Begriff“ verschwindet solchermaßen immer im schon als in-sich-seienden Begriffenen, „über das der Philosoph Überlegungen anstellt“[68]. Die Aussage „der Mensch ist eine Substanz“ sagt daher nicht die Substanz dem Menschen zu; es ist keine „Synthesis apriori“, sondern macht nur offenbar, was der Mensch immer schon von seiner Substantialität her ist. Deshalb ist der apprehendierende Intellekt am Ursprung immer schon in die intuitiven, vollendeten Urteile des intellectus dividens et componens principiorum entis übergegangen, deren Wahrheit er später nicht mehr auslöschen kann. Diese urteilende Vernunft kennt keine „Abstraktionen“, sondern nur trennbare oder einigende Sachbezüge[69].

14. Die Arten der Beziehungen und ihr Verhältnis zueinander

Das „ens“ ist daher nur als analoge Bezugseinheit philosophisch zu fassen. Werden nun die Bezüge oder die Proportionen miteinander verglichen, so treten folgende Möglichkeiten hervor:

a) Die attributive Analogie

Die Verschiedenen werden durch die Relation allesamt unmittelbar auf das Eine oder Erste der Substanz bezogen und ihr zugesprochen. In diesem Falle sprechen wir von einer einfachen „attributiven Analogie“[70].

---

[65] In Boet. de Trin. l. 2 q. 1 a. 3. [66] Met. VII 13 (1579). [67] Ebd. (1576).
[68] Ebd. [69] In Boet. de Trin. l. 2 q. 1 a. 3. [70] Vgl. De pr. nat. nn. 15/16.

b) Die vermittelte Attribution

Diese „attributive Analogie" kann jedoch wieder *in vermittelnde Bezüge* aufgegliedert werden. So sagt Thomas, daß „die erste Zurichtung der Materie die ausgedehnte Quantität sei" und daß „alle anderen Akzidentien auf das Subjekt durch Vermittlung des ausgedehnten Quantums bezogen sind" [71], weil „die Quantität unter den anderen Akzidentien der Substanz am nächsten ist" [72]. Also sind „alle Akzidentien auf die Quantität gegründet" [73]. Daraus folgt, daß die Qualitäten zunächst „in der Quantität das nächste Subjekt haben, wie die Oberfläche das Subjekt der Farbe ist" [74], wodurch „sie hinsichtlich der Lage und Zahl unterscheidbar sind" [75].

Also gibt es eine Vermittlung in der Attribution, so daß der erste Beziehungsterminus der Qualität das Quantum ist, durch das die Qualität auf die Substanz „rückgeführt" und ihr „zuerteilt" wird. Wir haben es also mit einem Insein in einem Inseienden zu tun.

Dadurch scheidet sich dieser Bezug in eine mehrfache Sicht. Die erste ist die bereits entwickelte Kontinuation des Bezugs der Qualität über das Quantum auf die Substanz hin. Wir nennen sie die *Analogie der vermittelten Attribution* oder die *Analogie der vertikalen Vermittlung*, weil sie vom seinshaft Geringeren über das Nähere zum „Ersten des Bezugs" hingeht.

c) Die attributive Proportionalität

Die zweite ergibt sich aus der Möglichkeit, die Relationen selbst miteinander zu vergleichen und zu sagen: Wie sich die Qualität zum Quantum verhält, so verhält sich „analog" das Quantum zur Substanz. Hier wird die Relation als „Innesein" oder „Inne-haben" selbst in ihrer „Ähnlichkeit" zum „Einen der Beziehung", so daß sich eine *„Ähnlichkeit der Verhältnisse"* mit verschiedenen Termini untereinander ergibt (similitudo proportionum), die Thomas als *„proportionalitas"* [76] bezeichnet.

Da es sich um eine „Ähnlichkeit" handelt, so besteht die Aufgabe des ἀναλογίζεσθαι darin, die konfuse Übereinkunft aufzulösen. Dies kann nur dadurch geschehen, daß die Weise des Inseins oder Innehabens unterschieden wird in eine solche der *in sich gründenden Subsistenz:* einer „nur vermittelnden" und einer „vermittelten", die beide aus sich selbst „nichtig" sind, weil auch die vermittelnde aus sich selbst keine innehaltende Kraft

---

[71] S. th. III q. 77 a. 2.
[72] Met. V 15 (983).
[73] S. th. III q. 77 a. 2.
[74] S. th. 1 q. 78 a. 3 ad 2.
[75] S. th. 2 q. 24 a. 5 ad 1.
[76] De Ver. 2 q. 3 a. 4.

hat. Also geht die „Analogie der Proportionalität" wieder in eine „attributive" Zurückführung über, sofern die „Relation des Innehabens" und damit des „Inseins" selbst auf die Substanz unmittelbar und vermittelt vertikal bezogen ist. Diese Analogie muß daher die der *„attributiven Proportionalität"* genannt werden.

Das Ergebnis ist, daß das „vermittelnde Innehaben" im Vergleich mit dem „subsistenten" sich als *nichtig* erwies, auf Grund welcher Nichtigkeit der proportionale Vergleich in die „attributive Proportion" überging. Wir können daher sagen, daß die attributive Proportionalität immer in der durch Unterscheidung geklärten „Ähnlichkeit der Verhältnisse" einen positiven vergleichbaren Verhalt mit sich führt (nämlich das In-sein); ferner zugleich auf Grund der nichtigen Vermittlung oder der Vermitteltheit einen zu negierenden Schein der Gleichsinnigkeit. Beides zusammen ergibt im positiven Verhalt die Möglichkeit, in der Nichtigkeit und Unselbständigkeit der Beziehung die Notwendigkeit einer Zusage oder Zuweisung an die Substanz.

d) Die vermittelte attributive Proportionalität

Wird diese Verhältnisähnlichkeit durch mehrere Stufen geführt und etwa gesagt: Wie sich das „Wirken zur Qualität verhält, so verhält sich die Qualität zum Quantum und dieses zur Substanz", so ergibt sich offenbar eine Steigerung im Positiven des Innehaltens, da ja das Erste seinshaft mehr ist als das Vermittelnde und dieses mehr als das Vermittelte. Das Quantum ist daher als universale Vermittlung des Inseins in der Substanz notwendig selbst ein „Bild der Substanz", während die Zugehörigkeit des Wirkens zum Quale oder sein substanzbezogenes Innesein hinter dem Eigensein der qualitativen Bestimmtheit als solcher und dem aufdringlicheren Innesein im Quantum offenbar zurücktritt. Denn da „die Substanz früher ist im Erkennen", so tritt auch ihr „nächstes Abbild" früher in die Sicht der Vernunft und erweist sich so als seins- oder akthafter [77].

Darum betrifft die „größere und geringere Vollkommenheit" [78] auch die zu vergleichenden Relationen. Wäre also das Innehaben der Substanz aus den beiden anderen Relationen zu erschließen, so könnte aus dem Maß der Steigerung auf dem Wege der „Übersteigung" (via eminentiae) eine Erkenntnis gewonnen werden. Dadurch ergibt sich, daß einmal die gestufte Proportionalität die Attribution verschärft, zum anderen, daß *„Negation und Übersteigung zum Wesen der analogen Erkenntnis"* gehören, sofern sie von den defizienten Wirkungen her den Grund erschließt.

[77] In Boet. de Trin. l. 2 q. 1 a. 3.
[78] I Sent. d. 19 q. 5 a. 2 ad 1.

e) Die horizontale Proportionalität

Werden jedoch die Seinsweisen als verschiedene genera aufgefaßt, in denen sich das Sein je verschieden ausprägt, so kann sich die Richtung der analogen Verhältnisse vom Vertikalen zum Horizontalen hin verschieben. Waren nämlich die bisher besprochenen Verhältnisse unmittelbar oder vermittelt auf die Substanz gerichtet, so ändert sich offenbar die Analogie wesenhaft, wenn etwa gesagt wird: „Wie sich die Substanz zu dem ihr gemäßen Sein verhält (ad esse sibi debitum), so verhält sich auch die Qualität zu dem Sein, das ihrer Gattung zugemessen ist (ad esse sui generis conveniens).“ [79]

Hier laufen die Proportionen nicht unmittelbar oder vermittelt auf die Substanz hin, sondern sie halten sich offenbar in den verschiedenen Ebenen und terminieren horizontal in Bestimmungen des je eigenen Seinsbereiches. Deshalb kann der obige Satz auch auf diese Weise gedeutet werden: „Wie sich die Substanz zur Subsistenz verhält, so verhält sich die Qualität zum Innesein an einem bestimmten Ort der Quantität.“ Oder: „Was die Form für die Substanz ist, ist die Figur für das Quantum und die qualitative Artung für das Quale.“ In diesem gleichlaufenden Nebeneinander verschiedener Ebenen scheint das Bezugs-Eine nur in der Relation als solcher zu liegen, so daß der Vergleich die Verschiedenheit der Gattungen oder Ebenen nicht übersteigt. Dies besagt aber zugleich, daß in der „Ähnlichkeit der Proportionen“ kein Maß einer inneren Ordnung und auch keine Angleichungsrichtung vorzuliegen scheint, so daß sie selbst nicht mehr aufgelöst werden und seinshaft aufeinander bezogen werden könnten. In diesem Falle stünden wir vor der *„reinen Analogie der Proportionalität“*. Sie ist gekennzeichnet durch eine horizontale „Ähnlichkeit“, die nicht mehr durch Unterscheidung auf Gleichheit oder Angleichung hin aufgelöst werden kann und deshalb eine „maßlose“, d. h. undurchmeßbare Weite oder Nähe der Unterschiedenen aufweisen kann. Sie ist daher auch nicht mehr im strengen Sinne einer „Zurückführung“ oder eines „Bezugs“ einer Sache zuzusprechen im Sinne einer terminierenden Attribution, weil über die Weite der Differenz von den nebeneinander herlaufenden Proportionen her nichts ausgemacht werden kann. Deshalb sagt Thomas: „Bei den Gegebenheiten, die in der Weise des Bezugsverhältnisses als bezogen ausgesagt werden, steht nicht ihr Verhalten (habitudo) zueinander im Blick.“ [80]

Da es im Verhältnis der menschlichen Erkenntnis und des geschaffenen Seienden zu Gott offenbar keine „determinierten Verhältnisse“ (habitudo determinata) [81] gibt, so scheint unsere Gotteserkenntnis kraft „des unend-

---

[79] III Sent. d. 1 q. 1 a. 1. [80] De Ver. 2 q. 3 a. 4. [81] De Ver. 2 q. 11.

lichen Abstandes“ offenbar durch solche unauflöslichen „Proportionsverhältnisse“ gekennzeichnet. Denn „in den Gegebenheiten, die in der Weise der Proportionalität im Verhältnis stehen, steht nicht das Verhältnis derselben aufeinander, sondern das ähnliche Verhalten zweier zu zwei anderen im Blick; und so ist es nicht auszuschließen, daß auch ein Unendliches zu einem Unendlichen in einem Proportionsverhältnis stehe: denn wie ein Endliches einem Endlichen gleich sein kann, so kann ein Unendliches einem anderen Unendlichen gleich sein.“ [82]

„Von einem Endlichen zu einem Unendlichen kann es nämlich kein Verhältnis geben, weil der Überstieg des Unendlichen über das Endliche nicht bestimmbar ist (non est determinatus). Es kann aber trotzdem zwischen beiden eine Proportionalität geben, die eine Ähnlichkeit von Verhältnissen besagt; wie nämlich ein Endliches mit einem Endlichen übereinkommt (aequatur), so ein Unendliches mit einem Unendlichen.“ [83]

Es ist offenbar, daß diese durch den unbestimmbaren „Exzeß“ charakterisierte „Verhältnisanalogie“ dem oben Gesagten entsprechend nahezu keine „Attribution“ erlaubt und deshalb, besonders in dem Fall, daß eine Beziehung erst aus der anderen erschlossen werden soll, im Dunkel des nicht bestimmbaren Bezugs nur ein vages und konfuses Ahnen hervorrufen kann, das wegen der unbestimmbaren Nähe und Weite der Differenz zu uferloser Verirrung führen muß.

Es kann jedoch leicht kritisch aufgelöst werden. Denn wenn es keinen bestimmbaren Bezug vom Endlichen zum Unendlichen gibt, dann ist auch der Bezug der Proportionen zwischen zwei Endlichen und Unendlichen völlig unbestimmt und enthält denselben, wenn nicht einen größeren „Exzeß“, den das Unendliche zum Endlichen aufweist. Denn die Kategorie der „Relation“ ist durch und durch durch die Bezogenen in ihrem Sein und Wesen bestimmt, so daß der erste Satz des thomistischen Gedankenganges das Ergebnis radikal aufhebt. Ebenso kann gesagt werden, daß ein „excessus indeterminatus“ keineswegs notwendig einen „größeren Abstand“ aufweist, wenn nicht zugleich die Übersteigung irgendwie durchmessen wird. Wird sie aber durchmessen, dann liegt notwendig ein Zuordnungsverhältnis vor, ohne das die Unbestimmtheit der Übersteigung ebensogut Nähe wie Ferne bedeuten könnte.

f) Die Attribution in der horizontalen Proportionalität

Deshalb ist es offenbar, daß die oben (2b) entfaltete „attributive Proportionalität“ allein einem ἀναλογίζεσθαι entspricht und deshalb auch

[82] De Ver. 2 q. 3 a. 4.
[83] IV Sent. d. 49 q. 2 a. 1 ad 6.

der reinen (nicht attributiven) Verhältnisanalogie zugrunde liegen muß. Denn da jedes Verhältnis als eine Weise des Seins bestimmt werden kann, das Sein aber, wie wir oben zeigten, sich stets nach Sein und Nichtsein, Akt und Potenz, scheiden läßt, so kann es überhaupt die oben gekennzeichnete Unauflösbarkeit und das richtungslose Nebeneinander der Ähnlichkeit gar nicht geben. Reflektiert man daher auf das oben zitierte Relationsverhältnis, welchem gemäß „die Substanz sich zu ihrer Subsistenz verhielt wie das Quale zum Innesein an einem Ort oder einer Stelle des Quantum", so liegen die Aussagen nur zum Schein unbezogen in verschiedenen Seinsbereichen oder genera.

Dieser Schein entsteht nämlich, wenn die „genera" nur als „logische Begriffe" genommen und nicht metaphysisch gedacht werden. Werden sie jedoch als Seinsweisen (genera entis) begriffen, so stehen sie und mit ihnen die horizontalen Relationen notwendig im unmittelbaren oder vermittelten attributiven Bezug zur Substanz. Dies besagt, daß die „Beziehung der Qualität zu ihrem Innesein" selbst nur „ratione", d. h. begrifflich, ist, dieweil ihr Sein in Wirklichkeit mit dem „Innesein in einem Quantum" identisch ist und deshalb von ihm nicht mehr seinshaft geschieden werden kann.

Abstrahiert man deshalb ein „quale" und betrachtet es ohne sein „Innesein", so hat man es genauso entwirklicht, wie wenn man die Substanz von ihrer Subsistenz wegrückt und dann von einem anderen Seienden als einem aufnehmenden Träger aussagen will, wodurch der von Thomas hellsichtig angeprangerte Widerspruch der reinen Logik zutage kommt. Deshalb ist für den Metaphysiker in einer Aussage (wie: der Mensch ist eine Substanz) die „praedicatio de subjecto" mit dem immer schon vorgängig offenbaren „in subjecto" [84] identisch, d. h., die Aussage besagt metaphysisch keine hinzukommende Bestimmung, sondern läßt uns (wie wir oben zeigten) offenbar werden, was immer schon ist. Also ist die Bestimmung des Quale durch das Innesein nur als „Relation" bestimmbar, wenn man den „Begriff" des Inneseins vom „Sein des Quale" getrennt hat und es ihm nachträglich wieder zuspricht.

Das aber ist auf der Ebene der Metaphysik überhaupt nicht möglich und ein rein rationales Exerzitium im seinsvergessenen Bereich der Logik und der Wortbedeutungen. Daher sind die oben genannten Proportionsverhältnisse rein rationale Produkte und entsprechen in keinem Sinne der Analogie des Begreifens, das sich im Wirklichen „einer" komplexen, ursächlich hervorgegangenen und entfalteten „Natur" oder im „Seiendsein" bewegt. Sowie man nämlich die Aussagen als Eröffnung wirklicher Bezüge

[84] Met. VII 13 (1576).

versteht, fallen sie als reine „Identitäten" mit dem attributiven Bezug zusammen.

Dann wird die Substanz identisch mit ihrer Subsistenz. Sie wird „Seiendes im eigentlichen und ersten Sinn", und die anderen Seinsweisen sind „dessen, was durch sich selbst ist"[85]. Daher ist die *seiende* Qualität immer schon „inneseiend" und auf die Substanz hin gesagt; ja Thomas sagt sogar, daß sie „seiend nicht deshalb genannt werde, weil sie selbst das Sein (esse) habe, sondern weil die Substanz durch sie als disponiertes Sein bezeichnet wird"[86]. Das heißt, der Bezug des Inneseins ist über das Innehaben immer schon in eine Qualifizierung der Substanz selbst übergegangen. Das Ergebnis ist daher, daß die rein „rationale" Proportionsanalogie nur die „begriffliche Auflösung" eines attributiven Verhältnisses darstellt.

Aber auch wenn man das horizontale „Verhältnis der Identifizierung" bestehen ließe und darauf hinwiese, daß der Unterschied zwischen der Qualität und ihrem Innesein an einer bestimmten „Stelle" auch metaphysisch aufrechterhalten werden könne, wie ja auch bei der Substanz das Wesen von der Subsistenz seinshaft unterschieden werden kann, so ließe sich die metaphysische Differenz aus der bloßen „Ähnlichkeit" herausheben, d. h., diese könnte unter das Maß der Gleichheit und abfallenden Verschiedenheit gestellt werden. Denn das Sein der Substanz führt durch die Wesensform die Subsistenz mit Notwendigkeit durch sich selbst herbei, während das „Innesein" der „Qualität" durch das von ihr seinshaft geschiedene Quantum und durch die Substanz vermittelt ist. Es besitzt deshalb in der Dimension der seinshaften Differenz der genera entis ein geringeres, abgeleitetes und unselbständiges Sein und muß auch in seiner horizontalen Bezüglichkeit attributiv auf die Substanz zurückgeführt werden.

g) Die Arten der attributiven Analogie

Das Ergebnis ist daher die unscheidbare unauflösliche Einheit des ἀναλογισμός. *Es gibt nicht zwei Arten von Analogie, die nebeneinander bestehen könnten:* die sogenannte analogia attributionis und die analogia proportionalitatis. Vielmehr steht jede Analogie in einer attributiven Bezüglichkeit, wenn durch sie Seiende verschiedener (abgestufter) Seinsart aufeinander bezogen und durcheinander erkannt oder gekennzeichnet werden sollen. Dann aber scheidet sich die *attributive (analoge) Zurückführung:*

---

[85] Met. XI 3 (2197). [86] Ebd.

1. in ein *unmittelbares Bezugsverhältnis* mehrerer Gegebenheiten auf ein erstes Beziehungssubjekt, sei dies ein Ziel, eine Wirkursache oder eine Substanz;

2. in ein *vermitteltes Bezugsverhältnis,* in welchem verschiedene Bezüge durcheinander auf das Beziehungssubjekt zurückgeführt werden, wobei sowohl die Beziehungstermini vermittelnd fungieren, wie auch die Relationen in ihrem gestuften Seinscharakter eine sich im Vergleich steigernde Verweisung gewinnen. Wir haben es daher mit einer attributiven Proportionalität der Relationen und zugleich mit der Proportion der Termini zu tun;

3. in eine *horizontale, nur begriffliche Proportionalität,* die metaphysisch in ein unmittelbares oder vermitteltes Bezugsverhältnis übergeht, und

4. in eine *horizontale, metaphysische oder seinshafte Proportionalität,* die jedoch notwendig in ihren Beziehungsträgern wie im Seinscharakter der Beziehungen eine unmittelbare oder vermittelte attributive Zuordnung mit sich führt.

15. Die Methode philosophischen Denkens

Damit hat sich uns das Wesen der Analogie selbst in ihrer „analogen Mehrfältigkeit" enthüllt, sofern die behauptete Vielfalt nur als verschiedene Ausprägungen der attributiven Zurückführung zutage getreten ist. Zugleich hat sich der eingangs behauptete Verhalt bestätigt, daß es im philosophischen Bedenken und Entfalten des Seienden als Seienden, ist dieses einmal als eine „Natur" in die Erscheinung getreten, nur „analoge" Verweisungen und Eröffnungen geben kann. Denn das Seiende als gründende, hervorgehenlassende und innehaltende Natur oder Substanz läßt sich nur aus seinen Erscheinungen und Erwirkungen erschließen, die dem Grunde nicht gleich, sondern nur „ähnlich sind" [87]. Da aber die Substanz und das Seiende „früher im Erkennen ist wie auch in der Natur der Dinge", gewährt sie uns in ihrer „Seinsvollendung" ein Maß, die „Ähnlichkeiten" in einen positiven Bezug und eine nichtige Differenz aufzulösen, die beide die Rückführung ermöglichen. Denn der positive Bezug entstammt dem hervorgehenlassenden Grund und fällt ihm, rückt man die Nichtigkeit zur Seite, wieder anheim, während die „Nichtigkeit" aus einem Anderen herkommt, das jedoch als „reine Potenz der Ermöglichung" für sich nicht sein kann und deshalb auf seine Weise im Bezug zum Grunde steht.

---

[87] Pot. 7. 7.

Wenn daher gesagt wird, daß „jede Ursache ein sich Ähnliches erwirkt", so besagt dies zugleich, daß diese „Ähnlichkeit" immer aufgelöst werden kann in einen die Ursache auf Gleichheit hin manifest machenden und sich ihr angleichenden Akt, der erst in der Verwirklichung durch das Andere und Nichtige einer Potenz, d. h. durch eine konstituierende Komposition, in die „Vermischung"[88] des „Ähnlichen" übergeht, das nach Gleichheit und Verschiedenheit, nach Sein und Nicht-sein noch nicht unterschieden ist.

Das Ergebnis ist des weiteren die Klärung der philosophischen Methode, die nur als ἀναλογισμός in ihrem Wesen verstanden werden kann. Kraft der Apriorität des immer schon im intuitiven Urteil der Vernunft erkannten Seienden, der Substanz und der Ursache wie des immer gleich frühen phänomenalen Anwesens der Erscheinungen und Wirkungen in der a posteriori eröffnenden sinnlichen Wahrnehmung und der a posteriori erfassenden „simplex apprehensio" des Verstandes, besagt das seinsgerechte Denken stets einen Kreisschluß, der alle Phänomene als „modi oder genera entis" vom Grunde her als „partizipierende Teile" aufschließt und sie zugleich mit ihm zusammenschließt. In diesem Zusammenschluß aber wird die Substanz „rückläufig" von den Phänomenen her als „innehaltender Grund" in seinem ausgefalteten Reichtum, in seiner hervorgehenlassenden Gründung wie in seinem universalen, seinem innehabenden, seinem disponierten und mensurierten sowie in seinem durchwaltenden Grundsein bestimmt. Als Ergebnis aber tritt immer eine fügend waltende und als Gefüge aufgebaute und verwirklichte „Natur" hervor, die nur durch das metaphysische Denken wesens- und seinsgerecht aufgeschlossen werden kann.

16. Ausblick auf die Gotteserkenntnis

Mit der Erkenntnis des Wesens der Analogie des Seienden ist es auch möglich, den Gang der philosophischen Gotteserkenntnis wie auch die theologische Weise, von Gott zu sprechen, wesensgemäß zu deuten und aufzuhellen. Diese Klärung setzt jedoch voraus, daß die „analogen Verhältnisse und Verhältnisähnlichkeiten" in der Konstitution des Seienden oder die Differenz von Sein und Seiend, von Akt und Wesen, von Form und Materie sowie der Prozeß der „Abstraktion" entsprechend der vorausgehenden Substanzanalyse gedeutet werden. Nur dann können die schwankenden, vieldeutigen und oft entgegengesetzten Aussagen des Aquinaten aus einem tieferen Verständnis der Verhalte geklärt und die so gegensätzliche Erörterung der Problematik durch die neuscholastischen

---

[88] Met. IV 1 (543).

Denker in ihrem Gehalt und ihrer Wahrheit wie in der Einheitlichkeit der Gesichtspunkte gewürdigt werden. Dieser Erörterung wie dem Sachproblem der analogen Gotteserkenntnis hat Hampus Lyttkens eine inhaltsreiche, vielseitige und umsichtige Arbeit[89] gewidmet. Er sagt abschließend: „Das obige zusammenfassend finden wir, daß der heilige Thomas die Verhältnisanalogie als eine logische Hilfe braucht, um von Gott gewisse Eigenschaften auszusagen, die aus der Schöpfung genommen sind (z.B. in de Veritate 2.11). Die Verhältnisanalogie spielt deshalb, das muß entsprechend gesagt werden, nicht die zentrale Rolle bei Thomas, die ihr in den thomistischen Essays zugesprochen wird.“[90]

Dieser Satz entspricht ohne Zweifel dem Ergebnis unserer Untersuchung, wonach jede Analogie „attributiv“ ist, so daß jedes horizontale proportionale Verhältnis nichts mehr besagt, wenn es nicht durch eine vertikale Proportionalität und diese durch einen direkten Proporz auf den ersten Terminus hin bezogen werden kann.

Wir werden indes sehen, daß durch die Vielfalt der Vermittlung der Gotteserkenntnis und durch die unerreichbare Transzendenz des letzten Beziehungssubjektes, nämlich Gottes, nicht zuletzt durch die letzte unauflösliche similitudo des „esse ipsum“ die Proportionalität ein entscheidendes Gewicht behält und in eine intentionale verweisende „Beziehung“ des Erkennens übergeht, deren Richtung und transzendierende Energie aus der Stufung und sich aufhebenden Nichtigkeit von horizontalen und vertikalen Beziehungsverhältnissen stammt. Darüber wird in einer weiteren Arbeit gehandelt.

---

[89] *H. Lyttkens,* The Analogy between God and the World (Upsala 1952).

[90] Ebd. 475.

SEINSPROBLEMATIK UND GOTTESBEWEIS

Von Johannes B. Lotz SJ, Pullach-Rom

I

Drei Ereignisse

Innerhalb des Fragebereiches, den unser Titel zu umschreiben versucht, sind *drei* philosophische *Ereignisse* für die heutige Situation bestimmend: die Läuterung der transzendentalen Methode, das Entfalten der ontologischen Differenz und das Wiedergewinnen der unverfälscht thomanischen Sicht des Seins. Das erste Ereignis ist unlösbar mit dem Namen *J. Maréchal* verbunden, der in seiner neuen Begegnung zwischen Kant und Thomas von Aquin den entscheidenden Durchbruch vollzogen hat. Im zweiten Ereignis wirkt sich die epochemachende denkerische Tat von *M. Heidegger* aus. Was das dritte Ereignis betrifft, so vereinigen sich in dem Gesamtergebnis die Beiträge einer ganzen Reihe von Forschern. Im Kraftfeld dieser drei Ereignisse und als ein wichtiger Schnittpunkt der sich daraus ergebenden Entwicklungslinien entfaltet sich das Schaffen von *K. Rahner;* Zeugnis dafür legen im philosophischen Raum sein viel gelesenes und einflußreiches Werk „Geist in Welt" und seine Religionsphilosophie „Hörer des Wortes" ab; wie dieselbe geistige Haltung seine bahnbrechenden theologischen Schriften befruchtet und prägt, ist nicht an diesem Ort darzulegen.

Verdeutlichen wir die genannten Ereignisse nach ihrer jeweiligen Eigenart und ihrer gegenseitigen Durchdringung.

1. Die *transzendentale Methode* untersucht die Erkenntnis des Menschen und (in ihrer erweiterten Bedeutung) sein gesamtes Wirken und fragt nach den Bedingungen im menschlichen Subjekt, die ein solches Wirken ermöglichen. Auf diesem Wege dringt *Kant* zu den *apriorischen Formen* des transzendentalen Subjekts vor; es sind die zwei reinen Anschauungen der Sinnlichkeit, die zwölf Begriffe oder Kategorien des Verstandes und die drei Ideen der Vernunft. Dieselbe Problematik greift Maréchal von *Thomas von Aquin* her auf, indem er zeigt, wie den apriorischen Formen Kants die *Formalobjekte* des Aquinaten entsprechen, die den einzelnen Seelenvermögen vorgängig zu jedem Empfangen von Eindrücken eingezeichnet sind und sie damit durch die ihnen jeweils eigene apriorische

Ausrichtung konstituieren. So unterscheiden und durchdringen sich im Menschen die Formalobjekte der äußeren und vor allem der inneren Sinne, wobei Raum, Zeit und die Dinggestalt entscheidend sind; das dinglich Angeschaute verstehen wir kraft der Wesenheit, die der Verstand (ratio) aus den materiellen Dingen herausliest; schließlich wird das nach seiner Wesenheit verstandene Dingliche als Seiendes erfaßt und gesetzt, was die das Sein vernehmende Vernunft (intellectus) leistet.

Demnach legt die transzendentale Methode im Durchgang durch die anderen Stufen zuletzt die *apriorische Bezogenheit des Geistes auf das Sein* frei. Indem Maréchal diese Bezogenheit herausarbeitet, die bei Kant ausfällt, nimmt er die Läuterung vor, von der oben die Rede war. Wegen des Verfehlens des Seins erreicht Kant nicht den innersten Raum des Menschengeistes; deshalb bestimmt er die Vernunft (im Anschluß an Descartes) durch die Ideen statt durch das Sein; deshalb ist es folgerichtig ebensowenig möglich, mittels der Ideen die ihnen zugeordneten Wirklichkeiten zu ergreifen wie in den Kategorien über die Erscheinungen hinaus das An-sich oder eben das Sein der Dinge zu erkennen. Kants Grenzen werden durch das folgerichtige Anwenden seiner eigenen Methode überwunden; bis zu dem in ihr angelegten Ende durchgeführt, erweist sie als die oberste Bedingung, die allein das Erkennen und überhaupt das Wirken des Menschen letztlich ermöglicht, die apriorische Bezogenheit des Menschengeistes auf das Sein. Damit aber sind in dem ersten Ereignis wesenhaft das zweite und das dritte enthalten, weshalb auch jenes ohne diese nicht zu seiner vollen Entfaltung und Auswirkung kommen kann.

2. Die *ontologische Differenz* ist die Mitte, um die *Heideggers* gesamte denkerische Bemühung kreist. Sie meint den Unterschied zwischen dem Seienden und dem Sein, wobei das Sein den Grund (Logos) des Seienden bildet, nämlich das, wodurch das Seiende ein Seiendes ist und als Seiendes vollzogen werden kann. Nach Heidegger lebt die Metaphysik als die bisherige Gestalt des abendländischen Philosophierens aus der ontologischen Differenz, wobei aber diese selbst *ungedacht* blieb und daher das Sein in der Vergessenheit versank; gedacht wurde lediglich das Seiende und dessen Seiendheit. Doch wird jetzt von der Differenz selbst die Möglichkeit und der Auftrag gewährt, sie ausdrücklich oder sie selbst als solche *denkerisch zu vollziehen;* das versteht Heidegger neuestens dahin, daß die Differenz als Austrag oder als das Zueinander von Überkommnis und Ankunft auch über Sein und Seiendes, Gründendes und Gegründetes hinaustreibt, weil diese Spannungen noch als der Metaphysik zugehörig anzusehen seien. Auch wenn wir diese letzte Wendung noch nicht aufnehmen können und wollen, bleibt bestehen, daß die ontologische Diffe-

renz dem heutigen Philosophieren seine entscheidende Prägung verleiht, insofern es gilt, das Sein und aus ihm das Seiende zu denken.

Wie dieses zweite Ereignis auf das erste zurückverweist, zeigt das untrennbare Ineinander zwischen der ontologischen Differenz und dem Wirken, näherhin dem *Denken des Menschen.* Im Denken nämlich tritt die ontologische Differenz *als solche* hervor, weil es das Seiende im Horizont des Seins vollzieht und so der Unterschied beider aufleuchtet. Tiefer geschaut, vermag sich das Denken nicht nur dem Bezug des Seins zum Seienden zuzuwenden, sondern auch auf den Bezug des Seins zum Denken selbst zurückzuwenden. In dieser Rückwendung wird offenbar, daß im Denken immer schon die Lichtung des Seins geschieht; das Sein hat sich immer schon dem Denken übereignet und so dieses in Anspruch genommen, damit es dem Anspruch des Seins entspreche. Infolgedessen ent-wirft das Denken stets das Sein als seinen Horizont, weil durch das Sein vorgängig das Denken als Da-sein oder als Da des Seins ent-worfen oder ge-worfen worden ist. Mit der hier ständig aufbrechenden *Differenz* des Seins von dem bestimmten Seienden, das Denken und schließlich Mensch heißt, verbindet sich auf das innigste beider *Identität.* Das Sein ist so sehr das Selbe mit dem Denken, daß ebenso das Sein nicht ohne das Denken wie das Denken nicht ohne das Sein je als solches oder als es selbst bestehen oder vorkommen kann. Beider Identität wird das Philosophieren nur dann gerecht, wenn es von ihnen im Singular spricht und jedes vom Denken gelöste, eben ab-solute oder hypostasierte Sein ausschließt.

Blicken wir von dieser Verdeutlichung des zweiten Ereignisses noch einmal auf das erste zurück, so erheben sich *mehrere Fragen.* Der Bezug des menschlichen Denkens zum Sein wird von Heidegger zwar in einer freilegenden phänomenologischen Interpretation herausgestellt, nicht aber mittels der *transzendentalen Methode* gerechtfertigt, was also noch zu leisten ist. Erst bei diesem weiteren Schritt wird sich zeigen, wie Differenz und Identität bezüglich Denken und Sein letztlich zu bestimmen sind, ob namentlich ein vom menschlichen Denken gelöstes oder *ab-solutes Sein* nur in der vorläufigen Beschreibung oder auch in der endgültigen Durchdringung abzulehnen ist. Damit im Zusammenhang wird sich klären, was die Eigenart des Seins besagt, ob es nämlich nur in seiner Bindung an den Menschen und sein Denken *endlich und geschichtlich* ist und ob es folglich zuinnerst ein nicht-endliches und nicht-geschichtliches Gepräge aufweist. Schließlich bleibt genauer zu umschreiben, wie das Sein als *Entwurf* des Menschen im Entwurf des Seins selbst gründet und wie dieser letztere Entwurf, schärfer bestimmt, aussieht. Auf jeden Fall kommt der Abhebung des Seins vom Seienden eine große Bedeutung für die kommende philosophische Entwicklung zu, wobei das zweite Ereignis von selbst zum dritten hingeleitet, das einige Antworten auf die eben gestellten Fragen darbietet.

3. In einer richtungweisenden geschichtlichen Untersuchung hat Gilson die nach Heidegger im Abendland waltende Vergessenheit des Seins aus seiner Sicht weithin bestätigt. Doch drängt sich ihm eine unverkennbare Ausnahme auf: das Schaffen des *Thomas von Aquin.* Von vorausgehenden Anregungen befruchtet, ist dieser *bis zum Sein vorgedrungen:* „Hoc, quod dico esse", das freilich in der nachfolgenden Entwicklung wieder fast ganz in der Vergessenheit verschwand. Während seine Kommentatoren in die bloße ‚existentia', in das Dasein, zurückfallen, das dem Sosein oder der Washeit entgegengesetzt ist und nur die Wirklichkeit auf dem Hintergrund der Möglichkeit besagt, gelangt Thomas bis zum „ipsum esse", das die schlechthinnige oder grenzenlose Fülle aller Vollkommenheiten umschließt und in dem auch alle Wesenheiten als endliche Weisen des Teilnehmens an der Fülle des Seins gründen. *Das Sein selbst* ist der Grund alles endlichen Seienden, das durch das Sein mittels der jeweiligen Wesenheit konstituiert und als solches vollzogen wird.

Die damit vom Aquinaten gesichtete und in der Unterscheidung zwischen Sein und Wesenheit verdeutlichte *ontologische Differenz* tritt auf einzigartige Weise in den geistigen Vollzügen, im denkenden Erkennen und freien Wollen des Menschen hervor. Hier allein nämlich wird die im übrigen Seienden verborgene Differenz als solche entborgen oder *sichtbar.* Zunächst als der ermöglichende Grund jener Vollzüge wesenhaft in ihnen einschlußweise mitgedacht, wird sie dann auch um ihrer selbst willen oder ausdrücklich als sie selbst gedacht, was dem ebenso ausdrücklichen Denken des Seins selbst gleichkommt. Auf dieses sind die geistigen Vollzüge kraft ihrer eigensten Konstitution ausgerichtet, was sich darin zeigt, daß im Formalobjekt des Erkennens das Sein als das Wahre und im Formalobjekt des Wollens das Sein als das Gute am Werke ist. Vorgängig oder a priori zu allem Empfangen von Eindrücken und zu jeder Betätigung ist den entsprechenden Seelenvermögen der *Bezug zum Sein* eingezeichnet und darin das Sein mitgeteilt oder übereignet, weshalb dann auch das erkennende und wollende Vollziehen des Seienden stets im Horizont oder in der Offenbarkeit (Lichtung) des Seins geschieht. Dabei wird der im Menschen schlummernde Bezug zum Sein erst in der Begegnung mit dem Seienden erweckt oder vom nicht-vollzogenen zum vollzogenen erhoben.

Das Sein selbst, wie es der Aquinate sieht, ist nicht endlich, sondern letztlich unendlich, da es ja die *grenzenlose Fülle* aller Vollkommenheiten besagt. Hierin ist schon eingeschlossen, daß es zuinnerst auch nicht zeitlich oder geschichtlich sein kann; denn Zeitlichkeit und Geschichtlichkeit bringen stets das Noch-nicht und Nicht-mehr, das Immer-unterwegs und

Nie-ganz oder Nie-am-Ziel und damit Endlichkeit mit sich. Infolgedessen ist das Sein selbst kraft seiner Unendlichkeit zuinnerst *überzeitlich* und *übergeschichtlich* oder mit der Ewigkeit eins. Daher leuchtet durch die endlich-geschichtliche Gestalt, die das Sein zunächst im menschlichen Vollziehen annimmt, seine Unendlichkeit und Ewigkeit. Diese aber kommen in keinem Seienden, auch nicht im Menschen, zu der ihnen ganz angemessenen Ausprägung, weshalb sie über alles Seiende hinaus auf die Urwirklichkeit des subsistierenden oder *göttlichen Seins* verweisen. Damit zeigt sich, in welchem Sinne es das vom menschlichen Denken los-gelöste oder ab-solute Sein geben kann und muß; von ihm geht die Übereignung des Seins an den Menschen aus, der dadurch in den Stand gesetzt wird, auch seinerseits das Sein entwerfend zu vollziehen.

Abschließend gilt es, von diesem dritten Ereignis zu den beiden anderen zurückzukehren. Zweifellos hat die Besinnung auf das Sein bei Thomas von *Heideggers* ontologischer Differenz entscheidende Anregungen empfangen, ohne die manche Wege nicht beschritten worden wären oder wenigstens nicht zu einem so bestimmten Ergebnis geführt hätten. Zugleich jedoch ist zu betonen, daß auch Heidegger von dem mindestens unterschwellig fortdauernden und nie ganz erloschenen *Erbe des Aquinaten* empfangen hat und ohne diesen Einfluß kaum je zu seiner Entfaltung des Seins gekommen wäre; wegen desselben Fortdauerns hat auch die Neubesinnung auf das echt thomanische Sein ihre innerscholastischen, von Heidegger unabhängigen Ansatzpunkte. — Für die Zukunft kann das scholastische Denken bei Heidegger noch mehr lernen, die ontologische Differenz und damit das *Sein in den Mittelpunkt* des Philosophierens zu rücken und thematisch zu durchforschen. Ebenso kommt es entscheidend darauf an, die *transzendentale Rechtfertigung* und Begründung dieses ganzen Fragebereiches, die bei Thomas und auch bei Heidegger noch aussteht, von Kant her nachzuholen und allseitig in Angriff zu nehmen. Soweit das geschehen wird und bereits in einem gewissen Ausmaß geschehen ist, bleibt das oben angedeutete *Läutern* der transzendentalen Methode nicht bloßes Programm, sondern tritt in die Durchführung ein; dabei wird diese Methode von den kantischen Grenzen befreit und gemäß ihrer innersten Dynamik voll entfaltet. Sie erweist sich als ein Rückgang, der erst im Sein das ihm eigene Ende erreicht, weil er schon in seinem Anfang vom Sein ausgelöst und in allen seinen Schritten vom Sein bewegt wird. Zugleich läßt im transzendentalen Rückgang die ontologische Differenz jene *Grenzen* hinter sich, in die sie bei Heidegger eingeschlossen ist, wodurch erst der innerste Sinn der Differenz, das eigentliche Selbst des Seins und damit letztlich das subsistierende oder göttliche Sein erreicht werden.

II

Seinsproblematik

Nachdem von den drei maßgebenden philosophischen Ereignissen her der heutige Stand unserer Frage verdeutlicht worden ist, soll innerhalb der damit gegebenen Grundstellung eine systematische Entfaltung der Seinsproblematik im Hinblick auf den Gottesbeweis wenigstens nach einigen Hauptlinien vollzogen werden.

1. *Ausgangspunkt* aller Überlegungen ist gemäß der transzendentalen Methode das menschliche *Wirken;* dieses ist das zunächst und unmittelbar Gegebene, insofern dem Menschen allein durch dessen Vermittlung sein eigenes Selbst und alles andere zugänglich sind. Durch die es begleitende und ihm *innewohnende Reflexion* ist das Wirken immer schon sich selbst erschlossen. Damit wird die nachfolgende oder *ausdrückliche Reflexion* möglich, mit der sich der Mensch auf sein Wirken zurückwendet, um es tiefer zu verstehen und zu durchdringen. Dieser zweiten auf der ersten aufbauenden Reflexion bedienen wir uns bei unserer systematischen Entfaltung.

Kennzeichnend für alles menschliche Wirken ist, daß sich in ihm stets das ausdrücklich vollzogene Gegenständliche und das nicht-ausdrücklich mit-vollzogene Übergegenständliche durchdringen. Der direkte Blick des Menschen richtet sich auf das *Gegenständliche;* die erste Reflexion erreicht immer schon auf nicht-ausdrückliche Weise das *Übergegenständliche,* das von der zweiten Reflexion in die Ausdrücklichkeit erhoben und thematisch betrachtet wird. Der gegenständliche Vordergrund wird durch den übergegenständlichen Hintergrund ermöglicht; da aber das Gegründete einzig von dem Gründenden her verstanden werden kann, kommt auf die Klärung des letzteren alles an.

Tiefer in den Unterschied zwischen dem Gegenständlichen und dem Übergegenständlichen eindringend, stoßen wir auf die *ontologische Differenz.* Das Gegenständliche nämlich ist das On oder *Seiende,* das einzig dadurch als solches im menschlichen Wirken vollzogen werden kann, daß sich immer schon der Logos oder Grund des Seienden öffnet. Dieser Grund ist zunächst die Wesenheit, in deren Bereich das Seiende gehört, und zuletzt das *Sein,* an dessen grenzenloser Fülle das Seiende nach dem Maß seiner Wesenheit teil-nimmt. Folglich übersteigt das menschliche Wirken wesenhaft das On auf den Logos oder das Seiende auf das Sein hin; in ihm findet ein allmählich näher zu bestimmendes *Transzendieren* statt, das uns mitten in unser Thema hineinstellt und deshalb für uns zentral ist.

Genauer gesprochen, hat die Bewegung des Transzendierens zwei sich ergänzende *Teil-bewegungen* in sich; wir können sie als den Rückgang und die Rückführung bezeichnen. Beide Male handelt es sich um ein ‚Rück', nämlich um eine Bewegung, die vom Gegründeten zum Gründenden und damit vom Abhängigen zum Unabhängigen, vom Späteren zum Früheren verläuft. Von seiten des Menschen liegt ein *Rückgang* vor, mittels dessen er von dem Seienden, das er selbst ist, auf dessen Logos, vor allem auf das Sein zurückgeht. Diesen Rückgang vollzieht der Mensch aus seiner eigenen Kraft, weil er ihn vorgezeichnet in sich trägt; als apriorische Struktur verleiht der Rückgang seinem Wesen die oberste, es von allen anderen Seienden unterscheidende Prägung. Dabei haben wir es mit dem vollständigen oder *vollendeten* Rückgang zu tun, insofern das Letzte im Menschen, nämlich seine Wesenheit, und das Letzte überhaupt, nämlich das Sein, erreicht werden. — Hieran nehmen jene Seienden teil, die selbst nicht des Rückganges, wenigstens nicht des vollendeten, fähig sind, sobald sie in das menschliche Wirken eintreten. Sie werden vom Menschen in seinen Rückgang hineingenommen oder auf seinem Wege zum Logos mitgenommen, was dasselbe wie ihre *Rückführung* besagt. — Die Seinsweise dessen, der den Rückgang aktiv vollziehen kann, heißt *onto-logisch,* da er zum Logos des On hin geöffnet ist; die Seinsweise dessen hingegen, das nur passiv die Rückführung erleidet, wird *ontisch* genannt, da es ein On oder Seiendes ist, ohne seinen Logos, zumal das Sein, ausdrücklich oder als solchen ergreifen zu können. Innerhalb des Wirkens das Erkennen akzentuierend, dürfen wir verdeutlichend sagen: im Rückgang liegt das Erkennen (intellectus, intelligere), in der Rückführung aber das Erkannt-werden (intelligibilitas, intelligi), wobei der Rückgang die Rückführung ermöglicht.

2. Näherhin finden Rückgang und Rückführung im menschlichen Wirken auf *drei grundlegende Weisen* statt: als Einsicht des Erkennens, als Freiheit des Wollens, als Gestalten des Leibes und der äußeren Welt. Das *Erkennen* geschieht aus dem Sein als Wahrheit, die alles durchlichtet und für die Einsicht zugänglich macht; das methodisch ausgebaute Erkennen ist die Wissenschaft in ihrem weitesten, außer der Natur- auch die Geisteswissenschaft und die Philosophie umfassenden Sinne. Das *Wollen* lebt aus dem Sein als Gutheit, die alles mit Anziehungskraft ausstattet und auf das höchste Gut bezieht, wodurch ein jedes die Freiheit anspricht, ohne sie zu überwältigen; die höchste Aufgipfelung des freien Wollens ist das sittliche Handeln. Das *Gestalten* zielt entweder auf das Nützliche oder auf das Schöne. Im ersteren Falle geht es um Handwerk oder Technik, die zunächst im Seienden verweilen und nicht bis zum Sein durchstoßen. Im zweiten Falle hingegen geht es um die Kunst, die aus dem Sein als Schönheit schöpft; diese durchstrahlt alles mit dem Schimmer

der Transparenz, der den Menschen hinreißt und erfüllende Beglückung erfahren läßt.

Alle diese Grundweisen enthalten Rückgang und Rückführung als die innewohnende und sie begleitende oder *erste Reflexion.* Dabei sind Rückgang und Rückführung im einsichtigen Erkennen, im freien Wollen und im künstlerischen Schaffen aus deren eigenstem Wesen heraus vollendet; dasselbe gilt von Handwerk und Technik, insofern sie menschliche Vollzüge sind und deshalb aus Erkennen und Wollen hervorgehen. Zu der ersten kann die *zweite Reflexion* treten, die Sache des Erkennens allein (nicht etwa des Wollens) ist; sie stellt Rückgang und Rückführung ausdrücklich oder als solche heraus und begreift daraus die sämtlichen Grundweisen nach ihrem Gemeinsamen und ihrer Eigen-art.

Stets ist darauf zu achten, daß die Grundweisen *nie* sich ganz voneinander trennen oder *auseinanderfallen,* weil die Isolierung sie schwächt und oft ins Zerstörerische verkehrt. Das zeigt deutlich das von der realisierenden Kraft des Wollens abgeschnittene und damit entwurzelte Erkennen oder auch das vom Wissen nicht durchlichtete und deshalb blind umherirrende Wollen oder schließlich die einzig nach ihrer Eigengesetzlichkeit vorandrängende und alles andere verschlingende Technik. Daher kann es sich bei den verschiedenen Grundweisen lediglich um *Akzentuierungen* eines und desselben Geschehens handeln, das sich nur vordergründig abwandelt, während es hintergründig sein gesamtmenschliches Gepräge bewahrt, in das also jede der Grundweisen letztlich eingebettet bleibt. Die Gefahr des Auseinanderfallens bedroht nicht nur die zweite Reflexion, bei der es zur Entwurzelung und Selbstherrlichkeit der ausdrücklich reflektierenden Philosophie kommen kann; vielmehr unterliegen derselben Gefahr auch und gerade die Grundweisen in der ersten Reflexion, die auf sich selbst beschränkt bleiben, weil sie nicht ausdrücklich reflektieren, wodurch sie ihre Zusammengehörigkeit oder gegenseitige Durchdringung entdecken würden.

3. An dieser Stelle unserer Überlegungen drängt sich die Frage auf, ob die umschriebenen Grundweisen *wirklich den Rückgang und die Rückführung bis zum Sein selbst* als ihre Möglichkeitsbedingung einschließen. Die Antwort vermag einzig die transzendentale Besinnung auf die jeweiligen Vollzüge zu liefern. Schärfer umrissen, heißt das: die gegenständliche Seite jener Vollzüge ist auf den in ihr wirkenden und sie ermöglichenden übergegenständlichen Grund hin zu befragen. Zu klären ist, wie das mit-vollzogene Übergegenständliche beschaffen sein muß, damit das erst-vollzogene Gegenständliche die Prägung aufweisen kann, in der es sich darbietet. Suchen wir das bei den einzelnen Grundweisen wenigstens andeutungsweise durchzuführen.

a) *Das Erkennen* trägt als sein kennzeichnendes und auszeichnendes Moment das *‚ist'* in sich, das sich entweder als Frage oder als Antwort, die mit dem Urteil zusammenfällt, darstellt. Die *Frage* lautet: Ist das? oder: Ist das so?; die *Antwort* oder das Urteil läßt sich aussprechen: Das ist. oder: Das ist so. Mit seiner Frage umfaßt der Mensch schlechthin alles; es gibt nichts, was nicht befragt oder nach dem nicht gefragt werden könnte; auch wenn man fragt, ob nach etwas gefragt werden kann, ist es bereits von der Frage umgriffen. Das *Fragen* geschieht also im Horizont von *allem-überhaupt* und setzt damit voraus, daß dieser Horizont immer schon eröffnet sei. Alles-überhaupt aber besagt dasselbe wie alles *Seiende,* alles, was sich auf irgendeine Weise vom Nichts unterscheidet. Es geht um das Seiende nicht dieser oder jener Ordnung, sondern aller möglichen Ordnungen, um das Seiende-schlechthin, nicht als dieses oder jenes, sondern als solches. Dieses kann jedoch nur unter der Bedingung vollzogen werden, daß sich das *Sein* enthüllt, und zwar nicht nur das Sein in dieser oder jener Hinsicht, sondern das Sein in jeder Hinsicht, das Sein-schlechthin, das alle möglichen Weisen des Seins umschließt und so die allumfassende Fülle besagt.

Zu demselben Ergebnis führt eine *zweite Überlegung.* Die Frage zielt auf etwas hin, streckt sich nach etwas aus, will etwas klären und ist damit jederzeit zur *Antwort* oder zum Urteil unterwegs. Dabei geht es wieder um das ‚ist', das die Frage von Anfang an in Anspruch nimmt und ihre Bewegung in Gang bringt; und ihre Bewegung kommt erst dann zur Ruhe, wenn geklärt ist, ob es so ist oder nicht ist, wie die Frage andeutete, wenn also das ‚ist' erreicht werden konnte; sonst bleibt die Frage in der Schwebe, und die Bewegung drängt weiter. Die Frage richtet sich also nach ihrer eigensten Sinn-Dynamik auf das *Sein des Seienden,* in dem allein sie sich erfüllen oder zum Abschluß kommen kann. Daher wird die Frage letztlich nie durch eine Vermutung oder Meinung über das Seiende oder durch eine Erscheinung des Seienden zufriedengestellt. Erscheinung will sagen, wie das Seiende von diesem oder jenem Blickpunkt her aussieht oder wie es sich unter dieser oder jener Perspektive zeigt, ohne daß ausgemacht werden kann, ob es wirklich so ist, wie es aussieht oder sich zeigt oder eben erscheint. — Demnach erhebt sich die Frage, wenn sie dem Sein des Seienden zustrebt, über alle Perspektiven und begrenzten Blickpunkte; damit aber tritt sie in den allumfassenden und so (gegen alles Relative) *absoluten Standpunkt* ein, der mit dem Aufleuchten des allumfassenden Seins, des Seins nicht nur in dieser oder jener Hinsicht, sondern in jeder Hinsicht oder als allumfassender Fülle zusammenfällt. Anders ausgedrückt, zielt die Frage auf das ‚ist' im Sinne einer schlechthin oder absolut geltenden Antwort oder eines mit *absoluter Geltung* ausgestatteten Urteils, wobei sich immer zeigt, daß das Sein eines bestimmten Seienden einzig im Horizont des allumfassenden Seins vollzogen werden kann. — Aus allem geht hervor, daß der mit-vollzogene übergegenständliche Grund unseres gegenständlichen Erkennens wirklich das allumfassende Sein ist, weshalb in der ersten Grundweise unseres Wirkens Rückgang und Rückführung bis zu dieser letzten Tiefe reichen.

b) In der zweiten Grundweise verbirgt sich das gleiche Geschehen, wie sich an dem dafür kennzeichnenden freien Wollen und sittlichen Handeln nachweisen läßt. Im *Wollen* geschieht immer schon ein *Ausgriff*, der ähnlich wie das Fragen alles Seiende umspannt und dessen Streben erst dann gesättigt ist, wenn es sich mit allem Seienden und so mit dem *allumfassenden Sein* erfüllt hat; bevor dieses Ziel erreicht ist, irrt das Wollen unbefriedigt umher und kommt es nirgends endgültig zur Ruhe. Hieraus erwachsen die Trauer, die Wehmut, nicht selten die Verzweiflung, die uns angesichts der Tatsache befallen, daß alle unserem Streben beschiedenen Erfüllungen Fragment sind, nie über das Stückwerk hinauskommen, zumal in vielen Fällen die eine Erfüllung eine andere oder gar die anderen ausschließt. Selbst wenn solche Erfahrungen als absurd oder als „nutzloses Leiden" abgetan oder durch stoische Selbstbescheidung gedämpft werden, bezeugen sie, daß der Mensch im Grunde seines Wollens nicht in begrenztes Seiendes eingemauert ist, sondern von der allumfassenden Fülle des Seins-schlechthin bewegt und angezogen wird.

Dieser Gedankengang läßt sich vertiefen, wenn wir ausdrücklich auf *die Freiheit*, die dem Wollen zukommt, hinblicken. Der Mensch ist mit Freiheit ausgestattet, insofern er dazu befähigt ist, sich zu entscheiden oder zu wählen, insofern er zu handeln oder nicht zu handeln, bei seinem Handeln dieses oder jenes zu ergreifen vermag. Er kann ein Seiendes wählen, weil Gründe dafür sprechen, weil es nämlich seinem Streben eine *gewisse Erfüllung* anbietet und damit gut ist. Doch auferlegt kein Seiendes ein unausweichliches Muß, weil zugleich Gründe dagegen sprechen, weil es nämlich dem Streben nur eine begrenzte *Teil-Erfüllung* bietet und damit seine Gutheit notwendig andere Gutheit ausschließt. Von dem Für und Wider der Gründe und so von der Qual der Wahl wird der Mensch bedrängt, solange er überhaupt mit endlichem Seienden zu tun hat oder noch etwas an Gutheit aussteht, mögen auch in manchen Fällen die positiven Gründe bei weitem die negativen übertreffen. Die Grundverfassung des freien Menschen, gemäß der kein endliches Seiendes sein Streben zu sättigen imstande ist, setzt voraus, daß sein Wollen nach seiner innersten Sinn-Dynamik über alles Derartige hinausgreift und folglich auf die allumfassende Fülle des Seins ausgerichtet oder, von dieser angezogen, stets zu ihr unterwegs ist.

Mit dem freien Wollen ist das *sittliche Handeln* gegeben, in dessen Bereich die unbedingte oder *absolute* Bindung eine entscheidende Rolle spielt. Aus der Tiefe seines Gewissens trifft den Menschen das ‚Soll' entweder positiv als ‚Du sollst' oder negativ als ‚Du sollst nicht'; es wendet sich an seine Freiheit, nimmt sie in Anspruch oder bindet sie und fordert von ihr eine ganz bestimmte Entscheidung; folgt jemand diesem Anruf nicht oder empört er sich dagegen, so fällt er in Schuld, für die er sich zu verantworten hat. Das so umschriebene Soll ist nicht nur bedingt, weil es nicht dem ‚Wenn-Dann' unterliegt; es besagt nicht lediglich: wenn Du dieses oder jenes Ziel erreichen willst, dann mußt Du diese oder jene Verpflichtung auf Dich nehmen, wobei es dem Menschen freisteht, ob er das Ziel anstreben will oder nicht. Vielmehr ist jenes *Soll schlechthin unbedingt,* weil sich der Mensch nicht davon frei machen oder ihm nicht ausweichen kann, weil die Forderung des Soll, soweit sie gegeben ist, Erfüllung verlangt ohne Rücksicht auf daraus entstehende Nachteile und sogar auf den Verlust des Lebens, weil das Ziel, dem die sittlichen Forderungen dienen, nämlich das der Würde des Menschen gemäße Leben, unter keiner Bedingung aufgegeben oder verraten werden darf. — Nun reicht offenbar die Wenn-Dann-Beziehung nicht über das endliche Seiende hinaus, wie auch umgekehrt; denn alles Bedingte ist als solches auf diese oder jene Hinsicht beschränkt und deshalb darauf bezogen oder relativ. Infolgedessen kann die Bindung des Sittlichen nur insofern unbedingt sein, als sie letztlich über alles Endliche hinausgreift und in dem gründet, das nicht auf diese oder jene Hinsicht eingeengt ist, sondern alle Hinsichten in sich vereinigt und daher die *allumfassende Fülle* oder *ab-solut,* d. h. losgelöst von allen partikulären Hinsichten ist. Damit öffnet sich mittels des absoluten Soll im Sittlichen das Sein-schlechthin, dessen Offenbarkeit allererst das Sittliche ermöglicht und auch die unantastbare Würde des Menschen begründet. Nach allem vollziehen sich in der zweiten Grundweise des menschlichen Wirkens derselbe Rückgang und dieselbe Rückführung wie in der ersten.

c) Nunmehr bleibt die dritte Grundweise zu prüfen, die sich als das *Gestalten* des Leibes und der äußeren Welt darstellt, und zwar vor allem als das Gestalten der *Kunst;* sie hat es mit der Transparenz der Dinge oder mit ihrer Schönheit zu tun. Das Werk der Kunst zielt nicht lediglich auf die möglichst genaue Wiederholung der Naturdinge nach ihrer zufällig hier und jetzt ausgeprägten Erscheinung. Vielmehr besteht sie in jener Steigerung des Naturgegebenen, die sein wahres oder *eigentliches Sein* zum Aufleuchten bringt oder auf dieses hin seine sichtbare Gestalt transparent macht. Gewiß tritt im sinnlichen Anblick des Seienden immer etwas von seinem eigentlichen Sein in geringerem oder größerem Ausmaß hervor; doch ist diese Ent-hüllung stets in Ver-hüllung gebannt oder bleibt die Erscheinung, von der Schwere alles Irdischen belastet, stets hinter dem Sein zurück. Anders ausgedrückt, kommt das wahre Sein immer nur in dieser oder jener Hinsicht, also relativ, nie aber schlechthin zum Vorschein. Im Gegensatz dazu erhebt sich die Kunst zu jener *Verdichtung* und Vertiefung der sichtbaren Gestalten, die mittels ihrer das wahre und eigentliche Sein der Dinge und vor allem des Menschen, wenigstens annäherungsweise, ganz und ungebrochen oder in der Vereinigung aller seiner Hinsichten und damit schlechthin oder absolut aufstrahlen läßt. Dabei gewinnt die Ent-hüllung die Oberhand über die Ver-hüllung, und die Erscheinung fällt, soweit das überhaupt möglich ist, mit dem Sein zusammen, was freilich erfordert, daß die Erscheinung ihrer Erdenschwere entkleidet und in das bloße Bild, die Statue, das Drama verwandelt wird. — Wie unsere Andeutungen zeigen, überschreitet das künstlerische Schaffen immer schon das Seiende auf das Sein hin, und zwar auf das Sein nicht nur dieses oder jenes Dinges, sondern letztlich auf das *Sein-schlechthin,* das alles umfaßt, weil sich einzig von diesem her zeigt, was das Sein dieses oder jenes Dinges in Wahrheit oder als Sein besagt. Allein aus dieser Sicht erklärt sich auch die *Allgemeingültigkeit* oder Überzeitlichkeit der künstlerischen Gestalten. Wiederum dürfen wir als Ergebnis feststellen, daß die dritte Grundweise des menschlichen Wirkens ebenso wie die beiden anderen als ermöglichenden Grund den Rückgang und die Rückführung auf die allumfassende Fülle des Seins-schlechthin umschließt.

4. Nachdem *das Sein selbst* als der übergegenständliche Grund der gegenständlichen Seite unserer Vollzüge durch die transzendentale Besinnung gerechtfertigt worden ist, haben wir es auf Grund des bisher Entwickelten noch *genauer zu bestimmen,* wodurch zugleich der Weg zur Gottesfrage bereitet wird.

a) Zunächst erweist sich das Sein, insofern es die allumfassende Fülle ist, als *absolut.* Außer ihm gibt es nämlich nichts von ihm Unabhängiges, worauf es bezogen und so relativ sein könnte; das Sein ist von allem Andern losgelöst, weil ihm, wie Nikolaus von Kues sich ausdrückt, nichts gegenübersteht (nihil ei opponitur). Selbstverständlich gründet alles Seiende im Sein; doch folgt daraus zwingend nur, daß das Seiende vom Sein abhängt und daher zu ihm in Beziehung steht oder relativ ist; ob aber auch das Sein selbst auf das Seiende bezogen und deshalb in diesem Sinne relativ zu nennen ist, bedarf einer genauen Prüfung.

Dazu kommt, daß das Sein als die all-umfassende Fülle wesentlich alles einschließt, also ohne Grenzen oder *un-endlich ist.* Von Grenzen kann ja nur dann die Rede sein, wenn noch etwas über die Grenze hinausliegt und damit gerade nicht alles umfaßt ist.

Ferner ist das Sein nur *eines;* denn die Fülle, die wirklich alles umfaßt, gibt es nur einmal. Wäre sie zweimal anzutreffen, so müßte die zweite Fülle entweder von der ersten unabhängig oder abhängig sein; falls die zweite Fülle von der ersten unabhängig wäre, würde jede von beiden außerhalb der andern liegen, weshalb keine von beiden die allumfassende Fülle wäre; falls die zweite Fülle von der ersten abhängig wäre, müßte man sie als Seiendes, nicht aber als Sein ansprechen, weil das Wesen des Seienden gerade darin besteht, im Sein zu gründen.

b) Besonders zu beachten ist der *Vollzugscharakter* des Seins. Wie die Erfahrung lehrt, verharrt jedes Seiende ohne seinen Vollzug oder das ihm eigene Wirken in einem gebundenen oder potentiellen Zustand. Erst durch sein Wirken entfaltet jedes Seiende das ihm eigene Sein, nimmt es dieses ganz in Besitz, soweit das die Wesensnatur des betreffenden Seienden gestattet, schreitet es zu seinem entbundenen oder aktuellen Zustand fort. Das gilt schon von den untermenschlichen Seienden, vor allem aber vom Menschen, der im Vollzug des ihm eigenen Seins immer schon als dessen Möglichkeitsbedingung das Sein selbst mit-vollzieht. Demnach prägt sich das Sein erst und allein im Wirken nach seinem Selbst aus, und zwar in dem Wirken, das vollendete Rückkehr besagt. Hieraus entnehmen wir, daß *das Sein einzig als Wirken ganz es selbst ist* und deshalb niemals nur den ruhenden Bestand, sondern immer schon auch dessen Vollzug mit sich bringt. Also fallen im Sein an sich Bestand und Vollzug zusammen, die nur in dem Maße auseinandertreten, wie das Sein sich selbst entfremdet oder durch Nicht-sein gebrochen wird. Daher ist ein Wirkliches, in dem Bestand und Vollzug auseinandertreten, das folglich auch ohne seinen Vollzug vorkommt und diesen immer nur in einem gewissen Ausmaß verwirklicht, stets und wesenhaft nur ein Seiendes, nie aber das Sein selbst. Umgekehrt fällt das Seiende gerade deshalb, weil es nicht das Sein ist, auch nicht mit seinem Vollzug zusammen.

Zur weiteren Klärung des Seins trägt es bei, den Vollzug genauer zu bestimmen, in dem es sein eigenstes Selbst ganz ausprägt. Wie bereits angedeutet wurde, besagt dieser Vollzug *vollendete Rückkehr;* diese aber stellt sich in den drei obengenannten Grundweisen dar, von denen wir jetzt neben dem *Wissen* das *Wollen* herausgreifen. Was das Sein wahrhaft ist, kommt erst im Zusammenspiel von Wissen und Wollen oder Lieben zum Vorschein. Wenn wir dem Wissen die Idealität, dem Wollen oder Lieben aber die Realität zuordnen, so gewinnt das Sein einzig in der *Durchdringung von Idealität und Realität* sein eigenstes Selbst. Das Wissen ohne Lieben verflüchtigt das Sein folgerichtig in eine Idealität ohne Realität und bereitet dem rationalistischen Idealismus die Wege. Das Wollen oder Lieben hingegen ohne Wissen verkehrt das Sein zuletzt in eine Realität ohne Idealität und verfällt dem irrationalen Realismus. Das wahre Selbst des Seins ist die in Realität verdichtete Idealität und die von Idealität durchlichtete Realität, die sich einzig dem liebenden Wissen und dem wissenden Lieben öffnet. Im Gegensatz dazu führt jede einseitige Verengung des Vollzugs zu einer ebenso einseitigen Sicht des Seins; zu deren Überwindung können auf ihre Weise auch die Kunst und selbst die Technik beisteuern, was hier nicht weiter erläutert werden soll, weil wir uns auf die wichtigsten Grundlinien beschränken.

Aus diesen Überlegungen ergibt sich eine letzte Folgerung. Der durch die vollendete Rückkehr ausgezeichnete, sich in Wissen und Lieben auslegende Vollzug ist nach der übereinstimmenden Einsicht der großen Philosophien von *geistiger Natur*. Da aber das Sein einzig in diesem Wirken und als dieses Wirken ganz es selbst oder nach seinem eigensten Selbst ganz ausgeprägt ist, muß es an sich oder von sich aus ebenfalls geistig sein. Folglich kann als das Materielle nie das Sein selbst, sondern immer nur ein Seiendes auftreten, in dem das Sein durch das Nicht-sein gebrochen oder sich selbst entfremdet ist. — Hiermit hängt auf das innigste zusammen, daß das Sein an sich oder von sich aus als *personal* angesprochen werden muß. Der geistige Vollzug fällt nämlich mit dem personalen Vollzug zusammen. Person ist das des geistigen Vollzugs fähige Seiende, das sich kraft seines vollendeten Selbstbewußtseins und seiner freien Selbstverfügung zu sich selbst verhält und damit als es selbst setzt, das sich kraft des ausdrücklich vollzogenen Seins ebenso von allem anderen absetzt wie auf alles andere bezieht. Umgekehrt stellt sich der Geist ursprünglich als personaler Geist dar, von dem alle übrigen Sinnbestimmungen dieses Wortes abzuleiten sind. Infolgedessen ist das Sein, insofern es einzig im personalen Vollzug und als der personale Vollzug sein eigenstes Selbst ganz erreicht, zuinnerst personal geprägt. Entsprechend stellt sich das Nicht-personale nie als das Sein selbst, sondern immer nur als Seiendes dar, in dem das Sein durch das Nicht-sein gebrochen oder seinem Eigensten entfremdet ist.

5. Von dem in allem Gegenständlichen mit-vollzogenen übergegenständlichen Sein wenden wir uns nunmehr zu dem *Mit-vollzug* hin, in dem es aufleuchtet. Die Frage drängt sich auf, wie dieser nach seiner inneren Eigenart zu kennzeichnen sei, namentlich ob in einem echten Sinne von *Erfahrung des Seins* die Rede sein könne. Sicher gibt es die Erfahrung, die wir *ontisch* nennen, weil sie das *Seiende* erfaßt, das wir selbst sind und das uns in der Welt umgibt. Die Erfahrung hingegen, in der uns das Sein begegnet, darf von der gleichnamigen Differenz her *ontologisch* heißen, da sie ja den Logos oder Grund des On enthüllt. — Die Antwort auf unsere Frage wächst aus dem Durchdenken dessen, was Mit-

vollzug besagt, hervor. Darin wird angedeutet, daß die ontische Erfahrung wesenhaft die ontologische *einschließt.* Genauer gesprochen, handelt es sich um ein gegenseitiges Einschließen: allein mittels der ontischen Erfahrung wird uns die ontologische zugänglich oder treten wir in deren Vollzug ein; umgekehrt wird allein durch die ontologische Erfahrung die ontische möglich oder kommt deren Vollzug zustande.

Im Gegensatz zum Tier ist beim Menschen die ontische Erfahrung durch die vollkommene Rückkehr und damit durch das Aufgehen des Seins selbst bestimmt; deshalb hat sie in ihrer menschlichen Gestalt nie das Seiende isoliert im Blick, sondern stets und kraft ihres eigensten Wesens im *Horizont des Seins.* Demnach ist, transzendental gesehen, die ontologische Erfahrung der ermöglichende Grund der ontischen, den diese als *Aufbauelement* ihrer Vollkonstitution immer schon enthält und mitvollzieht; in der ersten Reflexion ist die ontologische Erfahrung nichts anderes als die ontische selbst, auf ihren innersten Grund hin betrachtet. Schon hieraus geht hervor, daß es sich auch beim Sein wirklich um Erfahrung handelt; das tritt noch deutlicher zutage, wenn wir bedenken, daß sich das Sein zunächst nur als *Grund des Seienden* oder insofern zeigt, als dieses auf seinen Grund zurückgeführt wird. Damit wird das Sein zwar im Seienden als dessen Grund oder Horizont sichtbar, nicht aber von ihm abgehoben oder ihm ausdrücklich gegenübergestellt; vor allem wird es noch nicht in einem eigenen Begriff ausgeprägt und so durch Abstraktion abgesondert. Nach allem kann man sagen, daß das Sein selbst in dem ontisch erfahrenen Seienden als Hintergrund ontologisch mit-erfahren wird.

III

Gottesbeweis

Der entscheidende Wendepunkt unserer Darlegungen ist erreicht. Nachdem die Seinsproblematik so weit entwickelt ist, wie es dieser Überblick zu erfordern schien, treten wir jetzt in den Gottesbeweis ein. In einer Hinsicht schreitet er nicht über die Seinsproblematik hinaus, weil er nur die *zu Ende geführte* Seinsproblematik selbst ist, weil die ganz entfaltete ontologische Differenz der Gottesbeweis ohnegleichen ist, durch den allein die vielfältigen Gottesbeweise, die gewöhnlich dargeboten werden, ihre eigentliche Kraft empfangen. In anderer Hinsicht freilich schreitet der Gottesbeweis über die Seinsproblematik hinaus, weil er den Übergang von dem unbestimmten Sein selbst (ipsum esse) zu dem bestimmten subsistierenden Sein (Esse subsistens) vollzieht.

1. Auch *Heidegger* deutet auf diesen *Übergang* hin, indem er das Sein

selbst für die Gottesfrage offenhält und sogar die Stufen angibt, die vom Sein über das Heilige und die Gottheit zu dem hinführen, „was das Wort Gott nennen soll". Doch bleibt bei ihm die Bewegung dadurch *gehemmt,* daß er über die endlich-geschichtliche Gestalt des Seins nicht hinausgelangt, daß zugleich Gott als Seiendes angesetzt und dem Sein folglich als dem Grund alles Seienden untergeordnet wird. Innerhalb des so gezogenen Kreises können höchstens die Götter der Mythologie erscheinen, nicht aber der Gott, den wir als den Grund nicht nur des Seienden, sondern auch des Seins verehren. Von ihm spricht Heidegger zwar bei der Auslegung der onto-theo-logischen Verfassung der Metaphysik, möchte aber am liebsten von ihm schweigen, weil es zunächst das Sein zu bedenken gilt und weil sich nach ihm die Seinsfrage und die Gottesfrage zuletzt vielleicht disparat zueinander verhalten.

Im Gegensatz dazu leuchtet nach *Thomas von Aquin* durch die endlich-geschichtliche die unendlich-übergeschichtliche Gestalt des Seins. Auch wird Gott als das subsistierende Sein gesehen, das als solches dem Sein selbst (ipsum esse) übergeordnet ist und in dem daher dieses, soweit es sich vom Seienden abhebt, wie auch alles Seiende gründet. Die Zusammengehörigkeit zwischen dem Seienden und dem subsistierenden Sein ist so innig, daß alle Vollzüge, die das Seiende ausübt, mittels ihres *Zunächst-gemeinten* immer schon und wesenhaft das subsistierende Sein als ihr *Zuletzt-gemeintes* umfassen.

Das gilt bereits vom untermenschlichen Seienden, das aber über das ‚implicite' nicht hinauskommt; das erfüllt sich ganz erst beim Menschen, der zu dem ‚explicite' vordringt. Während nämlich der Mensch imstande ist, das subsistierende Sein von allem anderen zu unterscheiden und so ihm *ausdrücklich* zu *begegnen,* bleibt für das untermenschliche Seiende dieses Letzt-gemeinte in seinem Erst-gemeinten ununterscheidbar eingeschlossen. Daher heißt der Mensch ‚capax Dei', Gottes fähig, insofern er Gott ausdrücklich oder als ihn selbst zu erkennen und zu lieben vermag. Doch erwächst dieses ausdrückliche Hervortreten aus dem Untergrund des ständigen nicht-ausdrücklichen oder *einschlußweisen Erreichens;* näherhin enthält jedes Erkennen eines Gegenstandes ein übergegenständliches, nicht als solches entfaltetes Erfassen Gottes, und jedes Anstreben eines Zieles umschließt die als solche nicht abgesetzte und herausgestellte liebende Bewegung zu Gott (De ver. q. 22 a. 2).

Von hier aus öffnet sich im Gesamtzusammenhang unserer Darlegungen der folgende Ausblick. Im Vollzug des Gegenständlichen geschieht der *Mit-vollzug* des Übergegenständlichen in der Gestalt des unbestimmten Seins selbst. Dadurch ist der Mensch über das Ontische erhoben und als onto-logisch konstituiert, worin zugleich die Befähigung liegt, in die *aus-*

drückliche Begegnung mit dem bestimmten subsistierenden Sein einzutreten. Dieser Begegnung bereitet die Wege das als solches noch nicht hervortretende Erreichen desselben subsistierenden Seins, ein Erreichen, das die *innerste Tiefe* des genannten Mit-vollzugs bildet. Demnach zeichnen sich in dem Mit-vollzug zwei Stufen ab: er reicht durch das unbestimmte Sein selbst zu dem bestimmten subsistierenden Sein hin, oder sein Ergreifen des Seins selbst fällt mit dem *Vorgriff auf das subsistierende Sein zusammen;* wenn das liebende Wissen oder wissende Lieben beim Sein selbst ankommt, gelangt es dadurch auf die Weise des Vorgriffs schon zum subsistierenden Sein.

2. Das genauere Entfalten dieses Ansatzes zwingt, *zwei Fragen* zu stellen. Die eine Frage betrifft den Fortgang vom Vorgriff, der das subsistierende Sein anzielt, zu dessen Ergreifen und damit das Absetzen der Begegnung mit dem subsistierenden Sein von der Eröffnung des Seins selbst. Die andere Frage hat es mit dem Unterschied zwischen der ersten und der zweiten Reflexion zu tun und will klären, ob jenes Absetzen bereits innerhalb der ersten Reflexion möglich ist oder das Eintreten in die zweite Reflexion erfordert.

a) Bezüglich der *ersten Frage* stellen wir zunächst fest, daß das übergegenständliche unbestimmte Sein als Hintergrund des gegenständlich vollzogenen Seienden immer gesichtet oder *bewußt* wird, obwohl solches Wissen für gewöhnlich unbeachtet bleibt. Der darin notwendig eingeschlossene Vorgriff auf das subsistierende Sein hingegen tritt als solcher nicht in das Be-wußtsein oder wird in dem bewußten Sein selbst zwar als dessen Grund ge-wußt, noch *nicht* aber als solcher *be-wußt* ergriffen; das ist der Sinn des impliziten oder als solchen nicht-entfalteten Erfassens Gottes, von dem oben die Rede war.

Nun gilt es die Eigenart des Überganges vom nur gewußten Vorgriff zum bewußten Ergreifen, vom unentfalteten zum entfalteten Erfassen Gottes zu umgrenzen. Wie sich später beim Entfalten des Gottesbeweises noch deutlicher zeigen wird, handelt es sich dabei um eine *Schlußfolgerung*, die vom Seienden mittels des unbestimmten Seins zum subsistierenden Sein führt. Im Gegensatz dazu leuchtet uns das unbestimmte Sein samt dem in ihm enthaltenen Vorgriff durch einfaches ‚intus-legere' im Seienden oder einfaches *Herauslesen* aus dem Seienden ein. — Freilich hat die hier spielende Schlußfolgerung ein völlig *einzigartiges* Gepräge, da sie nicht zu etwas Anderem, über das unbestimmte Sein Hinausliegendem geleitet, sondern lediglich in die innerste Tiefe des Seins selbst hinabsteigt. Gott kann nicht als etwas über das unbestimmte Sein Hinausliegendes bewiesen werden, weil alles innerhalb des allumfassenden Seins anzutreffen ist; zugleich bildet Gott die innerste Tiefe des unbestimmten Seins, insofern dieses die notwendige oder transzendentale Bezogenheit des Seienden zum subsistierenden Sein besagt. Diese Bezogenheit liegt im Vorgriff verborgen und tritt erst in der Schlußfolgerung als solche hervor, wodurch ohne weiteres das subsistierende Sein ergriffen wird.

b) Was die *zweite Frage* betrifft, so besteht kein Zweifel darüber, daß die eben erwähnte Schlußfolgerung auf die Weise der *zweiten Reflexion* dargestellt, also als solche herausgehoben und nach ihren einzelnen Begriffen und begrifflichen Verknüpfungen durchgegliedert werden kann. Dabei erfüllen sich die Anforderungen der wissenschaftlichen Entfaltung und kritischen Prüfung; doch entfernt sich zugleich der Gottesbeweis von dem spontanen Fluten des Lebens, indem er vorwiegend als logisches Gebilde erscheint. Im Gegensatz dazu steht die als menschlicher *Lebensvollzug* selbst geschehende Schlußfolgerung, die der begrifflichen Fassung und der logischen Durchgliederung voraus und zugrunde liegt. Sie vollendet den Rückgang und die Rückführung bis zu deren innerstem Geheimnis und entfaltet den Mit-vollzug in seiner vollen Mächtigkeit, so daß in diesem das bewußt wird, was sich im unbestimmten Sein immer schon ankündigt, nämlich das subsistierende Sein.

Demnach enthält der Vollzug des Gegenständlichen als seine Möglichkeitsbedingung den Mit-vollzug des Übergegenständlichen, das durch das unbestimmte zum subsistierenden Sein hinreicht. Da es lediglich um *Mitvollzug* geht, tritt das Mitvollzogene immer nur als *Hintergrund und Horizont* in das Wissen ein, was bedeutet, daß es nicht in eigene Begriffe geprägt, auch nicht dem Vollzogenen ausdrücklich gegenübergestellt und doch auf seine verborgene Weise gewußt wird. Freilich bleibt dieses *Hintergrundwissen,* zumal bezüglich des subsistierenden Seins, weithin unbeachtet, vergessen und unwirksam, weshalb das ausdrückliche Wissen es leugnen und ihm widersprechen kann. Trotzdem ist es ständig in den drei Grundweisen des menschlichen Tuns am Werke, die sich um so großartiger und fruchtbarer entfalten, je mehr sie von jenem Grundwissen durchstrahlt werden. Offensichtlich gehört dieses dem Bereich der *ersten Reflexion* an, aus dem etwa die gelebte Religion und das künstlerische Gestalten unmittelbar hervorgehen, aus dem auch der Fortgang der zweiten Reflexion schöpft.

c) Hier ist der Ort, zu klären, ob auch bezüglich des subsistierenden Seins von Erfahrung gesprochen werden könne. Selbstverständlich scheidet die nach Art der zweiten Reflexion entwickelte Schlußfolgerung aus, weil sie zwar die Erfahrung begrifflich faßt, logisch gliedert und kritisch prüft, nicht aber selbst Erfahrung ist. Dagegen ist die in der ersten Reflexion enthaltene *ungeformte Schlußfolgerung* durchaus der Erfahrung zuzurechnen, weil sie sich nur als die auf ihren letzten Grund verinnerlichte ontische Erfahrung darstellt. Zur Konstitution der ontischen Erfahrung des Seienden gehört die ontologische Erfahrung des unbestimmten Seins und schließlich die *metaphysische* Erfahrung des subsistierenden Seins; letztere fällt als Vorgriff mit der ontologischen Erfahrung zusammen und ist als Ergreifen des subsistierenden Seins deren naturgemäße Vollendung.

3. Im vorstehenden wurden Seinsproblematik und Gottesbeweis nach ihrer formalen Seite erörtert; jetzt sind sie nach ihrer materialen Seite zu entfalten, was der *Durchführung des Gottesbeweises* gleichkommt und dessen Eigenart als Schlußfolgerung verdeutlicht. Den Ausgangspunkt bildet das im Vollzug des Seienden mit-vollzogene Sein, das sich zunächst nur als das unbestimmte darbietet. Zwei Wege öffnen sich, je nachdem der Vollzug des Seins oder das vollzogene Sein in den Vordergrund tritt.

a) Der *Vollzug des Seins* nach seinem Selbst findet allein im Menschen statt; denn er allein ist des Rückgangs vom Seienden zum Sein fähig. Das übrige Seiende hingegen hat nur durch die Rückführung am Rückgang teil, wodurch das in ihm implizierte Sein expliziert wird. Innerhalb der Welt wird demnach das als solches ausgeprägte Sein vom *Menschen* eröffnet oder *entworfen.* Von welcher Art ist diese Eröffnung? Ist sie ursprünglich oder abgeleitet? Geht ihr eine andere Eröffnung als ihre Möglichkeitsbedingung voraus oder nicht?

Die Antwort läßt sich daraus entnehmen, wie sich die *menschliche Eröffnung des Seins* zum Seienden verhält. Offensichtlich entzündet sich die Eröffnung des Seins an dem vorgegebenen Seienden, dem also schon vorgängig Sein zukommt. Folglich geschieht unsere Seinseröffnung als *Nachvollzug* eines Ur-vollzogenen, wobei das nicht nur für den Gegenstand des Vollziehens, sondern auch für den vollziehenden Menschen gilt. Er kommt durch den Rückgang erst zum Sein und ist deshalb nicht selbst das Sein; er erweist sich als ein Seiendes, wenn auch als jenes, das sich durch den Rückgang auszeichnet. Vom Nach-vollzug her sind wir imstande, zu umreißen, wie der *Ur-vollzug* aussehen muß. Erstens gibt es für ihn kein Vor-gegebenes, weil alles Seiende durch ihn gegeben oder als Seiendes bestimmt ist. Zweitens ist der Ur-vollziehende nicht ein vom Sein unterschiedenes Seiendes, sondern das Sein selbst oder das subsistierende Sein; denn wäre der Ur-vollziehende ein Seiendes und damit ein zum Sein Zurückkehrendes, so ginge ihm ein anderer Vollzug voraus und er wäre nicht der *Ur*-vollziehende. In diesem Lichte zeigt sich die menschliche Seinseröffnung als eine nur nach-vollziehende, die als ihren ermöglichenden Grund die ur-vollziehende Seinseröffnung, die vom *subsistierenden Sein* ausgeht, voraussetzt; jene Seinseröffnung ist einzig als Teilnehmen an dieser möglich, oder das Seinsentwerfen des Menschen wird durch das Seinsentwerfen Gottes ermöglicht.

b) Der andere Weg geht von dem in der ontologischen Erfahrung durch den Menschen *vollzogenen Sein* aus. Dieses stellt sich als eines, als absolut und unendlich dar. Der Mensch hingegen wie auch jedes andere Seiende ist der Vielheit unterworfen, ist relativ oder in mannigfacher Weise auf anderes bezogen, ist endlich oder in Grenzen eingeschlossen. Die hier hervortretende *Gegensätzlichkeit* treibt zu der Frage, ob das Sein, das sich durch die genannten Wesenszüge auszeichnet, seine einzige und erste Verwirklichung im Menschen oder sonst einem Seienden finden könne oder ob dieser Verwirklichung als ihr ermöglichender Grund eine andere als erste vorausgehen müsse.

Nehmen wir einmal an, die Verwirklichung des Seins im Menschen oder sonst einem Seienden sei die *erste und einzige;* dann ergibt sich, daß das eine Sein immer nur als vieles, das absolute Sein einzig als relatives, das unendliche Sein allein als endliches verwirklicht sein kann. Anders ausgedrückt: das Sein, das sein Selbst in der Einheit erreicht, ist nur als vieles es selbst; das sein Selbst in der Absolutheit gewinnt, ist einzig als relatives es selbst; das sein Selbst in der Unendlichkeit findet, ist allein als endliches es selbst. Darin aber liegt ein *Widerspruch,* der das Sein zerstört, weil es nach seinem Selbst zugleich eines und vieles, absolut und relativ, unendlich und endlich ist, d. h. in derselben Hinsicht zugleich ist und nicht ist.

Diesem zerstörenden Widerspruch vermag das Denken allein dadurch zu entgehen, daß es die Annahme fallenläßt, aus der er entspringt. Also hat das Sein im Menschen oder sonst einem Seienden nicht seine erste und einzige Verwirklichung; vielmehr geht dieser als ihr ermöglichender Grund die *Ur-Wirklichkeit des Seins* voraus, die reine Einheit, Absolutheit und Unendlichkeit besagt und daher das subsistierende Sein ist. — Das vorausgesetzt, kann das nach seinem innersten Selbst eine, absolute und unendliche Sein ohne Widerspruch nach seiner *Mitteilung* an den Menschen und das übrige Seiende mit Vielheit, Relativität und Endlichkeit behaftet werden. Damit erweisen sich die Wesenszüge des unbestimmten Seins als Widerspiegelungen der Ur-Wesenszüge des subsistierenden Seins.

c) Im Lichte dessen, was am unbestimmten Sein noch weiter hervortrat, zeigt sich das subsistierende Sein als der *reine Vollzug,* der seinen Bestand ausschöpfend durchdringt, der nicht mehr Rückkehr zum Sein, sondern von vornherein Ruhen im Sein selbst besagt. Näherhin stellt sich der reine Vollzug als *liebendes Wissen und wissendes Lieben* in höchster Vollendung dar, weshalb hier auch die Idealität ganz in Realität verdichtet und die Realität ganz von Idealität durchlichtet ist. Schließlich fällt das subsistierende Sein mit dem unendlichen *personalen Geist* oder mit der unendlichen Personalität zusammen.

Von hier aus gesehen, ist die Begegnung mit dem Sein zuinnerst der immer schon im Verborgenen geschehende *Dialog mit dem personalen Gott.* Im Anspruch des Seins ergeht zuletzt der Anspruch Gottes; also stimmt der Mensch, wenn er dem Anspruch entspricht, letztlich nicht nur mit dem Sein, sondern vor allem mit Gott zusammen. Daher ist auch der Gottesbeweis nicht ein lediglich logisches Gebilde; vielmehr entfaltet er sich als die unter dem Zug des personalen Gottes wachsende personale oder gesamtmenschliche Einkehr zum innersten Grund des Menschen und aller Dinge.

Bibliographie

Die Bücher und Artikel werden entsprechend der Abfolge unserer Untersuchung aufgeführt. Zur Läuterung der transzendentalen Methode *J. Maréchal,* Le point de départ de la métaphysique, Cahier V: Le thomisme devant la philosophie critique (Louvain-Paris 1926; Louvain [3]1945). *J. Lotz,* Die transzendentale Methode in Kants Kritik der reinen Vernunft und in der Scholastik: Kant und die Scholastik heute (Pullach 1955) 35—108. — Zur ontologischen Differenz *M. Heidegger,* Über den Humanismus (Frankfurt 1951). *Derselbe,* Zur Seinsfrage (Frankfurt 1956). *Derselbe,* Identität und Differenz (Pfullingen 1957). *V. Veauthier,* Analogie des Seins und ontologische Differenz: Symposion 4 (1955) 1—89. *M. Theunissen,* Intentionaler Gegenstand und ontologische Differenz: Philosophisches Jahrbuch 70 (1963) 344—362. *O. Pöggeler,* Der Denkweg M. Heideggers (Pfullingen 1963). *V. Vycinas,* Earth and Gods. An Introduction to the Philosophy of M. Heidegger (Den Haag 1961). — Zum thomanischen Sein *E. Gilson,* L'être et l'essence (Paris 1948). *A. Marc,* L'idée de l'être chez S. Thomas et dans la scolastique postérieure: Archives de Philosophie 10 (1933) 1—145. *J. Hegyi,* Die Bedeutung des Seins bei den klassischen Kommentatoren des hl. Thomas von Aquin — Capreolus, Silvester von Ferrara, Cajetan (Pullach 1959). *L. B. Geiger,* La participation dans la philosophie de S. Thomas d'Aquin (Paris 1942; [2]1953). *C. Fabro,* La nozione metafisica di partecipazione secondo S. Tommaso d'Aquino (Milano 1939; Torino [2]1950). *Derselbe,* Partecipazione e causalità secondo S. Tommaso d'Aquino (Torino 1960). *L. De Raeymaeker,* De zin van het woord esse bij den H. Thomas van Aquino: Tijdschrift voor Philosophie 8 (1946) 407—434. *Derselbe,* Zijn en Absoluutheid: Tijdschrift voor Philosophie 20 (1958) 179—209. *J. de Finance,* Être et agir dans la philosophie de S. Thomas (Paris 1945; Roma [2]1960). *M. Müller,* Sein und Geist. Systematische Untersuchungen über Grundproblem und Aufbau mittelalterlicher Ontologie (Tübingen 1940). *K. Rahner,* Geist in Welt. Zur Metaphysik der endlichen Erkenntnis bei Thomas von Aquin (Innsbruck 1939; München [2]1957). *G. Siewerth,* Das Schicksal der Metaphysik von Thomas zu Heidegger (Einsiedeln 1959).

F. Ulrich, Homo abyssus. Das Wagnis der Seinsfrage (Einsiedeln 1961). *J. Möller,* Die Seinsfrage in der thomistischen Philosophie: Theologische Quartalschrift 134 (1954) 319—332. *J. Lotz,* Das Sein selbst und das subsistierende Sein nach Thomas von Aquin: M. Heidegger zum 70. Geburtstag, Festschrift (Pfullingen 1959) 180—194. *Derselbe,* Sein und Existenz in der Existenzphilosophie und in der Scholastik: Gregorianum 40 (1959) 401—466. *E. Nicoletti,* ‚Existentia' e ‚actus essendi' in S. Tommaso: Aquinas 1 (1958) 241—267. Dialogo intorno alla conoscenza dell'essere mit Beiträgen von *E. Nicoletti, L. Bogliolo, G. Muzio, R. Masi:* Filosofia e Vita 2 (1961) N. 6, 20—39; 3 (1962) N. 2, 17—30; N. 3, 15—27; N. 4, 10—37. — Zur Durchführung der Metaphysik nach der transzendentalen Methode *E. Coreth,* Metaphysik (Innsbruck 1961; Entfaltung der Frage). *J. Lotz,* Metaphysica operationis humanae methodo transcendentali explicata (Roma 1958; ²1961). *Derselbe,* Ontologia (Barcelona 1963; vom Urteil ausgehend). — Zur Erfahrung des Seins *J. Lotz,* Metaphysische und religiöse Erfahrung: Archivio di Filosofia 1956, fasc. 1, 79—121. *C. Fabro,* L'esperienza metafisica dell'essere: Actes du XIième Congrès International de Philosophie, Bruxelles 1953 (Amsterdam-Louvain 1953) IV 57—63. — Zur Gottesfrage bei Heidegger *M. Corvez,* La place de Dieu dans l'ontologie de M. Heidegger: Revue thomiste 53 (1953) 287—323.

IDENTITÄT UND DIFFERENZ

Von Emerich Coreth SJ, Innsbruck

Das Problem der Einheit in der Vielheit ist so alt wie die abendländische Philosophie. Schon dem frühgriechischen Denken stellt sich die Frage nach dem einen Seinsgrund aller Dinge und zugleich die Frage, wie sich die Einheit dieses Grundes differenziert in die Vielheit und Vielfalt der Dinge. Dem liegt schon dort die Einsicht zugrunde, daß alle Vielheit notwendig Einheit voraussetzt, aber eine Einheit, die von sich her die Vielheit entspringen läßt, also eine Einheit als Grund und Ursprung der Vielheit. Dieses Problem, ein Grundproblem metaphysischen Denkens, durchzieht in verschiedenen Gestalten die Geschichte der Philosophie, erreicht aber eine neue Schärfe und Ausdrücklichkeit im Raum des deutschen Idealismus, dem es entscheidend um das Problem der Einheit und Vielheit geht. Die Fragen, die uns von daher unausweichlich gestellt sind, aufzunehmen und weiterzuführen, wenn auch nicht zur vollen Lösung auszutragen, ist der bescheidene Versuch dieses Beitrags.

Deshalb soll 1. die Geschichte des Problems „Einheit und Vielheit" oder, wie es jetzt zumeist heißt, „Identität und Differenz" im Denken des deutschen Idealismus verfolgt und in den — notwendig vereinfachten — Grundlinien nachgezeichnet werden. Auf diesem geschichtlichen Hintergrund nehmen wir 2. das Sachproblem auf, das uns die metaphysische Frage stellt, wie der Identität des Seins die Differenz des Wesens entspringt und wie daher der Identität des absoluten Seins selbst die Differenz der endlichen Seienden entspringt; es geht also im letzten um die Frage, wie von der Einheit des Unendlichen her die Vielheit des Endlichen ermöglicht ist.

I. Identität und Differenz im deutschen Idealismus

Schon bei Kant erhebt sich mit aller Deutlichkeit das Problem der Einheit und Vielheit. Aber Kants Denken will nicht Metaphysik, sondern Kritik der Metaphysik sein. Daher stellt sich ihm die Frage nach der Einheit als Bedingung der Vielheit nicht wie in der Vorzeit als objektiv metaphysisches Problem, sondern als subjektiv erkenntniskritisches, d. h. als transzendentalphilosophisches Problem: als Frage nach der apriorischen Einheit als Bedingung der empirischen Vielheit der Erscheinungen und Erfahrungen des Bewußtseins. Insofern sich jedoch in der Denkentwicklung von Kant über Fichte und Schelling zu Hegel und schließlich zum späten Schelling die Transzendentalphilosophie schrittweise immer mehr ausweitet zu einer gesamten Metaphysik, wenn auch zumeist einer Metaphysik der Subjektivität, aber einer metaphysisch absolut gesetzten Subjektivität, so wandelt sich auch die Frage nach der Einheit in aller Vielheit zur Frage nach dem absoluten Einheitspunkt und Ursprungsgrund alles Seienden, das heißt aber nach einer absoluten Einheit, welche die Vielheit der empirischen Dinge aus sich entläßt, ohne sich selbst als Einheit aufzuheben; nach einer absoluten Identität, welche die Differenz der endlichen und relativen Dinge aus sich entspringen läßt und zugleich in sich bewahrt, in der Differenz also sich selbst durchhaltend, sich selbst aktuierend und manifestierend als umgreifende Identität des Differenten. Die Frage nach der Einheit als dem Grund der Vielheit wird also über den subjektiv-transzendentalen Ansatz Kants hinaus wieder von neuem und in neuer Zuspitzung zu einem metaphysischen Problem.

Kant stellt die transzendentale Frage: nach den apriorischen Bedingungen der Möglichkeit gegenständlicher Erkenntnis. Diese Frage ist vom Anfang bis zum Ende von der entscheidenden Einsicht geleitet: Alle Erkenntnis ist Synthesis des Mannigfaltigen[1]; alle Erkenntnis stiftet Einheit in der Vielheit. Einigung von Mannigfaltigem setzt aber eine Einheit voraus, durch welche sie ermöglicht und geleitet wird. Nachträgliche Einigung ist nur möglich auf Grund vorgängiger Einheit. Faktisch-empirische Synthesis, wie sie sich im Vollzug gegenständlicher Erkenntnis ereignet, ist nachträgliche Einigung, Synthesis a posteriori, d. h. eine solche, welche die vorgegebene Vielheit a posteriori zur Einheit bringt. Diese ist aber nur möglich unter der Bedingung einer Einheit a priori, welche der empirischen Vielheit vorausliegt und ihre Einigung a priori normgebend ermöglicht. Also setzt jede empirisch-endliche Erkenntnis als Bedingung ihrer Möglichkeit ein vorgängiges Prinzip der Einheit voraus.

Diese Einsicht durchzieht die Kritik der reinen Vernunft. Jeder Schritt der transzendentalen Reduktion fragt nach der vorgängig bedingenden Einheit. Schon die sinnlich-hinnehmende Anschauung vollzieht eine Synthesis, sofern sie die Vielfalt des Empfindungsmaterials räumlich und zeitlich einigt, sie setzt also den Raum und die Zeit, die reinen Formen der Anschauung, als apriorische Prinzipien der Einheit voraus. Erkenntnis

---

[1] Vgl. Kritik der reinen Vernunft A 77 u. a.

kommt jedoch nur zustande in der Synthesis von Anschauung und Denken. Die sinnlich angeschauten Inhalte müssen gedacht, ihre Mannigfalt auf die Einheit des Begriffes gebracht werden. Solche Einigung setzt wieder als Bedingung ihrer Möglichkeit vorgängige Prinzipien der Einheit voraus: die reinen Verstandesbegriffe. Dabei kommen sinnliche Anschauung und begriffliches Denken zur Einheit, welche die Erkenntnis des Gegenstandes konstituiert. Die empirische Synthesis, die sich darin vollzieht, setzt jedoch als Bedingung ihrer Möglichkeit eine reine Synthesis der beiden reinen, d. h. erfahrungsvorgängigen, Elemente voraus, die im Vollzug empirischer Erkenntnis a posteriori zur faktischen Einigung kommen: die reine Synthesis der reinen Anschauung und des reinen Denkens, die sich im Schemaentwurf der reinen Verstandesbegriffe konstituiert. Alle Gegenstände jedoch, die so — im Vollzug der jeweiligen Synthesis — erkannt sind, werden in letzten Einheiten und Ganzheiten zusammengedacht: in den transzendentalen Ideen „Welt", „Seele" und „Gott"; wenn diese Größen auch nur gedacht, nicht erkannt werden können, weil ihnen die entsprechende Anschauung fehlt, so haben sie doch eine wesentlich regulative Funktion in unserer Erkenntnis, sofern sie letzte, regelnde Ordnungseinheiten vorgeben. Wenn aber alle Erkenntnis Synthesis des Mannigfaltigen bedeutet und wenn jede Synthesis als Einigung vorgängige Einheit voraussetzt, so fordert der ganze Prozeß der wesenhaft synthetischen Erkenntnis ein vorgängig ursprüngliches Prinzip der Einheit, das im gesamten Erkenntnisgeschehen Einheit entwerfend und Einheit stiftend am Werk ist. Diese ursprüngliche Einheit als das erste apriorische Prinzip aller Einigung ist für Kant die transzendentale Apperzeption, die Einheit des reinen „Ich denke".

Dies macht deutlich: Im Denken Kants hält sich die entscheidende Grundeinsicht durch, daß Vielheit Einheit voraussetzt und daß jede Einigung einer Vielheit vorgängige Einheit fordert. Kant ringt um die Einheit. Aber im letzten erreicht er die Einheit nicht. Vielmehr bleiben in seinem Denken Gegensätze bestehen, die nicht überwunden, nicht zur Einheit gebracht werden, so aber das ganze System zu sprengen drohen.

Schon im Bereich der Kritik der reinen Vernunft klafft der Gegensatz zwischen Ding an sich und Erscheinung, der für den nachfolgenden Idealismus zum Stein des Anstoßes wurde. Wichtiger noch in unserem Zusammenhang ist ein anderer Gegensatz, der schon in Kants Erkenntnistheorie aufbricht und dessen Einigung Kant nicht gelungen ist: die Zweiheit von Anschauung und Denken oder von Sinnlichkeit und Verstand. Kant sieht, daß die Einigung der beiden Vermögen, die sich in jeder Erkenntnis vollzieht, eine ursprüngliche Einheit voraussetzt. Er weiß, daß die „beiden Stämme" der Erkenntnis einer „gemeinschaftlichen Wurzel" entspringen müssen[2]. Aber er deutet nur darauf hin, ohne zur gemeinsamen Wurzel vorzudringen, erst recht, ohne das Entspringen der beiden Stämme aus der gemeinsamen Wurzel begreifbar machen zu können. Und wenn Kant in der ersten Ausgabe der Kritik der reinen Vernunft dazu neigt, die gemeinsame Wurzel in der transzendentalen Einbildungskraft zu sehen, die sich in der Schemabildung als die einigende Mitte zwischen Anschauung und Denken erwiesen hat, so läßt er diesen Ansatz in der zweiten Auflage des Werkes fallen und nimmt das reine Denken als letzten Einheitsgrund an, ohne jedoch erklären zu können, wie dieser Einheit die Zweiheit von Denken und Anschauung entspringt, d. h. wie und warum das reine Denken ein anderes und gegensätzliches Vermögen, die sinnliche Anschauung, aus sich entläßt und wieder mit sich vereinigt[3].

Wenn wir aber über die Kritik der reinen Vernunft hinaus den Blick auf Kants Gesamtwerk richten, so bricht erst recht ein Gegensatz auf, der nicht überwunden, nicht zur Einheit gebracht wird: der Gegensatz zwischen theoretischer und praktischer Vernunft. Die theoretische Vernunft ist bestimmt durch die Notwendigkeit der Naturkausalität, die praktische Vernunft vollzieht sich im Medium der Freiheit sittlichen Handelns. Die theoretische Vernunft erreicht jeweils nur die Erscheinung für mich, das praktisch-sittliche Handeln ereignet sich in der intelligiblen Welt der Dinge an sich. Die theoretische Vernunft ist gebunden an den Bereich möglicher Erfahrung, während die praktische Vernunft die Grenzen des Erfahrbaren übersteigt und zu metaphysischer Erkenntnis vordringen kann, wenn auch nicht in theoretischem Wissen, sondern im praktischen Glauben. Der Gegensatz zwischen Theoretischem und Praktischem wird nicht versöhnt. So aber wird die theoretische Vernunft nicht praktisch, und die praktische Vernunft wird nicht theoretisch. Die theoretische Vernunft vermittelt nicht die Normen praktisch-sittlichen Handelns; sie geht nicht bestimmend in den praktischen Bereich ein. Und die praktische Vernunft vermittelt kein Wissen im Sinne theoretischer Gewißheit, sondern bietet nur praktischen Glauben als Möglichkeit an. Beide Bereiche stehen unvermittelt nebeneinander. Kant selbst hat diesen Gegensatz als offenes Problem empfunden und in der Kritik der Urteilskraft zu überwinden versucht. Aber sein Bemühen, die verlorene Einheit wiederzufinden, ist zum Scheitern verurteilt und offenbart so erst recht die Unmöglichkeit, auf dem Boden kantischen Denkens die Gegensätze zur Einheit zu bringen.

---

[2] Vgl. Kritik der reinen Vernunft A 15 B 29; vgl. A 835 B 863.

[3] Vgl. dazu *M. Heidegger,* Kant und das Problem der Metaphysik (Frankfurt [2]1950) 127 ff; *E. Coreth,* Heidegger und Kant: J. B. Lotz (Hrsg.), Kant und die Scholastik heute (Pullach bei München 1955) 207—255, bes. 214 ff.

Wichtig ist jedoch festzuhalten, daß Kants Denken einerseits sehr entschieden die Einheit in der Vielheit und vor der Vielheit sucht, daß ihm anderseits aber immer wieder die Einheit entgleitet und unversöhnte Gegensätze stehenbleiben, an denen das Ganze seines Denkgebäudes zu zerbrechen droht.

Die folgende Problementwicklung setzt gerade an jenen Punkten an, wo bei Kant unüberwundene Gegensätze bestehen. Ein sehr konsequenter Fortgang des Denkens sucht Schritt für Schritt zu einer immer höheren und umfassenderen Einheit vorzudringen. Schematisch vereinfachend, können wir sagen: Bei Reinhold geht es um die Einheit von Anschauung und Denken, also um die Ursprungseinheit der theoretischen Erkenntnis. Fichte geht darüber hinaus und sucht die höhere Einheit zu erreichen, die sowohl das Theoretische als auch das Praktische umspannt und deren Zweiheit entspringen läßt. Schelling wiederum sieht, daß damit die Zweiheit von Subjekt und Objekt noch nicht zur Einheit gebracht und aus einer Einheit begriffen ist, die er in der absoluten Identität ansetzt, welche der absolute Indifferenzpunkt von Subjektivem und Objektivem ist. Während bis dahin die Denkentwicklung von der Vielheit zur Einheit, von der Differenz zur Identität strebt, erhebt sich bei Hegel umgekehrt das Problem, wie aus der Einheit die Vielheit, aus der Identität die Differenz entspringen könne, ein Problem, das Hegel durch die dialektische Identität zu lösen sucht, die als Identität die Differenz in sich begreift und durch Setzung und Aufhebung der Differenz sich selbst entfaltet. Der späte Schelling schließlich lehnt Hegels dialektische Ableitung der Wirklichkeit aus dem Absoluten ab; nach ihm setzt die absolute Identität die Differenz in sich selbst durch den idealen Entwurf des Möglichen und außer sich durch die reale Setzung der Welt in göttlicher Freiheit. Wir wollen die angedeutete Entwicklung in ihren Grundlinien verfolgen, um das entscheidende Problem deutlicher in den Blick zu bekommen.

Karl Leonhard *Reinhold,* der Vorgänger Fichtes in Jena, bildet eine wichtige, jedoch meist wenig beachtete Brücke von Kant zu Fichte. Seine „Elementarphilosophie" will schon, ähnlich wie Fichtes „Wissenschaftslehre", transzendentalphilosophische Grundwissenschaft sein, die jetzt an die Stelle der Metaphysik tritt. Im Ringen um die Einheit, die Kant nicht erreicht hatte, macht Reinhold den ersten Schritt, indem er die kantische Zweiheit von Anschauung und Denken auf eine ursprüngliche Einheit zurückführen will, die er im Begriff der „Vorstellung" faßt und im Satz des Bewußtseins ausdrückt: „Im Bewußtsein wird die Vorstellung von Vorstellendem und Vorgestelltem unterschieden und auf beide bezogen." [4]

[4] *Reinhold,* Versuch einer neuen Theorie des menschlichen Vorstellungsvermögens (Jena 1789).

Vorstellung ist hier im weitesten Sinn, der Differenz von Anschauung und Denken noch vorgelagert, verstanden. Vorstellen bedeutet allgemein das Vor-sich-Hinstellen von etwas, das Bewußthaben eines Inhalts oder Gegenstandes — auf welche Weise auch immer. Dies ist die ursprünglichste Leistung des Bewußtseins, jedoch so, daß im Vollzug der Vorstellung bereits die Differenz zwischen Vorstellendem und Vorgestelltem gesetzt wird.

Von diesem Ansatz her geht Reinhold rein a priori deduktiv voran, auch darin richtungweisend für die nachfolgende Entwicklung des deutschen Idealismus. Während die Transzendentalphilosophie Kants vorwiegend reduktiv fortschreitet, indem sie von den Gegebenheiten des Bewußtseins zurückfragt nach den vorgängigen Bedingungen ihrer Möglichkeit, setzt mit Reinhold die deduktive Denkbewegung ein, die das Philosophieren Fichtes und des frühen Schelling bestimmt. Von einem absoluten Prius, das in der Unmittelbarkeit intellektueller Anschauung wahrgenommen wird, daher keines reduktiv vermittelnden Aufweises bedarf, kann alles Weitere rein a priori abgeleitet und das Gesamtsystem des Wissens erstellt werden. Erst Hegel fordert wieder einen reduktiven Rückgang zum Absolutpunkt des Wissens, von dem her rein deduktiv das Gesamtsystem der absoluten Wissenschaft abgeleitet werden kann. Sofern jedoch die Deduktion nicht nur bei Fichte und Schelling, sondern auch und vor allem bei Hegel dialektisch geschieht, ist wiederum Reinhold richtungweisend für den gesamten deutschen Idealismus, da schon bei ihm im Ansatz die Dialektik als Deduktionsprinzip erscheint. Er erreicht, über Kant hinausgehend, die Einheit der Erkenntnis in der „Vorstellung"; diese ist aber von Anfang an eine dialektisch differenzierte oder sich selbst differenzierende Identität, da sie die Differenz von Vorstellendem und Vorgestelltem setzt, ähnlich wie später bei Fichte im Selbstvollzug des Ich die Entgegensetzung von Ich und Nicht-Ich, bei Schelling in der absoluten Identität die Zweiheit von Subjekt und Objekt gesetzt wird und wie Hegel im Akt des Wissens eine dialektische Identität sieht, die sich in der Setzung und Aufhebung der Differenz von Wissendem und Gewußtem realisiert. Diese, schon in der ursprünglichen Einheit des Bewußtseins gesetzte, Differenz macht bereits bei Reinhold einen deduktiv differenzierenden Fortgang des Denkens möglich — den wir hier nicht im einzelnen zu verfolgen brauchen.

Die Einheit aber, die bei Reinhold gewonnen wird, ist nur die Einheit der theoretischen Philosophie. Darum erklärt *Fichte,* er könne mit Reinhold einiggehen, sofern es sich allein um das Theoretische handelt; aber das Praktische sei dadurch noch nicht eingeholt. Um die höhere Einheit, die sowohl das Theoretische als auch das Praktische umgreift und in ihrer

Zweiheit entspringen läßt, geht es bei Fichte. Von Kants Kritik der reinen Vernunft herkommend, verschärft er noch den kantischen Primat der praktischen Vernunft, denn „alle Vernunft ist praktisch". Er stellt die Einheit des Theoretischen und des Praktischen unter den Primat des Praktischen, jedoch nicht, sofern dieses im Gegensatz zum Theoretischen steht, sondern sofern es der Zweiheit von theoretischer und praktischer Vernunft noch vorausliegt und beide umgreift als der aktuelle Selbstvollzug, die „Tathandlung" des Ich[5]. Wenn Fichte also in dem sich selbst setzenden, sich selbst vollziehenden Ich den Ansatz nimmt, ist das zwar ein entscheidender Schritt über Kant hinaus, da er die bloß formale Funktion des denkenden Subjekts bei Kant übersteigt und den realen und aktuellen Vollzug erreicht. Wenn Fichte aber das Ich zur absoluten Ursprungseinheit macht, so folgt daraus nicht nur, daß das Nicht-Ich im Ich aufgehoben wird zu einer reinen Setzung des Ich, d. h., es folgt die reine Bewußtseinsimmanenz des subjektiven Idealismus. Sondern es stellt sich darüber hinaus auch die Frage, warum das Ich sich ein Nicht-Ich entgegensetzt und durch das Nicht-Ich sich selbst begrenzt; warum die absolute Identität des Ich, die jeder Differenz vorausliegt, sich die Differenz des Nicht-Ich entgegensetzt und dadurch selbst in die Differenz von Ich und Nicht-Ich eingeht. Dies ist im Grunde schon die Frage, die später zwischen Schelling und Hegel ausdrücklich wird, wie nämlich der reinen Identität des Anfangs die Differenz entspringen kann.

Auf diese Frage kann im Sinne Fichtes, aber auch Schellings und Hegels, zunächst geantwortet werden, daß die reine Selbstidentität des Ich noch kein Bewußtsein zu konstituieren vermag, daß sich das Ich vielmehr durch sein anderes, das Nicht-Ich, zum bewußten Ich vermitteln muß. Bei Fichte kommt, seinem praktisch-ethischen Denken entsprechend, noch hinzu, daß das Ich zum sittlichen Handeln, zur Reifung der sittlichen Persönlichkeit des Nicht-Ich bedarf, dessen Widerstand es zu überwinden und zu bewältigen hat. Das Ich muß sich darum ein Nicht-Ich entgegensetzen. Sofern das Ich durch das Nicht-Ich begrenzt und bestimmt wird, bedeutet dies Erkennen und bildet den Ansatz der theoretischen Wissenschaftslehre; sofern das Nicht-Ich durch das Ich begrenzt und bestimmt wird, bedeutet dies Handeln und bildet den Ansatz der praktischen Wissenschaftslehre. So wird aus der ursprünglichen Entgegensetzung von Ich und Nicht-Ich die Zweiheit von Theoretischem und Praktischem vermittelt und daraus alles Weitere durch dialektische Deduktion rein a priori abgeleitet.

Aber die Grundfrage bleibt offen: Warum muß das Ich aus seiner reinen Identität das Nicht-Ich als das Prinzip der Differenz heraussetzen? Und

---

[5] *Fichte* WW I 91 ff.

es ist nicht nur die Frage: Warum muß das geschehen?, sondern auch die Frage: Wie kann das geschehen? Wie ist es möglich, daß der ursprünglich reinen, ja absoluten Identität eine Differenz entspringt, welche die Identität selbst differenziert? Diese Frage bleibt bei Fichte noch durchaus offen, sie bleibt anfangs auch bei Schelling offen und wird erst von Hegel in aller Schärfe gestellt und auf seine Weise beantwortet: durch die Aufhebung der Differenz in der Identität, welche als dialektische Identität die Differenz in sich selbst umgreift.

Zuvor aber spitzt sich bei *Schelling* das Problem noch zu. Während es bei Reinhold um die Einheit der theoretischen Erkenntnis vor der Zweiheit von Denken und Anschauung ging, bei Fichte darüber hinaus um die Einheit der theoretischen und der praktischen Vernunft, geht es dem jungen Schelling um die noch höhere Einheit von Subjekt und Objekt. Er sieht, daß die Zweiheit von Subjekt und Objekt von Kant bis Fichte vorausgesetzt, aber nicht begriffen, noch nicht aus einer vorgängigen Einheit begründet war. Kant hatte zwar — gegenüber einer „dogmatischen Metaphysik" — das Objekt auf das Subjekt zurückgeführt und vom Subjekt her bestimmt. Das endliche Subjekt kann jedoch das Objekt nur als Erscheinung, nicht als Ding an sich bestimmen. Vorausgesetzt bleibt also — auf der Objektseite — das rätselhafte Ding an sich; und vorausgesetzt, aber ungeklärt bleibt auch, was noch entscheidender ist — auf der Subjektseite —, das Wesen des transzendentalen Subjekts, dem eine a priori bedingende und bestimmende Funktion am Gegenstand zukommen soll. So bleiben sowohl Subjekt und Objekt als auch ihre Beziehung aufeinander fragwürdig; erst recht wird ihre Zweiheit nicht von einer übergeordneten Einheit her begriffen. Fichte war einen Schritt weitergegangen, indem er noch entschiedener als Kant das Objekt auf das Subjekt zurückführt und das Subjekt absolut setzt: als „absolutes Ich" oder „absolutes Subjekt". Somit wird aber das Objekt nicht geklärt, sondern gestrichen, es wird zu einem vom Ich und im Ich gesetzten Nicht-Ich, das dem Ich nicht mehr eigentlich als anderes gegenübersteht, das Ich also auch nicht eigentlich begrenzen und bestimmen kann. Dies erkennt Schelling; er will darum gegen Fichte die Objektivität retten und von neuem zur Geltung bringen. Wie in seiner Frühzeit Naturphilosophie und Transzendentalphilosophie zwei gleichberechtigte und gleich notwendige philosophische Grundwissenschaften darstellen[6], so stehen auch Objektivität und Subjektivität als gleichwertige und gleich notwendige Aspekte der Wirklichkeit einander gegenüber. Ihre Zweiheit aus einer vorgängigen Einheit zu begreifen und abzuleiten ist das Grundanliegen der Identitätsphilosophie.

---

[6] *Schelling* WW III 339 ff.

die — in Schellings „Darstellung meines Systems der Philosophie" von 1801 — eine „absolute Identität als absoluten Indifferenzpunkt von Subjektivem und Objektivem" an den Anfang setzt[7].

Aber hatte nicht schon Fichte dieses Problem gesehen? War nicht schon für ihn das absolute Ich die Ursprungseinheit von Subjekt und Objekt als absolutes „Subjekt-Objekt"?[8] War damit der Gegensatz des empirischen Bewußtseins nicht schon auf eine übergeordnete und absolute Einheit hin überstiegen, aus der die empirische Zweiheit von Subjekt und Objekt, d.h. bei Fichte die Zweiheit von begrenztem Ich und begrenztem Nicht-Ich, a priori begreifbar wird? Aber dieser Einheitspunkt ist für Fichte eben „absolutes Ich", „absolutes Subjekt", wird also doch ichhaft, subjekthaft gedacht, so daß die Zweiheit von Subjekt und Objekt nicht eigentlich überstiegen wird auf eine vorgeordnete Einheit, sondern daß die Einheit selbst wieder zurückfällt in das eine Glied der Zweiheit, nämlich in die, jetzt absolut gesetzte, Subjektivität; und die Objektivität fällt aus.

Schelling dagegen will der Objektivität gerecht werden. Daher will er, was Fichte nicht gelungen war, die Zweiheit von Subjekt und Objekt wirklich übersteigen auf einen absoluten Einheitspunkt hin, der als absolutes „Subjekt-Objekt" jenseits von Subjektivem und Objektivem liegt, einen Einheitspunkt, der beides zugleich und keines von beiden ist, da er als reine Identität ihrer Differenz noch vorausliegt. Wenn aber diese Identität in der Unmittelbarkeit intellektueller Anschauung erfaßt wird, also durch keinerlei Reduktion vermittelt am Anfang steht, so wandelt sich der Sinn der intellektuellen Anschauung selbst. Bei Fichte war es eine intellektuelle Selbstanschauung des sich selbst als Tathandlung setzenden und vollziehenden Ich. Bei Schelling wird die intellektuelle Anschauung zu einer unmittelbaren, geradezu mystischen Wahrnehmung des absoluten und göttlichen, nicht nur das Objekt, sondern auch das Subjekt übersteigenden und begründenden Prinzips, eben der absoluten Indifferenz von Subjekt und Objekt, einer reinen und absoluten, jeder Differenz noch vorausliegenden „Identität der Identität"[9]. Aus dieser Identität und Indifferenz will Schelling jedoch die Differenz a priori ableiten, zuerst, sofern das Absolute sich selbst weiß, sich somit selbst als Subjekt und als Objekt des Sich-Wissens setzt, die Differenz von Subjekt und Objekt in der Identität des Absoluten, sodann durch die Dialektik zwischen Subjekt und Objekt alle weiteren Differenzen, in denen sich das Gesamtsystem konstituiert — ähnlich wie schon Fichte aus der Dialektik zwischen Ich und Nicht-Ich die Gesamtheit des Wißbaren a priori begreifen wollte.

Hier stellt sich aber die Frage: Wie kann aus reiner Identität die Diffe-

---

[7] *Schelling* WW IV 117ff. [8] *Fichte* WW I 98. [9] *Schelling* WW IV 121.

renz begriffen werden? Wie kann der reinen Identität eine Differenz entspringen? Diese Frage trifft den schwachen Punkt in Schellings Identitätsdenken. Schon Fichte sagt dazu: „Wären Subjektives und Objektives ursprünglich indifferent, wie in aller Welt sollten sie je different werden?“ [10] Und er nennt Schellings Identitätssystem spöttisch ein „Nullitätssystem“ [11]. Dasselbe meint Hegel, wenn er in der Einleitung zur „Phänomenologie des Geistes“ schreibt: „Dies eine Wissen, daß im Absoluten alles gleich ist, der unterscheidenden und erfüllten oder Erfüllung suchenden Erkenntnis entgegenzusetzen — oder sein Absolutes für die Nacht auszugeben, worin, wie man zu sagen pflegt, alle Kühe schwarz sind, ist die Naivität der Leere an Erkenntnis.“ [12] Es ist im Grunde derselbe Einwand, den Fichte und Hegel gegen Schelling erheben: aus reiner, absolut undifferenzierter Identität kann niemals eine Differenz hervorgehen oder begriffen werden.

Der Einwand ist um so berechtigter, wenn man bedenkt, was Schelling selbst betont, daß die absolute Identität eine unterschiedslose Einheit ist und daß alle Begriffe, die einen Unterschied oder Gegensatz festhalten, einfachhin falsch sind. Auch die Zweiheit von Idealem und Realem ist rein „durch unsere Begriffe gesetzt“; „auch alle Begriffe, die auf diesem Gegensatz beruhen oder aus ihm hervorgehen, sind nicht minder falsch und in Ansehung der höchsten Idee ohne alle Bedeutung“ [13]. Und Schelling erklärt, warum diese Lehre Idealismus sei: „nicht weil sie das Reelle von dem Ideellen her bestimmt (im Sinne Fichtes), sondern weil sie den Gegensatz beider selbst bloß ideell sein läßt“ [14]; ihr Gegensatz ist selbst nur für die endliche Vernunft gültig, nur „im Bewußtsein gemacht“ [15] und muß auf dem Standpunkt der absoluten Philosophie, welcher der Standpunkt der absoluten Vernunft ist, überwunden werden.

Dennoch will Schelling aus der reinen Identität die Differenz ableiten. Schon der Versuch ist ein Widerspruch, an dem das Identitätssystem scheitert. Wie soll der absoluten Identität, die nichts ist als Identität der Identität, eine Differenz entspringen? Wenn aber die Differenz nur für ein endliches und unvollkommenes Denken besteht, wie kann sich überhaupt ein endliches Denken von der absoluten Identität abheben und differenzieren? Wenn alles eins ist in der absoluten Identität, wie ist überhaupt ein Denken möglich, das nicht auf dem Standpunkt der absoluten Vernunft, nämlich der absoluten Identität, steht, sondern gegenüber der Identität irgendwelche Unterschiede festhält, sogar festhalten muß? Diese Fragen müssen gestellt werden; sie widerlegen im Ansatz das Identitätsdenken Schellings. Während jedoch der junge Schelling das entscheidende

---

[10] *Fichte* WW II 66. [11] Ebd. [12] *Hegel* WW II 14.
[13] *Schelling* WW IV 244. [14] *Schelling* WW IV 257. [15] Ebd.

Problem vorschnell überspringt, wird dieselbe Frage, die hier so peinlich offengeblieben ist, zum Zentralproblem im gesamten weiteren Denken Schellings. Schon in seiner Schrift „Philosophie und Religion“ von 1804, also nur drei Jahre nach der „Darstellung“ des Identitätssystems, taucht das Problem auf als Frage nach der „Abkunft der endlichen Dinge aus dem Absoluten“ [16], und diese Frage hält sich bis in das Spätwerk Schellings hinein durch.

Schon zuvor aber, im Dialog „Bruno“ von 1802, bricht ein überraschender Gedanke durch, der das Problem im Ansatz zu lösen scheint, und zwar im Sinne der Dialektik Hegels. Schelling spricht hier vom Verhältnis zwischen Einheit und Gegensatz. Die Gegensätze müssen auf eine Einheit gebracht werden. Das ist entweder so zu denken, daß als erstes die Einheit gesetzt wird und ihr dann der Gegensatz entgegengesetzt wird, oder so, daß erst die Gegensätze ohne Einheit gesetzt sind und dann auf eine Einheit gebracht werden. Beides ist aber gleich unmöglich. Denn aus einer Einheit, die ohne Gegensätze besteht, sind Gegensätze nicht erklärbar. Erst recht kann aus Gegensätzen, die ohne Einheit bestehen, nie eine Einheit begriffen werden. Auf den Einwand, daß man sich dadurch in Widersprüche verstricke, antwortet Bruno, „daß, da wir die Einheit aller Gegensätze zum ersten machen, die Einheit selbst aber zusamt dem, was du den Gegensatz nennst, selbst wieder den höchsten Gegensatz bildet, wir, um jene Einheit zum Höchsten zu machen, auch diesen Gegensatz zusamt der Einheit, die ihm gegenübersteht, darin begriffen denken und jene Einheit als dasjenige bestimmen, worin die Einheit und der Gegensatz, das sich selbst Gleiche mit dem Ungleichen eins ist“ [17]. Dies bedeutet: Wenn Einheit und Gegensatz im Gegensatz zueinander stehen, ist nicht die Einheit das Höchste, sondern der Gegensatz, nämlich der Gegensatz zwischen Einheit und Gegensatz. Soll aber die Einheit und nicht der Gegensatz das Höchste sein, so kann es nicht eine Einheit sein, die noch im Gegensatz zum Gegensatz steht, sondern eine Einheit, die selbst die Einheit von Einheit und Gegensatz ist. Dies ist genau der Gedanke, den Hegel formuliert in der „Identität der Identität und Nichtidentität“.

Zugleich ist damit aber ein Problem getroffen, das auch der scholastischen Analogielehre zugrunde liegt. Denn die Vielheit und Verschiedenheit univoker Gehalte setzt eine umgreifende Einheit voraus, sonst fiele die Vielheit in eine letzte, beziehungslose Pluralität auseinander. Vielheit setzt als Vielheit Einheit voraus; nur auf dem Grunde einer gemeinsamen Einheit kann sich Vielheit als solche konstituieren und differenzieren. Die

---

[16] *Schelling* WW VI 28 ff.
[17] *Schelling* WW IV 236.

vorausgesetzte Einheit kann aber nicht wieder eine univoke Einheit sein, nämlich eine solche, die im Gegensatz zu den differenzierenden Bestimmungen der Vielheit steht, also eine reine Identität, welche die Differenz außer sich hat. Sie muß vielmehr eine Einheit sein, die selbst die Einheit von Einheit und Vielheit, von Gemeinsamkeit und Verschiedenheit, also — in diesem Sinne — Identität der Identität und der Nichtidentität ist, d.h. eine sich selbst — von sich her — differenzierende Identität: eine analoge Einheit. Diese liegt auf der logisch begrifflichen Ebene im analogen Begriff, der in aller univoken Begrifflichkeit als Bedingung ihrer Möglichkeit vorausgesetzt ist. Aber dasselbe gilt auch vom realen Sein: Das erste muß eine Einheit sein, die selbst aus der Einheit die Vielheit entspringen läßt, die also selbst die ursprüngliche Einheit von Einheit und Vielheit ist; eine Identität, welche die Differenz aus sich heraussetzt, also selbst die ursprüngliche Identität von Identität und Differenz ist.

Diese Erkenntnis, die in Schellings „Bruno" auftaucht, weist deutlich auf Hegel hin. Die Frage ist nicht leicht zu entscheiden, ob diese Einsicht ursprünglich von Schelling oder von Hegel stammt, weil um jene Zeit Schelling und Hegel in geistiger Gemeinsamkeit und persönlicher Freundschaft eng verbunden in Jena zusammengearbeitet und sicher beständigen Gedankenaustausch gepflegt haben. Doch ist zu beachten, daß Hegel nicht erst in der „Phänomenologie des Geistes" (1806) über Schelling hinausgeht, indem er Kritik an der absoluten Identität übt[18]; daß er auch nicht erst in der „Wissenschaft der Logik" (1812) den dialektischen Gedanken in die Formel der „Identität der Identität und Nichtidentität" faßt[19], sondern daß schon zuvor in der „Differenzschrift" von 1801, wo Hegel formal gegen Fichte für Schelling Stellung nimmt, aber sachlich schon über Schellings Identitätssystem hinausgeht, sein dialektischer Gedanke zusammengefaßt wird in den Worten „Identität der Identität und der Nichtidentität"[20]. Wenn man überdies bedenkt, daß dieser Gedanke zu einer der tragenden Grundeinsichten Hegels wird, während er bei Schelling, im Gegensatz zu Formulierungen der Identitätsphilosophie, hier sehr isoliert auftritt, so scheint die Annahme berechtigt zu sein, daß diese Einsicht nicht bei Schelling, sondern bei Hegel ihren Ursprung hat. Schelling dürfte den Gedanken im „Bruno" von Hegel entlehnt haben. Und damit kommen wir zu Hegel, in dessen Denken das Problem der Identität und Differenz seine volle Schärfe erreicht.

Hegel unterscheidet sich von Fichte und Schelling schon im Ansatz dadurch, daß er die Unmittelbarkeit einer intellektuellen Anschauung des Anfangs ablehnt. Diese ist für ihn ein mystisches oder pseudomystisches

---

[18] *Hegel* WW II 14. [19] *Hegel* WW III 68. [20] *Hegel* WW I 252.

Element, das in der absoluten Wissenschaft keinen Platz hat, da es nicht in der Sphäre des reinen Gedankens, des rationalen Begriffes, eingeholt ist. Für Hegel ist alles unmittelbar und vermittelt zugleich. Auch der absolute Anfang muß rational vermittelt werden. Während Fichte und Schelling durch intellektuelle Anschauung das absolute Prius erreicht haben, das ohne vermittelnde Reduktion unmittelbar den Ausgangspunkt apriorischer Deduktion bietet, stellt sich Hegel die Aufgabe, den absoluten Anfang der Deduktion selbst noch durch einen reduktiven Aufweis zu vermitteln. Dies geschieht in der „Phänomenologie des Geistes", die einen dialektischen Fortgang durch die Erfahrung des Bewußtseins vollzieht, darin zugleich aber einen transzendentalen Rückgang in den vorgängigen Grund des empirischen Bewußtseins. Denn jede Bewußtseinsstufe weist über sich selbst hinaus, indem sie sich als bedingt erweist durch eine weitere, nächsthöhere Stufe des Bewußtseins, bis schließlich im „absoluten Wissen" das absolute Apriori erreicht wird, das von Anfang an im gesamten Bewußtseinsprozeß wirksam und bestimmend war, aber erst am Ende einer reduktiven Ursprungsenthüllung ausdrücklich erfaßt wird. Erst wenn dieser absolute Standpunkt erreicht ist, kann die a priori deduktive Denkbewegung einsetzen, welche das Gesamtsystem der absoluten Wissenschaft zu vermitteln und zu entfalten vermag.

Was jedoch den absoluten Anfang selbst betrifft, lehnt Hegel sowohl die Dualität des Anfangs bei Fichte als auch die Identität des Anfangs bei Schelling ab: die Dualität bei Fichte, in der Ich und Nicht-Ich „schlechthin entgegengesetzt" sind, ohne daß deren Zweiheit aus einer vorgängigen Einheit, die Differenz aus der Identität begriffen wird; dies aber fordert Hegel. Ebenso lehnt er die absolute Identität bei Schelling ab, weil aus einer reinen Einheit keine Zweiheit, aus unterschiedsloser Identität keine Differenz begriffen werden kann, auch nicht, wenn diese Identität sich — nach Schelling — nachträglich differenziert, indem sie, sich wissend, sich selbst in die Differenz von Subjekt und Objekt setzt.

Daraus ergibt sich aber für Hegel positiv, daß der absolute Anfang nicht als absolute Identität ohne Differenz, erst recht nicht als absolute Differenz ohne Identität zu verstehen ist, sondern als dialektische Identität, welche Identität und Differenz in einem umgreift. So vermittelt Hegel etwa am Beginn seiner „Logik" aus dem Problem des Anfangs die Einheit von Sein und Nichts, die als unterschieden gesetzt, aber, in ihrem Unterschied aufgehoben, als „ununterschiedene Einheit" gesetzt werden. „Die Analyse des Anfangs gäbe somit den Begriff der Einheit des Seins und des Nichtseins — oder in reflektierterer Form der Einheit des Unterschieden- und des Nicht-Unterschiedenseins — oder der Identität der Identität und Nichtidentität. Dieser Begriff könnte als die erste, reinste

d. i. abstrakteste Definition des Absoluten angesehen werden."[21] Am Anfang steht also die dialektische Identität des Absoluten, das die Einheit seiner selbst und seines Anderen ist und das sich deshalb selbst vollzieht und entfaltet, indem es aus der eigenen Identität die Nichtidentität seiner differenten Momente heraussetzt; weil es aber gerade in dieser Setzung der Differenz die eigene Identität nicht verliert, sondern bewahrt und verwirklicht, hebt es die Differenz seines Anderen jeweils auf in der Identität seiner selbst, es vollzieht also sich selbst in der Setzung und Aufhebung der Differenz als deren umgreifende „Identität der Identität und der Nichtidentität".

Wenn man jedoch fragt, was mit dieser sehr formalen und abstrakten Definition inhaltlich gemeint sei, so gibt sich aus dem ganzen des Hegelschen Denkens die Antwort: Diese dialektische Einheit ist nichts anderes als der Akt des Wissens, in dessen Identität die Differenz von Wissendem und Gewußtem gesetzt ist, aber so, daß dadurch die Identität des Wissensaktes nicht gesprengt oder aufgehoben wird, sondern daß sie sich — als Identität — wesentlich in der Setzung der Differenz vollzieht, die Differenz also in der Identität aufgehoben bleibt. Wenn alle vorausgehenden Stufen des Bewußtseins, die in der Phänomenologie durchlaufen werden, von der noch unüberwundenen Zweiheit von Subjekt und Objekt bestimmt sind, so ist im reinen Akt des Wissens dieser Gegensatz insofern aufgehoben, als jeglicher Inhalt, der als Gegenstand erschien, jetzt als ein gewußter, vom Wissen vollzogener Inhalt aufgenommen ist in die Identität des Wissens selbst. So begreift sich das Wissen als das absolute Geschehen, als absolute Dialektik, die alles setzt und alles aufhebt; es begreift sich als „absolutes Wissen"[22]. Das heißt nicht nur, daß es das Wissen des Absoluten ist, das absolut sich selbst weiß, sondern es heißt auch, daß das Wissen selbst das Absolute ist und das Absolute Wissen ist, aber ein sich selbst differenzierendes Wissen, ein durch die Setzung seiner gegenständlichen Inhalte sich selbst — in seiner Identität — vollziehendes Wissen. Daraus folgt aber für Hegel weiter, daß das absolute Wissen die dialektische Bewegung selbst ist, oder umgekehrt, daß die dialektische Bewegung die wesensgemäße Selbstbewegung des Wissens ist, das sich gerade dadurch als absolutes Wissen begreift. Denn das Wissen vollzieht sich selbst in seinem Anderen, indem es das Objekt als gegenständliches Inhaltsmoment in sich selbst sich selbst entgegensetzt und in dieser Setzung seiner Inhaltsmomente sich selbst realisiert und manifestiert, also sich selbst in seinem Anderen vollzieht und zu sich kommt, das Andere in der eigenen Identität aufhebt, d. h. das Andere in sich selbst — als Mo-

---

[21] *Hegel* WW III 68. [22] *Hegel* WW II 594 ff.

ment seiner selbst — bewahrend, aber in seiner Andersheit überwindend und einschmelzend in die Identität des Wissensvollzugs.

Wo steht nun Hegel mit diesem Ansatz in Beziehung zu Fichte und Schelling? Bei Fichte wurde die Differenz dadurch gewonnen, daß das Ich sich ein Nicht-Ich schlechthin entgegensetzt. Objekt ist also ein Anderes, ein dem Ich als Nicht-Ich Entgegengesetztes. Durch dieses Andere, dieses Entgegenstehende, wird das Ich begrenzt und bestimmt; durch das Andere hindurch vermittelt das Ich sich selbst. Bei Schelling dagegen wurde die Differenz in der absoluten Identität dadurch eingeführt, daß das Absolute — in Identität — sich selbst weiß, sich somit selbst als Subjekt und als Objekt des Sich-Wissens setzt. Objekt ist hier nicht etwas Anderes, nicht etwas Entgegenstehendes, sondern das sich selbst wissende Ich, das sich selbst als gewußtes sich entgegensetzt. Die gesamte Objektivität ist daher Objektivation des sich wissenden Ich. Und wo steht hier Hegel? Ist für ihn das Gewußte das Ich oder ein Nicht-Ich, das Selbst oder das Andere? Gerade diesen Gegensatz, der zwischen Fichte und Schelling aufscheint, will Hegel nochmals dialektisch aufheben in eine höhere Einheit. Für ihn ist der Inhalt des Wissens das Andere, dessen Andersheit im Vollzug des Wissens aufgehoben ist zu einem Moment des sich wissenden Geistes. Einerseits ist der Inhalt des Wissens ein gegenständlicher Inhalt, insofern ein Anderes, mit Fichte zu sprechen: ein Nicht-Ich. Anderseits ist es nicht ein Anderes, das dem Ich, dieses begrenzend, entgegengesetzt ist, sondern etwas, in dem das Wissen sich selbst entzweit, sich selbst in die Gegenständlichkeit hinein entäußert, aber in dieser Selbstentzweiung und Selbstentäußerung sich selbst findet und entfaltet. Das Zu-sich-Kommen des Geistes, das Sich-selbst-Wissen und Sich-selbst-Begreifen des Geistes wird wesentlich vermittelt durch Anderes, das sich als gegenständliches Erscheinungs- und Entfaltungsmoment des Geistes selbst erweist, insofern aufgehoben wird in dem Prozeß des sich vollziehenden und sich vermittelnden — aber wesentlich in seinem Anderen sich vermittelnden — Geistes. Am Anfang steht demnach weder das Nicht-Ich Fichtes als das schlechthin Andere, das reine Gegenüber, noch das reine Sich-selbst-Wissen der absoluten Identität Schellings, die sich wissend sich selbst in die Differenz von Subjekt und Objekt setzt und dadurch die Entgegensetzung von Subjektivität und Objektivität allererst konstituiert. Sondern am Anfang steht die dialektische Bewegung des Wissens, welche, weil das Wissen absolut ist, zur absoluten Dialektik, zum Wesensgesetz des Absoluten selbst wird. Es ist das Wesen des Wissens, daß es Wissen um sich im Wissen um Anderes setzt als die sich selbst differenzierende, aber darin sich selbst bewahrende und sich selbst vollziehende Identität, die eben sich selbst verwirklicht, indem sie sich selbst entzweit und die Entzweiung aufhebt in der eigenen, jedoch dialektischen Identität.

Hegels „Phänomenologie des Geistes" will die dialektische Bewegung empirisch, aus der Erfahrung des Bewußtseins, aufweisen. Erst am Ende kommt die Dialektik voll zu sich selbst, indem sie im „absoluten Wissen" sich selbst als absolute Dialektik begreift. Ist das geschehen, so ist das Denken instandgesetzt, im Mitvollzug der absoluten Dialektik, in der das Absolute sich in seine differenten Momente auslegt, schlechthin alles rein a priori ableitend zu begreifen. Dies geschieht in dem Dreischritt des Gesamtsystems, einer dialektischen Selbstvermittlung des Absoluten, das aus der Sphäre der reinen „Idee" sich selbst entäußert hinein in die Realität der „Natur", um aber im „Geist" zurückzukehren zu sich selbst und „absoluter Geist" zu werden. So ist alle Wirklichkeit hineingenommen in die dialektische Bewegung des Absoluten, alle Wirklichkeit begriffen als Entfaltungsweise des absoluten Geistes.

Dagegen hat jedoch der *späte Schelling* entschieden Einspruch erhoben. Seine wiederholte und scharfsinnig durchgeführte Hegelkritik[23] kommt im wesentlichen darauf hinaus, daß die dialektische Deduktion Hegel nicht gelingt und grundsätzlich nicht gelingen kann. Denn 1. ist Hegels Dialektik kein brauchbares Deduktionsprinzip, es vermag keine neuen Inhalte einzuführen und darum den Gedanken nicht inhaltlich fortzubestimmen. Dazu kommt 2. noch grundsätzlicher, daß die Wirklichkeit niemals logisch deduziert werden kann; im Medium des reinen Gedankens abgeleitet werden kann, wie der späte Schelling einsieht und gegen Hegel geltend macht, immer nur die Ordnung möglicher Wesenheiten und Wesensgesetze, also die Möglichkeit vor der Wirklichkeit, während die Wirklichkeit als solche niemals aus logischer Notwendigkeit a priori begreifbar, auch nicht aus dialektischer Notwendigkeit des Absoluten begreifbar ist, sondern immer nur aus der Freiheit der göttlichen Schöpfungstat a posteriori hingenommen werden kann. Darin unterscheiden sich im Spätwerk Schellings negative und positive Philosophie: Jene ist, dem Anliegen des gesamten deutschen Idealismus treu bleibend, reine Vernunftwissenschaft a priori, die aber gerade deshalb in der Sphäre des Möglichen verbleibt und das Wirkliche nicht erreichen kann, in diesem Sinne also „negativ" ist. Die positive Philosophie dagegen dringt zur Wirklichkeit vor, sowohl zur Wirklichkeit Gottes als auch zur Wirklichkeit der Welt und der Geschichte. Es ist, wie der späte Schelling zugibt, das Verdienst Hegels, den rein logischen Charakter einer rein apriorischen Vernunftwissenschaft erkannt zu haben; deshalb wird für Hegel die Metaphysik

---

[23] Besonders *Schelling* WW X 126—164.

zur „Wissenschaft der Logik". Hegel meinte aber in derart logisch-apriorischem Begreifen die Realität des Wirklichen einholen zu können. Dadurch wird die logische Wissenschaft absolut gesetzt, sie wird als positive Wissenschaft ausgegeben, während sie in Wahrheit negative Wissenschaft ist — und die wahre Positivität der Wirklichkeit entgleitet ihr.

Die Kritik des späten Schelling trifft nicht nur Hegel, sondern auch Fichtes Wissenschaftslehre und Schellings eigenes Identitätssystem, das er jetzt als logische Philosophie durchschaut und überwindet. Seine Spätphilosophie bietet jedoch auch positiv beachtliche Ansätze zu einer spekulativen Weiterführung des Grundproblems. Bisher war von Fichte bis Schelling das Gesetz gültig, das wir „Vermittlungsprinzip" nennen dürfen und das besagt, daß das Absolute in die Differenz von Subjekt und Objekt eingehen muß, um sich zum bewußten und denkenden Geiste zu vermitteln. Denn Wissen und Bewußtsein setzen diese Differenz voraus; das Absolute, als reine, jeder Differenz vorgängige Identität, kann daher noch kein bewußter und wissender Gott, sondern nur ein unbewußtes oder vorbewußtes Absolutum sein, das erst in der Differenz endlicher Subjektivität und Objektivität sich selbst zum aktuellen Geist vermitteln, d. h. absoluter Geist werden kann. Dieses Prinzip bleibt auch beim späten Schelling gültig, erfährt aber eine bedeutsame Abwandlung. Denn Schelling sieht ein, daß die endliche Vernunft das Absolute niemals in adäquatem Wissen und Begreifen einholen kann, daß darum die endliche Vernunft nicht der Ort göttlicher Selbstvermittlung sein kann, d. h. der Ort, an dem das Absolute wissend zu sich selbst kommt und sich zum absoluten Geist vermittelt. Vielmehr muß die endliche Vernunft eine transzendente und innergöttliche Selbstvermittlung voraussetzen, durch die das Absolute zum Bewußtsein und Selbstbewußtsein kommt und so erst im vollen Sinn Gott wird. So nimmt Schelling jetzt zwei Kreise göttlicher Selbstvermittlung an, wir können sagen, ein ideales und ein reales Geschehen. Die erste und grundlegende Selbstvermittlung Gottes ist das ideale Geschehen rein in Gott selbst, indem die absolute Identität sich in die Differenz von Subjekt und Objekt setzt, d. h. in sich selbst sein Anderes sich gegenübersetzt, nämlich durch den Ideenentwurf der möglichen Welt im Geiste Gottes. Schon in diesem Entwurf der Ideen „vermittelt" Gott sich selbst, insofern er dadurch — eben erst in der Zweiheit von Subjekt und Objekt — Wissen vollzieht, zum Bewußtsein und Selbstbewußtsein kommt und sich so zum absoluten Geist, ja zum persönlichen Gott, konstituiert. Dieses Geschehen vollzieht sich nicht in der Zeit, sondern vor aller Zeit, nicht in der Welt, sondern vor aller Welt, als ein ewiger und transzendenter, rein innergöttlicher Prozeß. Darauf folgt erst als zweiter Prozeß die reale Selbstvermittlung Gottes, die in der Zeit und in der

Welt geschieht: in der freien Setzung der wirklichen Welt durch Gott. Die Wirklichkeit der Welt kann nur aus Gottes freier Schöpfung verstanden werden — die Freiheit der Schöpfung betont der späte Schelling mit allem Nachdruck, er sieht darin das entscheidende Moment, wodurch sein Denken sich von Hegel unterscheidet und sich als eigentlich „christliche Philosophie" ausweist. Trotzdem ist auch dieser Prozeß der Weltschöpfung nach Schelling im gewissen Sinne eine „Selbstvermittlung" Gottes durch die Welt, nämlich eine weitere Selbstverwirklichung, Selbstvervollkommnung Gottes; er gewinnt eine neue Wirklichkeit und Vollkommenheit, die er nicht hätte, wenn die Welt nicht wäre. Hier liegt sicher noch ein gewisser pantheistischer Zug, der auch in der Spätphilosophie Schellings christlich nicht restlos überwunden wird.

Wenn wir von da aus nochmals zurückblicken auf Hegel, so stellt sich die Frage: So scharf und in vieler Hinsicht treffend die Kritik des späten Schelling an Hegel auch sein mag, ist es nicht in Wahrheit bei Hegel schon ähnlich gemeint? In dem Dreischritt seines Systems, Idee, Natur, Geist, geht doch der „Natur", d. h. der Selbstentäußerung des Absoluten in die reale Welt, die „Idee" voraus, d. h. die ideale Sphäre des reinen Gedankens, die Hegels „Wissenschaft der Logik" breit entfaltet. Ist diese Idealität nicht schon als Gottes Selbstvermittlung vor aller Welt gemeint, als Ideenentwurf der möglichen Wesenheiten und Wesensgesetze im absoluten Wissen des Absoluten, das sich gerade dadurch selbst „vermittelt" zur absoluten Idee? Wenn auch die Kritik Schellings bestehenbleibt, daß Hegels Dialektik kein Deduktionsprinzip bietet, weil es keine inhaltliche Fortbestimmung des Gedankens liefert, wenn also auch eine dialektische Ableitung der Ideen im Geiste Gottes, wie Hegels Logik sie unternimmt, nicht möglich ist, wenn auch und erst recht eine dialektische Ableitung der Wirklichkeit aus dem Wesen des Absoluten niemals gelingen kann, so treffen sich doch Hegel und Schelling in derselben Grundeinsicht, daß die ursprüngliche Selbstdifferenzierung der absoluten Identität Gottes dadurch geschieht, daß der absolute Geist in sich selbst als sein Anderes — sein Nicht-Ich — die Ideen einer möglichen Welt entwirft und sich entgegensetzt.

Wenn wir das Hauptergebnis dieses geschichtlichen Durchblicks knapp zusammenfassen wollen, so können wir sagen: Im deutschen Idealismus bricht die Einsicht durch, daß nicht nur jegliche Vielheit und Verschiedenheit notwendig Einheit voraussetzt, eine Identität, die der Differenz als Bedingung ihrer Möglichkeit vorausliegt, sondern daß auch, soll die Vielheit aus der Einheit begriffen werden, in der Einheit selbst schon eine Vielheit angelegt, in der Identität selbst schon eine Differenz gesetzt sein muß. Diese ursprüngliche Differenz in der absoluten Identität wird aber durch das Wissen gesetzt, nicht nur durch die reine Identität eines Sich-selbst-Wissens, Sich-selbst-Begreifens des Absoluten, wodurch die Differenz der möglichen Dinge der Welt noch nicht begründet wäre, sondern auch und vor allem durch den Ideenentwurf im Geiste Gottes, wodurch das Absolute sein Anderes sich selbst ideal entgegensetzt und in seinem Anderen als seinen endlichen Momenten sich selbst begreift. Dies alles stellt uns die Frage, ob und in welchem Sinn wir diese Einsichten, vielleicht korrigierend und modifizierend, aufnehmen, weiterführen und fruchtbar machen können im Raume einer christlichen Metaphysik.

II. Identität und Differenz als metaphysisches Problem

Es sei hier nur versucht, das Problem aufzunehmen, den Weg zu einer Lösung zu finden und auf diesem Weg ein Stück weit vorzudringen, auch wenn wir — dessen sind wir uns voll bewußt — keine glatte und volle Lösung erreichen.

Wir können ausgehen von der einfachen Grundeinsicht: Vielheit setzt Einheit voraus; denn die Vielheit wäre als solche weder möglich noch begreiflich, wenn nicht eine *Einheit in der Vielheit,* eine Identität in der Differenz gesetzt wäre. Sonst fiele die Vielheit in eine absolute Verschiedenheit, eine durch nichts verbundene, völlig beziehungslose Pluralität auseinander, deren Glieder radikal Einzelne, voneinander absolut isoliert Einzelne wären, die gar nicht mehr unter einer gemeinsamen Rücksicht erfaßt und „gezählt", als Vielheit begriffen werden könnten. Vielheit setzt Einheit in der Vielheit, Identität in der Differenz voraus, d. h. Gemeinsamkeit in der Verschiedenheit. Nur auf der gemeinsamen Ebene einer vorgängigen Einheit können sich Viele und Verschiedene differenzieren, kann sich Vielheit konstituieren.

Einheit in der Vielheit setzt jedoch *Einheit vor der Vielheit* voraus. Identität in der Differenz setzt Identität vor der Differenz voraus. Denn der Grund der Einheit in der Vielheit, d. h. der Grund dafür, daß die Vielen und Verschiedenen in der Einheit einer Gemeinsamkeit gesetzt sind, kann nicht in der Vielheit und Verschiedenheit als solcher liegen; sie fordert vielmehr eine Einheit, die der Vielheit und Verschiedenheit vorausgeht und durch welche die Einzelnen vor ihrer Vielheit und Verschiedenheit zur Einheit und Gemeinsamkeit bestimmt sind. So setzt jede Vielheit als Bedingung ihrer Möglichkeit nicht nur eine Einheit in der Vielheit, sondern eine Einheit vor der Vielheit voraus.

Wenn auch Vielheit Einheit voraussetzt, so ist doch die Einheit vor der Vielheit nicht der formale Grund für die Vielheit; die Identität vor der

Differenz ist nicht der formale Grund der Differenz. Die Einheit vor der Vielheit ist wohl der Grund dafür, daß die Vielen in die ursprüngliche Einheit einer Gemeinsamkeit gesetzt sind; die Identität vor der Differenz ist der Grund dafür, daß die Einzelnen vor ihrer Differenz in eine formale Identität gesetzt sind. Aber die Einheit ist nicht der Grund dafür, daß sich auf ihrem Boden Viele und Verschiedene konstituieren; reine Identität ist nicht der Grund dafür, daß sich Einzelne differenzieren. Dies ist nur möglich, wenn in der Einheit selbst schon eine Vielheit, in der vorausgesetzten Identität selbst schon eine Differenz gesetzt ist. Bedingung der Vielheit ist also nicht nur eine Einheit in der Vielheit und vor der Vielheit, sondern auch eine *Vielheit in der Einheit;* nicht nur Identität in der Differenz und vor der Differenz, sondern auch Differenz in der vorausgesetzten Identität. Früher haben wir festgestellt: Vielheit ist nur möglich, wenn eine Einheit in der Vielheit, eine Identität in der Differenz besteht, d. h. eine Einheit, die in der Vielheit selbst gesetzt ist — als Einheit einer Gemeinsamkeit der Vielen —, eine Einheit also, welche die Vielheit nicht aufhebt, sondern in dieser, ihr untergeordnet, gesetzt ist, nämlich als formale Einheit in der realen Vielheit von Einzelnen. Jetzt hat sich ergeben, daß in der vorausgesetzten Einheit selbst schon eine Vielheit angelegt, in der ursprünglichen Identität selbst schon eine Differenz gesetzt sein muß, d. h. eine Vielheit in der Einheit, eine Differenz in der Identität bestehen muß, nämlich als Differenz, welche die reale Identität nicht aufhebt, sondern voraussetzt und in ihr gesetzt ist, der Identität also eingeordnet und untergeordnet bleibt. Wenn die vorausgesetzte Identität die absolute Identität, d. h. die Identität des Absoluten selbst ist, so kann die in ihr gesetzte, ihr jedoch eingeordnete und untergeordnete Differenz nur eine relative Differenz sein, bezogen auf die absolute Identität selbst.

Wenn wir bisher das Problem rein formal betrachtet haben, so ist damit schon die formale Struktur einer Lösung gewonnen. Wie ist das jedoch konkret inhaltlich zu verstehen? Die Vielheit und Verschiedenheit, von der wir ausgehen, ist die Mannigfaltigkeit dessen, was „ist" und uns als Seiendes vorgegeben ist. Im Bereich des Seienden herrscht Vielheit und Verschiedenheit. Die Vielheit setzt aber Einheit in der Vielheit, Identität in der Differenz voraus, d. h. eine Gemeinsamkeit, in der die Vielen und Verschiedenen übereinkommen. Alles, was ist, kommt darin überein, daß es ist. Alles Seiende hat seine Einheit und Gemeinsamkeit im Sein, das jedem Seienden, sofern es Seiendes ist, zukommt. Die Einheit in der Vielheit ist also das Sein alles Seienden. Einheit in der Vielheit setzt aber Einheit vor der Vielheit voraus. Identität in der Differenz setzt Identität vor der Differenz voraus, durch welche die Einzelnen vor ihrer Vielheit und Verschiedenheit zur Einheit bestimmt, in die Gemeinsamkeit einer Einheit gesetzt sind, in welcher sie sich erst als Viele und Verschiedene differenzieren können. Die Einheit vor der Vielheit ist aber die Einheit des „Seins selbst" vor der Vielheit der endlichen Seienden; die Identität vor der Differenz ist die absolute Identität, d. h. die Identität des absoluten Seins vor der Differenz des endlichen, darum relativen Seienden.

Weiter hat sich ergeben, daß Einheit als solche nicht der Grund für die Vielheit, reine Identität nicht der Grund der Differenz sein kann. Daher muß in der vorausgesetzten Einheit selbst schon eine Vielheit angelegt sein; in der reinen Identität selbst muß schon eine Differenz bestehen, wenn ihr die Differenz entspringen soll. Dies fordert eine Vielheit in der Einheit, eine Differenz in der Identität. Das gilt aber, wenn auch in verschiedener Weise, sowohl von der Einheit in der Vielheit (der Identität in der Differenz) als auch von der Einheit vor der Vielheit (der Identität vor der Differenz). Daraus ergeben sich zwei Fragen, die zwar eng aufeinander bezogen sind, aber doch zunächst gesondert gestellt werden müssen: 1. Die Einheit in der Vielheit ist das Sein alles Seienden. Daher die Frage: Wie entspringt der Identität des Seins die Differenz der Seienden? 2. Die Einheit vor der Vielheit ist die Identität des unendlichen und absoluten Seins. Daher die Frage: Wie entspringt der Identität des absoluten Seins die Differenz der endlichen Seienden?

Zur ersten Frage: Im *Sein* kommt alles überein, was „ist". Alles Seiende ist durch das Sein. Das Sein ist Prinzip aller Positivität und Aktualität des Seienden. Aber die Welt des Seienden bildet eine Vielheit und Verschiedenheit. Die seienden Dinge unterscheiden sich voneinander, und kein endliches Seiendes erschöpft die Fülle des Seins. Das Seiende hat ein endliches Wesen, das den Seinsgehalt dieses Seienden begrenzt und bestimmt. Weil die reine Positivität und Aktualität des Seins nicht sich selbst in die Negativität der Begrenztheit setzen kann, ist im endlichen Seienden als Gegenprinzip zum Sein das Wesen erfordert, das die bestimmte Begrenztheit des Seins in diesem Seienden setzt. So weit dürfen wir die Grundlagen thomistischer Metaphysik voraussetzen, ohne sie näher entfalten zu müssen. Daraus ergibt sich aber: Im Sein kommt alles überein, was ist; im Wesen aber unterscheidet es sich, d. h., das Sein ist Prinzip der Identität, das Wesen Prinzip der Differenz. Wenn das endliche Seiende also konstituiert ist durch Sein und Wesen, d. h. durch die Identität des Seins und die Differenz des endlichen Wesens, so stellt sich die Frage: Wie kann zum Sein etwas, gleichsam von außen her, bestimmend hinzutreten, und wäre es auch nur die Negativität des Wesens? Alles, was ist, ist durch das Sein. Auch das Wesen ist nicht reines Nichts; wäre es dies, so könnte es das Sein nicht begrenzen und bestimmen. Was durch nichts begrenzt und bestimmt ist, ist nicht begrenzt und bestimmt.

Also muß auch die Negativität des Wesens in seiner relativ positiven Funktion verstanden werden. Wenn es aber so ist, dann muß das Wesen selbst dem Sein entspringen, dann muß es als Selbstbegrenzung und Selbstbestimmung des Seins begriffen werden, das sich durch Vermittlung des endlichen Wesens zum Sein des endlichen Seienden bestimmt. Darum wird in der neueren thomistischen Literatur immer wieder darauf hingewiesen, daß das Wesen dem Sein entspringt als eine mögliche Weise des Seins, als konkrete Ausformung oder Ausprägung des Seins im endlichen Seienden[24]. So naheliegend und berechtigt dieser Hinweis auch sein mag, werden damit nicht schon Grundprinzipien thomistischer Metaphysik gesprengt und preisgegeben? Gerade weil das Sein reine Positivität und Aktualität bedeutet und keine Negativität einer Grenze setzt, gerade weil also Sein als Sein sich nicht aus sich und durch sich selbst begrenzen kann, deshalb wird als begrenzendes Gegenprinzip das endliche Wesen gefordert. Wenn aber das Wesen selbst dem Sein entspringt, so heißt das doch, daß das Sein doch wieder sich selbst, wenn auch durch die Vermittlung des endlichen Wesens, in die bestimmte Begrenzung setzt. Wie kann also der Positivität des Seins die Negativität des Wesens, der Aktualität des Seins die Potentialität des Wesens entspringen? Wie kann sich das Sein selbst durch das Wesen zur endlichen Bestimmtheit des Seienden vermitteln?

Man kann, wie es scheint, der Lösung dieses Problems nur näherkommen, wenn man das Wesen nicht rein negativ versteht. Das Sein ist nicht durch Nichts, durch das völlige Nicht-Sein, begrenzt und bestimmt; sonst wäre es nicht mehr begrenzt und bestimmt. Vielmehr hat das Wesen, auch das endliche Wesen, eine positive Funktion: Es gibt eine Sinnstruktur vor, es entwirft die Sinngestalt eines Seienden, wenn auch eine solche, die wesenhaft endlich ist, daher nur durch eine Begrenzung des Seins verwirklichbar ist. Wenn man das Sein als Prinzip rein positiven Seinsgehalts, reiner Seinsvollkommenheit, versteht, die von sich aus keine Begrenzung setzt oder einschließt, wenn also das absolute Sein die unbegrenzte Fülle reinen Seinsgehalts, reiner Seinsvollkommenheit, ist, so daß der reine Seinsgehalt alles endlichen Seienden, seiner Begrenzung enthoben, „eminenter" im absoluten Sein vorausenthalten und vorausverwirklicht ist, so daß nichts eigentlich „Neues" an Seinsgehalt im endlichen Seienden mög-

---

[24] Vgl. z. B. *G. Siewerth*, Der Thomismus als Identitätssystem (Frankfurt ²1961) 89—94; *L. de Raeymaeker*, Philosophie de l'être (Louvain ²1947) 172; *É. Gilson*, L'être et l'essence (Paris 1948) 305 u. a. In ähnliche Richtung weist *K. Rahner*, der das Wesen des Seienden in seiner positiven Funktion zu verstehen bemüht ist, z. B. Prinzipien und Imperative: Das Dynamische in der Kirche (Quaest. disp. 5; Freiburg i. Br. 1960) 14—37, bes. 15 ff.

lich ist, was nicht schon ewig vorweggenommen wäre in der unendlichen Seinsfülle Gottes, so bedeutet das doch, daß das endliche Seiende nur „eminenter", aber noch nicht „formaliter" vorausverwirklicht ist im absoluten Sein. Es ist gerade noch nicht in seiner formalen, spezifischen und individuellen Bestimmtheit, noch nicht in der ihm jeweils konkret eigenen Positivität verwirklicht. Der Sinn des Endlichen darf nicht verflüchtigt, der Eigenwert des Endlichen nicht aufgehoben werden. Jedes einzelne Ding, und sei es noch so gering und unscheinbar, jeder Stein und jeder Kristall, jede Blume und jeder Käfer, erst recht jeder einzelne Mensch, aber auch jedes menschliche Werk, jede menschliche Gemeinschaft und jede geschichtliche Daseinsform, hat eine je eigene Sinngestalt, einen Eigenwert und eine eigene Schönheit; es ist ein endliches Abbild des unendlichen Seins, aber doch auf jeweils durchaus eigene Weise, in einer jeweils eigenen Sinnhaftigkeit und Werthaftigkeit, die eine Positivität bedeutet, wenn auch eine relative Positivität, die eben nur durch die bestimmte Begrenzung des Seins zustande kommt, aber so, daß die Negativität der Grenze die Positivität dieser Sinngestalt vermittelt und diese „formaliter" in ihrer spezifischen Bestimmung und Bedeutung nicht gesetzt sein könnte ohne vermittelnde Begrenzung des Seins.

Das Wesen des Seienden könnte man in diesem Sinn, in terminologischer Anlehnung an Schelling und Hegel, als die Idealität bezeichnen[25], d. h. als den idealen Entwurf einer Sinnstruktur oder Sinngestalt, im Gegensatz zur Realität des Daseins, welche jene Sinngestalt real vollzieht und erfüllt. Dann aber ist das Sein nicht nur Prinzip der Realität, sondern auch — ihr vorausgehend — Prinzip der Idealität; das Sein entwirft eine, von ihm her mögliche, wenn auch endliche, Sinngestalt des Seienden: die Idealität, um diese real zu vollziehen, sich selbst also durch das endliche Wesen zu vermitteln zum Sein dieses bestimmten endlichen Seienden: zur Realität.

Daraus folgt jedoch, daß man das Sein (actus essendi), will man es als entwerfenden Ursprung des Wesens verstehen, anders und weiter begreifen muß, als es in der thomistischen Tradition zu geschehen pflegt. Diese sagt: Sein als Sein ist reine Positivität und Aktualität, es ist das Prinzip reinen Seinsgehalts, reiner Seinsvollkommenheit (perfectio pura), so daß das endliche Seiende durch eine gleichsam von außen zum Sein hinzukommende Begrenzung, nämlich durch das endliche Wesen, konstituiert wird. Wenn man aber Sein und Wesen so einander entgegensetzt als reine Positivität und reine Negativität der Begrenzung, kann es nicht mehr gelingen, den Hervorgang des Wesens aus dem Sein zu erklären.

---

[25] Vgl. *G. Siewerth*, a. a. O. 76 ff u. a.

Man gerät in eine ähnliche Dualität wie Fichte, der dem Ich ein Nicht-Ich „schlechthin entgegensetzt", und zwar als begrenzendes Prinzip, so daß nicht mehr einsichtig wird, wie das Nicht-Ich dem Ich, die Differenz der Identität, entspringen kann und wie die Identität des Ich dadurch selbst in die Differenz gesetzt wird. Um die Dualität von Sein und Wesen in der Identität des Seins zu begründen, muß man die Identität von Anfang an so fassen, daß ihr die Differenz entspringen kann, d.h. für unser Problem: Man muß das Sein so begreifen, daß aus ihm das endliche Wesen hervorgehen kann[26].

Sein als Sein ist nicht nur Prinzip reinen Seinsgehaltes, sondern es ist Prinzip aller nur möglichen Seinsgehalte und Seinsgestalten. Es ist sein Wesen, daß es sich in der Fülle verschiedener, von ihm her ermöglichter und entworfener Sinngestalten ausprägt, nicht nur in der reinen, von sich aus unbegrenzten Positivität und Aktualität reiner Seinsvollkommenheit (perfectio pura), sondern auch in der Vielfalt jeweils eigener Sinngestalten, die als solche „formaliter" nur im endlichen Seienden verwirklichbar sind. Dabei bleibt durchaus bestehen, daß das Sein von sich aus primär und unmittelbar Prinzip reinen Seinsgehalts, reiner Positivität und Aktualität ist, so daß die Urverwirklichung des Seins notwendig die Unendlichkeit des absoluten Seins ist. Aber mit dem Sein als Sein ist notwendig, wenn auch sekundär und mittelbar, die Möglichkeit endlicher Wesen als endlicher Seinsweisen und Sinngestalten gegeben. Wenn das Sein sich aber in diesen endlichen Sinngestalten verwirklichen soll, diese aber als endliche Wesen durch eine Begrenzung konstituiert sind, so muß das Sein in einem gewissen Sinn sich selbst begrenzen, es muß sich selbst, die reine Positivität, durch Vermittlung der Negativität einer Begrenzung, hineinvermitteln in die relative, jedoch spezifische, jeweils wesenseigene Positivität des endlichen Seienden. Wenn wir jetzt aber die Negativität der Begrenzung zugleich als den Entwurf der Idealität des endlichen Wesens verstehen, so heißt das: Das Sein setzt die Begrenzung nicht um der Negativität der Grenze willen, sondern um der, wenn auch relativen, Positivität des Seienden willen, um der besonderen Idealität, der besonderen Sinnhaftigkeit und Werthaftigkeit willen, die in diesem endlichen Seienden verwirklicht werden soll und nur in dieser bestimmten Endlichkeit „formaliter" verwirklicht werden kann. Das Sein hat also, sofern es Sein alles Seienden ist, von sich aus die Möglichkeit, durch Setzung der

---

[26] Das Folgende ist ein Denkversuch, der nicht den Anspruch erhebt, das Problem vollends zu lösen, sondern nur den Weg zu einer möglichen Lösung zeigen will, der noch in vieler Hinsicht ausbaufähig und -bedürftig ist, aber bereits im Ansatz über meine „Metaphysik" (§ 25 ff) hinausgeht.

Grenze die Idealität des Seienden zu entwerfen und sich selbst durch diese hindurch zur Realität des Seienden zu vermitteln.

Hier scheint eine Dialektik auf: Nicht nur das endliche Seiende ist in einem gewissen Sinn von dialektischer Struktur, es ist, mit Hegel zu sprechen, eine Identität der Identität und der Nichtidentität des Seins: die identische Einheit der Identität des Seins und der Differenz des Seins im endlichen Wesen. Auch das Sein selbst erweist jetzt eine dialektische Struktur, auch das Sein selbst ist in seiner Weise eine Identität der Identität und der Nichtidentität: die Identität seiner selbst (des Seins) und des anderen (des Wesens), die Identität seiner selbst als reiner Positivität und Aktualität des Seins und seines anderen als der Negativität oder Potentialität des endlichen Wesens; es ist aber die ursprüngliche Identität beider, sofern beide, sowohl die Positivität der reinen Seinsvollkommenheit als auch die relative Negativität der Wesensbegrenztheit, dem Sein selbst entspringen. Nur unter der Bedingung dieser Ursprungsidentität von Sein und Wesen ist es möglich, daß Sein und Wesen dasselbe endliche Seiende konstituieren, daß sie also in dem einen und identischen Seienden zur Einheit kommen.

Wenn aber das Sein als Prinzip des Seienden schon eine Identität von Identität und Differenz, eine Identität von Realität und Idealität ist, dann ergeben sich daraus schon wesentliche Folgen für das *absolute Sein* selbst; hier erhält der aufgezeigte Sachverhalt seinen letzten Sinn und seine volle Tragweite. Wir haben festgestellt: Einheit in der Vielheit setzt Einheit vor der Vielheit voraus; Identität in der Differenz setzt Identität vor der Differenz voraus. Die Einheit in der Vielheit des Seienden ist das Sein als inneres Prinzip des Seienden. Sie setzt als Einheit vor der Vielheit die Identität des Absoluten voraus. Aber schon in dieser absoluten Einheit vor der Vielheit des Seienden muß eine Differenz enthalten sein, als Differenz in der Identität, welche die Identität nicht sprengt oder aufhebt, sondern voraussetzt und in ihr enthalten, von ihr umgriffen ist. Wie ist aber eine solche Differenz in der absoluten Identität zu verstehen? Wie kann die Vielheit in der absoluten Einheit angelegt sein und ihr entspringen?

Die Geschichte des Denkens gibt uns Hinweise für die Antwort. Die Tradition christlicher Philosophie begründet, platonisches und neuplatonisches Gedankengut aufnehmend und weiterführend, die Möglichkeit des endlichen Seienden dadurch, daß alle Seinsvollkommenheit des Seienden „eminenter" in der Identität der unendlichen Seinsfülle vorweggenommen und vorausverwirklicht ist, daß aber die Differenz des bestimmten endlichen Wesens „formaliter" im Ideenentwurf des göttlichen Geistes gesetzt wird. Dieser metaphysischen Tradition entspricht es, daß auch im deutschen Idealismus, wo sich das Problem von neuem stellt und verschärft, die

Differenz in der absoluten Identität durch den Vollzug des Wissens gewonnen wird, sei es daß — nach Fichte — das absolute Ich sich selbst ein Nicht-Ich entgegensetzt, sei es daß — nach Schelling — die absolute Identität sich wissend sich selbst in die Differenz von Subjekt und Objekt setzt, sei es schließlich daß — bei Hegel — das Absolute sich selbst in seinen endlichen Momenten weiß, also die Differenz seiner selbst und seines Anderen setzt, aber in der Identität des absoluten Wissens aufhebt.

Das absolute Sein ist absolutes Wissen in absoluter Identität, indem die absolute, unendliche Fülle des Seins sich selbst in begreifendem Wissen durchdringt und vollzieht. Das absolute Wissen ist also primär absolutes Sich-Wissen Gottes. Ist dadurch schon eine Differenz in der absoluten Einheit bedingt? Im Vollzug unseres endlichen Wissens wird immer und notwendig die Zweiheit von Wissendem und Gewußtem gesetzt, also in der Identität des Aktes die Differenz von Subjekt und Objekt gesetzt. Ist diese Differenz in unserem endlichen Wissen dadurch bedingt, daß das Wissen auf Anderes geht, Subjekt und Objekt des Wissens also in Differenz zueinander stehen und auch der Vollzug des Sich-Wissens nie eine reine Identität von Wissendem und Gewußtem erreicht, sondern in der Spannung von Subjekt und Objekt verbleibt? Oder ist eine Differenz von Wissendem und Gewußtem schon durch das reine Wesen des Wissensaktes als solchen bedingt, der einen relativen Gegensatz von Subjekt und Objekt setzt? Es möchte so scheinen, denn in jedem Wissen — aus dem Wesen des Wissens — verhält sich Wissendes zu Gewußtem, es bezieht sich auf das Gewußte und setzt das Gewußte sich selbst gegenüber. Wenn es so ist, dann besteht im reinen und absoluten Akt des Wissens zwar absolute Identität von Subjekt und Objekt, sofern Wissendes und Gewußtes vollkommen zusammenfallen, da der Akt des Seins und der Akt des Wissens schlechthin eine und dieselbe göttliche Seinswirklichkeit sind, daher der gewußte Inhalt das gesamte Sein des Wissenden begreifend einholt in eine absolute Identität, in der keine Differenz im Sinne eines Unterschiedes von Wissendem und Gewußtem besteht. Trotzdem aber wird durch den Akt des Wissens eine Differenz gesetzt, indem der Wissende sich zu sich selbst verhält, sich auf sich selbst bezieht, sich selbst zum Gewußten macht und sich als dem Wissenden gegenübersetzt. Dies ist keine reale Differenz, da sie in der absoluten Identität Gottes besteht. Es ist daher auch nicht eine irgendwie inhaltliche Differenz, in welcher das Wissende und das Gewußte sich unterscheiden würden, das Wissen also das Sein nicht mehr in Identität ausschöpfen und begreifen würde. Aber es ist trotzdem eine Differenz, die wir als relative Differenz (oder als intentionale Differenz) bezeichnen können, da im Vollzug des Wissens die Zweiheit als Beziehungsverhältnis zwischen Wissendem und Gewußtem gesetzt ist.

Dasselbe gilt übrigens vom Akt des Wollens: Wenn wir Gott begreifen als absoluten Akt des Wollens und Liebens, dann setzt er sich in seinem Sich-Wollen und Sich-Lieben in ein Verhältnis zu sich selbst, er setzt sich selbst als dem Wollenden und Liebenden sich selbst als das Gewollte und Geliebte gegenüber — wiederum in keinerlei realer Differenz, daher auch nicht in einem inhaltlichen Unterschied, und trotzdem in einer relativen Differenz, die in der absoluten Identität gesetzt wird, sofern diese sich selbst sowohl wissend als auch wollend und liebend vollzieht. Vielleicht mag hier ein Ansatz dafür liegen, in die Offenbarungswahrheit der göttlichen Trinität neu einzudringen und die Lehre der Theologie von der „relatio subsistens" neu zu verstehen; doch gehen wir nicht näher darauf ein.

Wenn das Sich-Wissen Gottes eine relative Differenz zwischen Wissendem und Gewußtem setzt, also schon den ersten Gegensatz von Subjekt und Objekt, wenn auch aufgehoben in der absoluten Identität, einführt, so scheint diese Urobjektivität göttlichen Wissens Bedingung der Möglichkeit dafür zu sein, daß Gott in ihrem Medium auch Anderes wissend entwerfen kann, d. h., daß er die Identität seines absoluten und unendlichen Seins als partizipierbar in einer Vielheit endlicher Seienden erkennt. Die Differenz endlicher Wesen kann von Gott her „formaliter", also in ihrer jeweiligen endlichen Bestimmtheit, nur im Wissen entworfen werden, weil es das Wesen des Erkennens ist, Anderes in seiner formalen Bestimmtheit in sich selbst zu setzen, ohne daß der Erkennende dadurch selbst real bestimmt wird; es ist das Wesen des Erkennens, wie Thomas sagt, die „forma alterius ut alterius" zu vollziehen, d. h. nicht als eine real im Wissenden gesetzte und den Wissenden bestimmende Form, sondern als eine intentional im Wissenden gesetzte und als gewußte auf den Gegenstand bezogene Form. Nur auf diese Weise kann die endliche Bestimmtheit „formaliter" im absoluten Sein Gottes enthalten sein, indem sie einerseits vor aller endlichen Wirklichkeit in Gott gesetzt ist, anderseits aber nicht als reale Seinsbestimmtheit Gottes selbst, wodurch Gott verendlicht wäre, sondern als intentionale Inhaltsbestimmtheit des göttlichen Wissens auf die Möglichkeit des endlichen Seienden bezogen.

Aber im Grunde bleibt unsere Frage bestehen: Wenn das absolute Sein reine und absolute Identität ist, wie kann dann Gott die endliche Vielheit entwerfen und in ihrer Möglichkeit entspringen lassen? Wenn Gott die absolute Identität der unendlichen Seinsfülle ist, in der alle Möglichkeiten des Seins ursprüngliche und unendliche Wirklichkeit sind, wie ist dann von Gott her die Vielheit endlicher Wesen noch möglich? Wenn Gott in der begreifenden Schau seines eigenen Wesens die Möglichkeiten des endlichen Seienden entwirft, so können diese zwar „formaliter" nur in seinem Wissen gesetzt sein; wenn es aber endliche Möglichkeiten des Seins sind, in denen das absolute Sein Gottes partizipiert werden kann, so setzt der göttliche Ideenentwurf schon voraus, daß sein absolutes Sein — seiner Erkenntnis vorgängig — in sich selbst und aus sich selbst partizipierbar *ist*, daß es also in der Identität des absoluten Seins die Differenz des endlichen Seienden schon ursprünglich begreift, d. h. daß die Möglichkeit des endlichen Seienden notwendig in ihm angelegt ist. Mit der Notwendigkeit des Absoluten ist die Möglichkeit des Endlichen notwendig mitgegeben. Es gehört zum Wesen Gottes, daß notwendig — so notwendig, wie er selbst ist — von ihm her Endliches möglich ist. Gott wäre nicht mehr Gott, wenn er nicht Ursprung einer möglichen — aber notwendig möglichen — endlichen Welt wäre. In diesem Sinn gehört die Differenz des möglichen endlichen Seienden zur notwendigen Selbstidentität des absoluten Seins. Wenn die endlichen Möglichkeiten konkret in ihrer jeweiligen Bestimmtheit auch erst im Wissen Gottes entworfen werden, so ist doch allem Wissen vorgängig das Sein Gottes in sich selbst derart, daß es möglicher, aber notwendig möglicher, Ursprung von endlichen Seienden ist; es hat aus sich selbst die Spannung einer Dynamik und Dialektik, aus sich selbst, der reinen Urverwirklichung des Seins, herauszutreten und sich in endlichen Gestalten von Seienden zu verwirklichen. Es hat die Dynamik, die eigene Unendlichkeit gleichsam nochmals zu übersteigen und, wenn wir es fast paradox so ausdrücken dürfen, über die eigene Unendlichkeit hinaus auch noch Endliches ins Dasein zu setzen, in dem zwar nicht ein Mehr an Seinsgehalt gegenüber dem Unendlichen verwirklicht wird, in dem aber neue Möglichkeiten des Seins als neue Sinngestalten, die als solche im Unendlichen „formaliter" noch nicht gegeben sind, im Endlichen verwirklicht werden.

Zur Klärung dieses Sachverhalts, soweit er überhaupt noch zu verstehen und zu erklären ist, mag es beitragen, was zuvor allgemein vom Sein gesagt wurde: Wenn dem Sein das Wesen entspringen soll, dann muß das Sein (als Prinzip) der Grund und Ursprung aller Seinsgehalte und Seinsgestalten sein, nicht nur der reinen Seinsgehalte, sondern auch der begrenzten Seinsgehalte, d. h. genauer: unmittelbar der reinen Seinsgehalte, mittelbar aber — durch Vermittlung des endlichen Wesens — auch der begrenzten Seinsgehalte, aber so, daß die reine Positivität des Seins sich selbst durch die Negativität des Wesens hineinvermittelt in die jeweilige Sinngestalt des endlichen Seienden; daß die reine Identität des Seins selbst die Differenz des endlichen Wesens entspringen läßt, um sich dadurch selbst zu vermitteln zum Sein des endlichen Seienden, in dem eine bestimmte Sinngestalt verwirklicht werden soll. Wenn aber das Sein der Grund und Ursprung aller Seinsgehalte und Seinsgestalten ist, auch der begrenzten Seinsgehalte und der endlichen Seinsgestalten, wenn auch durch Vermittlung eines endlichen Wesens, die jedoch — weil das Wesen dem Sein entspringt — im Grunde eine Selbstvermittlung des Seins ist, dann gilt das auch vom absoluten Sein, das ja als das „Sein selbst" die Urgestalt des Seins überhaupt ist. Es ist daher unmittelbar die reine Positivität und Aktualität des Seins, die unendliche Fülle und einfache Einheit aller reinen Seinsgehalte: absolute Positivität und Identität des Seins mit sich selbst. Zugleich ist es aber ebenso notwendig der Ursprung aller endlichen Möglichkeiten von Seienden, d. h. der Ursprung aller möglichen, nämlich von ihm her ermöglichten, endlichen Sinngestalten von Seienden. Dies kann nicht bedeuten, daß die endlichen Wesenheiten als solche im absoluten Sein real enthalten wären; sonst wäre dieses selbst endlich bestimmt. Sondern es bedeutet, daß sich die Dynamik des Seins zur sekundären Selbstverwirklichung im Endlichen erst durch Vermittlung des göttlichen Wissens auslegen muß in bestimmten endlichen Wesensentwürfen, d. h., Gott erkennt erschöpfend sich selbst als die Fülle des Seins, er erkennt darin die wesenhaft und notwendig seinem Wesen entspringende, mit seinem Wesen mitgesetzte Möglichkeit des Endlichen, und er entwirft — ebenso notwendig — in seinem Wissen die jeweils bestimmten und konkreten Sinngestalten des möglichen endlichen Seienden, also die endlichen Wesenheiten.

Wenn wir zuvor die Zweiheit der Prinzipien des Seienden, Sein und Wesen, als Realität und Idealität verstanden haben, d. h. das Sein als das Prinzip der Realität, wodurch das Seiende in seinem bestimmten Seinsgehalt als real seiend gesetzt und verwirklicht wird, und das Wesen als das Prinzip der Idealität, das durch Begrenzung des Seins die relative Positivität einer jeweils bestimmten Sinngestalt von Seienden entwirft, so ergibt sich jetzt erst der tiefere Sinn solcher Idealität: Es ist im letzten der ideale Entwurf göttlichen Wissens, das die allgemeine, dem Sein entspringende Möglichkeit des Endlichen differenziert und konkretisiert in der Setzung bestimmter Wesen, daß also der endlichen Begrenzung des Seins jeweils eine göttlich entworfene Sinnhaftigkeit eigen ist, die nur in diesem so begrenzten und bestimmten Seienden verwirklichbar ist. Dies setzt aber voraus — dies sei nochmals betont —, daß die Möglichkeit des Endlichen notwendig in Gott gründet und notwendig, der göttlichen Erkenntnis noch vorgängig, dem absoluten und unendlichen Sein als solchem entspringt.

Ist damit die Möglichkeit des Endlichen vom Unendlichen her begriffen? Dies ist im letzten niemals möglich. Es bleibt immer noch ein Rest von Unbegreifbarkeit. Das endliche Seiende ist für unser Denken niemals von Gott her so zu begreifen, daß sein notwendiger Hervorgang aus Gott a priori einsichtig würde, wie Hegel es meinte; die Wirklichkeit des Endlichen ist nicht ableitbar. Das Endliche ist aber auch nicht so zu begreifen, daß wir die Möglichkeit endlicher Wesen von Gott her a priori einsehen könnten. Zwar müssen wir sagen: Wenn Endliches wirklich ist, so muß es von Gott her möglich, also notwendig möglich sein, so notwendig wie Gott selbst. Aber dies erkennen wir nur reduktiv unter der Voraussetzung der Wirklichkeit des endlichen Seienden, niemals deduktiv durch apriorisches Begreifen von Gott her. Das heißt aber weiter, daß wir die Möglichkeit der Schöpfung niemals voll begreifen, sondern nur faktisch hinnehmen können, weil wir Gott selbst nie voll begreifen, sondern nur analog vom Endlichen her erreichen. Wenn also die Möglichkeit des Endlichen uns im letzten ein Geheimnis bleibt, so ist dies nichts anderes als das unbegreifbare und unausschöpfbare Geheimnis des unendlichen Gottes selbst. Und wenn uns das Sein überhaupt im letzten ein Geheimnis bleibt, so ist es wieder und erst recht nichts anderes als das Geheimnis Gottes, der das Sein selbst ist.

LOGIK UND GEHEIMNIS

Von Vladimir Richter SJ, Innsbruck-Rom

Man möchte vermuten, daß es sich bei diesem Thema nur um eine Gegenüberstellung zweier Worte handeln kann, die zwei voneinander ganz disparate Bereiche bezeichnen. Denn Logik gehört ganz und gar jenem Bereich der ratio naturalis an, dem das Erste Vatikanische Konzil das mysterium, das Geheimnis, gegenübergestellt hat (D 1795 ff). Auf diese Weise hat das Erste Vatikanum den Begriff des Geheimnisses bestimmt. Es soll kein Vorwurf sein, wenn wir sagen, daß diese Bestimmung einseitig sei. Denn dies ist ein Los eines jeden Begriffs, einer jeden Definition, daß sie nur einige Seiten der Wirklichkeit um-greifen und be-greifen können und dadurch einseitig werden. Was der Begriff oder die Definition positiv sagen, wird durch ihre Begrenztheit erkauft.

Das in dieser Bestimmung des Vatikanum Vorausgesetzte ist einerseits eine sehr ernst zu nehmende Angelegenheit. Das Geheimnis fängt dort an, wo die ratio, also auch Logik und Sprache, zu Ende sind. In der Philosophie der Gegenwart war es kein anderer, der dies schlichter und eindrucksvoller ins Bewußtsein des modernen Menschen hätte bringen können, als L. Wittgenstein. Der abschließende Satz seines Tractatus lautet: „Wovon man nicht sprechen kann, darüber muß man schweigen." Gemeint ist das Geheimnis, das „Mystische" (Tractatus 6. 44). Denn das Geheimnis ist im Grunde unaussprechlich.

Anderseits hieße es den Menschen mißzuverstehen, wollte man das Geheimnis nur so rein negativ gegenüber der ratio, die als das Primäre, Von-sich-aus-Verständliche vorausgesetzt wird, ansetzen. Dieses Problem stand bei K. Rahner, besonders in den letzten zehn Jahren, ausdrücklich im Mittelpunkt seines theologischen Denkens[1]. Es sollen hier nur einige zusammenfassende Sätze des Artikels über das „Geheimnis" im LThK zitiert werden:

---

[1] Vgl. vor allem: Über den Begriff des Geheimnisses in der katholischen Theologie: Siegfried Behn, Beständiger Aufbruch (Przywara-Festschrift, Nürnberg 1959) 181—216 (= Schriften zur Theologie IV 51—99); Geheimnis-Artikel in LThK² IV 593—597.

„Geheimnis könnte man zunächst einfach definieren als das, woraufhin der Mensch in der Einheit seiner erkennenden und frei liebenden Transzendenz immer schon sich selbst übersteigt. Geheimnis ist ein wesentlicher und bleibender Uraspekt der totalen Wirklichkeit, insofern sie als ganze (und so unendliche) für den kreatürlichen (und so endlichen) Geist in dessen Transzendenz anwest. Weder darf das Geheimnis als das nur vorläufig noch nicht Geklärte, das noch Aufzuhellende, der noch unaufgearbeitete Restbestand des Klaren und Durchschauten oder einfach als das Noch-nicht-Gewußte *neben* dem anderen Gewußten, noch darf die geistige Erkenntnis in ihrem ursprünglichsten und letzten Wesen als die Fähigkeit des durchschauenden Erfassens des ‚Begrifflichen' aufgefaßt werden. Wenn Geist wesentlich und ursprünglich Transzendenz, diese aber die Eröffnetheit auf das Unendliche als solches und so wesentlich auf das Unbegreifliche ist, dann ist Geist wesentlich das Vermögen der Annahme des Unbegreiflichen als solchen, des bleibenden Geheimnisses als solchen" (LThK² IV 593 f).

Wenn man nun doch versucht, über dieses unaussprechliche Geheimnis in menschlichen Worten zu sprechen, wenn man einen theologischen Satz wagt, der ein „Satz ins Geheimnis hinein"[2] ist, so muß diese Rede auch eine Grammatik oder Logik haben. Ich habe dieses Problem für unwichtig gehalten, bis ich bei K. Rahner belehrt wurde, er betrachte es als eine wichtige Aufgabe der Logik theologischer Erkenntnis. Mir ist damals die Parallele dieser „Logik des Geheimnisses" mit der Logik der sogenannten unlösbaren Probleme der Mathematik aufgefallen. Diese Parallele soll hier näher erörtert werden.

I

Man braucht wohl gerade nicht Hegel zu beschwören, um zu wissen, welche grundlegende Funktion im Prozeß des wissenschaftlichen Denkens die Negation hat. Wenn man von der Negation spricht, so denkt man gewöhnlich an die kontradiktorische Negation. Für diese werden in der traditionellen Logik drei Prinzipien: das Prinzip der Identität, das Prinzip des Nichtwiderspruchs und das Prinzip des ausgeschlossenen Dritten (Tertium non datur, abgekürzt: TND) als allgemeingültig betrachtet. Die Logik, die diese Prinzipien als Regeln gebraucht, wird heute oft als „aristotelische" oder „klassische" Logik bezeichnet. Diese Logik hat ihre Allgemeingültigkeit für alle Wissenschaften beansprucht, im besonderen auch für die Mathematik.

---

[2] *K. Rahner,* Was ist eine dogmatische Aussage?: Catholica 15 (1961) 161—184 (= Schriften zur Theologie V 54—81, bes. 72 ff).

J. E. L. Brouwer hat als erster im Jahre 1907 ausdrücklich bemerkt, daß man z. B. die Logik der mathematischen Theorie der endlichen Mengen, die „klassisch" ist, nicht ohne weiteres auf unendliche Mengen übertragen darf[3]. Denn die „Objekte" einer unendlichen Menge, etwa der natürlichen Zahlenreihe 1, 2, . . . , sind nach der Auffassung des potentiellen Unendlichen in ihrer „Existenz" von dem Konstruktivitätsverfahren abhängig, nach welchem sie „erzeugt" werden. Wenn wir nun fragen, ob die durch ein bestimmtes Verfahren (Kalkül oder Algorithmus) erzeugte unendliche Folge der Zahlen die Eigenschaft E hat, etwa ob die ungeraden Zahlen größer als 1 vollkommen[4] seien, so handelt es sich um eine potentiell unendliche Folge der Einzelfragen: „Ist die Zahl 3 vollkommen?"; „Ist die Zahl 5 vollkommen?"; usw., die zwar als Einzelfragen mit einem Ja oder Nein beantwortet werden können, nicht aber notwendig die generelle Frage. Weyl hat einmal treffend gesagt: „Man muß sich durchaus vor der Vorstellung hüten, daß, wenn eine unendliche Menge definiert ist, man nicht bloß eine für ihre Elemente charakteristische Eigenschaft kenne, sondern diese Elemente selbst sozusagen ausgebreitet vor sich liegen habe und man sie nur der Reihe nach durchzugehen brauche, wie ein Beamter auf dem Polizeibüro seine Register, um ausfindig zu machen, ob in der Menge ein Element von dieser oder jener Art existiert. Das ist gegenüber einer unendlichen Menge sinnlos."[5] Der Antwort auf die generelle Frage für eine unendliche Menge muß erst ihr genauer Sinn gegeben werden. Dieser liegt etwa vor, wenn man ein sogenanntes Entscheidungsverfahren für dieses Problem kennt. Dieses kann z. B. durch zwei Kalküle gegeben werden, von denen der eine Kalkül jene Zahlen der Reihe erzeugt, die die Eigenschaft E haben, und der andere Kalkül wiederum jene Zahlen, die die Eigenschaft E nicht haben. Für die Eigenschaften E, für die es solche Entscheidungsverfahren gibt, hat auch der generelle Satz, wie z. B. „Alle n haben nicht die Eigenschaft E" oder eine Anwendung des TND auf diesen Satz: „Für alle n gilt: n hat nicht die Eigenschaft e, oder für ein n gilt: es hat die Eigenschaft E" einen Sinn. Dagegen ist eine solche Anwendung des TND auf Probleme, für die es kein Entscheidungsverfahren gibt, wohl sinnlos, wie z. B. der Satz: „Alle ungeraden Zahlen sind nicht vollkommen, oder es gibt eine ungerade vollkommene Zahl." Seit Gödel (1931) ist die Existenz solcher unlösbarer Probleme (auch „unentscheid-

---

[3] *L. E. J. Brouwer,* Over de grondslagen der wiskunde (Amsterdam 1907).

[4] Vollkommen heißt eine natürliche Zahl, welche der Summe ihrer echten Teiler gleich ist, wie z. B. 6 = 1 + 2 + 3 oder 28 = 1 + 2 + 4 + 7 + 14.

[5] *H. Weyl,* Über die neue Grundlagenkrise der Mathematik: Mathematische Zeitschrift 10 (1921) 39 ff. Hier zitiert nach *O. Becker,* Grundlagen der Mathematik in geschichtlicher Entwicklung (Freiburg i. Br. 1954) 337.

bar" genannt, da es für sie kein Entscheidungsverfahren gibt) in der Mathematik exakt bewiesen[6]. Noch um die Jahrhundertwende war die allgemein herrschende Auffassung unter den Mathematikern die von Hilbert. Dieser hatte 1900 das Axiom der Lösbarkeit jedes mathematischen Problems ausgesprochen. Dagegen hat Brouwer mit Recht bemerkt, daß dieses Axiom mit dem logischen Satz vom ausgeschlossenen Dritten äquivalent sei und beide nicht allgemein gelten.

Mit Rücksicht auf diese Lage forderte Brouwer eine Logik ohne das TND. Sie wurde als *intuitionistische Logik* bezeichnet, nachdem der Name „Intuitionismus" für die von Brouwer gegründete Schule der mathematischen Grundlagenforschung allgemein üblich geworden ist. Die Eigenart dieser Logik gegenüber der sogenannten „klassischen" Logik liegt in ihrem Negationsbegriff. Die Negation des Satzes A wurde von Brouwer als „A ist absurd" gedeutet. Gemeint wurde eigentlich „A führt zum Widerspruch" oder „A ist widerlegbar". „Widerlegbar" und „beweisbar" bilden nun einen konträren Gegensatz, und wie der Fall unlösbarer Probleme der Mathematik zeigt, läßt dieser Gegensatz eine dritte Möglichkeit zu.

Man hat gegen diese intuitionistische Einstellung öfters mit dem Hinweis auf die absolute Geltung der metaphysischen Prinzipien argumentiert, etwa folgenderweise: Der Seinsbegriff ist der erste und allgemeinste Begriff, der auch den Begriffen der Mathematik zugrunde liegt. Die in ihm gründenden Prinzipien sind aber die logisch ersten und absolut ausnahmslos gültig. Also liegen sie auch aller Mathematik zugrunde[7]. Dieser und ähnlichen Argumentationen liegt die Vorstellung zugrunde, daß das „Sein" der Mathematik, die mathematische „Existenz", eine von der menschlichen Aktivität vollkommen unabhängige „ideale Gegenständlichkeit" darstellt. Für diese muß dann dasselbe gelten, was für die Gegenstände der Natur oder sonst ein aktuell Seiendes gilt. Dabei wird aber die operative Natur und der operative Ursprung der Logik und Mathematik verkannt. Diese Auffassung wird heute gewöhnlich als „ontologisch" oder auch „platonisch" bezeichnet. Beide Ausdrücke sind nicht gerade glücklich gewählt. Wir werden uns aber diesem allgemeinen Sprachgebrauch anschließen und von einer ontologischen Auffassung der Logik und Mathematik sprechen[8]. Ihr steht die sogenannte operative oder operationalisti-

---

[6] *K. Gödel,* Über formal unentscheidbare Sätze der Principia Mathematica und verwandter Systeme: Monatshefte für Mathematik und Physik 38 (1931) 173—198.

[7] So z. B. *C. Nink,* Der Satz vom ausgeschlossenen Dritten: Scholastik 12 (1937) 552 bis 558.

[8] In den neueren Lehrbüchern vertreten z. B. H. Scholz und J. Bocheński diese ontologische Auffassung.

sche Auffassung der Logik und Mathematik als echter Gegensatz gegenüber[9].

Für die ontologische Auffassung hat es dann selbstverständlich einen Sinn, von der Negation des Satzes „an sich“ zu sprechen, unabhängig vom Beweise der Widerlegung dieses Satzes. M. a. W., die kontradiktorische Negation hat nach dieser Auffassung immer einen Sinn und kann unterschieden werden von der konträren Negation im Sinne „widerlegbar“. Für den operationalistischen Standpunkt hat dagegen nur die Negation im Sinne der Widerlegbarkeit einen Sinn. Unabhängig davon, ob es eine solche „An-sich-Existenz“ der logischen und mathematischen „Gegenstände“ gibt, also unabhängig davon, ob die ontologische Auffassung recht hat oder nicht, könnte man aber fragen, wozu uns Sätze mit solchem „ontologischen“ Negationsbegriff nützlich sein sollen. Wir brauchen doch einen Negationsbegriff, der den tatsächlichen „mathematischen Prozeß“ (Weyl) regelt, und nicht einen Negationsbegriff, der eine Welt der idealen Gegenständlichkeit postuliert, die es vielleicht gar nicht gibt.

Es wäre nun falsch, zu meinen, daß dieser „operative“ Negationsbegriff nur eine Angelegenheit des Mathematikers sei. Im Gegenteil, dieser Negationsbegriff tritt auch in der Philosophie und Theologie auf, und zwar dort, wo das Unendliche und das Geheimnis ins Spiel kommen. So ist die Untersuchung der Regeln, die mit seinem Gebrauch verbunden sind, auch für den Philosophen und Theologen von grundlegender Bedeutung. Wir greifen zunächst einige Beispiele aus diesem Gebiete heraus und versuchen so, diese Problematik zu erläutern.

1. *Sätze der Fundamentaltheologie über die Nicht-Widerlegbarkeit der Geheimnisse.* Die logische Problematik der unentscheidbaren Sätze der Mathematik hat eine ähnliche logische Struktur wie gewisse Sätze der Fundamentaltheologie, die die Existenz der Geheimnisse betreffen. Ähnlich wie ein unentscheidbarer Satz der Mathematik wegen der Struktur des potentiellen Unendlichen der Zahlenreihe eine dritte Möglichkeit zwischen den zwei Gegensätzen: widerlegbar — beweisbar offenläßt, so gibt es der logischen Struktur nach eine ähnliche Situation bei Sätzen der Fundamentaltheologie über die Geheimnisse. Thomas von Aquin deutet dies klar in der Expositio super librum Boethii de Trinitate q. 2 a. 3: „Sicut enim ea quae sunt fidei non possunt *demonstrative probari* ita quaedam contraria eis non possunt *demonstrative ostendi esse falsa.*“[10]

---

[9] Diese operationalistische Auffassung vertreten Brouwer, Wittgenstein, Weyl, Lorenzen, R. L. Goodstein u. a.

[10] Hervorhebungen vom Verfasser.

Diese Thesen von der Existenz der Geheimnisse und der Möglichkeit ihrer Offenbarung werden z. B. bei Nicolau, Sacrae Theol. Summa, I. Band, in folgender zweifach negierter Formulierung vorgelegt:

„Nequit ostendi mysteriorum existentiam repugnare" (These 5).

„Nequit ostendi mysteriorum revelationem repugnare" (These 6).

Heißt a der Satz: „mysteria existunt" oder „mysteria revelari possunt", kann man, abgesehen von der Modalität „nequit", die eher ein Pleonasmus ist, die formale Struktur der Thesen so formulieren: „nicht-nicht-a". Der Sinn der Negation wäre allerdings besser durch das Wort „widerlegbar" wiedergegeben. Also: „Die Widerlegung von a ist widerlegbar", in symbolischer Schreibweise: „$\neg\neg$ a".

Bekanntlich kann man diese These mit doppelt negierter Form nicht in eine These mit positiver Form: „a ist beweisbar" umwandeln, da diese Sätze die positive Beweisbarkeit der Existenz der Geheimnisse resp. der Möglichkeit der Offenbarung der Geheimnisse behaupten würden.

2. *Der indirekte Beweis in der Theologie.* Dieselbe Problematik liegt dem indirekten Beweis zugrunde, etwa wenn der Angriff gegen die Möglichkeit eines Geheimnisses widerlegt wird. Die logische Struktur dieser Argumentation (man nennt sie *indirekter Beweis*) ist folgende:

Der Opponent behauptet, daß die Annahme eines Geheimnisses, etwa der Trinität, zum Widerspruch führt, d. h., er legt eine Widerlegung von a vor („a" bezeichnet wieder den Satz, der die Existenz des betreffenden Geheimnisses *als bewiesen* behauptet). Der Defendent zeigt nun das Zweifache: erstens daß diese Widerlegung eine Folgerung b impliziert. Zum Beispiel: die Verschiedenheit der Begriffe „Person" und „Natur" in ihrer analogen Anwendung auf die Trinität wird nicht beachtet. Vom Defendenten wird also erstens bewiesen: „Wenn nicht-a, dann b", in symbolischer Schreibweise „$\neg$ a $\rightarrow$ b". Zweitens wird vom Defendenten diese Folgerung, der Satz b, widerlegt. Es wird „nicht-b" bewiesen, in symbolischer Schreibweise „$\neg$ b".

Nun entsteht die Frage: Was folgt aus diesen zwei Voraussetzungen, „Wenn nicht-a, dann b" und „Nicht-b": „Nicht-nicht-a" oder „a"? Wir werden auf Grund der inhaltlichen Überlegung sofort antworten: „Nicht-nicht-a". Die Widerlegung der Widerlegung der Trinität wurde bewiesen, aber keineswegs die Trinität oder nur ihre positive Möglichkeit. Ja nicht einmal alle möglichen Widerlegungen der Trinität können effektiv auf einmal widerlegt werden, da man diese nicht alle auf einmal in den Griff bekommen kann.

3. *„Widersprüche" der Theologie.* Aus den eben angeführten Beispielen wird man bereits vermuten können, daß es sich keineswegs um nebensächliche Randfragen der Theologie handelt, sondern im Gegenteil, daß

wir es mit einem grundsätzlichen Typus der theologischen Aussage überhaupt zu tun haben. Die meisten theologischen Probleme entsprechen nämlich folgendem Typus. Es wird einerseits das absolute Geheimnis unter einem Aspekt ausgesagt, etwa der allgemeine Heilswille Gottes oder die Allursächlichkeit Gottes. Anderseits wird eine kategoriale, den Menschen betreffende Wirklichkeit behauptet, z. B. eine wirkliche Möglichkeit der Verdammnis des Menschen durch seine freie Schuld oder die Existenz der menschlichen Freiheit. Beide Wirklichkeiten werden dann miteinander konfrontiert. Damit haben wir bereits zwei quälende Probleme der Gnadentheologie erwähnt. Eine wahrhaft theologische Lösung dieser Probleme kann nun nicht darin bestehen, daß man zeigt, wie die beiden Sätze positiv miteinander verrechnet werden können, sondern indem man aufzeigt, daß die beiden Sätze nicht als radikal sich widersprechend positiv nachzuweisen sind. Der Drang nach einer positiven Lösung dieser fundamentalen theologischen Widersprüche stellt vermutlich den Typus der „positiven" Pseudolösungen jener Theologie, die es vergessen hat, daß sie es im Grunde mit dem Geheimnis zu tun hat.

Den Gedanken von K. Rahner folgend, kann zu den zwei erwähnten Problemen gesagt werden:

Bei dem Problem des allgemeinen Heilswillens Gottes muß durchaus auch eine voluntas antecedens Gottes hinsichtlich der von der Freiheit des Menschen abhängigen Wirklichkeit angenommen werden. Diese voluntas kann trotzdem absolut sein. Gott kann durchaus absolut wollen: Ich will, daß Maria ihr Fiat spricht. Dann geschieht es auch, und es geschieht frei. Daraus ergibt sich auch, daß die menschliche Freiheit kein Hindernis sei für die voluntas Dei absoluta, und dadurch ist das Problem da und kann positiv nicht gelöst werden. Der Satz vom allgemeinen Heilswillen Gottes und der Satz einer wirklichen Möglichkeit der Verdammnis des Menschen durch seine Freiheit lassen sich nicht positiv auf einen Nenner bringen. Eine katholische Theologie eines Aufrechterhaltenwollens der Lösungsmöglichkeit ist keine Theologie einer positiven Herstellung dieser Synthese für uns, sondern ist nur die begriffliche Aufrechterhaltung beider Sätze, so daß ich sehe: sie sind *nicht* als sich radikal widersprechend oder gegenseitig aufhebend *positiv* nachzuweisen.

Zum zweiten Problem: „Gnade und menschliche Freiheit" kann gegen die beiden rivalisierenden „Systeme" des Thomismus und des Molinismus Folgendes kritisch vermerkt werden. Beide gehen eigentlich in die Irre durch Einsetzung einer endlichen Wirklichkeit in ihr System, die einmal der Erkenntnis Gottes, das andere Mal der Freiheit des Menschen vorgeordnet ist. Das Geheimnis der Vereinbarkeit der Allursächlichkeit Gottes mit der menschlichen Freiheit kann weder durch Übertragung auf den Willen Gottes und eine reelle geschöpfliche Wirklichkeit (praemotio physica) noch durch Übertragung auf die Erkenntnis Gottes und eine ideelle geschöpfliche Wirklichkeit, die von Gott unabhängig ist, „gelöst" werden. Deswegen wird man, wie etwa der Skotismus, am besten tun, keine Lösung anzustreben, weil es aus prinzipiellen Gründen keine Lösung gibt, da die positive Vereinbarkeit des absoluten Geheimnisses der Allursächlichkeit Gottes und des Geheimnisses der menschlichen Freiheit nicht positiv eingesehen werden kann. Nur negativ können die Argumente gegen die Verträglichkeit beider Sätze widerlegt werden.

Die logische Struktur dieser Probleme kann man so formulieren: Es sind zwei logisch einfache Sätze (sie werden in der modernen Logik „*Primaussagen*" genannt) a und b gegeben. Diese werden miteinander konfrontiert. Das drücken wir durch ihre Konjunktion aus, wobei diese hier den spezifischen inhaltlichen Sinn der Konsoziabilität trägt. Wir schreiben: „a und b", oder symbolisch „$a \wedge b$". Nun kann „a und b" weder positiv bewiesen noch widerlegt werden, was wiederum folgender Aussage äquivalent ist: „Es ist nicht allgemein beweisbar, daß: entweder (a und b) oder nicht-(a und b)", in symbolischer Schreibweise: „$(a \wedge b) \vee \neg (a \wedge b)$ ist nicht allgemein beweisbar", wobei „$\vee$" das Zeichen der Disjunktion ist.

Diesen Beispielen könnte man wohl unzählige andere aus allen Gebieten der Philosophie und Theologie anfügen[11].

Daß diese Gedanken vielleicht nicht so ganz selbstverständlich sind, wie es auf den ersten Blick scheinen mag, zeigt ein Artikel, der vor einigen Jahren in einer katholischen theologischen Zeitschrift erschienen ist[12]. Der Autor, ein Theologe und Logiker zugleich, glaubt einen mengentheoretischen Beweis der Möglichkeit der Trinität vorlegen zu können. Er schreibt sogar: „Diese Aufgabe ... hat Thomas nicht in Angriff genommen und hat meines Erachtens kein Dogmatiker exakt gelöst" (181). Was da nun in Wirklichkeit geboten wird, ist eine „logische Alchimie", die weder mit der Logik noch mit der Theologie etwas zu tun hat. Zum Beispiel zitiert der Autor (181, Anm. 11) Thomas von Aquin, Summa theol. I q. 32 a. 1: „... impossibile est per rationem naturalem ad cognitionem Trinitatis divinarum personarum pervenire; ... sufficit defendere non esse impossibile quod praedicat fides." Anstatt die tiefe nuancierte Ausdrucks-

---

[11] Man müßte z. B. in der Logik der theologischen Erkenntnis die Struktur der sogenannten Konvenienzargumente näher untersuchen. Auch die logische Struktur der Gottesbeweise müßte nochmals untersucht werden. Die bisherigen Untersuchungen gebrauchen die „klassische" Logik. Dabei scheint die eigentlich logische Problematik übergangen zu sein.

[12] *A. Menne*, Mengenlehre und Trinität: Münchener Theologische Zeitschrift 8 (1957) 180—188.

weise von Thomas „defendere non esse impossibile" zu unterstreichen, verwandelt sie der Autor nach irgendwelchen logischen Formeln in eine positive Ausdrucksweise und behauptet die positive Möglichkeit der Trinität.

Was versteht nun eigentlich der Autor unter dieser Möglichkeit, und wie beweist er diese? „Möglichkeit im weitesten Sinne besagt Widerspruchsfreiheit. Die Widerspruchsfreiheit eines Systems S pflegt man in der Logistik dadurch zu beweisen, daß man es eindeutig auf ein Modell S' abbildet, dessen Widerspruchsfreiheit bereits auf andere Weise gesichert ist. Existiert ein Modell S', ist das System S widerspruchsfrei" (184). Der Autor konstruiert nun vier abzählbar unendliche Mengen, von denen eine gleich ist der Summe der anderen drei, ihre Kardinalzahlen aber alle gleich sind. „Eine treffliche Analogie!", kann einer sagen. „Etwas Ähnliches, wie wenn ein Katechet vor den Schulkindern die Trinität mit einem Kleeblättchen vergleicht, das drei Teile hat, die wie Kleeblätter sind, aber das Ganze doch wieder nur ein Kleeblatt ist", wird ein anderer antworten können. Allerdings ist der Vergleich mit dem Kleeblatt insoweit treffender, als es dabei klar ist, daß durch dieses „Modell" die positive Möglichkeit der Trinität nicht bewiesen ist. Man versteht es wirklich nicht, wie sich solche Logiker über das dürftige logische Niveau mancher Theologen (ausdrücklich wird Diekamps Katholische Dogmatik apostrophiert) beklagen können.

II

Aus den Beispielen der philosophisch-theologischen Reflexion auf das Geheimnis, die angeführt worden sind, kann man bereits entnehmen, daß wir hier eine Logik brauchen, die den Unterschied der „Widerlegung der Widerlegung" und der „Beweisbarkeit" ausdrücklich vor Augen hat. Das ist aber gerade die intuitionistische Logik. Wir wollen damit nicht den Fehler begehen und diese Logik gegenüber der „klassischen" verabsolutieren. Das widerspricht dem Operationalismus, den der Verfasser dieser Zeilen im Hinblik auf die Logik und Mathematik vertritt[13]. Es genügt wohl, wenn wir zeigen, daß gewisse Überlegungen der theologischen Reflexion auf das Geheimnis in dieser Logik nuancierter formuliert werden können als etwa in der „klassischen" Logik. Denn nach dieser ist die dop-

---

[13] Vgl. die demnächst erscheinende Arbeit des Verf.: Logik als τέχνη, Innsbruck. Dieser Operationalismus ist keineswegs eine neuzeitliche „Häresie", sondern entspricht der aristotelischen Auffassung der Logik als τέχνη und der mittelalterlichen Auffassung der Logik als ars.

pelte Negation äquivalent der positiven Aussage, der direkte Beweis dem indirekten usw. Die „klassische“ Logik „verschluckt“ und verdeckt gerade den Unterschied, um welchen allein es uns in der Logik des Geheimnisses geht. An der vorher kritisierten Arbeit zeigte sich dies mit aller Deutlichkeit. Es soll auch nicht ausgeschlossen werden, daß vielleicht eine andere Modifikation der Logik des Geheimnisses (etwa die dreiwertige Logik) auch ein geeignetes Organon sein könnte[14]. Es wäre nur zu wünschen, daß sich die Logik der theologischen Erkenntnis mit dieser Frage näher beschäftigt.

Man wird wohl dem Theologen schwer empfehlen können, sich nach einigen Untersuchungen der intuitionistischen Logik umzusehen. Sie setzen gewöhnlich ein hohes Maß an formal-mathematischer Schulung voraus. Es soll aber hier diese Aufgabe doch nicht völlig übergangen werden, damit der Fachtheologe nicht der Meinung sei, man habe ihm hier nur ein neues Tabu gezeigt. Ich finde dafür als geeignet die dialogische Interpretation der intuitionistischen Logik, die von Lorenzen vor kurzer Zeit vorgelegt wurde[15].

Lorenzen geht bei der Grundlegung der Logik vom *Dialog* aus[16]. Er vergleicht diesen Dialog mit einem *Spiel* zwischen zwei Parteien, dem *Proponenten* und dem *Opponenten*. Die Handlungen der Spieler im Dialog heißen *Züge*. Sie können sein: entweder irgendwelche *Aussagen* (auch *Teilaussagen* einer logisch zusammengesetzten Aussage)[17] oder *Aufforderungen* zu Aussagen (auch zu Teilaussagen). Jeder Zug des Dialogs ist weiter dadurch charakterisiert, daß er eine Aussage A angreift *(Angriff gegen A)* oder gegen einen Angriff z verteidigt *(Verteidigung von A gegen z)*.

---

[14] Vgl. die Einführung von *Ph. Boehner* zur Textausgabe: The Tractatus de Praedestinatione et de futuris contingentibus of William Ockham (Louvain 1945).

[15] *P. Lorenzen,* Metamathematik (Mannheim 1962). Unsere Darstellung nimmt zur Hilfe: *K. Lorenz,* Mathematik und Logik als Spiele (Diss.; Kiel 1961).

[16] Es mag dieser Ansatz manchem sehr ungewöhnlich erscheinen, beinahe als ein Attentat auf die Objektivität und Absolutheit der Logik. Diese wird gleich beim Ansatz in die Subjektivität des Dialogs hineingezogen. Wer in der Logik eine „Lehre“ (ἐπιστήμη) über die logischen Entitäten sieht, die absoluten Charakters ist, der wird sich diesem Einwand anschließen. Wer dagegen den Mythos der logischen Gegenstände aufgegeben hat, der wird diesen Ansatz begrüßen. Auch für einen Kenner der Geschichte der Logik wird dieser Ansatz eine angenehme Überraschung sein. Denn dieser weiß allzu gut von dem dialogischen Ursprung der griechischen Logik in der Dialektik und Rhetorik und der mittelalterlichen Logik in der Technik der Disputation.

[17] Aussage ist auch eine Handlung, ein Zug, denn zwischen dem Behaupten einer Aussage und der Aussage selbst ist logisch zunächst kein Unterschied. Vgl. die Diskussion um den Urteilsstrich in der Logik der Gegenwart: Wittgenstein contra Frege.

Für jede einzelne *logische Partikel* — wir nennen nur einige von den sogenannten *Junktoren:*

	mit Worten	symbolisch
Konjunktion	und	$\wedge$
Adjunktion	oder	$\vee$
Subjunktion	wenn - dann	$\rightarrow$
Negation	nicht	$\neg$

(Adjunktion ist nur ein anderer Name für die nichtausschließende Disjunktion; Subjunktion wird oft auch materiale Implikation genannt) — wird die sogenannte *allgemeine Spielregel* angegeben, die Möglichkeiten angibt, wie eine mit diesen Partikeln zusammengesetzte Aussage anzugreifen und gegen Angriffe zu verteidigen ist. Wir bezeichnen: Aufforderung zu einer Aussage A[18] mit „?"; eine Aufforderung zur 1. resp. 2. Teilaussage einer zusammengesetzten Aussage mit „? 1" resp. „? 2".

Allgemeine Spielregel

Aussage C	Angriff z gegen C	Verteidigung von C gegen z
Konjunktion „A und B"	? 1	A
	? 2	B
Adjunktion „A oder B"	?	A
		B
Subjunktion „wenn A, dann B"	A	B
Negation „nicht-A"	A	—

Für die Negation ist keine Verteidigung angegeben. Sie besteht nämlich im Gegenangriff gegen A und dem Versuch, diese Aussage A zu widerlegen. Deswegen der Sinn dieser Negation „A ist widerlegbar".

Zu Beginn des Dialogs legt der Proponent eine Aussage vor. Darauf setzen die Spieler abwechselnd nach den angeführten Regeln ihre Züge. Je ein Angriff und die entsprechende Verteidigung bilden eine *Runde*. Der Dialog um zusammengesetzte Aussagen reduziert sich so auf Teildialoge um immer einfachere Aussagen, wie aus der allgemeinen Regel ersichtlich ist. Zuletzt gelangen die Spieler zu den einfachen Aussagen, den Primaussagen. In der formalen Logik wird von dem Inhalt dieser

[18] A, B, C, ... bezeichnen Aussagen (auch zusammengesetzte), während a, b, c, ... die Primaussagen bezeichnen.

Primaussagen zwar abstrahiert (es darf in unserem Falle auch nicht das TND für diese Aussagen vorausgesetzt werden[19], denn das würde heißen: „a ist entweder beweisbar oder widerlegbar", was nicht allgemein gelten soll), es müssen aber doch sinnvollerweise folgende *Regeln für Primaussagen* angenommen werden:

1. Primaussage, die vom Opponenten behauptet wurde, kann der Proponent nicht anzweifeln, da diese eventuell vom Opponenten verteidigt werden könnte.

2. Der Proponent kann nur solche Primaussagen behaupten, die der Opponent schon vorher behauptet hat. Diese Aussagen dürfen vom Opponenten nicht mehr angezweifelt werden.

Daneben ist noch eine *spezielle Spielregel* zu beachten. Die beiden Spieler dürfen ihre Verteidigungen aufschieben. Nur die letzte aufgeschobene Verteidigung kann nachgeholt werden, und zwar wenn die nachfolgenden Runden *geschlossen* sind. Dabei heißt jene Runde geschlossen, deren Angriff und die entsprechende Verteidigung vollzogen sind. *Offen* heißt dagegen jene Runde, die nur aus dem Angriff besteht. Auch die *Anfangsrunde,* die aus der am Beginn des Dialogs vorgelegten Aussage besteht, zählt als offene Runde.

Zur speziellen Regel gehört weiter, daß der Proponent als der *aktive* Spieler im Verlauf des Dialogs die vom Opponenten behaupteten Aussagen mehrmals und in beliebiger Folge angreifen darf. Er ist aber verpflichtet, den Dialog nach endlich vielen Schritten zu beenden, sonst verliert er. Der Opponent als der *passive* Spieler kann dagegen immer nur die letzte vom Proponenten behauptete Aussage angreifen. „Verschläft" er diese Möglichkeit, indem er andere mögliche Züge bevorzugt, so kommt er im weiteren Verlaufe des Dialogs nicht mehr dazu, da er die neuesten „Initiativen" des aktiven Spielers als die für den Verlauf des Dialogs vordringlicheren beantworten muß.

Man könnte sich durchaus sinnvoll auch andere, strengere oder schwächere spezielle Regeln ausdenken[20]. Diese führen dann zu anderen logi-

---

[19] Es soll hier auf eine wichtige Unterscheidung zwischen dem TND als „Prinzip" und als „Regel" hingewiesen werden. Als „Prinzip" gehört das TND mit anderen zwei (gewöhnlich miteinander genannten) Prinzipien der Identität und des Nichtwiderspruchs zu „selbst-verständlichen" Voraussetzungen oder „Strukturen" („transzendentalen" Möglichkeitsbedingungen) des Sprechens. Damit sind sie aber keineswegs Regeln, auch nicht logische Regeln, die man im Sprechen gebraucht. So kann auch gesagt werden, daß das TND als Prinzip Voraussetzung für die Logik ohne (die Regel) TND ist. Dagegen hat es wohl wenig Sinn, von einem Vorrang der „klassischen" Logik vor anderen logischen Systemen zu sprechen. Denn in der „klassischen" Logik fungiert das TND als Regel.

[20] Diese Vielfalt und Irreduktibilität der logischen Systeme, die in der logisch-mathematischen Grundlagenforschung der Gegenwart so eindrucksvoll zutage tritt, muß wohl ak-

schen Systemen[21]. Unsere angegebene spezielle Spielregel ist die der intuitionistischen Logik. Sie enthält offenbar nichts, was der von uns diskutierten Problematik unangemessen wäre. Im Gegenteil, sie berücksichtigt die logische Problematik der Sätze über das Geheimnis.

Gewinner des Dialogs ist jener Spieler, der die letzte offene Runde des beendeten Dialogs eröffnet hat. Mindestens die Anfangsrunde ist immer offen.

Logische Wahrheit und *logische Falschheit*[22] werden in dieser Interpretation durch den Begriff der *Gewinnstrategie* definiert. Dieser Begriff ist der Spieltheorie, einer der neueren Theorien der Mathematik, entnommen, die vor allem in der Wirtschaftstheorie Anwendung findet. Jeder Spieler stellt nämlich im Dialogspiel bereits am Anfang des Spieles Überlegungen an, wie er im Laufe des Dialogs handeln wird, wie er die verschiedenen Züge seines Gegners, soweit es die Spielregeln erlauben, zu seinem besten Vorteil zu beantworten hat. Wenn ein Spieler alle möglichen Züge seines Gegenspielers so im Dialog beantworten kann, daß er immer der Gewinner des Dialogs bleibt, so sagen wir, er sei im Besitz der Gewinnstrategie für diesen Dialog. Ist der Proponent im Besitz der Gewinnstrategie für eine Aussage A, so sagen wir, die Aussage ist *allgemeinbeweisbar* (auch logisch wahr oder allgemeingültig). Ist dagegen der Opponent im Besitz der Gewinnstrategie gegen die Aussage des Proponenten, d. h., kann er ihn daran hindern, daß er diesen Dialog in allen möglichen Fällen gewinnt, so sagen wir, diese Aussage ist *partikulärwiderlegbar* (auch verwerfbar). Wenn die Spieler am Anfang des Dialogs ihre Rollen tauschen und der Opponent mit dem Vorlegen einer Aussage beginnt, so gelangen wir zu zwei weiteren Arten der Gewinnstrategien: Gewinnstrategie des Opponenten für eine Aussage A und Gewinnstrategie des Proponenten

---

zeptiert werden. *Wittgenstein* schreibt in den „Philosophischen Untersuchungen" (Oxford 1953) N. 81, daß ihm später (d. h. Jahre nach dem Verfassen des Tractatus) folgende Idee aufgegangen ist: „daß wir nämlich in der Philosophie den Gebrauch der Wörter oft mit Spielen, Kalkülen nach festen Regeln, *vergleichen*, aber nicht sagen können, wer die Sprache gebraucht, müsse ein solches Spiel spielen". Der Mensch selbst schafft sich die Sprache und ihre Regeln. Er ist nicht ihr Sklave. Diese Freiheit in der Wahl der sprachlichen (auch der logischen) Regeln heißt keine Willkür, auch kein Behaviorismus. Im Gegenteil, sie ist eine wahre Anzeige der Freiheit und der Transzendenz des Menschen. Auch ist der Mensch, oder besser, sind die Menschen (da es keine Privatsprache gibt), zur „Treue" gegenüber der von ihnen gebrauchten Sprache gebunden.

[21] Eine systematische Untersuchung hat *K. Lorenz* in seiner Kieler Dissertation: Mathematik und Logik als Spiele (1961) vorgelegt.

[22] Logisch wahr (oder falsch) heißt etwa Wahr-Sein unabhängig vom Inhalt der Primaussagen oder auf Grund der „Form" der Aussage allein. Für diese Form der Aussage ist die Art der Zusammensetzung mittels der logischen Partikeln allein bestimmend.

gegen dieselbe Aussage. Im ersten Falle heißt die Aussage A *partikulärbeweisbar,* auch erfüllbar, im zweiten Falle *allgemeinwiderlegbar,* auch logisch falsch oder allgemeinungültig. Alle diese Qualifikationen sind außerdem mit dem Index „intuitionistisch" zu ergänzen, also intuitionistisch allgemeinbeweisbar usw.

Der *Verlauf* eines Dialogs und seiner Gewinnstrategie kann in einem *Tableau* beschrieben werden. Dieses ist vertikal in zwei Spalten aufgeteilt: die linke Spalte enthält die Züge des Opponenten, die rechte die des Proponenten. Züge derselben Runde stehen in derselben Zeile. Am äußeren Rand der Spalten werden die Züge mit arabischen Ziffern numeriert, der Anfangszug mit der Ziffer Null usw. Am inneren Rand der Spalten wird die Nummer der Runde vermerkt, welche die angegriffene Aussage enthält. Runden werden mit lateinischen Ziffern numeriert. Bei der Darstellung der Gewinnstrategien werden die verschiedenen Möglichkeiten des Dialogverlaufs (Teilung des Dialogs in Teildialoge) durch die Unterteilung des Tableaus in Teiltableaus angedeutet.

Jetzt sind wir in der Lage, die intuitionistische Allgemeinbeweisbarkeit, Allgemeinwiderlegbarkeit usw. einer gegebenen Aussage zu zeigen. Wir üben unser Dialogspiel der intuitionistischen Logik an den einfachen Aussagen ein, die uns im ersten Teil bei der Untersuchung der Beispiele der Sätze über das Geheimnis begegnet sind.

1. *Regel der doppelten Negation.* In der „klassischen" Logik sind bekannterweise beide Aussagen:

(a) Wenn a, dann nicht-nicht-a ($a \rightarrow \neg\neg a$)

(b) Wenn nicht-nicht-a, dann a ($\neg\neg a \rightarrow a$)

allgemeinbeweisbar, also logisch wahr. In der intuitionistischen Logik ist dagegen nur die Aussage (a) allgemeinbeweisbar, nicht aber die Aussage (b). Diese ist intuitionistisch partikulärwiderlegbar, weil diese Logik den Sonderfall der unentscheidbaren Sätze und der Sätze über das Geheimnis von vornherein eingerechnet hat.

Wir geben die Tableaus der Gewinnstrategien dieser Aussagen an und fügen Erklärungen hinzu.

a) Tableau der Gewinnstrategie der Aussage (a):

Opponent			Proponent		
				wenn a, dann nicht-nicht-a	0.
1.	a	(0)		nicht-nicht-a	2.
3.	nicht-a	(i)			
			(ii)	a	4.

b) Tableau der Gewinnstrategie der Aussage (b):

Opponent			Proponent		
				wenn nicht-nicht-a, dann a	o.
1.	nicht-nicht-a	(o)			
			(i)	nicht-a	2.
3.	a	(ii)			

Erklärung der Tableaus. Das erste Tableau zeigt die Gewinnstrategie des Proponenten für die Aussage „wenn a, dann nicht-nicht-a". Der Proponent beginnt diesen Dialog mit dem Vorlegen dieser Aussage (0. Zug). Der Opponent greift diese Aussage mit a an (siehe allgemeine Spielregel; 1. Zug). Der Proponent verteidigt sich mit „nicht-nicht-a" (2. Zug). Ersichtlich ist der Proponent in einer glücklichen Lage. Er hat die Aussage „nicht-nicht-a" zu verteidigen, wobei ihm der Opponent die positive Aussage „a" zugestanden hat. Will der Opponent nicht gleich aufgeben, so muß er „nicht-nicht-a" mit „nicht-a" angreifen (3. Zug). Der Proponent beantwortet diesen Angriff mit dem Gegenangriff gegen „nicht-a", indem er „a" behauptet (4. Zug). Der Dialog ist an sein Ende gekommen, da der Opponent diese letzte Aussage nicht mehr angreifen kann. Es ist ja eine Primaussage, die der Opponent selbst im 1. Zug behauptet hat (siehe die Regel für die Primaussagen). Der Proponent ist Gewinner des Dialogs und auch der Gewinnstrategie (wir haben ja alle Möglichkeiten des Opponenten in Betracht gezogen), da er diese letzte Runde eröffnet hat.

Das zweite Tableau zeigt dagegen die Gewinnstrategie des Opponenten gegen die Aussage: „Wenn nicht-nicht-a, dann a", also ist diese Aussage in der intuitionistischen Logik partikulärwiderlegbar. Der Dialog beginnt, indem der Proponent diese Aussage vorlegt (0. Zug). Der Opponent greift mit „nicht-nicht-a" an (1. Zug). Diesmal ist der Opponent in der günstigeren Lage, da er ersichtlich durch eine schwächere Behauptung („nicht-nicht-a") seinen Gegner zu einer stärkeren Behauptung („a") verpflichtet hat. Der Proponent kann sich nicht retten, ohne auf den Inhalt der Aussage a einzugehen oder auf den Umstand, daß es für diese Aussage ein Entscheidungsverfahren gibt. Das ist aber in unserem Falle gerade nicht vorausgesetzt. Der Proponent gibt also entweder gleich auf oder versucht sich noch durch einen „salto mortale" zu retten, indem er zum Gegenangriff mit „nicht-a" gegen „nicht-nicht-a" übergeht (2. Zug). In diesem Falle läßt aber der Opponent auch einen Gegenangriff mit „a" gegen „nicht-a" folgen (3. Zug) und gewinnt auf diese Weise den Dialog, da er Gewinner der letzten offenen Runde ist.

Das letzte Tableau gibt der formalen Struktur nach die Situation wieder, in welcher sich jemand (als Proponent) befindet, der aus der Widerlegung der Widerlegung der Existenz der Geheimnisse auf die Beweisbarkeit ihrer Existenz schließen möchte. Dieser kann bei seinem Versuch von seinem Gegner (dem Opponenten) widerlegt werden.

2. *Der indirekte Beweis.* Der indirekte Beweis spielt in der Wissenschaft eine wichtige Rolle. Es war seit jeher ein Kreuz der Mathematiker, ob man jeden indirekten Beweis durch einen direkten ersetzen kann. Auch in der Theologie spielt dieser Beweis, wie wir gesehen haben, eine wichtige Rolle. Wir betrachten im Anschluß an unser Beispiel folgende zwei Aussagen:

(a) Vorausgesetzt daß: (wenn nicht-a, dann b) und nicht-b, dann nicht-nicht-a.
In symbolischer Schreibweise: $((\neg a \rightarrow b) \wedge \neg b) \rightarrow \neg\neg a$

(b) Vorausgesetzt daß: (wenn nicht-a, dann b) und nicht-b, dann a.
In symbolischer Schreibweise: $((\neg a \rightarrow b) \wedge \neg b) \rightarrow a$

Diese Aussagen sind für die zwei möglichen Interpretationen des indirekten Beweises grundlegend. Wir zeigen, daß die Aussage (a) intuitionistisch allgemeinbeweisbar ist, dagegen nicht die Aussage (b), die intuitionistisch partikulärwiderlegbar ist. Wir stellen die entsprechenden Gewinnstrategien, die von Proponenten für (a) und die von Opponenten gegen (b), in den Tableaus dar. Diesmal schreiben wir diese nur in symbolischer Schreibweise, da diese wohl übersichtlicher ist.

Tableau der Gewinnstrategie des Proponenten für (a):

Opponent		Proponent	
		$((\neg a \rightarrow b) \wedge \neg b) \rightarrow \neg\neg a$ 0.	
1. $(\neg a \rightarrow b) \wedge \neg b$ (0)		$\neg\neg a$ 2.	
3. $\neg a$ (i)			
5. $(\neg a \rightarrow b)$		(i) ?1 4.	
7. b		(iii) $\neg a$ 6.	
9. $\neg b$	7. a (iv)	(i) ?2 8.	
		(v) b 10.	(ii) a 8.

Tableau der Gewinnstrategie des Opponenten gegen (b):

Opponent		Proponent		
			$((\neg a \to b) \wedge \neg b) \to a$	0.
1. $(\neg a \to b) \wedge \neg b$	(0)			
3. $(\neg a \to b)$		(i)	? 1	2.
5. $\neg b$		(i)	? 2	4.
		(ii)	$\neg a$	6.
7. a	(iv)			

Diese Tableaus geben, der formalen Struktur nach, die Situation wieder, in der sich der Proponent befindet, der gegen die Argumente der Widerlegung, etwa des Trinitätsgeheimnisses, die von seinem Gegner vorgelegt wurden, argumentiert. Es glückt ihm die Widerlegung der Widerlegung des Geheimnisses, keineswegs aber ein positiver Beweis des Geheimnisses.

3. *Das Tertium non datur.* Bei dem dritten Typus der Beispiele handelte es sich um eine Form des Tertium non datur. Wir betrachten zunächst seine einfache Form, und erst dann gehen wir zu jener Form über, in welcher es im erwähnten Beispiel gegeben wurde.

Wir zeigen, daß die Aussage:

(a) a oder nicht-a, symbolisch $(a \vee \neg a)$

nicht allgemeinbeweisbar, sondern partikulärwiderlegbar ist. Die entsprechende Gewinnstrategie des Opponenten gegen (a) ist im folgenden Tableau beschrieben:

Opponent		Proponent	
		a oder nicht-a	0.
1. Aufforderung zu „a oder nicht-a“	(0)	nicht-a	2.
3. a	(i)		

Erklärung des Tableaus. Der Proponent legt die Aussage „a oder nicht-a“ vor (0. Zug). Es folgt der Angriff des Opponenten gegen diese Aussage mit der Aufforderung (1. Zug). Für den Proponenten gibt es nun theoretisch zwei Möglichkeiten der Verteidigung: „a“ oder „nicht-a“. Dabei verpflichtet er sich, entweder a zu beweisen oder diese Aussage zu widerlegen. Wenn nun keine dieser Möglichkeiten vorliegt, wie es hinsichtlich der unentscheidbaren Sätze oder Sätze über das Geheimnis der Fall ist, so verliert er den Dialog. Er müßte ja eine vom Inhalt der Aussage a unabhängige Gewinnstrategie kennen. Diese gibt es aber nicht, wie es das

Tableau zeigt: Der Proponent kann a nicht wählen, da a Primaussage ist, die der Opponent noch nicht behauptet hat. Versucht der Proponent die zweite Möglichkeit und behauptet „nicht-a“, so kann der Opponent im nachfolgenden Zug diese Behauptung durch a angreifen. Der Dialog ist definitiv zu Ende, und der Proponent verliert.

Es ist interessant, zu erwähnen, daß aber die Negation des Tertium non datur, die Aussage:

(b) nicht-(a oder nicht-a), symbolisch $\neg(a \vee \neg a)$

allgemeinwiderlegbar ist. Hier das entsprechende Tableau der Gewinnstrategie des Proponenten gegen diese Aussage:

Opponent			Proponent	
0. nicht-(a oder nicht-a)				
			(0) (a oder nicht-a)	1.
2.	?	(i)	nicht-a	3.
4.	a	(ii)		
			(0) (a oder nicht-a)	5.
6.	?	(iv)	a	7.

Aus dem Vergleich beider Gewinnstrategien ergibt sich, daß aus der intuitionistischen Allgemeinwiderlegbarkeit der Negation einer Aussage (etwa des TND) noch nicht notwendig die intuitionistische Allgemeinbeweisbarkeit dieser Aussage folgt. Dieses Auseinanderfallen der Begriffe „Widerlegbarkeit der Negation“ und „Beweisbarkeit“ ist sowohl für die intuitionistische Logik als auch für die Logik der Sätze über das Geheimnis charakteristisch. Es ist nicht zufällig, daß dieser Unterschied gerade dort auftritt, wo die ἄπειρον-Struktur der menschlichen Aktivität ins Spiel kommt.

Für die komplexe Form des TND:

(c) (a und b) oder nicht-(a und b), symbolisch $(a \wedge b) \vee \neg(a \wedge b)$

ist die entsprechende Gewinnstrategie des Opponenten gegen (c) im folgenden Tableau beschrieben, das wir der Übersichtlichkeit halber wieder symbolisch schreiben:

Opponent			Proponent		
				$(a \wedge b) \vee \neg(a \wedge b)$	0.
1.	?	(0)		$\neg(a \wedge b)$	2.
3.	$(a \wedge b)$	(i)			
5.	a		(ii)	? 1	4.
7.	b		(ii)	?2	6.

Es kann hier sicherlich auf eine weitere systematische Untersuchung der intuitionistischen Logik verzichtet werden. Wer meint, das alles sei selbstverständlich und man brauche dazu keine Logik, der hat wahrscheinlich für die logische Reflexion kein Interesse. Wer dagegen dieses Interesse hat, der wird wohl eingesehen haben, daß die intuitionistische Logik für die Logik der Theologie von fundamentaler Bedeutung ist. Man könnte geradezu den Satz wagen, daß die intuitionistische Logik *die* Logik des Geheimnisses sei. Denn sie verwendet einen Negationsbegriff, der einen Raum zwischen „Ja" und „Nein" offenläßt, weil es Fälle gibt, in denen der menschliche Logos nicht jede Frage mit „Ja" oder „Nein" entscheiden kann, sondern sich vor der Möglichkeit des Geheimnisses beugen muß. Die intuitionistische Logik besitzt nun einen geeigneten logischen Apparat, dies reflex zum Ausdruck zu bringen.

Abschließend soll noch die Möglichkeit weiterer Anwendungen der modernen Logik in der Theologie gestreift werden. Wir möchten hier keine Prognosen stellen. Einiges läßt sich aber doch aus den bisherigen Überlegungen entnehmen.

1. Die Anwendung moderner Logik soll nicht darauf zielen, die ohnehin schon mit dem Übermaß des Rationalismus komplizierten Beweise der Schultheologie in neue, noch kompliziertere Beweise formalisierter Sprachen umzugießen. Eine solche „in die Breite" gehende Anwendung hat wenig Aussicht, von den Theologen akzeptiert zu werden.

2. Anders verhält es sich bei gewissen grundlegenden Problemen, von denen wir wohl einige Beispiele gegeben haben. Und es handelt sich kaum um Randprobleme. In diesen Fragen kann die Bedeutung der modernen Logik nicht so leicht überschätzt werden. Aber gerade diese Anwendung geht nicht in die Breite, sondern zielt „in die Tiefe".

Zum Schluß soll nochmals darauf hingewiesen werden, daß man den Wert dieser Überlegungen eigentlich nicht überschätzen soll. Denn die ganze Theologie des Geheimnisses mit ihrer Logik gleicht im Grunde jener Leiter, die man wegwerfen soll, nachdem man auf ihr hinaufgestiegen ist (*Wittgenstein*, Tractatus 6. 54).

EINHEIT-IN-MANNIGFALTIGKEIT

Fragmentarische Überlegungen zur Metaphysik des Geistes

Von Walter Kern SJ, Pullach

I

In einer Studie „Zur Theologie des Symbols"[1] geht Karl Rahner, um einen ursprünglichen Begriff des Symbols zu erreichen, davon aus, daß jedes Seiende in sich plural ist und deshalb das eine Moment dieser pluralen Einheit Ausdruck eines anderen Momentes sein kann. Die endliche Wirklichkeit ist nicht absolut einfach. Sie ist vielmehr an sich, vorgängig zur zergliedernden Funktion der menschlichen Erkenntnis, gezeichnet durch eine plurale Struktur; sie erstellt sich als Ineins mehrfacher Aufbaufaktoren. Das ist seit eh und je bekannt. Die innere Pluralität und Unterschiedenheit ist jedoch nicht nur das Stigma der Endlichkeit. Die Trinitätstheologie weiß, daß es in der höchsten Einfachheit Gottes eine wahre und wirkliche Unterschiedenheit und Pluralität der göttlichen Personen gibt. In Gott kann die Vielheit nicht Anzeichen von Unvollkommenheit, von Seinsschwäche und Seinsgrenze sein; sie ist die notwendige Weise, in der Gottes einfache Einheit ihr unendliches Sein und Leben ist und lebt. Insofern nun alles geschöpflich Endliche ‚Spur' oder ‚Abbild' des dreieinen Gottes ist, muß seine innere Mannigfaltigkeit die Folge nicht nur seiner Endlichkeit und Unvollkommenheit, sondern auch jener göttlichen Pluralität unendlicher Vollkommenheit sein. Deshalb „dürfen wir unbefangen, wenn auch mit Vorsicht, den Satz: Das Seiende ist an sich plural, als allgemeinen Satz ohne Einschränkung formulieren"[2]. Jedes Seiende als solches legt sich zur Vollendung oder — so in Gott — wegen der Vollendetheit seines Seins aus in Mannigfaltigkeit. Das widerspricht nicht seiner Einheit, die ein transzendentaler Charakter alles Seienden ist; noch mindert es sie herab. Im Gegenteil: Einheit einerseits und Pluralität, Mannigfaltigkeit, Unterschiedenheit anderseits sind korrelative Begriffe. Eben die Einheit, die nicht Einerleiheit ist, entfaltet sich ursprünglich in

---

[1] Schriften zur Theologie IV 275—311.
[2] Ebd. 281.

die Mannigfaltigkeit ihrer Momente, indem sie diese, sie aus sich entlassend, durchaus in sich einbehält: als die gegliederte Bedeutungsfülle ihrer selbst[3].

Eine trinitarische Interpretation der Grundstruktur alles Seienden, wie sie Karl Rahner als Voraussetzung einer spezielleren Thematik en passant anspricht, tritt — trotz ihrer großen Verkünder in christlichem Altertum und Mittelalter — in der heutigen Theologie zumeist nur rudimentär auf. Ihr scheint das mit unvergleichlich größerer Entschiedenheit festgehaltene theologische Axiom entgegenzustehen, daß das schöpferische göttliche Wirken ‚nach außen' die nicht aufteilbare Tat des in seinem Wesen einen Gottes ist. Die von der Geistspekulation des Deutschen Idealismus angeregten tiefschürfenden und weitgespannten Entwürfe katholischer Theologie in der ersten Hälfte des 19. Jahrhunderts[4], die die immanente Trinität in ihrer Bedeutung für die christliche Heilsökonomie und damit für das Sein der Welt überhaupt ergründen wollten, fanden keine Weiterführung. Die trinitarische Weltschau christlicher russischer Religionsphilosophen[5] blieb für das katholische theologische Bewußtsein zu stark gebunden an die hegelsche Dialektik, von der sie ausging, oder an slawische Messianitätsmystik, in die sie oftmals einmündete. Neuere Anläufe[6], ontologische Grunddaten durch Trinitätsspekulation zu überformen, gelten, zumal da sie wohl zu eigenwillig gerieten, als Außenseiter-Episoden.

---

[3] Vgl. ebd. 279—284; auch 286 291 123, Anm. 24. Ferner: *K. Rahner* s. v. Einheit: LThK² III 749 f.

[4] Vgl. z. B. *Raimund Vatter,* Das Verhältnis von Trinität und Vernunft nach Johannes Ev. von Kuhn . . . (Speyer 1940, Diss. Münster). — Veröffentlichungen über ‚trinitarisch-metaphysisches' Denken anderer Zeiten: *Theodor Gangauf,* Metaphysische Psychologie des hl. Augustinus (Augsburg 1852); *ders.,* Des hl. Augustinus spekulative Lehre von Gott dem Dreieinigen (ebd. 1865); *Michael Schmaus,* Die psychologische Trinitätslehre des hl. Augustinus (Münster 1927); über Ps.-Dionysius Areopagita: O. *Semmelroth:* Scholastik 25 (1950) 389—403; über Joh. Skotus Eriugena: *L. Scheffczyk:* Schmaus ThGG 497—518; *Rudolf Haubst,* Das Bild des Einen und Dreieinen Gottes in der Welt nach Nikolaus von Kues (Trier 1952); über Rosmini: *E. Bruno:* DTh(P) 29 (1952) 166—195.

[5] *Wladimir Solovjeff,* Zwölf Vorlesungen über das Gottmenschentum [1878—1881] (Ausgew. Werke 3, Stuttgart 1921); *Sergius Bulgakow,* Die Tragödie der Philosophie (Darmstadt 1927) 131—222: Philosophie der Dreieinigkeit; über Bulgakow: *B. Monsegu:* RET 17 (1957) 44—77; *Gustav A. Wetter,* L. P. Karsawins Ontologie der Dreieinheit: OrChrP 9 (1943) 366—405.

[6] *Theodor Haecker,* Schöpfer und Schöpfung (Leipzig 1934) 133—168; *ders.,* Metaphysik des Fühlens (München 1950); *Bruno Schulz,* Einfachheit und Mannigfaltigkeit (Bottrop 1938, Diss. Bonn); *ders.* auch: Das Siegel der Dreifaltigkeit: Schildgenossen 14 (1934/35) 91—95; *Clemens Kaliba,* Die Welt als Gleichnis des dreieinigen Gottes (Salzburg 1952). —Vgl. auch: *Dorothy L. Sayers,* Homo creator. Eine trinitarische Exegese des künstlerischen Schaffens (Düsseldorf 1953); *August Vetter,* Die Wirklichkeit des Menschlichen (Freiburg i. Br.-München 1960) 355—415.

Es ist bedauerlich, daß gerade der klassische Topos einer Deutung der göttlichen Dreifaltigkeit von der ausgezeichnetsten geschaffenen Wesenswirklichkeit des menschlichen Geistes her, in der von Augustinus begründeten und von Thomas weiter ausgebauten sogenannten psychologischen Trinitätslehre, heute geringgeschätzt wird[7] (nach einer bis zu einem gewissen Grade berechtigten Relativierung der metaphysischen Spekulation auf Grund erneuter bibeltheologischer Orientierung und vermehrter dogmengeschichtlicher Kenntnis); denn er erschließt als rückläufige Folge die weiteste Möglichkeit einer durch die Trinitätstheologie vertieften Sicht der Struktur von Geist und geistgeschaffenem Weltsein überhaupt.

Die Einheit-in-Mannigfaltigkeit als Grundverfassung alles Seienden, die im Raum theologischer Metaphysik — nur noch oder nur erst? — ein kärgliches Dasein fristet, ist im Bereich der zünftigen Philosophie nicht besser gebettet. Die scholastischen Lehrbücher der Ontologie[8] sind bis heute durchgängig, soweit ich sehe, dabei geblieben, daß die Vielheit Nicht-sein einschließt, daß sie eine Unvollkommenheit, einen auf das Endliche eingeschränkten, defizienten Seinsmodus darstellt. „Vielheit ist also wesentlich relativ auf Einheit, nicht aber Einheit auf Vielheit: Einheit ist eine absolute, Vielheit eine relative Bestimmung.“[9] Das Ursprünglich-Erste ist „eine Identität vor aller und über aller Differenz“[10]. Nur wenige Veröffentlichungen, die zumeist in einiger Distanz vom breiten Traditionsstrom ihren Weg nehmen, zielen deutlich auf ein Verständnis der allgemeinen Seinsbestimmung der Einheit im Sinne unabdingbarer Vieleinheit, letzter Identität-in-Differenz. Der beherrschende Gedanke

---

[7] So schon *Paul de Régnon*, Études de théologie positive sur la Ste. Trinité (Paris 1892 bis 1898). Vgl. *M. T.-L. Penido*, La valeur de la théorie ‚psychologique‘ de la Trinité: EThL 8 (1931) 5—16. — Nach *Karl Barth* (KD I/1, [5]1947, 362; vgl. 352—367) ist Augustins Beweis „in besonders ausgezeichneter Weise daneben gelungen“. — *Emil Brunner* (Die christliche Lehre von Gott [Dogmatik I], Zürich-Stuttgart [3]1960, 244) spricht von dem „augustinischen Mißverständnis“.

[8] Etwa: *Louis de Raeymaker*, Metaphysica generalis I (Löwen [2]1935) 56; *Ferd. van Steenberghen*, Ontologie (Einsiedeln 1952) 106—108 290 309; *Franc. O'Farell*, Praelectiones de ontologia (Rom 1957) 53; *Emerich Coreth*, Metaphysik (Innsbruck 1961) 205—207 394—396 573 f; *Joh. B. Lotz*, Ontologia (Barcelona-Freiburg i. Br. 1963) 85. — Daß sich bei dem Meister Thomas v. Aquin wenigstens gelegentlich ein weiterführender Hinweis findet auf eine sich im ‚aliquid‘ aussprechende transzendentale Vielheit: vgl. *Ludger Oeing-Hanhoff*, Ens et unum convertuntur (BGPhMA 37/3) (Münster 1953) 122 f. *Hugh J. Tallon* (Does Thomism Neglect Multitude?: The New Scholasticism 37 [1963] 267—292) plädiert für die Bedeutung des Mannigfaltigen im Begriff des Schönen (ebd. 276—280), streift jedoch in seinen Ausführungen über die ‚multitudo transcendentalis‘, die er nur eben als nicht-numerische Vielheit versteht, unsere Problematik kaum.

[9] *E. Coreth*, a. a. O. (s. Anm. 8) 395.

[10] Ebd. 205.

bei Caspar Nink[11] ist der konstitutive Wechselbezug zwischen der Einheit des Seienden und der Vielheit seiner ontologischen Gründe. Auch im unendlichen Sein Gottes, der deshalb ebenfalls ein — analog — Viel-Eines ist, sind die Konstitutionsgründe und die daraus sich ergebenden Vollkommenheitsattribute in der ‚distinctio formalis ex natura rei' unterschieden ohne jede Begrenzung. „Bei den göttlichen Attributen besteht *Identität in der Verschiedenheit* im höchsten Sinne."[12] „Mithin ist der Satz: Omne ens est unum, zu ergänzen: Omne ens est unum *multiplex*."[13] Béla v. Brandenstein[14] macht auf eigene Weise als die ‚dreifaltigen', einander vollkommen durchdringenden Urbestimmungen des Seienden namhaft den Gehalt, die Form und die Gestaltung, wobei „die Gestaltung zugleich aus Gehalt und Form, die sich zu der und in der Einheit [der Gestaltung] vereinen, entsprungen ist"[15]. Für August Brunner[16], der vor allem die personale Erfahrung des Menschen beschreibt und dieser Beschreibung „keine kosmische, noch weniger metaphysische Bedeutung"[17] zuerkennen will, ist Einheit „immer Einheit von Vielfalt"[18]. „Einheit und Vielheit sind gleich notwendig. Mit steigender Seinshöhe nehmen beide Momente zu ..."[19] Nach Joseph Möller ist „jede echte Identität selbst ein Aufweis des Übergriffs über das Bewußtsein, der notwendig ein Nicht-Ich miteinbezieht"[20]. Aber es scheint doch allein der *menschliche* Geist zu sein, der nicht einfachhin das Eine erkennt, sondern es ineins mit dem Vielfältigen versteht[21]. Die Differenzierung, die gewiß von dem Sein als Ursprung ermöglicht ist, schränkt Möller ein auf den Bereich des Endlichen: Es ist „ausgeschlossen, daß das Seiende als Seiendes selbst differenzierend ist"[22].

Ein spezieller Anstoß ging aus von der Beobachtung der spannungsreichen Einheit-in-Mannigfaltigkeit des Konkret-Lebendigen, die in den organischen Lebensgestalten ihren sinnenfälligsten Ausdruck findet. Um ihre Formalstrukturen kreist das philosophische Frühwerk von Romano

---

[11] Ontologie (Freiburg i. Br. 1952), bes. 205—210 213—215 228 f. Vgl. zuletzt: Scholastik 37 (1962) 115 f.

[12] *C. Nink*, Philosophische Gotteserkenntnis (München-Kempten 1948) 170 f; vgl. 170 bis 174.

[13] *C. Nink*, Ontologie 209.

[14] Der Aufbau des Seins (Tübingen 1950), bes. 9—17. — Die Mehrheit ist jedoch keine Urbestimmung: ebd. 11.

[15] *B. v. Brandenstein*, Das Problem der Transzendentalien und die Seinsstruktur: WiWei 26 (1963) (93—98) 96.

[16] Der Stufenbau der Welt (München-Kempten 1950) 264—285; vgl. 556 f.

[17] Ebd. 268; vgl. 280. [18] Ebd. 269. [19] Ebd. 280.

[20] Von Bewußtsein zu Sein (Mainz 1962) 29, Anm. 6; vgl. 27—31 95—100.

[21] Ebd. 211. [22] Ebd. 210.

Guardini[23]. Auf sie stützt Hans André[24] einen Ausblick auf materiale trinitarische Abbildlichkeiten. Adolf Haas[25] sieht heute im sich entwickelnden organischen Leben, dessen Grundakte er im Lichte der Trinitätstheologie deutet, eine Einheit in differenzierter Mannigfaltigkeit, welche die analoge Verwirklichung einer allgemeinen Gesetzmäßigkeit darstellt. Auch im anorganischen Bereich scheint man bei der philosophischen Auswertung der Ergebnisse der modernen Physik der Elementarteilchen auf ein Ineins von Einheit und Vielheit zu stoßen, auf ein Ineins allerdings seinsmäßiger Unvollkommenheit und begrifflicher Verschleifung[26].

Durch den gegebenen Überblick (mag er auch sehr fragmentarisch sein) und die von ihm berührten einschlägigen Auffassungen (mögen sie auch nicht sehr befriedigend erscheinen) erhält der Beitrag auf diesen Seiten denn doch einen bescheidenen Platz gewiesen. Ich möchte etwas ausmachen über die als *Einheit-in-Mannigfaltigkeit* gefaßte transzendentale Seinsbestimmung der Einheit, über das ‚unum' als ‚unum *multiplex*'. Ich knüpfe an Problempunkte an, die sich aus dem Kontext der traditionellen scholastischen Philosophie, zunächst der Transzendentalienlehre, herausheben, um zu zeigen, daß bisherige Grundpositionen, wollen sie nicht in Widerspruch mit sich selbst geraten (oder darin verharren), das zu diskutierende Verständnis der Einheit eigentlich schon einschließen oder doch fordern. Der Schwerpunkt der Untersuchung (was nicht besagt: ihr ganzer Zielsinn) wird bei der Frage liegen: inwiefern auch und zumal von Gott die Grundcharakteristik der Einheit-in-Mannigfaltigkeit auszusagen ist; ob dies nur möglich ist unter Berufung auf das Glaubensdatum der Dreieinheit Gottes, der ‚trinitas in unitate et unitas in trinitate'[27], oder ob (1.) ‚schon' innerhalb des einen, absoluten göttlichen Wesens, gleichsam vorgängig zu seinem dreifach-personalen Bestehen, eine Selbstdifferenzierung statthat und ob (2.) eine solche innere Unterschiedenheit der Wesenseinheit Gottes ‚schon' philosophisch erkannt werden kann (daß diese beiden Fragen nicht auf dasselbe hinauslaufen, wird sich sofort zei-

---

[23] Der Gegensatz (Mainz 1925, ²1955).

[24] Die dreieinige Selbstüberschreitung als Urprinzip alles Lebendigen (Königsberg 1935); *H. André - A. Müller - E. Dacqué*, Deutsche Naturanschauung als Deutung des Lebendigen (München-Berlin 1935) (5—131) 37 f 95—101.

[25] Das Lebendige: Spiegel seiner selbst: Scholastik 36 (1961) 161—191; Der Präsenzakt, ein unerkannter fundamentaler Lebensakt: ebd. 38 (1963) 32—53; Zeugung und Präsenz. Die beiden Grundakte des Lebendigen: StdZ 172 (1962/63) 23—34.

[26] *W. Büchel*, Individualität und Wechselwirkung im Bereich des materiellen Seins: Scholastik 31 (1956) 1—30; *ders.*, Quantenphysik und naturphilosophischer Substanzbegriff: ebd. 33 (1958) 161—185.

[27] Vgl. D³² 501.

gen). Wenn sich auch die zweite Frage bejahen läßt, dann — und nur dann — ist die Einheit-in-Mannigfaltigkeit als transzendentaler Seinscharakter nicht nur ein mögliches Lehrstück einer theologischen Ontologie, auf die sich K. Rahner[28] beschränkt, sondern ‚schon' der methodisch von der Theologie ausgegrenzten Philosophie. Mit einem Wort Hegels[29] sei der Problem-Schwerpunkt so formuliert: Ist Gott von Natur aus denn „für die Nacht auszugeben, worin, wie man zu sagen pflegt, alle Kühe schwarz sind", oder —? Die Antwort auf die angezeigte Problematik insgesamt soll gesucht werden in der metaphysischen Reflexion auf die Struktur des Geistes, auf die beiden geistigen Grundfunktionen Erkenntnis und Liebe.

Diese Antwort, die ein Erkundungsvorstoß auf dem Boden *philosophischer* Metaphysik sein möchte, wird sich doch in stärkerem Maß, als dies wohl sonst in der scholastischen Schullehre geschieht[30], orientieren an der Trinitätstheologie als heuristischem, hodegetischem Prinzip. Und dies auf eine zweifache Weise: die Philosophie hält bei der Theologie an um eine Bürgschaft für ihr Erkenntnisziel und um eine Weisung für den einzuschlagenden Weg. Darüber bleibt im voraus noch etwas zu sagen.

Nach dem Glaubensgeheimnis der Trinität ist Gott kraft innerster Notwendigkeit seines Wesens in drei Personen[31]. Worin hat diese Notwendigkeit ihren Grund? Man sagt: in der Unendlichkeit des göttlichen Wesens. Gewiß, so möchte man erwidern, aber solange die einfache Einheit des Wesens Gottes nur abstrakt festgehalten wird, so lange kann auch deren Potenzierung ins Unendliche kein Erklärungsgrund für die dreifache Vielheit der göttlichen Personen sein. Die Einheit als solche (sei sie endliche oder unendliche Einheit) kann nicht der zureichende Grund sein für Nicht-Einheit oder Vielheit als solche. Ferner verlangt die — als Dreiheit — bestimmte Vielheit einen zureichenden Grund dieser Bestimmtheit. Es muß so etwas wie allererste Ansatzpunkte und Ursprungsgründe dafür geben, daß diese Einheit (des Wesens Gottes) in einer und durch

---

[28] A. a. O. (s. Anm. 1) 280 284, Anm. 9.

[29] Phänomenologie des Geistes, Werke II (1832) 14. Ähnlich *Schelling* 1802: „Denn die meisten sehen in dem Wissen des Absoluten nichts als eitel Nacht, und vermögen nichts darin zu erkennen; es schwindet vor ihnen in eine bloße Verneinung der Verschiedenheit zusammen ..." (Werke I/4, 1859, 403).

[30] So sagt z. B. *J. B. Lotz,* a. a. O. (s. Anm. 8) 85: Si a mysterio Ss. Trinitatis abstrahimus, omnis multiplicitas, cum esse et unitas de se idem sint ..., non-esse includit. Vgl. das vierzeilige „Notandum tandem" ebd. 75 f. *F. van Steenberghen* (s. Anm. 8) 309, Anm. 1, wehrt nur ab: die Mehrheit der göttlichen Personen als wesensgleicher fechte die einfache Einheit Gottes nicht an.

[31] Ich weiß um die Problematik des Personbegriffs und der Dreizahl in der Trinität — aber die Anführungszeichen dürfen nicht überhandnehmen.

eine und als eine bestimmte Vielheit (der göttlichen Personen) ist. Und sie müssen in dieser Einheit selbst liegen, in ihrer innersten Struktur, *als* diese Struktur. Man möchte sich darauf berufen, daß nach einem Grundaxiom aller christlichen Philosophie und der Philosophie überhaupt, der platonischen etwa zumal, jegliche Vielheit auf Einheit zurückgeführt werden muß. Aber vielleicht ist dieses Axiom zwar keineswegs falsch, aber doch eben zu undifferenziert gefaßt. Alle unbestimmte Vielheit ist schlechthin etwas nachfolgend und abgeleitet Sekundäres. Aber das Trinitätsgeheimnis macht kund, daß das nicht gilt für die in und durch sich selbst wesensnotwendig bestimmte Vieleinheit des dreieinen Gottes. Es muß also denkbar und seinsmöglich sein, daß eine bestimmte Vielheit-in-Einheit nicht ein vorletztes ‚Principiatum', sondern das letzte Prinzip einfachhin ist. Eine derartige differenzierende Überholung philosophisch-metaphysischer Axiome auf Grund von Denknotwendigkeiten der (in Dogmen erhärteten) christlichen Theologie ist nichts Unerhörtes. Sie fand statt vor eineinhalb Jahrtausenden in der von der Christologie herbeigeführten Unterscheidung zwischen den Begriffen der individuellen geistigen Gesamtnatur und der Person. Später ähnlich in der Begriffsbestimmung des Akzidens, im Zusammenhang mit der Theologie der Eucharistie. Das sind bekannte Dinge; und soweit das ohne Leichtfertigkeit geschehen kann und muß, wären diese alten Fälle nun um einen neuen Fall zu vermehren. Ist dies grundsätzlich einzuräumen, dann wird man ohne Verstoß gegen fundamentale metaphysische Seins- und Denkgesetze auch eine die Vieleinheit Gottes in seinen Personen begründende oder ihr entsprechende Einheit-in-Mannigfaltigkeit innerhalb des göttlichen Wesens annehmen können und — auf Grund der eingangs angestellten Erwägungen — müssen. Es wäre damit eine theologische Bürgschaft gegeben für unser hauptsächliches Erkenntnisziel: eine differenzierende Unterschiedenheit innerhalb des einen und einfachen Wesens Gottes selber aufzuweisen[32].

Die Trinitätstheologie gibt zweitens auch eine Wegweisung dafür, *wie* dieser Aufweis etwa zu führen ist. In der augustinisch-thomanischen Form der sogenannten psychologischen Trinitätslehre, die sachgemäßer als geistmetaphysisch zu kennzeichnen wäre, haben in der Dreifaltigkeit Gottes der Sohn und der Heilige Geist ihren Ursprung aus dem Vater bzw. aus Vater und Sohn ‚per modum intellectus' bzw. ‚per modum amoris', auf die

---

[32] Wenn eine Anmerkung zur Genesis dieser Überlegungen erlaubt ist, die einigen Dank abstatten möchte: Sie gehen zurück auf eine trinitätstheologische Disputation im Wintersemester 1955/56 unter der Leitung von *E. Gutwenger* (Innsbruck), der auch durch eine Prüfungsarbeit Anlaß gab zur Vertiefung der Frage. Die Differenzierung des metaphysischen Einheitsprinzips im Sinn einer Einheit in *bestimmter* Vielheit ist die Frucht einer im Oktober 1957 geführten Diskussion mit *W. Brugger* (Pullach).

Weise der beiden Grundfunktionen des Geistes, als Erkenntniswort (vgl. Jo 1...) und als Liebesgabe. Dann aber liegt der Grund dieser innergöttlichen ‚Hervorgänge' der erkennenden Zeugung und der liebenden ‚Hauchung' im Wesen Gottes, insofern er Geist ist und geistig wirkt. Wie es um die biblische Begründung und damit um die theologische Qualifikation dieser Deutung bestellt sein mag, ob sie eine sichere oder nur eine mehr oder weniger wahrscheinliche Lehrmeinung der Theologen darstellt (es kann darauf nicht mit Belegen für und wider eingegangen werden): Gott ist Geist, und nichts außerdem. Deshalb muß ja wohl der ursprüngliche Grund seines ‚mehrheitlichen' personalen Selbstseins gesucht werden in der Struktur und Funktion seines Geistseins und Geistwirkens.

II

Das *Problem* der Einheit-in-Mannigfaltigkeit als Geist- und Seinsstruktur stellt sich von bestimmten, durchaus zentralen Topoi der klassischen Metaphysik her. Solche problemerschließenden Lehrstücke sind (in innerem sachlichem Zusammenhang): die Transzendentalienlehre, die Wesensbestimmung von Erkenntnis und Liebe, die Bestimmung des Wesens Gottes und seines Wirkens ‚nach außen'.

1. Als *Transzendentalien* bezeichnet die scholastische Ontologie die allgemeinen Seinscharaktere, jene Grundeigenschaften, die einem jeglichen, das irgendwie ist, in Folge und im Maße seines Seins unabdingbar zukommen. Thomas [33] nennt die folgenden Tranzendentalien: ens, res, unum, aliquid, verum, bonum. Den Unterschied zwischen ‚ens' und ‚res' sieht Thomas darin, daß ‚ens', mehr existentiell, den Seinsbezug, den Aktualitätscharakter, *daß* etwas ist, ‚res' dagegen, mehr essentiell, den Dingcharakter, die ‚*Was*-haftigkeit' (‚quidditas') alles Seienden herausstelle. Das hinter dem ‚Einen' eingereihte ‚aliquid' wird von Thomas als „quasi aliud quid", als ‚was Anderes', gedeutet: vielleicht eröffnet sich hiermit schon die hintergründige Interpretationsmöglichkeit des Anderen als unabdingbar allgemeinster Bestimmung aller Selbstheit — darauf ist später zurückzukommen [34]. Das Transzendentalienlehrstück der scholastischen Handbücher pflegt sich zumeist dem unum, verum und bonum, der Seins-Einheit, -Wahrheit und -Gutheit, als den ontologischen Auslegungsweisen dessen, was ‚das Seiende' ist, zuzuwenden. Hier interessiert zunächst die Bedeutung der Seinswahrheit und -gutheit sowie das Verhältnis dieser zwei Transzendentalien zur Einheit alles Seienden.

---

[33] De natura generis 2; vgl. De veritate 1, 1.

[34] Vgl. oben Anm. 8.

Als wahr und gut zeigt sich das Seiende nach Thomas, wenn es nicht nur an sich, sondern in bezug auf die Seele oder[35] auf den Geist betrachtet wird. Der Bezug auf Geist als erkennenden stiftet die Wahrheit, der Bezug auf Geist in seinem liebenden Wollen stiftet das Gutsein des Seienden. Konstitutiv verhält sich zur Seinswahrheit und -gutheit allein der unendliche Geist Gottes, der endliche Menschengeist dagegen nur konsekutiv[36]. Die Folge des Erkannt- und Gewolltseins von seiten Gottes und die Voraussetzung des Erkannt- und Gewolltwerdens von seiten des Menschen ist die dem Seienden als solchem eignende, ja es ausmachende zweifache Verfaßtheit, die wir als Seinswahrheit und als Gutsein ansprechen. Das Gutsein äußert sich in dem Urstreben (die Scholastik sagt ‚appetitus naturalis'), kraft dessen ein jeglich Ding sich am Sein hält und auf die ihm gemäße Selbstverwirklichung, tätige Selbstvollendung ausgeht. Jedes Seiende besitzt zwar selbst ein solches Streben, aber nicht jedes Seiende besitzt selber Erkenntnis. Insofern jedoch allem Selbstwerden ein Inbild dessen, was da je zu werden ‚im Begriffe ist', vorschwebt oder vielmehr eingeprägt ist, kann man jedem, auch dem nicht formell sinnlich oder geistig erkennenden Seienden eine Art unbewußten und doch erkenntnishaften Ausgriffs auf sich selbst — mit J.B. Lotz, der der transzendentalen ‚appetitio' in diesem Sinne eine ‚perceptio' oder ‚Vor-stellung' parallelisiert[37] — zuerkennen. Wollte man davon absehen, weil es nicht darum geht, die Seinswahrheit dem Gutsein strengstens gleichzuschalten und auch ihrerseits als Moment der Selbstverwirklichung zu dynamisieren, so bleibt doch alles Seiende in seinem Sein und Werden notwendigerweise ein je bestimmtes, und diese Bestimmtheit ist seine durchaus mit ihm selbst gegebene Erkenntnis- oder Wahrheitssignatur. Das dynamische Moment ursprünglichster Selbstbejahung und das formale Moment durchgängiger Bestimmtheit machen die Doppelstruktur aus, infolge deren alles Seiende gut und wahr ist. Könnten diese beiden Momente im eigentlichen Sinn noch auf einen einfacheren Nenner gebracht, auf eine zugrunde liegende allgemeinere Einheit reduziert werden, dann, so scheint es, wäre es um die uneingeschränkte Allgemeinheit, Transzendentalität dieser zwei Seinsbestimmungen ‚gut' und ‚wahr' geschehen.

Damit stellt sich die Frage, wie sich die Zweiheit von Gutsein und Seinswahrheit verhält zur Einheit alles Seienden, zum Transzendentale ‚unum'. Sosehr gerade J. B. Lotz[38] die „operativen" Transzendentalien

---

[35] *Thomas von Aquin,* De ver. 1, 2.

[36] Vgl. hierzu und zum Folgenden *J. B. Lotz,* Ontologia (Barcelona-Freiburg i. Br. 1963) 69—158; *ders.,* Metaphysica operationis humanae (Analecta Gregoriana 94, Rom ²1961) 115—223 239—243.

[37] Ebd. 111—115. [38] Ebd. 75 115 155—158.

'wahr' und 'gut' unterscheidet von dem „voroperativen" Transzendentale der Einheit, so sehr hebt er diese Klassifizierung — zu Recht — auch wieder auf in die umfassendere Sicht, die die Transzendentalien insgesamt ineinander verfügt sein läßt. Er legt zumindest nahe, in der Einheit nichts anderes zu sehen als das noch unentfaltete Ineins der Doppelstruktur Wahrheit-Gutsein, die nur als solche noch unbeachtet bleibt; und Wahrheit-Gutsein als die gegliederte Ausfaltung der in der Einheit des Seienden immer schon angelegten Struktur. Aber dann, so scheint mir, ist eben die transzendentale Einheit alles Seienden im Grunde immer schon Einheit-in-Zweiheit oder Einheit in — bestimmter! — Vielheit. (Und man mag nun das oftmals, und zwar in einer etwas ratlosen Verschiedenheit der Deutungsversuche beschworene Transzendentale 'pulchrum', 'Seinsschönheit', fassen als abschließenden Widerpart der unentfalteten *Einheit*-in-Vielheit: nämlich als die — in Gutsein und Seinswahrheit — entfaltete Einheit-in-*Vielheit;* als Einfalt oder Einfachheit in Reichtum.)

Eine Bestätigung für die unabdingbare innere Strukturierung der transzendentalen Einheit gibt der allgemeinste Begriff des 'ens' selber. Wie man 'das Seiende' in seinem Bedeutungsgehalt auch umschreiben mag, als 'etwas, dem Sein zukommt' (mit J. B. Lotz) oder, m. E. noch allgemeiner, als 'etwas, das irgendwie auf Sein bezogen ist', oder wie immer (auch die wenig glückliche Formel 'nicht-nichts', wenn unter ihr etwas gedacht werden soll, entgeht dieser Notwendigkeit nicht): es muß in ihm ausgesagt oder mitgedacht werden die Doppelheit der Momente 'etwas' und 'seinsbezogen'. Diese Momente lassen sich auf vielfache Weise kennzeichnen: essentiell-existentiell, formal-dynamisch, bestimmtheitlich-aktuierend, ... erkenntnishaft-willenshaft. Worauf es zunächst ankommt, das ist die Einheit-in-Mannigfaltigkeit, die dem fundamentalsten und dem simpelsten Gedanken von Seiendem unablöslich eigen ist: weil das Seiende *so* (d. h. als *etwas* bestimmt) *ist* (d. h. *auf Sein bezogen ist*)[39]. So könnte man denn auch[40] das transzendentale Gutsein und die Seinswahrheit beschreiben durch verschiedene Akzentuierung der beiden Momente des Seinsbegriffs, gleichsam durch partielle Definitionen, durch komplementäre Schwerpunktformeln des doppelstrukturierten Seienden als solchen: Das Seiende, insofern es 'auf Sein bezogen ist', ist gut; das Seiende als 'etwas' (das auf Sein bezogen ist) ist wahr.

Die Ontologie erhebt den ungeheueren und (durchaus auch im besten

---

[39] Je eines dieser beiden Momente ohne Ausschluß des andern, das vielmehr je mitgedacht wird, heben die ersten zwei Transzendentalien von De ver. 1, 1 hervor: das 'ens' den Seinsbezug, die 'res' das Etwas.

[40] Wie ich anderswo vorgeschlagen habe: Scholastik 38 (1963) 579.

Sinne) frag-würdigen Anspruch, etwas höchst Optimistisches auszumachen über die Grundverfassung aller Wirklichkeit, und zwar apriorisch zur Erfahrung des je Einzelnen. Dieser Anspruch erscheint in dem Lehrstück der Transzendentalien fast mehr verborgen[41] als nach Tiefgang und Tragweite ausgelotet. In dem Maße jedoch, in dem er ernst zu nehmen ist, öffnet er, das dürfte sich bereits nahelegen, eines der Transzendentalien, die Seinseinheit, auf eine nicht unbedeutende Wandlung des fundamentalen Sinngehaltes hin.

2. Die von der Transzendentalienlehre her angeschnittene Problematik der Einheit-in-Mannigfaltigkeit vertieft sich von selbst in Richtung der *Wesensbestimmung von Erkenntnis und Wollen.* Die transzendentalen Seinscharaktere Gutsein und Wahrheit, um die diese Überlegung bisher kreiste, sind auch dort, wo sie sich wie im untergeistigen Bereich in vorläufigen, abkünftigen, quasi-defizienten Verwirklichungsgraden und Bestimmtheitsweisen finden, von Gott gestiftet und vom erkennend-bejahenden Menschen nachvollzogen als Bezüge auf Geist, auf den Geist in seiner Doppelfunktion von Erkenntnis und liebendem Wollen. Die Transzendentalien setzen diese Doppelfunktion des Geistes, in der Wirklichkeit und Bestimmtheit ihrer Zweiheit, voraus. Die Seinsmetaphysik gründet in Geistmetaphysik, in dem Maße als sie fortschreitend sich in sich vertieft — und jedenfalls in dem anspruchsvollen und bedeutsamen Lehrstück der Transzendentalien. Nun scheint aber die scholastische Philosophie in der Regel, sobald sich die Frage nach den Funktionen des Geistes, jedenfalls nach Existenz und Wesen des Willens, stellt, auf die Transzendentalienlehre zurückzugreifen, so daß ein Zirkel wechselweiser Rückverweisung droht.

Der Wille als geistiges Grundvermögen wird in seinem Wesen scholastisch bestimmt durch sein Formalobjekt[42]: das Gute als solches, bonum qua bonum (ich würde sagen: das Seiende als gutes, ens qua bonum). Das Gute seinerseits aber läßt sich doch wohl nur fassen als Ziel eines Strebens, das auch als Urstreben oder Naturstreben nur bestimmbar ist in Entsprechung zur menschlichen Selbsterfahrung des eigenen Wollens. Darüber hinaus suchen manche scholastische Lehrbücher[43] nachzuweisen, daß es,

---

[41] Die ‚klassische' Degenerationsform der Transzendentalienlehre ist nachzuschlagen in Kants Kritik der reinen Vernunft (B 113—116).

[42] Unter Formalobjekt versteht die Scholastik jenes gegenständliche Moment, im Hinblick auf welches für ein Wirkvermögen irgendein Gegenstand zugänglich, antreffbar, erfaßbar ist.

[43] Vgl. z. B. *Vinc. Remer,* Psychologia 38 (Rom [5]1925) 226; *Car. Boyer,* Cursus philosophiae II (Brügge 1939) 53 156; *Walter Brugger,* Tractatus de anima humana (Pullach 1958) 183 190. *W. Brugger* skizziert jedoch an anderen Stellen (ebd. 36 f 53 f 177—179

weil es sinnliche Erkenntnis gibt, auch sinnliches Streben (Trieb genannt) geben müsse; und weil geistige Erkenntnis, auch ein geistiges Streben (mit dem Namen ‚Wille'). Das dabei wirksame Axiom wiederum sehen sie begründet in dem allgemeineren und allgemeinsten Transzendentalien-Prinzip ‚omne ens est bonum', wonach alles Seiende in der Ordnung des Guten und damit in bezug auf Streben steht. Hier liegen ungenügende Zirkelbestimmungen vor.

Auf seiten der anderen Grundfunktion des Geistes, der Erkenntnis, ist dies nicht so offensichtlich. Als das Formalobjekt der geistigen Erkenntnis wird namhaft gemacht das Seiende als solches, ens qua ens; und dieses gilt ja als das voraussetzungslos Ersterkannte. Allerdings lassen sich Bedenken erheben, ob diese Kennzeichnung des Formalobjekts nicht zu undifferenziert sei. Wenn der Erkenntnis extensiv wie zumal intensiv unterschiedslos das Seiende einfachhin zugeordnet wird, das Seiende also nicht nur nach seiner allumfassenden Bereichsweite, sondern auch für die eigentlich inhaltliche Tiefendimension seiner sämtlichen Momente: erscheint die Erkenntnis dann nicht intellektualistisch überfordert als *das*, gar als das ausschließlich-einzige geistige Vermögen? Anderseits bedeutet eine Differenzierung des Formalobjekts der geistigen Erkenntnis, die dieses bestimmt als ‚das Seiende als wahres (ens qua verum)', keineswegs eine unzulässige Subjektivierung der Erkenntnis, vorausgesetzt nur, daß ‚wahr' nicht sogleich die logische Wahrheit der menschlichen Erkenntnis, sondern zunächst die ontologische Wahrheit des Seienden selber meint. Wenn und insoweit eine solche Differenzierung angebracht ist, bringt sie in neuer Dringlichkeit die Frage mit sich — ähnlich wie zuvor gegenüber dem Moment des ‚Guten' —, wie denn das Differenzierungsmoment des ‚Wahren', ohne schlechte Zirkeldefinition, zu bestimmen sei.

Berechtigt und unaufgebbar scheint an der hier zur Frage stehenden Methode der Scholastik, daß sie nach dem Axiom ‚facultas specificatur ab actu, actus ab obiecto' die geistigen Vermögen Intellekt und Wille bestimmt durch die ihnen zugeordnete Gegenständlichkeit, die das sie in ihrer Eigenart konstituierende Funktionsgesetz angibt (eben dies bedeutet ja das ‚Formalobjekt'). Dann aber erhebt sich, grundsätzlich verschärft, dieselbe Schwierigkeit: wie die subjektiven Grundweisen des Geistes, nämlich Erkenntnis und Wollen, in dem sie Unterscheidenden gefaßt werden können, da doch schon die allerersten — in ihrer Bereichsweite durchaus koextensiven — unterscheidbaren Grundweisen auf der Objektseite des Seienden, nämlich Wahrheit und Gutsein, eben jene geistigen Grundfunk-

189—191 250 f) eine ursprüngliche Systematik der Geistfunktionen, der ich Wesentliches verdanke.

tionen (an sich und für uns, in der Seins- und in der Erkenntnisordnung) voraussetzen.

Man könnte versuchen, diese Subtilität mit einer früheren auszuzahlen. Bringt man, wie vorgeschlagen wurde, die Transzendentalien ‚wahr' und ‚gut' als die beiden Momente der inneren Gegliedertheit bereits des einen Seienden, in seiner Doppelstruktur von Etwas-Seinsbezogenem, in Sicht, dann gerade sind diese Seinsbestimmungen schon im allerersten und einfachsten begreifenden Erfassen von Seiendem ursprünglich mitbestimmt. Und die Aporie der wechselweisen Voraussetzung von Seinstranzendentalien und Geistfunktionen wäre — wenigstens für uns, für unsere Erkenntnis — behoben zugunsten einer Vorgängigkeit der fundamentalsten (lies: allgemeinst leersten) Erfassung von Seiendem. Aber das geht doch wohl nicht so einfach. Das unabdingbare Sichdurchsetzen der Doppelmomente von Wahrheit und Gutsein und damit von Erkenntnis und Wollen bis in die einfachst-mögliche Struktur des anfänglichen Seinsbegriffes hinein war zwar von den entwickelteren Erkenntnispositionen, die sich beziehen auf Erkenntnis-Wollen und Wahrheit-Gutsein, kraft eines philosophisch noch nicht eingeholten Erfahrungsverständnisses des mit diesen Worten Gemeinten rückzuverfolgen, retrospektiv; aber das besagt nicht, daß es aus dem ersten und leersten Denkansatz von ‚Seiendem' prospektiv entfaltet werden könne, so daß aus dessen notwendig mitgegebener (aber vielleicht nur sehr unzulänglich ausgedachter und so mehr verdeckter als freigelegter) Struktur allein eine angemessene Bestimmung von Gutsein-Wahrheit und von Wollen-Erkenntnis zu erschwingen wäre. Die Aporie bleibt also. Das gemäße Verständnis der Transzendentalien bleibt, so scheint es, abhängig von der Reflexion auf Wollen und Erkenntnis; wie das Verstehen von Sein überhaupt von dem Verstehen von Geist.

Die Auflösung der Aporie ist jetzt noch nicht zu leisten. Aber in der angerissenen Problematik zeichnen sich bereits Linien der Lösung ab. Die scholastische Philosophie stellte zumeist das Bestimmtwerden der subjektiven Wirkvermögen durch die Objekte heraus, und damit eine sich als realistisch qualifizierende Priorität (für uns) von Sein gegenüber Geist; sosehr sie natürlich weiß, daß an sich das Sein in seinem Sinn-Ziel-Grund, in Gott, Geist ist. Dagegen soll hier zum Zuge kommen das gründende Verhältnis des Geistsubjekts gegenüber dem Objekt-Seienden, von Wollen und Erkenntnis gegenüber der Seinsgutheit und -wahrheit. Die scholastische Auskunft darf sich nicht verflüchtigen zu objektivistischem Formalismus; die eigene Denktendenz nicht sich verdüstern zu subjektivistischem Dynamismus. Müssen die einander scheinbar widerstreitenden Forderungen sich also nicht etwa ergänzen? Muß nicht das scheinbar gegensätzliche Bestimmungsverhältnis, das wechselweise Aufeinanderverwiesensein von Seinsstruktur und Geistfunktion sich aufheben in einem echten, gültigen Zirkel, in dem die Antwort auf die gestellten Fragen schwingt? Und wird dieser Zirkel sich nicht letztlich im besten Wortsinn erweisen als in sich kreisende Identität von Geist und Sein, Subjekt und Objekt? Wird die mit dieser Identität gesetzte Gegliedertheit von Einheit-in-Mannigfaltigkeit sich nicht abschatten und eintragen in alle Geistbeziehungen und Seinsweisen? Zuvor: werden die Urworte, von denen hier ständig die Rede geht, sich nicht erstlich in jenem ursprünglichen Zirkel konstituieren (oder als je schon konstituiert erweisen) zu dem eigentlichen, gemäßen, nun philosophisch begriffenen Sinn, den sie meinen? Werden sie dabei nicht gleichsam ineinanderrücken, dergestalt daß z. B., was ‚Objekt' eigentlichst meint, dem Geist als solchem nicht äußerlich bleiben kann, entgegen landläufiger Meinung, wie ‚Subjekt' nicht dem Sein? Wie wird sich dabei schließlich insgesamt das Verhältnis von Geist und Sein, Wollen und Gutsein, Erkenntnis und Wahrheit einerseits (nennen wir dies ziemlich willkürlich die vertikale Verhältnisebene) und wie das Verhältnis von Wollen und Erkenntnis im Geist und von Gutsein und Wahrheit im Sein anderseits (die horizontale Verhältnisebene) bestimmen, je für sich und dann das Verhältnis dieser Verhältnisse zueinander? Dieser Fragekomplex ist vermutlich am zweckmäßigsten zu reduzieren auf die Grundfrage, in der ich wenigstens für die gegenwärtige Epoche das Auf-und-Ab der Metaphysik — nicht nur der metaphysischen Anthropologie, die nach dem Wesen des Wahrheit erkennenden und in Freiheit liebenden Menschen fragt — zu sehen versucht bin: Was ist Erkenntnis und was[44] Wollen und was ihr Verhältnis, in Entsprechung und Unterscheidung, zueinander?

3. Die folgenden Erwägungen führen die Problematik auf jenes Gebiet, auf dem die Entscheidung fällt in Sachen der Einheit-in-Mannigfaltigkeit als transzendentaler, allumfassender Seinsbestimmung: zur Frage nach dem *Wesen und Wirken Gottes.* Die scholastische Philosophie will als nonplus-ultra ihrer Gotteserkenntnis das Personsein Gottes erweisen, und das heißt Gott als den, von dem wir, gewiß auf analoge Weise, aber doch mit einer unaufgebbaren formellen Bedeutungsübereinkunft, das sagen können, was wir von der menschlichen Person sagen: daß er erkennt und liebend will. Und sie gründet hierauf den weiteren Nachweis, daß sich Gott auch persönlich zur Welt verhalte, indem er sie erkennt und aus freiem Liebeswillen erschafft. Diese beiden Thesen von dem erkennendliebenden Selbstsein Gottes und seinem erkennend-liebenden Weltverhält-

[44] Genauer, weniger einseitig formal, wäre zu fragen: als was ‚wesen' Erkenntnis und Wollen *und kraft wessen sind sie wirklich und wirksam?* Aber Fragen, Denken, Philosophieren ist nun mal vorwiegend Geschäft der Erkenntnis von Wesenheiten, von Wassein.

nis sind keine metaphysischen Luxusprobleme, weil, falls nicht das philosophische Wissen, dann ja doch eben Glaube und Theologie darüber Gewißheit verschafften: diese Erkenntnisse sind vielmehr unerläßliche innere Momente einer rationalen Rechtfertigung der Glaubensentscheidung. Im Zusammenhang unserer Problematik stellen sich die Fragen: Wie kommt die erste Erkenntnis zustande, und was bedeutet die zweite?

Der neuplatonische Prototyp aller (fast) bloß negativen Theologie, die über Gott ausschließlich sagen möchte, was er *nicht* ist, wagt Gott nur als ‚das Eine' (und höchstens noch als ‚das Gute') zu bezeichnen, weil jede andere Aussage Entzweiung und Verendlichung in ihn hineintragen würde; und weil dies auch für das geistige Sein der Erkenntnis gelte, tritt der νοῦς, der Geist, erst auf als oberste Emanation aus dem Ureinen. (Es ist nicht ohne Interesse, wie diese Auffassung eine abstrakte Einheit, jenseits der in sich gegliederten Lebendigkeit des Geistes, festhält und dabei doch durch die Emanationsspekulation einen Ansatz bietet, diese Abstraktion aufzubrechen — wie sich dies ähnlich von der christlichen Trinitätstheologie her zeigte. Es scheint kein Entkommen zu geben ...) Daß Gott der erkennende und liebende Gott sei und als solcher erkannt werde, ist nur möglich, wenn Erkenntnis und Liebe, einfachhin genommen nach dem Grundgehalt ihrer Bedeutung, im Gegensatz etwa zu sinnlicher Erkenntnis und sinnlichem Streben oder zu vegetativem Leben oder körperlicher Bewegung, keinerlei Beimischung von Endlichkeit oder Materialität besagen und entsprechend bestimmt werden können. Oder wenn sie, wie die scholastische Philosophie sich ausdrückt, perfectiones purae, reine Vollkommenheiten darstellen, an sich und für uns; wie dies noch für einige andere Bedeutungsgehalte wie ‚Sein', ‚Wirken', ‚Leben' angenommen wird. Von den reinen Vollkommenheiten sagt die Scholastik, daß sie Gott ‚formaliter' zukommen, d. h. mit all dem, was sie beinhalten; während sich die ‚gemischten' Vollkommenheiten (etwa ein sinnlicher Affekt oder Trieb, z. B. Ungeduld oder Durst) nur ‚eminenter'[45] in Gott finden, d. h. nur insofern sie Anteil haben am Grundwesen einer reinen Vollkommenheit (bei den genannten Beispielen: an liebendem Wollen). Es wäre also zu zeigen, daß Erkenntnis und Liebe als solche, in ihrem reinen Wesensbestand, noch diesseits aller endlichen und der etwaigen unendlichen Wirklichkeitsweisen und Wirkgrade, nichts anderes als Vollkommenheit bedeuten, ohne Minderung und Beeinträchtigung, zumal

---

[45] Einen andern Sinn hat das ‚eminenter', wenn es die unendliche Wirklichkeitsweise der (reinen) Vollkommenheiten in Gott, im Gegensatz zu den endlichen Verwirklichungsgraden, bezeichnen soll. Diese ‚eminentia' ändert nichts am formalen Wesensgehalt der betreffenden Eigenschaft.

ohne eine mit diesem Wesen gesetzte oder von ihm geforderte Einschränkung auf endliche Verwirklichung. Und das nicht nur für einen allgemeinen, quasi-generischen Bedeutungsgehalt, in dem Erkenntnis und Liebe etwa übereinkommen, er heiße ‚Leben' oder auch ‚Geist', sondern auch für den quasi-spezifischen Eigengehalt von Erkenntnis und Liebe je für sich, in ihrer Unterschiedenheit voneinander. Gesucht wäre also die Bestimmung der reinen ‚Formalitäten'[46] von Erkenntnis und Liebe in ihrem je Unterscheidend-Eigenen, weil nur an Hand dieser Bestimmungen erwiesen werden kann, daß Erkenntnis und Liebe im umschriebenen Sinne reine Vollkommenheiten sind — und daß sie somit Gott zukommen. Ist es unbillig, zu fragen, ob diese entscheidenden Formalbestimmungen sich in den scholastischen Lehrbüchern, die gewiß Ansätze dazu vorweisen[47], mit der entsprechenden Entschiedenheit und Grundsätzlichkeit angegangen und ausgeführt finden? Jedenfalls hat das zur Erwägung stehende Problem der Gotteserkenntnis zurückgeführt zu den Bestimmungsfragen, die sich zuvor aus ontologischem und anthropologischem Kontext auskristallisierten: was Erkenntnis und was Liebe sei, in ihrer Unterschiedenheit als Geistfunktionen. Da zugleich, wie es scheint, diese Weisen geistigen Seins je in ihrer formalen Eigenart Gott zugedacht werden müssen, da Gott sonst nicht als — formaliter — erkennend und liebend-wollend bezeichnet werden könnte, so liegt bereits auf Grund des bisherigen Problemanrisses die Annahme nahe, daß auch und zumal in Gott, dessen Sein Geist ist, die Seinsstruktur der Einheit-in-Mannigfaltigkeit statthat.

Für diese Annahme spricht auch die weitere Überlegung über das Wirken Gottes ‚nach außen', über sein Weltverhältnis. Ohne auf die schwierige Frage nach der göttlichen Erkenntnis des Möglichen, der sogenannten Possibilien, in ihrem Ob und Was und Wie näher einzugehen[48], läßt sich doch sagen, daß Gott eine Erkenntnis von Nichtgöttlichem, von möglichen Strukturen — Grundstrukturen wenigstens — von Welt besitzt, die nicht nur auf seiten des subjektiven Aktvollzugs, sondern auch von

---

[46] Eine ähnliche Ausdrucksdefizienz wie die in Anm. 44 notierte: es handelt sich gegenüber der Liebe nicht so sehr um eine Bestimmung ihrer ‚Formalität' als vielmehr um den Aufweis einer Dynamik (als Komplementärmoments aller Erkenntnisformalität), die allerdings als solche dann doch auch eine Art reflexer, indirekter Wesensform besitzt.

[47] Etwa anläßlich der erkenntniskritischen Frage nach der Möglichkeit der Metaphysik, die durchaus abhängt von der Möglichkeit der Erkenntnis reiner Vollkommenheiten (vgl. z. B. *Josef de Vries*, Critica, Freiburg i. Br. 1954, 167—174), oder anläßlich des Gottesbeweises ‚ex gradibus', aus den Vollkommenheitsgraden (*W. Brugger*, Theologia naturalis, Pullach 1959, 72 f).

[48] Vgl. s. v. Possibilien: LThK² VIII 640—642.

seiten ihrer Gegenständlichkeit, ihrer Objektbestimmtheit notwendig[49] und ewig ist, in einem logischen Im-voraus zur Freiheitsentscheidung des schöpferischen göttlichen Willens und unabhängig davon. Die Wirklichkeit der faktisch bestehenden Welt dagegen ist das in seiner Gegenständlichkeit nicht notwendig-ewige, sondern kontingent-zufällige und zeitliche Ziel und Ergebnis des (in seinem Aktvollzug allerdings ebenfalls notwendig-ewigen, einmalig-einfachen usw.) freien Gotteswillens. Es ist ein Unterschied festzustellen zwischen der Notwendigkeitsmodalität der göttlichen Erkenntnis möglicher Welt und der Nicht-Notwendigkeits-Modalität des auf die Wirklichkeit dieser unserer Welt gerichteten Liebeswillens Gottes, soweit Erkenntnis und Liebe je in ihrem Objektbezug betrachtet werden. Und was dieser Unterschied bedeutet? Gott hat in seinem Geistsein, infolge der inneren Verschiedenheit der fundamentalen Geistfunktionen, einen verschiedenen konstitutiven Bezug auf ein und dasselbe Welt-Objekt als Möglichkeit und als Wirklichkeit. Jede Reduzierung der Zweieinheit der Geistfunktionen auf einen Erkenntnis- oder Willensmonismus muß die Verhältnisbestimmung Gott-Welt grundstürzend ändern[50].

Der zuletzt verfolgte Problemansatz entspricht im Prinzip durchaus unserer wegweisenden trinitätstheologischen Vorüberlegung: Wie der durch die Modi der Geistfunktionen sich in seiner Unterschiedenheit konstituierende Ursprung von Sohn und Heiligem Geist, so bildet auch das sich in notwendiger Erkenntnis und frei schöpferischem Liebeswillen differenzierende Weltverhältnis Gottes eine Berufungsinstanz dafür, daß es in Gottes Wesen so etwas wie eine zweieinige Funktionalität und Strukturierung des Geistes gibt; und zwar nun auf dem Gebiet nicht der theo-

---

[49] Die ‚Über-Modalität' der Notwendigkeit, die dem Möglichen als solchem eignet (vgl. *W. Brugger:* Kontrolliertes Denken, Freiburg i. Br.-München 1951, 18—21), ist begründet in der objektiv-notwendigen Erkenntnis Gottes.

[50] Die großartigste Ausführung einer ‚Gnosifizierung' von Geist und Sein stellt m. E. die Philosophie Hegels dar. In ihr, so möchte es scheinen, gibt sich die Philosophie, die ja spezifisch Geschäft der Erkenntnis ist, in einer universalen Radikalität ohnegleichen der ihr eingeborenen Versuchung anheim, nur eben Erkenntnis zu kennen. Aufschlußreich ist im vorliegenden Zusammenhang, daß der seit eh und je bekannteste Bruch des hegelschen dialektischen Systems zwischen seiner Logik, seiner Idealphilosophie einerseits und der Natur- (und Geist-), also der Realphilosophie anderseits auftritt: dort, wo Hegel das, was die Metaphysik des Christentums als freie Schöpfungstat des göttlichen Liebeswillens erkennt, trotz anderslautender verbaler Versicherungen konstruieren muß als *notwendigen* dialektischen Umschlag und Niederschlag aus der Höhe der absoluten logischen Idee in die Tiefe raumzeitlicher Welt-Materialität, ohne doch die Notwendigkeit, den für ihn einzig angestammten, einheimischen Boden des Logos zu verlassen, begreiflich machen zu können. Welt wird in einem erkenntnismonistischen System konsequent zum notwendigen Moment des all-einen Idealzusammenhangs.

logischen, sondern ‚schon' der philosophischen Metaphysik. Die gesamte hier berührte Problematik schließt sich zusammen in das Desiderat einer ursprünglichen Beschreibung der Geistfunktionen in ihrer Zweieinheit von Erkenntnis und liebendem Wollen.

III

Im Zentrum unserer Überlegungen steht die Reflexion darüber, was Erkenntnis und Liebe sind und wie sie sich aufeinander beziehen.

1. In der *Erkenntnis* erlangt das bisher Unerkannte, von dem ich nicht weiß, ob es sich so oder anders verhält, seine Bestimmtheit: daß es sich nämlich *so* verhält, *nicht anders.* Durch welche Analysen eines Gegenstandes und durch welche Ketten von Erwägungen eine Erkenntnis auch vermittelt sein mag, sie vollendet sich in einem Aufblitzen der Wahrheit: Ja, so ist es! Was bislang unzugänglich, ungreifbar, fremd erschien, ist nun gefaßt und gehalten, angeeignet und vertraut; es ist ein Stück des Erkennenden geworden, *mein* Erkanntes. Auch der Erkennende seinerseits kommt ins Spiel, er wird betroffen und bestimmt durch das So-und-nicht-anders seines Gegenstandes; er ist durch diesen ein *solcher* Erkennender geworden. Eine Einheit hat sich gewoben um erkennendes Subjekt und erkanntes Objekt. Die Erkenntnis ist ein Identitätsvollzug von Subjekt und Objekt.

Dabei ist keine Erkenntnis eines ‚äußeren' Gegenstandes möglich ohne die Erkenntnis jenes ‚inneren' Gegenstandes, der Ich heißt. Gegenstandsbewußtsein ist stets gekoppelt mit Selbstbewußtsein. Gewiß richtet sich unsere Aufmerksamkeit für gewöhnlich auf das unmittelbare, äußere Erkenntnisobjekt, und die Selbsterkenntnis ist erst Sache zusätzlicher, nachträglicher Reflexion. Sosehr jedoch der Anstoß der Erkenntnis von dem äußeren Gegenstand her in die Sinnenhaftigkeit des Menschen trifft: die wahre, auf das Ansichsein des Gegenstandes zielende Erkenntnis gründet in der Selbsterkenntnis des Geistes. Daß etwas so *ist:* diese Erkenntnis ist uns nur gegeben auf Grund der eigenen geistigen Seinserfahrung, ohne die nicht gewußt würde, was ‚ist', was ‚sein' bedeutet. Der äußere Gegenstand erlangt die Helle, Durchlichtetheit seines Erkannt-seins dadurch, daß er eintritt und heimisch wird im durchlichtet-hellen Raum des Selbstseins des geistigen Subjekts. Das Subjekt-Selbst ist der Fokus der Erkenntnis. Im erkennenden Subjekt und nur durch dieses gibt es ein erkanntes Objekt. Das erkannte Andere — gerade in seinem Selbstsein als Anderes — hat seinen Ort *im erkennenden Selbst.* Die Subjekt-Objekt-Identität, als welche sich die Erkenntnis vollzieht, hat ihren Schwerpunkt, gleichsam ihr spezifisches Vollzugsmedium im Subjekt-Selbst.

Von dieser ‚Ortsbestimmung' her verdeutlichen und erklären sich die Grundcharaktere der Erkenntnis. Weil die Subjekt-Objekt-Einheit der Erkenntnis sich vollzieht im Subjekt-Selbst, steht sie unter dessen Gesetz: Das Gesetz des Selbst ist das Gesetz der Identität, der Übereinstimmung mit sich selbst. A gleich A, Selbst gleich Selbst[51]. Das Selbst ist das geistige Seinsprinzip der Identität, es ist auch deren Vollzugsgesetzlichkeit. Die Forderung der Übereinstimmung mit sich selbst ist das Grundgesetz alles wahren Denkens und Sagens. Der Raum der Selbst-Identität des ‚So-und-nicht-anders' ist zweitens der Raum der Notwendigkeit. Nicht nur die Wesensbeziehungen der analytischen und der apriorisch-synthetischen Sätze sind notwendig, sogar das allerzufälligste, unwesentlichste Faktum *kann nicht,* insofern es mit sich identisch ist, nicht sein. Das Identitätsprinzip kehrt seinen eigenen Notwendigkeitscharakter heraus im Prinzip des Nicht-Widerspruchs. Auch die allem Denken zugrunde liegenden Elemente und Wesensmomente selber, die sogenannten Possibilien, sind — notwendig. Was möglich ist, kann nicht nicht-möglich sein. Die Möglichkeit alles Erkennbaren ist ihrerseits nochmals umfaßt von der Modalität der Notwendigkeit[52]. Der Bereichsraum dieser Notwendigkeit schließt drittens alles Erkennbare zur Einheit eines Ganzen zusammen. In der Erkenntnis gibt es eine durchgängige Verflechtung eines jeden Momentes mit allen anderen. Jedes ‚So' ist zu sich selbst bestimmt als das ‚Andere' alles Anderen. „Das Wahre ist das Ganze": dieses Wort Hegels[53] hat einen gültigen Grundsinn für die Erkenntnis, ausschließlich als solche betrachtet. So betrachtet, ist die Erkenntnis ein System der Einheit und Ganzheit, der Uni-versalität oder All-Einheit also, auch irgendwie einer Kontinuität und Homogenität. Das kann hier nicht näher diskutiert werden. Gewiß jedoch hat die Einheit des Objektbereichs der Erkenntnis ihre Rückwirkung auch auf die Subjektseite: Für die Erkenntnis rein als solche und ihre Wahrheit gibt es nur *ein* Subjekt. Jede Mehrheit von Subjekten muß für sie etwas gänzlich Zufällig-Äußerliches bedeuten oder eine unvollziehbare Aufteilung und Vervielfachung der einen Wahrheit[54].

---

[51] Man kann nicht mit demselben Identitätsanspruch sagen: Das Andere ist das Andere. Denn als ‚das Andere' Nr. 2 könnte es auch ‚das Andere' zum Andern Nr. 1 sein, also zu sich — selbst.

[52] Vgl. oben S. 222 f mit Anm. 49.

[53] Phänomenologie des Geistes, Werke II (1832) 16.

[54] Ich habe hier anderswo Ausgeführtes aufgenommen: Geschichte der europäischen Philosophie in der Neuzeit, 2. Heft: Von Kant bis Hegel (Pullach 1961) 249—268: Über die Grundstruktur der hegelschen Philosophie (zugleich Versuch einer Kritik). — Vgl. *Hegel,* zu unserer Reflexion über Wesen und Charaktere der Erkenntnis: „Erkennen . . . ist . . . Rückkehr der Subjektivität in sich" (Werke IX, 1837, 393). Im absoluten Wissen hat „der Inhalt die Gestalt des Selbsts erhalten", „die Form des Selbsts" (II, 1832, 602). Die

2. Wenn Erkenntnis sich ausweist als ein Hereinholen-in, so zeigt sich das *Wollen* als ein Ausgreifen-nach. Schon in der Form des begehrenden Strebens, des Besitzen- und Verfügenwollens zielt es auf Überwindung von Entfernung und Fremdheit, auf Aneignung des Gewollten und Einheit mit ihm. Sobald Streben aufhört, bloß sinnlicher Trieb zu sein, bloßes instinktives Habenwollen-für-mich, erreicht es den Gegenstand in seinem Sein-an-sich. Dann erst heißt es Wollen. Wenn das Wollen das Gewollte in seinem Selbstsein, seinem Eigenwert bejaht, wenn es rein das Ansichsein seines Gegenstandes sich zum Ziele setzt, so erlangt es die vollkommene Ausprägung seines Wesenssinnes als *Liebe.* Liebe geht auf das Geliebte um dessen selbst willen. Sie will ihm wohl. Sie will es in seiner Werthaftigkeit, seinem Sein und Wirken erhalten und mehrend fördern. An all dem hat sie ihre Freude. Darauf wirft sich das Inter-esse des Liebenden. Liebe ist ein Ja zur Einheit. Nicht im selbsthaften Rückbezug auf den Liebenden, sondern im selbstlosen Ausgreifen, Sichvorstrecken nach der geliebten Person. Die behauptete Selbstlosigkeit der Liebe kann mißverstanden werden. Gewiß wird jeden Aufschwung der Liebe ein Mancherlei an selbstisch-begehrender Regung anstoßen, als Vorfeld, und es wird auch weiterhin mitschwingen, als Umfeld; es ist aber auch dazu bestimmt, mehr und mehr, wenn schon nie ganz, mit seiner Dynamik einzugehen in die läuternde Erhöhung und Vollendung der Liebe. Gewiß auch ist die Liebe in ihrer einzig echten Vollgestalt als selbstlose Hingabe an den Anderen, den Geliebten, zugleich die einzigmögliche volle Selbstverwirklichung des Liebenden — aber die Selbsterfüllung darf nicht zum bewußt gewollten, eigentlich angezielten inneren Moment, zum Formalobjekt der Beziehung zum Anderen werden[55], denn das würde die Liebe pervertieren. Kant verlangt als Grundgesetz des Verhaltens von Mensch zu Mensch überhaupt: „In der ganzen Schöpfung kann alles, was man will und worüber man etwas vermag, auch *bloß als Mittel* gebraucht werden; der Mensch, und mit ihm jedes vernünftige Geschöpf, ist *Zweck an sich selbst.*“ [56] — Die Liebe schenkt, und sie schenkt sich. Sie sucht

„eigentliche Natur der Dialektik“ ist: „das Fortschreiten des Denkens ... für sich selbst, d. i. die innere Notwendigkeit im Erkennen zu begreifen“ (XVI, 1834, 475) — usw.

[55] In etwa kann zwar der eigene Gewinn das äußere Motiv der Liebe sein, das einen Anstoß dazu gibt, in die Liebe zu einem Andern einzutreten. Aber die Liebe muß dann doch die selbstische Motivation ihres eigenen Zustandekommens überschreiten, gleichsam in einen neu entworfenen Innenraum der Selbstvergessenheit hinein, in dem allein Liebe zum Andern geschieht.

[56] Kritik der praktischen Vernunft (Erstausgabe 1788) 155 f; vgl. ebd. 237: „Daß in der Ordnung der Zwecke der Mensch ... *Zweck an sich selbst* sei, d. i. niemals bloß als Mittel von jemandem (selbst nicht von Gott), ohne zugleich hierbei selbst Zweck zu sein, könne gebraucht werden ...“ In der „Metaphysik zur Grundlegung der Sitten“ (Erstausgabe

Gegenwart, und sie vollendet sich in der Hingabe, in der Einheit nicht nur des Fleisches (in der ganzmenschlichen ehelichen Liebe, die ihre Zwei*einheit* im gezeugten Kinde bezeugt), sondern auch und zumeist in der Einheit der Herzen, des Empfindens, Meinens, Wünschens ... Das alles ist ja eigentlich das Selbstverständlichste von der Welt. Das selbstverständliche Wunder der Liebe.

Mit all dem ist nicht nur gesagt, daß die Liebe die Einheit von Liebendem und Geliebtem stiftet, als ein Identitätsvollzug von liebendem Subjekt und geliebtem Objekt. Auch das zweite ist im Grunde schon aufgezeigt: daß der Richtungssinn dieses Einheitsvollzugs vom Subjekt zum Objekt weist; daß der metaphysische Ort, das wesenhafte Medium der Liebe ihr ‚Gegenstand' ist. Diese Richtungsgesetzlichkeit scheint für das Wollen so ursprünglich und grundlegend zu sein, daß sie sich selbst dort durchsetzt, wo es sich nicht um die liebende Hingabe des Selbst an den Anderen — dort ist sie das bestimmende Ein-und-alles —, sondern nur um selbstisch begehrendes Wollen handelt. Denn auch hier ist das Erstrebte ein Mehr an Sein und Wert über das bisherige Selbst hinaus, ein Mehr, das insofern als ein neues Anderes dieses Selbst erscheint und das Strebende, gleichsam von seiner alten Bisherigkeit weg, auf sich hin zieht. Sogar das selbstische Begehren ist durchwirkt von der Ekstasis des eigentlich Andern seiner selbst. Damit hat das Wollen überhaupt, wie sich klar zeigte an seiner Vollendung in der Liebe, den ekstatischen Charakter der ‚Aufhebung' oder der ‚Aufgabe' des Selbst im Anderen (wobei wie der ‚Aufhebung' bei Hegel [57], so auch der ‚Aufgabe' ihr mehrdeutiger — letztlich vor allem positiver — Bedeutungssinn zu belassen ist) [58].

1785, 66 f; vgl. 83) spricht dies Kant als eine Formel des kategorischen Imperativs aus: „Handle so, daß du die Menschheit, sowohl in deiner Person als in der Person eines jeden anderen, jederzeit zugleich als Zweck, niemals bloß als Mittel brauchest."

[57] Vgl. Wissenschaft der Logik, Werke III (1834) 110 f.

[58] Aristoteles erkennt jedem Veränderungsgeschehen einen ekstatischen Charakter zu: μεταβολὴ δὲ πᾶσα φύσει ἐκστατικόν (Physik 4, 13; 222 b 16; vgl. Über die Seele 1, 3; 406 b 12 f). — Vgl. das „*Mehr*werden" und die „Selbsttranszendenz" alles Werdenden bei *K. Rahner:* Schriften IV 191—194, und in: *P. Overhage - K. Rahner,* Das Problem der Hominisation (Quaest. disputatae 12/13, Freiburg i. Br. 1961) 63—66 74—78. — Zur Ekstatik der Liebe: L'amour est désintéressement, don, exode et exstase ou il n'est rien (*A. Malet,* Personne et amour dans la théologie trinitaire de St. Thomas [Bibl. thomiste 32], Paris 1956, 131). L'appétit métaphysique foncier n'est pas une convoitise, mais une adhésion ... l'appétit naturel de l'esprit est le désintéressement même (*Joseph de Finance,* Être et agir dans la Philosophie de St. Thomas, Paris 1945, 299). Lieben bedeutet nicht: aime ton ami comme un appendice de toi-même; ni davantage: aime-toi en ton ami; mais bien plutôt: le moi aime comme si lui, l'aimant, n'existait pas, le moi n'a pas d'autre soi que son aimé (*Vlad. Jankélévitch:* La Présence d'autrui, Paris 1957, 186). *Rud. Bultmann* (Geschichte und Eschatologie, Tübingen 1958, 181) nennt die Liebe

Lassen sich, wie zuvor für die Erkenntnis, so auch für die Liebe aus ihrer Grundbestimmung (als Subjekt-Objekt-Identitätsvollzug *im Objekt*) einzelne Charaktere ihrer Seins- und Wirkweise ableiten? Wenn sich, wie ich meine, alle Wesenszüge der Geistfunktionen grundlegend bestimmen aus ihrer jeweiligen ‚spezifischen' Subjekt-Objekt-Richtung, aus dem verschiedenen Tendenzsinn innerhalb ihrer vieleinheitlichen Struktur, dann ist apriorisch, im Gegensatz zur Erkenntnis, das Wollen und die Liebe anzusetzen als Prinzip nun nicht des Selbst, sondern des Anderen; nicht der Identität, sondern der Differenz, im Sinne des jeweils überwiegenden, vorherrschenden Charakteristikums (denn daß Selbst und Anderes, Identität und Differenz nicht voneinander gesondert werden können, wird sich mehr und mehr zeigen). Wird dieser Ansatz durch seine Folgerungen bestätigt? Aus der Identität als Grundgesetz der Erkenntnis folgte deren Notwendigkeit: aus der Grundbestimmung des Liebeswillens als der sich selbst überschreitenden Diastase zum Andern als Andern hin müßte also folgen, daß die Liebe das Prinzip der Freiheit sei; ferner, immer im Gegenzug zu den angeführten Erkenntnischarakteren: das Prinzip der Wirklichkeit und des Seins im Vollsinn der Aktualität (nicht nur der Möglichkeit und des Wesens der Dinge), der Einzelheit, realen Geschiedenheit und Vielheit (nicht nur der Ganzheit, Einheit und bloß formalen Verschiedenheit). Mit anderen Worten: Wie die Erkenntnis deshalb, weil sie das Andere in die Identität des eigenen geistigen Selbst des Erkennenden hereinnimmt, sich als Raum der in sich geschlossenen Notwendigkeit des Möglichen entwirft, so erschließt die Liebe, als ‚Gegenbewegung' hierzu, insofern der Liebende sich selbst mitteilend und seinlassend hingibt an den geliebten nicht-identischen Anderen, den Raum der Nicht-Notwendigkeit, der Grund-Freiheit von Wirklichem. Nur der Wille vermag in dem homogen-kontinuierlichen Notwendigkeitsreich des Ideal-Möglichen Knoten freier Wirklichkeit zu schürzen, den all-einen logischen Kontext gleichsam zu durchsetzen mit nicht nur wesenhaft verschiedenen, sondern real geschiedenen einzelnen Wirkzentren, Punkten je neuer und eigener Wirklichkeitszentrierung (zumal mit solchen, die ‚ich' sagen und sind); er allein besitzt die Kraft des An-sich-

---

„das reine Sein für die anderen". Vgl. auch *Viktor Warnach,* Agape (Düsseldorf 1951) 187 f. — Über die Dialektik von Hingabe an den Andern und Selbsterfüllung: „Dieses Freiheitgeben, Selbständigkeitgeben, Individualitätgeben und -nehmen ist der ‚Liebe' wesentlich; in ihr konstituiert sich im Phänomen klar und scharf das aus der Einsfühlung allmählich wieder auftauchende Bewußtsein von zwei verschiedenen Personen; und dieses Bewußtsein ist nicht eine bloße Voraussetzung der Liebe, sondern auch ein im Laufe ihrer Bewegung allererst *Vollherauswachsendes*" (*Max Scheler,* Wesen und Formen der Sympathie, Bonn 1923, 83).

Bejahens, Für-sich-Setzens, Zu-sich-selber-Freigebens *des Andern.* Wie Möglichkeit und Idealität, die Verschiedenheit in wechselweiser Bestimmtheit, die geschlossene Einheit und stetige Ganzheit erkenntnisbestimmte Grundcharaktere sind, Auslegungsweisen derjenigen Grundfunktion des Geistes, die Erkenntnis heißt: so sind Wirklichkeit oder Realität, Sein, Wirken, Akt, Dynamik, die Freiheit, die Geschiedenheit in selbständigem Setzen und Gesetztwerden, die offene Vielheit und der Sprung der Entwicklung ... willedurchwirkte ‚Potenzen', Manifestationen von Wollen und Liebe. All das ist in dem bisher Dargelegten eingeschlossen oder ließe sich daraus noch näher nachweisen. Aber das kann hier nicht geschehen. Hier konnte nur die erste, alles Weitere tragende Grundbestimmung herausgestellt werden: daß die Liebe der Subjekt-Objekt-Identitätsvollzug im Objekt-Andern ist. Nur der nächstliegende Nachweis für eine der daraus gezogenen Folgerungen sei skizziert: Der Wille, so sagten wir, ist im Gegensatz zur Erkenntnis frei [59], weil er die Objekte nicht auf sich, in das Notwendigkeitsgesetz seiner Selbstidentität, bezieht, sondern sich selber auf die Objekte, auf das Andere als das Andere. Deshalb nämlich bestimmt sich die ontologische Modalität des Willensvollzugs nach dem Seinsrang nicht des Subjekts, sondern des jeweiligen Objektes. Und deshalb ist der Wille gegenüber dem endlichen Objekt als solchem grundsätzlich frei. Entsprechendes gilt, nun mehr ins Moralische gewendet, für die Würde des menschlichen Tuns: Während für die Erkenntnis auch die ‚niedersten' Seinsstufen und Weltgestalten ein durchaus ehrenhaftes Forschungsobjekt abgeben, das in dem gleichsam neutralen Raum der Erkenntnis, rein für sich genommen, gleichberechtigt neben den ‚höchsten' Erkenntnisobjekten steht [60], bemißt sich dagegen Wert und Würde des Wollens nach dem Seinsrang und der inneren Würde seines Objekts. So sehr, daß Wille als Liebe nur zu anderen Personen, nicht eigentlich zu nichtpersonaler, untermenschlicher Wirklichkeit möglich ist. Das Objekt der Liebe hebt den Liebenden zu sich herauf (oder es zieht ihn zu sich herab).

3. Bisher wurde von Erkenntnis und liebendem Wollen je für sich gesprochen. Oder doch zumeist nur im Hinblick auf ihre Gegensätzlichkeit; und das kann nicht das letzte Wort über ihre Beziehung zueinander sein. Erkenntnis und Liebeswille haben teil aneinander, sie bedingen einander, sie bestimmen und durchwirken sich wechselweise. Genauer: das

---

[59] Zur tieferen Problematik der Freiheit: *Joh. B. Metz:* Handbuch theol. Grundbegriffe I 403—414, auch 281—288.

[60] Die Erkenntnis gibt damit allen ihren Objekten, auch dem Stein, um das Standardbeispiel des *Thomas* (S. th. I 85, 8 ad 3; 88, 1 ad 2; De ver. 2, 3 ad 9; 2, 5 ad 5 u. 7) zu erwähnen, teil an ihrem Selbstsein, ihrem eigenen geistigen Seinsrang.

Wollen durchwirkt die Erkenntnis; und die Erkenntnis bestimmt das Wollen.

Die Erkenntnis besteht nicht nur in einem formalen Bestimmtsein des Erkennenden durch das Erkannte: sie ist ein Geschehen, ein Erkenntnis*akt;* sie wird erwirkt von ihrem Wirkvermögen (der ‚facultas operativa') und letztlich von dem wirklich-wirkenden Zentrum ‚Ich'. Was den Erkenntnisakt hervortreibt, ihn erwirkt und dynamisch durchwirkt, wird von der scholastischen Philosophie als Naturstreben bezeichnet. Dieser selbst nicht-bewußte Motor aller Bewußtseinsleistung ist nichts anderes als das zweite, das willenshafte Moment an der Erkenntnis als relativ ganzheitlichem Geistvollzug selber. Eine Folge davon ist, daß der Wille, der freie Wille einen Erkenntnisvollzug veranlassen oder verhindern, verstärken oder abschwächen kann. Aber das ist nur ein äußerliches Bezugsverhältnis gegenüber dem Grundfaktum: daß ‚Wille' *in* der Erkenntnis ist, als *die* Erkenntnisdynamik. Von einem *Natur*streben der Erkenntnis zu sprechen (und dessen Willens-Dynamik in Anführungszeichen zu setzen) ist unerläßlich im Bereich der menschlichen Erkenntnis. Aber muß man nicht das, was hier als Naturstreben am Werk ist, in der unendlichen Erkenntnis Gottes bezeichnen als die Dynamik des reinsten und vollsten Wollens, eben des einfach-einen Willens Gottes selber?

Das Wollen anderseits ist nicht weiselos-blindes Schalten und Walten von Kraft, ein dumpfes ‚Daß' an Dynamik. Es ist vielmehr unabdingbar hingerichtet auf einen Gegenstand, es erhält von diesem seine Bestimmtheit, das ‚Was', die Form seines Wirkens und insofern auch seines Seins. Diese Seite der Beziehung von Erkenntnis und Wille ist seit alters bekannt und anerkannt. Die Scholastik (thomistischer Schule jedenfalls) sagt, das Streben folge einer Erkenntnisform, und je nachdem ob diese Erkenntnis sinnlichen oder geistigen Rang habe, werde es konstituiert als sinnliches Streben, Trieb, oder als geistiges Streben, Wille. Da damit eine durchaus legitime Aufeinanderfolge von Erkenntnis und Wille festgelegt wurde, war es weniger leicht, auch das andere Verhältnis der Bedingung der Erkenntnis durch den ‚Willen' in den Blick zu bekommen oder (da es von Thomas sehr wohl gesichtet worden war) im Blick zu behalten.

Das wechselweise Bestimmungs- und Durchdringungsverhältnis von Erkenntnis und Wollen hat man, mit gutem Grund eine Interpretationskategorie der Trinitätstheologie verwendend, als ‚περιχώρησις', ‚circumincessio', bezeichnet[61]. Die beiden Geistfunktionen erweisen sich als un-

[61] *P. Rousselot,* Les yeux de la foi: RSR 1 (1910) (241—259 444—475) 450. *J. de Finance* (a. a. O. [s. Anm. 58] 286) spricht von einer „implication réciproque". *Thomas* (De virt. in comm. 7) selbst, in bezug auf „verum et bonum": se invicem circumeunt.

trennbar, allerdings auch unverwechselbar aneinander gebunden und miteinander verschränkt in dem einen Wirken des Geistes, das jedoch spezifizierende Ausprägungen, gleichsam Schwerpunktspitzen, zuläßt: als *Erkenntnis*akt und als bestimmtes *Wollen* (die aber eben stets auch ,wille'-durchwirkter Erkenntnis*akt* und — durch Erkenntnis — *bestimmtes* Wollen bleiben).

4. Wenn die Reflexion über die geistigen Grundfunktionen Erkenntnis und Liebe ohne zuviel Mißverständlichkeit in ein zusammenfassendes System-Schema gebracht werden kann, dann etwa folgendermaßen: Das geistige Wirken ist Vollzug der Identität von Subjekt und Objekt. Diesen Vollzug in irgendeiner Mitte[62] zwischen Subjekt und Objekt anzusiedeln wäre eine allzu äußerliche räumliche Vorstellung. Er kann nur im Subjekt oder im Objekt statthaben oder aber sowohl im Subjekt als im Objekt. Soll sich der Subjekt-Objekt-Identitätsvollzug nicht auf eine Seite verlagern und darin einseitig versacken, so muß „die ursprüngliche zweiseitige Identität"[63] des Geistes einend zwischen den beiden Polen Subjekt und Objekt schwingen und in ihnen wie in zwei Pulsen wechselweise schlagen. Daß von diesem zweieinen Schwingen zwischen Subjekt und Objekt, diesem verschiedengerichteten Gehen-von-zu, ein grobes Meinen räumlicher Bewegung und Richtung fernzuhalten ist, ist selbstverständlich. Je nach der ,schwerpunktischen' Tendenz der Subjekt-Objekt-Einheit läßt sich unterscheiden: der Identitätsvollzug im Subjekt, der Erkenntnis heißt; und der Identitätsvollzug im Objekt, den wir Liebe nennen.

In den Kategorien von Selbst und Anderem könnte man etwa so definieren: Erkenntnis ist das Beim-Selbst-Sein des Andern; Wollen und Liebe das Beim-Andern-Sein des Selbst. Dem steht entgegen, daß sich innerhalb des modernen, an der Transzendentalphilosophie orientierten Thomismus[64] die Charakteristik des Geistes — im Anschluß an Hegel — als Bei-sich-Sein, die der Materialität als Beim-Andern-Sein einzubürgern scheint. Hierzu möchte ich zu bedenken geben: der äußere Gegensatz zu Bei-sich-Sein ist nicht das Beim-Andern-sein, sondern das Nicht-bei-sich-Sein[65]:

---

[62] *Hegel* (V, 1834, 120): „Der Ausdruck: *Mitte* ... ist von räumlicher Vorstellung hergenommen und trägt das seinige dazu bei, daß beim *Außereinander* der Beziehungen stehen geblieben wird."

[63] Der Ausdruck stammt von *Hegel* (I, 1832, 25).

[64] *K. Rahner,* Geist in Welt (München ²1957) passim; *E. Coreth,* Metaphysik (Innsbruck 1961) 167 176 ... *K. Rahner* spricht gelegentlich (Schriften IV 287) von einem „Im-Andern-Beisich" — aber nicht als Formel für Liebe, sondern für den sich im Materiellen ausdrückenden Geist. Über die Zusammenhänge der Metaphysik der Liebe mit der Metaphysik der Materie: *Ferd. Ulrich,* Homo abyssus (Einsiedeln 1961) 295 f 323 369 410 425.

[65] *E. Coreth* (ebd. 504) setzt diesen Begriff ohne weiteres mit dem Begriff des Beim-Andern-Seins gleich.

im Sinne des Außer-sich-Seins, das denn auch bei Hegel[66] „die Grundbestimmung der Materie ausmacht". Wäre das Beim-Andern-Sein konstitutiv für ‚Materie', so würde das in seiner Konstitution transzendental zu Erklärende, die Materie, eigentlich schon vorausgesetzt (mit der Konsequenz eines letzten Dualismus Geist—Materie?). Auch scheint das *Bei* ... sein doch eher eine personale Kategorie als eine dinglich-sachhafte zu sein, eher bei-jemand als bei-etwas zu bedeuten. Schließlich ist zu fragen, ob die Formel ‚Bei-*sich*-Sein' als Charakteristik für Geist überhaupt nicht zu einseitig von der Erkenntnismetaphysik geprägt ist, in deren Kontext sie denn auch so gut wie ausschließlich auftritt; ob sie nicht besser einschränkend für den *erkennenden* Geist als solchen vorbehalten wird. Sind diese Bedenken berechtigt, so wäre als das Grundwesen des Geistes zu bezeichnen das ‚*Bei*-(dem Selbst/Andern-)*Sein*(des Andern/Selbst)', als gleichbedeutend mit ‚Identitätsvollzug von Subjekt und Objekt (im Subjekt/Objekt)'. Wiederum, das ‚bei' ist natürlich nicht vordergründig räumlich als bloßes Nebeneinander zu fassen, sondern als trächtig zugleich mit dem Sinn von: in und mit und durch.

Die Grundbestimmung des Geistes als Subjekt-Objekt-Identitätsvollzug und dessen konstitutive Differenzierungen in Erkenntnis und Liebe sowie das meiste dessen, was daraus, mehr nur andeutend, gefolgert wurde für die Modalitäten und Charaktere von Erkenntnis und Liebe — das hat schon Thomas von Aquin so gedacht und mehr oder weniger wörtlich gesagt. Es wäre verlockend, das hier mit Belegen nachzuweisen; für eine gute Wegstrecke habe ich das früher einigermaßen getan[67]. Übrigens hat sich dieses thomanische Erbe bis in die meisten neueren Schullehrbücher der scholastischen Psychologie tradiert, am besten m. W. bei Walter Brugger[68]; manchmal allerdings arg ins Vordergründig-Psychologische verflüchtigt und nie, soweit ich sehe, so, daß es zum Ferment einer ganzen Systematik oder wenigstens zum Scharnier wichtiger einzelner Problemlösungen würde.

IV

Der Versuch, etwas auszumachen über das Wesen von Erkenntnis und Liebe in einem ‚System' der Geistfunktionen, muß sich bewähren und verdeutlichen gegenüber den zuvor berührten offenen Problemansätzen. Gibt das bisher diskutierte Stück Geistmetaphysik — zugleich, da nur vom

---

[66] Enzyklopädie[3] § 389, vgl. §§ 254 257 u. a.

[67] Das Verhältnis von Erkenntnis und Liebe als philosophisches Grundproblem bei Hegel und Thomas von Aquin: Scholastik 34 (1959) (394—427) 414—421.

[68] Vgl. Anm. 43. Auch *E. Coreth* (s. Anm. 64) 402—405 u. ö., z. B. 467 f 645 f.

Menschen selbst her erschließbar, eine fundamentale Reflexion metaphysischer Anthropologie — eine hinreichende Antwort auf die Fragen, welche Ontologie und philosophische ‚Theologie' stellten?

1. Die Wesenbestimmung von Erkenntnis und Liebe durch die transzendentalen Seinscharaktere ‚wahr' und ‚gut', deren gemäßes Verständnis seinerseits jedoch wieder die zu bestimmenden Geistfunktionen voraussetzt, schien in einen frag-würdigen Zirkel zu münden. In der Subjekt-Objekt-Identität und deren entgegengesetzt gerichteten Vollzugsweisen wurde eine innere funktionale Mitte des geistigen Wirkens angetroffen, in der und aus der sich sowohl die Subjektfunktionen Erkenntnis und Liebe als auch die Objektstrukturen der Seinswahrheit und -gutheit konstituieren im Wechselbezug eines gültigen Zirkels, letztlich ihrer Identität selber.

Schlechte Definitionen haften an der Oberfläche der bloßen Worte; und bequemen sich bestenfalls zum pauschalen Appell an unmittelbare Erfahrung, ohne Analyse. Gut ist, ‚quod omnia appetunt' (und was das heißt, das weiß man ja); und der ‚appetitus' hat zum konstitutiven Gegenstand das — Gute. Hier nun nicht so. Entsprechend den gegebenen Grundbestimmungen von Erkenntnis und Liebe bestimmt sich das Gute als ‚das Objekt, in dem das Subjekt sich vollzieht', oder als ‚das Andere, auf welches (als das Andere) das Selbst sich bezieht'; und das Wahre als ‚das Objekt, das in dem Subjekt vollzogen wird', oder als ‚das Andere, welches (als das Andere) vom Selbst auf sich bezogen wird'. Die letzte Beschreibung deckt sich mit der traditionellen Charakteristik, deren Systemgehalt jedoch nicht ausgeschöpft zu werden pflegt: daß die Erkenntnis Vollzug der ‚forma alterius tamquam alterius' durch den Erkennenden sei.

Natürlich wäre es rationalistischer Unfug, zu meinen, daß die Mysterien von Liebe oder auch nur Erkenntnis durch derlei Formalbestimmungen eingefangen und ausgelotet würden. Der vorgelegte Versuch, wie Begrifflichkeit samt und sonders, lebt aus der erfahrenen Wirklichkeit, die nach Kräften analysiert wird. Dies geschah im vorliegenden Fall dadurch, daß die ‚spezifischen' Bezeichnungen Wollen — gut, bzw. Erkenntnis — wahr zurückgeführt wurden auf die ‚generischen' Strukturbestimmungen Subjekt — Objekt (oder Selbst — Anderes), die das Spezifische von Wollen usw. zwar nicht schon an sich haben, es aber an sich selbst hervortreiben dadurch, daß sie kraft ihrer Korrelativität zu bestimmten verschiedenen Funktionsbezügen auseinandertreten und zusammengehen. Anders gewendet: die Allgemeinheiten Subjekt — Objekt bestimmen sich zu den Besonderheiten von Erkenntnis und Liebe einerseits und Wahrheit und Gutsein anderseits dadurch, daß sie die zwischen ihnen möglichen und nötigen Funktionsbeziehungen zum Spielen bringen. So werden die

Worte ‚Erkenntnis' usw. gefüllt durch funktionale und strukturelle Grund-Bezüge von Geist und Sein. Das erhebt diese Worte von den Ursprüngen der derart erhellten ‚Sache' her zu Begriffen — denn was ist der Begriff anderes als Verweis vom Wort zur Sache, ein Geleit in die Tiefe und Mitte der Dinge.

Es wurde von der Identität der Subjektfunktionen und der Objektstrukturen, der Geistdifferenzierungen und der Seinscharaktere gesprochen. Das gilt für die letzte formale Strenge der Sicht dieser Verhältnisse. Es schließt nicht aus, daß gewisse Prioritätsverschiebungen statthaben. Für uns, für die endliche Erkenntnis, führen die Objektstrukturen des Seienden als irgendwie Ersterkanntes zu den Geistfunktionen des Subjekts. An sich, in der Ordnung des Entstehens und Bestehens des endlichen Seienden ist das Geist-Subjekt Gott mit seinen Möglichkeit und Wirklichwerden, Wahrheit und Gutsein seiner Objekte stiftenden Funktionen das absolute Prius. An der unendlichen Wirklichkeit Gottes selber jedoch offenbart sich (wenn auch auf noch so verhüllte, unserem begrifflichen Zugriff sich entziehende Weise) die reine und volle Identität von Subjekt und Objekt. Gott ist wahr/gut, weil er sich erkennt/will; und er erkennt/will sich, weil er wahr/gut ist. Hinter diesem Nacheinandersagen, das einen schlechten Zirkel zu verraten scheint, steht: daß Gottes Wirklichkeit Wirken ist und nichts sonst; daß sein Sein Geist ist, in dem keinerlei Nicht-Vollzug im Ruhestand bloßen Wirklichseins dem wirksam sich wirkenden Vollzug voraufgeht (oder nachfolgt); daß Gott das subsistierende, in sich selber ständige Wollen und Erkennen und die Subsistenz von Wahrheit und Gutsein ineins einfachhin ist (wenn zwar nicht ohne innere Gliederung seines Geistseins). Es ist nicht so, wie wir anthropomorph denken möchten: daß Gott ist und in seinem Sein ‚gut' ist und dann — sei es auch nur in einem logischen Posterius — sich ob dieses Gutseins bejaht und will in Selbstliebe. Sondern Gottes Wollen, dem kein Sein wie auch immer voraufgeht, *ist* sein Gutsein[69].

2. Damit ist schon, über die ontologische Frage nach der ursprünglichen Bestimmung der Transzendentalien hinaus, das Problem der philosophischen Gotteserkenntnis angesprochen: wie Erkenntnis und Liebe als reine Vollkommenheiten bestimmt werden können, so daß sie Gott zuerkannt werden dürfen — in einer Einheit-in-Mannigfaltigkeit, die Gottes absolute Einfachheit nicht beeinträchtigt.

Gegen den Versuch, in der Subjekt-Objekt-Identität die gesuchte reine Charakteristik von Erkenntnis und Liebe zu entdecken, erhebt sich zunächst die landläufige Meinung, von ‚*Objekt*' und damit von irgend-

---

[69] Vgl. *J. de Finance* (s. Anm. 58) 181!

welcher Subjekt-Objekt-Entgegensetzung (— der „wundervollen Entzweiung des Geistigen“ [70] —) könne doch nur gegenüber dem Endlichen die Rede sein. Diese Auffassung kann sich auf den unmittelbaren Wortsinn von ‚Ob-jekt‘ und ‚Gegen-stand‘ berufen. Sie wurde geteilt und, ich denke, maßgeblich veranlaßt durch Kant, den Deutschen Idealismus und den Neukantianismus (wobei Fichte, Schelling, Hegel allerdings nicht die Konsequenz zogen, alles Objektsein von dem unendlichen Geist-Subjekt auszuschließen, sondern alles Endliche in es einzubeziehen). Ich vermute, diese Schwierigkeit ist doch überwiegend nur terminologischer Art. Was hindert, den Objekt-Begriff von Gott auszusagen (ohne deshalb in einen Panentheismus zu gleiten), indem man ihn nicht einschränkt auf ein gegenübertretendes, an sich eigenständiges, fremdes Seiendes, einen äußeren, empirischen Gegenstand, sondern ihn ausweitet zu dem Woraufhin des (geistigen) Wirkens einfachhin, zum Wen oder Was seiner inneren Inhaltsbestimmtheit im weitesten Sinn?

Näher zur Sache und damit zur möglichst scharfen (vielleicht überscharfen?) Abgrenzung der begrifflichen Bedeutungsgehalte führt das Bedenken: ob das Geistleben Gottes eine Struktur von Selbst *und Anderem* in sich bergen könne; ob nicht besonders gegenüber seinem liebenden Wollen, das ja als Selbstliebe betrachtet werden müsse, die versuchte Charakteristik der Liebe versage, die doch gerade — im Gegensatz zur Erkenntnis-Charakteristik — ‚das Andere‘ als das vorherrschend-bestimmende Moment ansetzt. Ich meine, auch die Selbstliebe könne der Struktur Selbst — Anderes sich nicht entschlagen. Auch in ihr muß, soll sie wirklich Liebe und nicht sublime Selbstsucht sein, der wesenhaft ekstatische Zug der Liebe zum Durchbruch kommen. Ist nicht auch die Selbstliebe, wenn das so mühselig bildhaft bedeutet werden darf, ein Aufwallen und Überströmen des Selbst auf sich als das höhere Andere hin, das als das überströmte geliebte *andere* Selbst ein Mehr an wirkender Wirklichkeit ist als das in das Überströmen seiner Liebe erst aufbrechende liebende Selbst (— auch dann, wenn dieser Vorgang ewiges Geschehen, ohne Vor und Nach, ist)? Ist sie nicht ein Je-größer-Wollen, Je-höher-Wünschen des Selbst: als das ‚größere‘, ‚höhere‘ Andere seiner selbst? Oder ein je innigeres, je tieferes Vollziehen seiner — in Gott — ewig unüberbietbaren Größe und Höhe? Ein Sich-Ergießen, Sich-Weggeben des Selbst, das, sich je neu sich selbst übereignend, sich gleichsam zweifach zu eigen wird, und so weiter? Es wird auch in der Selbstliebe wohl etwas zu finden sein von der Selbstvergessenheit und Selbstlosigkeit der Liebe zum Andern einfachhin. In der Selbstliebe wie in der Selbsterkenntnis geschieht so etwas wie eine funktionale

---

[70] *Hegel* (VI, 1839, 54).

Diremption, eine innere Diastase zwischen dem Selbst-Subjekt und dem Selbst-Objekt als dem (innerhalb dieser Funktion) Andern seiner selbst. Ein „immanentes Hinausgehen“ [71]. Mit anderen Worten: ‚Selbst‘liebe und ‚Selbst‘erkenntnis benennen das Selbst nur als ihren materialen Gegenstand. Das ihnen wesenseigene, je verschiedene funktionale Verhältnis von Selbst *und Anderem* wird dabei nicht angetastet. Das ‚Selbst‘ und das ‚Andere‘ sind nicht, zunächst jedenfalls nicht, zu verstehen als real (scholastisch: aktual) geschiedene Seiende, sondern als formale, besser funktionale Momente, die sich, noch diesseits der Getrenntheit selbständiger Realitäten, an ein und demselben Seienden finden können. Aber hat sich alles Mühen um Unterscheidung von Subjekt und Objekt, Selbst und Anderem in Gott nun nicht doch in ein bloß verbales Kreisen um schlechthin Dasselbe verflüchtigt? Nein: und sei es nur, weil ohne solche Unterscheidung nicht gesagt werden kann, was Erkenntnis und Liebe als reine Vollkommenheiten (die darum Gott zukommen) seien, und weil die innere Möglichkeitsbedingung dieses Sagens von Erkenntnis und Liebe in ihrem Gesagtwerden von Gott nicht schlechthin in nichts wegschwinden kann. Der erste Problemansatz unserer Fragestellung ist, so scheint es, auch ein letzter Beweisgrund unseres Antwortversuchs [72].

Widerspricht die Struktur Subjekt — Objekt, Erkenntnis — Liebe usw. schließlich nicht der absoluten Einfachheit Gottes? Daß eine Einheit-in-Mannigfaltigkeit innerhalb des Wesens Gottes nicht den von den katholischen Dogmatiken angeführten Topoi [73] (deren theologische Verbindlichkeit tatsächlich in dem Maße schwächer ist, als ihre Aussage strenger und enger) zuwiderläuft, das erhellt schon daraus, daß die skotistische

---

[71] *Hegel,* Enzyklopädie [3] § 81. *Heidegger* (Einführung in die Metaphysik [1935], Tübingen 1953, 11): ein „Zu-sich-aus-sich-Hinausstehen“. Und die ‚operatio immanens‘ der Scholastik?

[72] Eine Bestätigung für unsere Problemfrage und ihre Lösung sehe ich in der „Metaphysik“ von *E. Coreth* (Innsbruck 1961). Einerseits schränkt Coreth die Subjekt-Objekt-Spannung (ebd. 172) und damit die Zweiheit von Wissen und Wollen (404) auf den *endlichen* Geist ein, nimmt anderseits aber doch einfachhin an, „daß Wissen und Wollen die beiden notwendigen, aber auch ausschließlichen Grundweisen des Geistvollzugs sind“ (404). Vgl. auch die mir widersprüchlich (und darin aufschlußreich) scheinende Stelle 372 f über die reinen Vollkommenheiten und ihre Erkenntnis. Ferner: einmal fordert Coreth „eine Identität vor aller und über aller Differenz“ (205; vgl. 175 f 205—209 427 f), rechnet aber dann doch gelegentlich (212) mit einer Identität, die „zugleich und in einem auch Differenz sein“ muß, „eine Differenz jedoch, welche die Identität nicht aufhebt, sondern voraussetzt und in ihr gesetzt ist“; ist damit aber wieder Coreths Reduktion aller Differenz von Subjekt-Objekt im Vollzug auf eine vorausliegende Differenz von Subjekt-Objekt an sich (185—187 u. ö., z. B. 402) vereinbar? Vgl. auch ZKTh 81 (1959) 215 f.

[73] Nämlich D^{32} 800 3001; 367 566 1880 2697 (vgl. auch 3226; zum vermeintlichen Locus von Reims 1148 vgl. neuestens *A. Schönmetzer* in D^{32} S. 238!).

,distinctio formalis ex natura rei'[74], die zwischen den Eigenschaften Gottes walten soll, auch dort, wo sie entschieden abgelehnt wird, als mit dem christlichen Glaubenbewußtsein nicht unvereinbar qualifiziert wird. Ein Mehr an Unterschiedenheit, als es diese Formel beinhaltet, wurde hier nirgends angezielt. Die Formel scheint das Gemeinte gut auszudrücken. ,Ex natura rei': es ist eine Unterschiedenheit in Gott festzustellen vorgängig zu allem zusätzlichen Unterscheiden, das die menschliche Erkenntnis vornimmt (also nicht bloß eine ,distinctio rationis [humanae]'). ,Formalis': die Unterschiedenheit in Gott besagt nicht eine Geschiedenheit oder Scheidbarkeit realer Teile oder eine Verschiedenheit ontologischer Prinzipien, welche die einfache Einheit des ,actus purus', des unendlichen Selbstseins Gottes anfechten würde (also nicht eine ,distinctio realis' im Sinn physischer Teilbarkeit noch irgendwelcher metaphysischer Akt-Potenz-Struktur). Wir meinen mit der ,distinctio formalis ex natura rei' eine metaphysische Unterscheidung, die in und zwischen Funktionen reiner Vollkommenheit waltet. Sie erlaubt m. E., sinnvoll mit Augustinus[75] von Gottes „einfacher Vielfalt und vielfältiger Einfachheit" zu sprechen; oder mit dem Pseudo-Dionysius[76] zu sagen, daß Gott ἡνωμένως διακρίνεται, einig unterschieden ist: es gibt in Gott Unterschiedenheit der Einheit. Das, worauf sich die Unterscheidung bezieht, nennt der Skotismus ,formalitates rerum' — es wäre nun bestimmter zu bezeichnen als die ,functionalitas operationis spiritualis', das funktionale Gefüge des Geistwirkens. Inwieweit sich die hier angestellten Reflexionen über Einheit-in-Mannigfaltigkeit in ihrem funktionalen geistmetaphysischen Verständnis in dem Werk des ,doctor subtilis' finden, weiß ich nicht. Ich habe den Eindruck — mehr nicht —, daß darin die Seinsformalitäten, die göttlichen Attribute zumal, noch zu sehr nur nebeneinandergestellt erscheinen; es müßte ja wohl auch gegenwärtiges Denken etwas mehr zu sagen haben. Ich meine jedoch auch, daß die Scholastik insgesamt tief schürfende denkerische Leistungen birgt, die aufzunehmen und auszuführen sind. Weil das an dieser Stelle nicht in genügendem Maß geschehen kann[77], bleibt dieser Denkversuch fragmentarisch. Eine quaestio disputanda!

---

[74] Vgl. dazu: *Walter Hoeres*, Der Wille als reine Vollkommenheit nach Duns Scotus (München 1962), bes. 61—72; und die dort angegebenen Veröffentlichungen von *M. J. Grajewski, B. Jansen, P. Minges*. Außerdem: *T. Barth:* WiWei 16 (1953) 122—141 191—213; 17 (1954) 112—136; *Efrem Bettoni*, Dalla dottrina degli universali alla teoria della conoscenza in Duns Scotus (Florenz 1942); *Titus Szabó*, De distinctionis formalis origine Bonaventuriana disquisitio historico-critica: Scholastica ratione historico-critica instauranda (Bibl. Pont. Athenaei Antoniani 7; Rom 1951) 379—445.

[75] De Trinitate 6, 4.

[76] De divinis nominibus 2, 11.

[77] Nur auf einen Punkt möchte ich noch hinweisen: Die Ablehnung einer funktionalen

3. Es sind nur noch einige sehr kurzatmige Worte möglich. Als Ausblick. Unser Versuch, eine auch für das Wesen Gottes geltende Einheit-in-Mannigfaltigkeit aufzuweisen, hat es sich schwer gemacht. Er versagte sich die Berufung auf das Glaubensgeheimnis der Trinität als eigentliches, entscheidendes Beweisdatum. Er wollte vermeiden, daß aus seinen Aufstellungen eine Mehrpersönlichkeit in Gott abgeleitet werden könnte und müßte. Dieser Ableitbarkeit scheint ja der absolute Geheimnischarakter der Trinität entgegenzustehen. Deshalb das Mühen, eine Art Diastase von Selbst und Anderem auch in der Selbstliebe (als Liebe zum Selbst *als Anderem* seiner selbst) freizulegen. Die Dinge gingen einfacher, wenn dem Moment des Andern in der Liebe einfachhin nicht nur eine funktionale, sondern auch eine real-aktuale Bedeutung zuerkannt werden dürfte. Aber das Mysterium absolutum? — Nur zu sagen, daß auch aus der kühner durchgeführten geistmetaphysischen Reflexion ja nicht die *Drei*persönlichkeit Gottes folge, wäre wohl keine genügende Antwort. Ich möchte eine andere vielleicht diskutable Antwort andeuten. Ist nicht die Liebe der selbstlosen Selbstmitteilung und Hingabe an den Anderen rein um des Andern willen (die deshalb einen konstitutiven Bezug auf den Real-Andern einschließt) erst wirklich und möglich, vollziehbar, erfahrbar und deutbar geworden durch Jesus Christus, durch jene Offenbarung, die nicht so sehr sein Wort (das gewiß auch) als viel mehr die personale Tat seines Lebens und seines Todes für „die Vielen" darstellt: als das eben diese Liebe von nun an als leistbar-mögliche in die Welt einstiftende und

Unterschiedenheit im Geistwirken Gottes muß zur Behauptung der *formalen* Identität all dessen führen, was von Gott ausgesagt wird. Konsequent scheint mir das in *Kajetans* Kommentar zur Summa theologica des Thomas zu geschehen: Non est enim putandum rationem formalem propriam sapientiae esse in Deo: sed . . . ratio sapientiae in Deo non sapientiae propria est, sed est propria superioris, puta deitatis, et communis, eminentia formali, iustitiae, bonitati, potentiae etc. . . . Und: cum dico Deus sapiens, ly sapiens, ex formali suo significato, importat sapientiam eandem formaliter iustitiae etc.: imo, ut rectius loquar, significat non sapientiam, sed aliquid eminenter praehabens rationem sapientiae (In I 13, 5 [7 f]). Ein neuerer Thomist, *M. T.-L. Penido* (Le rôle de l'analogie en théologie dogmatique [Bibl. thomiste 15], Paris 1931, 161) will diesem kajetanischen „désastre" entrinnen, indem er eine wirkliche „suréminence *formelle*" festzuhalten fordert: et c'est déjà beaucoup de savoir qu'on la *doit* admettre . . . même si l'on n'aperçoit pas clairement la solution à donner à toutes les difficultés. Zuvor (ebd. 158) plädierte Penido für eine tatsächlich nicht sehr befriedigende Als-ob-Theorie: chaque attribut existe en Dieu comme s'il était réellement distinct des autres, usw. — *Scotus* (Ord. I d. 8 p. 1 q. 4 [Werke IV, 1956, 261]) sagt: si infinita sapientia esset formaliter infinita bonitas, et sapientia in communi esset formaliter bonitas in communi. Infinitas enim non destruit formalem rationem illius cui additur, quia in quocumque gradu intelligatur esse aliqua perfectio (qui tamen ‚gradus' est gradus illius perfectionis), non tollitur formalis ratio illius perfectionis propter istum gradum . . .!

aus den Herzen der Menschen entbindende, herausrufende Ereignis neuer Schöpfung —? Alle Ableitbarkeit aus solcher Liebeserfahrung wäre dann keineswegs etwas ‚rein-philosophisch', gar bloß rational aus bloß natürlichen Gegebenheiten Erschwingliches — sondern Exegese der Mitte der Offenbarungswirklichkeit, in deren je gegenwärtigem Anwesen und Sichauswirken. Die Metaphysik der Liebe, so wie sie jetzt möglich ist, wäre dann je schon, und zwar aus ihrem innigsten Grund, philosophisch-*theologische* Metaphysik. Vieles deutet darauf hin, daß die vorchristliche Antike *diese* Liebe nicht kannte. Und wo sie doch etwa im Raum außerhalb des empirisch-geschichtlich wirksam gewordenen Christusereignisses aufbricht, wäre sie da nicht — mit K. Rahner — als Manifestation anonymer Christlichkeit zu verstehen? Es eröffnet sich in der geistmetaphysisch-universal gefaßten ‚psychologischen' Trinitätslehre der Tradition eine neue Möglichkeit, die immanente, innergöttliche Trinität als ökonomische Trinität, in der Oikonomia ihres (die Weltgeschichte und den Menschengeist voraus*setzenden*) heilsgeschichtlichen Wirkens zu fassen.

Ferner: Eine Metaphysik der menschlichen Gemeinschaft kann sich darauf gründen, daß der Mensch gemäß seiner Wesensverfassung als Geist-in-Materie einen konstitutiven Bezug auf das Andere, seine Umwelt, und auch auf *den* Anderen, seine Mitmenschen, besitzt. Auch seine Endlichkeit setzt als je so und so bestimmte Endlichkeit mit sich zugleich andere bestimmte Endlichkeit, als Umfeld ihrer Selbstbestimmtheit durch das Andere. Diese Ansätze, den Menschen zu bestimmen als Person in Gemeinschaft, stützen sich auf die Materialität und Endlichkeit des Menschen. Wie aber, wenn es dem innersten Wesen seines personalen Selbstvollzugs, jener funktionalen Gesetzlichkeit des Geistes, welche die Liebe eigentlich zu dem macht, was sie ist, je schon als wirksame Wirklichkeit eingestiftet ist, daß der Mensch da ist für den Andern und durch den Anderen? Als schlichte Aussage, daß es so sei, ist das nichts Neues. Es ist sehr Eindrucksvolles geschrieben worden über das Mitsein des Menschen, über die Ich-Du-Beziehung, über Liebe, Hingabe, Treue ... als Lebensgesetz des Menschen in seiner Gemeinschaftlichkeit. Ich nenne Max Scheler, Gabriel Marcel, Martin Buber, Ferdinand Ebner, Theodor Litt, Dietrich v. Hildebrand, Gabriel Madinier, Maurice Nédoncelle, Emmanuel Mounier, Maxime Chastaing ... Ist es ein grundloses Bedauern, daß all das noch zu sehr phänomenologische Beschreibung geblieben und noch zu wenig metaphysische Ergründung geworden sei? Und müßte diese nicht zumeist geschehen in der geistmetaphysischen Reflexion darauf, was Liebe und Erkenntnis ist und ihre Beziehung zueinander?

METAPHYSIK UND GESCHICHTSPHILOSOPHIE

VON LUDGER OEING-HANHOFF, MÜNSTER I. W.

Im Jahre 1920 veröffentlichte P. Wust eine Schrift, deren Inhalt kaum mehr bekannt, deren Titel aber beinahe zu einem Schlagwort geworden ist: „Die Auferstehung der Metaphysik". Was Wust mit Berufung vor allem auf Troeltsch und Simmel, die „uns bis an die Tore der Metaphysik herangeführt, ja ... bereits die dunklen Pforten des alten Heiligtums wieder aufgeschlossen" hätten[1], noch erstlich als Forderung und Aufgabe proklamiert hatte, konnte wenige Jahre später als Tatsache hingestellt werden. Heidegger jedenfalls bemerkt 1927 zu Beginn von „Sein und Zeit", daß unsere Zeit es sich als Fortschritt anrechne, die Metaphysik wieder zu bejahen[2].

Inzwischen sind mehrere Jahrzehnte seit dieser Feststellung und jener Proklamation vergangen. Ist Metaphysik seit jener Zeit, die Wust als eine jahrhundertelang nicht mehr erlebte „Weltwende" glaubte ansprechen zu können[3], tatsächlich wieder zu neuem Leben erwacht und erstarkt? Wie steht es heute um die Metaphysik?

Eine erste Antwort auf diese Frage ist historisch möglich. Die Zeit nach dem Ersten Weltkrieg brachte für eine um Metaphysik bemühte philosophische Bewegung in der Tat einen solchen Aufschwung, daß sie zu weltweiter Verbreitung und unübersehbarer Bedeutung gelangte. Aber das war nicht eine existenz- und lebensphilosophisch gefärbte Metaphysik, wie sie Wust in unverkennbarer Polemik gegen Ansatz und Absicht der aristotelischen Metaphysik gefordert hatte[4], sondern die Neuscholastik,

---

[1] *P. Wust,* Die Auferstehung der Metaphysik (1920) 256.

[2] *M. Heidegger,* Sein und Zeit (1927, [5]1941) 2.

[3] A. a. O. 257.

[4] Vgl. a. a. O. 278: „... die höchste Aufgabe der Philosophie besteht schließlich gar nicht darin, einem vorwitzigen Wissenstrieb exakte Begriffe als Nahrung vorzusetzen. Die Philosophie hat ihre Aufgabe dann schon reichlich erfüllt, wenn sie den Menschen an die Seinsabgründe unmittelbar heranführt. Dort mag er sich dann schaudernd über die dunkle, rätselschwangere Tiefe beugen und staunen und schweigen." Vgl. auch a. a. O. 51 f, wo Wust von den „Unzulänglichkeiten ... scholastischer Begriffsabrundung" spricht.

die Wiederholung und Fortführung der aristotelisch-thomistischen Metaphysik sein wollte. Zwar war die neuscholastische Philosophie schon im 19. Jahrhundert entstanden[5], aber sie wurde „bis zum Ersten Weltkrieg ... wenig beachtet"[6]. Auch Wust ignoriert sie noch in seinem genannten Buch, obgleich er in ihm die philosophischen Hauptströmungen des 19. Jahrhunderts und die Situation der Philosophie in seiner Zeit behandelt[7]. Erst die Jahre nach dem Ersten Weltkrieg, in denen u. a. Gilsons „Le thomisme" oder Maritains „Éléments de philosophie" erstmals erschienen[8], ließen die Neuscholastik zu einem wesentlichen Faktor der Gegenwartsphilosophie und zur bis heute zahlenmäßig stärksten philosophischen Schule überhaupt werden.

Nach dem Aufschwung des Thomismus in den zwanziger Jahren, nachdem besonders Maréchals Transposition des Thomismus in Ansatz und Methode Kants der Neuscholastik wie nie zuvor die Tore zur neuzeitlichen und zeitgenössischen Philosophie geöffnet hatte, erklärte dann G. Siewerth ein Jahrzehnt später, die bleibende Bedeutung der Scholastik fraglos voraussetzend, aber auch von der Notwendigkeit einer Öffnung des Thomismus zur Philosophie der Neuzeit hin überzeugt, es sei die „größte Aufgabe der abendländischen Philosophie", Scholastik und Deutschen Idealismus zu einer „inneren Begegnung" zu führen[9]. Sofern der Deutsche Idealismus, vor allem in Hegel, nicht nur Metaphysik, sondern wesentlich auch Geschichtsphilosophie war, scheint die geforderte Begegnung von Scholastik und Deutschem Idealismus aber auch die Aufgabe zu enthalten, Metaphysik und Geschichtsphilosophie wieder zu verbinden.

---

[5] Zur Entstehung und Geschichte der Neuscholastik vgl. *A. Masnovo,* Il neo-tomismo in Italia (Mailand 1923); *P. Dezza,* Alle origini del neotomismo (Mailand 1940); *L. Gilen,* Kleutgen und die Theorie des Erkenntnisbildes (Meisenheim 1956) 16—30.

[6] *J. M. Bocheński,* Europäische Philosophie der Gegenwart (²1951) 243.

[7] Weder Thomas von Aquin oder ein anderer Scholastiker noch ein Vertreter der Neuscholastik werden namentlich angeführt. Auffällig ist auch, daß Wust Trendelenburgs und Brentanos Rückgriff auf die aristotelische Philosophie nicht erwähnt.

[8] Einige Jahre nach diesen Arbeiten erschien *J. Maréchal,* Le point de départ de la métaphysique (1922—26), und zunächst als Artikelserie ab 1924 *G. M. Manser,* Das Wesen des Thomismus. — Es gab freilich auch schon vor dem Ersten Weltkrieg bedeutende Arbeiten zur thomistischen Philosophie, vor allem das schon 1907 erstmals erschienene Werk von *A.-D. Sertillanges,* Saint Thomas d'Aquin, dessen 1928 vorgelegte deutsche Übersetzung, wie Grosche schreibt, „in Deutschland eigentlich die Bresche (für den Thomismus) geschlagen hat". Ferner seien erwähnt: *P. Rousselot,* L'intellectualisme de Saint Thomas (1908, ²1924), und das schon 1899 erstmals erschienene Lehrbuch von *J. Gredt,* Elementa philosophiae aristotelico-thomisticae. Kennzeichnend für die neue Situation des Thomismus in den zwanziger Jahren ist auch die Tatsache, daß damals die Zeitschriften „Gregorianum", „Scholastik", „The Modern Schoolman", „The New Scholasticism" und das „Bulletin Thomiste" begründet wurden.

[9] *G. Siewerth,* Der Thomismus als Identitätssystem (1939) 3.

Ist das möglich, und inwiefern ist eine solche Verbindung nötig? Worum geht es überhaupt in Metaphysik und Geschichtsphilosophie?

Wenn man die letzte Frage überhaupt mit einer allgemeinen Bestimmung beantworten kann, läßt sich sagen: Metaphysik will mit den von ihr beanspruchten überzeitlichen Wahrheiten von Gott, dem Seienden überhaupt und vom Wesen des menschlichen Geistes Theorie vom Immer-Seienden und von dem im geschichtlichen Wandel Bleibenden sein; Geschichtsphilosophie hingegen thematisiert das geschichtlich Gewordene, sofern es in seiner Einmaligkeit von bleibender, epochemachender Bedeutung ist, fragt nach dem vernünftig erkennbaren Sinn der Geschichte und sucht eine Theorie des gegenwärtigen Zeitalters aus seinen geschichtlichen Bedingungen zu geben[10].

Es scheint auf der Hand zu liegen, daß Philosophie heute sowohl nach dem Immer-Seienden und dem im geschichtlichen Wandel Bleibenden als auch nach dem Gang der Geschichte zu fragen hat; denn wer Metaphysik aufgibt, gibt das preis, worum es der Philosophie von ihren Ursprüngen bis zu Hegel ging; wer an der Aufgabe einer Geschichtsphilosophie vorbeigeht, verzichtet hingegen darauf, das für die sich Neuzeit nennende Epoche konstitutive geschichtliche Selbstverständnis philosophisch zu erhellen und schließt sich damit aus dem Gespräch aus, das in wachsender Intensität seit Leibniz und Voltaire geführt wird. Denn die Versicherung, es gäbe keinen philosophisch erkennbaren Sinn der Geschichte, ist ja schwerlich eine befriedigende Antwort auf die Deutung der Geschichte, die etwa Hegel oder auch Marx gegeben haben. Auf Geschichtsphilosophie heute verzichten hieße demnach abstrakt philosophieren. Genau das ist ja ein geläufiger Einwand gegen die neuscholastische Metaphysik.

Wenn es aber gelänge, Metaphysik und Geschichtsphilosophie wieder zu verbinden, wenn es möglich wäre, sich in der heutigen Situation nicht nur die alte Tradition der Metaphysik, sondern auch die neuzeitliche Geschichtsphilosophie möglichst umfassend anzueignen, dann ließe sich das Ergebnis solchen Bemühens, eine Philosophie, die sich ebenso wie etwa auf Aristoteles und Thomas, auf Kant und Hegel beriefe, nicht mehr Neuscholastik nennen.

---

[10] Als Theorie des Immer-Seienden und des im geschichtlichen Wandel Bleibenden ist Metaphysik im Unterschied zur Geschichtsphilosophie „Wesensphilosophie", obwohl mit diesem vieldeutigen Namen auch eine primär an der Wesenheit, nicht am Akt des Seins orientierte Metaphysik verstanden wird. Vgl. zur Notwendigkeit, das Wort Wesensphilosophie in diesem Sinn zu differenzieren, meinen Aufsatz „Thomas von Aquin und die Situation des Thomismus heute": Philos. Jahrb. 70 (1962) 22 f, und die dort genannte noch ungedruckte Arbeit von O. *Marquard*, der ich in der angegebenen Unterscheidung von Metaphysik und Geschichtsphilosophie folge.

Aber diesen Namen abzulegen ist bereits das erklärte Bestreben heutiger aus der Neuscholastik hervorgegangener Philosophie [11]. In dem kürzlich erschienenen Artikel „Neuscholastik" des Lexikons für Theologie und Kirche geht G. Söhngen sogar so weit, die Neuscholastik zu einer schon seit Maréchal überholten, heute bereits der Vergangenheit angehörenden Epoche des Geisteslebens zu erklären. Ein Strukturelement der Neuscholastik, so erklärt er, sei ihr „ungeschichtliches Verhältnis zur Geschichte" gewesen; und Söhngen kommt zu dem scharfen Urteil: „Man verfehlte den wirklichen Kant und den wirklichen Hegel, aber man verfehlte dabei auch — verdientes Schicksal aller bloßen Repristination — die eigene Sache in ihrer inneren, fortwirkenden Größe." [12]

Wer jedoch die Neuscholastik und damit die vorherrschende Gestalt gegenwärtiger Metaphysik, von der eine geschichtlich orientierte Besinnung auf das Verhältnis von Metaphysik und Geschichtsphilosophie nicht absehen kann, mit Berufung auf Hegel kritisiert, sollte freilich dessen Forderung nicht vergessen, erst die Wahrheit einer Philosophie darzutun und sie zu rechtfertigen, bevor man von ihrer Grenze und Beschränktheit spricht [13]. Gerade bei einer so wenig peripheren philosophischen Bewegung wie der Neuscholastik gilt es entsprechend dieser Forderung, „einzusehen, wie das notwendige Bedürfnis des Geistes sie herbeiführte" [14].

Zu einer solchen Einsicht, daß die Neuscholastik ein von einem notwendigen Bedürfnis des Geistes herbeigeführtes Resultat des 19. Jahrhunderts ist, und damit zu einer geschichtsphilosophischen Rechtfertigung dieser philosophischen Bewegung, führt ein Blick auf die geschichtlichen Bedingungen, die die Neuscholastik möglich und notwendig machten.

Nachdem im 19. Jahrhundert einerseits die Verbreitung des kantischen Kritizismus den Zusammenhang mit der in der Schulphilosophie des 18. Jahrhunderts noch lebendigen aristotelisch-scholastischen Tradition endgültig abgerissen hatte und nachdem sich anderseits die Philosophie vor allem durch Hegel ihrer wesentlichen Geschichtlichkeit bewußt geworden war, entstand in der Schule Hegels die moderne Philosophiehistorie als ein neues Organon der Philosophie [15]. Es war unausweichlich,

---

[11] Schon 1939 strebte *K. Rahner* in seiner Thomas-Arbeit, Geist in Welt, an: „Von so manchem, was sich ‚Neuscholastik' nennt, wegzukommen, zurück zu Thomas selbst, um gerade so den Fragen näherzukommen, die heutiger Philosophie aufgegeben sind" (Vorbem., S. V).

[12] LThK² VII 924 f.

[13] *Hegel,* Einleitung in die Geschichte der Philosophie (ed. Hoffmeister, ³1959) 128 f 132 f.

[14] Ebd. 129.

[15] Charakteristisch für den Übergang von der systemgebundenen Geschichte der Philosophie Hegels zur autonomen Philosophiehistorie ist *J.E. Erdmanns* „Versuch einer wissenschaftlichen Darstellung der Geschichte der neueren Philosophie" (1834). Nachdem

daß das vergangene Denken, das vordem in weitgehend unreflektierter Tradition weitergewirkt hatte, allmählich historisch wiedererschlossen und in einem zuvor nicht möglichen Ausmaß bewahrt und vergegenwärtigt wurde. Diese historische Wiedererschließung der alten metaphysischen Tradition ließ die Neuscholastik entstehen. Wie eng das Band war, das die historische Erforschung des Mittelalters und die Neuscholastik verknüpfte, wird daran deutlich, daß der Aufschwung der Neuscholastik nach dem Ersten Weltkrieg nicht nur durch die damals im Gegenzug zum Neukantianismus allenthalben geforderte Hinwendung zum Objekt und zur Ontologie bedingt war, sondern ebenso als Frucht der nun schon jahrzehntelang betriebenen historischen Erforschung der mittelalterlichen Philosophie verstanden werden muß[16].

Aber das historische Bewußtsein machte durch die Ausbildung der Philosophiehistorie die sachliche Aneignung oder, wie man damals sagte, die Verteidigung der Philosophie der Vorzeit[17], nicht nur möglich, sondern erzeugte auch das Bedürfnis nach einer Wiederholung der Tradition und machte den Versuch einer solchen sachlichen Wiederholung in diesem Sinne geschichtlich notwendig. Denn auch das ist ja ein Resultat der bewußt gewordenen Geschichtlichkeit der Philosophie, daß die Bedeutung und das Gewicht einer Jahrhunderte währenden Tradition für die Metaphysik unübersehbar wurden.

Wie sollte nach dem vielberedeten Zusammenbruch des Deutschen Idealismus Philosophie noch möglich sein? Der Neukantianismus gab durch den partiellen Rückgriff auf Kant zwar eine Antwort darauf, aber seine Frage war gerade nicht die Kants, wie Metaphysik als Wissenschaft möglich sei, sondern die, wie Philosophie ohne Metaphysik möglich sei. Kant hatte metaphysische Untersuchungen so nötig wie das Atemholen genannt[18]. Sollte es unausweichlich sein, daß jeder sich — auch das sind

---

u. a. E. Zeller, A. Schwegler, H. C. W. Sigwart und K. Fischer die Philosophiehistorie aus der Bindung an ein vorausgesetztes System gelöst hatten, erklärte dann *W. Windelband*, die autonome Philosophiehistorie sei das „vornehmste Organon der Philosophie selber" (Lehrbuch der Geschichte der Philosophie, 1889, 12).

[16] In diesem Sinn schrieb *B. Geyer* 1927 im Vorwort zur 11. Aufl. der Geschichte der Philosophie der patristischen und scholastischen Zeit in Ueberwegs „Grundriß ..." die „auch in weiteren Kreisen" zu bemerkende „bessere Kenntnis und Würdigung der mittelalterlichen Philosophie" der vorhergehenden Auflage dieses Werkes von 1915 zu, die *M. Baumgartner* besorgt hatte. Es war, wie Baumgartner selbst schreiben konnte, „die inhaltsreichste und vollständigste Gesamtdarstellung der scholastischen Philosophie", die es bisher gab.

[17] *Kleutgens* 1860 und 1863 in zwei Bänden erschienenes bahnbrechendes Werk trug den Titel: Die Philosophie der Vorzeit — vertheidigt von Joseph Kleutgen, Priester der Gesellschaft Jesu.

[18] Prolegomena, WW (ed. Cassirer) IV 122.

Worte Kants — eine Metaphysik „nach seiner Art zuschneidet“[19], daß Metaphysik also zur irrationalen Weltanschauung degeneriert und bloßer Ausdruck der Subjektivität und statt Theorie Bekenntnis wird? Aber bloßer Ausdruck der Subjektivität und Bekenntnis war die nun historisch wieder repräsentierte alte Metaphysik, insbesondere die des Aristoteles, sicher nicht. Lag der Irrtum der Zeit nicht gerade darin, „jeder Philosoph müsse auf eigene Hand beginnen“ und „sein ureigenes Prinzip haben“? So hat Trendelenburg gefragt und erklärt: „Die Philosophie wird nicht eher die alte Macht wieder erreichen, bis ... sie nicht in jedem Kopfe neu ansetzt und wieder absetzt, sondern geschichtlich die Probleme aufnimmt und weiterführt.“ Um „mit der Geschichte zu gehen und der geschichtlichen Entwicklung der großen Gedanken in der Menschheit zu folgen“, fordert Trendelenburg die Wiederaufnahme und Fortführung der Philosophie, die „Plato und Aristoteles gründeten“ und die „sich von ihnen her fortsetzte“[20].

Wie Trendelenburg 1862 dem Vorurteil, es müsse „für die Philosophie der Zukunft noch ein neu formuliertes Prinzip ... gefunden werden“, mit dem Hinweis auf Platon und Aristoteles entgegenhielt: „Das Prinzip ist gefunden“[21], so wandte sich die Neuscholastik, die um die Mitte des Jahrhunderts hervortrat, dem längst gefundenen alten Wahren zu, das sie in der aristotelisch-thomistischen Tradition gegeben sah. Wie sehr diese Zuwendung zur Tradition der alten Metaphysik von dem Bedürfnis bestimmt war, das in der langen Geschichte der Philosophie schon Erreichte zu bewahren, wird vor allem daran deutlich, daß die Neuscholastik für die von ihr übernommene Metaphysik den erstmals von Leibniz auf die Geschichte der abendländischen Philosophie angewandten Namen „philosophia perennis“ in Anspruch nahm[22]. „Der Name Thomismus“ — so erklärte man[23] — „will nicht die Lehre jenes Menschen besagen, der Thomas von Aquin hieß, sondern die Lehre des Menschengeschlechtes, die in Jahrhunderten der Überlegung erarbeitet und vertieft ... und endlich durch die geniale Erkenntniskraft des großen mittelalterlichen Philosophen ... in eine einheitliche Ordnung gebracht worden ist.“

Für dieses Bedürfnis nach geschichtlicher Kontinuität in der Metaphysik

---

[19] Ebd. — Zur Reduktion der Philosophie auf irrationale Weltanschauung in der zweiten Hälfte des 19. Jahrhunderts vgl. *H. Lübbe*, Politische Philosophie in Deutschland (1963) 21 ff und 127 ff.

[20] *A. Trendelenburg*, Logische Untersuchungen (^{2}1862) Vorwort; (^{3}1870) S. XI f.

[21] Ebd.

[22] Vgl. dazu meinen Artikel „Philosophia perennis“: LThK^2 VIII 471 f.

[23] *H. Woroniecki*, Catholicité du Thomisme, zit. nach *J. Maritain*, Antimodern, hrsg. von K. Eschweiler (1930) 8 f.

hätte sich die Neuscholastik selbst auf Kant berufen können, der freilich nur als Zertrümmerer der Metaphysik gesehen wurde. Kant erklärt nämlich gelegentlich: „Wenn man Erfinder sein will, so verlangt man, der erste zu sein, will man nur Wahrheit, so verlangt man Vorgänger." [24] Gewiß ist ein solches Wort aus der Feder Kants erstaunlich, aber es hat doch gerade für den Metaphysiker Kant seinen unaufgebbaren Sinn, insofern das Prinzip der Sittlichkeit, das seine Lehre vom Vernunftglauben an Gott, Freiheit und Unsterblichkeit trägt, nach seiner ausdrücklichen Erklärung stets bekannt und anerkannt und nicht von ihm neu eingeführt oder erfunden sei [25].

Vor allem aber hatte bereits Hegel die Notwendigkeit geschichtlicher Kontinuität für die Philosophie herausgestellt. Auf die stets neuen Philosophien, die behaupten, die bisherigen hätten das Wahre noch nicht gefunden, sind nach ihm die Worte des Apostels anzuwenden: „‚Siehe, die Füße derer, die dich hinaustragen werden, stehen schon vor der Tür.' Siehe, die Philosophie, wodurch die deinige widerlegt und verdrängt werden wird, wird nicht lange ausbleiben." [26] Nur die Philosophie, die den philosophischen Gedanken in seiner geschichtlichen Entwicklung aufnimmt, die bisherigen philosophischen Prinzipien affirmativ bewahrt und so „Spiegel ihrer ganzen Geschichte" ist, kann nach Hegel wahr sein und bestehen. Dieser Forderung hatte Hegel selbst freilich nicht entsprochen und in seiner geschichtlichen Situation nicht entsprechen können; denn die moderne Philosophiehistorie konstituierte sich ja erst in seiner Schule und gegen seine Geschichte der Philosophie; und das neuerarbeitete historische Wissen von der Geschichte der Philosophie trug kaum weniger zum Zusammenbruch seines Systems bei [27] als der Fortschritt der Naturwissenschaften, deren Autonomie gegenüber der Philosophie Hegel verkannt hatte.

Indem die Neuscholastik, um der geschichtlichen Kontinuität des philosophischen Gedankens willen und um das in der Geschichte der Philosophie schon Erreichte nicht preiszugeben, sich der alten Tradition der Metaphysik wieder zuwandte, entsprach sie also einem notwendigen Bedürfnis des seiner Geschichtlichkeit bewußtgewordenen Geistes. Gerade Metaphysik, um die das menschliche Denken sich mehr als 2000 Jahre lang intensiv bemüht hat, wäre mit ihrem Anspruch auf überzeitliche

---

[24] *Kant,* Reflexionen 2159; Akad. Ausg. Bd. XVI 255.

[25] Vgl. Kritik der praktischen Vernunft, Vorrede, WW (ed. Cassirer) V 8.

[26] *Hegel,* a. a. O. 90; vgl. ebd. 69 und 126—134.

[27] Von der Philosophiehistorie her kritisierten Hegels Dialektik insbesondere *E. Zeller,* Kleine Schriften (ed. O. Leuze) I (1910) 52 ff und 417, sowie *A. L. Kym,* Hegels Dialektik in ihrer Anwendung auf die Geschichte der Philosophie (Zürich 1849).

Wahrheiten vom Bleibenden und Immer-Seienden unglaubwürdig, müßte sie gestehen, diese ewigen Wahrheiten erst jetzt erkannt und erfunden zu haben. So wird man sagen müssen, daß die Übereinstimmung mit einer großen Tradition angesichts des historischen Bewußtseins eine bleibende Bedingung einer jeden Metaphysik ist, die mit dem Anspruch auf überzeitliche Wahrheiten noch glaubwürdig wird auftreten können.

Aber eben dieses Prinzip, das die Neuscholastik geschichtlich rechtfertigt, zeigt auch ihre Grenze und führt über sie hinaus, sofern sie sich *nur* um die Wiederholung der aristotelisch-thomistischen Metaphysik bemüht. Denn weder das Denken des Menschengeschlechts noch die Tradition der Metaphysik hören ja mit Thomas von Aquin und dem 13. Jahrhundert auf. Man entspricht nicht der heute unabweisbaren Aufgabe, die eigene Philosophie auch historisch zu begründen, wenn man die Geschichte der Philosophie, wie es in der Neuscholastik oft geschieht, als Fortschritt bis zu der übernommenen und wiederholten Position und als Abfall von ihr ausgibt; denn dieses Schema, geläufig auch dem Neukantianismus, der die Geschichte der Philosophie als Vorbereitung des Kritizismus und als Zurückbleiben hinter ihm deutete, verstellt den Blick auf die wirkliche geschichtliche Bewegung des philosophischen Gedankens, läßt sie nur durch die Brille der eigenen systematischen Position sehen und ist so keine Begründung und Rechtfertigung, sondern geradezu eine Diskriminierung der eigenen Philosophie, da sie dadurch auf dem Felde der Historie ihre Beschränktheit offenbart und sich als blind gegenüber neuen Prinzipien oder Aufgaben der Philosophie erweist.

Es kommt hinzu, daß eine Deutung der Geschichte der Philosophie nicht gleichgültig zu sein scheint für eine Deutung der Geschichte überhaupt. Wenn Maritain in seiner Schrift „Antimodern" „die Art des neuzeitlichen" mit Descartes anhebenden „Philosophierens intellektuelle Barbarei" nennt und eine „im Ansatz schon verfälschte sittliche Disposition" als „Seele der modernen Systeme" behauptet, dann liegt es nahe, und Maritain geht in der Tat so weit, in der durch den Bruch mit dem Mittelalter bestimmten Neuzeit den „Ausbruch einer antichristlichen Revolution" zu sehen[28]. Dann aber wäre es *beinahe* konsequent, mit dem kirchlichen Antimodernismus des 19. Jahrhunderts das für die neuzeitlichen Rechtsstaaten konstitutive Prinzip der Gewissens-, Religions- und Meinungsfreiheit abzulehnen und an der geschichtlich überholten Forderung einer einzigen Staatsreligion festzuhalten[29]. Demgegenüber ist die angeb-

[28] *Maritain,* a. a. O. 8 und 10.

[29] Vgl. *Denzinger,* Enchiridion Symbolorum 1690 1715 1777 ff. Dagegen erklärt die Enzyklika „Pacem in terris": In hominis iuribus hoc quoque numerandum est, ut et Deum, ad rectam conscientiae suae normam, venerari possit, et religionem privatim et

lich barbarische Denkart Descartes', der das politische Recht der Gewissens- und Religionsfreiheit geltend machte, nach dem die Hochschätzung der eigenen Freiheit und deren guter Gebrauch die höchste Tugend der générosité konstituiert und nach dessen Lehre zur générosité auch die Präsumtion guten Willens beim anderen gehört[30], sicher nicht nur humaner, sondern auch christlicher.

Maritains Descartes-Deutung mit der damals geläufigen These, Descartes sei eigentlich nur an der Physik, nicht an der Metaphysik interessiert gewesen[31], ist durch die Philosophiehistorie längst überholt[32]. Aber auch Gilsons Hauptwerk, seine erstmals 1948 unter dem Titel „L'être et l'essence" vorgelegte Geschichte der Metaphysik, die im Unterschied zu Heideggers spekulativ-prophetischer Seinsgeschichte die Kompetenz der Philosophiehistorie nicht in Frage stellt und von allen Verzeichnungen der gerade genannten Art völlig frei ist, wiederholt doch das neuscholastische Schema, nach dem die Geschichte der Metaphysik in Thomas von Aquin kulminiert und in ihrem weiteren Verlauf nur aus einer „Kollektion abschreckender Beispiele des Abfalls von Thomas" zu bestehen scheint[33]. Man wird Gilson zwar nicht bestreiten können, daß die thomistische Lehre vom Seienden als Einheit von Sein und Wesen weder von Duns Scotus, Suárez, Descartes, Wolff, Kant und Hegel geteilt wird, aber es bleibt doch einseitig, die Geschichte der Metaphysik nur von *einem* der in ihr behandelten Probleme her zu beurteilen.

Thomas selbst hatte zwar die Geschichte der Philosophie unter genau diesem Gesichtspunkt einer Analyse des Seienden als solchen betrachtet und sie als fortschreitende Erhellung des Seienden überhaupt aus dessen Gründen und Ursachen angesehen. Aber obwohl nach dieser von ihm mehrmals skizzierten Fortschrittsgeschichte der Metaphysik seine eigene Lehre, das Seiende überhaupt bestehe als „das, was ist", aus den unselbständigen Prinzipien Sein und Wesen und leite sich vom absoluten subsi-

---

publice profiteri. Vgl. dazu auch *J. Maritain,* Die Menschenrechte und das natürliche Gesetz (Übers. von M. Giesen; 1951) 71: „Dem Staat, der zeitlichen Gemeinschaft und der zeitlichen Macht gegenüber ist er (der Mensch) frei, seinen religiösen Weg zu wählen, auf eigene Rechnung und Gefahr. Seine Gewissensfreiheit ist ein unverletzbares, natürliches Recht."

[30] Vgl. Brief an Huygens, 12. 5. 1647, Correspondence (ed. Adam-Milhaud) VII 319 (Liberté de conscience) und Les passions de l'âme, art. 153 f, A. T. XI 445 ff (générosité).

[31] Antimodern, a. a. O. 109.

[32] Vgl. *H. Gouhier,* La pensée religieuse de Descartes (1924). Dieses Werk galt der Kritik der These, Descartes sei seinem Selbstverständnis nach eigentlich nur Physiker gewesen. Neuerdings hat *J. Laporte,* Le rationalisme de Descartes ([2]1950) 300—468, nochmals eingehend das Verhältnis von Religion und Vernunft nach Descartes dargelegt.

[33] Vgl. O. *Marquard,* Skeptische Methode im Blick auf Kant (1958) 55.

stierenden Sein her, den Höhepunkt dieser Entwicklung bildet, hat Thomas nie die eigene Doktrin als endgültigen Abschluß der Philosophie behauptet, sondern ausdrücklich auf den zu erwartenden weiteren Fortschritt der spekulativen Wissenschaften hingewiesen[34].

Einen solchen über das im Mittelalter Erreichte hinausgehenden Fortschritt hat dann Descartes behauptet, und zwar nicht nur im Hinblick auf die sich eben begründende moderne Naturwissenschaft, sondern gerade auch in der Metaphysik. Aber der Fortschritt der Metaphysik besteht nach Descartes nicht im Gewinn neuer inhaltlicher Erkenntnisse über die Hauptthemen der Metaphysik, über Gott und das Wesen des menschlichen Geistes, sondern in der Form der methodischen Begründung der, wie er ausdrücklich lehrt, *alten* metaphysischen Wahrheiten. Im Unterschied zum Fortschritt der Naturwissenschaft, der den Menschen zum Herrn und Besitzer der Natur machen wird, wie Descartes voraussieht, liegt der Fortschritt der Metaphysik nach ihm in der wachsenden Methodenreflexion[35].

Wenn man unter diesem erstmals von Descartes angegebenen, dann auch von Kant und Hegel beachteten Gesichtspunkt die Geschichte der Metaphysik von Platon und Aristoteles an bis hin zu Heidegger betrachtet, der in „Sein und Zeit" nochmals das Ungenügen der bisherigen Methoden der Ontologie behauptet, dann zeigt sie sich in ihren großen Gestalten in der Tat nicht nur als vernünftige Entwicklungsgeschichte, die durch Kontinuität und Konsequenz der Problemführung charakterisiert ist, sondern auch als Fortschrittsgeschichte. Ein Beispiel möge das verdeutlichen:

Aristoteles hat wiederholt gefordert, die Methode müsse dem jeweils untersuchten Gegenstand entsprechen. Aber Aristoteles hat keine der Metaphysik eigene Methode erarbeitet. Seine Methodenlehren, die Topik und die Zweiten Analytiken, sind allgemein; an der Rhetorik die eine, an der Mathematik die andere orientiert, entsprechen sie nicht dem spezifischen Fragenbereich der Metaphysik. Erst im Mittelalter begegnet bei Thomas von Aquin eine an wenigen Stellen skizzierte Methode reflexiver Erkenntnisanalyse, die man als genuine Methode der Metaphysik ansehen kann. Aber Thomas hat wiederum seine Metaphysik nicht gemäß dieser Methode durchgeführt, sondern an der aristotelisch-boethianischen Methodenlehre festgehalten, deren entscheidender Mangel, das Fehlen

---

[34] Vgl. In Ethic. I 11 (133); S. th. 1 II q. 97 a. 1; 2 II q. 1 a. 7 ad 2 (Fortschritt der Wissenschaften im allgemeinen); De subst. sep. 7 (Opuscula, ed. Perrier, 154 f); Pot. 7, 5; S. th. I q. 44 a. 2 (Fortschritt der Metaphysik); S. c. Gent. III 48 (Fortschritt auch in der Zukunft). Vgl. dazu vom Verf., Über den Fortschritt der Philosophie. Geschichte und Stand des Problems: Philosophie und Fortschritt. VII. Deutscher Kongreß für Philosophie (München 1964).

[35] Belege in dem Anm. 34 genannten Aufsatz.

einer Methode demonstrativer Invention, von Descartes und Leibniz herausgestellt wurde. Descartes und Leibniz aber entfalten wiederum eine allgemeine, nicht nur der Metaphysik eigene Methodologie; der eine verallgemeinert die mathematisch-analytische Methode, der andere führt die traditionelle mathematisch-synthetische Methode weiter. Erst Kant weist 1770 darauf hin, daß es über die Methode hinaus, die die „Logik allen Wissenschaften überhaupt vorschreibt", endlich eine „dem einzigartigen Geist der Metaphysik angemessene Methode" geben müsse[36]; und so kam er zur Ausarbeitung seiner Kritik der reinen Vernunft, die sich als „Traktat von der Methode" vorstellt. Hegel führte auch diese methodologischen Reflexionen Kants weiter; bei ihm hat die Philosophie zwar die nur ihr eigene Methode, aber nun nicht den ihr eigenen Gegenstand, da Hegel auch etwa über Mechanik und Physik glaubte philosophisch, und zwar gegen Newton, handeln zu können. Der Fortschritt dieser Wissenschaften erzwang dann eine erneute Methodenreflexion, der Heidegger unter Berücksichtigung der nur phänomenologisch einzuholenden Lebenswelt in „Sein und Zeit" zu entsprechen suchte.

Wie diese Hinweise[37] vielleicht schon deutlich machen können, zeigt sich die Geschichte der Metaphysik im Licht des kontinuierlich gestellten Methodenproblems auf dem Boden der Philosophiehistorie, ohne Bindung an eine eigene systematische Position, allein auf Grund immanenter Kritik und der Anerkennung des Fortschritts der Einzelwissenschaften in ihren großen Gestalten als vernünftige Fortschrittsgeschichte. Denn der Maßstab, nach dem sich dieser Fortschritt wachsender Methodenreflexion bemißt und aufzeigen läßt, ist nicht die Annäherung an die als bekannt behauptete wahre Methode der Metaphysik; vielmehr bemißt sich dieser Fortschritt einmal an der wachsenden Aufhebung der am Beginn und im Verlauf der Geschichte der Metaphysik vielfältig gegebenen Diskrepanz zwischen Lehre und Durchführung der Methode oder, positiv formuliert, an der mehr und mehr erreichten Identität zwischen Methodologie und tatsächlichem Vollzug der Methodenlehre. Zum anderen hat dieser Fortschritt der Methodenreflexion seinen Grund und sein Maß im Aufkommen neuer Einzelwissenschaften, etwa der modernen Naturwissenschaft und der Historie, und in deren Fortschritten, sofern sich damit die Aufgaben, Grenzen und Bedingungen einer wissenschaftlich sein sollenden Metaphysik klären.

Eine solche umfassender und schärfer werdende Reflexion auf die in

---

[36] De mundi sensibilis ... Sectio V § 23, WW (ed. Cassirer) II 427.

[37] Einen genaueren Überblick über die Geschichte der Methoden der Metaphysik enthält meine demnächst erscheinende Arbeit, Descartes und der Fortschritt der Metaphysik (Basel 1964).

der Metaphysik zu befolgende Methode ist freilich ein ambivalenter Fortschritt: kein Gewinn immer neuer Wahrheiten über die Inhalte der Metaphysik, sondern eine sich verschärfende Grundlagenproblematik, die oft verhindert hat, überhaupt zur Durchführung der Metaphysik zu gelangen. Anderseits steht Metaphysik mit dem in ihrer Geschichte gegebenen Fortschritt der Methodenreflexion gegenüber unwissenschaftlichen Weltanschauungen und Ideologien auf der Seite der Wissenschaften, so daß dieser nicht rückgängig zu machende Fortschritt der Reflexion für die Metaphysik auch die Chance enthält, eine tiefere und umfassendere Selbstgewißheit ihres Vollzugs zu erreichen. Daß diese Möglichkeit besteht, zeigt sich besonders darin, daß die Geschichte der Metaphysik trotz allen tiefgreifenden Wandlungen in dem zentralen Problem einer vernünftigen Gotteserkenntnis auch eine bemerkenswerte Kontinuität der Problemlösung zeigt; denn von Platon bis Hegel wird in verschiedenen Formen immer wieder die These wiederholt, der Mensch erkenne und erstrebe naturhaft und ständig, freilich implicite und ohne es gewöhnlich ausdrücklich zu wissen, das Absolute[38]. Nimmt Metaphysik heute diesen alten Gedanken auf und sucht, in Übereinstimmung mit der Entwicklung des Methodenproblems, in reflexiver Analyse des im Erkennen und Lieben kulminierenden menschlichen Daseinsvollzugs eine stets vorausgesetzte unausdrückliche Erkenntnis des Absoluten aufzuweisen, dann dürfte sie die Chance haben, mit dem Anspruch auftreten zu können, eine überzeitliche Wahrheit wissenschaftlich darzulegen und zu entfalten.

Aber die Besinnung auf ihre Geschichte dient nicht nur der Aufgabe einer geschichtlichen und sachlichen Selbstbegründung der Metaphysik. Denn wenn Philosophie sich heute der Aufgabe geschichtlicher Selbsterkenntnis, die ihr das historische Bewußtsein stellt, nicht entziehen kann und den Sinn *ihrer* Geschichte bestimmen muß, dann hat sie auch die geschichtsphilosophische Frage nach dem Sinn der *Geschichte überhaupt* aufzunehmen, da Philosophie und Metaphysik in ihrer Geschichte ja unlöslich mit der Geschichte der Religionen und Wissenschaften, der sozialen und politischen Verhältnisse verbunden sind. Nach Hegel, der das betont, zugleich freilich davor gewarnt hat, etwa politische Verfassungen oder soziale Verhältnisse zur Ursache der mit ihnen verbundenen Philosophie oder diese zum Grund von jenen zu erklären[39], spricht sich der Geist einer Zeit am reinsten in der Philosophie aus, die ihre Zeit, in Gedanken erfaßt, sei. Dann wäre die Geschichte der Philosophie ein angemessener Leitfaden

[38] Vgl dazu vom Verf., Zur Wirkungsgeschichte der platonischen Anamnesislehre: Collegium Philosophicum. Studien zur Geschichtsphilosophie und Metaphysik. Joachim Ritter zum 60. Geburtstag (Basel 1964).

[39] *Hegel,* Einleitung in die Geschichte der Philosophie (ed. cit.) 40 u. 148.

für die Philosophie der Geschichte. Ist das der Fall? Soll demnach ein ambivalenter Fortschritt auch etwa den geschichtlichen Wandel der politischen Verfassungen charakterisieren? Liegt der Sinn der Geschichte, d. h. Richtung und Bedeutung ihres Ganges, in einem solchen Fortschritt?

Wie mir scheint, kann man diese Fragen bejahen. Zunächst nämlich bildet die Geschichte der Philosophie schon deshalb einen geeigneten Leitfaden für die Philosophie der Geschichte, weil auch von ihr her der eigentliche Gegenstand der Geschichtsphilosophie in den Blick kommen kann. Das ist nach der Tradition der Geschichtsphilosophie nicht die partikuläre Geschichte der einzelnen Völker und Nationen, sondern die allgemeine Weltgeschichte. Im Anschluß an die Bestimmungen von Weltgeschichte, die Kant und Hegel gegeben haben[40], kann man heute, nachdem die in Europa ausgebildeten Formen der Wissenschaft und Bildung, der Technik und Produktion sowie der staatlich-gesellschaftlichen Organisation die ganze Welt umgreifen und prägen, diejenigen Ereignisse und Taten weltgeschichtlich nennen, die diese moderne einheitlich europäisierte, wenn auch nicht politisch geeinte Welt herbeigeführt haben und konstitutiv für sie sind[41]. Dazu gehört die Ausbildung der Philosophie.

Denn das Aufbrechen der philosophischen Frage und das Erwachen der auf Selbständigkeit des Urteils bedachten philosophischen Vernunft gehört zu jenen Begebenheiten, die sich nicht mehr vergessen lassen und nicht rückgängig zu machen sind. Schon Tiedemann schrieb 1791: „Darin unterscheidet sich die Philosophie von den Reichen der Welt, daß, nachdem sie einmal dem Menschengeschlecht ist erschienen, sie nie ganz ist unter- oder

---

[40] Vgl. *Kant,* Idee zu einer allgemeinen Geschichte in weltbürgerlicher Absicht, WW (ed. Cassirer) IV 164 ff. — Zu Hegels Theorie der Weltgeschichte vgl. *J. Ritter,* Hegel und die Französische Revolution (1957) 21 f und 57 (dort Belege und weitere Literatur).

[41] Vgl. dazu: *J. Ritter,* Europäisierung als europäisches Problem: Europäisch-asiatischer Dialog (1956) 18 f. — Diese Bestimmung der Weltgeschichte und damit des Gegenstandes der Geschichtsphilosophie ist unabhängig von den metaphysischen Voraussetzungen, in denen Hegels Lehre von der Weltgeschichte steht, sofern diese als „Entwicklung der allgemeinen Idee des Geistes in seiner Wirklichkeit" gefaßt wird. (Vgl. *Hegel,* Enzyklopädie [1830], ed. Nicolin und Pöggeler, 1959, § 536, 413; §§ 548 f, 426 ff; ferner die ähnliche Bestimmung: Grundlinien der Philosophie des Rechts, ed. Hoffmeister, [4]1955, §§ 341 f, 288 ff.) In ihrer Unabhängigkeit von Hegels Metaphysik des „Weltgeistes" steht diese Konzeption Kants „Idee einer Weltgeschichte" nahe, obwohl nach Kant, was nicht abzusehen ist, die „vollkommene", d. h. auch politische, „bürgerliche Vereinigung in der Menschengattung" Ziel der Weltgeschichte ist (a. a. O. 164). Demgegenüber läßt sich mit *Ritter,* a. a. O. 19, sagen, daß die Geschichte Europas mit der Europäisierung der Welt schon in der Gegenwart „in einem neuen Sinn zur Weltgeschichte geworden ist". Bemerkenswert ist, daß jedoch schon Kant die Europäisierung der Welt voraussieht mit der Erklärung, daß „unser Weltteil . . . wahrscheinlicherweise allen anderen dereinst Gesetze geben wird" (a. a. O. 163).

zurückgegangen."[42] Zur modernen Welt und ihrer Bildung gehört aber die Philosophie auf der durch das historische Bewußtsein gekennzeichneten Reflexionsstufe. Deshalb wird mit ihr auch die Metaphysik wenigstens historisch und, da damit die Chance ihrer sachlichen Aneignung gegeben ist, wohl nicht nur in dieser Weise oder nur als Gegenposition präsent bleiben.

Die Philosophie gehört aber nicht nur als Bestandteil ihrer Bildung zu der planetarisch gewordenen modernen Welt, sondern sie hat auch Anteil an deren Entstehung. Die Ausbildung der wissenschaftlichen Vernunft in der griechischen Philosophie ist nämlich eine, natürlich nicht die einzige, Bedingung für das Entstehen der modernen Naturwissenschaften, die zur Europäisierung der Erde geführt haben und die moderne Welt prägen. Die geschichtliche Verbindung der modernen Naturwissenschaft mit der griechischen Philosophie zeigt sich etwa darin, daß die Methodenlehre Newtons und Galileis über die Oxforder Schule des 13. Jahrhunderts, die die experimentelle Methode in ihrem qualitativen Aspekt, d. h. ohne ihre mathematische Komponente, schon erarbeitet hatte, auf die philosophische Wissenschafts- und Methodenlehre der Antike zurückgeht[43].

Vielleicht noch wichtiger aber ist dies, daß die Anerkennung der Menschenrechte, auf der die modernen Rechtsstaaten basieren, in der von der Antike herkommenden philosophischen Tradition des Naturrechts wurzelt, nach dem der Mensch als Mensch an sich und immer das Recht auf ein menschliches Leben hat[44]. Der Beitrag, den die Philosophie zur Bestimmung des Rechts auf Gewissens- und Religionsfreiheit und zur Anerkennung und Ausbreitung der Idee der Toleranz geleistet hat, zeigt ihre weltgeschichtliche Bedeutung. Bevor in der Neuzeit der Mensch als Mensch, d. h. ungeachtet seiner je verschiedenen geschichtlichen Herkunft, Rasse und Religion, Subjekt des gesellschaftlichen und politischen Lebens wurde, war er als solcher Subjekt der Philosophie, die den Menschen in seinem allgemeinen metaphysischen Wesen entdeckt hatte. Nachdem die christliche Glaubenslehre die Philosophie, die sich der Universalität der Vernunft spätestens im Hellenismus bewußt geworden war, in Patristik und Frühscholastik in sich aufgenommen und an sich gebunden hatte, war es die große weltgeschichtliche Leistung des 13. Jahrhunderts, die nun von der Glaubenslehre unterschiedene Philosophie wieder freizusetzen und in

---

[42] *D. Tiedemann,* Geist der spekulativen Philosophie I (Marburg 1791) Vorrede.

[43] Das ist die reichdokumentierte These der Arbeit *A. C. Crombies,* Robert Grosseteste and the Origines of Experimental Science, 1100—1700 (Oxford 1953).

[44] Vgl. *J. Ritter,* ‚Naturrecht' bei Aristoteles. Zum Problem einer Erneuerung des Naturrechts (1961) 9: „In dieser Geltung ‚an sich' und ‚immer' liegt die weltgeschichtliche Größe des Naturrechts der Philosophie."

ihrem Eigenbereich und in ihrem Eigenrecht anzuerkennen. Das bedeutet, daß nicht mehr der durch seine Geschichtlichkeit, durch seine christliche Herkunft bestimmte Mensch, sondern der in seinem metaphysischen allgemeinen Wesen wiederentdeckte Mensch als solcher Subjekt der Philosophie ist[45]. Hier liegt der Grund für die Weltoffenheit jenes Denkens, das den Heiden Aristoteles als Autorität anerkannte und zum erstenmal zu einem offenen Gespräch mit Juden und Arabern kam. Aber es ist auch kein Zufall, daß zugleich mit dem Eigenrecht der spekulativen Vernunft das Recht der individuellen praktischen Vernunft herausgestellt wurde, die als Gewissen die unübersteigbar letzte, selbst noch im Irrtum verpflichtende subjektive Norm des Handelns ist[46].

Zu allgemeiner politischer Verwirklichung gelangten diese Prinzipien im 13. Jahrhundert freilich nicht, obwohl sie natürlich auch dort mit sozialen und politischen Umwandlungen, etwa dem Aufblühen der Städte, dem Aufkommen freier Zünfte und der Gründung von Universitäten, verbunden waren. Thomas selbst hat kein Wort gegen die Sklaverei gesagt, und er teilte die Auffassung seiner Zeit, es sei gerecht, Häretiker dem weltlichen Arm zur Todesstrafe zu überliefern. Aber es ist bemerkenswert, daß bei allen tiefgreifenden Veränderungen, die die Philosophie in der Spätscholastik erfuhr, fortan fast durchweg sowohl das Recht einer freien, autonomen Philosophie behauptet als auch die Lehre von der Maßgeblichkeit des individuellen Gewissens festgehalten wurde. Zu Beginn der Neuzeit beruft sich dann Descartes für die methodische Unterscheidung von Philosophie und Theologie und für das Recht der Philosophie, in ihrem Bereich nur das mit ihren Prinzipien und mit ihrer Methode Gewonnene zuzulassen, ausdrücklich auf Thomas von Aquin[47]. Descartes wird dann wegen der ihm zu verdankenden Befreiung der Vernunft aus einer, wie D'Alembert schreibt, „despotischen und willkürlichen Herrschaft"[48] in der französischen Aufklärung gefeiert, die eine der Bedingungen der Französischen Revolution ist, jener weltgeschichtlichen Tat, in der sich

---

[45] Vgl. dazu *W. Kluxen*, Maimonides und die Hochscholastik: Philos. Jahrb. 63 (1955) 151—165, bes. 160.

[46] Schon bei Abaelard ist das Bemühen, die Bereiche des Glaubens und Wissens schärfer zu bestimmen, mit einer Lehre vom Gewissen verbunden, die als Vorbereitung der thomistischen These von der Verbindlichkeit selbst des irrigen Gewissens angesehen werden kann. Vgl. *Ueberweg-Geyer* II 220f und 223f. Eine Untersuchung über den geschichtlichen und sachlichen Zusammenhang zwischen der Lehre vom Eigenrecht der spekulativen Vernunft und der These von der Verbindlichkeit der individuellen praktischen Vernunft ist m. W. noch Desiderat.

[47] Zum Beispiel A. T. III 274; an Mersenne, 31. 12. 1640.

[48] Encyclopédie . . ., Discours préliminaire (Bern-Lausanne 1788) T. I, xlv.

der Mensch nach der Formulierung Hegels „auf den Kopf, das ist auf den Gedanken stellt und die Wirklichkeit nach diesem erbaut"[49].

Weil die Ausbildung der ihrer Freiheit und ihrer universalen Weite bewußten philosophischen Vernunft selbst weltgeschichtliche Bedeutung hat, kann die Geschichte der Philosophie Leitfaden der Philosophie der Geschichte sein. An Hand dieses Leitfadens hat sich bereits ergeben, daß vor allem die Geschichte der technischen Naturwissenschaften, die die moderne industrielle Welt heraufgeführt haben, und die geschichtlichen Bedingungen der modernen gesellschaftlichen und politischen Organisation Thema einer Philosophie der Geschichte sein müssen. Ist die Geschichte der handelnden und ihre Welt verändernden Menschheit in diesen Bereichen auch durch einen Fortschritt charakterisiert?

Es hieße einen Knoten in der Binse suchen, wollte man den beständigen Fortschritt der modernen Naturwissenschaften eigens zum Problem machen. Aber es ist gegen die romantischen Verfallstheorien, die in der modernen technischen Welt eine „aus der Metaphysik stammende Verwüstung der Erde" sehen, die zur „totalen Vernutzung" des Seienden führe und auch den Menschen zum „uniformen Rohstoff" mache[50], daran zu erinnern, daß die Menschheit ohne die Technik gar nicht mehr leben und sich die Bedingungen ihrer Existenz verschaffen könnte und daß darüber hinaus heute erstmals in der Geschichte die freilich noch nicht erfüllte reale Möglichkeit besteht, daß keiner mehr Hungers zu sterben braucht. Niemand wird freilich die dem technischen Fortschritt immanenten Regressionen, etwa die Zivilisationskrankheiten, leugnen; aber sie sind selbst nur durch den Fortschritt der Wissenschaft und Technik zu reduzieren. Von einer Ambivalenz des technischen Fortschritts wird man aber nicht nur wegen der ihm immanenten Regressionen, sondern vor allem deswegen sprechen müssen, weil die fortschreitende Beherrschung der Naturkräfte, d.h. die in diesem Sinne wachsende Freiheit des Menschen, dazu führen kann, daß sich heute die Menschheit selbst in einem kollektiven Selbstmord vernichtet.

Während sich die französische Geschichtsphilosophie von Turgot bis Comte am Fortschritt der technischen Wissenschaften orientierte und oft im Sinne der technokratischen Konzeption Saint-Simons meinte, der Fortschritt der Wissenschaften brächte automatisch auch die Lösung der so-

---

[49] *Hegel,* Vorlesungen über die Philosophie der Weltgeschichte (ed. Lasson, Bd. IV, 1944) 926.

[50] *M. Heidegger,* Überwindung der Metaphysik: Vorträge und Aufsätze (1954) 72 95 ff. Vgl. dazu *J. Ritter,* Die große Stadt: Erkenntnis und Verantwortung. Festschrift für Th. Litt (1961) 183—193. Zur Genealogie der Verfallstheorien vgl. *K. Gründer - R. Spaemann,* Geschichtsphilosophie: LThK² IV 783 ff.

zialen und politischen Probleme[51], sah die Geschichtsphilosophie des Deutschen Idealismus von Kant an den Fortschritt des Menschengeschlechtes vorzüglich, wie Kant formulierte, „in der Vermehrung der Produkte der Legalität"[52]. Bei Schelling heißt es: „Als historischer Maßstab der Fortschritte des Menschengeschlechtes bleibt nur die allmähliche Annäherung zu diesem Ziel . . . einer Realisierung der Rechtsverfassung . . . übrig."[53] Daß in der heute zur Weltgeschichte gewordenen Geschichte Europas ein solcher Fortschritt in der Realisierung einer Rechtsverfassung und in der Vermehrung der Produkte der Legalität historisch aufweisbar ist, daß also die moderne Rechtsordnung einen enormen Fortschritt gegenüber Faustrecht und Fehde bildet, ist offenkundig. Wenn aber, worauf Hegel hinweist[54], die gesetzlich bestimmten Rechte mit ihrem alten Namen wahrhaft „Freiheiten" genannt werden können, dann sind Ausbau und Vermehrung der Rechtsordnung ein Fortschritt in der Erweiterung und Sicherung des menschlichen Freiheitsraumes. Erst der moderne Staat und die neuzeitliche Rechtsordnung geben ja einen staatsfreien Raum der privaten Individualität frei. Die durch staatliche Macht erzwingbaren, alle Bürger verpflichtenden Gesetze sichern nämlich Ordnung und Freiheit, indem sie nur Legalität, nicht aber Moralität fordern, da über legales hinausgehendes sittliches Verhalten und private moralische Gesinnung nicht staatlich-rechtlich erzwingbar sind. „Weh dem Gesetzgeber", so schreibt Kant in vorweggenommener Kritik des totalitären Staates, „der eine auf ethische Zwecke gerichtete Verfassung durch Zwang bewirken wollte! Denn er würde dadurch nicht allein gerade das Gegenteil der ethischen bewirken, sondern auch seine politische untergraben und unsicher machen."[55]

Der moderne Rechtsstaat, der erstmals die der Antike fremde und auch im Mittelalter noch nicht politisch realisierte Unterscheidung des Öffentlich-Rechtlichen und des Privat-Sittlichen zum Prinzip hat, ist aus den Religionskriegen und dem Aufkommen der bürgerlichen Gesellschaft entstanden, aus unserer auf Bedürfnisbefriedigung, Arbeit und Produktion gestellten Arbeitsgesellschaft, deren Subjekt der Mensch als Mensch ist. Wie Hegel gegenüber den abstrakten und fiktiven Urstands- und Vertragstheorien betont, ist der moderne Rechtsstaat, der die Menschenrechte garantiert, die geschichtlich gewachsene, um der Verwirklichung freien

---

[51] Vgl. *H. Lübbe*, Zur politischen Theorie der Technokratie: Der Staat I (1962) 19—38.

[52] Der Streit der Fakultäten, Zweiter Abschnitt, 9; WW (ed. Cassirer) VII 404.

[53] System des transzendentalen Idealismus, WW (1856) III 593.

[54] Enzyklopädie (ed. cit.) § 539, 416.

[55] *Kant,* Die Religion innerhalb der Grenzen der bloßen Vernunft, 3. Stück, 1. Abt. I, WW (ed. Cassirer) VI 240.

Menschseins willen notwendige Macht, die, der Gesellschaft gegenüberstehend, in dieser Recht, Ordnung und Frieden garantiert[56].

Hegel sieht freilich darüber hinaus im Staat nicht nur die „Wirklichkeit der sittlichen Idee", sondern ordnet diese objektive sittliche Wirklichkeit als geradezu „Natur gewordene" „Vollendung des objektiven Geistes" der „Moralität des freien Individuums" oder der „Person" ontologisch über und bestimmt den Staat in seiner „substantiellen Einheit" mit „dem zu seiner Allgemeinheit erhobenen besonderen Selbstbewußtsein" als „absoluten unbewegten Selbstzweck"[57]. Dieser ontologischen Überordnung des Staates über die Person mit ihrer moralischen Freiheit widerspricht aber — abgesehen von den gegen Hegels metaphysische Deutung des objektiven Geistes zu erhebenden Bedenken — unsere Erfahrung, daß es auch und gerade auf dem Boden der modernen bürgerlichen Gesellschaft noch einen unsittlichen Staat, den totalitären, geben kann. Deshalb scheint auch die im modernen Rechtsstaat endlich erreichte politisch-rechtliche Freiheit des Menschen als solchen ambivalent zu bleiben; denn die Gesetze können nicht aus bloßer Legalität ihre Geltung bewahren, sondern verlangen Sanktion durch Anerkennung. Das ist nicht ohne Moralität möglich[58].

---

[56] Vgl. dazu *J. Ritter,* Hegel: StL[6] IV 24 ff; und *ders.,* Person und Eigentum: Marxismusstudien, Vierte Folge (hrsg. von I. Fetscher; 1962) 196—218. — Wie Ritter in seiner Hegel-Interpretation aufzeigt, befreit die moderne bürgerliche Gesellschaft nicht nur durch Technik und Industrie den Menschen aus der Macht der Natur, sondern erhebt zugleich auch durch die Versachlichung der Arbeitsverhältnisse in der Form, daß Fertigkeiten nur als Sache und Eigentum auf Zeit veräußert werden, die Freiheit der Persönlichkeit zum allgemeinen Prinzip, das der dieser Gesellschaft zugeordnete moderne Staat mit seiner rechtlichen Macht schützt.

Die soziologischen Veränderungen, die mit dem Aufkommen der bürgerlichen Gesellschaft und der Entwicklung der modernen Industriegesellschaft verbunden sind, können hier nicht eigens erörtert werden, obwohl auch sie — man denke an die Berufs- und Gewerbefreiheit oder an die Emanzipation der Frau — für die Geschichte der menschlichen Freiheit bedeutsam sind.

[57] Zitate (in der angeführten Folge): Grundlinien der Philosophie des Rechts (ed. cit.) § 257, 207; Enzyklopädie (ed. cit.) § 513, 402; § 503, 397; Grundlinien der Philosophie des Rechts § 258, 208. Hierher gehören auch die Bestimmungen des Staates wie die der Rechtsphilosophie, a. a. O. § 270, 222: „Der Staat ist göttlicher Wille als gegenwärtiger, sich zur wirklichen Gestalt und Organisation einer Welt entfaltender Geist."

[58] Im Anschluß an Kants Meinung, „das Problem der Staatserrichtung" sei „selbst für ein Volk von Teufeln ... auflösbar" und nicht von der Moralität sei die gute Staatsverfassung, „sondern vielmehr umgekehrt von der letzteren allererst die gute moralische Bildung eines Volkes zu erwarten" (Zum ewigen Frieden, WW, ed. Cassirer, VI 452 f), wurde die Frage des Verhältnisses des modernen Staates zur Moralität seiner Bürger auf dem VII. Deutschen Kongreß für Philosophie 1962 in Münster/Westf. im Kolloquium „Revolution" erörtert. Vgl. aus den Anm. 34 genannten Kongreßakten besonders die Diskussionsbeiträge von H. Kuhn, H. Barth und (für die im Text folgenden Ausführungen) von E. W. Böckenförde.

Deshalb lebt der moderne Staat von Voraussetzungen, die er als positive Friedensordnung selbst nicht garantieren kann, da die Rechtsordnung keinen direkten Einfluß auf die von ihr ja gerade freigegebene individuelle moralische Lebensordnung nehmen kann[59]. Auch der durch die Realisierung und Vermehrung der Rechtsverfassung erreichte Fortschritt der Freiheit ist also ambivalent. Aber das sagt ja eigentlich nur, daß die moralische Freiheit und damit der unaufhebbar *ihr* anheimgegebene Staat, der freilich als Rechtsstaat seinerseits die private menschliche Freiheit schützt und Bedingung ihrer Verwirklichung ist, nicht aufhören, menschlich und fehlbar zu sein[60]; es besagt, daß menschliche Freiheit Freiheit zum Guten und zum Bösen bleibt, und hier noch nicht zu einer endgültigen unwiderruflichen Festlegung gelangt.

Diese Kritik läßt aber Hegels wesentliche Einsicht unangetastet, daß im neuzeitlichen Rechtsstaat erstmals die Freiheit des Menschen als Menschen zu politischer Verwirklichung kommt. Mit Hegel wird man auch sagen müssen, daß ebenfalls das Christentum, wenn auch mannigfach historisch vermittelt, aber etwa in der „Virginia Bill of Rights" und der „Declaration of Independence" in seiner bestimmenden Kraft greifbar[61], die politische Verwirklichung der Freiheit mitheraufgeführt hat; denn es

---

[59] Vgl. *J. Ritter,* Hegel und die Französische Revolution (1957), Diskussion, 79: „Der Staat ... ist darauf verwiesen, daß die Individuen selber die geschichtlichen Ordnungen wahren, daß sie die Freiheit, die die Gesellschaft freigibt und der ‚sittliche' Staat sichert, mit substantiellem Leben erfüllen, daß die Macht der sittlich-geistigen Bildung im Staat und in der Gesellschaft erhalten bleibt, die Ordnungen zu bewahren und weiterzutragen, ohne die die freigegebene Freiheit leer werden und schließlich verschwinden muß." Vgl. dazu auch *Schelling,* System des transzendentalen Idealismus, a. a. O. 593 f.

[60] Sofern die gesellschaftlich-staatliche Ordnung dem freien Handeln des Einzelnen, der als animal sociale in sie hineinwächst, vorgegeben ist, bedingt sie es und determiniert a priori seinen Freiheitsraum; sofern die gesellschaftlich-staatliche Ordnung aber vom gemeinsamen freien Handeln der Einzelnen zu gestalten und in wechselndem Maße zu verändern ist, bleibt sie abhängig vom freien Handeln der Einzelnen. Wie etwa die Sprache zeigt, die konkretes Sprechen bedingt, aber auch von ihm verantwortlich zu gestalten ist, im Sprechen erst ihre volle Wirklichkeit hat und ontologisch vom Menschen abhängt, ist diese Abhängigkeit vom subjektiven Geist, dessen Verwirklichung es gleichwohl anderseits bedingt, charakteristisch für das genuin geschichtliche Sein des objektiven Geistes. Ontologisch sind Sprache, Sitten, gesellschaftliche und staatliche Ordnungen weder Substanz noch einer Substanz aktuell inhärierendes Akzidens (wie es das Sprechen als Vollzug und Aktualisierung der Sprache ist), sondern akzidentelle, geschichtlich-allgemeine unselbständige Formalprinzipien menschlichen Handelns. Vgl. dazu meine Artikel „Grund" und „Metaphysik": $LThK^2$ IV 1246 ff und VII 360 ff und die dort gen. Literatur.

[61] Diese Deklarationen von 1776 sprechen von den jedem Menschen vom *Schöpfer* verliehenen Rechten. Vgl. zur Geschichte der Menschenrechte: StL^6 V 659 ff und die dort angegebene Literatur; zur Verwurzelung namentlich der neuenglischen Menschenrechtsgedanken im Christentum vgl. *Maritain,* Die Menschenrechte ..., a. a. O. 70.

hat in seiner an alle Menschen gerichteten Verkündigung erstmals bewußt gemacht, daß der Mensch wesentlich frei ist und als Person eine absolute Würde besitzt. Und wenn es zutrifft, daß das Abzielen auf eine Beherrschung der Naturkräfte eine monotheistische Hochkultur voraussetzt[62], dann ist das Christentum auch eine Bedingung der modernen technischen Naturwissenschaften. Daraus aber ergibt sich, daß die Neuzeit gerade nicht „Ausbruch einer antichristlichen Revolution", sondern Verwirklichung des christlichen Prinzips der Freiheit ist[63]. Freilich ist mit der Freiheit als Naturbeherrschung oder mit der politischen Freiheit des Menschen natürlich noch nicht *die* christliche Freiheit gegeben, die nach dem christlichen Selbstverständnis Frucht der Annahme der göttlichen Offenbarung in Glaube und Liebe ist. Aber diese Verwirklichung des Christlichen durch die freie Annahme der Offenbarung hat ihren Ort in dem Raum, den der moderne Staat freigibt: im Bereich des Persönlich-Privaten und, da der christliche Glaube zu Gemeinde und Kirche führt, im Bereich der vorpolitischen Gesellschaft. Die religiösen Gemeinschaften sind freilich im Unterschied zu allen anderen unpolitischen Verbänden Träger der sittlichen Ordnung, weshalb der Staat sie auch im eigenen Interesse besonders fördern und schützen kann. Aber das bestätigt nur, daß legitimer Ort der glaubensmäßigen Verwirklichung des Christlichen der Bereich des Persönlich-Privaten und der vorpolitischen Gesellschaft ist, nicht aber die staatlich-politische Öffentlichkeit. Diese Reformation des weit in die Neuzeit reichenden konstantinisch-mittelalterlichen Staatskirchentums hat die Geschichte gebracht.

Damit sind im Ausgang von einer historischen Reflexion auf den Sinn der Geschichte der Philosophie, die der Metaphysik heute aufgegeben ist, und am Leitfaden der Geschichte der Philosophie Grundzüge einer Philosophie der Geschichte skizziert, die auch zu einer umfassenderen Theorie des gegenwärtigen Zeitalters zu entfalten wären. Aber es dürfte bereits deutlich sein, daß eine solche Geschichtsphilosophie, die sich Hegels Sicht der Weltgeschichte weitgehend zu eigen machen kann, wie Hegels Philosophie dazu führt, Vernunft in der Geschichte und die Vernünftigkeit unserer besonderen, wieder durch einen Rechtsstaat bestimmten politischen Gegenwart zu erkennen. Obwohl niemand Möglichkeit und Notwendigkeit weiterer Fortschritte nicht nur in Wissenschaft und Technik, sondern vor allem auch in der Bemühung um eine möglichst vollkommene Rechtsverfassung für alle Menschen bestreitet, gibt die Einsicht in das, was an

[62] Vgl. *A. Gehlen,* Urmensch und Spätkultur. Philosophische Ergebnisse und Aussagen (1956). Gehlen glaubt zeigen zu können, „wie der Monotheismus selbst zu den intimen Voraussetzungen der Naturwissenschaft gehört" (110).
[63] Vgl. *J. Ritter,* Person und Eigentum, a. a. O. 215.

Vernünftigem gegenwärtig ist — wozu auch die am weiteren Fortschritt arbeitenden Kräfte gehören —, einen „wärmeren Frieden" mit der geschichtlichen Wirklichkeit als ihn jene „Verzweiflung" kennt, die sich mit dem Vorhandenen abfindet, weil „nichts Besseres zu haben" ist[64].

In ihrer damit genannten Bedeutung für die praktische — insbesondere politische — Philosophie ist Geschichtsphilosophie offenkundig unabhängig von Metaphysik und ebenso wie die praktische Philosophie selbst vor Grundlegung und Durchführung einer Metaphysik möglich[65]. Aber wie die Lehren der praktischen Philosophie über das zu Tuende, über Ziele und Aufgaben des Menschen in einer Metaphysik des Handelns in das Ganze der Metaphysik eingeordnet und spekulativ gedeutet werden — in diesem Sinn versteht Thomas die rechten Urteile der praktischen Vernunft und besonders ihr erstes Prinzip, das Gute zu tun und das Böse zu lassen, in spekulativ-metaphysischer Erkenntnis als „Naturgesetz" genannte Teilhabe am letzten Grund des sittlichen Handelns, dem Plan der göttlichen Weltregierung oder der lex aeterna[66] —, so ist auch das Er-

---

[64] Vgl. *Hegel,* Grundlinien der Philos. des Rechts (ed. cit.) 17 (Vorrede); dazu *J. Ritter:* StL[6] IV 34, und: Die große Stadt, a.a.O. 193. Demgegenüber betont *Th. W. Adorno,* der Hegels Philosophie nur als Instrument der Kritik rezipiert, zu einseitig die kritische Funktion der Philosophie mit der Erklärung: „Philosophie ... die ... nicht kindlich hinter ihrer Geschichte und der realen hertrottet, hat ihren Lebensnerv am Widerstand ... gegen die Rechtfertigung dessen, was nun einmal ist" (Eingriffe, 1963, 13).

[65] Die Behauptung, die praktische Philosophie sei eigenständig und insbesondere metaphysikunabhängig, gilt im Unterschied etwa zur Ethik der Stoa offensichtlich von der praktischen Philosophie Aristoteles' oder Kants, aber auch von der Moral Descartes', wie schon die wesentliche Identität der provisorischen und definitiven Moral zeigt (vgl. dazu *M. Gueroult,* Descartes selon l'ordre des raisons II, 1953, bes. 222 ff und 236). Daß auch Thomas von Aquin Eigenrecht und Eigenständigkeit der praktischen Philosophie besonders gegenüber der Metaphysik wahrt, hat *Wolfgang Kluxen* gegen die in der Neuscholastik herrschende Konzeption einer von der Metaphysik abhängigen „Seinsethik" aufgezeigt (Philosophische Ethik bei Thomas von Aquin, Mainz 1964). Diese Eigenständigkeit der praktischen Philosophie nach Thomas ergibt sich nicht nur aus dem ordo addiscendi, in dem die Metaphysik der Ethik folgt, sondern läßt sich auch im einzelnen in einer Strukturanalyse der moraltheologischen Synthese des Aquinaten aufweisen, in der die praktische Philosophie und eine Metaphysik des Handelns als Elemente enthalten sind. Es ist das Verdienst Kluxens, eine solche zum genauen Verständnis der thomistischen Ethik unumgängliche Strukturanalyse der moraltheologischen Synthese erstmals durchgeführt zu haben.

[66] Vgl. S. th. 1 II q. 91 a. 1 und q. 93 a. 1 (lex aeterna als ratio gubernationis rerum in Deo existens und als ratio divinae sapientiae, secundum quod est directiva omnium actuum et motionum); ebd. q. 19 a. 4 (lex aeterna als letzter Grund und letztes Maß sittlichen Handelns); ebd. q. 94 a. 2 (erste Prinzipien der praktischen Vernunft als Inhalt der lex naturalis); ebd. q. 94 a. 3 (omnes actus virtuosi, inquantum sunt virtuosi, pertinent ad legem naturae). — Zur Interpretation vgl. die genannte Arbeit Kluxens, der zu dem Ergebnis kommt: „Die Position des Naturgesetzes ist in derselben Weise aufzufassen wie die des ewigen Ge-

gebnis der Geschichtsphilosophie von der Metaphysik in ihre Sicht des Seienden im ganzen einzuordnen und von ihrer Erkenntnis des absoluten Grundes her zu deuten. Eine solche metaphysische Deutung dessen, was sich in der philosophischen Betrachtung der Geschichte zeigt, ist in der Tradition der Geschichtsphilosophie vorgegeben, insofern schon Leibniz die Geschichte als „Spiegel der göttlichen Vorsehung" ansah und Hegel, Kant folgend, lehrte, aus der Weltgeschichte sei Absicht und Plan der göttlichen Vorsehung — natürlich nicht im einzelnen — zu erkennen[67].

Wenn Metaphysik möglich ist und zu einer vernünftigen Erkenntnis des Schöpfergottes gelangt, von dem als dem absoluten Sein alles Endliche, auch jegliches Wirken und Geschehen, ständig abhängt, dann muß Gott auch Vorsehung über das Geschehen in der von ihm geschaffenen und unablässig von ihm abhängigen Welt zugeschrieben werden. Metaphysik gäbe ihre vernünftige Gotteserkenntnis preis, behauptete sie nicht, daß jegliches Geschehen und vor allem die Geschichte der Menschheit durch die göttliche Vorsehung geleitet sei[68]. Vermag nun Geschichtsphilosophie aufzuzeigen, daß es in der Geschichte der Menschheit als ihr vernünftig erkennbarer Sinn die Richtung auf eine homogene weltweite gesellschaftliche und politische Ordnung, die das Private freigibt und schützt, sowie auf die wachsende Ausbildung der wissenschaftlichen und eine größere Bewußtheit der metaphysischen Vernunft gibt, dann kann Metaphysik diesen Sinn der Geschichte, d. h. Richtung und Bedeutung ihres Ganges, als von Gott vorgesehen, geplant und gewollt behaupten. Bedenkt man, daß die Ausbildung der philosophischen und wissenschaftlichen Vernunft, die an das Aufkommen einer arbeitsteiligen, mit ihren technischen Künsten vernünftigen Gesellschaftsform gebunden ist[69], nur im Laufe einer langen Geschichte möglich war und daß erst die aus einem langen geschichtlichen Prozeß entstandene moderne gesellschaftliche und staatliche Ordnung allen Menschen den Freiheitsraum geben kann, in dem sie in

---

setzes: sie ist Ergebnis einer Reflexion auf die Gründung dessen, was in der praktischen Erfahrung sich zeigt; sie ist nachfolgende spekulative Interpretation des praktisch Erfahrenen."

[67] *Leibniz,* Specimina Initiis Scientiae generalis addenda, WW (ed. Gerhardt) VII 139: Historia Divinae providentiae speculum est. Zur entsprechenden Lehre Kants vgl. Ideen zu einer allgemeinen Geschichte . . ., WW (ed. Cassirer) IV 165; Hegel behandelt das Problem besonders eingehend in seinen Vorlesungen über die Philosophie der Weltgeschichte (ed. cit.) I 15 ff.

[68] Der Mensch unterliegt wegen seiner Freiheit in besonderer Weise der göttlichen Vorsehung, da er ja auch selbst, wie Thomas formuliert, für sich, für andere und anderes Vorsehung übt. Vgl. S. th. 1 II q. 91 a. 2.

[69] Vgl. dazu *J. Ritter,* Das bürgerliche Leben. Zur aristotelischen Theorie des Glücks: Vierteljahrsschr. für Wiss. Pädagogik 32 (1956) 60—94, bes. 73 ff.

ihren sittlich-religiösen Entscheidungen auf sich gestellt und frei sowie in der Lage sind, ihre ungleichen Anlagen unbehindert zu entfalten[70], dann erscheint als Sinn der Geschichte die wachsende Verwirklichung menschlichen Seinkönnens in diesen Bereichen, soweit das in einem noch unabsehbaren Maß möglich ist. Da es ein metaphysisches Wesensgesetz jedes potentiellen Seienden ist, die Verwirklichung seiner Anlagen zu erstreben, ist der Plan der göttlichen Vorsehung, der in der Geschichte zu einer solchen Aktualisierung menschlichen Seinkönnens führt, in der Natur des Menschen vorgezeichnet. Obwohl menschliche Geschichte freilich gerade nicht der Prozeß einer naturhaften Entfaltung der vom Schöpfer eingegebenen Anlagen, sondern das Feld fehlbaren und oft fehlenden freien Handelns ist, wird in ihr, sofern sie zur genannten Verwirklichung menschlichen Seinkönnens geführt hat und führt, doch der in der menschlichen Natur vorgezeichnete Schöpfungsplan verwirklicht: „Gott schreibt gerade auch auf krummen Zeilen."

Die Abhebung menschlicher Geschichte vom unfreien Geschehen in der Natur braucht jedoch keine völlige Diskontinuität zwischen der Naturgeschichte und der Geschichte der Menschheit zu bedeuten. Denn man wird heute ja schwerlich den Gedanken einer allgemeinen Evolution, wie Hegel es noch tat[71], als abwegige „nebulose Vorstellung" verwerfen können. Ist aber die Entwicklung des Lebens bestimmt durch die Richtung auf eine „progressive Zerebralisation" und damit auf ein Anwachsen des Bewußtseins, dann wäre die Geschichte der Menschheit mit der fortschreitenden Ausbildung und sich steigernden Bewußtheit der Vernunft die Fortsetzung der Naturgeschichte. Im selben Sinn wäre die wachsende Freiheit der Menschen in ihrer Geschichte Fortsetzung der in den Stufen des organischen Lebens gegebenen jeweils größeren Spontaneität und hier wie dort mit einer größer und komplexer werdenden Organisation der Elemente verbunden[72].

Obwohl sich in solcher Weise die Geschichte der Menschheit als Abschluß und Fortsetzung der Naturgeschichte verstehen ließe, hat Metaphysik, die im Unterschied zur Naturwissenschaft die Frage nach dem Wesen des Geistes und der Materie nicht übergehen[73] und ja auch allein die Wesens-

---

[70] Vgl. dazu *Hegel,* Enzyklopädie (ed. cit.) § 539, 414ff, wo Hegel diese für seine Geschichtsphilosophie zentrale These besonders prägnant formuliert und zusammenfaßt.
[71] Ebd. § 249, 202.
[72] Das sind bekanntlich Hauptthesen *Teilhard de Chardins;* vgl. z. B. Réflexions sur le progrès: L'avenir de l'homme (1959) 83—106.
[73] Das tut Teilhard de Chardin ausdrücklich, wenn er a. a. O. 90 schreibt: „En ceci, qu'on le remarque bien, aucune métaphysique. Je ne cherche pas à définir ce qu'est l'Esprit, ni ce qu'est la Matière."

verschiedenheit zwischen Mensch und Tier entfalten kann, in ihrer Deutung der Geschichte vor allem den Neuanfang zu betonen, der mit der Geschichte der Menschheit als Geschichte der Freiheit beginnt. Menschliche Wahl und Entscheidungsfreiheit, die Selbstursächlichkeit im praktischen Urteil über das zu Tuende und in dem diesem „freien Urteil" folgenden Wollen und Handeln ist, kommt aber nicht in Akten der Willkür oder im technisch-zweckrationalen Tun, sondern erst im sittlichen Handeln zur vollen Verwirklichung, in dem die Person über sich verfügt und sich bestimmt. Freiheit in diesem Sinn ist an das Erwachen des moralischen Bewußtseins gebunden. Falls es zutrifft, daß in der Jahrtausende dauernden vorhistorischen Geschichte der Menschheit das sittliche Bewußtsein „nur im Zustand der Dämmerung" war[74], daß im mythischen Dasein „der moralische Unterschied zwischen Gut und Böse" zwar nicht völlig fehlte, aber doch „überdeckt" war und in ihm „Macht und Größe des Begegnenden, nicht aber die Entscheidung des Menschen das Wesentliche" waren[75], dann braucht Philosophie die Geschichte der Freiheit nicht bis in die schriftlose vorgeschichtliche Zeit des Mythos zurückzuverfolgen, dann beginnt die philosophisch bedeutsame Geschichte der Freiheit eigentlich erst, wie es auch Hegel sah[76], mit der aus geschichtlichen Berichten bekannten historischen Zeit. Auch in dieser historischen Zeit gibt es, wie schon die angeführte Geschichte der vom Einzelnen ja moralisch anzuerkennenden menschlichen Gesetze zeigt, einen in seinem Ausmaß und in seinen Grenzen schwer genauer zu bestimmenden Fortschritt des sittlichen Bewußtseins der Menschheit, ein wachsendes Wissen von den Rechten und Pflichten des Menschen, das selbstverständlich von sich her nicht ein entsprechendes sittliches Handeln des Einzelnen mit sich bringt.

Das Wachsen des sittlichen Bewußtseins der Menschheit gehört in seiner engen Verbindung mit der fortschreitenden Realisierung einer universalen Rechtsverfassung zum Sinn der Geschichte, zur wachsenden Verwirklichung menschlichen Seinkönnens. Aber diese geschichtlich heraufgeführte

---

[74] *J. Maritain,* Die Menschenrechte . . ., a. a. O. 55 mit Berufung auf *Raïssa Maritain,* La conscience morale et l'état de nature (1942).

[75] *G. Krüger,* Einsicht und Leidenschaft (^{2}1948) 97 f.

[76] Vorlesungen über die Philosophie der Weltgeschichte (ed. cit.) I 142 ff; zu dem von Hegel in diesem Zusammenhang (138 ff) erwähnten biblischen Bericht über den Urstand des Menschen ist zu bemerken, daß dieser geoffenbarte Anfang des Menschengeschlechts in Urgerechtigkeit und Ursünde mit den historischen Befunden dann unschwer zu vereinbaren ist, wenn man mit Thomas annimmt (vgl. z. B. S. th. 1 II q. 91 a. 6), daß der Mensch durch die Ursünde in einen „gleichsam tierischen" Zustand zurückgefallen ist „secundum illud Psalmi 48: Homo, cum in honore esset, non intellexit: comparatus est iumentis insipientibus, et similis factus est illis." Vgl. dazu auch *K. Rahner - H. Vorgrimler,* Kleines theologisches Wörterbuch (Freiburg i. Br. ^{3}1963) 99.

Verwirklichung dessen, was in der menschlichen Natur angelegt ist, bedeutet zunächst und erstlich einen Fortschritt des objektiven Geistes. Das wachsende Methodenbewußtsein der metaphysischen Vernunft charakterisiert den geschichtlichen Weg und den allgemeinen Stand dieser Wissenschaft, in dem gar nicht ohne weiteres steht, wer „privat" metaphysische Überlegungen anstellt. Ebenso wie die Fortschritte der Naturwissenschaft und der Technik gehören auch die wachsende Ausbildung der Rechtsordnung und des allgemeinen sittlichen Bewußtseins in den Bereich des objektiven Geistes. Man wird deshalb sagen können, daß der uns erkennbare Sinn der Geschichte in einer wachsenden Verwirklichung menschlichen Seinkönnens in der Sphäre des objektiven Geistes liegt. Dieser Sinn der Geschichte und damit der die Geschichte bestimmende Plan der göttlichen Vorsehung ist zwar in der Natur des Menschen, die nach Verwirklichung ihrer Anlagen strebt, vorgezeichnet, aber doch nicht die naturhafte Entfaltung dieses Plans der „schöpferisch-gründenden Vorsehung", sondern der für die Geschichte der freien Menschen maßgebliche Plan der „waltenden oder leitenden Vorsehung" [77], der nur aus der Geschichte und der in ihr erfolgten Verwirklichung der schöpferisch begründeten Anlagen zu erkennen ist.

Die wachsende Verwirklichung des objektiven Geistes, der vom subjektiven Geist getragen wird, aber zugleich Bedingung des Vollzugs menschlichen Daseins ist, bedeutet für die geschichtlich existierenden Menschen, daß zwar nicht unmittelbar und einfachhin ihr Leben, wohl aber wichtige Lebensbedingungen fortschreitend besser werden: Auf Grund der technischen Beherrschung der Naturkräfte könnten heute alle Menschen ihre vitalen Lebensbedürfnisse befriedigen. Sie haben aber auch — und fortschreitend alle, nicht mehr nur privilegierte Klassen — die Möglichkeit, im Maße ihrer Talente am geistigen Leben der Wissenschaften und ihrer Fortschritte teilzuhaben. Selbst in der Metaphysik besteht die Chance, auf einer höheren Reflexionsstufe das zu wiederholen und zu ergänzen, was die „Meister derer, die da wissen", erarbeitet haben; und endlich und vor allem wird in der rechtsstaatlichen Ordnung den Menschen heute der angemessene Freiheitsraum für die Verwirklichung ihrer sittlichen Existenz gegeben, die im Maße des wachsenden sittlichen Allgemeinbewußtseins sogar zunehmend klarer aufgegeben ist. Aber wird die sittliche Existenz, von deren Verwirklichung — und zwar nicht nur bei einer kleinen Minderheit der Bürger — Bestand und weiterer Fortschritt

[77] Zur Unterscheidung einer „providentia conditrix" (semel iussit, semper parent, Augustin) und einer „providentia gubernatrix et directrix" vgl. *Kant,* Zum ewigen Frieden II, 1. Zusatz, WW (ed. Cassirer) VI 447.

der Rechtsordnung, die Wahrung des sozialen und politischen Friedens, der Bestand freier, nicht unmittelbar der Gesellschaft dienender Wissenschaften und vermutlich selbst das Fortbestehen des vielleicht ja nicht einfachhin „natürlichen", d. h. notwendig stets bleibenden, Interesses an Metaphysik abhängt, immer und auch in Zukunft noch realisiert? Wird der endlich erreichte Freiheitsraum für das private Dasein, der selbstverständlich nicht mit einem Bereich der Willkür und Beliebigkeit hinsichtlich dessen zu verwechseln ist, was technisch-rational entschieden werden kann, wirklich mit substantiellem sittlichem Leben erfüllt, oder bleibt er, dann dem Verfall preisgegeben, leer? Diese Frage zeigt nochmals die Ambivalenz des Fortschritts, der die Geschichte der handelnden Menschheit charakterisiert.

Die der Freiheit aufgegebene Verwirklichung einer vernünftig-personalen Existenz, in der der Mensch zum eigentlichen Selbstsein und in diesem Sinn zu seiner „wesentlichen Freiheit" gelangt, ist, wie man im Anschluß an Bestimmungen des Aquinaten sagen kann, der Inhalt des Naturgesetzes; denn diese Aufgabe, sein eigentliches Selbstsein zu verwirklichen, ist der Inbegriff aller sittlich rechten Urteile der praktischen Vernunft, und offensichtlich hat diese Aufgabe ihren Grund im bleibenden metaphysischen Wesen des Menschen, in dem das naturhafte Streben nach Verwirklichung des Seinkönnens seine Wurzel und sein zwar nicht nächstes, das die Vernunft selbst ist, wohl aber sein entfernteres Maß hat, das seinerseits auf den durch es bekannt werdenden Plan der schöpferisch-gründenden Vorsehung verweist und damit auf das letzte Maß des sittlichen Verhaltens[78]. Dieses in einer Metaphysik des Handelns zu erhebende Wissen

---

[78] Die „Aufgabe seiner Freiheit" ist nach *M. Müller:* StL[6] V 930 (s. v. Naturrecht), „die schlechthinnige und einzige Norm" menschlichen Handelns. — Im Anschluß an Thomas von Aquin läßt sich dazu sagen: alle sittlich rechten Urteile der praktischen Vernunft fallen unter das Naturgesetz, da sie die naturhaft erstrebte Vollendung regeln (S. th. 1 II q. 94 a. 3). Das dem Menschen aufgegebene Gut und seine naturhaft erstrebte Vollendung besteht aber in der Verwirklichung einer vernünftigen Existenz, im „secundum rationem esse" (ebd. 1 II q. 18 a. 5). Die Verwirklichung einer vernünftig-personalen Existenz, die somit als Inhalt des Naturgesetzes behauptet werden kann, ist aber nicht nur der Freiheit aufgegeben, sondern zugleich die Realisierung der Freiheit, wenn Freiheit nicht nur abstrakt als Wahl und Entscheidung überhaupt, sondern unter Berücksichtigung ihres Zieles als Wahl und Entscheidung aufgefaßt wird, die zur naturhaft und eigentlich gewollten Wesensverwirklichung und zum eigentlichen Selbstsein führt, nicht aber in Verkennung oder Verwerfung der wahren Wesenserfüllung zu Selbstentfremdung und Zerrissenheit. In diesem Sinn gehört zur Freiheit nicht nur Selbstursächlichkeit und Eigenbestimmung, sondern auch „secundum rationem et secundum se operari" (In Ioan. 8, 4). Vgl. dazu vom Verf., Zur thomistischen Freiheitslehre: Scholastik 31 (1956) 161—181, und zur Unterscheidung der „formellen Wahlfreiheit" von der „wesentlichen Freiheit", *H. Krings*, Fragen und Aufgaben der Ontologie (1954) 93—115.

vom Plan der schöpferisch-gründenden Vorsehung als dem letzten Maß sittlichen Handelns wird ergänzt durch die metaphysische Interpretation des Ergebnisses der Geschichtsphilosophie, durch die der Plan der waltenden und leitenden Vorsehung im allgemeinen bekannt wird: Gott, der mit der Erschaffung und Erhaltung der metaphysischen bleibenden Natur des Menschen diesem stets die Verwirklichung seiner Wesensfreiheit aufgibt, will im Gang der von ihm geleiteten Geschichte die mit dem wachsenden sittlichen Bewußtsein gegebene vollere Erfassung menschlicher Wesensfreiheit und einen dem Einzelnen gewährten wachsenden Freiheitsraum, in dem er freier, unbehinderter, aber auch einsamer, seine Wesensfreiheit als sein eigentliches Selbstsein zu verwirklichen hat.

Es bleibt noch darauf hinzuweisen, wie sehr die skizzierte Geschichtsphilosophie und ihre metaphysische Interpretation mit der christlichen Offenbarungslehre kongruiert. Da Geschichtsphilosophie nämlich im Bereich des historisch Bekannten und Erinnerten bleibt und, wie auch Hegel betonte[79], es „nicht mit dem Prophezeien“ zu tun hat, gibt es zunächst offensichtlich keinen Widerspruch zwischen ihr und den Offenbarungsaussagen über den paradiesischen Anfang und das katastrophische Ende der Geschichte. Über den konkreten Gang und die Epochen der historisch bekannten Geschichte der Völker und der Menschheit sagt aber die Offenbarung, im Unterschied zu den Theorien eines Eusebius, Joachim von Fiore oder Bonaventura, wenn überhaupt etwas, dann so wenig, daß ein genuin theologischer Widerspruch zu einer ihrer Grenzen hinsichtlich des Anfangs und Endes der Menschheit bewußten Geschichtsphilosophie kaum möglich erscheint, zumal Theologie die Eigenständigkeit natürlichen Wissens anerkennt[80]. Wenn aber eine Theologie der Geschichte auf Grund ihres Wissens vom geoffenbarten jenseitigen Ziel und katastrophischen Ende der Geschichte zu der Aussage kommt, „daß jeder Fortschritt in der Profangeschichte auch ein Schritt zur Möglichkeit größerer Gefährdungen und tödlicher Abstürze ist“ [81], dann liegt sogar eine positive Übereinstimmung mit dem vor, was philosophisch erhebbar ist. Offenkundig entspricht der theologischen Lehre vom jenseitigen Ziel der Menschheitsgeschichte auch jene metaphysische Deutung der individuellen menschlichen Freiheit, nach der diese erst mit dem Tod zur endgültigen Entscheidung, zu einer un-

---

[79] *Hegel,* Vorlesungen über die Philosophie der Weltgeschichte (ed. cit.) I 200.

[80] Vgl. zur Geschichtstheologie den Artikel im LThK² IV 793 ff und die dort angeführte Literatur. In dem Beitrag von *A. Halder - H. Vorgrimler* wird das Recht einer Geschichtsphilosophie ausdrücklich anerkannt und als philosophisch erhebbarer Sinn der Geschichte das genannt, was auch hier im einzelnen aufzuzeigen war: „die zunehmende Vereinigung der Kulturen, die Zunahme des reflexiven Bewußtseins ... und eine größere Freiheit“ (797).

[81] *K. Rahner,* Weltgeschichte und Heilsgeschichte: Schriften zur Theologie V (1962) 132.

widerruflichen Festlegung hinsichtlich ihres letzten Zieles und damit zur Vollendung kommt[82]. Im Hinblick darauf ist es auch gleichgültig, ob sich die Freiheit, die sich ja auch schon im Leben mehr und mehr, wenn auch noch nicht endgültig, festlegt, in einem kleineren oder größeren Freiheitsraum verwirklicht; denn angesichts des Freiheitsraumes, den der menschliche Geist im Tod erlangt, ist jeder zeitlich-geschichtliche nur provisorisch.

Obwohl die Geschichte, in der der Mensch nach Auskunft der Offenbarung stets unter dem universalen Gnadenangebot Gottes sein Heil oder Unheil wirkt, immer auch Glaubens- und Heilsgeschichte ist, gibt es in einem besonderen Sinn Heilsgeschichte dort, wo Gott sein Handeln in der Geschichte und diese Geschichte selbst durch seine Wortoffenbarung deutet: in der Geschichte des Alten und Neuen Bundes[83]. Mit dieser besonderen und ausdrücklichen Heilsgeschichte, die im Neuen Bund die gesamte Menschheit erfassen will, kongruiert die umrissene Geschichtsphilosophie und die metaphysische Deutung ihres Ergebnisses in bemerkenswerter Weise. Während nämlich das von Gott gegebene alttestamentliche Gesetz das gesamte Leben des Gottesvolkes, seine „politische“ Ordnung nicht ausgenommen, festlegte und bestimmte, ist das Gesetz des Neuen Bundes das „vollkommene Gesetz der Freiheit“. Nach Thomas von Aquin sind Inhalt dieses Gesetzes der Freiheit außer der lex naturalis, die erhalten bleibe, nur die von Christus eingesetzten Sakramente, die die Gnade und damit die heilshafte Verbindung mit Christus vermitteln. Die Zeremonial- und Judizialgesetze des Alten Bundes sind aufgehoben. Was sie regelten, der Kult Gottes und das öffentliche Leben der Menschen, sei der menschlichen Freiheit anheimgegeben: „relinquuntur humano arbitrio“[84].

Natürlich muß es auch in der Gemeinschaft der Gläubigen menschliche Ordnungen und Gesetze geben[85]. Aber in diesen menschlichen Gesetzen

---

[82] Vgl. dazu *K. Rahner*, Zur Theologie des Todes (1958) 26 ff, und vom Verf., Zur thomistischen Freiheitslehre, a. a. O., bes. 170 f und 174 ff.

[83] Vgl. zu dieser Unterscheidung einer „allgemeinen Heils- und Offenbarungsgeschichte“ von der „eigentlichen und ausdrücklichen Heilsgeschichte“ *K. Rahner*, Weltgeschichte und Heilsgeschichte, a. a. O., bes. 123 und 125 ff.

[84] S. th. 1 II q. 108 a. 1: lex vetus multa determinabat et pauca relinquebat hominum libertati determinanda; q. 108 a. 2: lex nova nulla alia exteriora opera determinare debuit praecipiendo vel prohibendo, nisi sacramenta et moralia praecepta quae de se pertinent ad rationem virtutis. Hier auch die genannten Aussagen über die Aufhebung der Zeremonial- und Judizialgesetze. Vgl. auch ebd. ad 2 und ad 4.

[85] Da zu den von Christus mit der lex nova gestifteten Sakramenten der ordo mit dem Lehr- und Hirtenamt gehört, obliegt die menschliche Gesetzgebung in der Kirche den von Christus eingesetzten Hirten. Nach *K. Mörsdorf:* LThK² VI 740 f, sind aber die Laien keineswegs bloß „Gewaltunterworfene“, da die Gewohnheit eine eigene Rechtsquelle ist, somit „dem Volk die Möglichkeit der Rechtssetzung“ gibt, und überdies „die

der Kirche, so sagt Thomas — und zwar in einer Zeit, in der es etwa den Index noch nicht gab —, „muß man Mäßigung erwarten". Und er zitiert das Wort Augustins, daß einige unsere Religion, von der Gott wolle, daß sie frei sei, so sehr mit knechtischen Lasten bedrückten, daß die Bedingung der Juden erträglicher sei[86]. Bekanntlich stimmt in diesem Punkt mit Augustinus und Thomas Luther überein. Erst in allerjüngster Zeit beginnt die katholische Theologie und Kirche, dieses Anliegen der Reformation, die Freiheit vom menschlichen Gesetz innerhalb der Kirche und die Freiheit in der Kirche, anzuerkennen und in einer erneuten Besinnung auf Wesen und Struktur der Kirche aufzunehmen, was die größten Hoffnungen erweckt hat[87].

Wenn Philosophie, die auch in der Neuzeit noch oft ihren freien Dienst der Theologie angeboten hat, als Metaphysik *und* Geschichtsphilosophie dazu beitragen könnte, dieses noch kontroverstheologische Problem der Freiheit des Christenmenschen so zu klären und zu erhellen, daß es einer Lösung nähergebracht würde, dann wäre das sicherlich eine der schönsten Früchte, die man — um mit Descartes zu sprechen — vom Baum philosophischer Erkenntnis erwarten darf.

Aufnahme eines Gesetzes durch die Gemeinschaft rechtlich bedeutsam für seinen Bestand" ist.

[86] S. th. 1 II q. 107 a. 4: lex vetus est multo gravior quam nova: quia ad plures actus exteriores obligabat lex vetus in multiplicibus caeremoniis, quam lex nova, quae praeter praecepta legis naturae paucissima superaddidit in doctrina Christi et Apostolorum; licet aliqua sint postmodum superaddita ex institutione sanctorum Patrum. In quibus etiam Augustinus dicit esse moderationem attendendam, ne conversatio fidelium onerosa reddatur. Dicit enim . . . de quibusdam, quod ipsam religionem nostram, quam in manifestissimis et paucissimis celebrationum sacramentis Dei misericordia voluit esse liberam, servilibus premunt oneribus, adeo ut tolerabilior sit conditio Iudaeorum, qui legalibus sacramentis, non humanis praesumptionibus subiiciuntur.

[87] Zum Programm des Zweiten Vatikanischen Konzils gehört eine Reform des Kirchenrechts. Theologisch hat das Problem der Freiheit in der Kirche *K. Rahner* aufgenommen: Die Freiheit in der Kirche: Schriften zur Theologie II (1955) 95—114. Rahner betont, daß „die Kirche weder nach innen noch nach außen den Eindruck erwecken darf, eine klerikale, religiös getarnte Form eines totalitären Systems zu sein" (106), und verweist besonders darauf, daß es auch in der Kirche, was Pius XII. anerkannt hat, „eine öffentliche Meinung, also Raum und Duldung ihrer Äußerung", geben muß. Ein Beispiel dafür ist die Darlegung der Problematik der „intra et extra besonders angegriffenen" Institution des Index im LThK² V 645 ff.

II

THEOLOGISCHE GRUNDFRAGEN

EIN VORSCHLAG ZUR METHODE DER THEOLOGIE HEUTE

Von Bernhard Welte, Freiburg i. Br.

Überlegungen über die Methode der Theologie sind, wie mir scheint, nicht eben häufig, und manchen mögen sie sogar überflüssig erscheinen. Indessen gehören Methoden-Überlegungen zu dem Wichtigsten einer jeden Wissenschaft und überhaupt einer jeden Weise des Denkens. Sie sollten als Grundüberlegungen immer wieder angestellt und immer wieder überprüft werden.

Solche Grundüberlegungen sind aber am nötigsten in geschichtlichen Phasen des Übergangs, in welchen Fragen aufzutauchen pflegen, die nicht allein die herkömmlichen Lösungen, sondern auch die herkömmlichen Weisen und Wege des Denkens in Frage stellen. In der Theologie ist in den letzten Jahrzehnten soviel in Bewegung gekommen, und so viele und große und seit langem ungewohnte Fragen haben sich in ihr erhoben, daß man daran deutlich sehen kann, daß die Theologie aus einer relativ ruhigen und statischen Phase des Besitzes durch eine mächtige geschichtliche Bewegung in eine dynamische Phase des Übergangs vermutlich von großen Ausmaßen gekommen ist im Zuge einer geschichtlichen Entwicklung, die unsere gesamte Kultur umfaßt. In einer solchen geschichtlichen Lage aber sind die Grund- und Methodenüberlegungen am allernotwendigsten.

Darum soll im Folgenden ein Vorschlag zur Methode der Theologie skizziert werden. Wenn es sich auch nur um eine Skizze und nur um einen Vorschlag handelt, so darf so etwas doch vielleicht als eine gemäße Ehrung den grüßen, der von allen Fragen der Theologie ständig bewegt wird und der sie alle ständig wieder bewegt hat, *Karl Rahner*. Ihm sind diese Überlegungen in Freundschaft dargebracht.

Es handelt sich bei ihnen um einen Vorschlag und damit um einen Beitrag für eine mögliche und zu wünschende Diskussion. Als Vorschlag beschränkt sich diese Überlegung auch darauf, eigentlich nur *einen* Gesichtspunkt durchzuführen, einen solchen freilich, der als besonders entscheidend für das Schicksal und den Weg der Theologie erscheint. Aber für eine vollständige Methodenlehre der Theologie wären dann noch weitere Gesichtspunkte heranzuziehen und zu einer systematischen Einheit zu verbinden. Dies würde aber über den Sinn der vorliegenden Darstellung hinausgehen.

I

Die Methode der Theologie muß vom Blick auf ihr Objekt her geklärt werden. Das Objekt der Theologie als einer christlichen ist die Gottesoffenbarung in Jesus. Alles, was sonst noch Sache der Theologie sein kann und in vielen Fällen sein muß, ist es nur um seiner wesentlichen Beziehungen zu dieser einen Offenbarung Jesu.

Des weiteren muß die Methode der Theologie sich bestimmen von den Quellen her, in denen für das theologische Denken die christliche Offenbarung zugänglich wird.

Wird von den Quellen der Offenbarung gesprochen, so ist zunächst auf jene hinzuweisen, die, vom Geschehen der Offenbarung her gerechnet, die primären sind. Die Gottesoffenbarung in Jesus wurde primär offenbar und zugänglich im Zeugnis der vom Geiste der Offenbarung erwählten und qualifizierten Zeugen, also im Zeugnis des apostolischen Wortes und insbesondere seiner Niederlage in den heiligen Schriften des Neuen Testamentes. Indem sich also die Theologie an diese Quellen: das apostolische und namentlich das biblische Zeugnis hält, hat sie die Möglichkeit, sich an ihr Objekt zu halten: die Gottesoffenbarung in Jesus. Hier beginnt indessen bereits die Schwierigkeit für die Theologie. Denn der neutestamentlichen Schriften sind es viele, und es scheint aus ihnen jeweils eine eigentümliche Sprache, ein eigentümlicher Geist, eine eigentümliche Theologie zu sprechen. Das Zeugnis der biblischen Bücher ist nicht in einem schematischen Sinne uniform. Es zeigt den Reichtum eines wildgewachsenen Waldes[1]. Dies macht der Theologie die Arbeit nicht leichter.

Wir dürfen uns aber nicht damit begnügen, nur auf die primären Quellen der Offenbarung hinzuweisen. Das die Gottesoffenbarung bezeugende apostolische und biblische Wort gehört einem Bereich zu, in dem es als bezeugendes Offenbarungswort angetroffen werden kann: dies ist die Gemeinde der von der Gottesoffenbarung Angesprochenen und diesen Anspruch Glaubenden: die Kirche. Der Gemeinde der Glaubenden, der Kirche, gehört das Offenbarungszeugnis von Anfang an zu, in ihr lebt es dauernd und wird es dauernd verkündet als Offenbarungszeugnis. Dadurch ist die Kirche in der gesamten Breite ihres Lebens der Ort des

---

[1] Vgl. hierzu *Heinrich Schlier:* Exegese und Dogmatik; hrsg. von *H. Vorgrimler* (Mainz 1962) 72.

Zeugnisses, und ihr Leben selbst ist Zeugnis des Zeugnisses, das von der Offenbarung her sekundäre Zeugnis. Die Kirche gibt stets Zeugnis und hat stets Zeugnis zu geben von dem einen Evangelium, das ihr durch die Erstzeugen, die Apostel und die inspirierten Schriftsteller, überliefert wurde. Im von der Offenbarung her sekundären Zeugnis der Kirche hat auch das Amt der Lehre seinen Ort und seine Funktion. In diesem Sinne bilden die Zeugnisse des Lebens der Kirche Quellen für die Theologie, welche derselben ihr Objekt erschließen. Neben das apostolische Zeugnis tritt das Zeugnis der Kirche.

Das Zeugnis der Kirche aber ist in der Geschichte erstreckt vom Anfang der Kirche über die Jahrhunderte.

Damit aber sehen wir vor der Theologie eine unabsehbare Vielfalt und Mannigfaltigkeit von Zeugnissen und Worten, und der Wald der Zeugnisse wird unabsehbar.

Dies besonders dann, wenn die Theologie sich an die Gemeinschaft mit der Gesamtkirche und also mit allen Jahrhunderten und Geschlechtern der Kirche gebunden weiß, wie es ihre Pflicht ist, und noch einmal besonders, wenn die Theologie bedenkt, daß das Zeugnis der Kirche durch die Jahrhunderte hin keineswegs nur in der lehramtlichen Verkündigung vorliegt. Nicht nur der amtlich *verkündete* Glaube ist Zeugnis und Quelle für die Theologie, auch und früher noch der im Kult, in der Praxis und im Gebet *gelebte* Glaube. Und auch der in der Theologie der Kirche gedachte Glaube gehört auf seine Weise dazu. Wer auch nur ein wenig die Geschichte kennt, der weiß, wie außerordentlich verschieden, oft in derselben Zeit, die Sprachen dieser drei Formen des kirchlichen Zeugnisses sein können.

Welch ein Wald von Zeugnissen also, welche ungeheure wildgewachsene Mannigfaltigkeit von Sprachen, Ideen, Denkweisen, in welchen die Theologie die eine Perle des Evangeliums und seines echten Sinnes und Geistes finden soll! Dies darf man die hermeneutische Ausgangssituation der Theologie nennen. Sie hat von dieser Situation her in allen Geisteswissenschaften nicht ihresgleichen.

Die Schwierigkeit der hermeneutischen Ausgangssituation der Theologie bringt diese leicht in die Versuchung, den Weg einer illegitimen Vereinfachung zu gehen. Diese illegitime Vereinfachung liegt darin, daß irgendein gerade zugänglicher oder zugänglich scheinender geschichtlicher Einzelaspekt des Glaubens und seines Zeugnisses für das Ganze dieser Zeugnis-Mannigfaltigkeit genommen wird, z. B. die Glaubens- und Denkgewohnheiten, in denen unser Geschlecht zufällig gerade aufgewachsen ist, oder gewisse Elemente, die gerade in Betonung stehen in der Praxis des kirchlichen Lehramtes. Oder auch gewisse Herkömmlichkeiten der gedachten Theologie, z. B. ihre überlieferte Einteilung. Aber es ist illegitim für die Theologie, zu vergessen, daß das Lehramt oder die Theologie oder das Leben der Kirche uns auch noch viele andere Worte und Sprachen bewahrt haben. Gegen die erschlichenen Vereinfachungen der hermeneutischen Ausgangssituation der Theologie spricht auf jeden Fall der theologische Gesichtspunkt, daß die Theologie ans *Ganze* des Zeugnisses der Kirche gebunden ist und durch es ans Ganze des Offenbarungsursprungs, nicht nur an zufällig herausgegriffene Einzeläußerungen. Es spricht dagegen aber auch der allgemein geschichtliche Gesichtspunkt: daß dies Ganze des Zeugnisses uns vom gegenwärtigen geschichtlichen Denken her auf eine unvergleichliche Weise gegenwärtig gehalten wird. Noch nie sind die Quellen der Überlieferung von der Bibel an und über alle Zeiten der christlichen Geschichte in solchem Maße erschlossen und uns gegenwärtig gehalten gewesen. Wir merken es, wenn wir wahrnehmen, wie wenig die großen theologischen Meister des Mittelalters etwa von den Vätern oder von den alten Liturgien kannten und kennen konnten. Überdies hat die Christenheit in den letzten 100 oder 150 Jahren gelernt, das gewaltige Zeugnismaterial der Geschichte der Kirche *geschichtlich* zu lesen. Also z. B. das Neue Testament nicht mehr einfach von den Voraussetzungen des eigenen Denkens, der eigenen Dogmatik, der eigenen Theologie her zu verstehen, sondern nach den ihm eigenen Denkweisen zu fragen und zu forschen. Und das Analoge ist — vielleicht noch nicht genug — in Gang gekommen bei den Zeugnissen der Kirche, bei den antiken Lehr- und Kultdokumenten, bei den mittelalterlichen Theologien und Lehräußerungen, bei denen der Reformation und der Gegenreformation usw. Auch hier sind wir bisweilen erstaunt, wahrzunehmen, wie wenig noch die großen Theologen etwa des 18. Jahrhunderts die geschichtlichen Weisen der Interpretation der ‚Dokumente' kannten und wie leicht sich für sie alles wie auf einer Ebene darstellte.

Durch die ausgebreitete Kenntnis des geschichtlichen Materials der Zeugnisse des Glaubens und durch die entwickelte Fähigkeit, das Material auf geschichtliche Weise zu lesen und zu interpretieren, hat sich für uns der wildgewachsene Wald der Zeugnisse und Quellen der Theologie auf eine fast erschreckende Weise in die Tiefe gegliedert. Es sind für uns die gewaltigen geschichtlichen Differenzen hervorgetreten zwischen dem theologischen Denken z.B. der Synoptiker oder des Paulus einerseits und dem der neuzeitlichen dogmatischen und lehrmäßigen Denkweisen anderseits. Nicht umsonst ist seit den Anfängen der historischen Exegese die Frage nicht mehr zur Ruhe gekommen, ob unser Glaube wirklich noch dem der Bibel entspreche und die Bibel dem unseren. Die Erschütterungen des sogenannten Modernismus, die Diskussionen, die um Bultmanns Gedanken der Entmythologisierung entstanden sind, und die täglichen Schwierigkeiten zwischen Dogmatik und Exegese in der Theologie geben beredtes Zeugnis von der entstandenen Situation.

Aber die Theologie bleibt an die ganze Bibel, an die ganze apostolische Tradition, an die ganze Kirche gebunden, und damit an die ganze geschichtliche Mannigfaltigkeit des primären und des sekundären Zeugnisses der christlichen Offenbarung.

Sie wird sich also zu fragen haben angesichts dieser solchermaßen divergierenden Mannigfaltigkeit, an sie als Ganzes gebunden, wie sie sachgemäß vorgehen solle, um finden und sagen zu können, was das eine Evangelium, die eine Gottesoffenbarung in Jesus eigentlich meint und sagen will.

II

1. Die Theologie wird in dieser für sie unausweichlichen wenngleich schwierigen Situation besonnen bleiben müssen. Sie wird in Besonnenheit gerade in der schwierigen Lage unbeirrbar bei ihrer Sache bleiben müssen, bei dem, um was allein es für sie inmitten des Waldes der Zeugnisse geht, nämlich um die eine geschichtliche anfängliche Gottesoffenbarung in Jesus. Sie wird, gerade wo die Lage der Zeugnisse so verwirrend ist, ruhig in diese eine Richtung zu blicken haben, mit dem Auge des Interesses, mit dem Auge des Verstehens, mit dem Auge des *Glaubens*. Sie wird im Grunde nichts anderes versuchen, als dem Geist Gottes im Geiste Jesu auf der Spur zu bleiben inmitten der Mannigfaltigkeit seiner menschlichen Bezeugungen. Damit allein wird sie ja auch den Zeugnissen selbst gerecht, denn diese sind ja nur insofern Zeugnisse, als sie die Gottesoffenbarung, das eine Evangelium bezeugen wollen und bezeugen. Die Theologie wird besonnen auf dem Weg des *Glaubens* bleiben müssen, des Glaubens, dem es allein darum geht, sich wirklich auf den wirklichen Gott und sein wirkliches Wort einzulassen[2].

Dies ist für die Theologie nicht so selbstverständlich, wie es vielleicht scheint, auch wenn es persönlich für die Theologen selbstverständlich sein mag. Sehen wir doch nicht selten die Theologie in der Versuchung, sich zu begnügen mit der immer weiter vermehrbaren Masse historischer Feststellungen und der immer weiterzuführenden Perfektion historischer Methoden und Arbeiten. Solche Feststellungen und solche methodische Perfektion sind freilich unerläßlich und von größtem Nutzen, wenn sie richtig angewandt werden. Gefährlich werden solche Dinge, wenn es innerhalb der Theologie dabei bleibt und wenn dann das historische

---

[2] Vgl. *Heinrich Schlier*, a. a. O. 74.

Material und die historischen Arbeiten insgeheim dazu dienen, den Theologen von der Sache der Theologie abzulenken, vom Ernst des Verstehenwollens des Geistes Gottes, des Geistes Jesu im geschichtlichen Zeugnis. Eine historistische Theologie könnte doch bisweilen das Ausweichen aus dem Ernst und den Schwierigkeiten des Glaubens verdecken.

Der Glaube also wird zuallererst in der Theologie das Interesse ihres Vorgehens in der *einen* Richtung ruhig festhalten müssen angesichts der verwirrenden Mannigfaltigkeit der Zeugnisse. In der Haltung des Glaubens hat die Theologie ruhig und besonnen an den Wald der Zeugnisse heranzutreten, in dieser Haltung wird sie immer in wesentlicher Übereinstimmung mit dem vielfältigen Wort dieses Zeugnisses sein.

2. Dann aber wird die Theologie für ihr weiteres Vorgehen der *theologischen Unterscheidungs- und Urteilskraft* bedürfen. Diese wird sie davor bewahren, die Masse der historisch feststellbaren Zeugnisse nur wahllos und ohne Ansehung ihrer Qualität aufzusammeln und dann etwa nur nach dem Prinzip statistischer Methoden auszuzählen. Die Theologie muß vielmehr die *Qualität* der Zeugnisse ins Auge fassen. Dafür wird es keine absolut objektivierbaren Merkmale und Kriterien geben. Wohl aber läßt sich der geistige Sinn für die theologischen Qualitäten einer Aussage entwickeln. Es läßt sich eine qualitative Unterscheidungsgabe entwickeln, welche vor allem darauf achten wird, in der Vielfalt der überlieferten christlichen Worte jene herauszuspüren, in welchen wirklich der Ernst des Glaubens spricht und in denen er mit ursprünglicher Kraft und Lebendigkeit sich bezeugt. Die ernsten und ursprünglichen Worte lassen sich unterscheiden von der Menge der ursprungslosen Worte, die vom Strome der Geschichte mitgeführt werden. Auch in der Kirche gibt es viel des unbedachten Redens, und es gibt auch im Bereiche der Kirche und der Theologie die Erscheinung, daß die Eitelkeit der menschlichen Spekulation und der Eigensinn des bloßen Behauptenwollens mächtiger werden als der Ernst, der dem Worte Gottes gebührt. Das Material der theologischen Überlieferung ist keineswegs überall gleichwertig. In der Masse der Zeugnisse müssen diejenigen herausgesucht und herausgewogen werden, in denen der Ernst einer ursprünglichen religiösen Sprache, der Ernst des Glaubens spricht. Nur entlang diesen in ihrer Qualität sich heraushebenden Zeugnissen lassen sich die wesenhaften Überlieferungslinien finden, auf die es ankommt. Jenen entlang wird der Wald der Zeugnisse wesentlich lichter und durchgängiger sich darbieten.

3. Die theologische Urteilskraft, sich an die sich herausklärenden wesentlichen Überlieferungslinien haltend, wird die ihnen entlang begegnenden Zeugnisse *geschichtlich* verstehen. Sie wird sie lesen und verstehen lernen aus den je eigentümlichen geschichtlichen Bedingungen heraus, denen sie

je entsprungen sind, aus den ihnen eigenen Voraussetzungen und Fragestellungen, die ja nicht ohne weiteres auch die unseren sind. Dies gilt selbstverständlich auch für die Zeugnisse des kirchlichen Lehramtes. Piet Fransen SJ hat unlängst mit Recht darauf hingewiesen: „Die Arbeit, die in den letzten 100 Jahren schon der kritischen und gerade ehrfürchtigen Erforschung der Heiligen Schrift gegolten hat, sollte mutatis mutandis jetzt auch hinsichtlich der kirchlichen Dokumente getan werden, gerade aus tiefer und aufrichtiger Glaubensehrfurcht vor der Kirche Christi.“ [3]

Will die Theologie die Zeugnisse der Offenbarung bis auf den Grund geschichtlich verstehen, so muß sie aber letztlich in die noch tiefere Wurzel aller Geschichte einzudringen lernen. Sie muß, wie ich glaube, die Zeugnisse aus dem *epochalen Seinsverständnis* heraus verstehen lernen, das sie jeweils geboren hat. Die Weise, wie Menschen überhaupt verstehen, was ist, die Weise des Seinsverständnisses im ganzen scheint sich epochal bisweilen zu verlagern, und damit dann auch die Gestalt der Glaubenszeugnisse der Kirche. Der geschichtliche Wandel in der Gestalt dieser Zeugnisse weist auf einen geschichtlich waltenden transzendentalen Grund von Erfahrungen hin: in welchem das Sein dessen, was ist, im ganzen sich geschichtlich je eigentümlich zu erfahren gibt und sich Menschen zuspricht. Wenn dieses richtig gesehen ist, dann müssen wir sagen: Je neue epochale und transzendentale Grunderfahrungen des Seins dessen, was ist, bilden die je neuen Epochen auch des Glaubensverständnisses und des Glaubenszeugnisses aus und bestimmen diese Epochen langhin und weiträumig, so daß auf dem Grunde solch epochaler Grunderfahrungen dann die alte Botschaft sich im ganzen in immer wieder neuen Gestalten ausgebiert und die Epochen dann langhin in mannigfaltigen Ausdifferenzierungen durchherrscht [4].

Wir glauben heute, zu sehen, daß die Geschichte der kirchlichen Glaubenszeugnisse im ganzen wie die Geschichte des Geistes überhaupt nicht durchgängig als ein evolutives Continuum betrachtet werden kann. Die in der Geschichte mächtigen Antriebe und Ideen sind im ganzen nicht in geraden Entwicklungslinien, immer einer Richtung folgend, bloß ausdifferenziert und angereichert worden.

---

[3] Oberrheinisches Pastoralblatt 61 (1960) 203.

[4] Vgl. hierzu meine Abhandlung „Die Philosophie in der Theologie“: Die Albert-Ludwigs-Universität in Freiburg 1457—1957 (Freiburg i. Br. 1957) 27 ff und insbesondere 33 ff. — Der Gedanke der epochalen Geschichte des Seinsverständnisses wurde bei mir angeregt durch Martin Heideggers Begriff der Seinsgeschichte. Doch ist er diesem gegenüber selbständig gebildet. Vgl. für *Martin Heidegger* dazu besonders „Überwindung der Metaphysik“ (Vorträge und Aufsätze, Pfullingen 1954, 71 ff) und „Nietzsche“ (Pfullingen 1961), namentlich die Abhandlungen im 2. Band 335 ff.

Solche gradlinigen Evolutionen hat es wohl im einzelnen gegeben. Aber wo die großen epochalen Neuanfänge in der Geschichte einsetzen, z. B. am Beginn des Mittelalters, da sehen wir, daß die alten Ideen nicht in gerader Richtung weiterentwickelt werden, es taucht vielmehr ein neuer Anfang im Ganzen und damit eine neue Richtung im Ganzen auf, welche zwar viel des überlieferten Ideenmaterials mitnimmt, aber dies nun in der neuen Richtung weiterbewegt, welche den alten Worten und Gedanken ursprünglich nicht eigen war. Epochen, die einander folgen, bewegen nach der epochalen Wende das Frühere nicht einfach weiter in seiner Richtung, sondern sie legen alles um auf eine andere Richtung, auf Grund einer anderen Weise des Seinsverständnisses.

Die Theologien der biblischen Bücher und der biblischen Schriftsteller, so unterschiedlich sie untereinander sind, gehören insgesamt einer Epoche an, die sich als Ganzes unterscheidet vom Denken der spät-antiken konstantinischen und nachkonstantinischen Großkirche und ihren Konzilien mit den gewaltigen christologischen und trinitarischen Lehrformeln. Betrachtet man diese Formeln im Blick auf die Bibel, dann erkennt man leicht, daß die Weisen des theologischen Fragens, Denkens und Sprechens hier im ganzen auf eine neue Ebene und in eine neue Richtung gekommen sind, die nicht gradlinig und evolutiv aus dem älteren epochalen Zustand der Kirche abgeleitet werden kann.

Ähnliches sehen wir, wenn wir die Bildung des Mittelalters in seiner frühen Zeit betrachten. Im frühen Mittelalter kommen die überlieferten spät-antik geprägten Lebens- und Lehrformen der Kirche in die Hände neuer, vor allem germanischer Völker und ihrer Herrenschichten. Hier werden sie häufig aus ihren alten Verklammerungen herausgenommen und zu neuen Grundfiguren zusammengeordnet, wie sie es der Art nach früher niemals gab, die aber nun fürs Ganze und für eine sehr lange Zeit bestimmend werden und bestimmend bleiben für das Verständnis des Christentums. Die großen und immer noch maßgeblichen Lehrsysteme des hohen Mittelalters haben diese Grundfiguren nicht erst hervorgebracht, sie setzen diese vielmehr voraus und sind selber eine Folge derselben. Und man darf heute wohl erweiternd sagen: Auch das späte Mittelalter, auch die Theologie der Reformation und Gegenreformation, auch die Theologie des Barock und der Aufklärung sind noch als Folgen früherer epochaler Grundentscheidungen zu verstehen, die in den Wurzelzeiten des Mittelalters erfolgten.

Erst mit der Kantschen Wende und ihren Folgeerscheinungen hat sich der Geist der Zeit energisch von den mittelalterlichen Grundformen des Seinsverständnisses und damit des Denkens abgestoßen und damit wohl eine neue epochale Wende eröffnet, in deren Bewegung wir immer noch stehen. Theologisch wird dies bemerkbar durch einen bisweilen heftigen Abstoß von den scholastischen Formen des theologischen Denkens, wie wir ihn bei vielen Theologen des frühen 19. Jahrhunderts finden; aber auch die defensive und restaurative Reprise der Scholastik im späten 19. Jahrhundert steht offenbar im gleichen geschichtlichen Kontext: die mittelalterlichen Denkweisen und Begriffsgrundlagen sind nicht mehr unbestritten[5].

Diese Beobachtung bedeutet für die Theologie, daß sie im Achten auf das Glaubenszeugnis der Kirche je dessen eigentümlichen Charakter so zu beachten hat, daß sie ihren Blick dabei auf die epochalen, seinsgeschichtlichen fundamentalen Erfahrungen lenkt, die diesem Charakter jeweils zugrunde liegen.

Wenn es der Theologie gelingt, die Mannigfaltigkeit ihrer Quellen und Zeugnisse bis zu dem Maße geschichtlich zu verstehen, daß sie dieselben aus den epochalen seinsgeschichtlichen Grunderfahrungen verstehen lernt, dann kann sie damit ein inneres Verständnis der Eigentümlichkeit der biblischen Theologien, der spätantiken hellenistischen Theologien, der mittelalterlichen Theologien gewinnen. Damit kann sich dann für das Denken der Theologie der wild gewachsene Wald der Zeugnisse entlang den epochalen Gängen und Wendungen der Geschichte gliedern. Die großen Typen des christlichen Zeugnisses werden dann je in eigener Würde und damit in gewisser Gleichberechtigung nebeneinandertreten. Die Theologie wird dadurch von dem etwas primitiven Fortschrittsglauben bewahrt werden können, der sich bisweilen in ihr bemerkbar macht, der aber eher für die Naturwissenschaften angemessen erscheint. In der Geschichte des christlichen Zeugnisses wird das Frühere nicht irrevelant durch das Spätere. Das Konzil von Nicäa hat nicht die biblische Christologie überflüssig gemacht[6]. Es entstände vor dem theologischen Denken eine Parataxis der großen Zeugnisgruppen, deren jede verständlich gemacht wäre aus dem Grunde der umfassenden Seinserfahrung, die eine jede in ihrer unableitbaren Eigenart bestimmt.

4. Da die theologische Reflexion aber im Ganzen des kirchlichen Zeugnisses und durch dieses auf das eine anfängliche Evangelium zurück-

---

[5] Vgl. dazu meine Abhandlung „Credo ut intelligam als theologisches Problem heute": Universitätstage 1962 (Berlin 1962) 16 ff. — Für die oben skizzierte epochale Gliederung der Geschichte beziehe ich mich teilweise auf *Albert Mirgeler*, Geschichte Europas (Freiburg i. Br. 1953); *ders.*, Rückblick auf das abendländische Christentum (Mainz 1961).

[6] Vgl. hierzu den Vorschlag von *Oscar Cullmann* („Die Christologie des Neuen Testamentes", Tübingen 1957, 197 f.), in dem er es als wünschenswert bezeichnet, daß „ein moderner Dogmatiker es einmal unternähme, eine Christologie ganz auf dem neutestamentlichen Gedanken des Menschensohnes aufzubauen".

zublicken und in diesem Sinne die Reihe der Zeugnisse verstehend nach rückwärts zu durchlaufen hat, so kann sie bei der bloßen Parataxis der epochalen Gruppen des Zeugnisses nicht bleiben. Die Epochen müssen für die Theologie im Hinblick auf das eine Evangelium, den einen Ursprung zu einer gemäßen Synthese gebracht werden, und es ist zu fragen, auf welchem Wege diese zu erreichen sei.

Um die geforderte theologische Synthese der epochal gegliederten geschichtlichen Mannigfaltigkeit auf eine gemäße Art zuweg zu bringen, müssen vor allem die epochalen Übergänge und Gelenke in der Reihe der Zeugnisse beachtet werden. Deren sind es, wenn wir recht sehen und wenn wir uns darauf beschränken, nur die größten zu nennen, vor allem zwei: der Übergang von der frühesten Gestalt des christlichen Zeugnisses, wie sie uns vor allem in den neutestamentlichen Schriften bezeugt ist, zum groß-hellenistischen Christentum, und der Übergang vom antiken Zeugnis des Christentums im Ganzen zum mittelalterlichen Christentum.

Die theologische Bewältigung der großen epochalen Übergänge und Gelenke muß im Prinzip wohl so geschehen, daß jeweils die Ansätze in den älteren Theologien gesucht und geklärt werden müssen, welche auf einem neuen und jüngeren seinsgeschichtlichen Grund zu einer neuen Gesamtgestalt des theologischen Fragens und des christlichen Zeugnisses führen mußten und geführt haben. Denn es zeigt sich, daß es immer ältere und ursprungsnähere christliche Motive bestimmter Art waren, welche in späteren Zeiten herausgehoben und neu entwickelt wurden. Sie bilden also die Verbindungsglieder von der älteren zur späteren Epoche. Da sie aber in der älteren Epoche zumeist in einem anderen gedanklichen, geistigen und lebensmäßigen Kontext stehen als in der späteren, so muß gefragt werden, auf Grund welcher späterer Grunderfahrungen des Seins im ganzen gerade diese Motive zunächst herausgewählt und herausgehoben wurden und warum sie dann gerade *diese* spätere Entwicklung erfuhren. So wäre es z. B. der Mühe wert, der Frage nachzugehen, was in der Christologie des Markus oder des Paulus oder des Johannes zum Anlaß wurde und werden konnte und durfte und vielleicht werden mußte dafür, daß unter der Gewalt einer neuen epochalen Fragestellung in Nicäa die Homousios-Formel als neuer Ausdruck des alten Glaubens verkündet werden konnte. Wenn einerseits die älteren Anlässe geklärt sind, die in die spätere Epoche hinüberleiten, anderseits die epochalen Grunderfahrungen des Seins, aus denen sich die späteren Formen bilden, dann kann die Theologie sagen: einmal, worin die spätere Verkündigung auf ihre epochale andere Weise der früheren entspricht, und ferner: worin die spätere Theologie der früheren in dem Sinne *nicht* entspricht, daß sie ältere Gedanken und Gedankenzusammenhänge in den Hintergrund der theologischen und christlichen Aufmerksamkeit zurücksinken ließ. Dann kann schließlich auch gesagt werden, aus welchem Grunde, nämlich dem einer neuen Seinserfahrung, diese epochale Veränderung der alten Botschaft notwendig wurde und verstanden werden kann. Das heißt also, es kann auf diesem hier nur im Prinzip anzudeutenden Wege die *legitime Kontinuität* der späteren Gestalt der christlichen Botschaft über die Diskontinuität der Epochen hinweg gezeigt und aus ihren Wurzeln verständlich gemacht werden, womit dann zugleich auch die Grenzen dieser legitimen Kontinuität deutlich und verständlich würden. Sie liegen darin, daß die ältere Gestalt der Botschaft in ihrem vollen Klang und in allen ihren Einschlüssen in den späteren Gestalten doch nie wiederholt werden konnte. Es würde möglich werden, zu einer *Deduktion des Rechtes und der Grenzen der großen geschichtlichen Schritte* zu gelangen.

Dies scheint mir heute die größte und dringlichste Aufgabe der Theologie zu sein. Zu ihrer Bewältigung ist schon fast unermeßliches Material gesammelt, aber die konstruktiven Gedanken dafür sind, wie mir scheint, erst in den ersten Umrissen sichtbar. Man wird sehen, daß es zur Bewältigung dieser Aufgabe nicht nur ausgebreiteter geschichtlicher Forschungen, sondern viel mehr noch eines entwickelten geschichtlichen Feinsinns bedarf. Und darüber hinaus des ständigen Beistandes einer Philosophie, deren Aufgabe es war und immer ist, das menschliche Seinsverständnis auszuarbeiten, sowohl in der Form des schöpferischen Nachvollzuges *alter* Gestalten dieses Seinsverständnisses wie in Entwürfen von *neuen.*

Auf diese Weise deutet sich der Weg an, auf dem die theologische Synthesis der epochalen kirchlichen Zeugnisse ihrer Sache gemäß und also aus ihren Gründen erarbeitet werden kann, der Weg, dem entlang der Wald des Zeugnisses sich ordnen und lichten und als ein sinnvoller Zusammenhang durchschreitbar werden kann. Es kann sich vielleicht auf diesem Weg für die theologische Reflexion schließlich doch alles zusammenfügen, bei voller Anerkennung der geschichtlichen Diskontinuität der Epochen.

So könnte die Theologie dazu kommen, in Gemeinschaft mit der ganzen Kirche, das heißt mit allen Geschlechtern und Entfaltungen und Zeugnissen der Kirche und ohne deren Differenzen zu nivellieren, sich in kritischem Rückgang vor den Anblick des anfänglichen Zeugnisses der anfänglichen Offenbarung zu bringen; deren Verständnisweise würde nun bereichert sein durch den Durchgang durch viele Interpretationsweisen, die im Laufe des Ganges der Kirche hervorgetreten sind. Aber entscheidend muß es immer bleiben, daß die Theologie auf dem angedeuteten Wege durch das Zeugnis der Kirche hindurch in das anfängliche und immer maßgebliche Zeugnis der Erstzeugen, und durch dieses in den Anblick der wahrhaftigen

Offenbarung Gottes eintritt, die immer das Maß für die Kirche und für jede mögliche kirchliche Theologie sein muß.

5. Vom Anblick ihres einmaligen und immerwährenden Maßes her hätte die Theologie sich dann zurückzuwenden auf die ihr überlieferten und für sie vielleicht herkömmlich gewordenen Formen des Denkens, und sie hätte diese Maß *nehmen* zu lassen an dem neu und, wie wir hoffen, ursprünglicher gesehenen göttlichen Maße. Vielleicht wäre dann manches zurechtzurücken im einzelnen, vielleicht manches auch im Aufbau und in der Anlage des Ganzen, und vielleicht manches hinzuzufügen, was bisher nicht gesagt wurde. Von einer solchen Maßnahme am allein Maßgeblichen her kann und soll die Theologie dann den ihr zu wünschenden Schritt nach vorwärts wagen in eine neue, der Gegenwart und vielleicht der Zukunft mächtige und zu ihr sprechende Gestalt, die doch nichts als das Älteste: das anfängliche und eine Evangelium, neu auszusprechen hätte.

Dieser Schritt nach vorwärts aus dem neu sich findenden Kontakt mit dem alten Anfang, der in der Geschichte rückwärts liegt, hat, wie alles in der Theologie, theologische Bedingungen, die im Bereich des Geschenkes und der Gnade liegen. Dies hindert aber nicht, daß für die Theologie das produktive Weiterschreiten auch menschliche Bedingungen hat, die im Bereiche unseres natürlichen Daseins und Geistes sich befinden.

Die entscheidende dieser menschlichen Bedingungen wird die sein, daß im Anblick der verstandenen alten und einen Botschaft des Evangeliums das je eigene Dasein und die in ihm geborgenen Möglichkeiten ins Spiel eingebracht werden, und dies so, daß im Grunde des je eigenen engagierten Daseins die möglichen Ursprünge und Anlässe sich finden und daß sie erwachen, aus denen ein Wort wie das heilige Wort des Evangeliums seinen vollen und lebendigen Sinn gewinnt und in neuer Form ausgesprochen werden kann.

Um dies zu verstehen, müssen wir zunächst daran denken, daß jedes menschliche Wort aus einem inneren Anlaß und Ursprung kommt und aus ihm je gesprochen wurde und gesprochen wird, aus einem lebendigen und anfänglichen Antrieb, der einen Menschen veranlaßte, so zu sprechen, wie er sprach. Wer dann ein so entsprungenes und gesprochenes Wort hört, der wird es am lebendigsten verstehen, wenn er seinerseits in sich selbst den Punkt der Möglichkeit findet, den möglichen Ursprung und Anlaß, von dem her jener Mensch so sprechen konnte. Findet der Vernehmende in seinem eigenen Dasein diesen inneren Anfang, dann wird für ihn darin so etwas wie die lebendige und inspirierende Seele des zunächst nur von außen vernehmlichen Wortes zugänglich. Er wird nun nicht mehr nur von außen, vielmehr von innen verstehen können, was dieses Wort sagen will. Er wird das zunächst vom fremden Ursprung her ihn ansprechende Wort verstehen können, wie wenn es sein eigenes wäre, das auch er unter den jenen Sprechern gegebenen Umständen hätte sprechen können und müssen. Er wird es so erst lebendig verstehen, weil er sich selbst ins Spiel brachte und weil er dadurch die Möglichkeit fand, das äußere Wort in ihm, dem Vernehmenden selbst, in den jenem eigenen Ursprung zurückzubringen, aus dem es kam. Von daher kann der Vernehmende dann dieses Wort wie sein eigenes von innen her und damit frei mitvollziehen und verstehen. Von da aus gewährt sich ihm dann auch die Möglichkeit, es als ein eigenes, zu eigen gewordenes Wort lebendig neu zu gebären und zu sprechen mit einem eigenen und neuen Klang, in dem aber doch nur das alte zugesprochene zur Sprache kommt.

Dieser Zusamenhang, der für das lebendige Verstehen und die lebendige Erneuerung jedes menschlichen Wortes gilt, gilt auf seine Weise auch für das Verstehen und für das Neusprechen des Wortes Gottes, das ja ohne Minderung seines Charakters als Wort Gottes nicht aufhört ein ganz menschliches Wort zu sein. Wir können freilich das Wort Gottes nicht aus uns produzieren; wir können auch nicht unter die Bedingungen und damit in den Spielbereich aufs neue und in anfänglicher Form eintreten, unter denen nur die primären Empfänger der Christus-Offenbarung standen. Aber das Offenbarungswort, in dessen anfänglichen Anblick die Theologie in Gemeinschaft mit der ganzen Kirche zu gelangen suchen muß, hat doch immer den Charakter einer Botschaft, die das Ganze des menschlichen Daseins entscheidend anspricht. Es wird nur dann seinem Sinn entsprechend verstanden, wenn vom verstehenden Menschen her das Ganze seines Daseins der Botschaft exponiert und in diesem Sinne ins Spiel gebracht wird. Dies geschieht entscheidend im Glauben.

Geschieht aber dies, dann kann das Wort Gottes immer mögliche Ursprünge im Innern des Vernehmenden und ins große Spiel des Glaubens eingebrachten Daseins freilegen und ins Schwingen bringen. In solchem Schwingen eigener Ursprünge kann das glaubende Dasein dann seinerseits in sich selbst den Bereich finden, aus dem heraus ein Wort wie das große Gotteswort des Evangeliums von innen her hell werden kann, und es können sich von daher Möglichkeiten des geistigen Mitvollzuges gewähren. Dann entsteht die Möglichkeit, daß das Offenbarungswort aus dem eigenen Ursprung des glaubenden und verstehenden Menschen mitvollzogen und verstanden wird, daß es in einem höheren Sinne zu eigen wird. Und dann kann es auch aus dem Ursprung des glaubenden und vernehmenden Daseins erneuernd und lebendig und frei wiedergeboren werden in eine gültige, weil aus dem lebendigen Ursprung lebende Gestalt.

Dies ist natürlich — wir haben schon darauf hingewiesen — nicht so zu verstehen, als ob das menschliche Dasein aus seiner Kraft die Offenbarung und ihr Verständnis einfach produzieren könnte. Aber es kann und soll sie doch reproduzieren, unter der Voraussetzung freilich, die nie der Macht des Menschen unterliegen kann: nämlich daß die Offenbarung aus ihrem eigenen und höheren Ursprung dem Menschen zunächst vorgegeben werde und er seinerseits in ihr Vernehmen gelange. Das vernehmende und glaubende menschliche Dasein kann und soll unter dieser gegebenen Bedingung das Vernommene reproduzieren, und dies nicht nur in einer äußerlichen und schematischen Wiederholung, sondern so, daß das Äußere in die innere Ursprünglichkeit des Vernehmenden eingebracht und von daher aus dem gemäßen inneren Anlaß aufs neue geboren und gesprochen wird.

Man darf als Analogie für diese Möglichkeit etwa darauf hinweisen, daß es ein mögliches ursprüngliches und daher lebendiges Verständnis gewisser, zunächst fremdartiger musikalischer Gestalten gibt, welches Verständnis jedoch unter der Bedingung stehen kann, daß ein solches musikalisches Gebilde zunächst einmal positiv und von außen gegeben und vorgegeben und vorgespiegelt wird. Das äußere Spiel mag dann zunächst fremd ins Ohr klingen. Es kann aber Möglichkeiten des Mit- und Nachvollzugs im hörenden Menschen wecken und ins Schwingen bringen, die ohne die Gewährung der äußeren Gestalt niemals erwachen könnten. Diese Möglichkeiten liegen als Möglichkeiten im Vernehmenden bereit, und nachdem die äußeren Bedingungen für ihre Realisierung gegeben wurden, eröffnen sie dem Vernehmenden einen Weg: den fremden Klang schließlich von innen her wie ein eigenes Lied frei mitzuvollziehen.

Gäbe es im glaubenden Dasein keine inneren und anfänglichen Möglichkeiten, vom gegebenen Wort Gottes angerührt in eine diesem Wort entsprechende Schwingung zu kommen, also einen dem Worte Gottes entsprechenden lebendigen eigenen menschlichen Ursprung bereit und frei zu geben, und in diesem das von außen dem Menschen Zugesprochene zu erinnern, d. h. in den inneren Anlaß zurückzubringen, aus dem jenes Wort kam: dann könnte es für uns Menschen überhaupt kein ursprüngliches Verständnis der Offenbarung geben. Die eigene Ursprünglichkeit des glaubenden menschlichen Daseins und die in ihr geborgenen Möglichkeiten, die Offenbarung von innen aus dem eigenen Anlaß mitzuvollziehen, wenn das Wort der Offenbarung gegeben wird: das gehört wesentlich zu dem, was die Theologen die potentia oboedientialis nennen. Nur von daher kann der Mensch in einem nicht bloß äußerlichen Sinne zum Hörer des Wortes werden, um an einen Rahnerschen Titel zu erinnern.

Ein schönes und lehrreiches Beispiel für die hier gemeinte Möglichkeit der Erneuerung des alten und einen Wortes Gottes auf dem Wege der

Er-innerung im Durchgang durch den eigenen menschlichen Ursprung des Vernehmenden bietet die Theologie des heiligen Augustinus. Es wird niemand daran zweifeln, daß durch ihn das alte Wort des Evangeliums Jesu zu einem neuen lebendigen und geschichtsmächtigen Glanze wiedergeboren wurde. Dies geschah von der menschlichen Seite her entscheidend dadurch, daß in Augustin die Erfahrung und die Erfahrungsmöglichkeiten eines großen ursprünglichen liebenden Herzens eingebracht wurde und daß sich in ihm die lebendigen Anlässe eines inneren Verständnisses des zunächst von außen gegebenen Wortes fanden. Wo Augustin die berühmte Erklärung des johanneischen Wortes gibt: nemo venit ad me, nisi quem Pater attraxerit (Joh. tract. 26, 4: PL 35, 1608), sagt er: da amantem et sentit quod dico. Und Augustin fährt bald darauf fort: si autem frigido loquor nescit quid loquor. In der Liebe des glaubenden und verstehenden Daseins finden sich also für Augustin die Bedingungen eines ursprünglichen und darum von innen her lebendigen Verständnisses des seinerseits lebendigen Wortes der Offenbarung, das den christlichen Grundsatz von der Macht der Gnade ausspricht. Wo diese Möglichkeiten im eigenen Dasein des Vernehmenden aber ausblieben und ihrerseits nicht erwachten (si frigido loquor), da würde das Wort der Offenbarung nichts oder doch nichts Lebendiges und Mächtiges sagen können.

Was Augustin in wenigen Worten prägnant beschreibt, darf als typisch gelten für jede mögliche Neugeburt der Theologie.

Ist solche Neugeburt immer Geschenk und Gnade, so ist ein solches Geschenk doch nie möglich, ohne daß der Mensch sein eigenes Dasein einbringe in den Bereich des Vernehmens des Wortes und daß er im eigenen Dasein lebendige Ursprünge und innere Anlässe finde — z. B. der Liebe —, die es ihm ermöglichen, das gegebene Wort nicht nur von außen, sondern von innen her zu verstehen und das zunächst von außen Gegebene als etwas Eigenes dann neu zu sprechen.

Wenn also die Theologie den langen Weg des geschichtlichen Verständnisses der Offenbarungszeugnisse und der theologischen Synthese dieser Zeugnisse zu Ende gegangen ist: dann bleibt ihr immer noch dieses Entscheidende zu tun: nämlich aus dem Glauben heraus, in dessen Boden sie angetreten ist und in dem sie immer bleiben muß, das eigene Dasein ganz ins Spiel zu bringen und dann darauf zu sehen und zu horchen, ob darin sich vielleicht Ursprünge finden und ob sie vielleicht erwachen von innen her, Ursprünge, deren Leben das heilige Wort von innen her erfassen und dann neu formen könnte. Aus einem lebendigen, er-innerten, zu eigen gewordenen Verständnis kann das heilige Wort neu gesprochen werden und als ein neues Wort mit neuem Klang doch nur und gerade das alte und eine Wort zum Verlauten bringen.

Dem ist noch eines hinzuzufügen. Es ist zu wünschen, daß im Einbringen des Ursprungs des eigenen Herzens und Daseins und seiner Ursprünge, aus dem der theologische Gedanke sich erneuern kann, mehr als nur ein privates Herz, ein privates Dasein, ein begrenzter Ursprung ins Spiel komme. Es ist zu wünschen, daß das glaubende Dasein des Menschen, aus dem heraus die Theologie zu einer Neugeburt kommen kann, im lebendigen geistigen Strome seiner Zeit lebe und atme und daß es so auf eine gewisse Weise das Herz der ganzen Zeit und ihrer Zukunft sei. Es ist zu wünschen, daß der glaubende Daseinsgrund der Theologie nicht in einer ängstlichen inneren Emigration sich gegen das Große und Ganze, in dem wir leben und sind, verbaue und vermauere, vielmehr daß er brüderlich sich öffne und sich verbinde mit allem mitmenschlichen Geiste im Rahmen der uns gewährten Zeit. Es ist zu wünschen, daß der Herzensgrund der Theologie so der Grund des Herzens der ganzen Zeit und ihrer Zukunft und Sprache werden könne. Denn dann könnte aus solchem lebendigen und vieles umfassenden Grunde eine Neugeburt sich gewähren, die im hohen Sinne gegenwärtig, ja künftig sein könnte für das Ganze des sich mächtig umgestaltenden Menschentums, in dem wir leben. Die alte eine Botschaft könnte dann zu einer neuen Vernehmlichkeit im Offenen unserer Zeit und damit zu einer neuen Geschichtsmächtigkeit hingeleitet werden. Und nichts ist vielleicht der Theologie für heute und für morgen mehr und dringender zu wünschen.

Wenn wir diesen ganzen Gedanken zusammenfassen und wenn wir ihn recht gedacht haben: dann deutet sich in ihm ein Weg an, in dem die Theologie im neuen epochalen Grunde, in dem wir leben müssen und den wir überall in voller Bewegung sehen, das Älteste, nämlich das Anfängliche und das Bleibende des Evangeliums, neu zur Sprache zu bringen vermöchte, und dies so, daß sie dabei alles sympathetisch, doch nicht unkritisch im Gedächtnis, im Herzen und im Geistes dabeihalten könnte, was zwischen den ältesten und neuesten Epochen an Zeugnissen, an Erfahrungen und an Lehren sich hervorgetan hat und laut wurde in der Geschichte.

FREIHEIT ALS PHILOSOPHISCH-THEOLOGISCHES GRENZPROBLEM

Von Johannes Baptist Metz, Münster i. W.

Einleitung

Nicht selten hat sich Karl Rahner im Rahmen seiner „anthropologisch gewendeten Theologie" zu Thema und Problem der Freiheit des Menschen geäußert[1]. Deutlich tritt dabei zutage, was auch sonst sein theologisches Denken auszeichnet: jene die theologische Aufgabe erhellende und befruchtende Kraft einer philosophischen Reflexion, die sich in ihrer Ursprünglichkeit wie von selbst in die geschichtlichen Zusammenhänge fügt, die ihre Treue zur klassischen Tradition christlichen Denkens gerade darin bewährt, daß sie dieser Herkunft im gegenwärtigen Selbstverständnis des Menschen eine echte Zukunft gibt[2] und so zugleich zu einer echten und keineswegs gedanklich verkürzten Verstehenshilfe für den heutigen Menschen wird angesichts der theologischen Aussage und der in ihr artikulierten Botschaft Jesu Christi.

Wir befassen uns im Folgenden mit der Freiheit als philosophisch-theologischem Grenzproblem[3]. Vor allem zwei Aufgaben scheinen uns im

---

[1] Außer den in der folgenden Anmerkung genannten Werken vgl. vor allem in den „Schriften zur Theologie" I—V (Einsiedeln 1954—62): Würde und Freiheit des Menschen (II 247—277), Freiheit in der Kirche (II 95—114), Schuld und Schuldvergebung (II 279 bis 297), Zum theologischen Begriff der Konkupiszenz (I 377—414), Passion und Aszese (III 73—104), Das Leben der Toten (IV 429—437), Über den Begriff des Geheimnisses in der katholischen Theologie (IV 51—99), Zur Theologie der Macht (IV 485—508); dazu: Freiheit: LThK² IV 331—336; Situationsethik und Sündenmystik: StdZ 145 (1950) 329—342; Das freie Wort in der Kirche (Einsiedeln ²1955); Das Dynamische in der Kirche (Freiburg i. Br. 1958); Zur Theologie des Todes (Freiburg i. Br. 1958); Das Gebet der Entscheidung, in: Von der Not und dem Segen des Gebetes (Innsbruck 1949 u. ö.).

[2] Vgl. hierzu vor allem die beiden von mir neu bearbeiteten und herausgegebenen philosophischen Werke *Karl Rahners:* Geist in Welt (München ²1957), Hörer des Wortes (München ²1963).

[3] Zu der damit implizit aufgeworfenen Frage nach dem wissenschaftstheoretischen Verhältnis von Philosophie und Theologie wie zur Legitimität der im Folgenden angewandten Methode vgl. *J. B. Metz,* Theologische und metaphysische Ordnung: ZKTh 83 (1961) 1—14.

Umkreis dieser Problematik vordringlich zu sein: 1. eine genauere philosophische Erhellung[4] jenes Freiheitsverständnisses, wie es uns aus der theologischen Systematik vorgegeben ist — in Hinsicht auf eine Klärung der für die Theologie grundlegenden menschlichen Freiheitserfahrung; 2. der Versuch einer inneren Vereinheitlichung dieses theologischen Freiheitsverständnisses, in dem zwei Ansätze — durch die gesamte theologische Tradition hindurch — beständig parallellaufen: auf der einen Seite der zunächst rein anthropologisch und in diesem Sinne „autonom" entwickelte Begriff der sogenannten „Wahlfreiheit", der unverkenntlich spätgriechisch-stoische Elemente in sich aufgenommen hat, und auf der anderen Seite der besonders bei Paulus zur Geltung kommende neutestamentliche Freiheitsbegriff[5], der — am konkreten Heilsschicksal des Menschen orientiert — Freiheit vor allem als Befreitheit durch die Tat Gottes in Jesus Christus versteht. Wir wenden uns im Folgenden ausführlich der ersten Aufgabe zu. Wir hoffen indes, daß unsere Überlegungen zugleich einen Beitrag zu dem zweiten, innerlich damit zusammenhängenden Aufgabenkreis leisten — nicht zuletzt deswegen, weil[6] dem philosophischen Bewußtsein die Freiheit als *ursprüngliches* Phänomen erst im Lichte der christlichen Botschaft ansichtig wurde, weil erst unter dem geschichtlichen Einfluß des Geistes dieser Botschaft die Freiheit zum tragenden Grund und Horizont des philosophischen Selbstverständnisses des Menschen werden konnte[7].

Der spekulative Charakter des Einstiegs in unsere Fragestellung soll nicht darüber hinwegtäuschen, daß es sich hier um den Versuch handelt, *konkrete* Begriffe (wie die mit der Freiheit zusammenhängenden des Gewissens, der Reue, der Entscheidung, der Ewigkeit usw.) und Probleme (wie dasjenige der wesentlichen Verhülltheit menschlicher Freiheitserfahrung, des Verhältnisses von Freiheit und Wahrheit, der existentialen Dialektik von gut — böse, gläubig — ungläubig innerhalb der menschlichen Freiheitserfahrung, der Unterscheidung zwischen „leichten" und „schweren" Freiheitsvollzügen usw.) zu erörtern. Das Konkrete eines geistigen Phänomens kann jedoch nicht ohne die Anstrengung der Reflexion ansichtig werden.

---

[4] Im Sinne einer vor allem durch Transzendentalphilosophie, Phänomenologie und Existentialphilosophie ermöglichten und aufgegebenen Analytik menschlichen Daseins.

[5] Vgl. hierzu z. B. *H. Schlier*, Über das vollkommene Gesetz der Freiheit: Die Zeit der Kirche (Freiburg i. Br. 1956) 193—205.

[6] Worauf wir im Folgenden noch eingehen werden.

[7] Vgl. hierzu *M. Müller*, Freiheit: Staatslexikon III[6] 528—548 (zusammen mit *J. B. Hirschmann*); *H. Rombach*, Die Gegenwart der Philosophie (München-Freiburg 1962); *J. B. Metz*, Christliche Anthropozentrik (München 1962) 59—64 108—115.

I. Freiheit als Seinsfreiheit

Die theologische Anthropologie sieht die Freiheit als eine ursprüngliche und unveräußerliche Auszeichnung des Menschseins. In ihr und an ihr verwirklicht sich die menschliche Gottespartnerschaft, die jeweils den *ganzen* Menschen in Anspruch nimmt und ihn *unbedingt* betrifft. Freiheit gilt darum der Theologie nicht bloß als ein zuweilen in Vollzug gesetzter Akt, auch nicht als ein Vermögen *neben* andern, *an* dem sie vorübergehend in Erscheinung tritt, sondern als Aufgang des einen und ständig ganzen Menschseins selbst. Sie ist deshalb in ihrer ursprünglichen Wirklichkeit kein beobachtbares und gegenständlich isolierbares Teilphänomen *innerhalb* des reflexen Bewußtseins des Menschen, sondern Auszeichnung dieses Bewußtseins selbst und hat in diesem Sinn *transzendentalen* Charakter.

Was damit gemeint ist, verdeutlichen wir uns zunächst kurz dadurch, daß wir diesem Ansatz des Freiheitsverständnisses ein ausgesprochen kategoriales Freiheitsverständnis entgegenhalten. Dies könnte — etwas angeschärft — so formuliert werden: Der Mensch „hat" einen Willen, wie er *daneben* auch noch andere Vermögen hat. Mit diesem Willen kann er „etwas" wollen, irgend etwas (so wie man etwa mit einer Zange alles Beliebige ergreifen kann), oder er kann — was sachlich in derselben Ebene liegt — durch ihn wie durch einen „Motor" etwas bewegen. Dieser Wille ist nun in der Zuwendung zu diesem Etwas frei: er kann sich diesem oder jenem zuwenden, oder er kann diese Zuwendung auch unterlassen. Für dieses Tun oder Unterlassen hat er seine „Motive", aber eben diesen gegenüber überspringt er schließlich „grundlos" wählend eine Schwelle, wählt, wählt aus, enthält sich — ist eben „wahlfrei"; er ist, in scholastischer Sprache, ausgestattet mit der libertas exercitii et specificationis. Dabei kommt der Mensch in der Reflexion auf seine Individualgeschichte immer wieder an eindeutig angebbare Punkte, von denen er sagen kann: Hier endet die Erforschung meiner Motivwelt, hier habe ich eben gewählt, so gewählt und nicht anders. In dieser Betrachtungsweise ist schließlich das ganze Leben zusammengestückt aus einer Vielzahl solcher in sich ruhender unableitbarer Freiheitsvollzüge, die eigentlich nur durch die neutrale Physik einer naturalen Zeiteinheit und durch die juridische Verrechnung des richtenden Gottes in ein Ganzes gefügt werden, ohne aus sich selbst die ontologische Ganzheit und Einheit des Menschseins zu repräsentieren und zu aktualisieren. Kurzum: Die Freiheit im Sinne eines durch Wahlfreiheit konstituierten Willens erscheint als ein Vermögen *neben* anderen (u. U. zwangsläufig funktionierenden) Vermögen, als ein neutrales Vermögen, das sich immer wieder aus dieser Vermöglichkeit diesem oder jenem in voneinander abgesetzten Akten zuwendet — als ein Vermögen, das seine Freiheit gegenständlich erfährt, insofern sie unmittelbar die Freiheit der Entscheidung zu diesem oder jenem ist, sich also am konkreten Motiv in ihrer Eigentlichkeit selbst zeigt. Die Freiheit erscheint subjektiv und objektiv als kategorial-partikular.

Aber dieses rein kategoriale Freiheitsverständnis ist ein *verdeckendes Verständnis* jener ursprünglichen Auszeichnung des Menschen, die wir „Freiheit“ nennen und die gerade nach theologischer Erfahrung den *ganzen* Menschen betrifft und in Mitleidenschaft zieht. Der Mensch „hat“ nicht Freiheit, er muß sie ursprünglicher selbst „sein“. Offenbar ist gerade nach theologischen Grundsätzen jenes Freiheitsverständnis falsch, in dem der Mensch meint, er „habe“ einen Willen, der in seiner bösen und ungebärdigen Freiheit ihn, den andern und ganzen Menschen, ins Verderben stürzen könne, vor der man deshalb Angst haben könne und müsse wie vor etwas Fremdem, das einen bedroht[8]. So verstanden nämlich, könnte der Mensch sich in seiner Freiheit nie als ganzen endgültig verfehlen; nie könnte er durch ein Vermögen *an* ihm, das schlecht, wenn auch frei schlecht funktioniert, als ganzer in Frage gestellt werden. Das ist nur möglich, wenn die in Frage stellende Freiheit im Grunde des Menschen angesiedelt ist, wenn er sie also nicht bloß erleidet, sondern sie selbst „ist“. Dies gilt natürlich auch für den positiven Daseinsvollzug, und es ist in diesem Zusammenhang nicht von ungefähr, daß in dem bekannten Ignatianischen Gebet „Suscipe, domine“ die Freiheit *vor* den üblichen drei Seelenkräften genannt ist[9]: nicht als Modalität oder Funktion eines bestimmten Vermögens, sondern als das Grundvermögen, das Seinkönnen des Menschen überhaupt, in dessen Aktualität sich der ganze Mensch darstellt.

Von dieser Freiheit kann sich der Mensch nicht distanzieren, als ob sie etwas anderes wäre als streng er selbst, er aber gerade in dem, was alles andere an ihm umgreifend bestimmt, und zwar so bestimmt, daß es nur in dieser Bestimmung zu dem *wird*, was es von seinem Wesen her *ist:* das frei gesetzte und getane Dasein, das das Ende und die Vollendung der Freiheit von seinem Wesen her zu teilen gewillt ist. Wenn es nämlich für die Theologie ein ewiges Los des Menschen gibt, das als *innere Folge* der menschlichen Freiheit den *ganzen* Menschen betrifft — als Heil oder Verderbnis —, dann kann diese Freiheit nicht die Modalität eines partikulären

---

[8] Dazu, daß auch die „Konkupiszenz“ (im theologischen Sinn) nicht einfach als eine Bedrohung „von außen“ verstanden werden darf, von der sich der Mensch in seiner freien Subjektivität reflex absetzen kann, vgl. *J. B. Metz,* Konkupiszenz: Handbuch theologischer Grundbegriffe I (München 1962) 843—851.

[9] „Nimm hin, Herr, meine ganze Freiheit; nimm an mein Gedächtnis, meinen Verstand, meinen ganzen Willen.“

Vermögens sein, das *neben* anderen am Menschen ist; sie muß vielmehr das Ganze des Menschen sein: dasjenige, was den Menschen erst in sein konkretes Wesen bringt, insofern der Mensch als jenes Wesen existiert, das in einer fundamentalen und unaufhebbaren Weise — als „Subjektivität" — sich selbst anvertraut und in *diesem* Sinn frei „ist".

Der Mensch erscheint gerade auch für die Theologie als jenes Seiende, dem es in seinem Wesen um dieses selbst geht, das immer schon ein Verhältnis zu sich selbst hat, das nicht einfach als Bestimmtes, sondern als sich Bestimmendes existiert, das sich selbst *vor* sich hat — nicht hinter sich als das unbewegliche Gesetz seines Handelns; das auf sich selbst zugeht, sich selbst sucht, sich selbst erwirbt, das noch in einem gewissen Sinne entscheidet, als was es existiert. Der Mensch ist jenes Dasein, dessen „Wesen" in einem recht verstandenen Sinn das „Nichts" an Bestimmtheit ist in Hinblick auf eine das Ganze dieses Daseins durchgreifende und orientierende Selbstbestimmung in Seligkeit oder Verdammnis. Keineswegs ist damit jedoch behauptet, der Mensch sei — etwa im Sinne eines schlechten Aktualismus oder Existentialismus — „reine" Freiheit; immer ist der konkreten Freiheitsentscheidung des Menschen eine bleibende, letztlich von Gott selbst geschaffene „Natur" als Ermöglichung und Grenze dieses Freiheitsvollzuges innerlich. Aber weil diese „Natur" im Menschen nicht einfach mit dessen Freiheit zusammengestückt ist, sondern beide — in gleitender Funktion — je *das Ganze* des Menschen betreffen, beide also suppositiv für die eine Wirklichkeit des Menschen stehen können, läßt sich sagen, daß eigentlich auch alles, was der Mensch konkret ist, zuletzt an ihm selbst, an seiner in geschichtlicher Entscheidung verwirklichten Freiheit liegt. Anders ausgedrückt: So wie der Mensch nie „reine Existenz", sondern immer auch — und zwar als ganzer — „Natur" ist, so wie er als Einzelner immer auch Ausdruck und Verwirklichung eines Allgemein-Essentiellen ist, so ist seine freie geschichtliche Entscheidung, in der er sich selbst vollbringt, nie bloß durch eine rein formale „Situationsethik" bestimmt, sondern — je im ganzen — durch materiale Gesetze und Imperative eben dieser „Natur", die seiner freien Selbstverwirklichung vorgegeben und beständig innerlich ist (so daß sich dieser Selbstvollzug durch eine falsche, d. h. gegen diese „Natur" und ihre Strukturen gerichtete Entscheidung notwendig einen *inneren* Widerspruch schafft). Anderseits jedoch kann die inhaltliche Positivität des durch Freiheit verwirklichten Daseins nie adäquat durch diese „Natur" und ihre materialen Gesetze beschrieben bzw. eingefangen werden; sie ist vielmehr *als ganze* einer rein objektivistischen Determination (was keineswegs heißt: dem verpflichtenden individuellen Schöpfer- und Heilswillen Gottes) entzogen. Denn sie ist nie reine Materialität, sondern Existentialität, d. h.

konkreter, individueller Ausdruck des einmaligen und unvergleichlichen geschichtlichen Selbstseins des Menschen[10].

Der Mensch ist also nie nur „Natur“, sondern immer auch schon „Person“ [11], nie einfach „vorfindlich“, sondern immer schon „befindlich“ [12]; sein Sein ist nie rein sachhaft, er ist in seinem Sein vielmehr immer schon vor sich selbst gebracht. Die Subjektivität ist hier die wahre Objektivität. Nichts geschieht dem Menschen über dieses Selbstverhältnis hinweg, sein „Ich“ ist schlechthin unüberspringbar[13], es kann nie durch ein anderes ersetzt oder erklärt werden (auch nicht durch die eigene reflexe Vorstellung von sich selbst). Es ist echter Ursprung, echtes Selbst, nicht noch einmal auf etwas anderes gestellt und deshalb auch nicht von anderem her ableitbar bzw. auf solches hin „begründbar“. So ist der Mensch auch der Unvergleichliche, der in kein System adäquat eingeordnet, in keiner Kategorie untergebracht, keiner „Idee“ subsumiert werden kann. Er ist in einem ursprünglichen Sinn der Unantastbare, aber auch der Einsame und Ungeborgene, sich selbst Zugelastete, der sich durch nichts von diesem einmalig-einsamen Selbstsein „absolvieren“ kann. Hier zeigt sich anfänglich der Glanz und die Würde, aber auch der Ernst und die Last der Singularität bzw. der Seinsfreiheit des Menschen.

---

[10] Man wird wohl sagen müssen, daß die klassische scholastische Metaphysik noch zu sehr in den Horizont eines objektivistischen (griechischen) Seinsverständnisses verspannt war, so daß ihr die ontologische Relevanz der geschichtlichen Freiheit wie eigentlich der geschichtlich-einmaligen Existenz überhaupt verborgen blieb. Zu ausschließlich dachte sie den Einzelnen als einen beliebig wiederholbaren numerus einer allgemeinen (Geist-)Natur, zu sehr die Existentialität (d. h. die durch freie Entscheidung induzierte, konkret-individuelle Inhaltlichkeit des Menschseins) als Akzidentalität. Immerhin kennt Thomas von Aquin den ontologischen Grenzfall, daß ein (endliches) Individuum durch sich selbst schlechthin einmalig und unwiederholbar ist. Er lehrt nämlich in seiner Angelologie, daß sich ein Engel vom andern nicht numerisch, sondern „spezifisch“ unterscheide, also in und aus seiner natura intellectualis, seiner in Erkennen und Freiheit vor sich selbst gebrachten und sich selbst bestimmenden Subjektivität als solcher (vgl. z. B. S. th. 1 q. 50 a. 4 c und ad 4). Die suarezianische Schule kennt zwar eine konkrete Vereinzelung, die der numerischen raumzeitlichen Vervielfältigung vorausliegt, doch wird auch sie letztlich wieder objektivistisch gedeutet (also nicht in der freien geschichtlichen Selbstbestimmung des Menschen verankert, so daß sie eigentlich jeder Mensch in gleicher Weise besitzt).

[11] Zu diesem Begriffspaar als Bestimmung der menschlichen Seinsweise vgl. *Karl Rahner*, Schriften zur Theologie I und II (Index systematicus am Ende des zweiten Bandes unter dem Stichwort „Natur-Person“).

[12] Zu diesem Begriff vgl. *M. Heidegger*, Sein und Zeit (Tübingen [6]1949) § 29; dazu die thomistische Interpretation dieses Begriffes bei *J. B. Metz*, Befindlichkeit: LThK[2] II 102—104.

[13] Eine Einsicht, die sich in ihrer philosophischen Tragweite bei Thomas von Aquin anbahnt (worauf wir noch verweisen) und die bei Kant und Fichte in transzendentaler Reflexion ausdrücklich entfaltet wird.

Den Blick auf diese ursprüngliche Seinsfreiheit konnte freilich erst ein Denken freigeben, das in einer recht verstandenen „Anthropozentrik" den unableitbaren *Subjektcharakter* des Menschseins streng durchzuhalten vermochte und das menschliche Selbstsein nicht objektivistisch unter ein „allgemeines" (Vorhanden-)Sein verrechnete, „Person" nicht der „Natur" subsumierte, wie das im „kosmozentrischen" griechischen Seinsverständnis der Fall war (in dessen Horizont das inhaltlich hoch entwickelte Individualitätsbewußtsein des Spätgriechentums sich selbst ontologisch verborgen bleiben mußte). Erst ein Denken, das durch die Begegnung mit dem Geist der Offenbarung für die unableitbare und unobjektivierbare Positivität des geschichtlichen Subjektes als solchen erschlossen wurde, konnte auf die fundamentale Seinsfreiheit des Menschen aufmerksam werden. In diesem Sinne hat sich die „Befreiung" des Menschen durch die christliche Botschaft schließlich auch denkgeschichtlich bewährt als wachsende Freigabe des menschlichen Seins- und Selbstverständnisses für die ursprüngliche und unableitbare Eigenart der menschlichen Subjektivität, als formale Umorientierung des menschlichen Selbstverständnisses aus dem Horizont der dinglichen „Natur" in den Horizont der „gefreiten" Natur, wie sie sich im neuzeitlichen Denken (freilich unter den verschiedensten Vorzeichen) durchsetzte[14]. Erst im geschichtlichen Aufgang dieses Horizontes menschlichen Selbstverständnisses konnte z. B. auch die menschliche Gewissensfreiheit zureichend ontologisch erhellt werden. Es ist deshalb nicht von ungefähr, daß Thomas von Aquin, bei dem sich wohl erstmals ein begrifflich verfügbarer Ansatz zur ontologischen Selbsterfassung des Menschen als in Wissen und Freiheit sich selbst besitzendes und zugelastetes Subjekt findet, zugleich erstmals die These entfaltet, daß das Gewissen des Einzelnen unüberspringbar und unantastbar sei, daß es also eine absolut verpflichtende und von den anderen zu respektierende conscientia erronea geben könne[15].

Aus einem derartigen transzendentalen Freiheitsverständnis, wie wir es hier nur äußerst knapp skizziert haben, ergeben sich nun aber auch gleich einige wichtige Folgerungen, die wiederum nur sehr kurz entfaltet werden können.

1. Zunächst sei eine *theologische* Konsequenz einfach genannt. Wenn Freiheit nicht primär als kategoriales Geschehen *neben* anderen Geschehen im menschlichen Dasein verstanden werden darf, dann kann von vorn-

---

[14] Vgl. *J. B. Metz,* Christliche Anthropozentrik passim; dazu *Karl Rahner,* Theologische Anthropologie: LThK² I 618—627 und die unter Anmerkung 7 genannten Arbeiten.

[15] De Ver. 17, 4; S. th. 1 II q. 19 a. 5; vgl. dazu *R. Hofmann,* Gewissen: LThK² IV 861—864.

herein auch das Verhältnis von Gnade und Freiheit im Menschen nicht als ein kategoriales *Mit*-einanderwirken gedeutet werden. Eindringlicher als sonst wird sichtbar, daß die Gnade nicht einfach konkurrierend „neben" die menschliche Freiheit tritt oder auch nur treten könnte, daß sie nicht etwa „mit" der menschlichen Freiheit wirkt, sondern diese Freiheit selbst — als ganze, in ihrer Selbst-Wirklichkeit — wirkt und wirken muß[16]; denn die transzendental verstandene Freiheit hat nicht eigentlich etwas „neben" oder „außer" sich, wie das eine Deutung der Freiheit als rein kategorial-partikulares Vermögen des Menschen nahelegt[17]. Von hier aus wäre erneut auf den sogenannten klassischen „Gnadenstreit" und die in ihm gegeneinanderstehenden Gnadensysteme hinzudenken, in denen das Verhältnis von göttlicher Gnade und menschlicher Freiheit diskutiert wird und die schon in ihrem Ansatz problematisch erscheinen, weil sie von einer rein kategorial-partikularen Freiheitsvorstellung ausgehen und deshalb mehr oder minder ausdrücklich unterstellen, daß beide, Gnade und Freiheit, zunächst nebeneinander stehen, um dann *nachträglich* zur Konstitution ihrer jeweiligen Wirklichkeit miteinander harmonisiert zu werden. Eine nähere Bestimmung des Verhältnisses von Gnade und Freiheit wird sich wenigstens indirekt ergeben, wenn wir im Folgenden das Verhältnis von „Freiheit und Geheimnis"[18] erörtern. Hier sei diese Konsequenz aus einem transzendentalen Freiheitsansatz nur genannt.

2. Für die Struktur der Freiheitserfahrung selbst ergibt sich in einem ersten Hinblick aus unserem obigen Ansatz: Es gibt keine genaue raumzeitliche Topologie der Freiheit. Denn die transzendental verstandene Freiheit ist ursprünglich *immer und überall*. Daß der Mensch in einem bestimmten Moment seines bewußten Daseins einfach schlechthin unfrei sein könne, ist eine unbewiesene, ja im Blick auf das transzendentale Wesen der Freiheit[19] falsche Behauptung. Das menschliche Subjekt hat sich immer schon frei vollzogen, es hat die ihm unfrei vorgegebene Welt seiner

---

[16] Und dies nicht bloß in einem soteriologischen Sinn wegen der faktischen Selbstverfallenheit der menschlichen Freiheit, sondern ursprünglicher schon in einem metaphysischen, aus der transzendentalen Analytik der menschlichen Freiheit selbst geforderten Sinn.

[17] Zu einem geklärten transzendentalen Verständnis der menschlichen Natur vgl. *B. Welte*, Homoousios hemin: Das Konzil von Chalkedon III (Würzburg 1951) 51—80, bes. 53 bis 56 58—60.

[18] Vgl. unten Abschnitt III.

[19] Demzufolge Freiheit ursprünglich nicht eigentlich „im" Bewußtsein, sondern „als" Bewußtsein wirklich ist. Zu einem Begriff der Freiheit, der durch transzendentale Reflexion als Bedingung der Möglichkeit von gegenständlichem Bewußtsein überhaupt gewonnen wird, vgl. *Karl Rahner*, Hörer des Wortes 71 ff.

kategorialen Möglichkeiten[20] immer schon im Modus der Freiheit, hat *daraus* immer schon gewählt und wählt fortan daraus. Freiheit ist in diesem Sinn ein diffus über das Ganze des Daseins ausgebreitetes, von dessen Notwendigkeiten nicht eindeutig abhebbares Phänomen — zumal wir sie je schon als vollzogene antreffen, d. h. in einer konkreten Synthesis mit der ihr vorgegebenen und aufgegebenen Welt, nie aber als die rein mögliche Freiheit in schlechthin indifferenter, neutraler Ausgangsposition. Nicht daß ich *hier* und *dort* frei bin, sondern daß ich Freiheit „bin", ist mir gegenwärtig — selbst im Traum gegenwärtig —, solange ich überhaupt als Mensch, d. h. in einem Verhältnis zu mir selbst und zu anderen, existiere.

Gerade wenn diese Welt, in und an der sich die transzendental verstandene menschliche Freiheit immer schon vollzogen hat, nicht primär als sachhafte Umwelt, sondern als personale Mitwelt gesehen wird, enthüllt sich ein entscheidender Grundzug menschlicher Freiheitserfahrung, der hier freilich nicht im einzelnen erörtert werden kann: die Erfahrung des je eigenen Freiseins im beständigen und wesentlichen Mitsein[21] mit anderen freien Subjekten, des Freiseins in existentieller Kommunikation. „Freiheit ist nie wirklich als Freiheit bloß Einzelner. Jeder Einzelne ist frei in dem Maße, als die Andern frei sind."[22] Und der Einzelne weiß um die Wirklichkeit der je eigenen Freiheit gerade im Bewußtsein und in der Anerkennung der Freiheit der anderen[23].

3. Anderseits ergibt sich aus dem transzendentalen Freiheitsverständnis Möglichkeit und Berechtigung eines sogenannten *methodologischen Determinismus* im Ausbau der rein kategorialen Erfahrung menschlichen Handelns[24]. Denn wenn wir uns auch immer als die Freien erfahren, so handelt es sich hierbei doch um eine transzendentale Erfahrung, nicht um eine Erfahrung von etwas, das sich vorübergehend, an genau reflektierbarer, raumzeitlich fixierbarer Stelle neben anderem ereignet, sondern um die

---

[20] Die als Um- *und* Mitwelt primär die anderen freien Subjekte, die der Selbstverfügung des Menschen entzogen sind und ihr frei gegenüberstehen, enthält.

[21] Vgl. *J. B. Metz,* Mitsein: LThK² VII 492 f.

[22] *K. Jaspers,* Möglichkeiten eines neuen Humanismus: Rechenschaft und Ausblick (München 1951) 324.

[23] Freilich hat dieses „Wissen" wiederum nicht gegenständlich-verfügenden Charakter. Auf das Verhältnis von „transzendentalem" und „personalem" Wissen kann hier nicht eingegangen werden.

[24] Außer acht bleibt hier die obengenannte spezifische Form der („personalen") Freiheitserfahrung im Gegenüber zu anderen freien Personen. — Der hier angeführte Begriff eines „methodologischen Determinismus" war Gegenstand der Diskussion bei der Tagung des „Psychotherapeutischen Arbeitskreises" in Feldafing im September 1962, an der ich mit Karl Rahner teilnahm.

Erfahrung, die wir selber *sind,* als die wir selbst existieren. Dieses fundamentale Selbstverständnis ist nicht (im naturwissenschaftlichen Sinn) objektivierbar — und dies nicht etwa, weil es nicht „sicher" gegeben wäre, sondern weil es nicht als ein isolierbar-absetzbares Objekt *innerhalb* des Horizontes einer gegenständlich-partikulären Erfahrung erscheint, sondern diesen Horizont möglicher gegenständlicher Erfahrung konstituiert. Man kann von ihm nur *abgeleitete* Begriffe bilden, es gibt von ihm als solchem keine kategoriale, sondern „nur" eine transzendentale Erfahrung[25]. Im Ausbau der rein kategorial-gegenständlichen Erfahrung menschlichen Vollzuges kann deshalb Freiheit an sich selbst nicht gefragt sein; es gilt für ihn berechtigter- und notwendigerweise ein methodologischer Determinismus. In der Erklärung des menschlichen Einzelaktes kann und muß immer weiter, immer genauer, immer analytischer, immer „determinierender" gefragt werden. Dieser Versuch wird faktisch nie an ein Ende kommen, wird nie am reinen Horizont dieser kategorialen Erfahrung selbst anlangen. Die aposteriorische Rekonstruktion aller Logismen und Mechanismen menschlichen Handelns wird ihren Gegenstand nie adäquat erschöpfen, so daß sie von sich aus — aposteriori-partikular — nie jenen raumzeitlich fixierbaren Punkt erreichen kann, an dem Freiheit an sich selbst gegeben ist, an dem sie gleichsam in Reinheit aufgespürt werden kann. So etwas gibt es nicht und braucht es nicht zu geben, denn wir suchen und erfragen nie eine Freiheit, die zunächst noch gar nicht gegeben wäre, sondern wir „haben" eine Freiheit, die als transzendentale Bedingung der Möglichkeit jener kategorialen Notwendigkeiten immer schon am Werke war und von uns als solche je vorausgesetzt wurde.

4. Darin zeigt sich schon an, daß die Aufweisungsart der transzendentalen Freiheit notwendig *zirkulären Charakter* hat. Wenn nämlich in theologischer Supposition die Freiheit nicht etwas *am* Menschen ist, sondern das Selbstverhältnis, als das er existiert, das *Sein seines Seins,* dann kann diese Freiheit als solche vom Menschen nur so aufgewiesen werden, daß sie in dieser Aufweisung, die ja selbst ein Akt des Menschen ist, noch einmal voraus-gesetzt und vollzogen wird: die Aufweisungsart der Freiheit ist notwendig zirkulär[26]. Bedeutet aber diese zirkuläre Aufweisung

---

[25] Vgl. *K. Jaspers,* Vom Ursprung und Ziel der Geschichte (München ²1950) 274: „Wo Nachweis durch Erfahrung (= kategoriale Erfahrung; Anm. des Verf.) beginnt, da gibt es keine Freiheit und keine existentielle Kommunikation. Aber beide bringen hervor, was dann auch Gegenstand der Erfahrung wird, ohne als Erscheinung genügend erklärbar zu sein, und was dann Hinweis ist auf das Freiheitsgeschehen, das in sich, wo wir daran Anteil gewinnen, verständlich und bezwingend ist (= transzendentale Erfahrung; Anm. des Verf.)."

[26] Wiederum bleibt hier die obengenannte mögliche Erfahrung von Freiheit im an-

nicht notwendig eine Abdankung vor jedem „objektiven“ Freiheitsbefund? Wird damit die „Wirklichkeit“ der Freiheit nicht einem heillosen Subjektivismus ausgeliefert? Wie kann etwas, was sich „nur“ zirkulär aufweisen läßt, noch in seinem „Ansich“ freigelegt werden? Diese Fragen nennen ein Problem, das die neuere Philosophie, vor allem seit Kant, ständig begleitet. Wir können hier nur kurz darauf eingehen, wobei man der Abstraktheit dieser Überlegung die gebotene Kürze und vor allem die Schwierigkeit des Problems selbst zugute halten mag.

Das Ansichsein des zirkulär Aufgewiesenen kann nur dadurch erhellt werden, daß der Zirkel selbst als legitime und ursprüngliche Aufweisungs- bzw. Erscheinungsart von Ansichsein erhellt wird. Dazu aber muß die Frage nach der zirkulären Aufweisung der Freiheit zurückgetrieben werden in die Frage nach dem je vorausgesetzten vorprädikativen Seinsverständnis[27], in die Frage nach der je vorausgesetzten Grundanschauung dessen, was „an sich“ „ist“. Die zirkuläre Aufweisungsart erscheint nämlich nur *dann* als eine subjektivistische petitio principii, wenn sie von einem ganz bestimmten, keineswegs „selbstverständlichen“ Ansichseinsverständnis her kritisiert wird, und zwar von einer objektivistischen Vorstellung her, die den Subjekt-Objekt-Gegensatz fraglos verabsolutiert, die also letztlich das Ansich unter dem Zwang der gegenständlichen Objektivation als rein sachhafte Vorhandenheit denkt und *diese* zum formalen Leitbild für das Verständnis dessen macht, was „ist“. Es gibt aber ein ursprünglicheres und im letzten durchaus „selbstverständlicheres“ Ansichseinsverständnis: ausgehend von jenem Selbstverständnis, das wir selbst in ursprünglicher und ständiger Ganzheit *sind* und das wir in allem thematischen Verstehen supponieren und aktualisieren. In diesem Falle ist das formale Leitbild für das Verständnis des „Ansich“ gerade das ursprüngliche „Beisich“, die „Subjektivität“ des Verstehens selbst. Und in der Unüberspringbarkeit der „Subjektivität“, wie sie sich im transzendentalen Zirkel niederschlägt und stets neu dokumentiert, erscheint gerade das ursprüngliche Ansichsein ankünftig sich selbst als jenes Beisichsein, das in diesem unausweichlichen Zirkel gleichsam noch einmal auf sich selbst pocht, das in ihm die unveräußerliche Macht seines Ansich zur Geltung bringt, das in diesem Zirkel jeder totalen Objektivation in den verfügenden und gegenständlich distanzierenden Begriff ontologisch widersteht, und das seine „Objektivität“ gerade dadurch ausweist, daß es nicht adä-

---

genommenen Gegenüber zu anderen freien Subjekten außerhalb einer ausdrücklichen Überlegung.

[27] Vgl. *J. B. Metz,* Christliche Anthropozentrik 54 ff (einige Partien sind wörtlich übernommen).

quat objektivierbar ist, daß es also durch nichts sich selbst genommen werden kann, sondern unaufhebbar sich selbst gehört, in diesem fundamentalen Sinn „frei" ist und deshalb auch nur *an und durch sich selbst*, d. h. aber „im Zirkel" (des transzendentalen Denkens), erhellt werden kann[28]. In einer Art Gegenprobe ließe sich sagen: Die materielle Natur ist deswegen — wenigstens mathematisch — adäquat objektivierbar, also „zirkelfrei" verständlich, weil sie am wenigsten „objektiv", am wenigsten „an sich", am wenigsten sich selbst gehörig und in diesem Sinne „frei" ist, weil der Grundzug ihres Seins ist — wie Thomas sagt —: super aliud delatum esse[29]. Nur in einem objektivistischen Seinsverständnis werden Objektivität und Objektivierbarkeit stillschweigend gleichgesetzt und wird die zirkuläre Aufweisungsart als schlechter Subjektivismus, als grundsätzliche Abdankung vor der „Realität" bzw. dem, was man darunter versteht, abgewürdigt und abgetan. Kant, der den transzendentalen Zirkel erstmals methodisch entfaltete, hat ihn selbst gleichwohl als die Signatur eines theoretisch unüberwindlichen Subjektivismus interpretiert, dem es grundsätzlich verschlossen ist, das „Ansich" zu erreichen. Kant konnte sich selbst derart mißverstehen, weil er — und *dies* vor allem bedingt u. E. das Problematische seines Denkens — mit seinen „realistischen" Gegnern die unbewußte Voraussetzung einer objektivistisch-sachhaften Ansichseinsvorstellung teilte. Diese verwehrte es ihm, die von ihm selbst erstmals ausführlich begründete und dargestellte Unobjektivierbarkeit der „Subjektivität", jenes Selbstverhältnisses, das wir *sind* und nicht bloß haben, gerade als die gesuchte Grundgestalt von Ansichsein überhaupt zu erkennen und sie schließlich als mit Freiheit konvertibel zu interpretieren — insofern Freiheit nichts anderes ist als der anthropologisch gewendete Ausdruck für die Weise, in der ein Seiendes in seinem Sein sich selbst gehört. — Dies alles sollte in unserem Zusammenhang indes nur beiläufig gesagt werden.

II. Freiheit als Vermögen zur Ganzheit und Endgültigkeit menschlichen Daseins

Die Einsicht in die transzendentale Grundgestalt der Freiheit zeigt auch deutlich, daß Freiheit als „Vermögen" des Menschen nicht im Gegen-

---

[28] Und umgekehrt: alles, was vom „Ich" objektiviert werden kann — die einzelnen gegenständlichen Verhaltungen, an denen zumeist die Freiheit „bewiesen" wird — ist nicht ursprünglich frei (vgl. hierzu die treffenden Bemerkungen bei Thomas in „De Malo" 2, 5).

[29] Vgl. *K. Rahner*, Geist in Welt 234.

stand, sondern *im Menschen selbst* terminiert. Das Vermögen der Freiheit ist Selbstentfaltung des Menschen, Ausdruck des menschlichen Seins als eines Seinkönnens. Freiheit geschieht deshalb nie bloß als gegenständlicher Vollzug, als eine „Wahl" „zwischen" einzelnen Objekten, sondern als Selbstvollzug des gegenständlich wählenden Menschen, und erst *innerhalb* dieser Freiheit, in der der Mensch „sich selbst vermag", ist er dann auch frei hinsichtlich des Materials seines Selbstvollzuges: er kann dieses oder jenes tun bzw. unterlassen in Hinsicht auf jenes Selbstverhältnis, das er unentrinnbar *ist* (und das er auch da vollzieht, wo er sich gegenständlich-kategorial jeder Entscheidung zu enthalten sucht). Erst die Wirklichkeit von Seinsfreiheit schafft die Möglichkeit und Notwendigkeit von Wahlfreiheit gegenüber bestimmten einzelnen Gegenständen. Thomas sagt in diesem Zusammenhang zunächst ganz generell: Cum enim res habeat *ad rem aliam ordinari* per aliquid, quod *in se* habet, secundum quod diversimode aliquid in se habet, secundum hoc diversimode ad aliud ordinatur; und er führt dann in diesem corpus[30] weiter aus: weil der Mensch sich selbst in seinen Vollzügen unaufhebbar gehört (und bestimmt), kann er auch ein freies Verhältnis zu anderem haben. In welchem Sinn kann nun aber die transzendentale Freiheit als „Vermögen" des Menschen verstanden werden? Die Beantwortung dieser Frage soll uns zugleich die Bedeutung unserer bisherigen Überlegungen für den konkreten Freiheitsvollzug vor Augen führen[31].

1. Die transzendental verstandene Freiheit zeigt sich einmal als *Vermögen zur Ganzheit und Einheit menschlichen Daseins*[32]. Sie setzt in jener Tiefe des Menschen an, in der die einzelnen Vermögen und Dimensionen seines Seins noch ungeschieden in einer ursprünglichen und ständig ganzen Einheit ineinander ruhen, so daß er sie alle in das Engagement dieser seiner Freiheit hineinziehen kann und muß, um so diese Einheit

[30] De Ver. 23, 1.

[31] Vgl. zum Folgenden (II 1 u. 2): *J. B. Metz,* Freiheit: Handbuch theologischer Grundbegriffe I 403—414 (woraus einige Partien wörtlich übernommen sind).

[32] Ganzheit und Einheit sind nicht einfach vorgegebene „Zustände" menschlichen Daseins, statische Bestimmungen „an" ihm; beide liegen vielmehr in ihrer Wirklichkeit *innerhalb* des Selbstverhältnisses, als das der Mensch existiert. Er muß deshalb diese Ganzheit und Einheit je *durch sich selbst* vollziehen. *Der versammelnde (innere) Grund der Ganzheit und der einigende (innere) Grund der Einheit menschlichen Daseins ist die Freiheit* (freilich — wie wir unter Abschnitt III noch ausführen werden — in ihrer vorgängigen Geeintheit und Versammeltheit von dem umgreifenden absoluten Geheimnis her). Denn sie ist die potentia maxime communis (vgl. II Sent. 26, 1, 3 ad 3), a qua habent unitatem omnes actiones humanae (vgl. De unione Verbi incarnati 5). — Zu einem ontologisch geklärten Einheits- und Ganzheitsbegriff vgl. auch *K. Rahner,* Schriften zur Theologie I 201—206.

selbst in ihre Wirklichkeit zu bringen[33]. Die so verstandene Freiheit bringt von sich aus je den *ganzen* Menschen — in seinem ineinanderspielenden Selbst-, Welt- und Gottesbezug, in seiner Herkunft und Zukunft — ins Spiel. Gewiß ist diese Grundintention der Freiheit zeitlich gestreut, gewiß bleibt der jeweils angezielte Gesamtentwurf des Daseins vielfach leer und gegenständlich unerfüllt, gewiß ist nicht jeder einzelne Freiheitsakt von der gleichen aktuellen „Tiefe" und „Radikalität"[34], doch vollzieht sich jeder im Horizont des Ganzen des Daseins, geschieht als daseinsversammelnder und daseinseinigender Akt.

Diese im Akt der Freiheit vergegenwärtigte Ganzheit und Einheit des Menschen kann nicht noch einmal reflex überschaut werden. Die Freiheitstat ist (in ihrem Ansatz) so ursprünglich und umgreifend, daß sie nicht gegenständlich abgehoben oder isoliert werden kann von jener Ganzheit und Einheit des Daseins, auf welche hin der Mensch in dieser Freiheit sich selbst (als reflektierendem Subjekt) vorweg ist und worin er gerade in seiner unvergleichlichen Einmaligkeit und unableitbaren Ursprünglichkeit zur Erscheinung kommt[35]. In diesem Sinne kann das Ereignis der Freiheit nie adäquat in ein Datum der (je ins Allgemeine reflektierenden) Vernunft übersetzt werden. Die Reflexion bleibt notwendig hinter dem frei getanen Dasein zurück; und dieses bleibt deswegen ständig sich selbst gegenständlich verhüllt, ist selbst nie adäquat objektivierbar — wobei dieses Unobjektivierbare nicht etwa als ein zu vernachlässigender „irrationaler Restbestand" des Daseins gedacht werden

---

[33] Immer mehr gewinnt in der Theologie die Einsicht an Boden, daß man in der Freiheitsfrage nicht eigentlich „Intellektualist" *oder* „Voluntarist" sein kann; gerade jüngere Interpretationen haben sich bemüht, das allzu schematisierte Verständnis der Geschichte des theologischen Freiheitsbegriffes — auf der einen Seite der aristotelisch-thomistische Intellektualismus und auf der anderen Seite der augustinisch-franziskanische Voluntarismus — aufzulockern und die unaufhebbare Verschränktheit beider Potenzen in der klassischen scholastischen Tradition des Freiheitsverständnisses aufzuweisen. Vgl. z. B. *J. Auer,* Die menschliche Willensfreiheit im Lehrsystem des Thomas von Aquin und Johannes Duns Scotus (München 1938); *O. Lottin,* Psychologie et morale au XIIe et XIIIe siècles I (Löwen 1942); *É. Gilson,* Der Geist der mittelalterlichen Philosophie (Wien 1950); *G. Siewerth,* Thomas von Aquin. Die menschliche Willensfreiheit (Düsseldorf 1954); *J. de Finance,* Existence et liberté (Paris-Lyon 1955); *L. Oeing-Hanhoff,* Zur thomistischen Freiheitslehre: Scholastik 31 (1956) 161—181; *J. B. Lotz,* Metaphysica operationis humanae methodo transcendentali explicata (Rom 1958); *K. Rahner,* Geist in Welt 258 ff und 284 ff.

[34] Vgl. hierzu unseren abschließenden Exkurs über die kategoriale Differenzierung des Freiheitsvollzugs.

[35] Die Individualität des Menschen darf ja nicht bloß als eingegrenzter „Fall" einer allgemeinen Natur gedacht werden; sie ist jeweils schon durch das Selbstverhältnis des Menschen hindurch vermittelt und gerade darin in ihrer Einzigartigkeit gegenüber jeder rein numerischen Vereinzelung konstituiert.

darf, sondern gerade als das ursprünglich wirkliche Ganze dieses Daseins, das alle Einzelverhaltungen und alle Einzelreflexionen umhält und trägt. Die reflexe Selbstvergewisserung ist ein abgeleitetes Geschehen gegenüber dem Geschehen der Freiheit selbst. Es ist jeweils schon von diesem ursprünglichen Freiheitsgeschehen durchstimmt, in welchem *alle* Potenzen des Menschen, also auch sein Erkennen, versammelt sind. Immer reflektiert sich der Mensch schon aus und an einem frei vollzogenen Dasein. Immer schon ist er unterwegs, immer schon hat das Werk seiner Freiheit eingesetzt, immer schon lebt und erfährt er sich selbst aus einer ursprünglichen „*Gefreitheit*", die er nicht noch einmal auf eine neutrale Subjektivität absolut reflektieren kann, sondern die sein Selbstverhältnis, durch das er *ontologisch* ausgezeichnet ist, wesenhaft durchstimmt. Gleichwohl ist dieses ursprüngliche Freiheitsgeschehen, in dem der Mensch sich je schon „befindet"[36], nicht einfach „blind". Es stellt den Menschen nicht schlechtweg auf einen irrationalen Boden[37]. Es ist vielmehr jeweils schon an sich selbst aufgelichtet von der „direkten", nicht noch einmal gegenständlich anblickbaren, unreflektierbaren Helle[38] jenes Selbstverständnisses, jener Selbstauslegung, in der der Mensch — auf Grund seiner Subjektivität[39] — immer schon existiert. Dabei kann die Helle dieser ursprünglichen Daseinsauslegung, als die der Mensch existiert, nicht noch einmal gegenständlich-reflex vom freien Vollzug dieses Daseins selbst abgehoben werden. Die in dieser Helle sich entbergende „Wahrheit" kann nicht einfach „erkannt", sie muß ursprünglicher „getan" werden — gemäß jenem ποιεῖν τὴν ἀλήθειαν der johanneischen Schriften[40]. Diese „Tat" bezeichnet die transzendentale Urhandlung menschlichen Daseins, gleichsam das Sein seines Seins, in welchem der Mensch immer schon sich selbst als ganzen in Freiheit auslegt[41]. Hier deutet sich die ursprüngliche

---

[36] Zur „Befindlichkeit" als menschlicher Seinsweise vgl. oben Anm. 12.

[37] Vgl. *J. B. Metz*, Entscheidung: Handbuch theologischer Grundbegriffe I 281—288, bes. 285.

[38] Es handelt sich um eine „unmittelbare", gegenstandslose, aber nicht einfach inhaltslose Helle, um eine vom Vollzug der Freiheit selbst nicht reflex abhebbare und deshalb in kein neutrales Bewußtsein vermittelbare Gewißheit. Vgl. unten Abschnitt III.

[39] Die Vorstellung einer „rein potentiellen" Subjektivität hält dem ontologischen Rang dessen, was mit Subjektivität bezeichnet ist, nicht stand und nivelliert deren einzigartige Seinsweise vorstellungsmäßig in die Ebene der rein sachhaften Vorhandenheit, von der das Begriffspaar Akt—Potenz ursprünglich abgenommen ist und in der *allein* es eine adäquate Distinktion von Akt und Potenz geben kann. Vgl. *J. B. Metz*, Christliche Anthropozentrik 43 ff.

[40] Jo 3, 21; vgl. 1 Jo 1, 16; dazu auch Eph 4, 15.

[41] Der „erste" Akt des Menschen muß nach Thomas als ein „schwerer", totaler und umgreifender Akt verstanden werden, der sich in allen Einzelvollzügen menschlichen Da-

existentiale Einheit von „Wahrheit“ und „Freiheit“ an, die wir hier freilich im einzelnen nicht weiter verfolgen können[42]. Wir wenden uns jetzt vielmehr den Konsequenzen zu, die sich daraus ergeben, daß Freiheit als Vermögen zur Ganzheit und Einheit menschlichen Daseins nicht einfach von Reflexion aufgebaut und getragen werden kann, sondern dieser je schon voraus ist und sie beständig umgreift[43].

Der Mensch kann sich nie seiner durch Freiheit informierten sittlichen Grundbefindlichkeit total reflex vergewissern. Nie kann er sich vor sich selbst zum „unbefangenen“ Richter erheben über die in seiner Freiheit je schon eingenommene „Richtung“ seines Daseins. Er hat keinen Schlüssel in der Hand für die freie Komposition seines Lebens; sucht er ihre Melodie abzulauschen, so tut er das immer schon unter einem bestimmten Vorzeichen, dessen Tonart er nicht noch einmal prüfend bestimmen kann. Nie kann er sich einfachhin außerhalb des großen Spiels seiner Freiheit stellen, um es in seinem Verlauf unbeteiligt zu verfolgen, denn er selbst steht dabei „auf dem Spiele“. Theologisch formuliert: Es gibt für ihn nicht die „perfekte Gewissenserforschung“, durch die er — „selbstgerecht“ — sich selbst richten (und im Spruch dieses Gewissens absolvieren) könnte. Der Ernst der Gewissenserforschung ist dem Menschen letztlich nicht geboten, um der reflexen Unverfügbarkeit seines freien Daseins endgültig zu entrinnen und die gelungene Flucht beruhigt zu genießen, sondern um sich immer lauterer, immer entschiedener auf die schmerzliche Grenzerfahrung der bleibenden Verhülltheit seines gefreiten Daseins einzulassen. Das Ge-wissen, in dem seine Freiheit sich an sich selber weiß, hat deshalb letztlich auch etwas Abweisendes an sich: es ist kein Wissen, in dem der Mensch sich noch einmal mächtig über sich selbst erheben könnte, sondern gleichsam ein unschuldiges Wissen, dessen Wahrheit sich ihm nicht lichtet, wenn er auf sich selbst zurückblickt, um in diesem Blick noch einmal sich selbst zu umfassen, sondern nur, wenn er sich in den Aufschwung der je neuen Tat hinein vergißt. „Nur wer die Wahrheit *tut*, kommt ans Licht“ (Jo 3, 21)[44]. Der Versuch zur absoluten

---

seins „virtuell“ durchhält (S. th. 1 II q. 89 a. 6; De Ver. 28, 3 ad 4 u. ö.), so daß der Mensch in jeder Einzelreflexion auf sich und seine Welt jeweils schon von dieser freien Vollzogenheit des Daseins ausgeht und ausgehen muß.

[42] Vgl. in diesem Zusammenhang *M. Heidegger,* Vom Wesen der Wahrheit (Frankfurt [2]1949)

[43] Vgl. *J. B. Metz,* Verhüllte Freiheit: Geist und Leben 36 (1963) 220—223. Hier geht es um den Versuch, diesen Tatbestand für die religiöse Erfahrung des Menschen auszulegen.

[44] Parallel gilt das hier Gesagte auch von der Erfahrung der Gnade (vgl. hierzu *K. Rahner,* Schriften zur Theologie III 105—109). Nach kirchlicher Lehre gibt es keine „Ge-

Reflexion der Freiheit aber bleibt die immer neu an den Menschen herantretende Versuchung, sich in einem autonom ausgerufenen Gericht zu absolvieren von der schmerzlichen Unverfügbarkeit und Unüberschaubarkeit seiner Freiheit, woraus ihm allein das wahre Gericht zu-kommt als die unwägbare heilige Zukunft Gottes selbst. Denn immer bleibt der Mensch in seinem frei getanen Dasein der Überantwortete, dem Gericht Gottes fraglos Ausgelieferte; „Weizen und Spreu" bleiben für ihn unscheidbar verschlungen auf dem Acker seines Lebens (vgl. Mt 13, 24—30), und die angenommene Erfahrung seiner Freiheit bringt damit noch einmal zur Erscheinung, was er ursprünglich ist: verfügtes, in jeder Selbstverfügung über sich hinaus verwiesenes Dasein [45].

Die immer schon vollzogene und als solche dem thematischen Urteil des Subjektes je schon entzogene Freiheit ist deshalb eine Freiheit, die mindestens immer auch schuldig sein *kann:* „Ich bin mir zwar keiner ‚Sache' (οὐδέν) bewußt, aber damit bin ich noch nicht gerechtfertigt, sondern der mich richtet, bleibt der Herr. Darum sollt ihr über nichts vor der Zeit richten, ehe der Herr kommt: Er wird ans Licht bringen, was im Finstern verborgen ist, wird offenbar machen die bewegenden Absichten der Herzen, und dann wird einem jeden sein Lob von Gott werden" (1 Kor 4, 4 f). Auf Grund dieser ihrer Grundverfassung kann Freiheit nie sich selbst rechtfertigen, sondern nur darauf vertrauen, daß sie Vergebung findet, indem sie die ihr verbliebene offene Zukunft richtig zu ergreifen sucht. „Reue" ist in diesem Sinne nie der Wille zur autonomen Bereinigung der Vergangenheit, der von seiten Gottes — als „Vergebung" — nur die nachträgliche Anerkennung dieser Bereinigung folgen würde, sondern eine „Flucht nach vorn" (wenn man einmal die Herrlichkeit dieser Bewegung in die offene Zukunft der noch geschenkten Möglichkeiten Gottes so nennen will), ist also der Mut, seine wahre Vergangenheit erst in der Zukunft zu suchen, sie als die von Gott erlöste in der Zukunft anzunehmen. „Sünde" hingegen dokumentiert sich primär in diesem Willen zur autonomen Selbstgerechtigkeit, wie das schon auf den ersten Blättern der Schrift in schlichter Sprache geschildert ist: sie erscheint als der Wille, von uns selbst her endgültig wissen zu wollen, was gut und böse ist, „das Gute und Böse zu erkennen" (vgl. Gn 2, 17; 3, 5), die Unverfügbarkeit und die darin aufbrechende echte Zukunft der eigenen Freiheit nicht anzunehmen, das Gericht für sich selbst vielmehr vorweg-

---

wißheit" des Gnadenbesitzes (vgl. D 802 823—826), doch schließt diese Un-gewißheit nicht jene Bewußtheit aus, sondern gerade ein, in der der Mensch unreflex-ungegenständlich, „transzendental" um sich und sein Dasein vor Gott weiß.

[45] Vgl. zur Interpretation dieser Erfahrung das unter Abschnitt III Gesagte.

nehmen zu wollen: entweder in einem pharisäischen oder skrupelhaften Willen zur Selbstgerechtigkeit; oder in der endgültigen Verzweiflung über sich, die der eigenen Freiheit keine größere, heiligere Zukunft mehr zugesteht; oder schließlich in dem Versuch, das Unheimliche der Freiheitserfahrung dadurch zu entschärfen, daß man die in ihr zutage tretende unabweisbare *existentiale* Dialektik von gut — böse, gerecht — sündig, gläubig — ungläubig noch einmal absolut theoretisiert und sie so für menschliches Dasein, unabhängig von jeder Erfahrung, formalisiert und essentialisiert.

Hier sei noch in der Art eines kurzen Exkurses auf jenes Problem hingewiesen, das sich im voraufgehenden Satz andeutet und erneut die theologische Relevanz des bisher skizzierten Freiheitsverständnisses sichtbar macht. Es mag sich nämlich aus dem, was wir bisher zur Freiheit gesagt haben, schon nahelegen, daß es auch nach den Grundsätzen katholischer Theologie so etwas wie eine existentiale Dialektik von gut — böse, gerecht — sündig, gläubig — ungläubig innerhalb der religiösen Daseinserfahrung, also gleichsam ein katholisches „simul iustus et peccator" bzw. „simul fidelis et infidelis" geben kann, und dies im Umkreis unseres Themas vor allem in zweifacher Hinsicht. *Einmal* kann sich auch nach katholischen Grundsätzen die Erfahrung des freien Glaubens bzw. der in diesem freien Glauben erlangten Rechtfertigung keineswegs absolut reflektieren und sich deswegen auch nie gegen den Unglauben bzw. die Heillosigkeit in reflex überschaubarer Weise distanzieren. Denn die Freiheitserfahrung, in deren wesenhafter Unüberschaubarkeit der Mensch zumindest immer auch ungläubig oder schuldig sein *kann,* vermag dieses mögliche Ungläubig- bzw. Schuldigsein nie als „bloße Möglichkeit" zu durchschauen, um es in diesem Sinne noch einmal vom aktuellen Selbstverständnis der Freiheit reflex abzusetzen. Die freie Glaubens- und Heilserfahrung des Menschen bleibt vor und für sich selbst wesenhaft zweideutig, in jener existentialen Dialektik, die der menschlichen Freiheitserfahrung eigen ist. *Zum andern* ist hier ein Grundzug menschlicher Freiheitserfahrung zu beachten, der in unseren bisherigen Überlegungen nicht ausdrücklich zur Sprache kam (und auf dessen Zusammenhang mit dem hier genannten Problem mich ein persönlicher Hinweis Karl Rahners aufmerksam machte): die Erfahrung der bleibenden Angefochtenheit bzw., in der scholastischen Schulsprache, der „Konkupiszenz" des menschlichen Freiheitsvollzugs. Wird nämlich diese Konkupiszenz als eine gesamtmenschliche Erfahrung ernst genommen[46], dann ergibt sich, daß sie der Mensch in seiner Glaubens- und Heilsentscheidung nie als „reine Angefochtenheit" („von außen") durchschauen und in diesem Sinn von seiner gläubigen Subjektivität distan-

[46] Vgl. hierzu *J. B. Metz,* Konkupiszenz: Handbuch theologischer Grundbegriffe I.

zieren kann[47]. Der Mensch weiß in seiner Glaubenserfahrung vor und für sich selbst nie *reflex-verfügbar,* ob die Anfechtung zum Unglauben und Heilswiderspruch „nur" Anfechtung oder nicht schon Ausdruck eines vollzogenen und bejahten Unglaubens, einer echten Schuld in der gegenständlich unüberschaubaren Mitte seiner Subjektivität ist. Seine religiöse Erfahrung zeigt also auch von hier aus jene reflex-unauflösbare existentiale Perichorese von gläubig — ungläubig, gerecht — sündig, ohne daß dieser Befund im Sinne einer formal-essentialen Dialektik verstanden werden müßte, wie sie das orthodoxe protestantische Glaubens- und Heilsverständnis mit seinem Leitsatz „simul iustus et peccator" nahelegt und wie sie schon vom Tridentinum ausdrücklich zurückgewiesen wurde[48].

2. Der transzendental verstandene theologische Befund über die Freiheit des Menschen zeigt diese Freiheit zum andern als *Vermögen zur Endgültigkeit menschlichen Daseins.* Als solches Vermögen bezeichnet sie näherhin das geschichtliche Seinkönnen des Menschen. Der Mensch existiert ins Offene, in die „Zukunft" unendlicher Möglichkeiten. Er ist der „Unfertige" und muß — als Subjekt —durch seine Freiheit hindurch *werden,* was er *ist.* Freiheit bezeichnet darum das Vermögen des Menschen, mit sich selbst, d. h. mit seinen unabsehbaren Möglichkeiten (und der darin erscheinenden Undurchschaubarkeit seiner „Zukunft") „fertig" zu werden, in ihnen nicht antlitzlos unterzugehen, sondern zu sich selbst zu kommen, und zwar dadurch, daß er sie in die End-gültigkeit der geschichtlich-einmaligen und unwiderruflichen Entscheidung seines Daseins bindet, in und aus der alles Gewesene dieses Daseins seine bleibende Zukunft und alles noch Ausstehende seine Herkunft erhält. Freiheit ist das Vermögen zur Verendgültigung des Menschen im Horizont unendlicher Möglichkeiten. In ihr gibt der Mensch sich Stand und Halt, Antlitz und Profil, in ihr nimmt er Grund in der unabsehbaren Bewegung seines Daseins. Drückt man nämlich das Existieren des Menschen in diese leere Unendlichkeit der Möglichkeiten als „Bewegung" bzw. als „Zeit" aus, dann gilt: Freiheit vermittelt die gleich-gültige (weil in leere Unendlichkeit hinein eröffnete) Sukzession der naturalen Zeit in gerichtete, unumkehrbare Geschichte, in

---

[47] Etwa in eine rein vorpersonale „Sinnlichkeit" hinein, die den Menschen nur „von außen" betrifft.

[48] Um sich den Unterschied zwischen einer existentialen und einer essentialen Dialektik von gläubig — ungläubig klarer zu machen, beachte man, daß man bei der existentialen Dialektik zwar von einer undistanzierbaren Anwesenheit des Unglaubens *im Glaubenden* (d. h. im Horizont der Selbsterfahrung des gläubigen Subjektes), nicht aber von einer Anwesenheit des Unglaubens *im Glauben als solchem* sprechen kann. — Zu diesem ganzen Problem wie zu dem grundsätzlichen Verhältnis von Freiheit und Konkupiszenz hoffe ich bald — von K. Rahner angeregt — eine ausführlichere Abhandlung vorlegen zu können.

und aus welcher die Ewigkeit des Menschen als die von innen her, d. h. in freier Entscheidung, gezeitigte End-gültigkeit reift. Die geschichtliche Entscheidung ist sozusagen der Umschlagplatz von Zeit in echte Ewigkeit[49]. Gerade christlich darf ja die Ewigkeit des Menschen — formal — nicht als eine der geschichtlichen Entscheidung schlechthin voraufgehende oder nachfolgende „endlose Dauer" gedacht werden; Ewigkeit „wird" vielmehr in und aus end-gültiger Entschiedenheit (die konkret freilich immer schon unter dem Zuspruch der ermächtigenden Gnade Gottes steht)[50]. In dieser Entschiedenheit ist auch das konkrete „Werden" des Menschen, seine individuelle Lebensgeschichte, nicht letztlich ins Wesenlose hinein abgestreift, sondern in End-gültigkeit „aufgehoben".

Wenn so das Freiheitsgeschehen gerade die Verendgültigung des zeitlichen Daseins vermag, dann ist auch die *Notwendigkeit* des Nicht-mehr-anders-Könnens ursprünglich nicht ein Gegensatz, sondern ein Formaleffekt der recht verstandenen Freiheit. Und wenn deshalb die Theologie lehrt, daß der Mensch in der Seligkeit Gott „notwendig" liebe, dann ist diese „Notwendigkeit" immer (auch) Ausdruck der endgültigen Entschiedenheit des Menschen für Gott, also höchster Ausdruck der Wirklichkeit seiner Freiheit selbst. Dieser Grundzug der Freiheit offenbart sich formal auch im Verständnis des ewigen Unheils des Menschen[51]. So wird nach der Lehre des heiligen Thomas[52] die „notwendige", „bleibende" Verhärtung der Verdammten gegen Gott, die sogenannte obstinatio, nicht durch einen neuen vindikativen Akt Gottes induziert, sondern erscheint ausschließlich als eine *innere* Folge der (im Tode vollendeten) endgültigen schuldigen Abkehr des Menschen von Gott. Im konkreten menschlichen Vollzug sind der so verstandenen Freiheit (mit dem Formaleffekt der „End-gültigkeit") die Treue und der Gehorsam (also gerade das vordergründig „Unfreie" und „Nötigende") innerlich.

---

[49] Dies ist eine im Denken Kierkegaards wirksame Einsicht. In der Formulierung K. Jaspers' (freilich hier ohne ausdrückliche Rücksicht auf die konstitutive Bedeutung der Freiheit) lautet sie: „Das Geschichtliche ist das Scheiternde, aber das Ewige in der Zeit. Es ist die Auszeichnung dieses Seins, Geschichte zu sein und damit nicht Dauer durch alle Zeit. Denn im Unterschied vom bloß Geschehenden, in dem als dem Stoff die allgemeinen Formen und Gesetze sich nur wiederholen, ist Geschichte das Geschehen, das in sich, quer zur Zeit, in Tilgung der Zeit das Ewige erfaßt" (Vom Ursprung und Ziel der Geschichte 290).

[50] Zu diesem Ewigkeitsverständnis vgl. auch *K. Rahner*, Das Leben der Toten: Schriften zur Theologie IV 429—437.

[51] Wobei hier nicht die bei Thomas negativ beantwortete Frage aufgeworfen werden soll, ob sich hier die formale Grundverfassung der Freiheit in *gleicher* Weise durchhält und realisiert.

[52] Zum Beispiel in S. c. Gent. IV 93 u. 94; De Ver. 24, 11.

Die Willkür hingegen, die glaubt, im Namen der Freiheit stets „von vorn anfangen“ zu können und damit alles frei Getane, in dem der Mensch doch *sich selbst* ausdrückt, immer wieder aufheben zu können, entlarvt sich als die größte Gefährdung des freien menschlichen Selbstseins: Sie will alles geschichtlich Gewordene gerade nicht in seiner Gültigkeit anerkennen, sondern in die Gleich-gültigkeit eines rein naturhaften Werdens nivellieren. Wenn irgendwo, kann es im Naturhaft-Unfreien echt reversible Prozesse geben; doch schon in der Irreversibilität des biologischen Lebensweges deutet sich die Irreversibilität der Freiheit an, die die Möglichkeit des Endgültigen ist.

Gewiß ist diese Definitivität bleibend und von uns her unaufdeckbar *verhüllt* in die zeitliche Gestreutheit ihres Vollzuges. Doch darf diese ontologische Verhülltheit der freien Verendgültigung des Daseins nicht dazu verführen, daß wir Freiheit primär auf den einzelnen, raumzeitlich punktuellen Akt beziehen, diesen aber als die Widerrufung eines früheren Einzelaktes verstehen und darum Freiheit entwerfen als die Möglichkeit des „Immer-wieder-anders-könnens“. Auch in der Theologie legt sich dieses Mißverständnis immer wieder nahe — gerade in der Interpretation des Aufbaus und Vollzugs der sittlichen Existenz des Menschen, also vor allem in Ethik und Moraltheologie. Wird z. B. die Möglichkeit und Notwendigkeit der Reue nicht vielfach zu „punktuell“ ausgelegt, als „Widerruf“ und „Von-vorne-anfangen“? Doch nach allem Gesagten darf die umsinnende, reuevolle Beziehung auf einen früheren Akt schließlich nicht so verstanden werden, daß durch diese Metanoia das bisher Getane, in dem der Mensch doch *sich selbst* getan hat, aufgehoben, gleichsam rückgängig gemacht wird (was in Wahrheit einem metaphysischen Selbstmord gleichkäme), sondern nur so, daß die bleibende Offenheit des sich selbst verhüllten Daseinsvollzuges in einer bestimmten Weise um-verstanden, „nach vorn“ aktualisiert wird, das bisherige Leben also gerade in seiner bleibenden Wirklichkeit *angenommen* und auf eine neue Zukunft hin bzw. von dieser her neu verstanden wird. Auch die Auseinandersetzung mit der freien Vergangenheit ist jeweils eine Tat der Freiheit in die Zukunft, eine Weise der Selbstverwirklichung des Daseins „nach vorn“, die die Vergangenheit nicht einfach abschafft, sondern bewahrend behält und in die heiligere Zukunft hinein integrierend mitnimmt[53].

---

[53] In engem innerem Zusammenhang mit der Entfaltung der Freiheit als Vermögen zur Ganzheit und Endgültigkeit des Daseins steht das Problem „Freiheit und Tod“, das hier nur genannt werden kann. — Anlage und Umfang dieses Beitrages verbieten es auch, auf die einzelnen Existentialien der menschlichen Freiheit einzugehen, d. h. auf jene Be-

III. Freiheit und Geheimnis

Diese menschliche Freiheit, wie wir sie bisher in ihrer Transzendentalität zu entfalten suchten, vollzieht sich jeweils am konkreten Material der Welt, an der innerweltlichen Aufgabe, in der Auseinandersetzung mit den materialen Einzelnormen der Sittlichkeit und in all dem noch einmal im Gegenüber zu anderen freien Personen, denn die Freiheit, als die der Mensch existiert, wird nur erfahren in der unaufhörlichen und unumgänglichen Begegnung mit Welt[54] und Geschichte, und die Geschichte dieser transzendentalen Erfahrung ist eben die Geschichte dieser Welt selbst und des Menschen als des Seienden in Welt. Doch diese Freiheit ist ursprünglich nicht ein leeres, neutrales Vermögen, das — in sich selbst gleichgültig — an dieser Welt in Vollzug gebracht wird, sondern die Aus- und Eingesetztheit des Menschen in das umgreifend Unverfügbare. Der Mensch ist frei, weil er in der Offenheit dieser Unverfügbarkeit ekstatisch innesteht. Tatsächlich kommt ja in der transzendentalen Erfahrung der Freiheit diese umgreifende Unverfügbarkeit und die daran sich zeigende wesentliche Geheimnishaftigkeit der Freiheit unausweichlich zur Gegebenheit. Was Wunder darum, daß der Mensch diese Freiheitserfahrung niederzuhalten sucht — sei es daß er sie deterministisch weginterpretiert; sei es daß er sich als zu ihr verdammt erklärt und sie als das schlechthin Absurde empfindet; sei es daß er sie zu der sich selbst gründenden Wirklichkeit des Menschen verabsolutiert, um unter dem Deckmantel der pathetischen Rede von der Einmaligkeit des Menschen noch einmal den verhängnisvollsten, weil verschleierten Kult der absoluten Theoretisierung und Durchschaubarkeit seiner Freiheitserfahrung zu betreiben und sich so ihrer wesenhaften und von ihr selbst uneinholbaren Ausgesetztheit zu verweigern.

Diese ihre geheimnisvolle Ausgesetztheit und ihre darin sich enthüllende Grund-losigkeit bekundet die Freiheit schon darin, daß sie als die Freiheit einer endlichen Subjektivität gleichzeitig das Eigenste, Unvertretbarste, Unabwerflichste *und* das nie adäquat Reflektierbare und in diesem Sinne nie Verfügbare des Menschen ist. In der Freiheit, in der der Mensch

---

stimmungen, die dem menschlichen Freiheitsvollzug innerlich sind und die in einer theologischen Anthropologie ständig sichtbar werden, wie z. B. seine leiblich-pathische Verfassung, seine Angefochtenheit; sein Situationscharakter; sein Kommunikationscharakter; seine innere Zeitlichkeit und axiologische Gegenwärtigkeit in der geschichtlichen Gesamterstreckung menschlichen Daseins usw. Vgl. hierzu meine drei schon genannten Beiträge zu Entscheidung, Freiheit und Konkupiszenz (Handbuch theologischer Grundbegriffe I), von *K. Rahner* die unter Anm. 1 aufgeführten Arbeiten.

[54] Die, wie schon oben erwähnt, nie bloß als sachhafte Umwelt, sondern immer auch schon als personale Mitwelt gedacht werden muß.

in die Aktualität seines einmalig-unvertauschbaren Selbstseins aufgeht, ist er gerade noch einmal sich selbst ins Unüberschaubare hinein entnommen, entschwindet er vor und für sich selbst ins Unverfügbare und Unbesitzbare hinein[55]. Ob das in der Moraltheologie immer ernst genommen wird, wenn sie betont, daß zu einer formell schweren Sünde die plena advertentia und der plenus consensus gehören, wenn also doch anscheinend unterstellt wird, daß der Mensch dann und eigentlich nur dann in letzter unvertretbarer Verantwortung handle und sein Selbstsein in höchster Aktualität vollziehe, wenn er ein reflex-verfügbares Verhältnis zu sich selbst habe —?[56] Ist aber die wahre Helle, unter der eine existentiell schwere Tat nur vollzogen werden kann, gar nicht die Helle des gegenständlich-reflexen, thematischen Wissens, jener Ausdrücklichkeit, in der ein Subjekt sein Wissen von sich selbst absetzt und sich ihm als dem andern nochmals gegenübersetzt, sondern jene „helle Nacht", in der ein Subjekt ungeschieden von sich eben bei sich ist und sich versteht in einem Verstehen, das es selbst ist: dann wird die Freiheit wirklich „unheimlich". Sie wird die Unheimlichkeit, die der Subjektivität an sich zukommt, die Unheimlichkeit eines Antlitzes ohne Spiegel. Denn die ursprüngliche Erhelltheit der Subjektivität kann, weil eben nicht von einem anderen Licht her beleuchtet, nicht noch einmal angeschaut, vor die Augen gezogen werden, sondern nur in einem gleichsam unschuldigen, immer im Rücken bleibenden, ständig von sich wegblickenden, zwar nicht inhaltlosen, aber gegenstandslosen Wissen gewußt werden — in jenem „Von-sich-weg", in dem der Mensch allein sich selbst besitzt, weil das Sich-selbst-Haben in Entzogenheit die Grundgestalt seiner Existenz ist, wie sie sich in der Freiheitserfahrung enthüllt.

Wenn sich nun der Mensch diese Unheimlichkeit seiner Freiheit nicht verbirgt, sondern sie gegen alle innerweltlichen Verdeckungen immer wieder vor sich kommen läßt, erfährt er seine ursprüngliche Betroffenheit von jenem daseinsumgreifenden Geheimnis, das wir „Gott" nennen und in dessen „Offenheit" (ἀλήθεια) er in der Unheimlichkeit seiner Freiheitserfahrung immer schon innesteht (vgl. Röm 1, 18f). Wenn der Mensch den in seiner Freiheit gesetzten Anspruch zur unausweichlichen und unbedingten Selbstverantwortung bejaht und sich zugleich in der eigentümlichen Selbstentzogenheit seines verantworteten Daseins annimmt, erfährt er seine absolute Angesprochenheit und Angefordertheit von

---

[55] Sein „Selbst" konstituiert sich gerade im Über-sich-hinaus; Selbsterfahrung und „Transzendenz"-erfahrung laufen streng parallel.

[56] Unerörtert bleibt die Frage, ob der schwere gute Akt *im selben Sinn* nicht adäquat reflektierbar ist wie der schwere schuldige Akt.

diesem Geheimnis[57]. Wenn er sich auf die Unverfügbarkeit seiner Freiheitssubjektivität einläßt, sie annimmt und nicht niederhält, erfährt er sich selbst als den je schon Verfügten und Umhaltenen von dem ständig sich entziehenden und darin gerade die Freiheitssubjektivität eröffnend auf sich ziehenden Geheimnis her. Die *angenommene* Unüberschaubarkeit des geschichtlichen Ganges der menschlichen Freiheit eröffnet die Erfahrung ihrer ursprünglichen Verfügtheit und Gerichtetheit von der unwägbaren heiligen Zukunft Gottes her[58].

Von hier aus würde sich wohl eine Hinsicht auf Freiheit eröffnen, die dem genuin biblischen Freiheitsverständnis von innen her nahekommt, in welchem Freiheit — wenn wir einmal die heilsgeschichtlich-soteriologischen Freiheitsaussagen der Schrift nicht bloß positiv feststellen, sondern auf ihre formale Grundgestalt reflektieren — als befreiende Verfügtheit von Gott her erscheint, in welchem also das *göttliche Geheimnis selbst als der Ort der Möglichkeit von menschlicher Freiheit* gesehen wird. Im gleichen Zuge würde sich jedoch eine neue Frage erheben, die Frage nämlich nach der möglichen *inneren* Übereinkunft zwischen dem bislang skizzierten, mehr systematischen Freiheitsverständnis mit dem betont „anthropologischen" Ansatz und dem eigentümlich biblischen Freiheitsverständnis mit dem betont „theologischen" Ansatz. Indes, auf diese wichtige und schwierige Frage können wir hier nicht mehr ausführlich eingehen. Wir verweisen auf das, was wir dazu an anderer Stelle in einem ersten Ansatz zu sagen suchten[59]. Abschließend sei nur noch einmal Thomas von Aquin genannt, dessen Denken u. E. schon wichtige Gesichtspunkte für eine mögliche innere Vereinheitlichung der beiden Freiheitsverständnisse bzw. -traditionen anbietet. Für Thomas nämlich tritt der Mensch nicht etwa nachträglich zu seinem freien Selbstverhältnis in einen Bezug zu Gott. Gottes Geheimnis ist vielmehr immer schon anwesend in jedem menschlichen Selbstvollzug[60] als der je miteröffnete waltende Grund (principium) und versammelnde Horizont (finis) jenes originären erkennend-freien Selbstvollzugs (reditio subjecti completa), als welcher der Mensch exi-

---

[57] Von dieser Interpretation der Freiheitserfahrung her ließe sich ein „transzendentaler Gottesbeweis" entfalten.

[58] Dies bezeichnet die von der Freiheitserfahrung her sich eröffnende eigentümliche Gotteserfahrung: Gott als unverfügbare freie Zukunft auf den Menschen hin. Die darin enthaltene temporale Interpretation der Transzendenz als „echte unverfügbare Zukunft" ist u. E. genuin biblisch — im Unterschied zu der geschichtslosen Jenseitsinterpretation des griechischen Denkens.

[59] Vgl. Aufbau und Inhalt meines Artikels „Freiheit" (Handbuch theologischer Grundbegriffe I) sowie die entsprechenden Abschnitte in der „Christlichen Anthropozentrik" (59 ff 73 ff).

[60] Vgl. z. B. De Ver. 22, 2 c und ad 1.

stiert. Als finis ultimus zieht Gott den Menschen je schon auf sich[61] und sammelt ihn in diesem Über-Hinaus allererst in die Ganzheit und Innigkeit seines Selbstseins: die von Gott vorgängig erweckte[62], angesprochene und auf ihn hin — durch alle gestreuten Einzelvollzüge hindurch — beständig versammelte voluntas erscheint deshalb zugleich als das „versammelnde" Vermögen des Menschen, als die potentia maxime communis[63], a qua habent unitatem omnes actiones humanae[64]. Sie kann alle Kräfte des Menschen versammeln, weil sie selbst ursprünglich versammelt und umhalten ist durch die Transzendenz; sie ist das befreiende Vermögen, weil sie selbst immer schon befreit ist, und das verfügende Vermögen, weil sie selbst je schon verfügt ist vom letzten Ziel her[65]. Gott erscheint nicht als ein konkurrierender Ursprung „neben" der menschlichen Freiheit, sondern als die konkret ermöglichende, sein-lassende Freiheit der menschlichen Freiheit; sein Geheimnis waltet als befreiender Grund der Freiheitssubjektivität; durch seinen immer schon geschehenen „Anruf" bzw. „Antrieb"[66], der dem Menschen u. U. nur anonym gegenwärtig sein kann (als sittliche „Pflicht", unbedingter Spruch des Gewissens usw.), ist der Mensch allererst in sein freies „Selbst" gerufen und befreit. Solange und im Maße er sich deshalb ganz der Transzendenz verfügt, vermag er ganz über sich selbst zu verfügen[67]. Der anthropologisch bestimmte systematische Aspekt und der primär theologisch bestimmte biblische Aspekt des Freiheitsverständnisses sind hier schon, wenigstens anfänglich, vom Ursprung her geeint[68].

---

[61] Appetitur in omni fine: De Ver. 22, 2 u. ö.

[62] Vgl. z. B. S. th. 1 q. 57 a. 4; 1 II q. 9 a. 6 u. 3; De Malo 6 u. ö.

[63] II Sent. 26, 1, 3 ad 3.

[64] De unione Verbi incarnati 5. — Diese Aussagen sind bei Thomas unmittelbar von der voluntas gemacht, wobei jedoch voluntas als transzendentales Vermögen des Menschen verstanden wird, das auch das andere transzendentale Vermögen, den Intellekt, in einer ursprünglichen Perichorese (zu den Texten vgl. *J. B. Metz,* Christliche Anthropozentrik 78 Anm. 76) in sich hält und als solches mit dem Grundvermögen der Freiheit (als der facultas utriusque, scilicet rationis et voluntatis) auch bei Thomas identifiziert wird (vgl. De Ver. 24, 6).

[65] Imperium habet super omnes animae vires, propter hoc quod eius obiectum est finis (ultimus): II Sent. 25, 1, 2 ad 4; vgl. S. th. 1 II q. 4 a. 4 ad 2.

[66] S. th. 1 II q. 9 a. 4 und 6; 2 II q. 2 a. 9 ad 3.

[67] Quamdiu anima maneret Deo subdita, tamdiu in homine inferiora superioribus subdebantur: S. th. 1 q. 94 a. 4 u. ö.

[68] Etwa im Sinne von „Freiheit als Selbstverfügung in und aus bleibender Verfügtheit durch Transzendenz".

Exkurs

Zur kategorialen Differenzierung des Freiheitsvollzugs („leichter" und „schwerer" Akt)

Menschliche Freiheit als Auszeichnung des einen Subjektes in der Ganzheit und Einheit seiner Wirklichkeit vollbringt sich notwendig in zeitlicher Gestreutheit an Mit- und Umwelt. Damit ist aber die Möglichkeit und Tatsächlichkeit von Einzelakten gegeben, in denen Freiheit als Engagement des ganzen Subjektes, als totale und definitive Selbstverfügung nicht eigentlich geschieht, obwohl man solchen Akten die Qualität „frei" in einem formalen Sinn nicht absprechen kann und auch nicht darf. Solche Akte können hinsichtlich des Materials wie auch hinsichtlich des subjektiven Einsatzes gleichsam zu gewichtlos sein, als daß sie die Schwere der ganzen und endgültigen Subjektivität tragen könnten. Wir können sie „leichte" Akte nennen, denn eben diese Terminologie verwenden Kirche und Theologie selbst hinsichtlich derjenigen Akte, die im Widerspruch zum göttlichen Gesetz und der darin manifestierten „Natur" des Menschen stehen: in der Sündentheologie wird unterschieden zwischen „leichten" und „schweren" Sünden, und es wird ausdrücklich gesagt, daß dieser Unterschied nicht nur einer positiven juridischen Setzung Gottes entspringe, sondern dem Wesen der menschlichen Aktion selbst. Nun gilt dieser Wesensunterschied zwischen schweren und leichten Akten in der Sündentheologie, der nach moraltheologischer Auskunft sogar nur einen analog gemeinsamen Sündenbegriff für beide Klassen erlaubt, doch grundsätzlich auch hinsichtlich der sittlich guten Selbstverwirklichung des Menschen — eine Einsicht, die wiederum Karl Rahner der gegenwärtigen Theologie vermittelt hat[69] und die wir im Anschluß an unsere bisherigen Überlegungen noch etwas ausbauen wollen[70]. Hier liegt ein weites Aufgabengebiet brach. Diese Unterscheidung müßte nämlich zunächst einmal in einer Philosophie, vor allem in einer phänomenologischen Analytik der menschlichen Freiheit entwickelt und dann erst auf die guten wie auf die sündigen Akte angewandt werden.

Es sei für uns hier zunächst einmal festgehalten, daß es diese Unterscheidung gibt und daß dabei die leichten und schweren Freiheitsvollzüge auf das Gute hin nicht nur graduell, wie Aszese und Moral immer schon betont haben, sondern wesensmäßig voneinander verschieden sind. Der Mensch ist also auch in seinem positiven Selbstvollzug nicht in der Lage, sich jedwedem Guten gegenüber so total zu engagieren, daß er daran

---

[69] Vgl. seine Bemerkungen in: Schriften zur Theologie I 13 f 401 Anm. 1; V 505 f.

[70] Dankbar verwenden wir dabei einige persönliche Hinweise Karl Rahners.

über sich als ganzen verfügt hat. Ja, auch angesichts eines material wesentlichen und hohen Gutes (innerweltlicher Art) kann es sein, daß er sich nicht ganz und end-gültig vollzieht, also keine „schwere" Freiheitstat vollbringt, obwohl sie a parte objecti gefordert ist. Es gibt daher auch hinsichtlich der guten Akte jene reflexe Uneinholbarkeit, die wir hinsichtlich der sittlich schlechten Akte in der Frage kennen, ob eine Tat bloß materiell oder auch formell schwere Sünde sei. Es steht zu vermuten, daß es auch den *Unterschied zwischen materiell und formell schweren guten Taten* gibt.

Nun kann hier nicht dargelegt werden, welche Fülle von Fragen sich aus dem genannten Ansatz ergeben, wie viele klare, u. U. bessere Lösungen aber auch aufscheinen könnten — Lösungen auf Probleme, die nur dunkel, aber deswegen um so lastender empfunden werden. Nur zur beiläufigen Illustration seien ohne jeglichen Anspruch auf Systematik einige solche Hinsichten genannt. Ist der personale Akt, der dem Empfang eines Sakramentes zugeordnet ist, an sich ein leichter oder ein schwerer Akt? Wenn aber ein schwerer (wie es doch wohl der Fall ist): Was folgt daraus u. U. für die Frage nach der Häufigkeit des Sakramentenempfanges, nach der Meßhäufigkeit überhaupt, der Meßhäufigkeit gerade bei Jugendlichen? Kann man eine Ehe schließen oder ein kirchlich verpflichtendes Gelübde ablegen mit einem leichten oder nur mit einem schweren personalen Akt? Wenn hier wiederum nur ein schwerer Akt in Frage kommt: Welche Folgerungen können sich dann eventuell für die Gültigkeit einer Ehe, die faktisch nur mit einem personal leichten Akt geschlossen wurde, für den obligatorischen Charakter eines Gelübdes, das auch nur mit einem solchen leichten Akt abgelegt wurde, ergeben? Müßte es nicht parallel zu den in der Moraltheologie bekannten und verwendeten causae excusantes a formali malitia peccati solche „entschuldigenden" Gründe auch hinsichtlich des *guten* schweren Aktes geben? Dabei bliebe freilich zu beachten, daß offenbar die Unterscheidung zwischen leichtem und schwerem Freiheitsakt nicht einfach zusammenfällt mit der (bürgerlich-forensischen) Unterscheidung zwischen rechtlich voll zurechenbarem und gemindert zurechenbarem Akt — etwa bei Sinnesverwirrung, Furcht, äußerem Zwang usw. Solche Umstände können im Einzelfall die Nichtexistenz eines schweren Freiheitsvollzuges bedingen, brauchen und können es aber nicht grundsätzlich tun; man denke hier nur etwa an die Grenzsituation des Martyriums, wo der Abfall u. U. noch schwerer unsittlicher Akt und damit freie endgültige Selbstverfehlung, und umgekehrt das standhafte Bekenntnis erst recht schwerer guter Akt und geglückte freie Selbstvollendung sein kann. Gewiß bleibt die Frage, ob und in welchem Sinn das Vorhandensein oder Nichtvorhandensein eines schweren guten Freiheitsvollzugs mit genügender Sicherheit vor dem Forum der Kirche nachgewiesen werden kann. Wir können diese schwierige Frage hier nicht mehr erörtern. Jedenfalls darf die postulierte Sicherheit auch nicht von einem abstrakten Ideal oder von einer falschen Vorstellung der Objektivierbarkeit des Freiheitsvollzuges her überfordert werden. Es kann sich aus dem Wesen der Sache nur um eine sogenannte „moralische" Sicherheit handeln, die in diesen Fragen dem Menschen allein möglich ist und faktisch auch ausreicht[71].

---

[71] Mit diesem Begriff der „moralischen Sicherheit" soll berücksichtigt werden, daß die Freiheitserfahrung vor sich selbst und für andere nie total objektiviert werden kann und daß sie deshalb aus ihren Objektivationen nur (wie Thomas sagen würde) coniecturaliter ermittelt und u. U. von anderen „bezeugt" werden kann.

DER VERLUST DES PERSONALEN IN DER THEOLOGIE UND DIE BEDEUTUNG SEINER WIEDERGEWINNUNG

Von Otto Semmelroth SJ, Frankfurt a. M.

Es ist ein Bekenntnis verlangt, wenn sich der Theologe als Vertreter einer Wissenschaft der Begegnung mit anderen Wissenschaften stellen will. Die Theologie steht in einem Dilemma. Entweder bekennt sich der Theologe zur Eigenart seiner Wissenschaft, dann muß er den Ehrgeiz, von den heute das geistige Feld beherrschenden Wissenschaften als gleichberechtigt anerkannt zu werden, zurückstecken. Dieses Odium erfährt die Theologie in unserem Raum besonders unmittelbar, wo sie im Chor der anderen Fakultäten zwar nicht mehr wie in früheren Jahrhunderten die Universitäten beherrscht, aber doch immer noch mitbestimmt. Oder aber der Theologe fügt sich in den wissenschaftlichen Chor bis zur methodischen Gleichheit ein, dann gerät theologische Wissenschaft in einen Widerspruch mit sich selbst. Als Wissenschaft wäre sie von einer Norm bestimmt, die ihr als Theologie nicht entspricht, da sie ja Glaubensverständnis, wenn auch wissenschaftlicher Art, zu sein hat.

Diese Problematik theologischer Wissenschaft wirkt sich gerade auf jenen Bereich aus, dem dieser Beitrag seinen Blick zuwenden will. Art und Methode einer Wissenschaft wird von ihren Gegenständen bestimmt. Die Theologie aber hat es nun eigentlich nicht mit Gegenständen zu tun. Gewiß hat sich Gott, da er sich den Menschen in Wort und Werk offenbarte und so die Voraussetzung für Theologie begründete, in gewissem Sinn und Ausmaß zum Gegenstand gemacht. Dabei aber konnte er nicht aufhören, die personalste aller Wirklichkeiten zu bleiben. In den Gegenständen der theologischen Glaubenswissenschaft muß daher immer der sich in ihnen mitteilende Gott erfahren werden. Auch die Wissenschaft der Theologie muß im Licht des Glaubens stehen und sich von ihm bestimmt wissen.

Die existentielle Kraft der Theologie darf nicht nur darin gesucht werden, daß sie in persönlichem Engagement vollzogen wird. Auch andere Wissenschaften können ihre Vertreter bis zum vollen Engagement in Anspruch nehmen. Bei der theologischen Wissenschaft muß das personale

Verhältnis zu den Gegenständen als Intensivierung des gott-menschlichen Ich-Du-Verhältnisses verwirklicht werden, das dem religiösen, dem Glaubensbereich eigen ist. Der Inhalt der theologischen Arbeit ist das Du Gottes. Und was man hier wissenschaftlich behandelt, ist von ihm mitgeteilt und darf nicht so behandelt werden, daß das mitteilende göttliche Du aus dem Blick verloren würde. Theologie muß auch als Wissenschaft Dialog bleiben, Hören auf Gottes Wort und Hinführung zu jener Antwort, deren ausdrücklichste Gestalt das Gebet ist.

Unser Thema wird hier an der dogmatischen Theologie behandelt. Es gilt selbstverständlich vom gesamten Bereich der Theologie. Was hier als Anliegen vertreten wird, kann aber doch wohl an der dogmatischen Disziplin am eindringlichsten exemplifiziert werden.

I. Der Verlust des Personalen in der Theologie

Der Verlust des Personalen in der Theologie soll hier nicht geistesgeschichtlich dargestellt werden. Wir wollen vielmehr die Theologie mit ihren versachlichten Zügen skizzieren und aus ihrem eigenen Wesen die Dringlichkeit der Wiedergewinnung des Personalen dartun.

1. Die apersonalen Züge der Theologie

Was wir mit dem Verlust des Personalen meinen, können wir in die drei Begriffe Vergegenständlichung, Versachlichung und Verdinglichung einfangen. In ihnen wird das gleiche mit verschiedenen Nuancen, gewissermaßen in wachsender Verdichtung gekennzeichnet.

a) Vergegenständlichung ist notwendig, wo menschliche Personen einander begegnen sollen. Leibhaftige Personen nämlich begegnen einander dadurch, daß der Zugang zum gegenseitigen Inneren nicht einfach offensteht, sondern gewährt werden muß. Der Kernbereich der Person, in dem sich das personale Eigenleben vollzieht und die Entscheidungen fallen, ist vom leiblich-sinnenhaften Dasein umhegt, das der Anruf der anderen Person wie eine Membran anrühren muß, um im Inneren Gehör zu finden. Anrufender und Hörender müssen einander Gegen-stand sein, ehe ihre personale Innerlichkeit zueinander findet.

In jenem Bereich, in dem die Theologie ihre Aufgabe zu erfüllen hat, handelt es sich nun allerdings ursprünglich nicht um zwischenmenschliche Personbegegnung. Gott ist unendlicher und absoluter Geist und könnte als solcher ungegenständlich den Menschen unmittelbar im Kern seines Innenlebens berühren. Weithin tut er das auch im Wirken seiner Gnade. Aber er kann nicht auf Vergegenständlichung verzichten, wenn er den Menschen als den anrufen will, der er ist, als menschliche Person. Um in personaler Entscheidung aufgenommen zu werden, muß sich auch Gott vergegenständlichen, sich aus seiner reinen Geistigkeit in die menschliche Sinnlichkeit ver-äußern, ausdrücken. Deshalb „hat Gott, nachdem er viele Male und in mancher Gestalt und Weise seit alters zu den Vätern gesprochen hatte in den Propheten, am Ende dieser Tage zu uns gesprochen durch seinen Sohn" (Hebr 1, 1). Ja, schon vorgängig dazu hatte sich Gott im Werk seiner Schöpfung vergegenständlicht, um den Menschen anfänglich zu begegnen. „Das Erkennbare an Gott ist offenkundig in ihnen, da Gott es ihnen kundmachte. Denn das Unschaubare an ihm ist seit Erschaffung der Welt in den geschaffenen Dingen mit der Vernunft wahrnehmbar" (Röm 1, 19f). „Aus der Größe und Schönheit der Geschöpfe wird vergleichsweise ihr Urheber erschaut" (Weish 13, 5). Die Vergegenständlichung Gottes im Wort seiner übernatürlichen Offenbarung aber wirkt als Anrede an die Menschen weiter durch die Kirche mit dem in ihr erklingenden Wort und dem in ihr wirkenden Werk Gottes.

Hier liegt aber auch sogleich die Gefahr für den Sinn, um dessentwillen Gott die Vergegenständlichung eingeht. Er tut es, um den Menschen auch ihm gegenüber die menschlich-personale Entscheidung möglich zu lassen. Weil er in Freiheit ins Innere der menschlichen Person aufgenommen werden will, drückt er sich aus und wird Gegenstand. Er will also durch den Gegenstand und aus ihm heraus heiligend, nach Art einer Formalursache vergöttlichend ins Innere der menschlichen Person eindringen, nachdem diese ihn aus dem Gegenstand befreit und in sich eingelassen hat. Die Gefahr ist groß, daß der Mensch, diesen Sinn der Bemühung um die im Gegenstand geschehene Selbstmitteilung Gottes vergessend, auf halbem Wege stehenbleibt, sich in den Gegenstand verliebt und Gott draußen läßt, statt ihn in seinem Ausdruck zu finden.

b) Ähnlich ist auch eine Versachlichung nötig, wo menschliche Personen einander begegnen wollen und Gott den Menschen. Aber auch hier liegt eine ähnliche, noch drohendere Gefahr. Versachlichung gibt dem, was vorhin mit Vergegenständlichung gesagt war, einen neuen Akzent. Wenn nämlich die eine Person sich der anderen gegenüberstellen muß, um auf deren annehmende oder ablehnende Entscheidung zu warten, dann liefert sie sich in gewissem Sinne ihr aus. Sie wird zu einem guten Teil Sache, die passiv vor der gegenüberstehenden Person liegt, von ihr ergriffen oder abgelehnt *wird.* Die Person ist natürlich nie ganz Sache. Wer sie als Sache behandelte, würde ehrfurchtslos die Heiligkeit der Person verletzen. Aber versachlichen muß sich die Person eben doch, wenn sie, in den Ausdruck hinein vergegenständlicht, nun darauf warten muß, ob ihr Ausdruck angenommen und sie selbst darin respektiert wird oder nicht. Ein gut Teil Passivität, wie sie der Sache eignet, gehört nun einmal dazu, wenn menschliche Personen einander begegnen wollen.

Daran muß auch Gottes Begegnung mit den Menschen teilnehmen. Es gehört zu jener Kenosis, in die Gott durch die Menschwerdung in Jesus Christus, aber auch schon durch seine Offenbarung im Wort herniederstieg, daß er vor den Menschen steht, um sich von ihnen behandeln zu lassen; daß er passiv verweilt und es den Menschen überläßt, über Gottes Geschick in der menschlichen Geschichte zu entscheiden.

Welche Gefahr aber wieder für das rechte Verständnis der gottmenschlichen Begegnung! Gerade in der theologischen Behandlung wird Gott allzuoft Opfer dieser Gefahr. Wo Gottes Offenbarung wie eine Reihe von Sachen in Lehrbüchern ausgebreitet und abgehandelt wird, geht leicht das Bewußtsein verloren, daß im Glaubensakt, aber auch in seiner theologischen Vertiefung, Gott der Ersttätige bleibt, nicht nur insofern die theologisch behandelten Inhalte einer Offenbarung entstammen, die am Anfang aller gläubigen Theologie stehen mußte, sondern auch insofern die glaubende Annahme dieser einmal gegebenen Offenbarung nur durch die Initiative der göttlichen Gnade möglich ist. Auch die Theologie als im rechten Sinn einer christlichen Gnosis vertiefter Vollzug der gnadenhaft vollzogenen Pistis muß sich bewußt bleiben, daß sie, wenn sie das von Gott Geoffenbarte wie eine passiv daliegende Sache aufnimmt, doch zur rechten Aufnahme von Gott in Gnade bewegt wird. Er nämlich hat in der aufzunehmenden „Sache" sich selbst bezeugt und ein Unterpfand dafür gesetzt, daß er sich dem, der sich in rechter Weise damit befaßt, in Gnade mitteilen werde. Wo die Versachlichung der Theologie so weit geht, daß der sie Betreibende nicht in Ehrfurcht vor der Kenosis Gottes sich glaubend entscheidet, sondern die Sache Sache bleiben läßt, da versäumt die Theologie ihre erhabenste Aufgabe.

c) Eine weitere Nuance geben wir unserer Frage, wenn wir noch von einer Verdinglichung sprechen. Dieser neue Gesichtspunkt meint, daß Gott, wenn er offenbarende Aussagen über sich macht, die man vom Ereignis der Offenbarung ablösen und in Sätzen konservieren kann, wiederum eine gefährliche Verkennung des Heilssinnes seiner Offenbarung in Kauf nimmt. In den Sätzen und Lehrstücken, in denen nun einmal weithin die Ergebnisse der Theologie sich niederschlagen, erscheint die Offenbarung wie ein Schenkungsakt, an den man sich zwar allezeit dankbar erinnern sollte, der aber im Unterschied zum überreichten Geschenk vergangen ist. Ein Geschenk wird, wenn es aus der Hand des Gebenden genommen wurde, selbständig. Es bleibt, während der Akt des Schenkens vergeht. Daher erscheint der Akt des Schenkens als untergeordneter Dienst am Geschenk, um das es eigentlich geht.

Der offenbarende Gott muß diesen Vorgang bis zu einem gewissen Grad mitmachen. Er muß den Inhalt seiner Offenbarung wie ein Ding geben, damit ihn die Kirche in das Dogma fasse, das in gefährlicher Weise verselbständigt zu sein scheint. Gegenständliche Inhalte als vorliegende Sachgebiete in satzhafte, verdinglichende Aussagen zu fassen und zu bearbeiten ist ohne Zweifel Aufgabe der Theologie. Es ist aber auch ihre große Versuchung, die zum Verhängnis werden muß, wenn die Glaubenswissenschaft dadurch, statt im Dienst des Glaubens zu stehen, zur Belastung des lebendigen Glaubens wird. Tatsächlich belastet die theologische Wissenschaft den Glauben sehr viel weniger durch ungewohnte Ergebnisse ihrer wissenschaftlichen Forschung, die heute manchmal die einfachen Gemüter beunruhigen, als durch jene Verhärtung und den Verlust des in den Gegenständen der Theologie liegenden Zeugnisses für die lebendige Selbstmitteilung Gottes.

2. Apersonale Darstellung der theologischen Einzelthemen

Die dogmatischen Einzeltraktate machen infolge der skizzierten Züge den unpersönlichen Eindruck ordnender Bestandsaufnahme und denkerischer Durchdringung von Gegenständen. Im Folgenden seien dazu einige Hinweise gegeben, die den apersonal gewordenen Charakter der Theologie in ihren Einzelthemen exemplifizieren sollen.

a) Die Lehre von Gott, dem Einen, Dreieinigen und Schaffenden, macht das Gemeinte vielleicht besonders deutlich. Die dogmatische Gotteslehre behandelt seit langem das Wesen und die Eigenschaften Gottes in einer Weise, die sich sachlich eigentlich gar nicht, methodisch nur wenig von einer philosophischen Gotteslehre unterscheidet. Gott wird behandelt und betrachtet, wie er in sich ist. Wo doch die biblische Gottesoffenbarung geprägt ist und daher auch die theologische Behandlung bestimmt sein müßte von dem Eigentümlichen, das man zugespitzt so ausdrücken könnte: es interessiert kaum, wie und was Gott in sich ist. Es ist der Gott des Heiles, der sich offenbart; er spricht offenbarend von seinem Heilswirken, und seine Offenbarung selbst ist Heilsmitteilung. So will ja auch die biblische Geschichtsschreibung nicht Historiographie sein, sondern will die Tatsache bezeugen, daß Gott die Geschichte durchwirkt, was dann an bestimmten Beispielen seines Einwirkens in die Geschichte ohne viel Interesse an historisch-kontinuierlicher Darstellung gezeigt wird. Gott will sich im brennenden Dornbusch (Ex 3, 14) nicht so sehr in metaphysischer Aussage als das ‚Ens a se' bekunden, wenn er sagt, er sei der Ich-bin, sondern das nach der Legitimation des Moses fragende Volk auf sein heilswirksames Anwesend-sein hinweisen: Ich bin, der *da* ist. Die Offenbarung Gottes über sich selbst gipfelt im Emmanuel, Gott mit uns (Mt 1, 23).

Dieses Formalobjekt versucht die Theologie der Lehrbücher vergeblich nachträglich in die Darstellung der Gotteslehre einzuzeichnen, nachdem sie zuerst von Gott gesprochen hat, wie er in sich ist. Es ist in Wirklichkeit ein transzendentales Element der göttlichen Selbstoffenbarung und muß daher die theologische Gotteslehre durchdringend bestimmen. Gott kann in der wissenschaftlichen Theologie nicht wahrheitsgemäß dargestellt werden, wenn zunächst davon abgesehen wird, daß er nicht nur in seinem dreifaltigen Innenleben der in der Begegnung von Ich und Du zum Wir Fruchtbare ist, sondern in Schöpfung und gnadenhafter Offenbarung sich zu einem Gegenüber erschließt, das durch diese Erschließung zugleich zur Existenz gebracht und als Partner angesprochen wird. Wie wenig erscheint in der Lehre von der Schöpfung die dem innerdreifaltigen Leben nachgebildete Struktur des personalen Gegenüber des in schöpferischer Liebe sich erschließenden Gottes und des Menschen als der Mitte einer Kreatur, die sowohl in ihrem übermenschlichen (Engel) wie untermenschlichen (Welt) Bereich die personale Begegnung von Gott und Mensch vermitteln soll. Allzu sachlich wird vielmehr der Schöpfungsakt Gottes als Wirkursache der geschaffenen Welt behandelt.

b) In der Behandlung des erlösenden Heilswirkens Christi wird der Blick für die ihm innewohnende personale Struktur dadurch getrübt, daß gewisse komplementäre Teilwirklichkeiten in einer Weise voneinander getrennt erscheinen, die das für den personalen Charakter notwendige und typische Ganze nicht mehr sehen lassen. Da werden in der Lehre von Christus und seinem Werk Christologie und Soteriologie nicht ohne Schaden voneinander getrennt. Die Tatsache, daß man von der Christologie als Darstellung der hypostatischen Union im Gottmenschen die Soteriologie als Lehre von der Erlösung abhebt und diese auf den Kreuzestod mit Auferstehung und Himmelfahrt beschränkt, ist ein verräterischer Hinweis darauf, wie wenig das dialogische und darin personale Verständnis des Heils lebendig ist. Vor die Lehre vom Kreuzesopfer gehört nicht nur die Deutung dessen, was Christus als Gottmensch ist. Es darf auch das Ereignis der Menschwerdung in seinem erlösenden Sinn nicht unbesprochen bleiben, wenn das Heil als Herstellung des von Gott gewollten Ich-Du-Verhältnisses in der Gnade gesehen werden soll.

Die Gnade selbst aber als Ergebnis des Heilswerkes Christi darf nicht gar zu dinglich als irgendwo hinterlegte Frucht eines irgendwann einmal vollzogenen Werkes von diesem Werk getrennt werden. Sie würde dadurch zu sehr zu einer dinglichen Gabe, für die sich der Mensch zwar in personaler Entscheidung disponieren muß, ohne daß aber diese Disposition als personale Teilnahme des Menschen am Ereignis des Heilswerkes Christi selbst dargestellt würde. Christi Werk ist nicht nur die Causa efficiens, sondern auch die Causa exemplaris der Gnade in den Menschen, und dies im Sinne einer realen Teilnahme und Einbeziehung des Menschen in das Heilswerk Christi.

c) Die Lehre von der Kirche scheint, nachdem sie aus ihrer apologetischen Randexistenz wieder mehr an den ihr gebührenden Platz in der Dogmatik gelangt ist, der dinglichen Betrachtung der Heilswirklichkeiten zu noch mehr Raum verholfen zu haben. Durch ihren institutionellen Charakter ist die Kirche von ihrem Wesen her in besonderer Gefahr, dinglich und unpersönlich betrachtet zu werden. Mit gesellschaftlicher Institution verbindet das Allgemeinbewußtsein heute weithin die Vorstellung einer Ablösung des persönlichen Engagements durch die Verwaltung, den Apparat, in dem das Menschenleben des Einzelnen und noch mehr das Zusammenleben der Vielen fast maschinell geregelt wird. Das technische Denken beherrscht auch die perfekte Organisation der Verwaltungsmaschinerie.

Da sich nun die Kirche als Gesellschaft und Institution auf Christus zurückführt, steht sie in der unvermeidlichen Gefahr, in die Überbewertung des Apparates einbezogen und in ihrem charismatischen und personalen Geheimnis verkannt zu werden. Bei solcher Betrachtungsweise kommt es dann gerade dem religiösen, die persönliche Begegnung mit Gott suchenden Menschen wenig darauf an, daß er die Kirche erreicht, wenn sie ihm nur hilft, Gott zu erreichen. Als Apparatur wird die Kirche unpersönlich empfunden, und die persönliche Heilsbegegnung mit Gott, die sie vermitteln soll, scheint durch sie ebenso leicht verhindert wie gefördert zu werden. Die Ekklesiologie hat immer noch Mühe, das Geheimnis der Kirche von dieser äußeren Betrachtungsweise zu befreien und die sichtbar gesellschaftliche Kirche als sakramentales Ausdruckszeichen der Begegnung mit dem Herrn darzustellen.

d) Die apersonal dingliche, einseitig instrumentalistische Sicht wirkt sich besonders verzerrend in der Betrachtung der kirchlichen Sakramente aus. In deren Deutung hat die instrumentalursächliche Sicht ein Ausmaß angenommen, das jeden Hinweis auf den analogen, bei aller Ähnlichkeit doch auch den irdischen Instrumenten sehr unähnlichen Charakter für glaubensgefährlich zu halten geneigt ist. Die Sakramente sind zudem nicht mehr integriert in die Einheit mit der anderen wesentlichen Lebensfunktion der Kirche, mit der zusammen sie das Heilswirken der Kirche erst als wirklich dialogisches Geschehen erscheinen lassen, mit dem Dienst der Kirche am Worte Gottes. Hätten die Sakramente in ihrer Funktion als um die eucharistische Opfermemoria gelagerte Antwort im Allgemeinbewußtsein mehr Verbindung mit dem Hören auf das kirchlich verkündete Wort Gottes behalten, so würden auch sie mehr als personale Tat gesehen, in der eine Entscheidung zum Ausdruck gebracht wird, zu der das Wort Gottes in der Verkündigung der Kirche aufgerufen hat.

Für die theologische Unterbewertung der kirchlichen Verkündigung des Wortes Gottes kann man gewiß mancherlei Gründe anführen. Gewiß spielt hier die Reaktion auf die Reformation ihre Rolle. Anderseits aber ist die Reformation selbst gerade auch in diesem Punkte eine verständliche Reaktion, eine Abwehr einer bis zum magischen Mißverständnis einseitigen Verdinglichung in der spätmittelalterlichen Sakramentsauffassung. Um ein echt personales Verständnis der Sakramente wiederzugewinnen, genügt es deshalb auch nicht, obwohl auch das wichtig ist, deren Zeichen- und Wortcharakter wieder ans Licht zu heben. Die Sakramente müssen als heilsvermittelnde Lebensfunktion der Kirche auch wieder von der Verkündigung des Wortes Gottes ergänzt werden, die als kirchliche Lebensfunktion irgendwie am sakramentalen Wesen der Kirche teilhaben muß und in besonderer Weise personalen Charakter hat.

e) Wenn nun die der Kirche von Christus eingestifteten Organe der Heilsvermittlung ihrer personalen Tiefe beraubt wurden, ist es nicht verwunderlich, daß auch die Gnade selbst in einer Weise zur „Res" der sakramentalen Heilszeichen wurde, die dinglicher ist, als es die eigentliche Bedeutung dieses Wortes meint. Gerade in der Gnadenlehre erweckt die theologische Arbeit besonders stark den Eindruck, als ob sie die Grenzen der dinglichen Bildvorstellungen übersähe, in denen das Geheimnis der Gnade zur Ahnung gebracht, aber nicht adäquat gefaßt werden kann. Gnade ist gewiß eine Gabe; sie läßt gewiß den Menschen zu einer neuen Kreatur werden, da sie ihm als neue Wirklichkeit eingeschaffen wird; sie ist gewiß auch eine Kraft, die des Menschen Handlungen zu göttlicher Qualität erhebt, ohne sie aufhören zu lassen, seine eigenen actus humani zu sein. Aber solche Aussagen lassen bei aller Wahrheit doch die Gnade leicht als von Gott getrennte, von ihm aus der Hand gegebene Sache sehen. Daß die Heilsgnade eigentlich Gott selbst ist, insofern er sich zum Geschenk ins Innere des Menschen hineingibt, wird leicht übersehen.

f) Die personale Sicht hätte in der Eschatologie ganz sicher eine besondere Aufgabe zu erfüllen und sollte der Versuchung, die diesem Traktat eigenen Probleme einfachhin durch Entmythologisierung zu lösen, entgegenwirken. Dieser Teil der Glaubenslehre führt oft die verräterische Überschrift „Von den Letzten Dingen". Gewiß kann die Betrachtung der Lehre vom Ende der Welt und vom Tod des Einzelnen den Menschen einigermaßen erschüttern und zu heilsamen Entschlüssen führen. Aber damit wäre die Eschatologie noch nicht im vollen Sinn persönlich. Sie würde noch keinen Blick in das Antlitz des sich als Du manifestierenden Gottes gewähren.

Weil dieses letzte Geschehen nicht personal durchseelt gesehen wird, bleiben seine Momente voneinander isoliert und ohne lebendige Einheit. Schon die Trennung in die individuelle und die allgemeine Eschatologie als zwei in sich stehende Ereignisreihen ist sachlich fragwürdig; mehr noch die isolierte Betrachtung der einzelnen „Dinge" ohne rechten inneren Zusammenhang. Die echte Motivkraft fehlt der Eschatologie, weil diese Ereignisse nicht mehr das Antlitz des wiederkommenden Herrn aufleuchten lassen, das in den verschiedenen Letzten Ereignissen je verschiedene Züge seiner endgültigen Erscheinung vor den Menschen gewinnt.

II. Die notwendige Wiedergewinnung des Personalen in der Theologie

Der Wissenschaftscharakter der Theologie ist immer wieder Gegenstand der Frage gewesen. Schon das Mittelalter hat, anders allerdings als heute, danach gefragt und eindeutig positiv geantwortet. Damals mußte die Frage gestellt werden, weil Wissenschaft zunächst als Deduktion neuer Erkenntnisse aus einsichtigen Prinzipien oder bewiesenen Prämissen galt und deshalb in der Theologie in Frage gestellt schien. Die Theologie gründet nicht auf bewiesenen Prämissen, sondern auf den im Glauben hinzunehmenden Offenbarungsaussagen Gottes. Theologie kann auch nicht mit jener ‚Objektivität' ihre eigene Wissenschaftlichkeit vertreten, wie es vielleicht die Philosophie, jedenfalls die Naturwissenschaft kann. Denn eine Wissenschaft muß ihre Aufgabe und ihr Ziel in der Gewinnung von Erkenntnissen, der Mehrung des Wissens sehen. Das aber ist nur zum Teil Sinn und Aufgabe der Theologie.

Heute steht die Theologie als Wissenschaft gegen eine recht allgemeine Gegnerschaft. Die moderne Geistigkeit meint mit Wissenschaft fast nur das Umgehen mit empirisch gewonnenen Feststellungen und Erkenntnissen. Demgegenüber wäre es wichtig, die Wissenschaftlichkeit der Theologie nicht nur zu behaupten, sondern in ihrer Eigenart klarzustellen. Gewiß sind die Feststellungen, von denen die Theologie ihren Ausgang nimmt, nicht empirische Forschungsergebnisse. Aber sie sind immerhin Feststellungen von Ereignissen, durch die sich die Theologie von der Metaphysik nicht viel weniger unterscheidet als von der Naturwissenschaft. Die Theologie muß gegen die Gefahr eines vom Wissenschaftlichen her drohenden

Objektivismus apersonaler Art wachsam sein, indem sie bedenkt, wie sehr sie als Theologie von Gottes Offenbarung lebt und dem Glauben verpflichtet ist.

1. Theologie und Offenbarung

Wenn die Theologie mit solcher Überzeugung daran festhält, daß sie Wissenschaft sei, so spricht sich darin das berechtigte Bewußtsein aus, daß auch die Theologie Feld der geistigen Tätigkeit des Menschen ist. Die systematische Ordnung ist notwendiges und berechtigtes Aufspüren und Nachvollziehen der von Gott selbst in Schöpfung und Heilswerk verwirklichten Planung. Aber auch die Feststellung, Durchleuchtung und Deutung der einzelnen Teilaussagen verlangen eindringliches Bemühen, das schon im einfachen Hören der Offenbarung beginnt, aber in der wissenschaftlich geregelten und vertieften Bemühung wachsen muß.

Bei aller Berechtigung dieses Selbstbewußtseins des Menschengeistes aber, auch in der Theologie seine wissenschaftlichen Aufgaben zu haben, darf nicht übersehen werden, daß diese geistige Tätigkeit in der Theologie eigener Art ist, weil sie sich an dem von Gott geoffenbarten Wort zu betätigen hat. Die Theologie könnte sich erneuern, indem sie sich ihrer Ähnlichkeit mit der Phänomenologie bewußt ist, aus der die Philosophie eine nicht unerhebliche Erneuerung erfahren hat. Die Phänomenologie hat der modernen Philosophie jenes „existentielle" Moment eingetragen, das sie so eigentümlich kennzeichnet. Das aber entspricht weithin dem, was als Wiedergewinnung des Personalen für die Theologie wichtig wäre. Es gibt wirklich einen phänomenologischen Charakter der Theologie, wofern man nur beachtet, welcher Art die „Phänomene" sind, deren Logos, und welcher Art der „Logos" ist, der aus den Phänomenen zu entbergen ist.

Die Phänomene, die der Theologie zur Betrachtung obliegen, sind nicht der menschlichen Erfahrung erscheinende Momente. Aber auch in der Offenbarung, mit der es die Theologie zu tun hat, ist der Logos in einen Bereich von Phänomenen hineingebannt. Es ist ein starkes Anliegen der Theologie unserer Zeit, bewußt zu machen, daß Gottes Offenbarung mehr ist als intellektuell aufzunehmende Wahrheitsmitteilung. Der Anruf Gottes muß den Menschen zwar über seinen erkennenden Geist erreichen und deshalb wirklich auch „bezeugendes Sprechen" sein. Aber dieses formale Element der personalen Selbsterschließung Gottes hat seinen letzten und eigentlichen Sinn nicht in einer Erkenntnisbereicherung, sondern in der personalen Hinwendung Gottes zu den Menschen, die ihrerseits zu ebenso personaler Hinwendung zu Gott angerufen werden sollen. Deshalb geschieht Offenbarung in Ereignissen, in denen sich das Werk mit dem Wort verbindet und das Wort ebenso willens- und gemütsbewegend wie erkenntnisbereichernd wirken will.

Diese Offenbarung im Ereignis des göttlichen Heilswirkens hat die Theologie zu betrachten, indem sie den in den Ereignissen liegenden Logos zu erheben sucht, um sich von ihm ansprechen zu lassen. Im Bereich der Theologie ist dieser Logos nicht nur im Ereignis vergegenständlichter Gedanke, in den Phänomenen objektivierte Sinnstruktur, sondern aktuell gesprochenes, in die Ereignisse hineingegebenes Wort, das der spricht, der die Ereignisse als Heilstaten in der Geschichte seines Volkes wirkt: Gott. Das Werk, in dem Gott sich manifestiert, wird von seinem Wort erhellt, sei es, daß das Ereignis vom Wort begleitet, sei es, daß es vorher oder nachher im Propheten- oder apostolischen Verkündigungswort beleuchtet wird. Das Gotteswort erfüllt an den Ereignissen eine doppelte Funktion. Es gibt den aus sich selbst vieldeutigen Ereignissen die heilsgeschichtliche Interpretation und macht sie so erst ganz zu göttlicher Offenbarung. Es gibt aber zugleich auch den Ereignissen ihren personalen Charakter als Ereignis für die Menschen, als Gottes Mitteilung und Anrede, die das Ereignis selbst zum Gegenstand menschlich personaler Entscheidung für Gott werden läßt. Das Wort, das von Gott her im Ereignis oder aus ihm erklingt, sagt den Menschen im Volk Gottes, daß Gott für sie wirkt. Das Ereignis der Gottesoffenbarung kann dann nicht mehr objektiv zur Kenntnis genommen werden, sondern fordert die Stellungnahme der Menschen heraus. Es ist gewiß falsch, wenn man Gottes Offenbarung nur im ausdrücklichen Wort der bezeugenden Rede Gottes sehen will. Man darf die Ereignisse der Heilsgeschichte nicht als bloßen Rahmen für das Ergehen der Offenbarungsworte betrachten, der für den Inhalt und Sinn des von Gott Mitgeteilten keine Bedeutung hätte. Das Wort Gottes will nicht nur intellektuelle Erkenntnis mitteilen. Und das Ereignis des Wirkens Gottes will nicht bloße Ursache einer objektiv zu behandelnden Heilswirkung sein. Vielmehr verbindet sich dem Werk das Wort Gottes, weil es auf die menschliche Entscheidung stoßen und als persönliches Geschenk Gottes im Menschen wirken will, der sich unter diesem Gotteswerk für Gott entscheidet. Das Wort Gottes will im Heilswerk Gottes gehört, und im Hören des Wortes will das Wirken Gottes aufgenommen werden. Es wird hier allerdings deutlich, daß auch das Hören oder Glauben nicht bloß intellektuelles Für-wahr-halten, sondern gesamtmenschliche Stellungnahme sein muß, in der das liebende Wollen ebenso in Bewegung ist wie das intellektuelle Aufnehmen der Wahrheit und die das Werk der menschlichen Lebensgestaltung nicht weniger umfaßt als den Akt der geistigen Annahme.

Wenn nun Theologie die „Prinzipien" ihrer weiteren Arbeit von Gottes Offenbarung empfängt, dann kann sie den Anredecharakter, die personale Bedeutung der Gottesoffenbarung als Anspruch an die mit dem Heil bedachten Menschen nicht ausklammern. Denn er gehört zum Inhalt ihrer Gegenstände und ist kein nachträglich erst wieder in einer Verkündigung der theologisch geklärten Gottesaussagen hinzuzugebendes Akzidens. Der theologischen Wissenschaft wohnt die Gefahr inne, das Ereignis der Offenbarung nur in dem Sinne als wissenschaftliche Aufgabe zu betrachten, daß sie dort Gegenstände und Inhalte zu empfangen und zu abstrahieren habe, mit denen sie unter Absehung vom Ereignis wie mit metaphysischen Allgemeinaussagen umzugehen habe. Die Inhalte werden von einer so verstandenen theologischen Wissenschaft nicht in ihrem personalen Anredecharakter betrachtet, sondern losgelöst davon „objektiv" durchforscht, um nachher der kirchlichen Verkündigung wieder zum appellierenden Ereignis überlassen zu werden. In Wahrheit kann die Theologie weder geoffenbarte Inhalte unbeschadet der Wahrheit dieser Inhalte aus dem Ereignis ihrer Offenbarung lösen, noch kann sie es einer neben ihr stehenden Verkündigung überlassen, den Inhalten den personalen Anredecharakter nachträglich wiederzugeben, von dem diese Theologie glaubte absehen zu können. Das Absehen vom Existentiellen, das Streben nach reiner Objektivität ist im Fall der göttlichen Offenbarung sachfremd und wahrheitsfeindlich.

2. Theologie als Glaubenswissenschaft

Zum gleichen Ergebnis kommt man, wenn man an die Theologie als Glaubenswissenschaft denkt. Auch dies bedeutet weder nur, daß die Theologie ihre ersten Prinzipien glaubend von Gottes Offenbarung entgegennehmen muß, noch, daß die Theologie die Inhalte des Glaubens in wissenschaftlicher Gründlichkeit und systematischer Ordnung zu erhellen, als organische Vieleinheit darzustellen und dadurch dem Glaubensvollzug der Menschen näherzubringen hat. Die Ergebnisse einer Theologie, die sich nur mit diesen Aufgaben befaßt sieht, scheinen den Vollzug des Glaubens oft schwerer zu machen, statt ihn zu erleichtern. Sosehr diese Aufgaben zur Theologie gehören, kann sie sie doch nur dann recht vollziehen, wenn sie sich selbst als eine qualifizierte Weise des Glaubens versteht. Christliche Gnosis hört nicht auf, Pistis zu sein; sie klärt das, was in der Pistis empfangen wurde. Sie lebt aus dem Glauben gewiß zunächst in dem Sinn, daß der Mensch in der Haltung des Glaubens die Rechtfertigungsgnade empfängt; aber auch in dem Sinn, daß ihr Geist im Umgang mit den Wirklichkeiten lebt, die der offenbarende Gott den Menschen gnadenhaft zur Erkenntnis und Stellungnahme erschlossen hat.

Darin hat die Theologie ein Kriterium ihres rechten Vollzugs, daß sie das Gesamtverhalten des Menschen auf Gott hin bestimmt; daß sie den ganzen Menschen in seiner Tiefe zum Hörenden auf das Wort Gottes und zum Betenden in der Antwort macht. Das Hören wie das Beten gehen aus echter Theologie tiefer als in die Außenschichten des registrierenden Verstandes, der fremd bleibende Aussagen für wahr hält und in äußerlichem Gebetswort zu antworten scheint. Vielmehr muß theologisches Glaubensverständnis das Hören in die Tiefe des Personkerns senken und das Gebet zur Haltung der ganzen Person und zur Bestimmung ihres ganzen Lebens machen.

Glauben und Theologie vollziehen sich gewiß an Inhalten göttlicher Aussage. Denn auch zwischen Gott und Mensch kann personale Begegnung nicht ohne die im Wort mitgeteilten und im Glauben gehörten Inhalte geschehen. Aber es geht eigentlich um die Person, die sich in diesen Inhalten mitteilt. Und zwar nicht nur so, daß die Autorität des mitteilenden Gottes das Motiv für das glaubende Ja ist. Vielmehr geht es auch im Inhalt selbst um die Person, die darin über sich spricht, aber sich selbst mitteilen will. Die theologische Fachsprache drückt das in einer nicht genügend ernst genommenen Weise aus, wenn sie sagt, Gott selbst sei das „objectum formale quod“ oder das „subjectum attributionis“ der in Glauben und Theologie aufgenommenen und gedeuteten Aussagen. Darin bezeugt sie ein Geheimnis, das im menschlichen Sprechen zwar nie voll erreicht, aber doch weithin angestrebt, in der göttlichen Offenbarungsmitteilung aber wahrhaft verwirklicht wird: daß in der Aussage über sich der Aussagende selbst in das Innere des Angesprochenen eingehen will. Gott tut das, indem er die Offenbarungsaussage und die Glaubensannahme zum Zeichen und Unterpfand dessen macht, was wir Gnade nennen, was er aber selbst ist, insofern er sich ins Innere des Glaubenden hineingibt und ihn in göttlicher Weise leben läßt.

Dieses Geheimnis des Glaubens darf die theologische, wenn auch noch so wissenschaftliche Erhellung nicht ersticken. Sie muß es vervollkommnen. Denn da die göttliche Selbstmitteilung sich in der Kundgabe und Aufnahme der Inhalte vollzieht, müßte die Theologie im Bemühen um die Inhalte auch zur Intensivierung der gnadenhaften Selbstmitteilung Gottes führen. Die Theologie muß glaubend vollzogen werden. Das heißt, daß in ihr qualifizierter Glaube geleistet werden muß, aber auch, daß sie an ihr eigenes Geheimnis glauben muß. Sie muß ihr personales Wesen wiedergewinnen, das sie in der tatsächlichen Praxis allzusehr verloren hat.

III. Personale Züge in der Theologie

Versuchen wir nun, in einigen Zügen deutlich zu machen, wie die Theologie ihren Gegenständen den personalen Charakter und Anspruch wiedergeben könnte. Es kann sich hier nur um Andeutungen und Hinweise handeln, auf deren entsprechende Ausführung es ankäme.

1. Die Stoffanordnung im Ganzen

In der Aufgliederung des dogmatischen Gesamtstoffes erscheint noch am wenigsten eine Änderung der seit langem üblichen Abfolge der einzelnen Traktate nötig zu sein, um unser Anliegen deutlich werden zu lassen und einigermaßen zu erfüllen. Im wesentlichen hat nämlich der gebräuchliche Aufbau doch die Struktur, die dem personalen Anliegen entspricht. Dieses ist ja vor allem von zwei Zügen gekennzeichnet. Es muß zunächst eine gegenseitige Zuwendung zweier Partner zu erkennen sein, die einander gegenüberstehen und in der Hinkehr zueinander die Einheit finden. Zweitens muß diese Zueinanderbewegung sich in freier Entscheidung ereignen, die nicht weniger von der Hingabe an den anderen getragen sein muß als von der Hoffnung auf Bereicherung für sich selbst.

Die theologische Darstellung des von Gott Geoffenbarten muß also versuchen, im Gesamtaufbau des Stoffes den Zug des Zueinander von Gott und Welt mit dem Menschen als personaler Mitte sichtbar zu machen. Das aber scheint der allgemein gebräuchliche Aufbau der dogmatischen Theologie nicht so schlecht zu gewährleisten. Denn der Gesamtaufbau der Dogmatik stellt zunächst Gott in seinem innerdreifaltigen Leben der Begegnung von Vater und Sohn im Heiligen Geist und dann das Nachbild dieses Gotteslebens in der schöpferischen Hinwendung zu einer Kreatur, die erst durch diese liebende Mitteilung Gottes ihre Existenz empfängt. In der erlösenden Sendung seines Sohnes zur Menschwerdung wird diese schöpferische Hinwendung in einer Weise überboten, die die Kreatur über ihre eigene Natur hinaushebt und vergöttlicht. In der Existenz und dem Werk des Gottmenschen aber treffen und durchdringen sich beide Bewegungsrichtungen der Hingabe Gottes und der Menschen. Ist doch der Gottmensch gleicherweise Vollzieher und Zeuge der Selbsterschließung Gottes zu den Menschen wie Haupt der Menschheit, die er in seinem Opfer an Gott hingibt und an dieser Hingabe so teilnehmen läßt, daß sie die Hingabe jedes einzelnen Menschen ist. In den gesellschaftlich sichtbaren Lebensfunktionen der Kirche aber, die von Christus gebaut wurde, um seinem Heilswerk Dauer zu geben (D 3050 [1821]), wird das Werk Christi fruchtbar gemacht, indem es selbst durch die Darstellung in Wortverkündigung und Sakramentenspendung aktualisiert wird. Die Gnade aber, die den Menschen mit Gottes eigenem Leben erfüllt, gibt ihm die Dynamik, in deren Kraft der Mensch als Glied Christi hingebend zu Gott emporsteigt. Die endgültige Gestalt dieses Aufstieges der Hingabe an Gott in der Eschatologie beendet dann auch die Stoffabfolge der dogmatischen Theologie.

2. Das Personale in den Einzelteilen der Dogmatik

Was in der Gesamtanlage der dogmatischen Systematik an günstigem Ansatz für ein Wirksamwerden des Personalen angelegt ist, darf nicht illusorisch werden durch die allzu sachliche Art, die Stoffe der Einzeltraktate zu behandeln.

a) Die christlichen Grundgeheimnisse als Deuteprinzip

Von den beiden Grundgeheimnissen des christlichen Glaubens wird der ganzen Glaubenslehre das personale Moment aufgegeben. Es sind die Geheimnisse des dreifaltigen Lebens Gottes und der Menschwerdung Gottes in Jesus Christus.

Auch in der Deutung unserer Erlösung im Christusereignis muß das Personale weithin erst wiedergewonnen werden. Es ist zu einseitig dem Vorstellungsschema von Ursache und Wirkung und damit einer fragwürdigen Versachlichung preisgegeben worden. Der dialogisch-personale Charakter des Erlösungsgeschehens wird uns besonders deutlich gemacht in jenem Geheimnis, durch das Christus sein Erlösungswerk in der Kirche gegenwärtig erhalten, zugleich aber auch deuten wollte, in der Eucharistie. Als er diese sakramentale Gedächtnisfeier stiftete, sprach er vom Neuen Bund (Lk 22, 20; 1 Kor 11, 25). Das ist der im Opfer Christi begründete und in der sakramentalen Darstellung dieses Opfers durch die Eucharistiefeier immer wieder aktualisierte Bund, der als solcher auf das personale Gegenüber und Zueinander zweier ihn schließender Partner hinweist.

Ganz sicher ist das Kreuzesopfer Christi die Ursache unserer Erlösung. Aber diese Deutung im Sinn der Wirkursächlichkeit darf man nicht verabsolutieren, so daß unser Heil wie eine dingliche Wirkung erschiene, die zwar durch das Werk Christi verursacht, verdient, aber doch ohne echt innerlichen, inhaltlichen Zusammenhang mit ihm wäre. Die Fragwürdigkeit dessen zeigt schon die Tatsache, daß Christi Werk für ihn als Menschen selbst eine Wirkung zeitigte, die nicht vom Werk selbst gelöst, sondern Teil von ihm ist. Der Tod des Herrn, aus dem seine Verklärung und unser Heil erwächst, blieb ja nicht für sich, sondern ist Durchgang in die

Auferstehung und Himmelfahrt. Wie das vorbildliche Opfer des Alten Bundes erst im Hineintragen des geopferten Blutes durch den Tempelvorhang in das Allerheiligste vollendet wurde, so ist das Opfer des Herrn nicht mit seiner Schlachtung am Kreuz vollendet, sondern in der Annahme dieses Opfers durch den Vater in Auferstehung und Himmelfahrt (vgl. Hebr 9—10). Die gnadenhafte Teilnahme an dieser Auferstehungs- und Himmelfahrtsherrlichkeit des Herrn aber ist das Heil, das uns durch die mitopfernde Teilnahme an seinem Tod gegeben wird.

Die wirkursächliche Betrachtung des Wirkens Christi darf den darin geschehenen dialogischen Vorgang nicht übersehen lassen. Im Abstieg des Sohnes Gottes in der Menschwerdung geschah ein Anruf Gottes an die Menschheit. Der da kommt, ist ja nicht nur Gottes Sohn, sondern auch sein Wort, das an die Menschen ergeht und sie zur Antwort aufruft. Die Antwort aber ist und gibt wiederum der, der als Wort des Vaters zu uns kommt und als Antwort der Menschen in seinem Opfer hingeht. Als Haupt des Menschengeschlechtes kann er die Antwort repräsentativ vollziehen und ihr als Gottmensch einen göttlichen Wert geben, wodurch der Dialog zum Ausdruck wahrer Partnerschaft wird. Sich vom Herrn in seiner Gnade ergreifen lassend, indem sie sich in freier Entscheidung sein Werk zu eigen machen, können die Menschen als Glieder des kirchlichen Leibes Christi in diesen Dialog eingehen und als seine Frucht die gnadenhafte Teilnahme an Auferstehung und Himmelfahrt des Herrn erlangen.

In den stiftungsgemäßen Lebensvollzügen der Kirche gewinnt dieser Heilsdialog bleibende und immer wieder neu aktualisierte leibhaftige Gestalt und Greifbarkeit. Denn im Vorgang der Wortverkündigung und dem der sakramentalen Feier des Opfers Christi wird die Menschwerdung des Wortes und das Opfer des Gottmenschen kirchlich sichtbar und greifbar. Wer als Glied der Kirche und in rechter Haltung daran teilnimmt, dem ist das Unterpfand dafür gegeben, daß er in das dialogisch-personale Heilsereignis Jesu Christi einbezogen wird.

Dieser im Werk Jesu Christi geschehene Heilsdialog zwischen Gott und Menschen ist aber selbst eine Art sakramentalen Bildzeichens jenes ewigen Dialogs, der sich im dreifaltigen Gott vollzieht und in den uns die Teilnahme am Heilswerk Christi einbeschließen soll. Dieses Tiefste, wohin die Theologie zu führen hat, ist aber personales Gegenüber von Vater und Sohn in der Einheit des Heiligen Geistes, fruchtbare Ich-Du-Begegnung, die sich in eine dritte Person als ihre Einheit verpfändet.

b) Die von den Grundgeheimnissen her gedeuteten übrigen Traktate

Von diesen grundlegenden Teilen der dogmatischen Theologie her kann es kaum anders sein, als daß auch die übrigen Stoffe personal bestimmt sein müssen. In der Lehre von der Schöpfung ist die personal-dialogische Struktur des dreifaltigen Eigenlebens Gottes und des ihm nachgebildeten Heilsereignisses Christi unschwer nachzuzeichnen. Diese Sicht mag dadurch gefährdet werden, daß die dem schaffenden Gott gegenübergestellte geschaffene Welt zunächst indifferenziert als Kreatur, als Welt gesehen wird. Das darf aber nicht übersehen lassen, daß diese Kreatur ihre personale Mitte im Menschen hat, auf den hin die Welt geschaffen ist und dessen Begegnung mit Gott sie zu vermitteln hat. Die Anthropologie ist nicht einer unter verschiedenen Teilen der Schöpfungslehre, sondern ihre Sinnmitte.

Die Lehre von der Kirche in ihrer Institution und ihrem institutionell geprägten Leben darf nicht einseitig institutionalistisch gesehen werden. Ihre Institution ist nicht so sehr Apparat, der zu funktionieren, als vielmehr Zeichen, das anzurufen und sakramental zu vermitteln hat. Die Kirche ist das vom Herrn gestiftete Sakrament jenes Gottesreiches, in dem am Ende die Hingabe Gottes ganz in der personalen Entscheidung der Menschen durchgesetzt sein wird. Als solches Zeichen ist die kirchliche Institution personale Wirklichkeit, Appell an die Entscheidung des Menschen zum Herrn, dessen Königsherrschaft die Kirche zeichenhaft darstellen und sakramental vermitteln soll. Es ist ja auch die Institution selbst von einer Gestalt, in der die personale Öffnung füreinander, in der das Heil geschieht, sichtbar gemacht wird. Im Gegenüber von geistlichem Amt und Laiengemeinde wird das Gegenüber von Christus und erlöstem Gottesvolk dargestellt. Wenn sich zwischen Amt und Gemeinde die Verkündigung des Wortes Gottes und die sakramentale Feier des Opfers Christi vollzieht, sind die Vollziehenden aufgefordert, „nachzuahmen, was sie vollziehen".

Dann aber muß jene Wirklichkeit, die das Heil selbst ist, die Gnade, vor der Gefahr der Verdinglichung bewahrt werden, die durch einseitige Benutzung der Vorstellung von der Gnadengabe droht. Sie darf nicht nur in dem Sinn personal betrachtet werden, daß sie eine in Liebe persönlich von Gott geschenkte, selbst aber dinglich gefaßte Gabe ist. Vor zwei Einseitigkeiten muß man die Gnade bewahren, indem man verschiedene Betrachtungsweisen einander ergänzen läßt. Man darf sie nicht als Gabe in der Weise ein Ding werden lassen, daß sie eine aus Gottes Hand genommene und nach Beendigung des Schenkungsaktes mit Gott nichts mehr zu tun habende Gabe ist. Man darf sie aber auch nicht in der Weise einfachhin mit Gott identifizieren, daß der begnadete Mensch aufhören würde, Gott als Du gegenüberzustehen und sein Heil gerade darin zu besitzen, daß er zu Gott in neuer Weise Vater und zu Christus in neuer Weise Bruder sagen kann. Die heiligende Gnade ist gewiß in wahrem Sinne Gott selbst, insofern er sich selbst zum Geschenk in den Menschen hineingibt. Der Mensch aber wird dadurch nicht Gott, sondern in seinem eigenen Personsein so vollendet, daß er, dem göttlichen Du gegenüberstehend, in geheimnisvoller Weise mit ihm eins wird. Die guten Werke des Menschen sind in der Gnade gerade dadurch vollkommener des Menschen eigene Verdienste, daß sie in gnadenhafter Weise Werke Christi sind, als dessen Glied der Mensch diese Werke vollzieht.

Die Eschatologie würde in einer die Einzeldinge isolierenden verdinglichenden Betrachtungsweise zugleich mit ihrem personalen Charakter auch ihre biblische Sicht verlieren. In der Schrift werden die eschatologischen Ereignisse — sei es nun das Weltende, dem beim einzelnen Menschen der Tod entspricht, seien es Himmel oder Hölle, sei es auch das, was in der Theologie als Purgatorium dargestellt wird (das gewiß auch seine Spuren in der Schrift hat) — zur Einheit gefaßt im Antlitz des wiederkommenden Herrn. Dieses Antlitz des Herrn der Parusie muß den „Letzten Dingen" ihr personales Gesicht wiedergeben. Die erschreckenden Zeichen des Weltendes künden seine bevorstehende Wiederkunft an. Beim einzelnen Menschen ist dieses Weltende der Tod, von dem ja Gregor der Große einmal sehr schön gesagt hat: „Es kommt der Herr, wenn er zum Gericht herbeieilt; er klopft aber an, wenn er durch die Lasten der Krankheit anzeigt, daß der Tod nahe ist" (Hom. 13 in Evangelia; vgl. dritte Nokturn des Commune Confessoris non Pontificis). Wenn aber der Hinübergehende dem Herrn gegenübertritt, erkennt er im Angesicht des Heiligen seine eigene Unheiligkeit und erfährt so das Gericht über sich. Und die noch nicht ausgebüßten Restbestände seiner Sünde erfährt er in diesem Gegenüber zum Heiligsten schmerzlich und erleidet darin sein Fegfeuer. Der Endzustand aber ist in beiden Alternativen personal bestimmt: Die Verdammnis ist ewige Trennung vom Herrn auf Grund des Urteils: „Weichet von mir!" (Mt 25, 41.) Der Himmel ist der Genuß Gottes auf Grund dessen, daß „wir ihn schauen, wie er ist" (1 Jo 3, 2).

GESTALTWANDEL DES CHRISTLICHEN WELTVERSTÄNDNISSES

Von Alfons Auer, Würzburg

I. *Das mittelalterliche Weltverständnis*

1. Der Begriff Welt

Das Mittelalter kannte *die moderne Frage,* in der nach der Welt als Welt, nach der Welt in ihrer Eigentlichkeit gefragt wird, noch nicht. Wir dürfen darum von ihm so wenig wie vom Neuen Testament eine unmittelbare Antwort auf unsere Frage erwarten. Das Problem der Weltlichkeit der Welt kann überhaupt erst in Sicht kommen, wenn „der Horizont der Nichtigkeit der Welt mit seiner Herkunft und seinen Forderungen“ [1] überstiegen ist. Darin wird man H. R. Schlette zustimmen. Wenn er aber das Ausbleiben einer theologischen Thematisierung des Weltproblems damit begründet, daß „die Welt als Welt wegen des immer schon geltenden Schöpfungsglaubens gar nicht gesichtet werden konnte“ [2], dann wird man dies nur im Blick auf die spezifisch mittelalterliche Gestalt und Lebenskraft des Schöpfungsglaubens, nicht aber im Blick auf den Schöpfungsglauben als solchen akzeptieren. Denn damit würde man ja zugleich behaupten (was man gewiß nicht darf), daß der Schöpfungsgläubige überhaupt nicht zur Eigentlichkeit der Welt vordringen könne. Man wird aber ein eigentliches Verdienst schon des scholastischen Geistes darin sehen dürfen, die Eigenständigkeit der Kreaturen und ihre totale Abhängigkeit von Gott in ihrer Widerspruchslosigkeit erkannt zu haben [3].

Weil das Mittelalter über das Weltproblem im modernen Sinn des Wortes so gut wie nicht reflektiert hat, ist es kaum verwunderlich, daß auch der Weltbegriff nicht eindeutig festgelegt wurde. Welt bedeutet durch die ganze theologische und spirituelle Literatur hin die von Gott geschaffene Gesamtheit der sichtbaren und unsichtbaren Wesen, also die Schöpfung Gottes, deren Güte und Schönheit oft genug begeistert gepriesen wird. In der spirituellen Literatur wird aber dieser dogmatische Weltbegriff stark

---

[1] *H. R. Schlette,* Die Nichtigkeit der Welt. Der philosophische Horizont des Hugo von St. Viktor (München 1961) 9.

[2] Art. Welt: Handbuch theologischer Grundbegriffe II (München 1963) 826.

[3] Vgl. *H. Conrad-Martius,* Metaphysische Gespräche (Halle 1921) 113, und *A. Auer,* Weltoffener Christ (Düsseldorf [3]1963) 43.

überlagert durch die einseitige Betonung ihrer Vergänglichkeit und Hinfälligkeit, die in der sündhaften Entordnung der Welt ihre äußerste Verschärfung erfahren haben. 1 Jo 2, 15—16, wo die Welt als Inbegriff des Bösen, als die Dreiheit von Besitz, Lust und Ehre erscheint, gewinnt in der De-contemptu-mundi-Literatur von Ambrosius bis zu Erasmus herauf fast kanonische Geltung. Schließlich begegnet sehr häufig auch das Verständnis der Welt als des Lebens außerhalb des Klosters, des Lebens also inmitten der Verlockung und Verführung durch die irdischen Güter[4]. Diese Mehrschichtigkeit des mittelalterlichen Weltbegriffs läßt erwarten, daß sich im Weltverständnis positive und negative Momente vorfinden.

2. Positive Momente im mittelalterlichen Weltverständnis

Selbstverständliche Grundlage des mittelalterlichen Weltverständnisses bildeten die Aussagen der Offenbarung: Gott, der absolute Herr, hat die Welt aus dem Nichts geschaffen und erhält sie durch seine schöpferische Gegenwärtigkeit im Dasein; das aus der Sünde des Menschen entstandene Unheil wurde grundsätzlich überwunden, als Gott durch seinen Sohn die gefallene Welt in Gnaden annahm; am Ende der Geschichte wird die Welt durch die Kraft Gottes in seine Herrlichkeit heimgeholt werden. Diese Aussagen der Offenbarung sind gewiß da und dort spiritualistisch verdünnt worden. Sie konnten weithin auch nicht ihre volle spirituelle Valenz entfalten. Dies gilt vor allem für die ersten christlichen Jahrhunderte, in denen der christliche Verwirklichungswille vorwiegend den Weg nach innen beschritt.

Als aber mit dem Beginn des Mittelalters aus dem germanischen Bereich ein neuer Dynamismus in die Christenheit einströmte, änderte sich das Bild. Der christliche Mensch lernte die Welt als Gabe und als Auftrag Gottes verstehen. Es bildete sich ein sehr wirksames Berufsethos, das zwar bei den führenden Ständen, also den Fürsten und Rittern, seine ersten Ausprägungen erhielt, das aber schon früh alle Stände bis hin zu den Kaufleuten, Pferdehändlern und Schankwirten anzusprechen begann. In Gilden und Zünften fand es eifrige Pflege, längst bevor Thomas von Aquin die Lehre vom Beruf theologisch durchdachte.

Die christliche Mystik sah in jeder Kreatur einen göttlichen Gedanken verwirklicht und lehrte den Menschen, den Spuren Gottes in der Welt nachzugehen und durch sie zum Schöpfer zu finden. Auch der mittelalter-

---

[4] Vgl. die nicht veröffentlichte Arbeit von *H. Hergenröther*, Die christliche Weltverachtung nach der De-contemptu-mundi-Literatur von Ambrosius bis Erasmus 59—89, wo sehr viel Material zusammengetragen ist, und *H. R. Schlette*, Die Nichtigkeit der Welt 163 f.

liche Symbolismus ist ohne redliche Achtung vor der Kreatur nicht denkbar, wenngleich er auf der anderen Seite den Menschen gar zu rasch vom Eigenwert der Kreaturen wegscheuchte. Seit Renaissance und Humanismus haben nicht wenige Autoren die dignitas hominis gepriesen. Die theologischen Motive dafür lagen schon seit der Patristik bereit: Herkunft des Menschen von Gott, Bestimmung zur Gottebenbildlichkeit und zur Herrschaft in der Welt, Berufung zur Christusgemeinschaft und schließliche Erfüllung in der Herrlichkeit des Himmels. Diese theologische Würdigung des Menschen war wenigstens im Prinzip Gemeingut des ganzen Mittelalters: der Mensch erschien als die Mitte der Welt, dazu geschaffen, daß die Welt durch ihn zu Gott heimgebracht werde. Gewiß sah man die Gottebenbildlichkeit meist nicht im Menschen als ganzem, sondern in seiner Geistigkeit und Freiheit angelegt und hat darum auch die Stellung des Menschen in der Welt weithin weniger aus seiner eigentümlichen Konstitution als aus göttlicher Verfügung erklärt. Aber der Mensch galt als göttlicher Treuhänder der Welt.

Seit dem 12. Jahrhundert vernehmen wir erste Anklänge an unsere moderne Frage nach der Weltlichkeit der Welt. Man suchte die irdischen Bereiche in ihrem eigenständigen Wert zu erkennen und das wahre Verhältnis zwischen Schöpfungs- und Heilsordnung deutlicher in den Blick zu bekommen. Thomas von Aquin hat dann eindringlich herausgearbeitet, daß in aller Relativität und kreatürlichen Abhängigkeit noch Raum für echte Eigenwirklichkeit verbleibt. Der französische Dominikaner R.-A. Gauthier schreibt Thomas das Verdienst zu, neben der mönchischen, unmittelbar auf Gott ausgerichteten Spiritualität „die Bildung einer typischen Laien-Geisteshaltung möglich gemacht (zu haben), die für Menschen geschaffen ist, die der Welt verpflichtet bleiben, und zwar einer Welt, der ihre Weltlichkeit (profanité) zurückgegeben ist“ [5].

Eine Erforschung der Welt, wie sie die neuzeitliche Wissenschaft kennt und betreibt, finden wir im Mittelalter nur in Ansätzen. Aber das, was man von der Welt wußte, und die Grundaspekte des menschlichen Daseins wurden von der mittelalterlichen Philosophie und Theologie in kühnen Systemen zusammengeschaut. Die großen Summen faßten aber nicht nur das gesamte Wissen der Zeit zu einer einheitlichen Schau zusammen, sie boten vor allem eine letzte Sinndeutung durch die Integrierung in den theologisch durchdachten Aussagen der Offenbarung [6].

---

[5] Magnanimité. L'idéal de la grandeur dans la philosophie païenne et dans la théologie chrétienne (Bibliothèque thomiste 28; Paris 1951) 496. Vgl. zum Ganzen *A. Auer*, Weltoffener Christ 30—42.

[6] *R. Guardini*, Das Ende der Neuzeit (Würzburg [3]1951) 27: Die mittelalterlichen Sum-

3. Negative Momente im mittelalterlichen Weltverständnis

Die positiven Elemente, von denen die Rede war, sind geschichtlich nicht so zum Tragen gekommen, wie man erwarten sollte. Die Grundstimmung des Mittelalters war einseitig weltflüchtig. Das monastisch-aszetische Lebensideal ist auch in der Welt das vorherrschende geblieben. Die mittelalterliche Christenheit ist weithin von Mönchen gebildet worden. Ihr Lebensideal wirkte auch auf die Laien faszinierend. Man glaubte Gott am besten und reinsten dienen zu können, wenn man der Welt den Abschied gebe. Zahlreiche Schriften tragen die Titel „De contemptu mundi", „De miseria conditionis humanae" und „Ars moriendi" [7].

Ohne Zweifel hat die „divinistische Geisteshaltung der Väter" (Y. Congar) sehr nachhaltig ins Mittelalter hinein weitergewirkt. Man blieb korrekt bei den dogmatischen Aussagen, aber im Raum der christlichen Verwirklichung konnten sich mancherlei weltflüchtige Tendenzen stoischer, manichäischer, gnostischer und neuplatonischer Provenienz breitmachen. Es war ein Leichtes, solche Tendenzen biblisch zu drapieren und ihnen dadurch den Eindruck einer Art Superchristlichkeit zu verleihen. Die Heilige Schrift stand in hohen Ehren, bei ihrer Auslegung ging man jedoch recht willkürlich vor. Auch die Auswahl der zitierten Stellen war reichlich einseitig. Aus dem Alten Testament wird in der De-contemptu-mundi-Literatur am häufigsten Pred 1, 2 [8], aus dem Neuen Testament am häufigsten 1 Jo 2, 15—16 [9] angeführt, und im Sinne dieser Stellen wird dann einfach behauptet, die Heilige Schrift fordere in ihrer Gesamtheit die Verachtung der Welt. Zweifellos verschärfen bei vielen Autoren eine gewisse Zerfallenheit mit der Zeit, eine düstere Beurteilung ihrer religiösen Situation, schwere Katastrophen, wie Hungersnot, Pest, Verwüstung und Kriege, und bittere persönliche Schicksale ihre Einstellung zur Welt. Das vielleicht wirksamste Motiv der Weltverachtung war aber das Bedürfnis nach Ruhe

---

men muten den neuzeitlichen Geist so lange fremd an, „bis er begriffen hat, was sie zutiefst wollen: nicht die Unbekanntheit der Welt empirisch erforschen oder deren Tatsachen mit rationaler Methode aufhellen, sondern einerseits aus dem Inhalt der Offenbarung, andererseits aus den Prinzipien und Einsichten antiker Philosophie heraus ‚Welt' bauen. Sie enthalten eine aus Gedanken errichtete Welt; ein Ganzes, dessen unendliche Differenzierung und großartige Einheit mit dem Bilde der Kathedrale verglichen werden kann . . ."

[7] Vgl. *A. Auer,* Weltoffener Christ 44—48, und — auch zum Folgenden — *H. Hergenröther,* Die christliche Weltverachtung nach der De-contemptu-mundi-Literatur.

[8] „Alles ist Eitelkeit."

[9] „Liebet nicht die Welt noch was sich in ihr befindet . . . Denn alles, was in der Welt sich findet: Lust des Fleisches, Lust der Augen, Hoffart des Lebens, kommt nicht vom Vater her, vielmehr kommt es von der Welt."

und Sicherheit: Besitz, Ehre und Lust bereiten dem Menschen mannigfache Mühsale, ihre Verachtung aber befreit den Menschen von vielen irdischen Plagen und Belastungen und bedeutet außerdem den sicheren Weg zum Heil[10].

Was H. R. Schlette für Hugo von St. Viktor feststellt, gilt fast für die ganze aszetische Literatur des Mittelalters: Die dogmatisch festgehaltene Gutheit der Kreaturen wird im religiösen Bewußtsein und in der religiösen Erfahrung von der Realität der gefallenen Natur in einer Weise überlagert, daß das Weltverständnis „nicht selten einen schroff dualistischen Eindruck erweckt“[11]. Die Gefährlichkeit der Welt, die schon mit ihrer stofflich-geistigen Konstitution anhebt, erlangt ihre äußerste Schärfe durch das Unheil der Sünde, die als das beherrschende Kennzeichen der heilsgeschichtlichen Situation erschien. Das Verständnis der Welt als Stofflichkeit (Leiblichkeit, Geschlechtlichkeit) und vor allem als Herrschaftsbereich des Bösen hat das Verständnis der Welt als Schöpfung eindeutig in den Hintergrund des religiösen Bewußtseins gedrängt. Der Mensch mußte geschützt werden vor den Faszinationen der Welt. Das konnte nicht besser geschehen als dadurch, daß man die dunklen Seiten der Welt hervorkehrte, daß man die Augen vor den Verlockungen der Welt abblendete und sie straff und unmittelbar auf Gott hin richtete.

4. Die Bewertung des mittelalterlichen Weltverständnisses

Man darf sich bei der Bewertung des Mittelalters nicht mit der Feststellung begnügen, daß dank der Treue zu den dogmatischen Lehren falsche Prinzipien immer wieder klar und entschlossen abgewehrt worden sind. Die weitgehende pädagogisch-moralische Abwertung der Welt hat manchen Tendenzen zu ihrer Verneinung aus dem vor- und außerchristlichen Raum das Tor geöffnet und viel zu lange offen gehalten[12].

Man kann das Mittelalter aber auch nicht einfach aus der Sicht der Moderne bewerten. Die Neuzeit hat gewiß gegenüber dem Mittelalter die Welt in ihrer Eigentlichkeit und in ihrer Verbindlichkeit viel klarer erkannt. Von da aus erscheint manchem das mittelalterliche Weltverständnis als primitiv, barbarisch und unerleuchtet. Aber so kann man Geschichte

---

[10] *H. Hergenröther,* Die christliche Weltverachtung nach der De-contemptu-mundi-Literatur 287—320, weist überzeugend nach, daß dieser Tutiorismus als das stärkste Motiv mittelalterlicher Weltverachtung zu werten ist.

[11] Die Nichtigkeit der Welt 35.

[12] A. a. O. 103: Für Hugo von St. Viktor kommt „das Ergebnis dieses praktischen Weltverständnisses, formal und material gesehen, weithin dem eines prinzipiellen Dualismus gleich“.

nicht betrachten. „Der Maßstab, an welchem eine Zeit allein gerecht gemessen werden kann, ist die Frage, wie weit in ihr, nach ihrer Eigenart und Möglichkeit, die Fülle der menschlichen Existenz sich entfaltet und zu echter Sinngebung gelangt. Das ist im Mittelalter in einer Weise geschehen, die es den höchsten Zeiten der Geschichte zuordnet." [13]

In der Größe des Mittelalters wird seine Grenze sichtbar. Keiner anderen Zeit ist es in gleichem Maße gelungen, irdisches und himmlisches Reich in einer einzigen universalen Ordnung zu verbinden, indem die irdischen Bereiche unmittelbar auf die spirituelle Wirklichkeit der Kirche hingeordnet, ja sogar — um sie ja in dieser Hinordnung festzuhalten — der direkten oder doch wenigstens der indirekten kirchlichen Regelung unterworfen wurden. Diese unitarische Ordnung führte zwangsläufig dazu, daß die zeitlichen Angelegenheiten zu wenig in ihrer Eigenwertigkeit gesehen und zu wenig aus ihrer Eigengesetzlichkeit heraus gestaltet wurden. Die sakrale Ordnung des Mittelalters lief letztlich — darauf wird später noch einzugehen sein — auf Monophysitismus hinaus.

II. Das moderne profane Weltverständnis

1. Das Phänomen der modernen Profanität

„Auf die Frage, in welcher Weise das Seiende da sei, antwortet das neuzeitliche Bewußtsein: als Natur, als Persönlichkeitssubjekt und als Kultur. Diese drei Phänomene gehören zusammen. Sie bedingen und vollenden einander wechselseitig. Ihr Gefüge bedeutet ein Letztes, hinter das nicht mehr zurückgegriffen werden kann. Es bedarf keiner Begründung von anderswoher, noch duldet es eine Norm über sich." [14] Das neuzeitliche

[13] *R. Guardini,* Das Ende der Neuzeit 34. Die Tatsache, daß im Mittelalter, speziell bei Hugo von St. Viktor, sich weithin ein dualistisches Weltverständnis durchgesetzt hat, obwohl es von den theologischen Grundlagen (Schöpfung, Erlösung, Vollendung) her zu einer positiveren Wertung hätte kommen müssen, deutet *H. R. Schlette,* Die Nichtigkeit der Welt 80 100 160, im Anschluß an K. Rahner vom „religionsphilosophischen Phänomen der Vergessenheit" her. Es ist eine Tatsache, daß wichtige theologische Wahrheiten da und dort verzeichnet oder vergessen werden, obwohl sie lehrmäßig noch tradiert werden. „Bei formal-dogmatischer Richtigkeit des christlichen Glaubensinhaltes kann in der Praxis des Lebens und damit des Weltverständnisses im ganzen ein existentieller Daseinsvollzug aufkommen, der — unter dem prägenden Einfluß gnostischer und neuplatonischer Anschauungen — dieses Leben und diese Welt überhaupt negiert und lieber sähe, sie existierten nicht." — Die Frage ist nur, ob die theologischen Grundwahrheiten über die Welt in den Jahrhunderten zuvor schon einmal so lebendig im Bewußtsein gestanden waren, daß man im Blick auf das Mittelalter von „Vergessenheit" sprechen kann.

[14] *R. Guardini,* Das Ende der Neuzeit 55; vgl. zum Folgenden a. a. O. 48 ff sowie Welt und Person (Würzburg [5]1962) 19—22.

Weltverständnis sieht die Natur nicht mehr als Schöpfung Gottes, sondern als autonomes, in sich selbst stehendes, keines anderen Grundes und keiner von außen kommenden Maßstäbe bedürftiges All. Wie die Natur, so nimmt der neuzeitliche Mensch auch sich selbst aus der Macht Gottes heraus und inthronisiert sich zum autonomen Herrn seines eigenen Daseins. Er ist nicht mehr der Dienende, der die Welt von Gott zu Lehen empfangen hat und sie im Gehorsam gegen seinen Willen gestaltet. Sein Blick fällt auf sich selbst. Erstaunt entdeckt der Mensch sich als Individuum und wird sich selbst wichtig [15]. So bringt er nun in der Kultur letztlich nur mehr sich selbst zur Darstellung, er verwirklicht darin sich selbst als Schöpfer. Damit löst er auch sein Werk in der Welt aus dem Gehorsam gegen Gott heraus. Dieser Autonomismus ist der Kern der modernen Profanität: Welt und Mensch stehen in sich selbst, haben ihren Wert, ihr Gesetz und ihr Ziel in sich selbst, es gibt keine Bezüge in die Transzendenz. Die kirchliche Verkündigung, die darauf hinzielt, Welt und Dasein aus der Offenbarung zu begreifen, wird als Zumutung einer Fremdbestimmung (Heteronomie) abgewiesen.

Die ihrer Eigenkraft bewußt gewordene „autonome Vernunft" drängt den Menschen weiter, daß er nach und nach alle irdischen Bereiche aus den ihnen immanenten Gesetzlichkeiten versteht und gestaltet. Die puren Spielregeln der Macht bestimmen die Politik, des bloßen Nutzens die Wirtschaft, der reinen Form die Kunst, der möglichen Verfügbarkeit die Technik usw. Das Mittelalter hatte alle diese Bereiche in seine irdisch-geistliche Gesamtordnung hineingebunden, deren Sinn und Ziel es durch die Offenbarung vorgegeben glaubte. Der Weg zu Freiheit und Heil führte über die Anerkennung dieser Gegebenheit. In der modernen Profanität geschieht „Selbstbefreiung durch Wissen" [16]. Die Vernunft findet die Sachgesetzlich-

---

[15] Bei Petrarca, dem „ersten modernen Menschen", wird die Wende sichtbar: Der Mensch bezieht seine Erlebnisse nicht mehr auf Gott oder auf die ihn umgreifende Menschheit, sondern auf sich selbst hin. Er läßt sich an seinem Icherlebnis selbst genügen. Ausgangspunkt der Daseinsinterpretation ist nicht mehr die Heilsgeschichte, sondern das seelische Erlebnis. Über dieses Selbsterlebnis des Menschen bei Petrarca vgl. *B. Groetuysen,* Philosophische Anthropologie (München-Berlin 1928) 99—107.

[16] Vgl. den gleichlautenden Beitrag von *K. Popper* in: Der Sinn der Geschichte, hrsg. von *L. Reinisch* (München ²1961) 100—116: Anstatt nach einem verborgenen Sinn der Geschichte zu fragen, müssen wir der Geschichte einen Sinn geben. — Insofern K. Popper sich gegen das Hineinlesen von Entwicklungsgesetzen in die Geschichte, gegen Fortschrittsprognosen, zyklische Prognosen, Untergangsprognosen u. a. wendet, muß ihm entschieden zugestimmt werden. Daß wir der Geschichte von uns aus einen Sinn geben, kann bedeuten, daß wir uns selbst fragen müssen, „welche Ziele der politischen Weltgeschichte sowohl menschenwürdig als auch politisch möglich sind" (102). Auch hierin muß man dem Autor folgen. Die Frage aber, ob es hinter alledem einen verfügten, heilsgeschicht-

keiten der Ordnungen, die Vernunft konstatiert ihre ethische Verbindlichkeit, die Vernunft sieht die einzelnen Ordnungen zu einer Gesamtdeutung von Welt und Mensch zusammen. Aussagen und Ansprüche eines sich offenbarend zu Wort meldenden Gottes haben hier keinen Raum mehr. Man billigt es früheren Zeiten zu, daß sie sich mit solchen Vorstellungen behelfen mußten. Aber man glaubt sicher zu sein, daß es sich dabei nur um verkappte Spielarten menschlicher Selbstbejahung gehandelt habe: der Mensch habe in ihnen nur seine eigenen Sehnsüchte und Bedürfnisse nach außen projiziert, es liege ihnen also keinerlei Realität zugrunde, und darum stehe es einem aufgeklärten Zeitalter zu, endlich zur Wahrheit durchzustoßen.

Profanität oder Säkularismus meint also eine geistige Gesamteinstellung, in der die Wirklichkeit aus rein innerweltlichen Denkansätzen erklärt wird. Die Aussagen der Offenbarung und ihre Ausdeutung durch Kirchen und Theologien bleiben dabei nicht nur faktisch, sondern bewußt und absichtlich aus der Überlegung ausgeschlossen, weil ihnen die allein durch die Vernunft feststellbare Qualität des Wahrseins abgesprochen wird. Der Religion kann ein privater und innerlicher Eigenraum insofern noch zugebilligt werden, als von ihr aus keine Einreden gegenüber Staat, Gesellschaft, Wirtschaft, Technik, Kunst und Wissenschaft erfolgen. In der reinen, absoluten Profanität freilich ist jede Öffnung in die Transzendenz ausgeschlossen. Unter Säkularisierung oder Verweltlichung verstehen wir hier den geschichtlichen Vorgang, der zur Geisteshaltung der Profanität oder des Säkularismus geführt hat. Dieser geschichtliche Vorgang wird innerhalb der Profanität selbst als Befreiung, als Zu-sich-selbst-Kommen des Menschen bewertet, während er von der Religion aus als schuldhafter, jedenfalls als verhängnisvoller Ausbruch aus der durch die Schöpfungs- und Heilsordnung verfügten und gegebenen Zuordnung der weltlichen Ordnungen auf die Religion als ihre Mitte gekennzeichnet wird [17].

2. Die Krisis der modernen Profanität

In seinem Buch „Das Ende der Neuzeit“ bietet R. Guardini nicht nur eine phänomenologische Beschreibung der modernen Profanität, er weist auch die Elemente auf, die zu ihrer Krisis geführt haben [18]. Seit etlichen Jahrzehnten wandelt sich das Verhältnis zur Natur. Sie ist für den Menschen

---

lich sich entfaltenden Sinn der Geschichte gebe, stellt der Verf. nicht zur Diskussion. Das ist sein gutes Recht. Recht und Pflicht der Theologie aber ist es, dieser Frage nachzugehen.

[17] Vgl. *C. H. Ratschow,* Art. Säkularismus: RGG V (1961) 1288.

[18] Vgl. 67—105.

nicht mehr die weise, gütige, alles bergende „Mutter Natur". Sie bietet ihm die Möglichkeit, sein Werk aufzurichten. In der Technik erfährt er die Dimensionen dieser Möglichkeit, aber auch die damit heraufziehenden Gefahren. Die Natur erscheint ihm, je mehr er sie wissenschaftlich durchforscht und technisch beherrscht, um so fremdartiger und feindseliger. Das autonome Individuum, das noch vor kurzem die Persönlichkeit als „höchstes Glück der Erdenkinder" emphatisch gepriesen hat, sieht sich plötzlich in die Zwänge jener Strukturen hineingebunden, die eine perfektionierte Technik auf allen Lebensgebieten entwickelt hat und die nun seine Freiheit und seinen ganzen Lebensstil unerbittlich normieren. Der Mensch erfährt, wie er in allen Lebensbereichen immer mehr organisiert, immer mehr als Objekt, als Träger von Funktionen, behandelt wird. Er sieht sich nicht mehr auf der einsamen Höhe einmaligen und schöpferischen Selbsterlebens, er fühlt sich von den ihn umringenden, ja bis in sein Innerstes eindringenden Strukturen in das Ereignis der Vermassung hineingedrängt. Er bangt um das, was ihm als Kern des Menschseins erschien. Schließlich ersteht ihm aus dem Raum der von ihm selbst geschaffenen Kultur eine letzte Gefährdung. Seine Hoffnung auf einen ewigen Fortschritt, auf ein Leben in Wohlstand, Freiheit und Friede ist gedämpft. Er sieht zwar die Entwicklung früher nicht einmal geahnter Möglichkeiten als Faktizität vor sich. Aber es hat ihn eine tiefe Skepsis beschlichen, ob denn jeder Zuwachs an technischer Macht wirklich eine Bereicherung seiner Person und seiner gemeinschaftlichen Verbundenheit sei. Weil er nicht zum Gebrauch der ihm so jäh zugefallenen Macht erzogen ist, verliert er hinsichtlich der Kontrollierbarkeit des technisch Verfügbaren das Gefühl der Sicherheit. Seine immer gewaltigeren technischen Werke scheinen sich von ihm abzulösen und ihm in einer eigenständigen Mächtigkeit gegenüberzutreten. Er bekommt es mit der Angst zu tun, daß das Chaos der Natur, das er gebändigt und dem gegenüber er sich gesichert hatte, mit unheimlicher Gewalt über ihn hereinbrechen könnte und daß seine letzten Dinge viel schlimmer werden, als die ersten waren.

Die moderne Profanität erfährt sich selbst in ihrer äußersten Zuspitzung. Demgegenüber erscheinen ihre früheren Formen — der Autonomismus des Staates, der Wissenschaft, der Kunst u. a. — als harmloses Kinderspiel. Naturwissenschaft und Technik haben in den letzten 100 Jahren der reinen Weltlichkeit ein Gewicht verliehen, das sie noch nicht hatte (das jedenfalls für die meisten nicht erfahrbar war), solange sie sich rein denkerisch oder künstlerisch mit der Wirklichkeit beschäftigte. Die technokratische Profanität hat mit der ganzen Wucht ihrer wirtschaftlichen, technischen, sozialen und politischen Strukturen der menschlichen Person die Luft weggenommen. Die Frage nach dem Sinn der Welt und des menschlichen Daseins ist darunter verstummt. „Vitalismus und Existentialismus drücken das Selbstverständnis (dieses Säkularismus) aus. Sie gravieren auf die vor- und außerdenkerischen Gründe von reiner Lebendigkeit und reiner Befindlichkeit und konvergieren in mystizistischen Solipsismen.“ [19]

3. Die Bewertung der modernen Profanität

Es wurde gesagt, die moderne Profanität sei in die Krise gekommen. Das heißt nicht, daß sie gescheitert ist. Jede echte Krise hat in sich auch die Möglichkeit eines guten Ausgangs. Inwiefern das von der Krise der modernen Profanität gilt, wird später deutlich werden. Hier sollen keine vorschnellen Feststellungen erfolgen — weder in dem Sinne, daß die Krise der modernen Profanität auch *rein* innerweltlich, noch in dem Sinne, daß sie *nur* christlich bewältigt werden kann. Jedenfalls bedeutet die bloße Tatsache, daß die moderne Profanität in die Krise gekommen ist, noch keinen Freispruch der Christenheit von ihrer historischen Mitschuld an der Verweltlichung der modernen Welt. Sie bedeutet schon gar nicht einen „Gutspruch“ hinsichtlich der gegenwärtigen Befindlichkeit des Säkularismus. Es mag aber zur Klärung der ganzen Situation beitragen, wenn wenigstens kurz die Frage gestellt wird, welche Bewertung denn das Phänomen der modernen Profanität von theologischer Seite erfährt. Die Bewertung reicht von der schroffen Ablehnung, von der unerbittlichen Anklage der modernen Profanität wegen der darin erfolgenden Verwerfung der göttlichen Annahme der Welt durch Christus bis zur ausdrücklichen Begrüßung dieser Entwicklung durch jene, die darin neue Möglichkeiten christlicher Verwirklichung heraufkommen sehen. Ehe einige Stimmen aus der katholischen und evangelischen Theologie zu Wort kommen, soll der religionspsychologische Erklärungsversuch kurz dargestellt werden. (Von der rein negativen Bewertung der neuzeitlichen Entwicklung soll hier nicht gehandelt werden, zumal sie in theologischen Schriften kaum mehr begegnet.)

---

[19] *C. H. Ratschow*, Art. Säkularismus: RGG V (1961) 1294. Ebd. 1293 bestimmt der Verfasser das Spezifische dieser technokratischen Form des Säkularismus in der „Verselbständigung sachlich und berechenbar gewordener Eigengesetzlichkeiten, ... die das Ganze von Leben als Welt und Selbst wie als Natur und Geschichte umfassen und zureichend definieren“. Vgl. dazu auch *J. Hommes*, Naturrecht, Person, Materie — das Anliegen der Dialektik, in: Naturordnung in Gesellschaft, Staat, Wirtschaft. Festschrift J. Messner, hrsg. von J. Höffner, A. Verdroß, F. Vito (Innsbruck-Wien-München 1961), bes. 65—69, wo philosophisch aufgewiesen ist, wie auf dem Scheitel der modernen Profanität — in der „absoluten Dialektik“ — nicht nur die Wirklichkeit des Naturgeschehens, sondern auch die Wirklichkeit des das Naturgeschehen handhabenden Menschen sich zusehends verflüchtigt und letztlich zum Verschwinden kommt.

a) Religionspsychologische Bewertung

Im Anschluß an P. Radin vertritt *C. H. Ratschow*[20] die Auffassung, Profanität oder, wie er es nennt, Säkularismus sei für jede Religion eine latente Gefahr. Zur Begründung wird etwa folgendes gesagt: Es gibt überall Menschen, die zu religiösen Überzeugungen und Erfahrungen keinen Zugang haben. Sie gehören dem denkerischen, rationalen Typ an. Weil ihnen nun die Religion als Sinnmitte ihrer Existenz fremd bleibt, sind sie sozusagen gezwungen, bei ihrer Suche nach dem Daseinssinn rein welthaft, säkular, immanentistisch anzusetzen, also der Kraft ihrer ratio allein zu vertrauen. In allen Religionen bedeuten diese Skeptiker stets eine latente Gefahr. Gelegentlich aber gewinnt diese rationale Welt- und Lebensdeutung eine stärkere Ausbreitung und bricht dann in gewaltigen aufklärerischen Eruptionen in die geschichtliche Aktualität hervor, etwa im Averroismus und im Nominalismus des Mittelalters, in der Renaissance und im Humanismus der beginnenden Neuzeit und am sichtbarsten, immer breitere Kreise mitreißend, seit der Aufklärung des 17. und 18. Jahrhunderts[21]. — Diese Betrachtungsweise ist sicherlich schon ein wichtiger Beitrag zur Würdigung der modernen Profanität. Der Mensch mit der tiefen und lebendigen Erfahrung des Absoluten hat immer die Neigung, das Endliche und Zeitliche — eben weil es nicht absolut ist — zu entwerten und zu veruneigentlichen. Das Absolute wird dann zum Einzigen. Dadurch kommt die Wahrheit der endlichen Wirklichkeit zum Verschwinden. Man könnte sagen: es ist die Funktion des profan ansetzenden Denkens, einem solchen Vergessen der Welt entgegenzuwirken und dadurch auch die volle Wahrheit über Gott finden zu helfen.

b) Katholisch-theologische Bewertung

Bei aller Hochschätzung, die das Mittelalter in der katholischen Theologie erfährt, bleiben in ihr auch die positiven Elemente der modernen Profanität nicht unbeachtet. Man weiß, daß das Mittelalter das Absolute oft allzu einseitig betont hat, daß das irdisch Gegebene darum seinen echten Sinn und seine Wirklichkeitsdichte nicht voll entfalten konnte. Die Moderne

---

[20] Vgl. Art. Säkularismus: RGG V (1961) 1288—1296.

[21] C. H. Ratschow ist der Ansicht, daß die systematische Aufklärung des Mittelalters in der Reformation „zu einem positiven Endpunkt und zu einer fruchtbaren Zusammenfassung" gekommen sei. Luther habe durch die Drei-Stände-Lehre, durch die „Zwei-Reiche-Lehre" und durch die Lehre vom „usus politicus legis" — „Denkformen", die uns inzwischen fremd geworden sind — die Wahrheit des Glaubens und die Weltlichkeit der Welt neuartig und positiv miteinander bestimmen können. Er habe die Weltlichkeit der Welt hervorheben können, ohne dabei die Hoheit Gottes zu beeinträchtigen.

aber hat das Absolute so weit in die Ferne gerückt oder gar geleugnet, daß die Kreatürlichkeit der Welt mehr und mehr verdunkelt, nicht selten ganz und gar bestritten wurde. Immerhin trat dabei das Geschaffene mit seinem Eigensein und seiner Eigenwürde klarer hervor. Die Welt wurde als Wirklichkeit gesehen und mit großer Redlichkeit und Sachgerechtigkeit erforscht und gestaltet. Der neuzeitliche Mensch nimmt die Welt ernster, als es sein mittelalterlicher Vorfahre tun konnte. *R. Guardini* bezeichnet das, was in das neuzeitliche Verhältnis des Menschen zur Welt gekommen ist, als „Mündigkeit“ [22].

Nach *J. B. Metz* ist die moderne Profanität nicht eigentlich gegen, sondern durch das Christentum entstanden, sie ist ursprünglich ein christliches Ereignis, durch christliche Impulse ausgelöst. Der Pantheismus der Antike hatte die Welt nie ganz weltlich, weil Gott nie ganz göttlich werden lassen. Es fehlte ihm die Vorstellung eines transzendenten Schöpfers, darum erschien ihm das Göttliche als ein Element der Welt. Wo also das Christentum sich recht verstand, mußte es „nicht als wachsende Divinisierung, sondern gerade als zunehmende Ent-Göttlichung und in diesem Sinne Profanisierung der Welt erscheinen, als deren Entzauberung und Entmythisierung“ [23]. So galten denn auch die Christen den alten Heiden als die eigentlichen „Atheisten“.

Wenn nur die Christenheit den Schöpfungsglauben mit all seinen Konsequenzen ernst genommen hätte, dann wäre sie durch die neuzeitliche Verweltlichung der Welt nicht so sehr in theologische und religiöse Verlegenheit geraten. Gewiß glaubte man, daß Gott die Welt erschaffen hat und daß er sie immerfort im Sein erhält. Aber man sah zu wenig, daß gerade durch das Schöpfungs- und das Christusmysterium, also durch die Erschaffung und Annahme der Welt, „die radikale und ursprüngliche Freisetzung der Welt ins Eigene und Eigentliche, ins Unverstellte ihrer nichtgöttlichen Wirklichkeit“ [24] geschah. Es ist eines der tragischen Ereignisse in der Geschichte der Christenheit, daß die von ihr angestoßene Verweltlichung der Welt sich faktisch gegen ihr konkretes geschichtliches Weltver-

[22] Welt und Person 35 f: „Das Wort (Mündigkeit) meint noch nichts Sittliches, vielmehr etwas, was mit der Tatsache der fortgeschrittenen Zeit, des höheren Alters gegeben ist. Der Mann ist dem Jüngling gegenüber mündig. Das bedeutet nicht, daß er sittlich besser sei, sondern daß er die Welt schärfer sieht, ihre Wirklichkeit härter spürt, einen genaueren Überblick über die Möglichkeiten und Grenzen seiner Kraft und ein deutlicheres Bewußtsein seiner Verantwortung hat ... Etwas Entsprechendes findet sich hier. Der neuzeitliche Mensch ist dem mittelalterlichen gegenüber mündig.“ Vgl. ebd. 24—26 86.

[23] *J. B. Metz,* Weltverständnis im Glauben. Christliche Orientierung in der Weltlichkeit der Welt heute: Geist und Leben 35 (1962) 175.

[24] Ebd. 175.

ständnis durchsetzen mußte und daß sie nicht zuletzt wegen dieser Widersetzlichkeit der Christen so militant säkularistische Züge annahm.

Die moderne Profanität bedeutet aber nicht nur einen Protest gegen die pantheistische Veruneigentlichung der Welt (durch ihre Vermischung mit Gott), sondern auch gegen ihre monophysitistische Veruneigentlichung, wie sie sich in der Vermischung der Welt mit der Kirche im Mittelalter begab. Die bewußte Intention, das Eigensein der Welt und der Kirche zu respektieren und zu schützen, soll den Trägern der säkularistischen Bewegung keineswegs, jedenfalls nicht generell, unterschoben werden. Indem sie aber gegen die Beschlagnahme der Welt durch die Kirche protestierten, haben sie tatsächlich das Recht der Welt, ihre Seinswahrheit, gegenüber illegitimen kirchlichen Ansprüchen zur Geltung gebracht. Und gerade das ist auch theologisch bedeutsam. Es gibt nicht nur das Charisma der Agape, durch die die Welt zu Christus heimgeholt wird; es gibt auch das Charisma des Eros, der die Wahrheit und die Schönheit der Welt erkennt und liebt. Wie soll zu Christus heimgebracht werden, was nicht erkannt und nicht geliebt wird!

Sicher sind auf dem Weg in die moderne Profanität Menschen schuldig geworden, insofern sie Gott als den Schöpfer und Heiland verworfen haben. Aber niemand kann sagen, ob es viele oder wenige waren, die das gegen die klare Weisung ihres Gewissens getan haben. Anderseits haben die einseitige Übersteigerung der Absolutheit Gottes und die mehr oder weniger monophysitistische Ausdeutung des Verhältnisses von Kirche und Welt nicht wenig dazu beigetragen, daß die Eigenständigkeit der Welt zu sehr in den Schatten geriet. Nun ist der Mensch selten ein Meister des Maßes. Darum ist es nicht verwunderlich, daß sich die Reaktion auf solche Entwicklungen eben in der radikalisierten Form einer autonomistischen Profanität eingestellt hat[25]. Tatsächlich hat die moderne Profanität auch mitgeholfen, vielleicht sogar die entscheidenden Impulse dafür gegeben, daß einseitige Festlegungen im christlichen Weltverständnis und Weltverhältnis korrigiert und daß außerdem der Christenheit neue und legitime Momente menschlichen Weltverhaltens zur Integrierung in der Heilswirklichkeit anheimgegeben wurden.

c) Evangelisch-theologische Bewertung

Auch aus dem evangelischen Raum, in dem sich eine sehr redliche und eindringliche Auseinandersetzung mit der modernen Profanität ereignet,

---

[25] *K. Rahner*, Art. Anthropologie (theologische): LThK² I (1957) 622, spricht von einem „geschichtstheologisch zu erwartenden δεῖ".

können wiederum nur einige Stimmen zu Wort kommen, und auch dies ist nur in einer sehr flüchtigen Weise möglich[26].

Schon *D. Bonhoeffer* hat den Zusammenhang zwischen dem christlichen Glauben und der modernen Religionslosigkeit herausgestellt: einerseits ist die Kirche mit schuld am neuzeitlichen Säkularisierungsprozeß, anderseits ist dieser nur auf christlichem Boden möglich und ist von daher als „eine geschichtliche Vollstreckung dessen (zu bewerten), was im christlichen Glauben selbst angelegt ist in bezug auf das Verhältnis zur Welt, nämlich die Entgötterung der Welt“ [27]. Im ganzen gesehen, kann D. Bonhoeffer die Heraufkunft der „mündigen Welt“, der Welt ohne Religion also, nicht bedauern. Im Anschluß an *K. Barth* vertritt er die Überzeugung, daß nicht einmal der Versuch gemacht werden darf, in der säkularisierten Welt der Religion wieder einen Raum freizukämpfen. Das kommende Zeitalter wird ein Zeitalter völliger Religionslosigkeit sein[28]. Gerade darin aber bietet sich eine neue und große Chance der christlichen Verkündigung. Nur muß auch diese Verkündigung — in einer Welt der Religionslosigkeit — eben unreligiös sein. Religion darf heute und in Zukunft ebensowenig als Voraussetzung oder als Weg zum Glauben gefordert werden wie ehedem die jüdische Beschneidung. Die Religionslosigkeit der Welt dokumentiert Gottes Ohnmacht in der Welt. Und eben darin liegt das Heil umschlossen, wie im Ereignis des Kreuzestodes offenbar geworden ist. „Ich habe mir vorgenommen, euch nichts zu verkünden als Jesus den Gekreuzigten“ [29] (1 Kor 2, 2).

D. Bonhoeffers Forderung einer „nicht-religiösen Interpretation der biblischen Begriffe“ spielt in der evangelisch-theologischen Diskussion über

---

[26] Wie schwierig und vielschichtig die Probleme sind, beweist der vorzügliche Beitrag von *G. Ebeling*, Die „nicht-religiöse Interpretation biblischer Begriffe“: Zeitschrift für Theologie und Kirche 52 (1955) 296—360. Die Auseinandersetzung im evangelischen Raum trägt den Charakter einer großen Freiheit und Radikalität, was wohl im wesentlichen damit zusammenhängt, daß die Begriffe Religion und Kirche hier eine viel geringere Dichte und Verfestigung angenommen haben als im Katholizismus.

[27] *G. Ebeling*, a. a. O. 334. G. Ebeling entwickelt in dem genannten Beitrag die Anschauung D. Bonhoeffers über die paradoxe Konformität zwischen dem christlichen Glauben und dem Menschen der radikalen Säkularisation noch weiter und tiefer. Doch kann hier nicht näher darauf eingegangen werden.

[28] *G. Ebeling*, a. a. O. 333, formuliert vorsichtiger: „Wir gehen in bezug auf das Phänomen der Religion einem schlechthin Unbekannten entgegen.“

[29] *H. Fries*, Die Botschaft von Christus in einer Welt ohne Gott: Verkündigung und Glaube. Festschrift für F. X. Arnold, hrsg. von Th. Filthaut und J. A. Jungmann (Freiburg i. Br. 1958) 100—122, hat D. Bonhoeffers Thesen über die Mündigkeit der Welt, über den Begriff der Religion, über die Heilsverwirklichung lediglich durch den Kreuzestod des Herrn u. a. kritisch beleuchtet.

das Säkularismusproblem eine zentrale Rolle. Religion wird hier dem „Gesetz" zugerechnet. So hat schon K. Barth im christlichen Glauben den prinzipiellen Gegensatz zur Religion gesehen, und dies mit vollem Recht, wenn man Religion als den Versuch betrachtet, über Gott und sein Heilswirken selbstmächtig zu verfügen und sich den Weg zu Gott durch das bloße religiöse Werk zu erzwingen. „Religiöse Interpretation" biblischer Begriffe ist von daher eben „gesetzliche Interpretation". So verstanden, verschließt sie sich genau gegen das, was D. Bonhoeffer mit „nichtreligiöser Interpretation" letztlich meint, nämlich erstens christologische Interpretation, d. h., es geht im theologischen Denken um Jesus Christus, um die Frage also: Wer ist Christus heute für uns eigentlich?; zweitens konkrete Interpretation, d. h., auch im theologischen Denken muß die intellektuelle Redlichkeit respektiert werden und genau gefragt werden: Was glauben wir wirklich?; und schließlich drittens Interpretation des Glaubens, d. h., das theologische Denken muß auf die Verkündigung ausgerichtet sein, es muß die Frage beantworten: Wie kann Christus das Heil auch der Religionslosen werden? [30]

W. Hartmann sieht im „Zusammenbruch der Profanität und der Eigenmächtigkeit des menschlichen Machenkönnens" die einzige Möglichkeit einer neuen Bindung des autonomen Menschen. Sachgemäße Verwaltung der Welt als des Erbes Gottes kann überhaupt nicht Sache einer autonomen Vernunft sein, weil diese sich bewußt davon absetzt, die Welt im Geist des Schöpfers und des Gesetzgebers zu verwalten. Das Tun an der Welt darf nicht aus dem Glauben entlassen und in die Besorgung allein durch die autonome ratio übergehen. Wenn sich nämlich der Mensch dem Evangelium verweigert, dann gerät er in jedem Fall — auf welche Weise auch immer — „unter das Gesetz". Dies muß nun auch vom säkularen Menschen gesagt werden: er ist „unter dem Gesetz". Auch er scheitert an dem Versuch, mit seinem eigenen Tun sich selbst und die Welt verantworten zu wollen. Menschliche Existenz kann nicht gemacht, sondern nur von Gott her gewonnen werden. Darum muß auch der moderne profane Mensch seine Existenz „unter dem Gesetz" fahren lassen. Doch W. Hartmann warnt sogleich, das Scheitern des Säkularismus religiös ausnützen zu wollen und ihm zur Bewältigung seiner Krise eine „vergangene religiöse Weltansicht" anzubieten. Der Säkularismus kann nicht rückgängig gemacht, er muß nach vorwärts überwunden werden. Dieses Vorwärts

---

[30] Vgl. dazu *G. Ebeling,* Die „nicht-religiöse Interpretation biblischer Begriffe" 304—340. Von *D. Bonhoeffers* Werken kommen für unsere Frage vor allem in Betracht: Ethik, zusammengestellt und hrsg. von E. Bethge (München [3]1956), und: Widerstand und Ergebung, hrsg. von E. Bethge (München [7]1956).

liegt auch für unseren Autor in der „nicht-religiösen Interpretation" der christlichen Glaubensgehalte[31].

Wie bei D. Bonhoeffer und W. Hartmann, so erscheint die Mündigkeit des Menschen auch bei *F. Gogarten* als Frucht des christlichen Glaubens. Der Unmündige ist der Mensch „unter dem Gesetz". Durch den Glauben an das Evangelium ist der Mensch mündig geworden, er ist zur „Sohnschaft" gelangt. Durch den Glauben wird er auch „Miterbe Christi" (Röm 8,17) und trägt in der Verbundenheit mit Christus Verantwortung für die Welt. Der in der Sohnschaft für das verantwortliche weltliche Handeln freigesetzte Christ muß freilich seinen Glauben „im Rückhalt" lassen. Besorgte der Glaube selbst die Werke der Welt, so würde er sich selbst und die Welt versehren. Zwar weiß der Glaube und nur der Glaube um das Ganze der Welt. Aber er muß mit diesem Wissen zurückhalten, er darf nicht auch das Ganze der Welt auf sich nehmen wollen, weil er dann ihrem Gesetz verfiele[32].

In ähnlicher Weise bejaht auch *H. Schreiner* die echte Weltlichkeit, ihre Eigenständigkeit und ihre Freiheit von allem äußeren Zwang, allerdings — was er stark betont — auch vom dämonisierten Säkularismus, der mit Notwendigkeit in den Totalitarismus führt. Aber bei ihm bleibt der Glaube keineswegs „im Rückhalt", er ist vielmehr der alleinige Garant echter Weltgestaltung. Er muß sich ganz konkret in die verschiedenen Bereiche hinein auswirken. Darin unterscheidet sich H. Schreiner von F. Gogarten, und dieser Unterschied tritt um so schärfer zutage, weil er einigermaßen konkrete Vorschläge für die Eigenständigkeit aller Weltgestaltung aus dem in Gott gebundenen Gewissen vorlegt[33].

H. Kraemer schließlich lenkt die Aufmerksamkeit nachdrücklich auf die gegenwärtige Krise des Säkularismus. Die Hochstimmung der Aufbruchzeit — sagt er — ist längst verebbt. Durch die rationale und technische Beherrschung der Naturkräfte ist der moderne Autonomismus in ein „babylonisches Pandaemonium" geraten, wie es zuvor in der Geschichte kaum eines gegeben hat. Der Mündigkeit der Vernunft steht eine Vielzahl moderner Idololatrien gegenüber. Schließlich haben die Fortschritte der Wissenschaft nicht nur zu einem gesteigerten Lebensgefühl,

---

[31] Vgl. *W. Hartmann*, Art. Säkularisierung: EKL III 768—773.

[32] Vgl. *F. Gogarten*, Verhängnis und Hoffnung der Neuzeit. Die Säkularisierung als theologisches Problem (Stuttgart 1953).

[33] Vgl. *H. Schreiner*, Die Säkularisierung als Grundproblem der deutschen Kultur (Veröffentlichung des Kirchlich-sozialen Bundes 73; Berlin-Spandau 1930). Gute Überblicke über die Diskussion im evangelisch-theologischen Raum in den Artikeln Säkularismus: RGG V (1961) 1288—1296 (C. H. Ratschow) und Säkularisierung: EKL III 768—773 (W. Hartmann).

sondern zugleich zu einer höchst gefährlichen geistlichen Auszehrung und zu einem manchmal schier unerträglichen Normverlust geführt. Der Mensch der modernen Profanität ist von seinen eigenen Eroberungen überspielt worden und vermag ihrer selbst nicht mehr Herr zu bleiben. Der Kirche sind durch die Entwicklung in die moderne Profanität eine Reihe von Gebieten entrissen worden (Unterricht, Fürsorge u. a.), so daß sie einen weitgehenden Funktionsverlust hinnehmen mußte. Ihr Wirken ist aber vor allem dadurch höchst problematisch geworden, daß das prinzipiell religiöse Welt- und Daseinsverständnis in der prinzipiell säkularisierten Orientierung „keine Behausung mehr finden“ kann. Doch birgt die moderne Profanität auch für die Kirche positive Sinngehalte: die relative Autonomie der weltlichen Gebiete ist deutlicher sichtbar geworden, und die Kirche sieht sich unausweichlich gezwungen, ihr Selbstverständnis und ihr Weltverständnis neu durchzudenken[34].

III. Theologie der irdischen Wirklichkeiten

Die Theologie hat die Aufgabe, die Offenbarungsaussagen aus den Quellen zu erheben, sie denkerisch zu durchdringen, sie auf ihre Mitte hin zu einer Gesamtschau zusammenzuordnen und sie der jeweiligen Gegenwart zuzusprechen. Die Wahrheit, die sie zu verkünden hat, ist ihr vorgegeben, so sehr sie immer eine noch und wieder zu findende und eine neu auszusprechende ist. Der Weg der Theologie geht von oben nach unten, von Gott zur Welt und zum Menschen. Ihre Methode ist die deduktive.

Wenn die folgende Skizzierung mit Überlegungen über die Eigenständigkeit der Welt anhebt, dann ist dieses Vorgehen nur scheinbar induktiv. Auch eine „Theologie der irdischen Wirklichkeiten“ ist an die Deduktion gebunden. Aber die theologische Antwort soll dorthin gegeben werden, woher die Frage kommt. Sie soll den Menschen der modernen Profanität am Ort seiner Existenz aufsuchen. Der Denkansatz wird also nicht etwa deswegen beim Problem der Eigenständigkeit der Welt ge-

---

[34] Vgl. *H. Kraemer*, Art. Säkularismus: EKL III 773—776. An weiterer Literatur wäre vor allem zu nennen: *W. Hahn*, Säkularisation und Religionszerfall. Eine religionspsychologische Überlegung: Kerygma und Dogma 5 (1959) 83—98, wo der Frage nachgegangen wird, ob die abendländische Säkularisation Religionszerfall bedeutet; *F. Delekat*, Über den Begriff der Säkularisation (Heidelberg 1958), mit sorgfältigen Untersuchungen über die theologische Definition des Begriffs der Säkularisation; *M. Stallmann*, Was ist Säkularisierung? (Sammlung gemeinverständlicher Vorträge und Schriften aus dem Gebiet der Theologie und Religionsgeschichte 227/228; Tübingen 1960): nach einer begriffsgeschichtlichen Einleitung wird vor allem das Verständnis von Säkularisierung bei D. Bonhoeffer und F. Gogarten dargestellt.

nommen, damit ja die Überlegung streng beim Gegenstand bleibt — dies wäre auch auf andere Weise möglich. Es soll vielmehr lediglich eine Hilfe geboten werden, daß dem Leser — vor allem dem „nicht-theologischen“ — das Beim-Gegenstand-Bleiben der theologischen Überlegung und Aussage unmittelbar einsichtig bleibt[35].

1. Eigenständigkeit der irdischen Wirklichkeiten

Was meint die These von der Eigenständigkeit der irdischen Wirklichkeiten, und wie ist sie zu deuten?

a) Der Inhalt der These

Die weltlichen Bereiche — die verschiedenen Formen menschlicher Vergesellung und dinglicher Ordnung sowie das Handeln in ihnen, also in Arbeit, Beruf, Gesellschaft, Wissenschaft, Kultur, Kunst, Technik, Wirtschaft — haben ein echtes Eigensein. Sie haben einen eigenen und gültigen Seinsbestand und eben darum auch eigene Sinnwerte und eigene Gesetzlichkeiten, denen sich der Mensch in seiner Erkenntnis und in seinem Handeln zu unterwerfen hat. Ihr Seinsbestand muß auch dann unversehrt bleiben, wenn sie der Mensch denkend oder glaubend in transzendente Bezüge eingestiftet sieht. Philosophie wahrt ihr Eigensein gegenüber der Theologie, die Kultur gegenüber Frömmigkeit und Mystik, die Wirtschaft gegenüber der Caritas. Es gibt nicht nur Gott, sondern auch die Welt. Es gibt nicht nur die Religion, sondern auch Wirtschaft und Technik und Kunst und Wissenschaft. Und sie alle haben ihr eigenes Sein. Religion kann nicht unmittelbar und schlechthin alles sein. Sie kann den anderen Gebieten nicht aus sich heraus eine Sachordnung diktieren und Normen statuieren. Diese Gebiete müssen vielmehr, „um überhaupt wirklich zu leben, ihre eigenen Gesetze und ihre eigene wenigstens relative Autonomie“[36] haben.

Wer daran glaubt, daß die Welt durch das „Wort“ entstanden ist, dem kann es nicht schwerfallen, einzusehen, daß in ihr, im ganzen und im einzelnen, Ordnung, Gesetzhaftigkeit und Sinnhaftigkeit herrschen. Je mehr Gott die von ihm abhängige Welt auf ihre eigenen Füße stellt, je weiter er sie in ihre Eigentlichkeit hinaushält, desto göttlicher erscheint sein Werk. In der Lehre vom Naturrecht ist diese Eigengesetzlichkeit der irdi-

---

[35] Vgl. LThK² I (1957) 623.

[36] *F. v. Hügel*, Andacht zur Wirklichkeit. Schriften in Auswahl, ausgewählt, übersetzt und eingeleitet von M. Schlüter-Hermkes (München 1952) 45.

schen Bereiche anerkannt und ausgesprochen: der Mensch soll sich der natürlichen Ordnung, der den einzelnen weltlichen Bereichen innewohnenden Sachlogik unterwerfen und eben dadurch jene Wahrheit entbergen und jene Ordnung heraufführen, die in den Dingen selbst angelegt ist.

Seitdem mit dem Beginn der Neuzeit sich die Wissenschaft mit stets wachsendem Elan den irdischen Wirklichkeiten als solchen zugewandt hat, hat sich das Verständnis der Welt und des menschlichen Daseins in ungeahnter Weise vertieft und erweitert. Der Mensch ist ein anderer geworden, er verhält sich anders zur Welt und zu sich selbst. Die ihm zugewachsene Einsicht in die Ordnungen und Gesetze der Welt im großen und im kleinen führt ihm in der eindringlichsten Weise vor Augen, was Eigenständigkeit und Eigengesetzlichkeit sind. Die Wissenschaft hat einen nicht zu überschätzenden Beitrag dazu geleistet, die Wahrheit der Welt zu entbergen.

Zu den Erkenntnissen der Naturwissenschaft gehört aber auch die Einsicht, daß die Welt zeitlich und räumlich begrenzt und darum meßbar ist. Im antiken Weltbild stand der Kosmos autonom in sich selbst. Außerhalb seiner konnte nichts gedacht werden. Er war sich selbst Grund, Gesetz und Sinn. Das Göttliche und der Mensch waren von ihm umschlossen. Der begrenzte und meßbare Kosmos der modernen Naturwissenschaft kann nicht als absolutum verstanden werden[37].

Überhaupt setzt sich mehr und mehr auch die Überzeugung durch, daß mit der bloßen Meßbarkeit eine entscheidende Qualität des Wirklichen gar nicht erreicht werden kann. Die Dinge, sogar die kleinsten, weisen über sich hinaus, genauer: „durch sich hindurch in abgründige Tiefen", sie weisen jedenfalls auf den Menschen, in dem allein sie bewußt und aussagbar werden[38].

Es versteht sich von selbst, daß die Theologie sich an den Ergebnissen der modernen Wissenschaft, die — je mehr sie die Grenzen der Erkenntnis hinausschob — der Begrenztheit der Erkenntnis mit den ihr zur Verfügung stehenden Mitteln um so sicherer gewahr wurde, nicht vorbeidrücken konnte und auch gar nicht wollte, daß ihr vielmehr von da aus sehr fruchtbare Impulse vermittelt worden sind. Der Glaube an die Konstanz der Erkenntnis und der Kultur ist theologisch überholt. Noch Thomas von Aquin war der Meinung gewesen, daß um die Zeitenwende, also

---

[37] Insofern das griechische Denken schon nach dem Sein im ganzen gefragt hat, hat es den Weg zur Übersteigung des „absoluten" Kosmos selbst schon beschritten. Vgl. *W. Weymann-Weyhe,* Die Welt ist nicht immer die gleiche. Kosmos, Naturgesetz, Wahrheit und Theologie (Unveröffentlichtes Rundfunkmanuskript 1962) 15—19; dieser Beitrag ist für den Verf. auch sonst in mannigfacher Weise anregend geworden.

[38] Vgl. a. a. O. 25—38.

etwa zur Zeit des heiligen Paulus, alles Gute im wesentlichen erfunden gewesen sei und daß weitere Erfindungen nur mehr schlecht sein können. Wie Gott am siebenten Tage geruht habe, so habe auch der Mensch nach Christi Geburt von aller Kulturarbeit geruht und sich auf die Erhaltung des Gewonnenen beschränkt. Natürlich wußte Thomas, daß es in der Geschichte auch weiterhin neue Erkenntnisse und kulturelle Errungenschaften gegeben hat. Aber sie konnten seit Christus nicht mehr an und in sich, sondern nur noch insofern gut sein, als sie religiösen Zwecken dienten. Demgegenüber hat Pius XII. klar ausgesprochen: „Jede menschliche Erkenntnis, auch wenn sie nicht religiösen Charakters ist, hat schon in sich eine ihr eigene Würde und Hoheit, ist sie doch Teilnahme an Gottes unendlicher Erkenntnis. Wenn sie freilich verwendet wird, Gott und das Göttliche betreffende Fragen heller zu beleuchten, so erhält sie dadurch eine neue, höhere Würde und Weihe.“ [39]

b) Die Deutung der These

Es wurde bereits dargelegt, daß die Eigenständigkeit der Welt in der modernen säkularistischen Entwicklung *autonomistisch* überspannt worden ist. Es wurde nur noch als wahr anerkannt, was rational einsichtig war. Die Eingründung der Eigenständigkeit in transzendente Bezüge wurde geleugnet. Der Anspruch einer göttlichen Offenbarung erschien als heteronomistische Zumutung. Seit Renaissance und Humanismus, vor allem seit der Aufklärung des 17./18. Jahrhunderts wurden die Konsequenzen dieser Anschauung immer schärfer durchdacht und Zug um Zug auch verwirklicht. Immer mehr weltliche Gebiete — zuerst die Fürsten mit ihrer Politik, dann Wohlfahrt und städtisches Leben, wissenschaftliches Denken und Moral, schließlich auch das Gewissen des Volkes und sein tägliches Erleben von Freude und Schmerz — lösten sich aus der dem mittelalterlichen Menschen selbstverständlichen Obhut der Kirche.

Es wurde auch dargelegt, daß diese Entwicklung eine (geschichtstheologisch sozusagen notwendig zu erwartende) Reaktion auf die *integralistische* Aushöhlung der Eigenständigkeit der Welt war. An zwei Formen solcher Aushöhlung muß hier vor allem erinnert werden. Zunächst darf die Eigentlichkeit der Welt nicht in der Absolutheit Gottes versenkt werden. Das niedrige Sein darf durch die Tatsache, daß es ein höheres gibt, nicht wie ausgelöscht erscheinen. Die Absolutheit Gottes muß (zwar nicht

[39] Vgl. *A. Mitterer*, Die Weltherrschaft des Menschen als Naturrecht, in: Naturordnung in Gesellschaft, Staat, Wirtschaft. Festschrift J. Messner, hrsg. von J. Höffner, A. Verdroß, F. Vito (Innsbruck-Wien-München 1961) 44—47.

an sich, in abstracto, aber von der konkreten, durch Gott in Gang gebrachten und in Gang gehaltenen Heilsgeschichte her) so interpretiert werden, daß sie sich mit einem „Pluralismus" des Seienden verträgt. In der katholischen Lehre von der analogia entis ist das lehrmäßig klar ausgesprochen, aber das konkrete Glaubensverständnis und vor allem der konkrete Glaubensvollzug haben sich faktisch oft darüber hinweggesetzt. Sie waren mehr hellenisch als biblisch orientiert, sonst hätten sie gewahr werden müssen, daß die schöpferische Liebe Gottes, ihr Gewähren, ihr „Sein-lassen" die Möglichkeit und zugleich die Garantie für die Eigentlichkeit der Welt bedeutet. — Zum anderen aber darf diese Eigentlichkeit auch nicht in der Kirche monophysitistisch zum Verdampfen gebracht werden. Die (recht verstandene) Dualität der Ordnungen muß für die ganze Dauer der Heilsgeschichte klar gewahrt bleiben. Das Auge der Kirche und derer, die in ihr den Dienst der Theologie und der Verkündigung leisten, ruht vor allem auf der Integrierung der Welt in der Heilswirklichkeit. Es liegt nahe, daß bei solcher Blickrichtung das „eine Notwendige" sozusagen unter der Hand zum einzigen wird, daß ihm gegenüber alles andere als belanglos und die Zuerkennung einer „Eigentlichkeit" an dieses andere sogar als frevlerisch, jedenfalls als sündhaft säkularistisch erscheint. Es ist oft genug, und zwar von guten Kennern und Interpreten der Geschichte, ausgesprochen worden, wie stark und wie nachhaltig dieses Mißverständnis — man nennt es Divinismus, Hierokratismus oder ekklesiologischen Monismus — die konkrete Christlichkeit geprägt hat.

Wie der Autonomismus die transzendente Eingründung der Welt, so hat der Divinismus ihre Eigentlichkeit verkannt. Es bedarf aber, um der geschichtlichen Wahrheit gerecht zu werden, des nachdrücklichen Hinweises auf die Tatsache, daß die Theologie eigentlich schon immer unterwegs war zu einer Lösung, in der Tiefendimension und Eigenwertigkeit der Welt zugleich gewahrt werden. Schon im christlichen Altertum (Justin, Klemens von Alexandrien) sah man den logos spermatikos überall wirksam und konnte darum auch schon entschlossen für das Recht der Kultur innerhalb der Kirche eintreten. Gegen Ende des 5. Jahrhunderts hat Papst Gelasius I. den geistlichen und den weltlichen Machtbereich streng voneinander geschieden, beide allerdings ausdrücklich auf Christus zurückgeführt. Diese Auffassung läßt sich vom Frühmittelalter an bis herauf zu Leo XIII., der sie sich ausdrücklich zu eigen gemacht hat, in zahllosen Belegen aufweisen. Seit dem 12. Jahrhundert (Suger, Abälard, Gottfried von St. Viktor) beginnt die Theologie die Eigenständigkeit der irdischen Bereiche schärfer zu durchdenken— genau also zu der Zeit, in der die

Entdeckung der Weltwirklichkeit als solcher einsetzt. Im thomistischen Schöpfungsbegriff ist diese Eigenständigkeit der Kreaturen endgültig theologisch verankert worden. Leo XIII. hat diese Auffassung in zahlreichen Verlautbarungen konkretisiert und die „notwendige Autonomie" der weltlichen Ordnungen und damit „ein Feld gerechter und gesetzlicher Freiheiten" anerkannt[40]. Pius XI. zitiert in *Quadragesimo anno* die Äußerung Leos, daß die Kirche es sich als Übergriff anrechnen würde, sich grundlos in die irdischen Angelegenheiten einzumischen, und lehnt es ab, eine Autorität der Kirche in Fragen technischer Art geltend zu machen, weil sie dafür weder die Mittel noch die Zuständigkeit besitze. Die Kompetenz der Kirche beschränkt sich auf das, „was auf das Sittengesetz Bezug hat"[41]. Die katholische Sozialwissenschaft sieht darin die Anerkennung der Eigenständigkeit und Eigengesetzlichkeit der verschiedenen Kultursachgebiete unzweideutig angesprochen. Wenn der Papst von der Wirtschaft sagt, sie habe ihre eigenen „Prinzipien"[42], dann meint er genau das, was wir mit den noch recht jungen termini „Eigenständigkeit" und „Eigengesetzlichkeit" ausdrücken wollen, daß nämlich die Wirtschaft und alle anderen Sachgebiete ihre eigene Seinsgrundlage haben, auf der sie aufruhen, und ihre eigenen Wesensgesetze, die aus dieser Seinsgrundlage erfließen und die darum indispensabel sind. O. v. Nell-Breuning sieht in dem „suis utuntur principiis" „eine klassische Formulierung für unsere Eigenständigkeit und Eigengesetzlichkeit"[43].

Die sich entwickelnde „Theologie der irdischen Wirklichkeiten" (in der die irdischen Bereiche, die menschlichen und die dinglichen, als eigene Thematik in die Theologie selbst, also nicht mehr nur in die Sozial- und Kultur-Philosophie und in die Sozial- und Kultur-Ethik, eindringen, in der — endlich — die Welt in ihrer Eigentlichkeit theologisch thematisiert wird) wird die Freisetzung — vielleicht muß man sagen: die Freilassung — der weltlichen Ordnungen in ihre Eigenständigkeit genauer zu durchdenken und dabei gewiß noch manches integralistische Vorurteil zu überwinden haben.

---

[40] Vgl. *A. Auer,* Weltoffener Christ 270—276; *ders.,* Kirche und Welt: Mysterium Kirche, hrsg. von F. Holböck - Th. Sartory (Salzburg 1962) 509—511.

[41] Quadragesimo anno: „... non iis quidem, quae artis sunt, sed in iis omnibus quae ad regulam morum referuntur." Herdersche Ausgabe (1931) 32.

[42] Ebd.: „oeconomica res (!) et moralis disciplina in suo quaeque ambitu suis utuntur principiis."

[43] Die soziale Enzyklika (Köln [3]1950; photomechanischer Neudruck 1958) 60. Vgl. auch seine bedeutsamen Ausführungen über Wirtschaftsethik als „institutionelle Ethik": Zur Wirtschaftsordnung, hrsg. von O. v. Nell-Breuning - H. Sacher (Wörterbuch der Politik IV; Freiburg i. Br. 1949) 274—280.

2. Relative Eigenständigkeit der irdischen Wirklichkeiten

Mit der Behauptung der Eigenständigkeit und Eigengesetzlichkeit der irdischen Wirklichkeiten ist freilich, wie schon gesagt, noch nicht die volle Seinswahrheit ausgesprochen. Vielmehr muß diese Behauptung dahingehend integriert werden, daß auch die Eingründung der weltlichen Ordnungen in transzendente Seinsbezüge erkannt und anerkannt werden muß, und zwar sowohl in den Bezug auf Gott den Schöpfer als auch in den Bezug auf Christus das Haupt. Diese integrierenden Aussagen über die Welt können nur von der Theologie her gemacht werden, weil ihr Inhalt erst durch die Offenbarung zugänglich geworden ist. Heilsgeschichtlich wird die transzendente Bestimmtheit der Welt also in zwei großen Stufen heraufgeführt: im Mysterium der Schöpfung und im Christusmysterium. Von letzterem ist zu sagen, daß es sich durch die Geschichte hindurch in der Kirche entfaltet und daß es erst in der Wiederkunft des Herrn zur vollen Offenbarung und Verwirklichung kommt.

Die erste Stufe der Relativität der Eigenständigkeit irdischer Wirklichkeiten ist ihre Zuordnung auf Gott den Schöpfer, das heißt ihre Kreatürlichkeit

Diese Aussage muß in ihren wesentlichen Inhalten freigelegt werden.

a) Die Welt ist *von Gott erschaffen,* d. h. zunächst, daß sie in einem Akt radikaler Freiheit und Liebe aus dem Nichts ins Dasein gestellt ist, daß sie durch die gleiche göttliche Freiheit und Liebe immerfort im Sein erhalten wird, daß dieses schöpferische Tun Gottes durch das „Wort" geschieht und daß darum der Welt gewisse rationes seminales, gewisse Sinnwerte und Ordnungsgesetze eingestiftet sind. Was die Welt an Möglichkeiten und Wirklichkeiten umschließt, stammt also von Gott. Das ist die erste, entscheidende Integrierung, die sich die moderne Profanität, soweit sie absolut säkularistisch denkt, gefallenlassen muß. Es gibt keine immanentistische Verschlossenheit. Welt muß nicht sein, darum ist sie nicht aus sich selbst und kann sich nicht selbst genügen. Die Lehre von der Schöpfung rückt die Welt in die unmittelbare Nähe Gottes und läßt sie als einen unmittelbaren und stets aktuellen Ausdruck seiner schöpferischen Liebe erscheinen. Es ist echte Eigentlichkeit, in die hinein der Schöpfer die Welt freigibt — so sehr freigibt, daß sie ganz in sich zu stehen scheint, daß sie den Schein voller Autonomie zu erwecken vermag.

b) Innerhalb des geschaffenen Universums wurde von dem Schöpfer ein alles umgreifendes *Ordnungsprinzip* aufgerichtet: *der Mensch.* Weil Welt geordnet und sinnvoll ist, ereignet sie sich sozusagen in jedem ihrer Teile ganz und ist darum auch in jedem, sogar im kleinsten, anzutreffen. Im

Menschen aber ist sie am vorzüglichsten repräsentiert. Sie ist auf ihn hin erschaffen und kann nur durch ihn zur Erfüllung kommen. Er vermag sie zu erkennen und darum den Dingen ihren Namen zu geben. Er ist vom Schöpfer beauftragt, sie herrscherlich zu erfüllen. Die Welt ist der Ort seines Daseins, seine „erweiterte Leiblichkeit" (J. M. Scheeben). Da der Mensch Sinnmitte und Haupt des ganzen Kosmos ist, ist dieser von der menschlichen Leiblichkeit an bis in seine äußersten und scheinbar sehr menschenfernen Verästelungen hinein — wenn auch in verschiedener Dichte — personal durchtönt.

Die Heilige Schrift hat sich nicht reflex mit dieser Anthropozentrik des Kosmos beschäftigt. K. Rahner weist darauf hin, daß die Heilige Schrift bei ihren anthropologischen Aussagen zum guten Teil Kategorien der (bloß) gegenständlichen Welt und der daran gewinnbaren Ontologie verwendet, „so daß die Gefahr bleibt, die theologische Eigenart des Menschen zu verkennen und ihn als ein Stück Welt von bloß gegenständlicher Objektivität zu sehen". Aber ihre Aussagen haben doch eine klar erkennbare „anthropozentrische Spitze", insofern sie den Menschen als geistige und freie Person in die Partnerschaft mit Gott hineingenommen sehen[44]. Seine Gottebenbildlichkeit läßt nicht zu, daß man ihn einfach als Moment im Kosmos wertet, ihm in gleicher Weise wie alle anderen Seienden eingebunden, wobei er gar noch eine geringere Stellung einnimmt als manche andere[45].

Neuerdings hat J. B. Metz sehr eindrucksvoll aufgewiesen, daß in Thomas von Aquin sich der denkerische Durchbruch von der antik-griechischen Kosmozentrik, in der der Mensch sich im Kosmos nahezu verliert, jedenfalls keinerlei Sonderstellung einnimmt, zur biblisch-christlichen Anthropozentrik vollzieht. Nun steht der Kosmos im Horizont des Menschen, nicht mehr der Mensch im Horizont des Kosmos. Der Mensch ist nicht mehr als beliebiger Teil dem Welthorizont eingeordnet. „Das Sein der Seienden wird vielmehr von dieser (menschlichen) Subjektivität her angeblickt und bestimmt." Im Menschen ist das Sein im ganzen in einer bestimmten Weise anwesend und selbstgegeben. So wird die Subjektivität zur „primären Stätte der Seinserschlossenheit; Denken erscheint als Seinsvergegenwärtigung". Im Menschen ist also der Kosmos erst richtig bei sich selbst[46].

---

[44] Vgl. *K. Rahner*, Art. Anthropologie (theologische): LThK² I (1957) 620.

[45] Vgl. *K. Löwith*, Der Weltbegriff der neuzeitlichen Philosophie (Sitzungsberichte der Heidelberger Akademie der Wissenschaften, Phil.-Hist. Klasse IV; Heidelberg 1960) 9.

[46] Vgl. *J. B. Metz*, Christliche Anthropozentrik. Über die Denkform des Thomas von Aquin (München 1962) 41—95, bes. 41—51. Nach *W. Weymann-Weyhe*, Die Welt ist nicht immer die gleiche. Kosmos, Naturgesetz, Wahrheit und Theologie 34—39, nähert

Ganz in diesem thomanischen Geist spricht J. Hommes von der „menschlichen Bewandtnis" oder von der „personalen Bedeutsamkeit" des Naturgeschehens. Es ist völlig in das Leben des Menschen hineingetaucht, ist sein „Daseinsapparat", der „gegenständliche Teil seines Wesens". Das Naturgeschehen ist mit seiner personalen Bewandtnis dem Menschen vorgegeben, es erfordert aber zugleich seine „eigenständige geistig-personale Aktivität", die der Mensch freilich nur zusammen mit den anderen das Naturgeschehen handhabenden Menschen fruchtbar entfalten kann. „Menschlich-personale Bewandtnis des Naturgeschehens als eine dem Menschen in seinem Dasein vorgegebene und darum von ihm als solche zu übernehmende Bestimmtheit seiner selbst. Im Naturgeschehen, auf das der Mensch trifft, findet sich dessen naturhafte Handhabbarkeit — als Daseinsapparat — und dessen geistige Handhabbarkeit — als möglicher Heimweg — zu der Einheit der menschlichen Handhabbarkeit des Naturgeschehens vereinigt..."[47]

Die christliche Anthropozentrik (die selbstverständlich mit Theozentrik nicht nur vereinbar, sondern in ihr sogar begründet ist, weil der Mensch ja von Gott dem Schöpfer in die Mitte der Welt gestellt wurde) ist von eminenter Bedeutung für das heilsgeschichtliche Verständnis der Welt. Geschichte kann es nur dort geben, wo Person ist. Geschichte gibt es also nur als Geschichte des Menschen. Weil nun aber der Kosmos als „erweiterte Leiblichkeit des Menschen" personale Bewandtnis hat, muß sich menschliche Geschichte auch kosmisch auswirken. Das bedeutet erstens: Das Schicksal des Kosmos ist nur als Auswirkung, als adhaerens der menschlich-personalen Geschichte zu verstehen; die menschliche Geschichte geht dem Schicksal des Kosmos als Kausalursache voran und führt es herauf. Und zweitens: die aus der menschlichen Freiheit gestaltete Geschichte wird notwendig zum Schicksal des Kosmos. Im Anfang war die Einheit von Mensch und Kosmos eine Einheit in der Herrlichkeit. Durch die menschliche Sünde wurde sie zur Verbundenheit im Unheil. Im zweiten Adam und in dem von ihm befreiten Menschen wurde sie in das Heil zurückgeholt und noch über die Herrlichkeit des Anfangs hinausgehoben. Am Ende der Geschichte wird sie in die Herrlichkeit der Vollendung einmünden.

Die seinshafte Hinordnung der Welt auf den Menschen schließt für die Welt also auch die Möglichkeit ein, in ein eventuelles Verhängnis mensch-

---

sich die heutige Physik (C. F. von Weizsäcker, W. Heisenberg) dieser thomanischen Denkart, insofern für sie alles Seiende in den denkenden Geist hereingenommen und erst hier sich selbst gegeben ist.

[47] *J. Hommes,* Naturrecht, Person, Materie 64; vgl. zum Ganzen 60—64.

licher Schuld mitverstrickt zu werden. Diese Möglichkeit ist geschichtliche Wirklichkeit geworden. Die *Sünde* hat ihren Ursprung gewiß in der Freiheit der menschlichen Person. Weil aber menschliche Personalität wesentlich sozial und kosmisch bestimmt ist, muß sich die aus der Person stammende Schuld für den sozialen und kosmischen Bereich als Verhängnis auswirken. Paulus kennzeichnet in Röm 8, 20f diese Auswirkung als ματαιότης und φθορά, als eine wirkliche Verschlechterung, die nach dem Fluch Gottes in der Welt, auch in den Dingen, mächtig wurde und der die Menschheit nun wie einer harten Knechtschaft unterworfen ist. Man mag „Nichtigkeit" und „Verderbnis" von Röm 8 als teilweisen Verlust der Transparenz der Kreaturen (Verschüttung der Sinnwerte und Ordnungsgesetze), als ihre Widersetzlichkeit gegen den menschlichen Form- und Herrschaftswillen, als ihre dämonische Mißbrauchbarkeit deuten — jedenfalls erfährt der Mensch diese Verderbnis immer wieder aufs neue und vermag so die biblische Aussage aus seiner Erfahrung zu bestätigen. Johannes beschreibt die Welt als ein unheimliches Machtphänomen, in dem böse geistige Potenzen am Werk sind und den Menschen auf dem Weg über die Begierde des Fleisches, die Begierde der Augen und die aus dem Besitz stammende Begierde nach Prunk zum ungeordneten Gebrauch der Weltdinge verführen (1 Jo 2, 15; vgl. auch Jo 12, 31; 14, 30; 16, 11). Der paulinische und johanneische Begriff der Welt als Inbegriff des Bösen hebt den durch das ganze Neue Testament hindurch gebräuchlichen Begriff der Welt als Inbegriff der Schöpfung Gottes nicht auf, will diesen aber heilsgeschichtlich präzisieren bzw. korrigieren, indem er das Mysterium der Sünde mit all ihren verheerenden Folgen mit in Rechnung bringt. Die ausgewogene Interpretation der beiden neutestamentlich gegebenen Aspekte des Kosmosbegriffes bewahrt in gleicher Weise vor einem naiven Optimismus, der die Wirklichkeit des Bösen entscheidend verkennt, wie vor einem unerleuchteten und im Grunde unchristlichen Pessimismus, der seine ganze Glaubenskraft an das Mysterium der Sünde zu vorausgaben und für die Mysterien der Schöpfung und des Heils nichts mehr übrig zu haben scheint.

c) Schließlich ist festzustellen, daß die Welt von Anfang an, also schon durch den schöpferischen Weltwillen Gottes, *auf Christus hin finalisiert* ist. Die Fleischwerdung des ewigen „Wortes" ist das eigentliche Hochziel des göttlichen Weltplanes. Gott hat also seiner Welt von Anfang an nicht nur alle „natürlichen" Kräfte und Gesetze und Sinnwerte in einer Weise eingegründet, daß sie sich kraft der ihnen und dem menschlichen Geist mitgegebenen evolutiven Dynamik weiterentfalten. Er hat seiner Schöpfung noch eine ganz andersartige Dynamik einerschaffen, nämlich die Intentionalität auf das Heil hin. Damit ist allerdings einschlußweise behauptet, daß Christus auch ohne Sünde Mensch geworden wäre. Diese sogenannte skotistische Auffassung läßt sich gewiß nicht mit absoluter Sicherheit erhärten, aber sie ist auch durch das Neue Testament nicht ausgeschlossen. Sie zielt übrigens nicht, wie gelegentlich gesagt wird, auf eine nur mögliche oder nur gedachte Ordnung. Dann wäre sie allerdings lediglich theologisches „Glasperlenspiel". Die Frage, ob Christus auch ohne die Sünde Mensch geworden wäre, ist eine Hilfsfrage, deren Beantwortung die eigentlich wirkliche Ordnung, den wahren Heilsplan, herausstellen helfen soll. (Die konkrete Faktizität der heilsgeschichtlichen Entwicklung und ihr massives Gewicht in der konkreten neutestamentlichen Verkündigung entbinden nicht von der Pflicht, „dahinter" zu kommen und in der Offenbarung nach Auskünften über den „ewigen" Heilsplan zu suchen.) Jedenfalls gipfelt der Heilsplan darin, daß die von Gott erschaffene Welt im Menschen und mit dem Menschen, der ihre Sinnmitte ist, in Jesus Christus angenommen und in die Innerlichkeit des göttlichen Lebens einbezogen werden sollte. Daß Welt und Mensch existieren, hat seinen Grund in Christus. Man kann die Schöpfung überhaupt nicht verstehen, wenn man absieht von dem, wozu sie bestimmt ist — und dies wird erst in Jesus Christus offenbar[48].

Die zweite Stufe der Relativität der Eigenständigkeit irdischer Wirklichkeiten ist ihre Zuordnung auf Christus das Haupt

Gott wollte offenbar, daß seine Schöpfung nicht nur sein „Werk" bleibe, daß sie ihm nicht für immer einfach gegenüberstünde. Er wollte sie innerlich annehmen. Er „wollte es in der Zeitenfülle erreichen, daß alles wieder unter einem Haupte, unter Christus, stünde, was im Himmel und auf Erden ist. In ihm sind wir als Erben gleichfalls reich bedacht, die wir vorausbestimmt gewesen, nach dem Plane dessen, der alles nach dem Ratschluß seines Willens wirkt. So sollten wir zum Lobe seiner Herrlichkeiten gereichen, nachdem wir längst zuvor auf Christus unsere Hoffnung aufgebaut" (Eph 1, 10—12). Was ist damit ausgesagt?

a) Der Gottmensch ist das *Haupt der Menschheit.* Sie ist diesem Haupt als Leib einverbunden. Immer wieder betonen die Väter der Kirche diesen Gedanken, daß Christus alle Menschen in sich trägt, daß die Menschheit als Ganzes in ihm gegenwärtig ist. Die menschliche Natur Jesu Christi ist gewissermaßen der Stützpunkt, den das ewige „Wort" in der Welt errichtet, um von ihm aus alles an sich zu ziehen. Weil seine menschliche Natur

---

[48] Vgl. *L. Scheffczyk,* Die Idee der Einheit von Schöpfung und Erlösung in ihrer theologischen Bedeutung: Theol. Quartalschrift 140 (1960) 19—37.

mit allen anderen menschlichen Naturen in einem realen Zusammenhang steht, nimmt er sie alle in die Solidarität seiner Person auf und wird dadurch zum Haupt des ganzen Geschlechtes. Jetzt, wo es sein Leib geworden ist, vermag er es zu seiner Gemeinschaft mit dem Vater emporzuheben und seine eigene Verbundenheit mit dem Vater auch auf seinen Leib überströmen zu lassen.

b) Nun ist aber der Mensch Haupt und Sinnmitte des Kosmos. Er ist die lebendige Klammer, durch die die Welt des Geistigen und Körperlichen in eins gefügt ist. In ihm trifft sich die Welt, in ihm ist sie gegenwärtig, in ihm ist sie in eins gefaßt. Sie ist ja zunächst auf ihn hin geschaffen, damit sie ihm sein leibhaftes Dasein ermögliche. Sie hat als „erweiterte Leiblichkeit des Menschen" personale Bewandtnis. Darum muß es geschehen, daß der Gottmensch, indem er Haupt des Menschengeschlechtes wird, auch *Haupt der ganzen materiellen Kreatur* wird. Die materielle Natur ist dem Menschen unablösbar verbunden — ähnlich wie sein eigener Leib, wenn auch in geringerer Dichte und Nähe. Wenn er selbst in seinem vollen leib-seelischen Sein in die Gemeinschaft mit Christus aufgenommen wird, dann kann die übrige Kreatur nicht draußen bleiben. So wird der Gottmensch durch seine Verbindung mit der Menschennatur zugleich die Hypostase der ganzen Schöpfung: er trägt sie, sie ist in ihn wie in ihre Wurzel eingesenkt. Alles, was der Mensch in sich umschließt, geht in seine Einverleibung in das Ewige „Wort" mit ein. Damit wird das fleischgewordene „Wort" zum neuen und eigentlichen Ort der Welt.

c) Das ist nun aber nicht so zu verstehen, daß damit ein starrer und endgültiger Zustand heraufgeführt wäre, der jede Dynamik und jede weitere Entfaltung ausschlösse. Im Gegenteil: Das Ewige „Wort" hat sich ja nicht mit abstrakten Wesenheiten, sondern mit konkreten Menschen und konkreten Dingen verbunden. Alles Konkrete aber steht im Fluß des Geschichtlichen. So kann man sagen, daß das Ewige „Wort" in die volle *Solidarität mit der gesamten Geschichte* des Menschen und seiner Welt eingetreten ist. Der Gottmensch ist nicht nur die Ineinsfassung des menschlichen und dinglichen Seins, sondern auch des menschlichen und dinglichen Werdens. Er faßt alles, was im Strom des geschichtlichen Werdens steht, die Menschen und die Dinge, in sich zusammen und trägt sie durch die letzte Phase der Heilsgeschichte hindurch. Wenn diese Phase zu Ende geht, wird er alles, was ihm verbunden ist, in seine Heimkehr in die Ewigkeit einbeziehen. Unter allen Menschen und Dingen, die in der Welt sind und darin ihre Geschichte haben, ist nichts, was außerhalb der Verbundenheit mit Christus sein könnte. Es ist kein einziges Seiendes, das nicht die Bestimmung hätte, „Leib des Herrn" zu sein und durch ihn — in welcher Weise auch immer — der Herrlichkeit teilhaftig zu werden.

Jesus Christus trägt die ganze Welt und ihre Geschichte in seinem Leibe. Er ist der große Sammler und Ineinsfasser, der universale Mittler, in dem das ganze Universum gleichsam „zuhause" ist. In Ihm ist das All daheim. In ihm ist es an jenen Ort gebracht, der ihm von Anfang an zubestimmt war. Es bleibt, was es ist, aber es ist in den Raum seiner Erfüllung eingebracht. Diesem Ereignis, das sich in Jesus Christus — in der Menschwerdung beginnend und in der Himmelfahrt des Herrn sich vorläufig erfüllend — begeben hat, eignet der Charakter der Endgültigkeit und Unwiderruflichkeit. Es gibt keinen Rückfall von ihm, aber es gibt auch innergeschichtlich keine wesentliche Überbietung. „Man kommt nicht über Christus hinaus, in Ihm ist das Ende der Dinge erreicht, Er allein ist der Letzte, die ewige Jugend der Welt. Er ist immer das Neue. Der, jenseits dessen es rein nichts mehr gibt, in dem das Ende der Dinge erreicht ist. Mit Ihm ist die Menschheit in das wesentliche Ereignis eingetreten; folglich werden wir von keinem Fortschritt, so groß er auch sein mag, etwas erwarten, das gleich wichtig wäre wie das, was wir in Christus bereits besitzen." [49] Durch diese Schau der Geschichte ist das Christentum radikal geschieden von jedem Evolutionismus, für den Christus höchstenfalls eine wenn auch noch so wichtige Durchgangsstufe ist. Die Geschichte geht weiter, Jahrhundert um Jahrhundert, bis zur Wiederkunft des Herrn. Aber das, was mit seiner Wiederkunft heraufgeführt werden wird, ist im Gottmenschen bereits irdisch gegenwärtig gesetzt worden und verbleibt für immer. Darum drängt alles, was Welt ist, wesenhaft auf Christus hin, weil es in ihm allein seine Integration finden kann. Niemand und nichts kann dieses seinshafte Gefälle „aus der Welt schaffen".

Die Zuordnung auf Christus das Haupt ist die zweite Stufe der Relativität, in die jegliche Eigenständigkeit der irdischen Wirklichkeiten hineingegründet ist [50].

In Jesus Christus ist die Welt endgültig von Gott angenommen. Dies ist ein heilsgeschichtliches Faktum. Die Ausdeutung dieses Faktums (auch in der Form, wie sie oben gegeben wurde) bedarf sicherlich noch in mannigfacher Hinsicht sorgfältiger theologischer Klärung. Der Begriff ἀνακεφαλαίωσις aus Eph 1, 10 will sagen, daß Christus die Mächte unterworfen, daß er die ursprüngliche All-Einheit wiederhergestellt und durch die Zu-

[49] *J. Daniélou*, Vom Geheimnis der Geschichte (Stuttgart 1955) 97 f.

[50] Es ist in diesem Zusammenhang nicht zu untersuchen — falls dies überhaupt geklärt werden kann —, welcher spezifische Heilswert den einzelnen Heilsereignissen, der Menschwerdung, dem Tod, der Auferstehung, der Himmelfahrt, genau zuzuschreiben ist.

sammenfassung zu einem Herrschaftsbereich wieder zu Gott heimgeholt hat. Darf man diese und ähnliche Stellen aber in der Weise deuten, daß man nun auch von der Welt als „Leib des Herrn" spricht, wo doch im allgemeinen mit „Leib des Herrn" die Kirche bezeichnet wird? Oder muß man genauer sagen, Christus sei zwar mit dem Kosmos verbunden, aber man müsse doch den Leib Christi unterscheiden von dem, was ihm nur zugeordnet sei? Es gibt jedenfalls Theologen, die der Meinung sind, daß der Kosmos und das animalische Leben „offenbar" kein Teil des mystischen Leibes oder des ganzen Christus sind [51]. Man wird auch sehr darauf bedacht sein müssen, die Christozentrik nicht bis zu einem Christomonismus hin zu übertreiben. Der Heilsplan ist gewiß ein einziger — auch die evangelische Theologie, etwa bei K. Barth und D. Bonhoeffer, hat dies eindrucksvoll herausgearbeitet —, und dieser eine Heilsplan kulminiert gewiß in Jesus Christus. Aber deswegen darf man doch nicht von Christus her die Schöpfungswirklichkeit veruneigentlichen. K. Rahner hat die katholische Position deutlich umrissen, wenn er sagt: „*Wir* begegnen doch diesem unüberbietbaren Höhepunkt der Geschichte (der Partnerschaft mit Gott) *innerhalb* des Ganzen dieser unserer Geschichte, in der wir den Menschen erfahren, und wissen schon vom Menschen etwas (und zwar auch von Gott her), wenn wir Christus begegnen und darum verstehen, daß er ein Mensch ist. Es müßte also zu einer Verkürzung der theologischen Anthropologie führen, wollte man sie ausschließlich von ihrem Ziel her, der Christologie, betreiben, weil die letzte Erfahrung die frühere nicht aufhebt." [52] Was hier vom christlichen Verständnis des Menschen gesagt ist, gilt auch hinsichtlich des christlichen Weltverständnisses.

Wir sagten: Die Welt als von Gott geschaffene hat ihre Eigenständigkeit, aber der in die Wirklichkeit der Welt eingehende Logos hat ihre Eigenständigkeit an sich genommen. Welt bleibt Welt, sie wird durch Christus erst recht in ihre Eigentlichkeit freigegeben, aber sie bleibt ihm dabei unablösbar verbunden. Diese Tatsache ist durch die Geschichte hindurch in der Kirche anschaubar und wird in der Wiederkunft des Herrn zur Erfüllung gebracht. Die Zuordnung der Welt auf die Kirche und ihre Zuordnung auf ihre Vollendungsgestalt in der Herrlichkeit sind keine

---

[51] Etwa O. *Karrer* in einer Besprechung über Teilhard de Chardin: Christlicher Sonntag 13 (1961) Nr. 19. Teilhard bezeichnet in seinem Buch „Der Mensch im Kosmos" den Kosmos als den „Leib dessen, der ist und im Kommen ist"; in seiner Hymne an die Materie nennt er diese das „Fleisch Christi". Vgl. dazu neuerdings den erhellenden Beitrag von *L. Scheffczyk*, Der „Sonnengesang" des hl. Franziskus von Assisi und die „Hymne an die Materie" des Teilhard de Chardin. Ein Vergleich zur Deutung der Struktur christlicher Schöpfungsfrömmigkeit: Geist und Leben 35 (1962) 219—233.

[52] Art. Anthropologie (theologische): LThK² I (1957) 626 f.

neuen, in sich stehenden Stufen der Relativität der Eigenwertigkeit irdischer Wirklichkeiten, sie sind nur die Entfaltung und Erfüllung jener Relativität auf Christus das Haupt, von der eben die Rede war.

Die dritte Stufe der Relativität der Eigenwertigkeit irdischer Wirklichkeiten ist ihre Zuordnung auf die Kirche

a) Die Kirche ist *ihrem Wesen* nach das Zeichen dafür, daß Mensch und Welt durch Christus von Gott angenommen sind. Durch sie treibt der zur Rechten des Vaters thronende Herr das Werk der ἀνακεφαλαίωσις, der Inbesitznahme der Welt und des Menschen als seine Leiblichkeit, durch die Geschichte hindurch voran. Sie ist der Ort, an dem verkündet, vergegenwärtigt und fruchtbar gemacht wird, was Christus für den Menschen und die Welt bedeutet.

b) Dies ereignet sich am wirksamsten in den Sakramenten, vor allem in der *Eucharistie*. Hier wird die Verbundenheit aller in Christus verkündet und sakramental verwirklicht. Die universal-menschliche Vergemeinschaftung, die in der Schöpfung angelegt und in der Inkarnation zur Brüderlichkeit in Christus aufgewertet wurde, gelangt in der Eucharistie immer mehr in die Aktualität. Ihre schließliche Vollendungsgestalt wird vorausverkündet, bis Christus wiederkommt, aber sie entfaltet zugleich als Entelechie ihre verborgene, mächtig vorandrängende Dynamik in der Geschichte. Die Menschheit im ganzen sowie ihre einzelnen Vergemeinschaftungen haben in sich schon „von Natur aus" ein ontologisches Gefälle zur Eucharistie hin. Wer also der immanenten Dynamik und Intentionalität der natürlichen Ordnungen in Glaube, Liebe und Hoffnung folgt, wird sozusagen von selbst zum Mysterium der Eucharistie hingedrängt. — Ähnliches gilt für die dingliche Welt, ganz gleich, ob sie unmittelbar den „Leib" des Menschen konstituiert oder auf eine mittelbare Weise in seinem Dasein steht und seine „Welt" ausmacht: in der Eucharistie ereignet sich auch die Erfüllung der leibhaften und welthaften Existenz des Menschen. Wie sich das Ewige „Wort" bei der Menschwerdung einen menschlichen Leib verbunden hat, so verbindet sich der Kyrios in der Eucharistie Brot und Wein. Die eucharistischen Elemente sind in gleicher Weise Exponenten der Weltwirklichkeit wie seinerzeit die menschliche Natur Jesu. In der Eucharistie ist die Welt auf dem Weg in ihre Erfüllung.

c) Für die konkrete Verwirklichung des Verhältnisses von Kirche und weltlichen Ordnungen sind bereits auf dem Konzil von Chalkedon 451 die *Prinzipien* herausgestellt worden. Das Chalcedonense spricht freilich ausdrücklich nur vom Verhältnis der beiden Naturen in Christus und lehrt, daß die göttliche und die menschliche Natur in Christus ungetrennt und ungesondert, aber auch unvermischt und unverwandelt miteinander bestehen — so also, daß der Unterschied der beiden Naturen durch die Einigung nicht aufgehoben wird, sondern daß die Eigenart einer jeden Natur gewahrt bleibt[53]. Aber diese Aussage gilt nicht nur für Christus das Haupt, sondern auch für die Kirche als seinen Leib. Sie ist ja die fortdauernde Anwesenheit des Gottmenschen in der Geschichte. Wenn die christologische Aussage des Konzils von Chalkedon ekklesiologisch entfaltet wird, bedeutet sie, daß Kirche und Welt ungetrennt und ungesondert, aber auch unvermischt und unverwandelt miteinander bestehen — so also, daß der Unterschied der beiden Ordnungen durch Einigung nicht aufgehoben wird, sondern daß die Eigenart einer jeden Ordnung gewahrt bleibt. Mit anderen Worten: für die Zuordnung von Kirche und Welt gelten die *Prinzipien der Dualität und der Integration.* Das Prinzip der Dualität bringt nichts anderes zum Ausdruck, als was wir bisher Eigenständigkeit, Eigenwertigkeit und Eigengesetzlichkeit genannt haben. Die „Theologie der irdischen Wirklichkeiten" denkt also aus dem zentralen Mysterium der Christologie, wenn sie um die Freigabe bzw. Freilassung der weltlichen Ordnungen in ihre Eigentlichkeit besorgt ist. (Christus, auf den auch diese weltlichen Ordnungen hingerichtet sind, betraut ihre Verwalter und Betreuer unmittelbar, also nicht durch die Kirche [Zwei-Schwerter-Theorie].) Für die ganze Dauer der Heilsgeschichte gilt das Gesetz der Dualität zwischen der geistlichen und den weltlichen Ordnungen. Aber es gilt auch das Gesetz der Integration: die Welt ist auf die Kirche hingeordnet, weil ihr nur hier das Heil bereitgestellt ist. Die Kirche ist der Ort, an dem Christus die Vollendung der Welt wirkt. Durch sie nimmt er die Gesamtheit der stofflichen und geistigen Welt, ihr Sein und ihre Geschichte, immer tiefer in sich hinein und erfüllt sie immer stärker mit seinen Heilskräften. Durch die Kirche bleibt sichtbar, daß die innerweltlichen Wirklichkeiten und ihre Ordnungen kein Genüge in sich selbst finden können, daß sie vielmehr, um vollendet zu werden, im Aufbruch zum Reiche Christi bleiben müssen.

Die vierte Stufe der Relativität der Eigenwertigkeit irdischer Wirklichkeiten ist schließlich die Zuordnung auf ihre Vollendungsgestalt

Diese Vollendungsgestalt ist als entelechiale Dynamik seit dem Anfang wirksam, sie ist als schöpfungsmäßige Intentionalität von Christus angenommen und wird in der Kirche durch die Eucharistie verkündet und

[53] D 148.

zu wachsender Dichte verwirklicht. Der wiederkommende Herr wird alles, was er sich in der Inkarnation einverleibte oder doch — um theologisch behutsamer zu sein — zuordnete, also die universale, über die ganze Erstreckung der Geschichte hin sich entfaltende Welt der Menschen und der Dinge, zur Erfüllung bringen. Was wir „ewiges Leben" nennen, wird die Gestalt der Gemeinschaft haben und wird sich in leibhafter Weise im verklärten Kosmos „ereignen". Das ist durch den Gottmenschen — von der Inkarnation bis zur Himmelfahrt — unverlierbar präformiert: die menschliche Natur Jesu hat ihr Eigensein behalten und ist nicht im Licht der Herrlichkeit verbrannt. So sichert das Dogma von Chalkedon auch die eschatologischen Aussagen über Mensch und Welt. Die Welt wird zwar untergehen. Sie wird sich nicht in einer geschichtlichen Unendlichkeit immer höher entwickeln. Sie wird nicht in einem ewigen Kreislauf immer neue Tode und neue Geburten erfahren. Sie wird untergehen, aber sie wird nicht im Untergang verbleiben, ihre Materialität wird als neue Leiblichkeit und als neue Weltlichkeit in einen Zustand vollkommener Herrlichkeit überführt werden und darin ewigen Bestand finden. Das ewige Leben wird sein die Stadt Gottes, in der die Auserwählten in Liebe und Frieden, in Reichtum und Herrlichkeit zusammenwohnen, die Mahlgemeinschaft, die alle mit Gott und miteinander verbindet, das Königreich, in dem der Thronende seine Herrschaft ausübt, die ewige Hochzeit des Lammes mit dem Menschen in der verklärten Welt. Dualität und Integrierung, Eigensein und Angenommensein werden darin vollendet sein.

Das sind die Kardinalstücke einer Theologie der irdischen Wirklichkeiten: Im „Wort" sind Welt und Mensch ins Dasein gestellt und auf die Fleischwerdung des „Wortes" hingeordnet worden. In der „Fülle der Zeit" hat sich das fleischgewordene „Wort" alles Geschaffene einverleibt, um es durch Tod und Auferstehung aus der Knechtschaft des Bösen zu befreien und in die Innerlichkeit des göttlichen Lebens einzuführen. In der Kirche wird dieses Werk des Gottmenschen durch die Zeiten hindurch gegenwärtig gesetzt, bis es in der Parusie zu offener und vollendeter Herrlichkeit geführt und dem Vater übergeben wird. Dann wird Gott sein „alles in allem".

ENTMYTHOLOGISIERUNG UND THEOLOGISCHE WAHRHEIT

VON HEINRICH FRIES, MÜNCHEN

Dieses Thema ist heute nicht mehr auf die Fachtheologie beschränkt, es ist mehr und mehr Gegenstand einer öffentlichen Diskussion geworden und hat die verschiedensten Fakultäten engagiert. Durch die alles verzehrenden Publikationsmittel ist die Frage unseres Themas prinzipiell jedermann zugänglich gemacht. Wer will, kann sich darüber rasch und leicht informieren; er wird es vermutlich um so eher tun, als zum Bedürfnis nach Information eine gewisse Neugier oder auch Sorge tritt, ob nicht durch das Problem der Entmythologisierung die theologische Wahrheit als solche in Frage gestellt wird. Die Frage der Entmythologisierung im Rahmen der theologischen Besinnung hat aber — das hängt mit der existentiellen Bedeutsamkeit des Theologischen überhaupt zusammen — weit mehr als akademisches Interesse. Sie rührt an den Inhalt und Vollzug des christlichen Glaubens, sie rührt an die Art und Weise der christlichen Verkündigung und der ihr gemäßen Sprache. Wie sehr die Frage unseres Themas der Tiefe und der Breite nach wirksam wird, erwies sich in der Reaktion auf das Buch des anglikanischen Bischofs Robinson: „Honest to God", das nicht nur in England eine Sensation war und noch ist, sondern das auch in Deutschland, noch bevor es übersetzt wurde, eine äußerst lebendige Diskussion auslöste.

Diese Tatsache zeigt ein weiteres Phänomen. Immer wieder hat man beteuert, die Frage der Entmythologisierung als Frage der Theologie, die vor allem durch Rudolf Bultmann aufgerollt und mit einer bewundernswerten Konsequenz entwickelt wurde, habe ihren Höhepunkt überschritten oder sie werde überhaupt — auch von seiten der katholischen Theologie — zu ernst genommen. Die eben genannten Tatsachen zeigen, daß das Gegenteil richtig ist.

Zu welchen neuen Möglichkeiten die theologische Diskussion noch fähig ist, zeigt die Tatsache, daß vor kurzem eine Arbeit über die Theologie Bultmanns erschien aus der Hand eines katholischen Theologen, eine Arbeit, zu der Bultmann ein Geleitwort schrieb, worin er diesem Autor nicht nur bestätigte, daß er ihn verstanden habe, sondern daß er die Möglichkeit einer weitgehenden Übereinstimmung mit dem katholischen Glaubensverständnis bejahe[1]. Ob allerdings dieser von beiden Seiten geäußerte theologische Optimismus zutrifft, müßte noch genauer geprüft werden. Wie dem auch sei — die Welle der Diskussion um die Entmythologisierung ist noch keineswegs abgeebbt, und das ist wahrscheinlich gut so. Denn die hier angezielte Frage bedarf des Austrags. Man kann vielleicht sagen: Nur deshalb ist diese Frage heute wieder virulent geworden, weil sie, als sie zum erstenmal aufbrach und sich entwickelte — im 18. und 19. Jahrhundert —, vorschnell abgedrängt und verdrängt wurde, zum Teil, weil sie damals eine Beantwortung fand, die theologisch unannehmbar war. Es ist aber längst erwiesen, daß Verdrängungen eines Tages mit um so größerer Gewalt wieder hervorbrechen. Eben dies ist mit unserer Frage geschehen.

Noch ein letztes sei einleitend gesagt. Die Frage der Entmythologisierung ist keineswegs ein nur modernes oder nur gegenwärtiges Problem. Es begegnet — formal gesehen — schon bei Platon, und zwar fast genau in der Formulierung: Entmythologisierung und Theologie; man könnte noch deutlicher sagen: Theologie als Vollzug der Entmythologisierung. Die Theologie hat nach Platon die Aufgabe, die Mythen, die griechischen Göttergeschichten und Göttersagen, von allen landläufigen Unzulänglichkeiten und Anstößigkeiten zu befreien, die Mythen also kritisch zu interpretieren, und zwar — Platons Kritik an den Mythen steht in seiner Schrift Politeia[2] — nach den Maßstäben der rechten politischen Erziehung und Bildung. Genau besehen, ist Platons Unternehmen indes keine Entmythologisierung im radikalen Sinn des Wortes, also Abschaffung des Mythos, es ist vielmehr — auch und gerade das ist modern — Interpretation des Mythos, es ist Mythologie, wenn man darunter die Bemühung verstehen darf, den Logos, d. h. den Sinn, die Bedeutung, das Urwort, aus den Mythen zu erheben und insofern den schon oft so genannten Weg vom Mythos zum Logos (W. Nestle) zu beschreiten. Man kann dafür auch sagen, es geht darum, die im Mythos und in den Mythen von den Göttern verborgene Wahrheit zu entbergen im Sinn der ἀλήθεια, der Unverborgenheit, der Offenbarung.

Wie wenig es Platon um eine Entmythologisierung im Sinn der Abschaffung der Mythen geht — das hat die Aufklärung der Sophistik versucht —, zeigt sich darin, daß er selbst alte und neue Mythen ersinnt, um

---

[1] *G. Hasenhüttl*, Der Glaubensvollzug. Eine Begegnung mit Rudolf Bultmann aus katholischem Glaubensverständnis (Essen 1963).
[2] Politeia II 379 a.

in ihnen das auszusagen, worum es ihm als Philosophen geht und wofür Wort, Begriff und Idee in ihrer Aussagefähigkeit nicht mehr zureichen; das trifft vor allem zu in der menschlichen Rede von den göttlichen Dingen und vom Ganzen des Seins, also gerade auf dem Gipfel des philosophischen Denkens[3].

Im Gegensatz zu Platon verbannt Aristoteles den Mythos und die Mythen aus der Philosophie und weist Mythos und Mythen den Dichtern zu.

Das Thema: Entmythologisierung und theologische Wahrheit will indes nicht bedenken, was Platon und Aristoteles zur Sache der Entmythologisierung gesagt haben, es geht vielmehr um die heutige Diskussion; es geht ferner und vor allem nicht um die Theologie, wie sie Platon und Aristoteles verstanden haben, sondern um Theologie und theologische Wahrheit im christlichen Sinn, als die wissenschaftliche Reflexion über die in Christus kulminierende und erfüllte geschichtliche Selbsterschließung und Selbstmitteilung Gottes, der als Entgegnung und Antwort der Glaube zugeordnet ist.

Wenn man das Thema: Entmythologisierung und theologische Wahrheit nach dem Gefälle seiner Formulierung interpretiert, so schließt es wohl folgende Thesen ein:

Die Entmythologisierung erhebt den Anspruch oder gibt die Verheißung, ein Weg oder der Weg, ein oder der Schlüssel zur theologischen Wahrheit zu sein. Dieser Satz enthält als seinen Gegensatz: Mythos und Mythologie sind keine Wege und Schlüssel zur theologischen Wahrheit, weil sie im Widerspruch zu ihr, weil die theologische Wahrheit im Widerspruch zu ihnen steht. Wenn dem so ist, dann kann Mythos und Mythologisches, in welcher Gestalt und Dimension auch immer, die theologische Wahrheit nur verfälschen, versperren, verdunkeln, verzerren. Um der theologischen Wahrheit willen bedarf es deshalb der Entmythologisierung.

I

Was ist theologische Wahrheit?

Es ist die Wahrheit, um die es in der Theologie geht, in der Theologie im spezifischen, christlichen Sinn des Wortes. Es geht um den Logos, um das Wort, die Aussage, die Kunde, den Sinn, das Wesen, die Bedeutung — all

[3] Timaios 29 c—d. Zum Ganzen: *G. Krüger*, Einsicht und Leidenschaft. Das Wesen des platonischen Denkens (Frankfurt a. M. [2]1948); *G. Söhngen*, Philosophie und Theologie: Handbuch theologischer Grundbegriffe, herausgegeben von H. Fries, II (München 1963) 317 f.

das ist im Begriff Logos enthalten —, es geht auch um die Lehre von Gott, und zwar von Gott nicht im allgemeinen, auch nicht so, wie er im philosophischen Denken von Platon und Aristoteles begegnet als Abschluß und Krönung oder als Grund und Quelle ihrer Metaphysik. Es geht für die Theologie im spezifischen christlichen Sinn um den Logos von Gott, insofern dieser sich selbst von sich selbst her den Menschen erschlossen, mitgeteilt, eröffnet und geoffenbart hat: in seinen Werken, in den geschichtlichen Taten der Berufung, Aussonderung und Erwählung einzelner Menschen und eines einzelnen Volkes, in der Proklamation seines Wortes, seines Willens, seiner Liebe, seiner Gerechtigkeit, seiner Verheißung, in der Tatsachensprache geschichtlicher Vorgänge, Ereignisse und Schicksale: wie etwa in der Befreiung Israels aus Ägypten, beim Wüstenzug, bei der Landnahme, im Aufstieg und Untergang der Reiche Israel und Juda. Die höchste Weise der Selbsterschließung Gottes, die zugleich unüberbietbare Eröffnung seiner Absichten und seiner Gesinnung erfolgte durch sein Kommen in der Person des Jesus von Nazareth, in dem das Wort, der Wille, die Gerechtigkeit und die Liebe Gottes in der konkreten, geschichtlichen, individuellen Gestalt eines Menschen und eines echten Menschenschicksals von der Geburt bis zum Tode Ereignis wurde. Mehr, höher, tiefer, intensiver und ausschließlicher konnte sich Gott nicht erschließen als in der Menschwerdung seiner selbst in seinem Sohn. Deshalb ist in Jesus Christus die Offenbarung einmalig und einzigartig, sie ist „einmal und ein für allemal" geschehen. Was post Christum natum noch kommen kann, ist die Zukunft gerade eben dieses Geschehens, die Explikation und Vollendung des Christusereignisses. Die Selbsterschließung Gottes in Jesus Christus an einem bestimmten Ort der Welt: in Palästina, zu einer ganz bestimmten Zeit: zur Zeit der Kaiser Augustus und Tiberius, unter Pontius Pilatus — er gehört durchaus und notwendig ins christliche Credo —, hat die Geschichte Israels, die mit Abraham beginnt, zu ihrer ihr zeitlich und sachlich angehörenden Vorgeschichte, ohne die sie nicht verständlich wird. Jesus ist der Christus — diese Aussage wird nur im Blick auf das Alte Testament verständlich.

Aber ebenso gehört zu der Offenbarung Gottes in Jesus Christus die in der Schöpfung als Ereignis und als bleibendes Werk liegende Verweisung auf Gottes unsichtbares Wesen, Allmacht und Göttlichkeit (Röm 1, 20). Denn von Jesus von Nazareth, der der Christus und der Kyrios ist, der als solcher durch Tod, Auferstehung und Erhöhung vor aller Welt beglaubigt und bestätigt wurde, wird gesagt, daß alles durch ihn geschaffen wurde, daß er Anfang, Grund und Ziel der Schöpfung ist (vgl. Kol 1, 16f), daß er, als er kam, in sein Eigenes kam (Jo 1, 11).

Der Theologie geht es um den Logos, die Kunde, das Wort von diesem

Gott, dem Gott, der, um mit Pascal zu sprechen, nicht der Gott der Philosophen ist, sondern der Gott Abrahams, Isaaks und Jakobs, der Gott, der in der Person, im Ereignis, im Werk, im Schicksal des Jesus von Nazareth unter uns gewohnt hat. Aber — das muß hinzugefügt werden — der Gott der christlichen Offenbarung hat auch eine Beziehung zum Gott der Philosophen, nicht als ob die Philosophen diesen Gott von sich aus hätten erdenken können — im Gegenteil, die Gottesoffenbarung am Kreuz ist, wie Paulus sagt, den Griechen eine Torheit (1 Kor 1, 23). Aber in dem Gott, den die christliche Offenbarung bezeugt, sind alle wahren Momente integriert, die Inhalt einer möglichen, philosophischen, metaphysischen Gotteserkenntnis sowie einer natürlichen, geschichtlichen Religion sein können. Dies muß so sein, wenn der Gott der christlichen Offenbarung der Gott für alle Menschen und der Gott des ganzen Menschen sein will — und eben dies ist ja sein Anspruch [4].

Das Problem der Theologie und der theologischen Wahrheit kann noch von einem anderen Ansatz her angegangen werden, der indes nur ein Komplement zu dem eben Gesagten ist. Wir behandelten die Theologie im Blick auf das Phänomen und die Tatsache der Offenbarung im vorhin umschriebenen spezifischen Sinn. Diese Offenbarung Gottes als Wort, als geschichtliche Tat, als Kommen, als Menschwerdung, geschah „für uns und um unseres Heiles willen". Wenn dem so ist, dann muß sie vom Menschen beantwortet, empfangen, übernommen, angenommen, ergriffen werden. Diesen Akt nennen wir *Glauben* und meinen damit die personale und existentielle Hingabe des Menschen an den lebendigen Gott, das totale Sich-Einlassen auf den, der sich mir zu meinem Heil erschließt und gewährt. Der Glaube als „Ich glaube dir — ich glaube an dich" bedeutet, daß ich mich in dem gründe, dem ich glaube, und daß ich in diesem totalen Engagement des Glaubens das übernehme, dazu ja und amen sage, was mir von seiten dessen entgegenkommt, dem ich mich im Glauben anheimgebe. So wird der Glaube inhaltlich artikuliert und empfängt das Gegenüber, von dem er lebt, und dieses Gegenüber ist eben die geschichtliche, personale und göttliche Fülle dessen, was wir Offenbarung nennen [5].

Wenn der Glaube ein personaler Akt ist, dann folgt daraus, daß er seine eigentlichste Verwirklichung dort erreicht, wo der Mensch Gott personal begegnet: im Menschen Jesus Christus, also in der Gestalt des christlichen Glaubens. Der Glaube ist anderseits die Weise, wie mir die

---

[4] Vgl. *J. Ratzinger,* Der Gott des Glaubens und der Gott der Philosophen (München 1960).

[5] Vgl. *H. Fries,* Glauben — Wissen (Berlin 1960).

Person Jesu Christi zugänglich und erschlossen wird: er ist zugleich der Akt, der es mir ermöglicht, „in Christus zu sein", ihm nachzufolgen, den Sinn, den Geist und die Gesinnung Christi zu haben (vgl. 1 Kor 2, 16; Phil 2, 5), aus seiner Kraft zu leben, in seinem Licht zu stehen. So ist der Glaube kein beliebiger, sondern ein spezifischer Akt. Diesem Glauben ist die Offenbarung, die Selbsterschließung einer Person wesensmäßig koordiniert; nur im Glauben kann mir ihr mich betreffendes Geheimnis erschlossen werden.

So wird von seiten des Glaubens, d. h. von seiten des Menschen, den die Offenbarung um ihrer selbst willen voraussetzt und einschließt und von dem sie deshalb ganz bestimmte Aussagen macht, das Thema der Theologie wieder präsent. Theologie ist nicht dieser Glaube selbst, aber sie kommt von ihm her, legt ihn aus, bemüht sich um das artikulierte, reflexe Verständnis dieses Glaubens. Theologie ist Logos, Sinnerschließung, Reflexion, denkerische, menschliche, geschichtliche Bemühung um diesen Glauben, seinen Inhalt, seine Bedeutung, seine Gründe, seine Zusammenhänge, seine Koordination mit dem Menschen, seinen Fragen, seinen Voraussetzungen, seinen Erkenntnissen. Theologie ist Glaubenswissenschaft, sie ist als solche auf den Glauben und auf die Wissenschaft bezogen, wenn auch die Glaubenswissenschaft eine vom Gegenstand her bedingte besondere Wissenschaft ist. Wer Glaubenswissenschaft als eine contradictio in adiecto bezeichnet, gibt damit nur zu erkennen, daß er einen falschen Begriff von Glauben und einen einseitigen Begriff von Wissenschaft hat.

Nach diesen Überlegungen ist es nun nicht mehr schwer, zu beschreiben, was *theologische Wahrheit* ist, Wahrheit, um die es der Theologie als Wissenschaft von der Offenbarung, als Glaubenswissenschaft geht. Theologische Wahrheit bedeutet dann: die Sache der Offenbarung und des Glaubens zur Erkenntnis, zum Wort, zum Ausdruck, zur Sprache bringen, offenbaren, aufdecken, sehen lassen, zeigen. Wenn Wahrheit mit Thomas von Aquin bestimmt wird als „manifestativum et declarativum esse"[6], als eine Weise, in der das, was ist, zur Erscheinung gebracht wird, wenn Wahrheit mit Heidegger[7] als eine Weise verstanden werden kann, in der Seiendes in seiner ἀλήθεια, in seiner Unverdecktheit, in seiner Unverborgenheit oder — positiv — in seinem Gelichtetsein, in seiner Gelichtetheit, in seiner Offenbarheit, in seiner Intelligibilität, gesehen wird, dann ist die so verstandene Wahrheit auch auf jene Sache zu applizieren, um die es in der Theologie geht, also auf Offenbarung und Glauben. Theo-

---

[6] De Veritate I 1.

[7] Vom Wesen der Wahrheit (Frankfurt a. M. [3]1954).

logische Wahrheit liegt dann vor, wenn es gelingt, das in Offenbarung und Glauben Gegebene zur Erkenntnis, zum Ausdruck, zur Sprache zu bringen und mit ihm in „Übereinstimmung" — im wörtlichen Sinn — zu sein.

Über dieses Programm, über seinen Anspruch und seine Forderung wird man sich vermutlich rasch einigen können. Aber es bleibt die Frage: Wie soll dies geschehen? Wie kann das in Offenbarung und Glauben Gegebene so zur Erkenntnis gebracht werden, daß es „stimmt", daß Wahrheit als theologische Erkenntnis- und Urteilswahrheit möglich ist? Diese schwierige und weitausgreifende Frage, die noch die fundamentaltheologische Frage voraussetzt, ob die Tatsache und Qualität der so beschriebenen Offenbarung erwiesen werden kann und wie dies zu geschehen hat, kann in dieser Besinnung unmöglich erschöpfend behandelt werden, unser Thema ist nur ein kleiner Beitrag dazu.

In diesem Zusammenhang sei wenigstens noch genannt, wo die Besonderheit, wo auch die besondere Schwierigkeit der theologischen Wahrheit liegt. Es geht ihr und in ihr um die zur menschlichen Erkenntnis und Sprache zu bringende Sache der Selbsterschließung Gottes, die, obwohl sie an die Welt ergeht und geschichtlich erfolgt, freie Initiative, Wort und Tun Gottes ist. Dafür haben wir keine direkten und angemessenen Kategorien. Deshalb muß Gottes Wort und Handeln auf menschliche Weise, mit menschlichen Kategorien erkannt und ausgesagt werden, mit den Möglichkeiten des menschlichen Geistes, der „in den Sinnen behaust" ist und der an die Welt, an die Zeit, an die Geschichtlichkeit gebunden ist.

Bei der theologischen Wahrheit kommt in ganz besonderer Weise die Spannung von Geist und Sein zum Austrag, das Zurückbleiben des endlichen Geistes vor der Unendlichkeit des göttlichen Seins, die Unzulänglichkeit des menschlichen Fassungsvermögens angesichts der Unendlichkeit des mit der Sache Gemeinten. Ganz von selbst wird damit die theologische Wahrheit, um die der Mensch sich bemüht, in das Zeichen des Analogen und der Inadäquatheit verwiesen, die größer ist als die in der theologischen Wahrheit erstrebte und —durchaus gegebene — adaequatio.

Dazu kommt ein Weiteres, das in dem bisher Gesagten eingeschlossen ist: Theologische Wahrheit ist nicht auf zeitlose Ideen, auf in sich stehende objektivierbare Sachverhalte und Gegenständlichkeiten bezogen, sowenig die theologische Wahrheit auf Ideen, Begriffe und Sachverhalte verzichten kann. Die Wahrheit, die die Theologie zum Ausdruck zu bringen hat, begegnet in der Form der Geschichte, der Ereignisse, der Tatsachen, begegnet in der Gestalt der Personen, vor allem in der Gestalt des Einzigen, Einen, des Jesus von Nazareth. Die Theologie ist auf eine Wahrheit bezogen, von der es im Johannesevangelium heißt, die Wahrheit ist durch Jesus Christus geworden (1, 17). Im gleichen Evangelium begegnet nicht nur die Version, daß Jesus die Wahrheit sagt, sondern die andere, daß er die Wahrheit sei: „Ich bin die Wahrheit“ (14, 6). Das bedeutet: die Wirklichkeit, die Unverborgenheit, die Offenbarung Gottes ist in mir geschehen, ist in mir — ausschließlich in mir — präsent.

Diese für die Theologie und die theologische Wahrheit konstitutive Eigentümlichkeit, die die Universalität einer Wahrheit als Wahrheit für alle proklamiert und beansprucht, und zugleich diese Wahrheit in der Individualität der Geschichte der Personen und der Person, zuhöchst in Jesus Christus, gegeben sieht, hat Thomas von Aquin mit der Bezeichnung des *Universale concretum* beschrieben. Dabei ist das Einzelne, Konkrete, Individuelle nicht vom Allgemeinen deduzierbar, es wird vielmehr selbst zum Prinzip eines Allgemeinen, Universalen. Dieses concretum kann nicht unter ein anderes subsumiert werden, besitzt aber seinerseits subsumierende Kraft. Dieser differenzierten Struktur hat die theologische Wahrheit Rechnung zu tragen und Ausdruck zu geben.

Dazu kommt — und auch das ist zu bedenken —, daß die Sache der Offenbarung und des Glaubens, die in einem geschichtlich greifbaren Ursprung gründet, in einem normativen „Anfang in der Fülle“, geschichtlich weitergegeben und weitervermittelt wird: durch die Kirche als Träger und Vermittler der Offenbarung und des Glaubens, das heißt aber durch menschliche Träger und Vermittler, daß sie der jeweiligen geschichtlichen Gegenwart zu proponieren ist, daß sie in den geschichtlichen Abläufen sich durchhalten und darin bewahrt werden muß, daß sie immer neuer geschichtlicher Fragestellung und Infragestellung ausgesetzt ist, daß sie sich gegen Bestreitungen zu behaupten hat, daß sie gegen einseitige Darstellungen und Auslegungen sich klar und deutlich artikulieren muß — etwa in Definitionen und Dogmen, die beanspruchen, ohne Irrtum zu sein, wahr zu sein. Dazu kommt, daß die hörende, glaubende, betende, lehrende Kirche, wie ihr verheißen ist, durch den Geist Jesu Christi immer tiefer in die Wahrheit eingeführt wird (Jo 16, 13), also im Glauben und Glaubensverständnis wächst und damit wiederum eine Geschichte hat.

Unsere Beschreibung kann nicht schließen, ohne daß noch Folgendes gesagt wird: Bei der theologischen Wahrheit geht es nicht um etwas, das der die Offenbarung Glaubende nur zur Kenntnis nimmt, das er seinem Welt- und Lebenshorizont einfügt, mit dem er seine Erkenntnis anreichert, über das er sich informiert wie über viele andere Dinge, die sein Leben bestimmen und begleiten. Durch die theologische Wahrheit ist er vielmehr betroffen, und zwar in doppelter Weise: Er ist davon engagiert, weil diese Wahrheit in ihrem Spruch und Anspruch ihn angeht, sein Leben, seine

Existenz, weil sie die Anfangs- und Endfrage, die Sinn- und Heilsfrage des Daseins berührt, also existentielle Wahrheit, „Wahrheit für mich" ist. Ferner ist der Mensch insofern betroffen, als er sich selbst in dieser theologischen Wahrheit ausgelegt, verstanden, erhellt weiß in den verschiedenen Weisen seines Selbst. Die theologische Wahrheit ist Wahrheit über den Menschen, Theologie ist auch Anthropologie. Insofern gilt hier Bultmanns bekanntes Prinzip: Von Gott reden heißt vom Menschen reden[8].

II

Damit sind wir bei der Frage *Entmythologisierung* und theologische Wahrheit.

Um ihr zu entsprechen, muß kurz gesagt werden, was Mythos und Mythologisches ist. Dieser Überlegung ist unmittelbar die Bemerkung anzufügen, daß Mythos und Mythologie zu jenen Vokabeln gehören, die heute in außerordentlich verschiedener, oft verwirrender Bedeutung und Anwendung gebraucht werden.

Mythos heißt und meint ursprünglich — und davon ist auszugehen — Wort, Erzählung, Sage. Und zwar meint Mythos ein autoritatives, ein heiliges Wort und damit ein Wort der Überlieferung. So ist der Mythos schon von Anfang und vom Wesen her unterschieden vom Logos als jenem Wort, das nicht durch Autorität und Überlieferung, sondern durch Einsicht in seinen Sachverhalt und in seine Bedeutung gegeben ist. Im Mythos geht es um die Kunde und Erzählung von den Göttern, von ihrem Handeln, ihrer Geschichte, ihrem Schicksal. Handeln und Wirken der Götter sind indes aufs engste mit der Welt und dem Menschen verknüpft. Aus dem Werden der Götter entspringt die Welt, aus dem Wirken der Götter entstehen die Dinge und ihre Ordnung am Anfang und am Ende, Theogonie ist Kosmogonie, Kosmogonie ist Theogonie, Götterschicksal ist Weltenschicksal, Weltengeschick ist Göttergeschick. Das Walten der Götter bestimmt vor allem das Werden, das Wirken, das Schicksal, Leben und Tod des Menschen. Deshalb gilt umgekehrt: Alles, was im Menschen und im Menschenleben typisch und in ständiger Wiederkehr geschieht, ist von Göttern und göttlichen Mächten bestimmt und bewirkt — sie sind Grund und Ursache von allem. Dieser alles bewirkende göttliche Grund wird besonders manifest in den Grenzsituationen des Lebens: Geburt, Leid, Unglück, Schuld, Heilsverlangen, Liebe, Glück, Tod. Alle diese menschlichen Daseinserfahrungen mit ihren vielen Fragen an Geist und Herz des

---

[8] Glauben und Verstehen I (Tübingen 1933) 26—37.

Menschen erhalten in der Rückführung auf das Göttliche ihren eigentlichen Sinn, ihre wahre Bedeutung und die Möglichkeit einer Antwort[9].

Wenn man Mythos so bestimmt, dann ist auch leicht zu sagen, was *Mythologie* ist. Mythologie bedeutet zunächst und ursprünglich μῦθον λέγειν, also den Vortrag des im Mythos auszusagenden, anzusagenden, heiligen, autoritativen, sinngebenden Wortes, der Erzählung vom umfassenden Wirken und Walten der Götter.

Aus diesem Vortrag, der dem heiligen Wort gemäß eine feierliche Ansage ist, erwächst der Kult als erinnernde und wirksam werdende Vergegenwärtigung der Taten der Götter, eine Vergegenwärtigung in Wort, Bild und dramatischer, szenischer Gestaltung.

Die Mythologie als Rede von den Mythen und ihren Inhalten wird in der Art ihrer Rede von den Mythen bestimmt. Deshalb ist die mythologische Rede eine Rede in Bildern, in vielen Bildern. Und alles, was ist, kann Ort und Erscheinung des Göttlichen sein, Hierophanie —, darauf will das Bild verweisen. Die mythologische Rede ist ferner eine Rede, die erzählt, eine Rede in Anschaulichkeit, in einprägsamer, konkreter Plastik. Diese Rede verwendet für ihre Darstellung die dem Menschen möglichen Ausdrucksmittel und die darin liegende Aussagekraft, vor allem aus dem Schema des Raums und der räumlichen Vorstellungen, besonders das Schema: Oben und Unten, Innen und Außen, Diesseits und Jenseits. In den Stockwerken Himmel, Erde, Unterwelt spielt sich das Geschehen der Götter- und Menschenschicksale ab, wobei zwar die Rollen verschieden verteilt sind, aber ein einziges Drama zur Darstellung kommt.

Angesichts dieses Tatbestandes kann man nun fragen: Was hat die Analyse des Mythos und des Mythologischen, was haben die Göttergeschichten mit der theologischen Wahrheit zu tun? Wenn theologische Wahrheit das ist, wovon im ersten Teil die Rede war, dann haben Mythen und Mythologisches daran so gut wie keinen Anteil, sondern sind das Gegenteil davon. Es kann in dieser Sache nur *eine* Auskunft geben: die Entmythologisierung ist der Preis, der für die theologische Wahrheit zu entrichten ist.

Man kann, um diesem Gedanken noch mehr Gewicht zu geben, darauf hinweisen, daß die Bibel selbst, das authentische Zeugnis von Offenbarung und Glaube, wenn sie auf das Wort und die Sache des Mythos stößt, in schärfster Ablehnung davon spricht. Das beginnt bereits mit der biblischen Schöpfungsgeschichte, die in der Ablehnung zeitgenössischer Kosmogonien, also Mythen, konzipiert ist. Für das Neue Testament sei eine bekannte Stelle aus dem 2. Petrusbrief zitiert, der zwar eine der

---

[9] Vgl. *G. Lanczkowski - H. Fries:* LThK² VII 746—751.

spätesten Schriften ist, aber eben dadurch das Ganze der Offenbarung überblickt: „Wir sind nicht ausgeklügelten Mythen gefolgt, als wir euch die Macht und die Ankunft unseres Herrn kundgemacht haben, wir waren vielmehr Augenzeugen seiner Herrlichkeit" (2 Petr 1, 16).

Indes ist mit dieser lapidaren und richtigen Feststellung die Frage der Entmythologisierung keineswegs gänzlich gesehen oder gelöst.

Es ist die Grundthese der heutigen Theologie der Entmythologisierung, daß sich in den Büchern des Alten und Neuen Testaments Aussagen und Vorstellungen finden, die dem Bereich des Mythos angehören und mythologische Kategorien benützen, die in mythologischer Sprache aussprechen, was sie zu sagen haben, daß also das biblische Zeugnis von der Offenbarung mit mythischen und mythologischen Elementen durchsetzt ist, die es um der theologischen Wahrheit willen zu entmythologisieren gelte.

Zum Beleg dessen sei ein bekannter Text von Bultmann zitiert: „Das Weltbild des Neuen Testaments ist ein mythisches. Die Welt gilt als in drei Stockwerke gegliedert: In der Mitte befindet sich die Erde, über ihr der Himmel, unter ihr die Unterwelt. Der Himmel ist die Wohnung Gottes und der himmlischen Gestalten, der Engel; die Unterwelt ist die Hölle, der Ort der Qual. Aber auch die Erde ist nicht nur die Stätte des natürlich-alltäglichen Geschehens, der Vorsorge und Arbeit, die mit Ordnung und Regel rechnet, sondern sie ist auch der Schauplatz des Wirkens übernatürlicher Mächte; Wunder sind nichts Seltenes. Der Mensch ist seiner selbst nicht mächtig; Dämonen können ihn besitzen; der Satan kann ihm böse Gedanken eingeben; aber auch Gott kann sein Denken und Wollen lenken, kann ihn himmlische Gesichte schauen lassen, ihn sein befehlendes oder tröstendes Wort hören lassen, kann ihm die übernatürliche Kraft seines Geistes schenken. Die Geschichte läuft nicht ihren stetigen, gesetzlichen Gang, sondern erhält ihre Bewegung und Richtung durch die übernatürlichen Mächte. Dieser Äon steht unter der Macht des Satans, der Sünde und des Todes (die eben als ‚Mächte' gelten): er eilt seinem Ende zu, und zwar seinem baldigen Ende, das sich in einer kosmischen Katastrophe vollziehen wird; es stehen nahe bevor die ‚Wehen' der Endzeit, das Kommen des himmlischen Richters, die Auferstehung der Toten, das Gericht zum Heil oder zum Verderben.

Dem mythischen Weltbild entspricht die Darstellung des Heilsgeschehens, das den eigentlichen Inhalt der neutestamentlichen Verkündigung bildet: In mythologischer Sprache redet die Verkündigung. Jetzt ist die Endzeit gekommen; als die Zeit erfüllt war, sandte Gott seinen Sohn. Dieser, ein präexistentes Gotteswesen, erscheint auf Erden als ein Mensch; sein Tod am Kreuz, den er wie ein Sünder erleidet, schafft Sühne für die Sünden der Menschen. Seine Auferstehung ist der Beginn der kosmischen Katastrophe, durch die der Tod, der durch Adam in die Welt gebracht wurde, zunichte gemacht wird; die dämonischen Weltmächte haben ihre Macht verloren. Der Auferstandene ist zum Himmel erhöht worden zur Rechten Gottes; er ist zum Herrn und König gemacht worden. Er wird wiederkommen auf den Wolken des Himmels, um das Heilswerk zu vollenden; dann wird die Totenauferstehung und das Gericht stattfinden; dann werden Sünde, Tod und alles Leid vernichtet sein. Und zwar wird das in Bälde geschehen; Paulus meint dieses Ereignis selbst noch zu erleben. Wer zur Gemeinde Christi gehört, ist durch Taufe und Herrenmahl mit dem Herrn verbunden und ist, wenn er sich nicht unwürdig verhält, seiner Auferstehung zum Heil sicher. Die Glaubenden haben schon das Angeld, nämlich den Geist, der in ihnen wirkt und ihre Auferstehung garantiert.“ [10]

Diese mythologischen Elemente der Bibel gilt es nach Bultmann zu entmythologisieren — und zwar aus den verschiedensten Gründen:

Das mythische und mythologische Weltbild ist durch das naturwissenschaftliche Weltbild abgelöst, in dem es weder Stockwerke noch Göttergeschehen gibt. Diese Welt hat erkennbare Gesetze und Strukturen, sie kann vom Menschen beherrscht werden und wird es jeden Tag mehr. Sie wird damit die Welt des Menschen, entgötterte, hominisierte Welt.

Das mythische und mythologische Denken ist abgelöst durch das moderne kritische, kausale Denken, das an Stelle der Götterursächlichkeit und Götterwirksamkeit die empirischen, natürlichen Verursachungen erkennt und sich entsprechend verhält. Das moderne Denken ist überdies ein begriffliches und dazu ein weithin unanschauliches Denken, ein Denken, wie es in der Existentialphilosophie, aber auch — auf ganz andere Weise — in der modernen unanschaulich gewordenen Naturwissenschaft und Physik geübt wird.

Ein weiterer Grund für die Entmythologisierung liegt darin, daß der moderne Mensch sich anders versteht, als der vom Mythos vorausgesetzte und in ihm gemeinte Mensch: nicht als Schauplatz außerirdischer Wirksamkeiten und Beeinflussungen, nicht als „zweier Welten Schlachtgebiet“, sondern als sich selbst bestimmende, über sich selbst verfügende, sich als Einheit wissende und sich selbst verantwortende Person. Von diesen Voraussetzungen aus, wissenschaftlicher und philosophischer Art, also nichttheologischer, aber höchst bedeutsamer Provenienz, sind Mythos und Mythologisches überhaupt abzulehnen. Sie dem modernen Menschen zuzumuten, hieße ihn auf eine primitive Stufe zurückverweisen.

---

[10] Neues Testament und Mythologie: Kerygma und Mythos. Herausgegeben von *H. W. Bartsch* (Hamburg [2]1951) 15 f.

Auf die theologische Wahrheit angewandt, heißt dies: Die Botschaft der Offenbarung und des Glaubens in der in der Bibel vorhandenen Vermischung und Durchsetzung mit mythischen Motiven und mythologischen Vorstellungen dem modernen Menschen vermitteln und verkünden wollen bedeutet den Zugang zu dieser Botschaft überhaupt erschweren, versperren oder die Botschaft in einer dem heutigen Menschen unannehmbaren Weise präsentieren und dadurch unglaubwürdig machen. Damit werden unnötige Schwierigkeiten, Konflikte und Ärgernisse bereitet. Die Folge ist ein Nichtverstehen der Botschaft der Offenbarung und eine Verweigerung des Glaubens. Nur über den Weg der Entmythologisierung führt der Weg zur Wahrheit, um die es in der Theologie geht, und zum Menschen, der für diese Wahrheit erschlossen werden soll.

Zu diesen von der Situation des modernen Menschen aus gegebenen Gründen für eine Entmythologisierung der Bibel kommen für Bultmann noch *theologische Motive*. Nach Bultmann enthält die Bibel als entscheidende Botschaft die Wahrheit von der „Unwelthaftigkeit", der Verborgenheit Gottes, die Wahrheit, daß Gott der „ganz Andere" ist, qualitativ unterschieden von allem, was Welt und Mensch und Weltimmanenz heißen mögen.

So verstandene Transzendenz Gottes kann man gerade nicht zur Sprache bringen, wenn man mythisch und mythologisch redet; denn dabei werden die entscheidenden Differenzen zwischen Gott und Welt nicht gesehen, sondern zu einem ununterschiedenen Konglomerat gemacht.

Aus diesen und noch anderen, hier nicht weiter darzulegenden Gründen ist die Entmythologisierung um der theologischen Wahrheit willen gefordert: Für Bultmann — er soll hier noch einmal stellvertretend stehen — stellt sich diese Operation in doppelter Weise dar: „als kritische Destruktion", d. h. als Abbau der biblischen Mythologie. Dieser Abbau wirkt sich konkret und im einzelnen dahin aus, daß für ihn eine Reihe von biblischen Aussagen wegen ihrer Verbindung mit dem Mythos „erledigt" ist. Dazu gehören der Geister- und Dämonenglaube, die Wunder, vor allem die Krankenheilungen, die Aussagen über das Weltende, das übernatürlich verstandene Pneuma, die Sakramente, das Verständnis des Todes als Strafe für die Sünde, die stellvertretende Genugtuung durch den Tod Christi, die Auferstehung und Himmelfahrt Christi als ein historisches Ereignis oder als eine den Menschen bestimmende Lebensmacht oder gar als kosmisches Geschehen, in das wir alle hineingenommen sein sollen in irgendeiner Form der Verklärung und Vollendung. Alle diese mythologischen Aussagen des Neuen Testaments, die mit dem historischen Jesus verknüpft sind und auf ihn sich beziehen, auf seine Person, sein Tun, auf das in seinem Leben sich ereignende Geschehen, sind in ihrer vorliegenden, wörtlichen, realen und objektiven Bedeutung nicht annehmbar, weil unmöglich.

Doch damit ist für Bultmann die Frage der Entmythologisierung nicht erschöpft, sondern nur angestoßen; es geht nicht um die Entfernung, die Eliminierung der Mythen und des Mythologischen, wie es das Wort Entmythologisierung nahelegt — es geht nicht um Abschaffung des Mythos, sondern um seine rechte *Interpretation.* Diese aber hat einen eindeutigen Richtungssinn: er weist in die Frage der Existenz. In jedem Text, auch und vor allem in dem der Bibel, geht es Bultmann zufolge nicht um Mitteilung von Lehren und Tatsachen, sondern um die darin erscheinende Frage nach dem Menschen, nach der Möglichkeit und Wirklichkeit seines Existierens. Jede Interpretation ist existentiale Interpretation. Auch der Mythos und das in ihm Gesagte will eigentlich nicht objektiv und real, auch nicht kosmologisch, sondern nach dem in seinen Vorstellungen und Aussagen enthaltenen Existenzverständnis, also existential, befragt werden. Das Neue Testament, das, formal gesehen, Anrede und Verkündigung ist, handelt ausdrücklich von der Existenz des Menschen. Es beschreibt und entdeckt das Dasein des Menschen sowohl in seiner Verfallenheit wie in seiner Eigentlichkeit; diese erfolgt nach den Weisen der mythologischen Rede, aber die Sache ist die gleiche, wie sie in der existentialphilosophischen Analytik begegnet. Indes — und das ist das Besondere des neutestamentlichen Kerygmas — die Überführung der Existenz aus der Verfallenheit und Uneigentlichkeit (aus Sünde und Tod) in die Eigentlichkeit (zu Gnade und Leben), die Befreiung „von sich selbst zu sich selbst" gelingt nicht, wie die Philosophie meint — das ist ihr Irrtum und, theologisch betrachtet, ihre Hybris —, durch des Menschen Wissen und Tun, sondern — das ist die theologische Wahrheit — einzig durch Gottes liebendes Handeln, wie es in Jesus Christus offenbar geworden ist und wie es in der Verkündigung für den Menschen stets gegenwärtig wird: Das Neue Testament weiß von einer Tat Gottes, „welche das eigentliche Leben des Menschen erst möglich macht" [11].

So geben Offenbarung und Kerygma nicht nur ein umfassendes Existenzverständnis, sie schenken auch die eigentliche Existenzverwirklichung. Alles im Neuen Testament Bezeugte wird in der Frage der Existenz bedeutsam, wird Geschichte im Sinn Bultmanns — im Unterschied zur Historie.

So ist die Forderung der Entmythologisierung zu einer eminent positiven Aufgabe geworden: zu einer existentialen Interpretation der Bibel und zu einer *existentialen Theologie.*

---

[11] Ebd. 40.

Die Entmythologisierung als existentiale Interpretation und Theologie schafft nach Bultmanns Meinung nicht nur eine unnötige Konfliktsituation zwischen Glauben und Wissen aus dem Weg, sie legt auch die innerste Intention des neutestamentlichen Kerygmas und des mit ihm verbundenen Skandalons frei: Gott hat in Christus entscheidend gehandelt — und dies alles ist für mich geschehen. Damit aber steht die Entmythologisierung auch im Dienst des Glaubens, ja ist eine Forderung dieses Glaubens. Sie will ihn zur radikalen Besinnung auf sein eigenes Selbst zurückrufen, in jener Weise, wie es in den lutherischen Proklamationen: fides sola, verbum solum, gratia sola enthalten ist. Bultmann faßt sein Programm auf als Vollendung der reformatorischen Anliegen und als Durchführung ihrer theologischen Prinzipien auf dem Gebiet des Erkennens: Denn hier wird der Glaube begriffen als reines Dennoch, als Verzicht auf jede Sicherheit. „Der Mensch, der an Gott als seinen Gott glauben will, muß wissen, daß er nichts in der Hand hat, woraufhin er glauben könnte, daß er gleichsam in die Luft gestellt ist und keinen Ausweis für die Wahrheit des ihn anredenden Wortes verlangen kann. Denn Grund und Gegenstand des Glaubens sind identisch." [12] Durch die Nichtausweisbarkeit ist, so erklärt Bultmann, die christliche Verkündigung vor dem Vorwurf geschützt, Mythologie zu sein.

III

Hier ist noch einmal anzusetzen, um die Sache des Themas: Entmythologisierung und theologische Wahrheit zu bedenken. In der Konzeption Bultmanns begegnet ein überaus konzentriertes und imponierendes Modell. Aber dieser Entwurf darf nicht dazu führen, die ganze hier anstehende Frage auf Bultmann zu beschränken, wenn sie auch nie von ihm wird absehen können; denn er ist ihr Urheber und ihr bis heute maßgeblicher Vertreter.

Die Frage Entmythologisierung und theologische Wahrheit soll dadurch in der ihr entsprechenden Weise behandelt werden, daß untersucht wird, ob oder ob nicht, in welcher Weise und in welcher Weise nicht der Mythos der theologischen Wahrheit und die theologische Wahrheit dem Mythos zugeordnet sind.

1. Der Mythos ist — das sei als erstes gesagt — eine *zeitliche Voraussetzung* der christlichen Offenbarung. Das will einfach bedeuten: die Botschaft der Offenbarung und des Glaubens traf auf Menschen und erging an Menschen, die im Horizont, in der Welt des Mythos lebten, die ihre

[12] Kerygma und Mythos II (1952) 207 f.

Gedanken von Gott und göttlichem Walten, von der Gottgewirktheit des Anfangs, des Verlaufs und des Endes aller Dinge, die ihre Erfahrung um die existentielle Betroffenheit durch Götter und himmlische Mächte im Mythos und in den Mythen zum Ausdruck brachten. Das gilt prinzipiell für alle Menschen, die außerhalb der ausdrücklichen Offenbarung des Alten Testaments standen.

Das klassische Modell, in dem diese Voraussetzung ins Spiel gebracht wird, begegnet schon in der Bibel, am markantesten in der Areopagrede (Apg 17). Paulus verkündet den Athenern, den Vertretern der griechischen religiösen Mythologie, deren Dokumente die zahlreichen Tempel waren: „Was ihr unwissend (in Unkenntnis) verehrt, das verkündige ich euch" (17, 23): die Botschaft vom unbekannten Gott, der nun in Jesus Christus offenbar geworden ist. Vorgänge wie diese begegnen immer wieder im Lauf der Geschichte: es ist das immerwährende Problem der christlichen Mission, der Akkommodation, des Anknüpfungspunktes. Vieles ist zum Schaden des Glaubens falsch gemacht worden, wo man dieser Frage keine Beachtung schenkte oder sie falsch löste.

Das bedeutet aber: der Mythos ist nicht nur ein zeitliches Vor-Christus; der Mythos, sein reicher Inhalt, seine vielfältigen Aussagen enthalten auch ein *Vorverständnis* dessen, worum es in jener Offenbarung geht, die in Christus kulminiert. Umgekehrt kann diese durch mythologische Kategorien verständlich gemacht und interpretiert werden, weil sich Offenbarung an jene Menschen wendet, die aus der Welt des Mythos kommen und darin ihre Religion artikulieren.

Dieses Vorverständnis der Offenbarung geschieht dadurch, daß der Mythos aus Fragen lebt, daß er Fragen erweckt, Fragen, die den Sinn, den Grund, das Ziel des Menschendaseins betreffen, daß er diesen Fragen und ihren möglichen Antworten Gestalt verleiht in der Form von Bildern, Gleichnissen und Symbolen. Wer aber fragt, fragt nach dem, wovon er als Fragender irgendwie schon weiß. Die biblischen Bildaussagen von Christus: dem Licht, dem Leben, dem Heilbringer, dem Fels, dem Weinstock, dem Brot, dem Wasser, dem Hirt, dem Lamm, die Rede von Sühne und Erlösung, wären weder möglich noch verständlich, gäbe es nicht ein Vorverständnis dessen, was hier gesagt wird, aber nicht nur ein alltägliches, sondern ein im Mythos ausgesprochenes, religiöses, in der Existenz gründendes, auf das Göttliche bezogenes Vorverständnis.

Wenn die Bibel diese Aussagen macht, so will sie bedeuten: Jesus Christus ist der, nach dem der Mythos fragt und erzählend und fragend weiß, von dem er in Bildern und Symbolen spricht, den er aber in der Vielfältigkeit der schwebenden Nichtdefiniertheit der Mythen nicht finden kann. In Jesus Christus ist die mythische Gestalt mit der historischen

Person identisch geworden. So gibt es auch innerhalb der Offenbarung und des Glaubens kein Verständnis ohne ein Vorverständnis. Aber jedes Vorverständnis muß bereit und gewärtig sein, sich dem endgültigen Verständnis zu stellen und sich von ihm definitiv bestimmen zu lassen.

Deshalb sind die Mythen nicht Konzentrationen von Trug, Irrtum, Verführung, Götzendienst und Finsternis, sondern Licht, gewiß vielfältig gebrochenes Licht, von jenem Licht, das jeden Menschen erleuchtet, der in diese Welt kommt (vgl. Jo 1, 9). In ihrem Charakter als Vorverständnis haben sie eine präparatorische Dimension und erfüllen die kühne Konzeption des Klemens von Alexandrien: Alle Lampen Griechenlands brennen für die Sonne Christus[13].

Kraft dieser Beziehung ist es auch möglich, die Wirklichkeit Christi in den Vokabeln des Mythos auszusagen, nicht nur in den bereits genannten mythischen Urbildern, sondern mit den Namen der mythischen Göttergestalten. Jesus Christus wird deshalb ohne Scheu der wahre Hermes, Orpheus, Herakles, Odysseus, Theseus, Jason genannt, der wahre Helios. Christus tritt das Erbe der Götter an. Deshalb war, so sagt Urs v. Balthasar mit Recht[14], die Lächerlichmachung der Götter kein Ruhmesblatt für den christlichen Glauben. In Christus, so theologisieren die griechischen Kirchenväter und später Calderón, ist zur Wirklichkeit gebracht, was je Sinn der jeweiligen Mythen und der in ihnen anwesenden Theophanie sein konnte. Insofern ist der Mythos in Christus „aufgehoben" — in der mehrfachen Bedeutung dieses Wortes; er ist aus seiner schweifenden Unbestimmtheit befreit und im ecce und im hodie des Jesus von Nazareth erlöst. Anderseits kann die Wahrheit der Offenbarung und des Glaubens in diesen Vokabularien buchstabiert und entfaltet werden. Dadurch wird die Offenbarung als Ereignis und Wort nicht ihrerseits zu einem Mythos, der Mythos wird vielmehr an Offenbarung und Glauben gebunden, er wird konkretisiert und vergeschichtlicht.

In all diesen Vorgängen wird aber nicht so sehr entmythologisiert, sondern, recht verstanden, mythologisiert. Das heißt: die tiefste Intention des Mythos wird erhoben, freigelegt und erhellt und in eine positive Relation zur theologischen Wahrheit gebracht. Weil dem so ist, hat die theologische Wahrheit ihrerseits einen universalen Bezug; es wird deutlich, daß und wie Jesus Christus das Wort und das Heil für alle ist.

2. Der Mythos hat ferner insofern eine positive Beziehung zur theologischen Wahrheit, als diese die geschichtliche Offenbarung Gottes inner-

---

[13] *H. Rahner,* Griechische Mythen in christlicher Deutung (Zürich 1945) 12.
[14] Herrlichkeit I (Einsiedeln 1961) 482.

halb jenes *Horizontes* zur Sprache kommen läßt, den der Mythos im Auge hat und kennt: den Anfang, den Verlauf und das Ende aller Dinge, das Ganze der Welt, der Geschichte, des Menschen, die durch die Verschlingung und Verwebung von göttlichem und irdischem Schicksal bestimmt sind. Gewiß sagt die geschichtliche Offenbarung zu alledem ein anderes Wort als der Mythos. Aber der Mythos bezeichnet und befragt jene Stelle, in der der Mensch fragt und an der die Offenbarung den Menschen trifft.

Die Offenbarung Gottes kulminiert in der Menschwerdung des Sohnes Gottes. In ihr und in der Person des Gottmenschen, in der Göttliches und Menschliches ungetrennt und unvermischt anwesend sind, ist — und auch das ist ein positiver Bezug des Mythos zur theologischen Wahrheit — jene Intention erfüllt und ungleich überboten, die im Mythos vielfältig figuriert, zumal in den Mythen vom menschengestaltigen Gott[15] und in den mythischen Erzählungen vom undifferenzierten Ineinander göttlichen und menschlichen Geschicks.

3. Die mythologische Rede ist eine Rede in *Anschaulichkeit,* in *Bildern,* in *Symbolen,* in dramatischer und erzählender Darstellung. Auch hierin liegt ein Bezug zur theologischen Wahrheit. Die Sache, die in der theologischen Wahrheit zu menschlicher Sprache gebracht werden will, kann der Bilder, der Gleichnisse nicht entbehren, weil jede Begrifflichkeit von diesen Bildern ausgeht, weil es kein Wort ohne die es begleitende Vorstellung gibt, weil der Mensch als erkennender an die Sinne verwiesen ist, weil der Mensch auch und gerade dann, wenn er das Überweltliche, Unwelthafte, Verborgene Gottes beschreiben will, auch wenn er es in der Form der Negation tut, auf Bild und Bilder nicht verzichten kann, weil der Mensch von der Wirklichkeit und vom Geheimnis Gottes nur in Rätseln und Gleichnissen zu sprechen vermag, weil er alles nur durch einen Spiegel sieht (vgl. 1 Kor 13, 12). In den Bildern, die im Mythos entfaltet sind, kann indes gerade das alles Begreifen übersteigende Geheimnis der göttlichen Liebe (vgl. Eph 3, 19) dargestellt werden. Die Bilder und Gleichnisse, die nicht gleich zu Begriffen abgezogen werden müssen — sowenig die Arbeit des Begriffs in der Theologie um der theologischen Wahrheit willen gescheut wird und gescheut werden darf —, die Bilder, die ihre Vielfalt bewahren sollen und in ihrem Sinn und Bedeutungsgehalt erhoben werden können, sollen die Höhe und Tiefe — auch das ist ein Bild, ja eine mythologische Rede, doch wer kann ohne sie überhaupt etwas sagen? — des in der Offenbarung erschlossenen Reich-

---

[15] Vgl. dazu *Carl Koch,* Religio. Studien zu Kult und Glauben der Römer (Nürnberg 1960).

tums, sollen die „mannigfache Weisheit Gottes" (Eph 3, 10) vermitteln. In diesen Bildern kann z. B. zum Ausdruck kommen, daß der Tod Christi nicht ein gewöhnliches Sterben ist, sondern Loskauf, Opfer, Sühne, Strafe, Stellvertretung, Heil der Welt. Wie will man dies, von dem nicht geschwiegen werden darf, sonst, wie will man dies anders sagen? Aus diesem Grund gehört der Mythos zur „Vox humana, in der das Verbum divinum in Demut sich verlauten läßt" [16].

Die mythologische Redeweise kann deshalb nicht abgeschafft, hier kann nicht entmythologisiert werden, es kann nur darum gehen, das Bild und die Bilder in ihrem Sinngehalt zu deuten und zu verstehen. Die mythologische Rede gehört deshalb auch nicht zur naiven und primitiven Frühstufe, sondern zum Urvermögen des Menschen und seiner Aussagemöglichkeit, die durch nichts überholt werden kann, auch durch kein modernes Weltbild der Physik und Naturwissenschaft. Wenn die alten Worte und Bilder uns heute angeblich nichts mehr sagen und bedeuten, so heißt das nicht, daß man sie durch andere ersetzen soll, sondern höchstens, daß wir menschlich verkümmert sind, daß wir uns neu erwecken und die Ursprünge wieder gewinnen müssen.

Wenn in Christus das „Universale concretum" gegeben ist, dann bedeutet dies, daß zu dessen Repräsentation nicht nur das Universale eines allgemeinen Begriffs gehören kann, sondern auch die Konkretheit der Aussage in Bild, Gleichnis und Symbol. Anders gesagt: Der in Christus kulminierenden Offenbarung ist nur eine Aussage gemäß, bei der sich Mythos und Logos begegnen. Jesus Christus ist sowohl der Logos, das *Wort* Gottes, wie auch das *Bild*, die Ikone Gottes (2 Kor 4, 4; Kol 1, 15), die im Bild anwesende Gottheit [17].

4. Der Mythos und das Mythologische stehen aber auch im *Gegensatz* zur theologischen Wahrheit — deshalb ist die Entmythologisierung ein Weg zur theologischen Wahrheit. Dies ist zum Teil schon angedeutet worden, bedarf aber noch der ausdrücklichen Artikulation.

Der Mythos nivelliert die Unterschiede des Göttlichen, Weltlichen und Menschlichen und proklamiert dessen undifferenzierte Einheit in Sein und Werden, in Wirken, Handeln und Geschichte. Diese Vorstellung wird von der Offenbarung grundsätzlich außer Kraft gesetzt durch das Bekenntnis zum einen und dreifaltigen Gott, neben dem es keine Götter gibt. In diesem Bekenntnis ist die absolute Souveränität, die Transzendenz und Freiheit Gottes der Welt und dem Menschen gegenüber ausgesprochen. Welt und Menschen werden als Schöpfung, als freie, unerzwingbare Tat

---

[16] *J. Bernhart,* Bibel und Mythos (München 1954) 63.

[17] *S. Otto,* Bild: Handbuch theologischer Grundbegriffe I (1962) 160—168.

der Liebe Gottes bestimmt und damit völlig unmythisch definiert. Das Wort vom Schöpfungsmythos ist ein innerer Widerspruch. Ebenso ist das Ende und die Vollendung der Dinge die freie Tat Gottes. Insofern ist der christliche Glaube ein Übergang, der im 1. Thessalonicherbrief als Bekehrung beschrieben wird: „von den Götterbildern zum lebendigen und wahren Gott" (1, 9).

Die theologische Wahrheit steht im Gegensatz zum Mythos und dieser im Gegensatz zu ihr, weil der Mythos viele Götter und Göttergeschichten hat und zuläßt, weil er darin zwar eine Fülle von Bestimmungen kennt, aber sich für keine entscheidet, weil er keine einzige Gestalt für letztlich verbindlich erklärt, weil er in seinem Pantheon die Götter und Göttergeschichten variiert und mischt. Die Offenbarung bekennt demgegenüber die Verbindlichkeit und Exklusivität der in Jesus von Nazareth geschehenen Selbstmitteilung Gottes, in dem allein das Heil ist (Apg 4, 12), in dem sich Gott ganz konkret für die Welt und den Menschen entschieden hat und angesichts dessen die im Glauben zu gebende personale Antwort und existentielle Entscheidung gefordert wird. Diese Exklusivität ist indes nach Möglichkeit und Anspruch mit der weitesten Universalität verknüpft.

Damit hängt ein Weiteres zusammen. Der Mythos hat als Rhythmus und Zeitbestimmung die immerwährende zyklische Wiederkehr aller Dinge nach der Melodie: Es geschah niemals und ist doch immer. Gewiß kennt auch die Offenbarung eine immerwährende Präsenz des in ihr Geschehenen, Gesagten, Ereigneten, Gewirkten, auch der Glaube kennt eine Art Rückkehr aller Dinge in ihren göttlichen Ursprung. Die Theologie des Thomas von Aquin ist, zumal in der Summa Theologica, nach dem Schema egressus — regressus entworfen. Aber diese große Bewegung ist bewirkt und ermöglicht durch die freie Tat der Gnade Gottes. Sie ist gebunden an die Einmaligkeit, Unwiederholbarkeit und Unumkehrbarkeit dessen, was sich in der geschichtlichen Offenbarung begab, zuhöchst in dem geschichtlichen „Einmal", in dem „Jetzt" und „Heute" der Person Jesu Christi und des Christusereignisses.

Der Mythos steht endlich insofern im Gegensatz zur theologischen Wahrheit, als sein Verständnis des Menschen ein anderes ist als das von der Offenbarung gemeinte, angesprochene und vorausgesetzte. Die Offenbarung bestimmt den Menschen nicht als jenes Wesen, das über sich selbst nicht verfügen kann, weil es schicksalhaft und ohnmächtig dem Walten, Wirken und Einfluß der Götter oder der Geister ausgesetzt ist, sondern als Krone und Herrn der Schöpfung, als Person, als in der Geschichte lebendes, darin sich entscheidendes, verantwortendes, erfüllendes Wesen, als freien Partner des ihm in Wort und Liebe begegnenden Gottes. Dieser

Mensch erfährt die Tat Gottes in Christus als Freiheit von aller Versklavung, als Befreiung zu sich selbst, und erkennt im allmächtigen, vorsehenden, alles bewirkenden Walten des souveränen Gottes nicht die Behinderung, sondern die Ermächtigung zur wahren Freiheit. In all diesen Dimensionen bedarf es der Entmythologisierung, damit die theologische Wahrheit möglich ist.

Von hier aus ergeben sich noch einige Konsequenzen, die vor allem im Blick auf die Fragestellung *Bultmanns* zu ziehen sind. Erwägt man das eben Gesagte, so ergibt sich: Die Bibel, zumal das Neue Testament, ist nicht im Horizont des Mythos geschrieben und steht nicht in seinem Bann, sondern bedeutet die Befreiung vom und die Überwindung des Mythos, wenn dieser als Göttergeschichte, als Verhältnisbestimmung von göttlicher und menschlicher Wirklichkeit, als Religion, verstanden wird.

Das Nein zum Mythos schließt indes nicht aus, daß auch die Bibel, die ja eine Sprache hat und an menschliche Sprache, an die Sprache ihrer Zeit, verwiesen ist und sie in ihren Dienst stellt, mythologische Anschauungen, vor allem aus der Apokalypse und Gnosis, Vorstellungen, weltbildliche Schemata, Bilder, Kategorien übernimmt, ohne damit selbst dem Mythos zu verfallen. Sie werden als Prädikate auf ein ganz unmythisches Subjekt bezogen, so daß gesagt werden kann: „Forma mythica antimythica dicuntur." Es ist demnach möglich, den Mythos von der mythologischen Rede und die mythologische Rede vom Mythos als Welt- und Daseinsdeutung, als Religion, zu trennen. Es ist möglich zu entmythisieren, ohne zu entmythologisieren, es gibt ein simul Mythologie et Entmythologisierung.

Überblickt man, welche Rolle der Mythos und das Mythologische im Neuen Testament spielen — um bei diesem wichtigsten Offenbarungszeugnis zu bleiben —, so kommt man mit H. Schlier zu dem Ergebnis, daß hier nirgends ein Gesamtmythos erzählt wird, daß höchstens von „Mythenfragmenten und Mythensplittern" dort Gebrauch gemacht wird, wo es die Darstellung der Sache erfordert. Schlier weist dies nach im Mythos vom Menschensohn und im Urmensch-Erlösermythos, der in der konkreten Person und im realgeschichtlichen Geschehen Jesu Christi seine eigentliche Erfüllung fand, aber zugleich als Mythos aufgehoben wurde: „Der Mythos ist im Neuen Testament so historisiert worden, daß er durch seinen Bezug auf Jesus Christus als Mythos zerbrochen ist, daß aber sein Verstehen von Gott und Welt und Mensch aufgegriffen und geklärt worden ist, um der geschichtlichen Offenbarung des gekreuzigten und auferweckten Jesus Christus die ihrer Dimension angemessenen Chiffren zu leihen. Durch solche von der Geschichte selbst vollzogene kritische Einberufung in den Dienst der Auslegung hat der Mythos sein Ende gefunden, das aber auch seine Erfüllung ist."[18] Der Mythos ist demnach kein Horizont, innerhalb dessen die Offenbarung figuriert, aber die Offenbarung ist der Horizont, innerhalb dessen der Mythos seinen rechten Ort findet und seine wahre Bedeutung einnehmen kann.

Bultmann beschreibt den Mythos als eine Weise, in der Göttliches als Menschliches, Jenseitiges als Diesseitiges, das Unweltliche als Weltliches vorgestellt und beschrieben wird.

Dazu ist zu sagen: Das Verhältnis Gottes zur Welt kann mit dem Begriff der Transzendenz, des Jenseitigen oder des Unwelthaften, allein nicht beschrieben werden. Wohl kann es keinen größeren Abstand und Gegensatz geben als den zwischen dem geschaffenen, geschöpflichen Sein der Welt, des Menschen und aller Dinge, und dem ungeschaffenen, schöpferischen, absoluten Sein Gottes. Aber diese gleiche Tatsache schließt die andere Wahrheit ein, daß es keine größere Nähe, Gemeinschaft und Innigkeit geben kann als die zwischen Gott, dem Schöpfer, und der Welt und dem Menschen als Schöpfung. Die Welt ist nicht Gott, aber sie ist Gottes in restloser Angewiesenheit und Abhängigkeit.

So ist der absolut welttranszendente, unwelthafte Gott zugleich der weltimmanente Gott: Gott ist über und in der Welt. Wo eines dieser Momente ausgelassen ist, ist Wesentliches an der Wirklichkeit Gottes wie an der Realität der Welt ausgelassen. Dieses Grundverhältnis zwischen Gott und Welt, das in der Tatsache der Schöpfung begründet ist und in der analogia entis seine begriffliche Fassung erhält, wurde auch durch die Sünde nicht aufgehoben, sondern belassen.

Aus der Wahrheit und Tatsache der *Schöpfung* ergibt sich: Gott ist nicht nur der unwelthafte, jenseitige, ganz andere, er ist auch — recht verstanden — der welthafte, diesseitige, der Welt und dem Menschen nahe und vertraute. Er ist nicht nur das Nein, er ist das Ja zur Welt. Die Welt aber, die ganz und gar Gottes ist, ist auch ein Ja zu Gott, sie ist gerade nicht in sich geschlossen und abgeschlossen — sie kann es seinsmäßig gar nicht sein —, sie ist für Gott und sein Wirken in ihr geöffnet. Gerade deshalb sind etwa Wunder, die Bultmann grundsätzlich im Blick auf die Weltstruktur ablehnt, grundsätzlich möglich und ein Zeichen, daß und wie sehr Gott und sein Wirken der Welt nahe ist und sich darin in einer „neuen Schöpfung" manifestieren kann. Diese Möglichkeit bestreiten hieße die Welt in einer gerade theologisch unzulässigen Weise Gott gegenüber verselbständigen und ihrer immerwährenden und wesensnotwendigen Gehaltenheit durch ihn entziehen. Aus dem gleichen Grund sind Bultmanns Bedenken gegenüber einem durch Gottes Tat herbeigeführten

[18] Das Neue Testament und der Mythos: Hochland 48 (1956) 212.

Ende der Welt und einer Vollendung aller Geschichte theologisch nicht berechtigt.

Noch mehr als durch die Schöpfung hat Gott durch die *Menschwerdung* vor aller Augen sichtbar gemacht, daß und wie sehr er welthaft, menschlich und diesseitig wurde, wie er in Raum und Zeit einging und wurde wie einer aus uns, unser aller Bruder, in allem wie ein Mensch erfunden (Phil 2, 7). Deshalb sind Kult und Sakramente als „sichtbare Zeichen der unsichtbaren Gnade“ möglich und sinnvoll. Sie sind die stets gegenwärtige Repräsentanz des von Bultmann unabdingbar festgehaltenen „Verbum caro factum est“. Das gleiche gilt von der Kirche als dem „Ursakrament“.

Kann und darf angesichts dessen noch gesagt werden, daß die mythologische Rede, die welthaft, diesseitig und menschlich von Gott redet, unmöglich ist und deshalb ganz anders interpretiert werden muß?

Gerade die von Bultmann abgelehnte Doppelung: unwelthaft—welthaft, göttlich—menschlich, jenseitig—diesseitig muß in der theologischen Rede von Gott beibehalten werden. Ohne sie kann man nicht von Gott reden, sicherlich nicht vom Gott der biblischen und vor allem der neutestamentlichen Offenbarung. Das heißt: man kann gar nicht anders als mythologisch von Gott reden, wenn man mythologisch so versteht, wie Bultmann es tut[19].

Wenn die Bibel selbst so spricht, und zwar im ganzen und in allem, so ist das keine uneigentliche, sondern das Eigentliche treffende Sache. Das so verstandene Mythologische ist eine in der Offenbarung selbst gegebene Kategorie. Sie bringt einen entscheidenden theologischen Tatbestand: die in Schöpfung und Menschwerdung gründende Weltlichkeit, Diesseitigkeit und Menschlichkeit Gottes zum Ausdruck, ohne seine Transzendenz und seine Unweltlichkeit zu leugnen.

Das bedeutet aber durchaus nicht, daß die Anerkennung und Bejahung dieser Tatsache es verlange, alle Einzelheiten des sogenannten mythischen *Weltbildes* zu übernehmen. Fragen rein naturwissenschaftlicher Art, Fragen des Weltbildes, sind auch naturwissenschaftlich zu beantworten, sie sind in der Bibel nirgendwo Gegenstand des Glaubens und dürfen deshalb auch nicht dazu gemacht werden. Faktisch ist das nicht geschehen: Es ist nie etwas als Inhalt definiert worden, was mit dem antiken Weltbild stehen und fallen würde. Der Fall Galilei, wo eine solche Möglichkeit in bedrohliche Nähe rückte, war verhängnisvoll genug. Aber ebenso eindeutig ist zu sagen, daß die theologische Wahrheit von der Weltlichkeit, Diesseitigkeit und Menschlichkeit Gottes, die in der mythologischen

---

[19] *H. Fries,* Mythos und Offenbarung: Fragen der Theologie heute. Herausgegeben von J. Feiner, J. Trütsch und F. Boeckle (Einsiedeln-Zürich-Köln ³1960) 41.

Kategorie — immer so verstanden, wie Bultmann sie versteht — zur Darstellung kommt, durchaus ablösbar ist von dem mythologischen Weltbild im Sinn der antiken Weltvorstellung und ihrem Stockwerksschema und daß die gleiche theologische Wahrheit durch das moderne wissenschaftliche Weltbild in keiner Weise betroffen ist oder außer Kraft gesetzt werden kann. Die Probe aufs Exempel ist etwa zu machen bei den Glaubensartikeln: „abgestiegen zu der Hölle — aufgefahren in den Himmel".

Mit Recht hat Karl Rahner darauf aufmerksam gemacht, daß Wahrheit Gottes und Bild der Welt zweierlei sind, daß prinzipiell die Wirklichkeit Gottes und seines Wortes nicht zum Weltbild und zum Weltbild-Wissen, sondern zu ihren von ihnen selbst nicht einholbaren Voraussetzungen gehören. Deshalb ist das Wort Gottes von irgendeinem Weltbild aus unangreifbar. Wenn aber die göttliche Wahrheit des Wortes Gottes durch menschliche Worte und Begriffe ausgesagt wird, die zum Teil weltbildlich bedingt sind, so gilt: Diese Aussagen müssen nicht entmythologisiert werden, „denn sie behalten durchaus einen Sinn, auch wenn das Weltbild wegfällt, unter dessen Voraussetzung und mit dessen Hilfe sie einstmals gemacht wurden". Und dieser Sinn ist der gleiche, der damals gemeint war, als sie gemacht wurden. Es läßt sich erkennen, daß „grundsätzlich auch schon die ursprünglichen Glaubensaussagen die von ihnen eigentlich gemeinten Aussageinhalte nicht mit dem weltbildlichen Vorstellungsmaterial identifizierten und darum eben auch nicht für dieses Weltbild eine Wahrheitsgarantie übernehmen wollten, die sie für die Formulierung solcher Aussagen verwandten" [20]. Deshalb ist jeder Konflikt zwischen Glauben und Wissen, der an diesem Punkt ausbricht, ein Mißverständnis.

Von der Fragestellung Entmythologisierung und theologische Wahrheit aber geht ein Appell aus, der eine stete Aufgabe bedeutet: das, was im Zeugnis des Glaubens und der Offenbarung, also in der Bibel, ausgesagt ist, in den verschiedenen Weisen, Möglichkeiten, Kategorien und Bildern ausgesagt ist, nach seinem Logos zu befragen, also nach dem Logos auch im Mythos, diesen Logos präsent zu machen und uns hier und heute angehen zu lassen. Den Unterschied zwischen Vorstellungsweise und Aussageabsicht, zwischen Aussageform und Aussageinhalt zu beachten und zu erheben, und zwar im allgemeinen sowie am konkreten Text der Bibel, gehört zu den großen und immerwährenden Aufgaben der Exegese und der Theologie, aber nicht nur zu ihr, sondern zu jeder Bemühung

[20] Schriften zur Theologie III (Einsiedeln-Zürich-Köln 1956) 468.

um das Verstehen des Glaubens in Verkündigung und Annahme. Dieser Aufgabe wird es kein Ende geben.

Gewiß wird eine ganz entscheidende Sinnerschließung dadurch gewonnen, daß man mit Bultmann danach fragt, welches Existenzverständnis, welche Existenzauslegung in den Aussagen der Schrift gegeben sind, die „Wahrheit für mich" sind und den Glauben als meine Entscheidung und Antwort herausfordern. Aber man kann weder die Intention des Mythos nur so verstehen noch das Ganze der theologischen Wahrheit auf diesen Nenner bringen, ohne befürchten zu müssen, daß damit ein Selektivprinzip aufgestellt wird, in das nicht alle Offenbarungsinhalte eingehen können, ohne befürchten zu müssen, daß ein existentiales Vorverständnis von Offenbarung und Glauben eine theologisch unzulässige Vorentscheidung über das Was und Wie der Offenbarung bewirkt und daß die geschichtliche Selbstmitteilung Gottes zur Offenbarung über immanente Möglichkeiten des menschlichen Daseins gemacht wird. Die aus diesen Ansätzen inzwischen entwickelten Folgerungen innerhalb der evangelischen Theologie scheinen solchen Befürchtungen immer mehr recht zu geben, sosehr Bultmann diese Konsequenzen ausdrücklich ablehnt.

Die Frage Entmythologisierung und theologische Wahrheit macht nicht nur auf die Aufgabe des *Verstehens* aufmerksam, sondern — das hängt damit zusammen und ist dessen Variante — auf die Frage des *Übersetzens* der Botschaft der Offenbarung und des Glaubens für den Menschen aller Zeit, für den Menschen der Gegenwart mit seinem Weltbild, mit seiner Sprache, mit seinen Verstehensmöglichkeiten und Verstehensschwierigkeiten.

Die Übersetzung der Botschaft muß diesen beiden Bereichen offen sein: der Botschaft der Offenbarung und des Glaubens und der gesamten Sprache, in der diese zu Wort kommt, sie muß ebenso offen sein für den Menschen einer jeden geschichtlichen Stunde, der gewiß durch diese immer wieder und immer neu bestimmt wird, der aber in allem geschichtlichen Wandel, auch in dem atemberaubenden Wirbel unserer Tage, Mensch bleibt, der ein Beständiges und Ewiges besitzt in aller Diskontinuität. Deshalb hat der Mensch, jeder Mensch, auch die Möglichkeit und Fähigkeit, das einst vor Jahrtausenden in menschlicher Weise in menschlichen Bildern, Gleichnissen und Begriffen Gesagte zu verstehen und zu apperzipieren.

So kann es nicht darum gehen, die Sache der theologischen Wahrheit zu ändern durch eine falsch manipulierte Entmythologisierung, sondern darum, den Menschen zu sich selbst zu rufen und zu seinen eigenen Möglichkeiten zu erwecken, den Menschen, der „Geist in Welt" ist und damit an Sinne und Bilder verwiesen ist und bleibt, der sie aber zur Erkenntnis, zum Logos, zum Sinn, zum Begriff, zum Wort zu erheben vermag, den Menschen, der als Fragender zu allem, was ist, sich offenhält, der sich ständig transzendiert zum absoluten Grund seiner selbst und damit Hörer eines Wortes wird, das nicht sein eigenes Wort ist und doch die eigentliche Antwort für seine Fragen enthält, den Menschen, der das ständige Verlangen nach Sinn und Heil des Daseins mit sich führt und dabei zugleich weiß, daß er, der auf das Heil Angewiesene, es sich selbst nicht geben kann, sondern sich schenken lassen muß, den Menschen, der sich selbst nicht genügt, sondern nur im Unendlichen Genüge finden kann, den Menschen, der seine Vorläufigkeit und seine Grenzen kennt und darin um das Endgültige weiß. Dieser ewige Mensch ist auch der heutige Mensch, dem Begriff und Bild, Logos und Mythos gegeben sind, der aus dem Grund seines Herzens und Geistes Altes und Neues hervorholt. Mit all diesen Stimmen kann er sich einstimmen lassen auf die Stimmen, die ihm in Offenbarung und Glauben das Wort Gottes vernehmen lassen und zu Gehör bringen. Zu sich selbst und allen seinen Kräften kann und muß der heutige Mensch gerufen werden, dann ist er nicht weniger als der Mensch der Vergangenheit und Zukunft Hörer und Empfänger jener Wahrheit, die Weg und Freiheit, Licht und Leben ist.

ÜBERLEGUNGEN ZUR METHODOLOGIE AM BEISPIEL JUAN TORQUEMADAS

VON GUSTAVE WEIGEL SJ, WOODSTOCK, USA

Ins Deutsche übertragen von Helmut Erharter, Freiburg i. Br.

Paul Tillich, einer der hervorragenden protestantischen Theologen unserer Zeit, betont, daß eine gute Theologie der Methode der Entsprechung folgen müsse[1]. Auf eine knappe Formel gebracht, wird damit von der Theologie Folgerichtigkeit, Einheitlichkeit und Bedeutsamkeit gefordert. Der Theologe, der in seinem Denken ontologisch bestimmt ist, wird danach trachten, daß das von ihm aufgebaute System ein logisches Ganzes darstellt, in dem ein Teil auf den anderen hingeordnet und das Gesamtgefüge in dialektischer Weise eins ist. Dabei genügt keineswegs eine nur logische Einheit. Die Übereinstimmung mit den Gegebenheiten der überlieferten Offenbarung muß sich durch das ganze Bemühen hindurchziehen. Würde sie fehlen, wäre das Werk Setzung eines neuen religiösen Glaubens, unfähig, den ein für allemal den Heiligen anvertrauten Glauben dem Verständnis näherzubringen. Um aber sinnvoll Theologie zu treiben, muß der Theologe auf die Zeit bezogen sein, die ihn geprägt hat und die er seinerseits prägt. Die Zeitbezogenheit jeglicher Theologie ist ein unerläßlicher Grundzug ihres Wesens. In der Weise vergangener Zeiten Theologie zu treiben, ist nicht nur äußerst schwierig, sondern für Menschen einer anderen Zeit völlig wertlos.

In seiner ersten Ansprache an das Zweite Vatikanische Konzil bat Papst Johannes XXIII. die Konzilsväter eindringlich, pastoral und ökumenisch zu reden[2]. Er sagte ausdrücklich, daß die Formeln der Vergangenheit nicht einfach wiederholt werden dürften, da sie ja schon in unserem Besitz wären, und er verlangte, daß jene Formeln in einer Sprache und in einer Weise dargeboten werden sollten, in der sie vom heutigen Menschen unmittelbar verstanden werden könnten. In dieser Rede wurde also eindringlich Zeitbezogenheit gefordert. Natürlich hatte der Papst die

---

[1] *P. Tillich,* Systematic Theology I (Chicago 1951) 40—68.

[2] L'Osservatore Romano, 12. Okt. 1962 Nr. 234, S. 2, Sp. 3—4.

Bischöfe als Hirten ihrer Herden, nicht als Theologen im Auge. Wir dürfen in den Worten Johannes' nicht das Gerüst einer theologischen Methodologie sehen wollen. Sein Bestehen auf zeitgemäße Anpassung unterstreicht jedoch die Funktion des Zeit-Faktors für die Formulierung der Offenbarung. Der Theologe kann dieser Forderung nicht unter dem Vorwand ausweichen, seine Aufgabe sei ja nicht einzig und allein die Verkündigung.

Seit Karl Adam hat die Ekklesiologie sehr an Bedeutung zugenommen. Die Ökumenische Bewegung drängte die Theologen zur Betrachtung über die Kirche, da die Vereinigung der Kirchen ein Verstehen der Kirche voraussetzt. In die Ökumenische Bewegung sind alle Christen miteinbezogen, und nicht eines jeden Theologie wird allen zusagen. Deshalb bringt die Ökumenische Bewegung notwendigerweise eine neue Ekklesiologie hervor, nicht aber eine neue Kirche.

Theologie entsteht mit dem Glauben. Der christliche Glaube legt sich von Anfang an in Theologie aus, wie die paulinischen und johanneischen Teile des Neuen Testamentes zeigen. Das Christentum ist eine geschichtliche Wirklichkeit und entfaltet sich als ein geschichtliches Kontinuum. Geschichte supponiert Zeit — und Zeit Veränderung. Doch ist Geschichte gerade Einheit in der Veränderung: Die Vergangenheit ist nie vollständig vergangen, sondern nimmt in der Gegenwart lebendige Gestalt an. In der heutigen Ekklesiologie wirken ältere Ekklesiologien immer noch nach, oft unsichtbar in der Disziplin, die sie gleichzeitig fortsetzt und weiterentwickelt. Deshalb hat die Ekklesiologie die bleibende Verpflichtung, die Sprachgestalt ihrer Zeit zu prüfen und zu erkennen, bis zu welchem Grade eine Anpassung an unsere heutige Zeit von dem, was einer vergangenen Zeit bedeutend war, noch erschwert wird. Daß der Theologe die Welt im Licht der Offenbarung sieht, wird bereitwillig von allen zugegeben. Doch führt der Theologe — etwa wie in der Trigonometrie — ein Koordinatensystem ein. Diese Koordinaten sind den Gegebenheiten auferlegt, sie sind nicht in ihnen enthalten. Daraus ergibt sich eine Schwierigkeit, die zu einem Fallstrick werden kann. Der Theologe beginnt sein Werk nicht *ab ovo*. Er übernimmt die Gegebenheiten von der Vergangenheit und übernimmt sie als von verschiedenen Koordinatensystemen durchzogen. Es ist keineswegs einfach, die überkommenen Koordinaten vom Feld selbst zu unterscheiden. Durch die Gewohnheit wurden beide verschmolzen. Gerade mit Hilfe der Koordinaten verleiht der Denker den Gegebenheiten Zeitbedeutung; und die Notwendigkeit, die Koordinaten zu ändern, ergibt sich, wenn unbedeutend wird, was für eine ältere Zeit bedeutsam war.

Ein Beispiel für diese Erscheinung ist das ekklesiologische Werk des

Theologen Juan de Torquemada. Er lebte von 1388 bis 1468. Obwohl er Spanier war (und Onkel des späteren spanischen Inquisitors Tomás de Torquemada), verfaßte er sein bekanntestes Werk in Rom, wo er Kardinal wurde. Er war Dominikaner und in der thomistischen Tradition seines Ordens gut geschult. Er schrieb viel und über viele Themen, doch das Werk, dessentwegen sein Name vor allem fortlebt, ist seine *Summa de Ecclesia*[3].

Der Titel *Summa de Ecclesia* ist viel zu anspruchsvoll für die vier (oder vielleicht sechs) Bände, aus denen sie besteht. Torquemada faßte unter diesem Titel mehrere kleinere Werke zusammen, die er wahrscheinlich gesondert verfaßt hatte. Die Summa bietet keine systematische Darstellung der Kirche, sondern ist eine polemische Abhandlung eines glühenden Papalisten, die sich hauptsächlich gegen die Konziliaristen des 15. Jahrhunderts richtet.

Die Bedeutung des Werkes liegt darin, daß es eine authentische Stimme des 15. Jahrhunderts ist, die der papalistischen Auffassung von der Struktur der Kirche in gekonnter Weise Ausdruck verleiht. Es ist ein Markstein in der Geschichte des Thomismus. Der Schrift und Geschichte wird größere Aufmerksamkeit zugewendet als bei Thomas selbst. Doch werden sie nicht kritisch behandelt, denn das 15. Jahrhundert war an eine solche Weise des Vorgehens nicht gewöhnt.

Es ist nicht das Anliegen des Verfassers, einen Überblick über die Lehre Torquemadas zu geben. Vielmehr soll die Methode des Kardinals im Lichte des erhöhten Interesses betrachtet werden, das den Fragen, die Torquemada behandelt hat, heute entgegengebracht wird. Es ist vielleicht von Wert, seine Auffassung von der päpstlichen Gewalt in zeitlichen Belangen, einen Angelpunkt im Werk dieses spanischen Theologen, zu betrachten[4].

Torquemada legt der Behandlung des Themas folgende Gliederung zugrunde: 1) zwei kontradiktorische Extreme werden zugunsten einer mittleren Position zurückgewiesen; 2) diese mittlere Position wird dann dargelegt und bewiesen; 3) es werden die Argumente der Gegner dargelegt; 4) diese Argumente werden widerlegt. (Die Grundthese Torquemadas

---

[3] Die Summa wurde 1448—49 geschrieben und erstmals 1480 in Köln gedruckt, 12 Jahre nach Torquemadas Tod. Silber in Rom veröffentlichte sie 1489 in 4 Bänden; 1496 wurde sie in 6 Bänden in Lyon gedruckt. Die Ausgabe von Silber ist schön ausgestattet, aber die Ligaturen und Abkürzungen haben ein mühsames Lesen zur Folge. Spätere Ausgaben sind leichter zu benutzen. Hier verwenden wir den Nachdruck von Band II und III in der Bibliotheca Maxima Pontificia Joannes de Rocaberti OP, tom. 13 (Rom 1698) 281 bis 611. Eine moderne kritische Edition der Summa wird von N. López Martínez und V. Proano Gil im Seminar von Burgos in Spanien vorbereitet.

[4] Summa de Ecclesia (Rocaberti, Bibliotheca, tom. 13, pp. 458 et seq.) lib. II.

lautet, daß die päpstliche Autorität dem Papst keine direkte Jurisdiktion zeitlichen Belangen gegenüber verleiht, wohl aber eine sehr weitreichende indirekte Gewalt.)

Kardinal Johannes' Beweisführung stützt sich auf Vernunft und Autorität. Die erste Stelle wird der Vernunft eingeräumt, und hier wird am liebsten Aristoteles, insbesondere in der Interpretation des heiligen Thomas, zum Beweis herangezogen. Der Autoritätsbeweis wird der Schrift, den Vätern, den Konzilien, den päpstlichen Aussagen und den Lehren der Kanonisten und Theologen entnommen.

Heute ruft eine solche Theologie unangenehme Reaktionen hervor. Der Schriftbeweis scheint immer unbefriedigend. Torquemada führt eine Schriftstelle an, für die er eine Interpretation gibt oder voraussetzt, die bestenfalls durch das Zitieren der Glosse von ihm bestätigt wird. Man vermißt jeden Versuch, in das biblische Denken über die Frage, auf die sich der Text bezieht, einzudringen.

Das ist Schriftbeweis um jeden Preis. In den in Betracht kommenden Kapiteln wird das Wort vom „Reich Gottes" in der Bibel ohne Beachtung des Schriftsinnes verwendet. Wie sämtliche seiner Zeitgenossen las Torquemada das Wort in der Vulgata-Übersetzung der Bibel und verstand den Text in der Bedeutung, welche die Worte für westeuropäische Katholiken des 15. Jahrhunderts hatten. Kardinal Johannes mußte des Griechischen kundig gewesen sein; er spielte eine hervorragende Rolle auf dem Konzil von Florenz und hatte Bessarion zum persönlichen Freund. Doch wie gut oder wie schlecht seine Kenntnis des Griechischen auch gewesen sein mag, sie hat jedenfalls keinen großen Einfluß auf seine Schriftexegese ausgeübt. Der Vulgatatext wurde im Licht des unmittelbaren Wortverständnisses gelesen, wobei Torquemada keinen anderen Führer als die mittelalterlichen Glossen hatte. Allen anderen Formen der Argumentation entsprechend, behandelt er auch den Schrifttext mehr oder weniger wie einen Syllogismus. Dies führt notwendigerweise zu einem univoken Verständnis eines biblischen Wortes. Die Folge davon ist, daß er der nicht-logischen Form der Mitteilung, die für die Sprache der Bibel so charakteristisch ist, in ihrer ureigensten Wirklichkeit nicht gerecht wird. Bilder und Symbole, die keine logischen Begriffe sind, werden bei Torquemada logisch verstanden. Ein Theologe der heutigen Zeit hat das Gefühl, daß hier die Schrift selbst weder befragt noch wirklich benutzt wird. Torquemadas Theologie scheint bezüglich der Schrift nicht in die Tiefe zu gehen, sondern bedeutet lediglich eine Angleichung der Bibel an die Polemik.

Mit demselben Mangel sind auch Torquemadas Beweisführungen aus der Tradition behaftet. Der spanische Dominikaner benutzt die gefälschten Dekretalen der Konstantinischen Schenkung Roms und Italiens an den Papst. Dabei ist er selbst davon nicht ganz überzeugt, denn er gebraucht die Worte „*Constantinus dicitur fecisse*“ [5]. Obwohl man damals noch allgemein an die Schenkung glaubte, begannen zu Torquemadas Zeiten in Italien die Kontroversen über ihre Echtheit. Ungeachtet seiner Zweifel über die Schenkung, benutzte er sie doch noch als Argument.

Wir dürfen nicht vergessen, daß der gelehrte Dominikaner im Jahr 1468 starb und ihm deshalb fast alle seine Quellen nur in Handschriften zugänglich waren. Wenn überhaupt, benutzte er wahrscheinlich nur wenige gedruckte Veröffentlichungen. Die frühen Drucke enthielten nicht viel, was dem Kardinal hätte von Nutzen sein können. Tatsächlich gehört sein eigenes Werk noch zu den Inkunabeln; es wurde erst nach seinem Tode im Buchdruck verbreitet. Unter diesen Umständen war eine kritische Geschichtsforschung äußerst schwierig, insbesondere für einen Mann mit solch weitgespannten Interessen und Verpflichtungen, wie Torquemada sie hatte.

Wir können einem Theologen des 15. Jahrhunderts keinen Vorwurf machen, daß die Bedingungen seiner Zeit seinem Werk notwendigerweise harte Beschränkungen auferlegten. Gemessen am Stil und den Gepflogenheiten seiner Zeit, schrieb er vortrefflich. Doch erscheint gerade damit die schwache Seite dessen, was in der Theologie zeitbezogen ist. Torquemadas Koordinatensystem, das unbewußt den theologischen Gegebenheiten aufgelegt ist, hat diese entstellt. Ihn als Zeugen für den Glauben zu benutzen ist nur legitim, wenn die Entstellungen eliminiert werden, die ohne Verschulden gemacht wurden und unvermeidlich waren, wollte der Theologe Zeitbedeutung erreichen.

In welchem Ausmaß kann er als Zeuge für das Schriftverständnis der Kirche gelten? Er vertritt jedenfalls in typischer Weise die im 15. Jahrhundert übliche biblische Argumentation der Theologie. Doch erklärte die Kirche die Schrift nicht nur durch ihre Theologen, sondern noch eindringlicher durch ihre Heiligen in deren Leben und Frömmigkeit; durch die Feier der Liturgie; durch die Prediger und Seelenführer, die in Wort und Schrift Ordensleute und Laien in gleicher Weise leiteten. Viele dieser nicht-theologischen Intentionen und die Prediger des heiligen Wortes gaben dem inspirierten Text Deutungen, die von den Theologen infolge der von ihnen angewandten Methode ausgeschlossen wurden. So hatten die Nicht-Theologen gegenüber den Theologen, die biblische Begriffe ausschließlich im Sinne eines aristotelischen Syllogismus verwendeten, einen Vorzug. Die reichen Bilder und der tiefe Symbolismus der Bibel und der

---

[5] Ebd., p. 459, col. 2 ad fin.

Väterkommentare sind keine logischen Termini, noch dürfen sie so verwendet werden. Es kann ernsthaft bezweifelt werden, ob die bildhafte Sprache in logischer Prosa adäquat wiedergegeben werden kann. Die Poesie kommuniziert mit dem menschlichen Verstehen in einer Weise, wie es der wissenschaftlichen Sprache nicht möglich ist, und die Bilder und die Symbole können nur durch eine Einsicht verstanden werden, die sich nicht von der Logik herleitet. Die Bibel hat sogar in ihren prosahaftesten Abschnitten mindestens so viel Poetisches wie Dialektisches. Die Einsichten eines Gottesmannes oder eines charismatischen Predigers, die Aussagen der Liturgie können uns mehr für das Verständnis der Kirche vom Wort Gottes geben, als den Theologen des 15. Jahrhunderts auszusagen möglich war.

Der Theologe sucht, wenn er wirklich ein solcher sein will, nach Definition, Präzision und Verständlichmachung. An die Stelle der Bilder muß er Begriffe setzen. Seine Begriffe werden jedoch in ihm nicht durch die Wortbilder selbst evoziert, sondern durch seine Einsicht in die Intention der Bilder. Über das, was diese Einsicht ausmacht, kann jedoch nur wenig gesagt werden. Wir sehen, daß einige Menschen darüber verfügen, andere nicht. Als der heilige Anselm betete, nicht durch Verstehen zum Glauben zu kommen, sondern durch Glauben das Verstehen zu erlangen, sprach er das Grundprinzip der katholischen theologischen Methode aus. Die Verbegrifflichung durch den Theologen wird als solche durch jede Erkenntnislehre bestätigt. Sie enthält ein empirisches Element und paßt sich der Logik ohne Schwierigkeit an, hat aber eine außer-empirische und eine nicht-logische Grundlage. Sie ist das Ergebnis des Zusammentreffens von Glaubenseinsicht mit dem, was zeitlich und örtlich bedeutsam ist. Der erste Faktor ist für immer gültig, der zweite jedoch verlangt unter anderen Verhältnissen eine Änderung.

Da Torquemada für seine Zeit und Umwelt in hohem Maß bedeutsam war, bietet er für uns, die wir in einer von der seinen gänzlich verschiedenen Zeit leben, notwendigerweise Unzulänglichkeiten. Die Ekklesiologie entstand ja als eine formal theologisch strukturierte Disziplin in der Kirche erst in der Zeit des spanischen Kardinals. Er ist der erste, der eine „*Summa de Ecclesia*" schreibt; es war eine Pionierleistung. Die Ekklesiologie selbst war jedoch nicht neu. Seit der Zeit Gratians (um 1140) und seines *Dekrets* studierten die Kanonisten die Kirche aufs genaueste. Sie waren Rechtsgelehrte aus Berufung und Neigung, und es war unvermeidlich, daß ihre Auffassung von der Kirche juristisch war. Wenn sich die Theologen mit der Kirche befaßten, übernahmen sie mit gutem Gewissen, was die Rechtsgelehrten schon geleistet hatten. Der heilige Thomas zitiert Gratian, und Torquemada schrieb ein Werk über das

Dekret. Das *Dekret* und die *Dekretalen* wurden vom spanischen Theologen reichlich benutzt. Seine Gegner beriefen sich ebenso auf dieselben Quellen und die dazugehörigen Kommentare. Die Juristen verwendeten in ihren Werken Schrift und Väter als Locus für ihre Disziplin, und die Theologen zitierten die Juristen als Autoritäten (in ihrem Fach).

Für die theologische Ekklesiologie sind als Ergebnis dieses engen Verhältnisses zwischen Kanonisten und Theologen zwei Schwächen kennzeichnend. Da die Theologen nicht die ersten waren, die eine Ekklesiologie hervorgebracht haben, bestimmten die Rechtsgelehrten die zu behandelnden Fragen und auch die Gesichtspunkte, denen man folgen mußte. Die zweite Schwäche leitet sich von der ersten ab: Die Kirche wurde in ihrer äußeren Organisation studiert; ihre innere und geheimnisvolle Wirklichkeit wurde nicht berührt. Es bestand noch eine dritte Schwäche, die nicht von den Rechtsgelehrten herrührte, obwohl diese ebenfalls darunter litten. Man war allgemein der Auffassung, daß die Kirche mit Westeuropa, der *respublica christiana,* identisch sei. Torquemada verwendet diese Terminologie wie auch den Ausdruck Orbis Christianus, denkt dabei aber hauptsächlich an Westeuropa, obwohl ein unklares Bewußtsein vom Byzantinischen Reich nicht fehlt. Diese Identifikation der Kirche mit Westeuropa war sehr konkret: Die Kirche in ihrer mittelalterlichen westlichen Erscheinung galt als normative Form für die Kirche aller Zeiten und Orte. Das ist gerade bei Torquemada etwas merkwürdig, denn auf dem Konzil von Florenz war er mit Rom unierten Katholiken begegnet, deren kirchliches Leben nicht westlich gestaltet war.

Dieser ganze Vorgang beruhte auf einer Verabsolutierung einer relativen Sache. In der mittelalterlichen westlichen Situation der Kirche Christi wurde die Kirche mit der mittelalterlichen *respublica christiana* identifiziert. Die Stellung der Kirche wurde nicht nur vom Evangelium bestimmt, sondern ebenso von der ungeschriebenen Verfassung des mittelalterlichen Europa. Torquemada war mit dieser Ansicht der Wahrheit sicherlich sehr nahe. Indem er seine Kirchentheologie zum großen Teil aus dem Werk der Kanonisten schöpfte, betrachtete er die geistliche und charismatische Gewalt der Kirche unter der Kategorie der Jurisdiktion — ein Wort, das in seinem Werk beständig wiederkehrt. Das wäre an sich nicht gefährlich, wenn es klar wäre, daß das Wort in analoger Weise verwendet wird. Es wird jedoch der Eindruck erweckt, daß Jurisdiktion (als hoheitliche Gewalt) in der Kirche und Jurisdiktion in der weltlichen Ordnung univok sind. Gewiß waren kirchliche Anordnungen auf vielen Gebieten für die Christenheit rechtsgültig aufgrund deren eigener verfassungsmäßiger Zuständigkeit. Solche Jurisdiktion ist der weltlichen Ordnung entnommen, aber rechtliche Jurisdiktion in einem weltlichen

Sinn gehört nicht zum Wesen der Kirchengewalt, wie sie sich aus Schrift und Tradition darstellt.

Torquemadas große Bedeutung für die mittelalterliche Situation muß seine Bedeutung für andere Zeiten und andere soziale Systeme schwächen. Das kann dem Kardinal auch nicht angekreidet werden. Andere Zeiten haben andere Theologen, die für ihre eigene Epoche zuständig sind. Doch müssen wir uns davor hüten, die Werke des Kardinals von San Sisto ohne Revisionen und Modifikationen zu benutzen.

Dies wird offensichtlich in der Auffassung Torquemadas von der indirekten Gewalt des Papstes gegenüber zeitlichen Belangen. Seine theologische Stellungnahme ist für die Zeit, in der er schreibt, nicht extrem; vielmehr hält er eine mittlere Position zwischen zwei Extremen. Er schreibt der Kirche keine Jurisdiktion zeitlichen Belangen gegenüber zu, die ihr direkt von Christus verliehen worden wäre; vielmehr bekennt er sich dazu, daß die Gewalt des Papstes geistlicher Natur ist, weltlich im eigentlichen Sinn nur per accidens unter bestimmten Umständen. Ja, er gibt es nicht nur zu, sondern verteidigt dies entschieden. Er gesteht jedoch der geistlichen Gewalt zeitliche Jurisdiktion zu, indem er diese durch aristotelische Schlußfolgerungen erweitert[6]. Die Rechtmäßigkeit einer jeder ihrer Handlungen muß vom letzten Ziele jeder Gesellschaft her beurteilt werden. Jegliche Handlung oder Institution, die mit dem letzten Ziel dieser Gesellschaft in Widerspruch steht, ist von selbst unrechtmäßig. Da die beseligende Schau Gottes das letzte Ziel aller Menschen ist und da diese Anschauung durch treues Anhangen an Leben und Lehre der Kirche erreicht wird, muß die Kirche durch ihr Oberhaupt über die Rechtmäßigkeit der weltlichen Einrichtungen urteilen. Wenn sie befindet, daß diese nicht mehr mit dem Ziel der Anschauung Gottes vereinbar sind, verlieren diese Einrichtungen ihre legale Kraft. Die Kirche erhält auf diese Weise eine letzte Zuständigkeit, mit der notwendigen Gewalt ausgerüstet, um ihre eigenen Entscheidungen durchsetzen zu können. Verfassungsmäßig können weltliche Gesetze annulliert, weltliche Regierungshäupter abgesetzt, zeitliche Hilfeleistungen für die Kirche gefordert werden.

Einleitend schränkt Torquemada seine Aussagen auf die Gewalt des Papstes im *Orbis Christianus* ein. Deshalb sagt seine Lehre nichts aus über die Stellung der Kirche außerhalb der christlichen Gemeinschaft. Wie hat der mittelalterliche Theologe den *Orbis Christianus* aufgefaßt? Wie schon gesagt, wird darunter mit Sicherheit das westliche Christentum verstanden. In welchem Maß die byzantinische Christenheit einge-

---

[6] Ebd., p. 462, col. 1 ad fin.

schlossen ist, wird nicht klar. Irgendwie gehört sie dazu. Staatswesen, die in keinem Sinn christlich zu nennen sind, kommen nicht in Betracht; protestantische Christen konnten nicht berücksichtigt werden, da es sie zu Torquemadas Zeiten noch nicht gab. Ein Corollarium zu den Thesen des spanischen Theologen spricht davon, daß die weltliche Regierung in allen ihren Handlungen dem Recht und der Pflicht des Papstes, zu beurteilen, ob diese mit dem letzten Ziel des Menschen in Einklang stünden, unterworfen sei. Es gab keine Verfassungsbestimmung, welche die Regeln festlegte, wonach eine solche Entscheidung zu treffen wäre. Keine Regierung konnte sicher sein, ob alle ihre Anordnungen auch wirklich rechtsgültig seien; Sitte und Gewohnheit konnten über ein eventuelles Eingreifen des Papstes eine vernünftige Sicherheit geben, aber nicht mehr. Das Urteil des Papstes war auch nicht eine bloße sittliche Beurteilung der Handlung der Regierung; es entsprang wirklicher Jurisdiktion: das Gesetz wurde von höchster Instanz annulliert; der Regent wurde rechtlich abgesetzt, und seine Untergebenen wurden vom Treueid entbunden.

Man kann nun mit gutem Grund die Auffassung vertreten, daß die ungeschriebene Verfassung des westlichen Christentums dem Papst dieses Recht tatsächlich einräumte. Während ein Teil der Juristen diese Ansicht vertrat, lehnten andere sie ab. Wenn aber der Papst diese Jurisdiktion besaß, war sie ihm von der weltlichen Gemeinschaft der westlichen Christenheit übertragen worden. Dies aber besagt noch nicht, daß sie auch göttlichen Rechtes war.

Man kann sich wohl fragen, ob Torquemada nur Theologie betreibt oder ob er eine Mischung von Theologie und Verfassungsrecht darbietet. War, mit anderen Worten, der Preis der Zeitgemäßheit seiner Theologie eine radikale Beschränkung der ganzen und universalen christlichen Lehre vom Verhältnis der Kirche zur weltlichen Ordnung auf eine bestimmte Zeit und ein bestimmtes Gebiet? Solche Beschränkung braucht ihm nicht zur Last gelegt werden, doch müssen künftige Theologen dies notwendigerweise überlegen und berücksichtigen, wenn sie den Autor des 15. Jahrhunderts studieren.

Die Abhängigkeit der mittelalterlichen theologischen Ekklesiologie — das Gebiet, auf dem der Kardinal von San Sisto besonders hervorragt — vom kanonischen Recht und den älteren kanonistischen Abhandlungen gereichte zum Schaden der noch unsystematischen Ekklesiologie, welche die Theologen dieser Zeit unbewußt zu bauen begonnen haben. Es scheint, daß ihr hauptsächliches, wenn auch kaum ihr einziges Anliegen die Jurisdiktion der Kirche war. Für eine kanonistische Ekklesiologie war dies legitim. Sogar beim jüngeren Thomas zeigt sich diese Eigenart. Die hierarchische Stufenleiter der Gewalten ist die tragende Vorstellung der

Zeit, die die Kirche einem pyramidenhaften Bau angleicht: Papst, Kardinäle, Bischöfe, Priester, einfache Gläubige. Der Schlüssel zu dieser Aufteilung ist der legalistische Begriff der Jurisdiktion. Der heilige Thomas lehrt, daß der Unterschied zwischen Bischöfen und Priestern darin bestehe, daß der Bischof Jurisdiktion besitze. Mit seiner Weihe werde ihm nicht eine innere Gewalt der geistlichen Ordnung verliehen, die er vorher nicht gehabt habe, sondern nur rechtliche Autorität. So sah es Thomas im Sentenzenkommentar. Seine Theorie wurde in der Schultradition weitergeführt und auch von Torquemada vertreten. Obwohl man das Bild von der Kirche als dem Leib Christi in der Theologie kannte, wurde die Kirche mehr als eine gesellschaftliche Organisation denn als ein Organismus betrachtet. Die organischen Elemente der Kirche, wie sie im biblischen Bild vom Leib Christi beschrieben sind, werden ohne weiteres in Elemente einer politischen Körperschaft umgedeutet.

Vielleicht am wenigsten adäquat in der Ekklesiologie des Kardinals ist seine Auffassung vom Unterschied zwischen geistlich und weltlich. Er lehrt wohl klar den Unterschied zwischen den beiden Ordnungen. Jedoch in Übereinstimmung mit der damals geläufigen Vorstellung von den zwei Schwertern, mit denen die Gewalt über die Menschen ausgeübt wird, dem weltlichen und dem geistlichen, unterstellt er beide dem Eigentum der Kirche, das heißt des Papstes[7]. Um diese Lehre mit seiner Lehre von der indirekten Gewalt der Kirche gegenüber zeitlichen Belangen in Einklang zu bringen, weist er den weltlichen Autoritäten ordentliche und gewöhnliche Jurisdiktion zu; der Papst hat nur in Einzelfällen und unter außergewöhnlichen Umständen Jurisdiktion, wenn es sich um eine Sünde handelt oder wenn der Friede der Kirche in Gefahr ist. In einem solchen Augenblick hat der Papst formale Jurisdiktion auch im weltlichen Bereich. Seine Jurisdiktion annulliert die Handlung der weltlichen Gewalt nicht im allgemeinen, wohl aber in diesem Einzelfall. Weltliche Regierung ist daher niemals mehr als der weltliche Arm der Kirche selbst. Ihre Aufgabe besteht darin, für die Kirche zu handeln, auch wenn sie für gewöhnlich nicht durch die Kirche ausgeübt wird.

In einer solchen Theorie ist die geistliche Gewalt säkularisiert, wenn schon nicht im allgemeinen, so wenigstens ausnahmsweise in konkreten Einzellfällen. Auf diese Weise vereinigt Torquemada zwei verschiedene Gewalten, und zwar unter der Annahme, daß sie beide Prärogative ein und derselben Gesellschaft seien. Diese Gesellschaft ist die Kirche selbst, die auf verschiedenen Gebieten menschlicher Belange verschieden handelt. Die geistliche Gewalt der Kirche ist ihrem Wesen nach nicht-weltlich,

---

[7] Ebd., p. 464, col. 2 ad fin.

unter bestimmten Umständen aber trägt die geistliche Gewalt dazu bei, die Wirksamkeit der weltlichen Jurisdiktion zu gewährleisten.

Hier haben wir ganz klar den Fall einer juristischen Argumentationsweise. Es wird angenommen, daß jede wirkliche Gewalt in einer Gemeinschaft rechtlicher Natur sein müsse. Daß auch prophetische Gewalt durchaus real ist, obwohl sie nicht auf die Ordnung des Rechts zurückgeführt werden kann, scheint Torquemada nicht in den Sinn gekommen zu sein. In der natürlichen Ordnung muß die Gemeinschaft die Fähigkeit besitzen, Gesetze zu erlassen und durchzuführen. Dies weiß der Kardinal von San Sisto, und darin liegt der Grund, weshalb er die Auffassung von der direkten Gewalt der Kirche gegenüber zeitlichen Belangen ablehnte. Er weist auf die Existenz von Staaten vor der Entstehung der Kirche hin, die ohne Beziehung auf die künftige Kirche Jurisdiktion auszuüben gehabt hatten. Es genügt eine natürliche Körperschaft, um eine hoheitliche Autorität einzuführen; die Kirche ist für diese Aufgabe keinesfalls notwendig. Torquemada geht davon aus, daß die Gewalt dieser Autorität akzidentell verändert wird, wenn der Staat in den *Orbis Christianus* eingegliedert wird. Diese These wird theoretisch nicht bewiesen. Sie baut auf der geschichtlichen Wirklichkeit dieser *respublica christiana* auf, die konkret die Grundlage für Torquemadas Existenz war. In den Tagen Torquemadas wurde eine leidenschaftliche Kontroverse über den verfassungsmäßigen Aufbau der *respublica christiana* ausgetragen, und Torquemada stand bei dieser Auseinandersetzung auf einer Seite, ohne die andere wohlwollend und positiv darzustellen. Alle seine Beweise für die indirekte päpstliche Gewalt über die Christenheit sind Korollarien zu seinen eigenen Thesen. Folglich war der erste Versuch rechtlicher, nicht theologischer Art, obwohl theologische Gesichtspunkte mitspielten.

Infolge der juridischen Behandlung der Kirche, die den unmittelbaren Hintergrund für die im 15. Jahrhundert aufkommende theologische Ekklesiologie darstellte, setzten Männer wie Torquemada unbewußt das alte Gespräch fort, das die Kanonisten begonnen hatten. Wenn die Rechtsgelehrten die Gewalt der Kirche in der Gesellschaft behandelten, dachten sie natürlich primär an die Jurisdiktion. Dies ist bei Juristen nur logisch und ist auch zu erwarten. Doch hätte diese Identifizierung von Gewalt und Jurisdiktion nicht von einem Theologen übernommen werden sollen. Die klare Erkenntnis, daß die kirchliche Gewalt in ihrer eigenen Wirklichkeit keine staatliche Jurisdiktion ist, muß dem spanischen Theologen hoch angerechnet werden. Sie ist vielmehr formal geistlich, zieht aber unter bestimmten Umständen aus sich heraus eine wahre Jurisdiktion nach sich, um ihre eigene geistliche Funktion ausüben zu können.

Diese letzte Behauptung war eine Schlußfolgerung, keine Aussage des Evangeliums. Der Schluß beruhte auf der Prämisse, daß zivile Jurisdiktion die einzige wirksame Gewalt in der Gesellschaft sei. Hiermit setzte man die juristisch- ekklesiologische Diskussion fort.

Die Macht eines prophetischen Protestes wird nicht betrachtet. Der Prophet greift politische Fragen nicht als solche auf, noch weil er selbst politische Funktionen zu erfüllen hat. Im Namen Gottes protestiert er gegen die Sünde und ruft König und Volk zu Umkehr und Gesinnungsänderung auf. Er handelt religiös, nicht rechtlich. Er gebraucht ein göttliches Charisma, das ihn zu einem göttlichen Mahnwort befähigt. Ob seine Zuhörer ihm folgen oder nicht, er hat das göttliche, nicht politische Recht, zu sprechen, und keine wie immer geartete bürgerliche Autorität kann ihm dieses Recht geben. Der Prophet ist niemals Regierungsbeamter, der mit verfassungsmäßiger Autorität handelt, auch nicht in Ausnahmezeiten. Seine Gewalt ist immer eine unmittelbar übertragene göttliche Ermächtigung. Er übt auf die Gesellschaft einen Einfluß aus, insofern seine Zuhörer seine Rede hören und als Bürger politisch handeln werden, um ihr politisches Leben in Ordnung zu bringen. Die Gewalt des Propheten ist nur indirekt politische Gewalt, nicht weil sie aus sich politisch ist, sondern weil sie bürgerliches Handeln im Staatswesen zur Folge hat. Sie ist wirkliche Gewalt, aber niemals Jurisdiktion. Die besondere Struktur des Christentums ändert diese Situation nicht grundlegend. In welchem Ausmaß sie dennoch eine Änderung zur Folge hatte, war eine Frage des mittelalterlichen Verfassungsrechtes; die zu diesem Recht verfaßten Kommentare waren nicht Theologie, auch dann nicht, wenn sie von Theologen geschrieben wurden.

Diese Überlegung bringt uns zurück zum ursprünglichen Bezug dieser Untersuchung. Eine lebendige Theologie muß zeitbezogen sein. Eine nicht-bezogene Theologie, die nicht zu den Problemen ihrer Zeit Stellung nimmt, ist schlechte Theologie. Doch bringt Zeitbezogenheit eine große Versuchung mit sich: der Theologe sieht alles im Licht des Evangeliums; und er sieht vor allem die Dinge, die in sein eigenes Milieu hineinragen. Dieses Unterfangen bleibt immer unsicher. Der Theologe kann mit bester Absicht das Evangelium von seiner Zeit her betrachten wollen. Dies verdreht jedoch die Offenbarung: er soll seine Zeit immer vom Evangelium aus sehen und beurteilen und darf nicht umgekehrt vorgehen. Jeder Theologe ist bis zu einem gewissen Grad mit diesem Virus infiziert, wir können es nicht anders erwarten. Die Größe eines Theologen wird offenkundig, wenn sein Verständnis des Evangeliums, dargeboten in zeitbedeutsamer Weise, im Horizont von Folgerichtigkeit und Einheitlichkeit immer mehr an Klarheit gewinnt.

In diesen Überlegungen sollte man keinen Angriff auf Juan Torquemada sehen. Seine Verdienste gehen aus seinem Werk und der ihm von seiten seiner theologischen Mitbrüder zuteil gewordenen Verehrung klar genug hervor. Eine Betrachtung seiner Abhandlung sollte nur die Gelegenheit bieten zu einer Reflexion über die theologische Methode selbst. Für einen solchen Versuch hätte jeder beliebige Theologe dienen können, sei es Torquemada, Duns Scotus, Bellarmin oder Johann Adam Möhler.

III

BIBLISCHE THEMEN

ZUR OFFENBARUNGSENTWICKLUNG IM ALTEN TESTAMENT

Von Heinrich Gross, Trier

Dank der Bemühungen der letzten 30 Jahre um ein tieferes Verständnis der Theologie des AT[1] hat dieser Teil der Bibel aufgehört, nur eine Fundgrube von dicta probantia für die systematischen theologischen Disziplinen zu sein. Diese Umorientierung hat sich inzwischen über den Kreis der Fachleute hinaus Bahn gebrochen und weithin durchgesetzt. Nicht zuletzt dürfte die damit angesprochene neue Richtung in der atl. Wissenschaft, deren Anfänge im engeren Bereich der Fachdisziplin eigentlich schon bis in die Zeit nach dem Ersten Weltkrieg zurückreichen, auch dadurch ausgelöst worden sein, daß die Exegeten gezwungen wurden, sich infolge der immer reicheren archäologischen Erkenntnisse, der vielfältigen neuen Beobachtungen auf dem Gebiet der semitischen Philologie, der einsetzenden formgeschichtlichen Betrachtungsweise nunmehr kritisch mit der bis dahin mancherorts gar als Dogma hingenommenen Wellhausenschen Auffassung über die Entstehung des AT, insbesondere des Pentateuch, auseinanderzusetzen.

Die heutige Forschung ist sich inzwischen der Tatsache mehr und mehr bewußt geworden, daß Wellhausen[2] sich bei seinen Untersuchungen am AT vor allem des Rüstzeugs der Hegelschen Geschichtsphilosophie bediente und die Ansicht vertrat, von dieser Grundlage her auch die Religionsentwicklung Israels verständlich machen zu können. Damit soll jedoch nicht behauptet sein, daß Wellhausen sich unbesehen die sachlichen Resultate Hegels zu eigen gemacht hätte; für ihn bot sich vielmehr das Systemdenken Hegels als willkommenes formales Schema an, mit dem, so schien

---

[1] Vgl. bes. die Theologien des AT von *W. Eichrodt* I—II (Stuttgart-Göttingen [5]1957; [4]1961); *E. Jacob* (Neuchâtel-Paris 1955); *P. van Imschoot* I—II (Tournai 1954; 1956); *G. A. F. Knight* (London 1959); *L. Köhler* (Tübingen [2]1947); *O. Procksch* (Gütersloh 1950); *G. v. Rad* I—II (München [4]1962; 1960); *Th. C. Vriezen* (Wageningen-Neukirchen o. J.); dazu *H. H. Rowley*, The Faith of Israel (London 1956); *Y. Kaufmann*, The Religion of Israel from its Beginnings to the Babylonian Exile. Transl. from Hebrew and abridged by M. Greenburg (London 1961).

[2] Vgl. vor allem *J. Wellhausen*, Prolegomena zur Geschichte Israels (Berlin [6]1905); *ders.*, Israelitische und jüdische Geschichte (Berlin [7]1914).

es, anders und besser als bisher das Wachstum des AT begriffen und dargelegt werden konnte. Als Bestätigung für diese inzwischen verbreitete Einsicht kann die Auffassung des Hamburger Alttestamentlers H.-J. Kraus angeführt werden: „Zweifellos stellt Wellhausen die Entwicklung innerhalb des AT auf der Basis der Quellenforschung im Sinne der Hegelschen Geschichtsphilosophie dar." „Das spekulative Geschichtsdenken Hegels trägt letztlich entscheidend dazu bei, dem Entwurf der religiösen Entwicklung Israels seine Geschlossenheit und imponierende Folgerichtigkeit zu verleihen." [3]

Wenn es also falsch, weil sachlich unrichtig, ist, dem Wachstum der atl. Offenbarung mit Kategorien der Philosophie Hegels oder auch irgendeines anderen philosophischen Systems beikommen zu wollen, dann ist es aber genauso unsachlich, eine solche Entwicklung der Offenbarung im AT a limine abzulehnen oder, wie es noch immer vielfach bei der praktischen Arbeit mit dem AT geschieht, so zu tun, als ob es sie in Wirklichkeit nicht gäbe oder als ob es doch zumindest unnötig wäre, darauf Rücksicht zu nehmen [4]. So stellt sich mithin die Aufgabe, jene wirklich vorhandene und inzwischen von den Fachleuten mehr und mehr berücksichtigte Offenbarungsentwicklung im AT, die sich in einem über eintausendjährigen Entstehungsprozeß abgespielt hat und widerspiegelt, mit einer angemesseneren, d.h. mit einer bibelgemäßen und bibeleigenen Methode zu erfassen und ans Licht zu heben. Denn schließlich kann es, theologisch gesehen, nicht nur beiläufig oder gar belanglos sein, daß das AT nicht in einem einzigen Zeitpunkt oder in ganz kurzer Frist in seiner Fülle wie ein systematisches Werk vollendet und schlagartig da ist, sondern einen jahrhundertelangen und langwierigen Entwicklungsprozeß bis zu seiner heutigen Gestalt durchlaufen hat.

Im Folgenden soll nunmehr versucht werden, an einzelnen markanten Punkten jenen allmählichen, eigengearteten Werdegang des AT zu er-

---

[3] *H.-J. Kraus,* Geschichte der historisch-kritischen Erforschung des Alten Testaments von der Reformation bis zur Gegenwart (Neukirchen 1956) 248 239; vgl. auch *G. v. Rad,* Theologie des Alten Testaments I (München [4]1962) 126.

[4] Es verhält sich mit unserer Frage ähnlich, wie es im Brief des Sekretärs der Päpstlichen Bibelkommission an Kardinal Suhard, Paris, zum Problem der literarischen Gattung der ersten elf Kapitel der Genesis trefflich formuliert ist: „Von vorneherein zu erklären, daß ihre Berichte nicht Geschichte im modernen Sinne des Wortes enthalten, könnte leicht die Meinung aufkommen lassen, diese seien völlig unhistorisch, während sie tatsächlich in einfacher, bildhafter, der Fassungskraft einer weniger entwickelten Menschheit angepaßten Sprache die für die Heilsgeschichte grundlegenden Wahrheiten darstellen und zugleich eine volkstümliche Beschreibung der Ursprünge des Menschengeschlechtes und des auserwählten Volkes geben." Vgl. Neuausgabe, hrsg. vom Katholischen Bibelwerk (Stuttgart 1962) 42 f.

fassen und aufscheinen zu lassen. Es kann dabei nicht unsere Aufgabe sein, nur die rein empirisch greifbaren historischen Ereignisse der Geschichte des Volkes Israels nachzuzeichnen, schon einfach deswegen nicht, weil der heutige Stand der Forschung uns das kaum ermöglicht und kein lückenloses Bild der empirischen israelitischen Geschichte liefert. Deswegen teilen wir jedoch nicht die Skepsis, mit der Noth[5] die Ereignisse vor dem Einzug in das Gelobte Land in seiner Geschichte darstellt; noch auch sind wir der Auffassung, daß unsere geschichtliche Kenntnis über die Frühzeit Israels und sein theologischer Glaube auseinanderfallen, worin v. Rad[6] die Lösung dieses Dilemmas sieht. Vielmehr stellen wir uns dabei auf die Grundlage der Schriften des AT, in denen sich nicht nur für den göttlichen Heilsplan belangvolle geschichtliche Ereignisse, sondern auch in und mit ihnen die durch den offenbarenden Gott kundgewordene Deutung dieser Ereignisse niedergeschlagen haben, in denen also das Geschehen an und in Israel als von Gott ins Werk gesetzt und in den Rahmen des großen göttlichen Heilsplanes eingefügt erscheint[7].

I

Sozusagen Modell dafür, was Offenbarung sein will, wie sie sich ereignet, d. h., wie Gott in besonderer Weise aus seinem Heilsplan auf den Menschen hin tätig wird und wie der so angerufene Mensch den Dialog mit Gott

---

[5] Siehe *M. Noth*, Geschichte Israels (Göttingen ²1954), bes. die Seiten 54—130; *ders.*, Der Beitrag der Archäologie zur Geschichte Israels: VT Suppl. VII (Leiden 1960) 262 bis 282, wo Noth sich mit den Auffassungen *Brights* über die Frühzeit Israels auseinandersetzt. Bright ist Schüler des bekannten amerikanischen Alttestamentlers und Archäologen *W. F. Albright*.

[6] *G. v. Rad*, Theologie des Alten Testaments I (München ⁴1962) 117—135, übernimmt die anfechtbaren Positionen, die von *A. Alt* und *M. Noth* herrühren, und belastet damit seine schönen, ja stellenweise ausgezeichneten Ausführungen unnötig. Doch ist einschränkend zu sagen, daß *v. Rad* diese grundsätzlichen Ausführungen in der 4. Auflage gegenüber der 1. Auflage (München 1957) 111—126 bedeutend zugunsten der Geschichtsbezogenheit auch der theologischen Aussagen des AT abgeändert hat. Besonders auf den Seiten 120 f gesteht er zu, daß auch das ‚kerygmatische' Bild in der realen Geschichte gründet und nicht „aus den Fingern gesogen" ist. Instruktiv und lesenswert ist in diesem Zusammenhang auch sein Aufsatz: Offene Fragen im Umkreis einer Theologie des Alten Testaments: TLZ 88 (1963) 401—416.

[7] Vgl. etwa für solches Verständnis der Geschichte Israels *W. Beyerlin*, Geschichte und heilsgeschichtliche Traditionsbildung im AT. Ein Beitrag zur Traditionsgeschichte von Richter VI—VIII: VT 13 (1963) 1—25. Beyerlin berührt sich in seiner Geschichtsauffassung eng mit *J. Bright*, A History of Israel (London 1960); *ders.*, Altisrael in der neueren Geschichtsschreibung (AThANT 40) (Zürich 1961). Auf Grund einer wohl sachgemäßeren Berücksichtigung und Einarbeitung der archäologischen Ergebnisse kommt Bright für die Frühzeit Israels und ihre geschichtliche Überlieferung zu erheblich positiveren Ergebnissen als Noth.

aufnimmt, ist *Abraham*, „unser Vater im Glauben" (Röm 4, 16). An einzelnen Teilgehalten des offenbarenden Tätigwerdens Gottes und der dadurch hervorgerufenen dialogischen reactio des Menschen lassen sich an diesem neuen Einsatz Gottes bei Abraham vor allem folgende Elemente herausstellen:

a) Gott stellt den Menschen auf Pilgerschaft (Gn 12, 1—3). Dabei handelt es sich durchaus nicht darum, daß Gott hiermit einem seelischen Verlangen des Menschen entgegenkommt, das wir aus unserer heutigen Empfindung heraus als Fernweh bezeichnen würden. Denn mit einem rein innerweltlichen, dazu oft noch ziellosen Wandern ist für das Vorhaben Gottes genau so viel und so wenig gewonnen wie mit einem innerweltlichen Verharren. Das Ziel dieses Pilgerns ist vielmehr in einer größeren Nähe zu Gott zu sehen. Nur sie rechtfertigt ein solches Ansinnen Gottes an den Erwählten. Aus dieser Eigenart des Heilswerkes läßt sich demnach zwangsläufig folgern, daß Gottes Gegenwärtigkeit im Kosmos sich nicht nur in einer unbestimmten Allgegenwart, um die die atl. Bibel sehr wohl weiß (vgl. Ps 139, 8—12), erschöpft. Vielmehr nimmt Gottes Gegenwart an bestimmten, von ihm erwählten Punkten dieser Erde konkretere und intensivere Form an; das sind die Plätze, an denen er den Patriarchen erscheint, an denen diese Gott deshalb kultisch verehren, an denen so dem göttlichen Heilsplan auf dieser Erde erste anfängliche Verwirklichung zuteil wird. So wie die Verwirklichung von Gottes Heilsplan an bestimmte, erwählte geschichtliche Personen gebunden ist, so ist sie auch mit geographisch festlegbaren Örtlichkeiten verknüpft, d. h., Gottes Heilswerk ist in seinem Entstehen nicht eine überall gegenwärtige überirdische Ideologie, sondern ein in Raum und Zeit dieser Erde eingegangenes, historisch-reales Unternehmen Gottes, echte Geschichte: *Heilsgeschichte*.

Noch ein anderes hat dieses gottbefohlene Wandern zum Inhalt: Es ruft aus einem Eingehen in diese Welt und einem Einswerden mit ihr heraus. Wenn auch auf den Anfangsstufen der Offenbarung, rein äußerlich gesehen, der Eindruck entstehen mag, das Ziel der atl. Religion sei recht erdhaft und diesseitig — etwas, was man dem AT oft genug zum Vorwurf macht —, so ist zunächst dagegen einzuwenden, daß dieser Eindruck und solcher Vorwurf weithin aus der modernen naturalistischen Schau der Erde entsteht, aus der Gott entfernt ist oder nach der sein Hineinwirken in die geschöpfliche Welt unterschätzt oder gar geleugnet wird. Dagegen ist festzuhalten, daß nach atl. Auffassung bei aller noch so starken, uns oft befremdenden Diesseitigkeit der Verheißungen an ihrer Spitze immer Gott steht und wesentlich, ja hauptsächlich in sie einbezogen ist. Nicht also das unruhvolle Wandern schlechthin (das kann im Gegenteil sogar härteste Strafe sein, vgl. etwa Kain, für den dieses Wandern schwerere Strafe als der Tod bedeutet, Gn 4, 12), sondern das Wandern, das auf der Erde aus dieser Welt heraus zu Gott führt, ist jenes Grundelement der Aufforderung an Abraham.

b) Damit ist gleichfalls schon ein zweiter Teilgehalt dieser Gottesoffenbarung an Abraham ins Blickfeld gerückt: die Verheißung eines bestimmten Landes als Erbteil (Gn 15, 18—21). So wie Gott sich zu Beginn des neuen Heilsweges den einzelnen Abraham und später ein einziges Volk aus allen Menschen und Völkern auf der Erde auserwählt, bedarf es dafür auch eines festumrissenen Raumes, wenn anders Gottes Heilswerk den Berufenen überhaupt in eine totale Lebensgemeinschaft mit seinem Gott fordert und stellt. Dieser Raum und dieses Land kann dann nicht einfach mehr ein neutrales Gebiet sein und bleiben, sondern auch es wird vom Eingreifen Gottes affiziert: Es wird der der fortschreitenden Offenbarung gemäße und angemessene Raum. Gelobtes Land und erwähltes Volk werden wie in einer heiligen Ehe verbunden[8].

Nicht zuletzt kommt auch in diesem Gebundenwerden der Offenbarung an ein bestimmtes Erdreich die Tatsache zum Ausdruck, daß der Mensch in seiner Ganzheit, als Wesen aus Leib und Seele, in Gottes Heilsplan hineingenommen wird. Gerade die Verbindung mit einem Land schützt die Offenbarungsreligion vor jeglicher falschen Spiritualisierung oder Verflüchtigung in die Welt der reinen Ideologie.

c) Auf der damit bereiteten Basis findet Gottes Heilswerk seine erste konkrete Stufe der Verwirklichung im *Bund mit Abraham* (Gn 15 17). Mit der Offenbarungswirklichkeit des Bundes ist Form, Art und Weise angegeben, wie Gottes Heilsplan für den Menschen greifbare Gestalt annimmt[9]. Im Bundesverhältnis[10], das seinem Wesen und Gehalt nach eher als Stiftung Gottes (vgl. die Übersetzung διαθήκη in der LXX!) denn als bilateraler Vertrag zwischen gleichrangigen Partnern anzusehen ist, sind all die Zusicherungen Gottes, die Berufung, Erwählung und Verheißung zum Inhalt haben, aufgenommen; es wird ihnen darin Zuständlich-

---

[8] Vgl. dazu *M. Buber,* Israel und Palästina. Zur Geschichte einer Idee (Zürich 1950).

[9] Zum weiteren Verständnis dieser Vorstellung sei hingewiesen auf zwei Beiträge des Verfassers: 1. Der Sinaibund als Lebensform des auserwählten Volkes im AT: EKKLESIA (Festschrift Bischof Wehr) (Trier 1962) 1—15, und 2. Motivtransposition als Form- und Überlieferungsprinzip im AT: Exegese und Dogmatik, hrsg. von *H. Vorgrimler* (Mainz 1962) 134—152.

[10] Inzwischen hat die Forschung im Alten Orient Vorbilder dieses besonderen Bundesverhältnisses nach der formalen Seite im sogenannten hethitischen Vasallenvertrag entdeckt. Vgl. dazu *G. E. Mendenhall,* Law and Covenant in Israel and the Ancient Near East (Pittsburg 1955), deutsch erschienen unter dem Titel: Recht und Bund in Israel und dem Alten Vorderen Orient (Zürich 1960); *K. Baltzer,* Das Bundesformular (Neukirchen 1960).

keit und Dauer verliehen. Ihnen kommt folglich nicht nur der Charakter eines einmaligen vorübergehenden Eingreifens Gottes zu, sondern sie erhalten im Bund nach der Absicht Gottes bleibende Dauer und stellen somit den menschlichen Partner seinsmäßig für immer in eine größere Nähe zu Gott. So soll aus dem Bund heraus das Heil Gottes, das in der Zusicherung leiblicher Nachkommenschaft und des Landbesitzes konkretisiert wird, an Abraham zeit seines Lebens sich ereignen und verwirklichen.

d) Doch nicht unbedingt oder von außen her, oder gar mit Gewalt an den Erwählten herangetragen, soll nach Gottes Plan das in der Offenbarung bereitgestellte Heil den Menschen überfallen. Vielmehr appelliert Gott an die freie Entscheidung seines Partners: Der Erwählte soll im echten Dialog auf Gottes Angebot ant-worten; diese Antwort soll er in seinem Leben zur Tat werden lassen und damit den Sinn seines Lebens erfüllen. Auch in diesem Punkte stellt die Schrift Abraham als beispielhaft hin. In knappen Worten berichtet sie (Gn 12, 4): „Da zog Abram hin, wie Jahwe ihm geboten hatte ..." Doch daß damit nicht der knechtische Gehorsam des Sklaven gemeint ist, beweist Gn 15, 6, wonach dieser Gehorsam aus der inneren Personmitte des Gott ganz sich übereignenden und hingebenden Menschen vollzogen erscheint: „Abram glaubte Jahwe, und der rechnete es ihm an als Gerechtigkeit." Mit dieser Haltung und dauernd neu zu vollziehender personaler Entscheidung transzendiert Abraham im Bund mit Gott jede zwischenmenschliche Abmachung. Mit der Haltung des Glaubens allein kann demnach die Gottes Heilsweg entsprechende Antwort des Menschen erfolgen. Bis in welche, menschlich gesprochen, geradezu paradoxe Situationen Gott den Erwählten in diesem besonderen Verhältnis des Bundes führen kann, zeigt die Gn 22 berichtete unerhörte, ja ungeheuerliche Zumutung, den einzigen Sohn und Verheißungserben, auf dem doch die ganze von Gott eingeleitete Zukunft steht, zu opfern.

Noch eines ist auffällig und widerspricht menschlicher Erwartung beim Blick auf die Heilsführung Gottes: Er hat die Zeiten genau festgesetzt und handelt in längeren, für den altgewordenen Menschen Abraham unbegreiflich langen Zeitabschnitten. Auch das bedeutet für den Erwählten eine unerwartete und unverständliche Erprobung. Abraham und seine Frau Sara sind zu alt, als daß sie noch berechtigte Hoffnung auf einen Leibeserben haben könnten. Doch hat Jahwe nach Gn 15 17 die ganze Zukunft seines Heilswerkes auf den leiblichen Sohn des Patriarchen gestellt. Aus dieser Not, die ihm der unbegreifliche Zeitplan Gottes und die Unfruchtbarkeit der Sara auf der einen Seite, die große Zukunftsverheißung an ihn auf der anderen Seite bereitet, versucht Abraham auf Anraten seiner Frau einen menschlichen Ausweg zu finden. Dazu dient ihm

Hagar, die Leibmagd der Sara (Gn 16). Doch gerade die menschlich verständliche, den Verhältnissen der damaligen Zeit angepaßte, kurzschlüssige Handlungsweise Abrahams zeugt von einer allzu großen Ungeduld des Patriarchen und ist die Kehrseite des nicht nach kurzen irdischen Maßstäben berechneten geduldvollen Zuwartens Gottes, dessen Pläne in der Zeit den langen Atem der göttlichen Ewigkeit verraten.

Die hier herausgestellten Grundelemente der Offenbarung zeigen sich hinfort als bleibende Strukturen des Offenbarungseingreifens Gottes; sie behalten auf allen Stufen des nur nach und nach zur vollen Wirklichkeit entfalteten Heilsplanes Gottes Gültigkeit. Das soll nun nicht heißen, als ob der weitere Verlauf der Offenbarung nur als ein Ausziehen jener hier angezogenen Linien auf ein damit bereitetes gleichbleibendes Niveau zu verstehen wäre. Vielmehr macht die Offenbarung eine *Aufwärtsentwicklung* durch, was ihren Inhalt, ihre Dichte, die vorausgesetzte Bereitung des jeweiligen Offenbarungspartners Gottes angeht. Jedoch läßt sich jene höherführende Entwicklung nicht mit Bestimmtheit nach irgendeinem philosophischen System oder aus immanenter Konsequenz eruieren und im voraus darstellen, noch auch nach Art einer mathematischen Parabel aus einem bestimmten Punkt auf dem „Koordinatensystem des göttlichen Heilswerkes“ berechnen. Vielmehr stellt sich diese einzigartige Offenbarung als von Gott organisch gefügt dar, so daß trotz aller von dem Menschen immer wieder neu in sie hineingetragenen Gegenbewegung und Diskontinuität sie sich letztlich doch als sieghaft in ihrer aufsteigenden Kontinuität erweist (vgl. dazu etwa Gn 50, 20, das geradezu als normativ für Gottes Handeln gelten kann). Das soll nun bei einer nächsten Stufe offenbar werden.

II

Fast wie eine Parallele zu Abraham auf höherer Ebene nehmen sich die Ereignisse aus, die sich um den Auszug des Zwölfstämmevolkes Israel unter Moses aus Ägypten und um den Bund am Sinai ranken. Doch daß es falsch wäre, hier das Bild der Parallelen pressen zu wollen, erweist die nachdrücklich betonte Anknüpfung der Exodus-Berichte an die Patriarchenzeit, die bei der Berufung des Moses, sozusagen als Legitimation des erscheinenden gleichen Gottes, also als Element der Kontinuität gedacht ist (Ex 3, 6): Moses steht hier vor dem Gott der Patriarchen. Gerade in diesem Moment des Kontinuierlichen ist ein wesentliches Strukturelement der Offenbarungsentwicklung zu sehen. Aber es geht dabei nicht um eine Wiederholung des Früheren oder um die Wiederkehr des Gleichen, wobei nur die Zeit fortgeschritten wäre, sondern um eine neuangelegte Fortführung des mit Abraham Begonnenen, allerdings in und gemäß den dort festgestellten Grundstrukturen. Diese Tatsache führt zu der Erkenntnis, daß Gottes Heilswerk sich nicht in einer ersten einmaligen Verwirklichung erschöpfend darstellt und aussagt, sondern voll solcher Dynamik und Spannungsgeladenheit ist, daß es von Stufe zu Stufe zu immer neuer und intensiverer Verwirklichung ansetzen kann, ehe daß es auf der letzten und höchsten eschatologischen Wirklichkeitsstufe zur vollendeten Realisierung des ganzen Heilsplanes gelangt und damit sein immanenter Bewegungs- und Richtungsdrang in den Zustand des dauernden Beharrens der Ewigkeit und der ausgeglichenen Ruhe überführt wird.

Auch hier lassen sich die gleichen Elemente in entsprechend veränderten Verhältnissen nachweisen:

a) Doppelt motiviert wird die Wanderschaft, zu der die zu einem Volke herangewachsenen Nachkommen der Patriarchen aufgefordert werden. Einmal sollen sie in das Gelobte Land, zu dem „Land, das von Milch und Honig fließt", aufbrechen; vgl. Ex 3, 8 17; 13, 5; 33, 3; Lv 20, 24; Nm 13, 28; 14, 8; 16, 13 f; Dt 6, 3; 11, 9; 26, 9 15; 27, 3; 31, 20; Jos 5, 6[11]. Die Häufigkeit dieser stereotyp wiederkehrenden Formel ist ein eindrucksvoller Hinweis auf die einmalig große Befreiungstat Gottes, in der er sein auserwähltes Volk aus dem Sklavenhaus Ägypten in den Dienst der göttlichen Freiheit befreit.

Dann begründet Moses vor dem Pharao sein Verlangen, Israel zu entlassen, mit dem Geheiß Gottes Ex 4, 23, daß sein „erstgeborener Sohn" ihm diene; Ex 7, 16, daß das Volk ihm in der Wüste diene. Die zweite Motivation erscheint einbezogen in die erste größere Zielangabe[12]. Demnach steht also auch hier am Anfang der neuen engen Gemeinschaft, die Jahwe mit den Nachfahren der Patriarchen eingehen will und durch die sie dann das einzigartig aus allem herausgehobene Volk Gottes werden (Ex 19, 5 f), der Aufruf zur Wanderschaft. Israel wird herausgerufen aus seiner Umgebung, aus seinem bisherigen Leben zu einem neuen Beginn in der größeren Nähe zu Gott. Bevor sie Wirklichkeit werden kann, ist gleichfalls wieder das Pilgern hin zu Gott wesentliche Voraussetzung. Dadurch wird das Gott gehörige Volk zugleich mit der Vorstellung vertraut gemacht, daß man auf dieser Erde nur zu Gott gelangen kann, wenn man unterwegs ist und bleibt. Israel hat sich bei seinem Auszug und in den Wanderungen der Wüste in diese Grundbefindlichkeit des göttlichen Heilswerkes einzuüben.

---

[11] Vgl. dazu *H. Groß,* Die Idee des ewigen und allgemeinen Weltfriedens im Alten Orient und im Alten Testament (Trier 1956) 71—78.

[12] Es sei hier nicht auf die Frage eingegangen, zu welchen Schichten die oben behandelten Textstellen gehören. Nach O. *Eißfeldt,* Hexateuchsynopse (Darmstadt 1962) 111* 112* 120* gehören sowohl Ex 3, 8 17 als auch 7, 16 zu J.

Doch was Wesenselement und von daher unumgänglich notwendig ist für die Begegnung und Gemeinschaft mit Gott, nämlich das Pilgern, kann auch zur Strafe ausgedehnt werden, wie es der lange Aufenthalt in der Wüste dartut (Nm 14, 32—35; vgl. Ps 95). Hieraus erhellt, daß nach Gottes ursprünglichem Plan für das Wandern hin auf ein von ihm gesetztes Ziel eine bestimmte Zeit in Rechnung gestellt wird, die zur Strafe verlängert werden kann. Erst die zweite Generation der aus Ägypten Ausziehenden wird das verheißene Land in Besitz nehmen können (Nm 14, 31). Diese Strafe wird über Israel nicht schon bald nach dem Auszug aus Ägypten verhängt, etwa beim Hadern in Massa und Meriba (Ex 17, 2—7), sondern später nach dem Bericht über die Kundschafter (Nm 14). Für unsere Betrachtung ist der Umstand wichtig, daß die Strafe das Volk nach dem Bundesschluß am Sinai trifft. Weder die Erwählung durch Gott, die Ex 19, 3—8 feierlich proklamiert wird, noch der Bund, den Gott mit seinem Volk Ex 24 eingeht, vermögen den Abfall Israels zu verhindern, der zu der oben genannten Strafe führt; sie qualifizieren das Herausfallen Israels aus den Bundesverpflichtungen nur um so mehr.

b) Das Auf-dem-Wege-Sein ist demnach aus der Sicht des göttlichen Heilswerkes nie Selbstzweck, sondern hat, wie gesagt, den Sinn, den Aufgerufenen in eine größere Nähe zu Gott zu führen. Diese Tatsache läßt sich demnach auf den verschiedenen Stufen des göttlichen Heilshandelns als bleibende Grundstruktur erkennen.

Beim Auszug aus Ägypten gelangt der Zwölfstämmeverband durch den Bundesschluß am Sinai[13] in jene engere Verbindung mit Gott. Was die Erwählungsproklamation Ex 19, 3—8 Israel an auszeichnenden Vorzügen vor aller Welt einräumt und in Aussicht stellt, wird im Abschluß des Bundes (Ex 24) aus dem einmaligen erwählenden Tun Gottes in den Zustand der Dauer erhoben: *aus der Erwählungstat wird der Zustand des Erwähltseins.*

Die Erwählungsproklamation und der Bundesschluß sind schon durch ihre Stellung im Kontext von Ex 19—24 als die beiden tragenden Aussagen zu nehmen. Man kann ihnen die durch sie eingefaßten Gesetzeskomplexe des Dekalogs (Ex 20) und des Bundesbuches (Ex 21—23) nicht einfach koordinieren; sie haben vielmehr die Aufgabe, Basis zu sein, auf der das Bundesverhältnis aufruht. Die beiden Gesetzeskomplexe haben also folglich nach ihrer Stellung *funktionale* Bedeutung für das Bundesverhältnis, das Gott mit seinem Volk in einer heiligen Opferzeremonie mit dem Bundesblut eingeht und besiegelt (Ex 24, 6—8). Von da ab gilt als Wirklichkeit für Israel, daß es in einzigartiger Sonderstellung zu seinem

---

[13] Vgl. dazu die Anm. 9 genannte Arbeit des Verf. über den Sinaibund.

Gott Jahwe steht, wie es in der knappen Bundesformel: ‚Ich euer Gott — ihr mein Volk' proleptisch schon in der Berufung des Moses Ex 6, 7 zum Ausdruck kommt (vgl. zu dieser Formel noch 1 Sm 12, 22; Is 51, 4; Jr 31, 33; Am 3, 2; Ps 33, 12). Damit ist also Israel durch eine bis dahin ungekannte Nähe zu Gott für den weiteren Verlauf der Offenbarung befähigt und bereitet.

Nicht nur die geschichtliche Größe des auserwählten Volkes in den genau festlegbaren Jahrhunderten seiner Sonderstellung vor Gott, auch der umgrenzte und bestimmte Raum, das Land der Verheißung, wird für den Fortgang der Offenbarung nunmehr konstitutiv [14]. Doch geht es dabei zutiefst nicht um die materiellen Qualitäten des Gelobten Landes, dank deren es sich einer Ausnahmestellung vor anderen Gebieten der Erde erfreuen dürfte, sondern vielmehr um den ideellen Wert, der dem Land dadurch anhaftet, weil Gott es erwählt und auf es die Hand gelegt hat. Mit dem erwählten Volk im Gelobten Land hat Gott sich im Koordinatensystem von Raum und Zeit die beiden notwendigen Größen geschaffen und für den weiteren Verlauf der Offenbarung bereitgestellt [15].

c) Nun wäre es jedoch falsch und würde der Eigenart der Offenbarung in keiner Weise gerecht, wollte man sie nur als ein monolithisches Sprechen Gottes ansehen, das einfach auf den Menschen hin trifft. Hätte Gott seine Offenbarung und damit die Kundgabe seines Heilswerkes so angelegt, dann wäre die, menschlich gesprochen, mühevolle Bereitung seines Volkes und dessen Einübung in seinen Plan nur schwer begreiflich. Wie bei der Erwählung Abrahams, so ist auch bei der Erwählung des Volkes Israel zum Sondereigentum der Appell Gottes an die Freiheit seines Partners im Volk und die Aufnahme des göttlichen Offenbarungsdialoges durch eben dieses Volk nicht zu übersehen. Aus freien Stücken willigt Israel in das Angebot Gottes ein (Ex 19, 8) und nimmt die Sonderstellung an; aus freien Stücken verpflichtet es sich auf die Gesetze (Ex 24, 3) und geht auf der Grundlage der Gesetze den Bund ein (Ex 24, 7).

Die freiwillige Zusage, die das Volk Israel Ex 19, 8 im Rahmen der Erwählungsproklamation gibt, bedeutet ein Ja zu der Sonderstellung, die Israel im Bund zuteil werden soll, und bezieht sich bereits im voraus auf die Gebote und den Bund, bringt also die aus der Anlage des göttlichen

[14] Es ist daher nicht unbegründet, aus dieser ideellen Schau der Heilsgeschichte unter Einbezug des Buches Josue statt von einem Pentateuch von einem Hexateuch zu sprechen. Jos 21, 45 wird jene biblische Geschichtskonzeption mit den Worten enthüllt: „Nichts war dahingefallen von all den guten Verheißungen, die Jahwe zu dem Haus Israel gesprochen hatte; alles war eingetroffen."

[15] Vgl. dazu *M. Buber*, Israel und Palästina. Zur Geschichte einer Idee (Zürich 1950), bes. 15—55.

Heilswerkes heraus für das besondere Verhältnis im Bund notwendige Bereitschaft des Volkes zum Ausdruck.

Diese von Generation zu Generation neu zu vollziehende Bereitschaft wird die unumgängliche Bedingung für das Leben in der Nähe Gottes (vgl. Nm 23, 21), das Leben unter der Herrschaft Gottes[16]. Wie sehr die in Aussicht gestellten Vorzüge und Verheißungen von der Bundestreue Israels abhängig sind, ist leicht an den beiden Kapiteln Lv 26 und Dt 28 zu ersehen, deren Aussagen sowohl wegen ihrer Länge als auch durch ihre Stellung in den zugehörigen Textkomplexen ein besonderes Schwergewicht zukommt.

III

Doch wie Ex 32 erkennen läßt, hält Israel es nicht lange in der Einsamkeit mit seinem Gott aus, es lebt in der dauernden Gefährdung, doch zu sein wie die anderen Völker, und erliegt ihr im Dienst an dem goldenen Stierbild sehr bald. Israel bringt nicht die Geduld und Energie auf, auf Gott zu warten, vielmehr schafft es sich recht bald einen Gott nach seinen Maßen, den es rufen kann, wann es will[17].

Damit tritt eine neue Komponente in dem Entwicklungsgang der Offenbarung ins Spiel: Durch das (ganze oder teilweise) Versagen des Volkes kann Gottes Plan nicht gradlinig und zielstrebig in Wirklichkeit überführt werden, das Versagen Israels bringt in den kontinuierlichen Fortgang des Heilsweges Diskontinuität hinein. Infolge dieser vom Menschen immer wieder neu eingebrachten Diskontinuität muß der von Gott ursprünglich beabsichtigte und eingeschlagene Weg hin zu seinem Ziele, der Aufrichtung des Gottesreiches und mit und in ihm des Heiles aller Menschen, zwar geändert werden, aber das von Gn 12, 1—3 her feststehende Ziel bleibt. Nur wird der Weg durch das laufend neu auftretende Versagen Israels in der Geschichte mühsamer; es wird vielfach ein Gang über Um- und Abwege, wie es als Strafe bei der Generation des Auszuges im langen Aufenthalt in der Wüste bereits zu Beginn der Geschichte des auserwählten Volkes schon sichtbar wird. Und das, obwohl Israel durch das Gebot, dreimal im Jahre vor Jahwe zu erscheinen (Ex 23, 17; 34, 23; vgl. Ps 122, 4), gehalten ist, den Blick in der Pilgerschaft des täglichen Lebens immerfort auf Gott zu lenken und so den Stand recht verstandener Pilgerschaft bei sich in Fleisch und Blut übergehen zu lassen.

---

[16] *M. Buber* vor allem hat in seinem Werk: Königtum Gottes (Berlin [1]1932) eindringlich darauf hingewiesen, daß die Theokratie so sehr das öffentliche Leben Israels zur Richterzeit bestimmte und prägte, daß man in ihrem Interesse sogar die Anarchie zuließ.

[17] Vgl. *H.-J. Kraus*, Das Volk Gottes im Alten Testament (Zürich 1958) mit seinen sehr instruktiven Darlegungen.

So bleibt es vor allem während der Jahrhunderte unter den Königen das Ziel des lebendigen Offenbarungseingreifens Gottes, die Gehalte des Sinaibundes entsprechend den sich ändernden Verhältnissen in jeder Generation neu zu verwirklichen, bis schließlich am Auftreten der Propheten zu erkennen ist, daß das erwählte Volk dieser Aufgabe nur völlig unzureichend nachkommt, ja daß die breite Masse mit den Königen an den erhabenen Forderungen des Sinaibundes versagt. Man denke etwa an das Ringen des Propheten Elias 1 Kg 17—19; 2 Kg 1 f!

IV

In und dank der Verkündigung der Schriftpropheten vor und während des politischen Niedergangs der beiden Teilreiche erfolgt dann vor allem während des babylonischen Exils und nach ihm die bedeutsamste Umsetzung der wesentlichen Offenbarungsgehalte. Sie werden von ihrer bisherigen, oft allzu engen Verknüpfung mit dem politischen Staatswesen gelöst, das nicht imstande war, sich auf der einsamen Höhe theokratischer Staatsauffassung zu halten, sondern immerfort neu der Versuchung erlag, auf das Niveau der übrigen Völker hinabzugleiten. Hinter dem zu oft versagenden irdischen Inhaber des Davidthrones wird häufiger und wirkungsvoller das Zukunftsbild des messianischen Idealkönigs geschaut, der das irdische Herrschertum der Davididen weit übersteigt. Aus der breiten Masse des Gott abgewandten Volkes wird als neuer Partner Gottes der *heilige Rest* (Is)[18] entbunden, der jene Schar gläubiger Menschen eint, die Gott auch im Wandel der Zeiten unentwegt die Treue halten. Aus dem Ungenügen der geschichtlichen Wirklichkeit heraus weisen die Propheten, oft mit Emphase, auf die große noch ausstehende *Heilszukunft* hin, die der messianische Idealkönig herbeiführen wird.

Doch auch sie wird nach der Zeit der großen Heimsuchung im Exil nicht unmittelbar und in einem jähen Hereinbrechen Wirklichkeit werden, vielmehr wird ein neuer Exodus zu einem neuen, nun nur vom Religiösen her bestimmten Gemeinwesen das im Exil gereinigte und gereifte Volk (Ez 36 f) diesem erhabenen Ziele eine Stufe näher führen (Is 40—55, vor allem 40, 1—11; 52 54).

Das, was Os 2, 16—25; 11 und Jr 2, 2 f als von Grund auf heilende und rettende Möglichkeit in Aussicht stellten, daß Israel nämlich noch einmal nach Ägypten zurück und in einem erneuten Auszug und Wüstenaufenthalt sich Jahwe ganz eng verbinden solle, wird nach dem Exil auf

---

[18] Siehe dazu *H. Groß:* Bibeltheologisches Wörterbuch, hrsg. von *J. B. Bauer,* II (Graz-Wien-Köln ²1962) 1000—1003.

seine Weise Wirklichkeit und damit dem heimkehrenden Volke die Chance des Neubeginns gewährt. Jedoch auch der nach dem chronistischen Geschichtswerk von Nehemias und Esdras unternommene Versuch, wiederum und nunmehr vollendet die Theokratie in Israel aufzurichten, die ihren Mittelpunkt im neuen Tempel haben und von dort ihre Ausstrahlungskraft auf das ganze heimgekehrte neue Israel ausüben soll, bringt nicht die Erfüllung aller Erwartungen und Hoffnungen. Im Gegenteil, die Diskrepanz zwischen Wollen und geschichtlicher Wirklichkeit lenkt auch jetzt den Blick immer wieder neu und bisweilen mit großer Heftigkeit auf die noch ausstehenden unerfüllten prophetischen Verheißungen und entfacht die eschatologische Erwartung erneut sehr stark, wovon Daniel, Teile des Propheten Zacharias, Joel, Is 24—27 Zeugnis ablegen[19].

Doch ist es nun nicht mehr so sehr das auserwählte Volk in seiner solidarischen Einheit, das im Mittelpunkt des Offenbarungshandelns Gottes steht, wie in der vorexilischen Zeit. Vielmehr rückt der einzelne Gläubige stärker in den Vordergrund als Partner Gottes. Damit ist auf einen Prozeß hingewiesen, der in der Ausbildung der Vorstellung des heiligen Restes beginnt und im Exil fortgeführt wird. Gerade für die Zeit des Exils, in der die bisherige staatliche Ordnung und die alten Gemeinschaftsformen des auserwählten Volkes dahinfallen oder zerschlagen werden, wird es notwendig für den Fortgang der Offenbarung, daß sie sich an einen neuen Dialogpartner Gottes richtet. Der heilige Rest und in ihm der einzelne Gläubige als neue Gesprächspartner Gottes sind als ein wichtiges Positivum des großen exilischen Umsetzungsprozesses anzusehen. Mehr als bisher wird nunmehr der bewußt und freiwillig Gott zugewandte Einzelne geheißen, die neue, wesenhaft religiös ausgerichtete Gemeinschaft des nachexilischen Israel mitzugestalten und zu tragen. Im bisherigen Offenbarungsverlauf war der Einzelne nur mittelbar durch das „Groß-Ich" des auserwählten Volkes, an das als Ganzes unmittelbar Gottes lebendiges Wort erging, angesprochen; durch das Volk erging bisher Gottes Weisung an den Einzelnen[20]. Nun aber wird in steigendem Maße der Einzelne in seiner Glaubenshaltung und in seinem ethischen Verhalten verantwortlich für die Neukonstituierung der religiösen Gemeinde Israel (Ez 18).

---

[19] Diese zweifache, unterschiedliche Geisteshaltung in der nachexilischen Gemeinde untersucht eingehend O. *Plöger*, Theokratie und Eschatologie (Neukirchen 1959).

[20] Zu dem eigenartigen atl. Gemeinschaftsbewußtsein und der Stellung des Einzelnen vgl. *J. Scharbert*, Solidarität in Segen und Fluch im AT und in seiner Umwelt. Bd. I: Väterfluch und Vätersegen (Bonn 1958), vor allem S. 217—228 und *J. de Fraine*, Adam et son Lignage. Études sur la notion de „personnalité corporative" dans la Bible (Tournai 1959). In deutscher Übersetzung: Adam und seine Nachkommen. Der Begriff der „Korporativen Persönlichkeit" in der Heiligen Schrift (Köln 1962).

Noch auf eine andere Seite dieses exilischen Umsetzungsprozesses sei hier hingewiesen. Zu dieser Zeit wird in Israel, je länger je mehr, bei vielen die Frage aufgeworfen und brennend, wann denn nun endlich die großen leuchtenden prophetischen Verheißungen von Gott verwirklicht werden sollen. Drei Fehlhaltungen in dieser existentiellen Frage für das Volk Gottes treten die Propheten mit korrigierenden Weisungen entgegen.

Da sind nach Ez 12, 21—25 zunächst die Skeptiker, die durch die lange Zeit des Wartenmüssens zur Auffassung gekommen sind, es handle sich bei den göttlichen Verheißungen letztlich um unkontrollierbare Voraussagen prophetischer Phantasten. Sie würden schon durch den Lauf der Zeit widerlegt werden und als utopisch erwiesen. Man müsse nur lange genug warten können, ohne die Nerven zu verlieren.

Eine zweite Gruppe versucht sich dem prophetischen Ernst dadurch zu entziehen, daß sie die Verheißungen in ganz entlegene Zukunft hinausschiebt, daß sie sie also nicht in den Alltag hineinnimmt und ihn nicht durch sie gestalten läßt (Ez 12, 26—28).

Schließlich stoßen wir auf die Haltung der Ungeduldigen, denen Gottes Wort zu lange ausbleibt, die sich mit einer ungebührlichen Sehnsucht nach ihm ausrecken. Sie fordert Hab 2, 1—4 eindringlich zur Geduld auf, von ihnen verlangt er das Warten-Können des offenbarungsgläubigen Menschen. Nur wenn der Gläubige sich so verhält wie Abraham, wird er nach Gottes Plan die Zeiten durchstehen und die Endwirklichkeit erreichen.

Gleichzeitig mit diesem Umsetzungsprozeß stellt sich das Problem des gerechten Ausgleichs neu. Denn der Raum des Gelobten Landes und die Spanne des irdischen Lebens werden, wie die geschichtlichen Erfahrungen trotz des Optimismus von Ps 36 zeigen, zu eng und klein, um diesem im Exil und in der nachexilischen Zeit mit besonderer Dringlichkeit aufbrechenden Problem Genüge zu tun. Wird auch Ps 73 und vor allem im Buch Job für den notwendigen Ausgleich auf die größeren, der menschlichen Erkenntnis entzogenen Möglichkeiten Gottes verwiesen, so dauert es doch bis zum relativ späten Text Dn 12, 1—3 und den Aussagen des Buches der Weisheit, ehe daß in der individuellen Auferstehung und der persönlichen Vergeltung im Jenseits diese Frage auf der höchsten Ebene atl. Offenbarung eine befriedigende Antwort und Erklärung erfährt.

V

Doch auch die mit Daniel erreichte höchste Stufe der atl. Offenbarung bedeutet beileibe nicht die restlose und vollendete Erfüllung all der bedeutsamen, durch die Propheten geweckten Erwartungen. Im Gegenteil, gerade die Zeit des späten Prophetentums (Ez 38 f; Dn; Joel; Zach 12—14;

Is 24—27) hat eine wichtige Aufgabe in der Fortbildung der Offenbarungserwartung zu leisten. War doch auch mit der Heimkehr aus dem Exil das Reich Gottes in der erhofften Fülle noch nicht angebrochen. Vielmehr mußten z. B. Aggäus und Zacharias den bald erlahmten und enttäuschten Eifer der Heimkehrer für den Tempelbau neu entfachen. Darüber hinaus aber kommt den oben genannten Propheten die Aufgabe und das Verdienst zu, die Erwartung des kommenden Gottesreiches aus dem unmittelbaren Lauf der Geschichte Israels *herauszuheben* und in die *Transzendenz Gottes zu verlagern*[21].

Nicht also in erdhafter Erscheinungsweise, wie bisher Gottes Werk sich darstellte, auch nicht an einer bestimmten Stelle auf dem langen von Gott gelenkten Verlauf der Zeitlinie, wie bisher sein Plan in die geschichtliche Wirklichkeit einging, sondern zu dem von Gott frei gewählten eschatologischen Zeitpunkt wird das Endreich als Neuschöpfung (vgl. die Bedeutung der Neuschöpfung in Is 40—45) und Neusetzung Gottes verwirklicht werden.

Doch auch noch für das Erscheinen dieses Endreiches Gottes bleiben die schon von Abraham her bekannten theologischen Grundstrukturen dieselben, wie rein äußerlich bereits die gleichen Benennungen „neuer Himmel und neue Erde“ dartun (Is 65, 17).

a) Vor Eintritt dieses Reiches setzen Israel und alle Völker mit ihm zur eschatologischen Wallfahrt auf den Sion der Endzeit an (Is 2, 2—4; Mich 4, 1—4). Schon die Tatsache, daß diese Endpilgerfahrt aus eigenem Antrieb und spontan unternommen wird, deutet auf eine grundlegende Wandlung der irdischen Verhältnisse zu einer *„idealen Realität“* hin. Alle Völker werden sich freiwillig dem Richterspruch Gottes beugen, und das deswegen, weil sie ihn nunmehr erkannt haben und als ihren eigentlichen König anerkennen. (Das Wort Erkennen ist hier in der Fülle der Aussage des hebräischen Verbums *jdʿ* zu nehmen, das heißt, es handelt sich nicht nur um ein rationales Kennen und Wissen, sondern gemeint ist ein personales Erkennen und Anerkennen mit all den Folgen, die sich für den Menschen daraus ergeben.) Das hat weiter zur Folge, daß Zwietracht und Kriege auf Erden ausgerottet werden, ja daß man im Kriegshandwerk nicht einmal mehr unterweist. Denn dann hat Gottes uneingeschränkter Friede und die Fülle seines Heils intensiv und extensiv alles ergriffen; sein Heil verbindet den ganzen Kosmos mit Gott in einer ungekannten Harmonie.

b) Die „Heiligen des Höchsten“ (Dn 7, 18 22 27), die neuen Bundes-

---

[21] Hier wird das Problem der Entstehung der atl. Eschatologie angeschnitten. Vgl. dazu *H. Groß:* LThK² III 1084—1088, und *ders.*, Die Entwicklung der alttestamentlichen Heilshoffnung: TThZ 70 (1961) 15—28.

partner Gottes, werden zu ihm im Verhältnis des Neuen und Ewigen Bundes stehen (Jr 31, 31—34; 32, 36—42), der sie ganz für Gott fordert und auf ihn hin ausrichtet, denn er setzt eine Umschaffung und Neuschaffung der Bundespartner voraus (Ez 36, 24—28). Es ist dann nicht mehr ein blutmäßig bestimmtes auserwähltes Volk Bundespartner Gottes, sondern das neue erwählte Volk wird einzig und allein auf der Grundlage der *ethisch-religiösen Qualität der Heiligkeit* gesehen[22].

c) Mit diesem eschatologischen Bundesvolk wird Gott sich schließlich zur engsten Mahlgemeinschaft vereinen (Is 25, 6—8). Diese höchst mögliche Nähe zu Gott wird den neugeschaffenen Menschen sogar von der uralten Sorge um den Tod befreien und mit ihm alles Leid und jede Sorge nehmen, weil sie dann endlich menschliches Pilgern und menschliche Sehnsucht an das definitive, unverlierbare Ziel, zum Heil schenkenden Gott, gebracht hat. Dort mündet der Lauf der Zeit ein in den bleibenden Zustand der Ewigkeit, in die „Ruhe Gottes" (Ps 95, 11). Denn dann ist die von Stufe zu Stufe fort- und höherschreitende Offenbarung Gottes zur letzten Entfaltung und Blüte gereift, weil der von ihrer Dynamik erfaßte und von ihrer Spannkraft ergriffene Mensch gänzlich zu einem neuen Geschöpf in einem neuen Himmel und auf einer neuen Erde umgestaltet ist.

Für die Zeit des AT sind diese Zukunftsschilderungen nur der Erwartung und Hoffnung gegeben. Mit ihnen bleibt das AT seinem Wesen nach unabgeschlossen und offen auf die neue höhere Offenbarungsstufe durch Christus in der Fülle der Zeit im NT hingerichtet. Doch daß das AT über die ntl. Zeit hinweg in das Eschaton hineinragt, beweist, wie vielleicht kaum etwas anderes, das letzte Buch des NT. Denn in auffälliger Weise und Menge bedient sich die Apk für die Zeichnung der zukünftigen Endherrlichkeit atl. Prophetentexte. Nicht zuletzt durch die Apk bleiben sie demnach lebendig und gültig für die noch ausstehende Vollverwirklichung des göttlichen Heiles und deuten damit unüberhörbar und eindringlich auf die Einheit der beiden Testamente und die Kontinuität des göttlichen Heilshandelns hin.

---

[22] Zum biblischen Begriff Heiligkeit siehe *H. Groß*, Heiligkeit: Handbuch theologischer Grundbegriffe, hrsg. von *H. Fries*, I (München 1962) 653—658.

DIE WANDLUNG DES BUNDESBEGRIFFS IM BUCH DEUTERONOMIUM

VON NORBERT LOHFINK SJ, FRANKFURT A. M.

Obwohl der „Bund“ [1] schon lange als bedeutender Begriff des Alten Testamentes gilt [2] und in einer der hervorragendsten Darstellungen der alttestamentlichen Theologie sogar zum Prinzip der Stoffbewältigung gemacht wurde [3], ist eigentlich erst vor einigen Jahren deutlicher erkennbar geworden, was wir für das alte Israel unter „Bund“ zu verstehen haben [4].

Es wurde nämlich eine enge Beziehung alttestamentlicher Bundesaussagen zu den Vasallenverträgen entdeckt, die im 2. und 1. Jahrtausend die Beziehungen zwischen orientalischen Großkönigen und ihren Vasallenkönigtümern regelten [5]. Das „Bundesformular“, d. h. die Gattung der

---

[1] Hebr. b^e^rît, griech. διαθήκη; doch ist zu beachten, daß in fast gleichem Sinn auch andere Worte eintreten können (vor allem hebr. tôrā und griech. νόμος) und daß oft die Sache da ist, auch wenn eine reflexe Bezeichnung fehlt.

[2] Man denke etwa an die Föderaltheologie des Coccejus im 17. Jahrhundert. *G. Quell*, Der atl. Begriff b^e^rît, Theologisches Wörterbuch zum Neuen Testament (hrsg. von G. Kittel), Bd. 2 (Stuttgart 1935) 11, nennt den Bund den „bedeutendsten und fruchtbarsten Begriff ... den das AT entwickelt“. Vgl. neuerdings *R. Smend*, Die Bundesformel: Theologische Studien 68 (Zürich 1963), der in der „Bundesformel“ im Anschluß an Aussagen Wellhausens die „Mitte“ des AT sieht.

[3] *W. Eichrodt*, Theologie des Alten Testaments, 2 Bde (Stuttgart-Göttingen 1957 u. 1961). *L. Alonso Schökel*, Biblische Theologie des Alten Testaments: Stimmen der Zeit 172 (1963) 46, meint, der „Bund“ hätte sich auch im 2. Band konsequenter als Aufbauprinzip durchhalten lassen. Umgekehrt schreibt *G. v. Rad*, Offene Fragen im Umkreis einer Theologie des Alten Testaments: Theologische Literaturzeitung 88 (1963) 404, zu Eichrodts Unternehmen: „In dem Schema dieser Bundestheologie läßt sich meines Erachtens die Fülle des Alten Testaments nicht unterbringen; es wird überdehnt.“

[4] Was im Folgenden über den „Bund“ gesagt wird, gilt vom Sinaibund und allem, was sich offen oder implizit von dort herleitet. Beim Patriarchenbund und beim Davidbund liegen die Dinge ein wenig anders. Doch die prägende Bundesvorstellung des AT ist die des Sinaibundes geworden. Für die Gesamtheit der im AT auftauchenden Bundesvorstellungen vgl. die guten Übersichten bei *J. Hempel*, Bund II Im AT: RGG³ Bd. 1 (Tübingen 1957) 1513—16, und bei *V. Hamp*, Bund I Altes Testament: LThK² II (1958) 770—774.

[5] Die Vertragstexte stammen aus den Ausgrabungen in Boghazköi, Ras Schamra, Sefirē und Nimrud. Ihre rechtsgeschichtliche Auswertung geschah durch *V. Korošec*, Hethitische Staatsverträge: Leipziger rechtswissenschaftliche Studien 60 (Leipzig 1931). Die Bezüge

Urkunde des Gottesbundes in Israel, entspricht im Aufbau dem „Vertragsformular" der Vasallenverträge aus der Zeit der Spätbronze[6]. Die Bundespredigt und Bundestheologie des Alten Testaments arbeitet mit den Begriffen der Hofjuristen der Großreiche der Hethiter, Ägypter und Assyrer[7]. Die institutionellen Vollzüge gleichen einander: damit der Vertrag bzw. der Bund zustande kommt, müssen Urkunden errichtet werden, sie werden beschworen, Opfer werden gebracht, Selbstverfluchungsriten mit Ersatzhandlungen spielen eine Rolle, die Urkunden werden in den Hauptheiligtümern deponiert, sie müssen dann periodisch wieder öffentlich verlesen werden und so weiter[8]. Vielleicht leiten sich sogar die alttestamentlichen Propheten ursprünglich von den Boten her, die bei Vertragsverletzung zunächst mit einem Ultimatum und dann mit der Kriegserklärung zum Vertragspartner geschickt wurden[9]. Zusammen: Israel faßt im „Sinaibund" sein Verhältnis zu seinem Gott Jahwe in genauer Analogie zu dem Verhältnis, das in der Welt von damals ein kleiner, in einem der großen Satellitensysteme eingefangener Monarch zu seinem Großkönig hatte. Es war ein Verhältnis der Unterordnung, wobei der Großkönig sich für einzelne Bereiche Ausschließlichkeitsrechte sicherte. Es war ein Rechtsverhältnis im strengen Sinn des Wortes, durch die Tafeln eines Vertrages geregelt, durch Schwur und Verfluchungsriten sanktioniert. Vor allem eines ist noch zu unterstreichen: Israel denkt sich nicht nur sein Verhältnis zu Jahwe in Analogie zur politischen Vasallensituation, sondern es hat dieses Verhältnis in institutioneller Form. Die Bundesvorstel-

---

zum atl. „Bund" arbeiteten heraus: *G. E. Mendenhall*, Law and Covenant in Israel and the Ancient Near East (Pittsburgh 1955; deutsch: Recht und Bund in Israel und dem Alten Vorderen Orient: Theologische Studien 64, Zürich 1960), und *K. Baltzer*, Das Bundesformular, Wissenschaftliche Monographien zum Alten und Neuen Testament 4 (Neukirchen 1960). Eine gute Einführung in die neuentdeckten Sachverhalte bietet *W. L. Moran*, Moses und der Bundesschluß am Sinai: Stimmen der Zeit 170 (1962) 120—133. Ein Überblick über den „Bund" in beiden Testamenten, der die neuen Erkenntnisse schon benutzt: *J. Haspecker*, Bund, Handbuch theologischer Grundbegriffe, Bd. I (München 1962) 197—204.

[6] Vgl. vor allem *Baltzer*, Bundesformular (zit. in Anm. 5). Aufbau des Vertragsformulars: Eröffnungsformel — Vorgeschichte des Vertragsabschlusses — Grundsatzerklärung — Einzelbedingungen — Liste der Vertragszeugen (Götter) — Segen — Fluch. Die wichtigsten Spiegelungen des Bundesformulars im AT: Jos 24, Dekalog, Ex 34, Dt 4, Dt 29 f.

[7] Zu dem Material bei Mendenhall und Baltzer sind noch die Ergebnisse einer Spezialuntersuchung über den Begriff der Gottesliebe hinzuzufügen: *W. L. Moran*, The Ancient Near Eastern Background of the Love of God in Deuteronomy: Catholic Biblical Quarterly 25 (1963) 77—87.

[8] Vgl. die Untersuchungen von *Mendenhall* und *Baltzer*. Dazu noch vor allem: *W. Beyerlin*, Herkunft und Geschichte der ältesten Sinaitraditionen (Tübingen 1961) 65—75.

[9] So *J. Harvey*, Le „rîb-Pattern", réquisitoire prophétique sur la rupture de l'alliance: Biblica 43 (1962) 172—196.

lung ist nur ein Moment an der umfassenderen Bundesinstitution, zu der auch einmalige und periodische Vollzüge und Materialisierungen (Urkunde usw.) gehören, dazu Ämter und Aufgaben, Weisen der Tradition und alles andere, was dann erst zusammen eine „Institution" ausmacht[10].

Unser neues Wissen um den Bund ist zweifellos in vieler Hinsicht erfreulich. Viele Texte des Alten Testaments werden vom Bundesformular und von der Bundesterminologie her jetzt erst verständlich und durchsichtig[11]. Die Frage des Zeitansatzes und Alters der Bundestradition und der von ihr geprägten Texte muß ganz neu gestellt werden und wird nun im allgemeinen in einem „konservativeren" Sinn zu beantworten sein[12]. Die Propheten rücken viel näher an die Tora heran, und so gewinnt das ganze Alte Testament neu an Einheit und Geschlossenheit[13].

Aber auf der anderen Seite werfen die neuen Erkenntnisse auch neue und schwere Probleme auf — und zwar denke ich hier vor allem an Probleme theologischer Art. Die Tatsache, daß sich wieder ein neuer beachtlicher Block alttestamentlicher Aussage, den man bisher für eigene Leistung Israels bzw. für reine Offenbarungsmitteilung und -anordnung Gottes betrachtete, als im Denken und Verhalten der Zeit und Umwelt

---

[10] Es sei ausdrücklich darauf hingewiesen, daß ältere Literatur über Bund und Bundesvorstellung im Licht der neuen Erkenntnisse kritisch gelesen werden muß. So vor allem *R. Kraetzschmar,* Die Bundesvorstellung im AT in ihrer geschichtlichen Entwicklung (Marburg 1896); *J. Begrich,* Berit (Ein Beitrag zur Erfassung einer atl. Denkform): Zeitschrift für die atl. Wissenschaft 60 (1944) 1—11; *H. W. Wolff,* Jahwe als Bundesvermittler: Vetus Testamentum 6 (1956) 316—320. Nur geringerer Korrekturen bedürfen *P. Karge,* Geschichte des Bundesgedankens im AT: Alttestamentliche Abhandlungen II 1—4 (Münster 1910), und *Quell,* bᵉrît (zit. in Anm. 2). — Abgelehnt werden die Forschungsergebnisse Mendenhalls durch *A. Jepsen,* Berith (Ein Beitrag zur Theologie der Exilszeit): Verbannung und Heimkehr (Festschrift W. Rudolph, hrsg. von A. Kuschke; Tübingen 1961) 161—179. Als Antwort vgl. *Moran,* Love of God (zit. in Anm. 7) 82 Anm. 34. — Bisweilen liest man noch sehr zurückhaltende Urteile, etwa wenn *R. Smend,* Die Bundesformel (zit. in Anm. 2) 34 Anm. 16, von einem „etwa einmal existiert habenden Bundesformular" spricht. Mir scheint, es gibt nicht viele Ergebnisse der Gattungsforschung im AT, die auf einer so breiten atl. Basis und auf so guten nichtbiblischen Parallelen aufruhen wie das „Bundesformular".

[11] Man denke an die Zusammengehörigkeit von Geschichtsdarstellung und Gebot im Bundesformular. Das zwingt z. B. zur Überprüfung der bisherigen Quellenscheidung im Deuteronomium (für Dt 5—11 vgl. *N. Lohfink,* Das Hauptgebot: Analecta Biblica 20, Rom 1963). Auch die Annahme einer ursprünglichen Trennung der Exodus- und der Sinaitradition (vgl. *G. v. Rad,* Das formgeschichtliche Problem des Hexateuch. Gesammelte Studien zum AT [Theologische Bücherei 8; München 1958] 9—86), die so schwer auf der alttestamentlichen Forschung der letzten Jahrzehnte lastete, ist dadurch wohl hinfällig. Vermutlich wird die Entdeckung des Bundesformulars noch zu mehreren größeren Revisionen in der Literarkritik des Pentateuchs zwingen.

[12] Das hat *Moran,* Moses (zit. in Anm. 5), unterstrichen.

[13] Vgl. oben Anm. 9.

vielfach verankert erweist, ist dabei noch am wenigsten problematisch. Denn einerseits ist das nur ein weiterer Fall eines Phänomens, das sich in der Forschungsgeschichte schon öfters ereignet hat und für das deshalb auch schon die theologischen Prinzipien der Beurteilung vorhanden sind. Anderseits liegt hier gerade bei aller Verankerung in vorgegebenen Strukturen doch auch eine ganz eigene Leistung Israels vor: die Übertragung der ganzen Institution aus der politischen auf die religiöse Sphäre[14], so daß man vielleicht sogar sagen muß, die Eigenbegrifflichkeit Israels trete in seinem Verständnis des Gottesverhältnisses als „Bund" besonders markant hervor. Das eigentliche theologische Problem ist schon sehr alt, kehrt aber nun im Lichte der neuen Erkenntnisse über den Bund mit ganz neuer Schärfe wieder. Israel ist in seinem „Bund" stolz darauf, einen „Vertrag" mit seinem Gott zu besitzen; eine so intensive Übertragung einer ausgesprochenen Rechtsstruktur zeigt, daß Israel sein Verhältnis zu Jahwe mit Emphase als Rechtsverhältnis will. Wenn J. Wellhausen und viele andere den „Bund" als ein sehr spätes Phänomen in der religiösen Entwicklung Israels betrachteten und vorher ein „natürliches" Gottesverhältnis annahmen, dann taten sie dies zwar sicher vor allem auf Grund literarischer und historischer Beobachtungen, die sie gemacht zu haben glaubten, aber zugleich werden sie es wohl für unmöglich gehalten haben, daß Israel immer und von Anfang an so juristisch und damit religiös gefährlich, ja geradezu unmöglich von seiner Beziehung zu Jahwe gedacht habe. Auch die Forschung der letzten Jahrzehnte hatte mit diesem Problem gerungen und war vor allem in Arbeiten von Martin Noth zu einer Anschauung gekommen, die es zwar erlaubte, den „Bund" als etwas Altes und Ursprüngliches in Israel anzusehen, ihn aber zugleich für die Zeit vor dem Exil seines „gesetzlichen" Charakters entkleidete, so daß die eigentliche „Verrechtlichung" erst nach dem Exil angesetzt werden mußte[15]. Bei all diesen Autoren wird im Rechtlichen eine Degenerierung gesehen, sei es daß man den Bundesbegriff selbst erst als spät ansieht, sei es daß man für die Frühzeit eine noch nicht rechtliche Bundeskonzeption vermutet. Da wir jetzt gerade den Anfang des Bundesgedankens in Israel als Transponierung einer ausgesprochenen Rechtsinstitution ansehen müs-

[14] Darüber noch einmal unten Anm. 54.

[15] *M. Noth,* Die Gesetze im Pentateuch (Ihre Voraussetzungen und ihr Sinn): Gesammelte Studien zum AT (Theologische Bücherei 6; München 1957) 9—141. Wichtig waren in diesem Zusammenhang die verschiedenen Arbeiten von *G. v. Rad* über das Deuteronomium, die diesem Buch den Charakter des „Gesetzes" absprachen, ferner *Begrich,* Berit (zit. in Anm. 10), der eine eigentümlich israelitische Konzeption des „Bundes" entdeckt zu haben glaubte, bei der der „Bund" kein Vertrags- und Rechtsverhältnis sei. Vgl. zum Ganzen die ausgezeichnete forschungsgeschichtliche Darstellung bei *W. Zimmerli,* Das Gesetz im AT: Theologische Literaturzeitung 85 (1960) 481—498.

sen, läßt sich das Problem eines Rechtsverhältnisses zu Gott nicht mehr als Verwirrung und Abfall der Spätzeit betrachten, sondern es stellt sich gerade für den Anfang und damit für das Ganze.

Die Problematik einer rechtlichen Konzeption der Gottesbeziehung darf nun allerdings im konkreten Fall der Übernahme des Vasallenvertragsdenkens in den religiösen Raum nicht zu scharf gefaßt werden. Der Vasallenvertrag ist in seiner konkreten Gestalt zu einer derartigen Übertragung geeigneter als andere Formen von Rechtsverhältnissen. Er war ein Vertrag inter impares — bei der Übertragung auf das Religiöse konnte also gar nicht der Gedanke aufkommen, Israel nun als seinem göttlichen Vertragspartner gleichberechtigt zu betrachten. Die Initiative ging nach der staatsrechtlichen Vertragsideologie stets vom Großkönig aus, der den Vertrag gewährte (die konkrete Wirklichkeit mag auch manchmal anders ausgesehen haben, aber bei der Übertragung der ganzen Institution war ja die Theorie und nicht die Praxis maßgebend); so konnte auch Jahwe stets als der den Bund Gewährende erscheinen, ohne daß dadurch schon die Form hätte zerbrechen müssen. Der Gnadencharakter des Gottesbundes Israels war, mindestens für das Zustandekommen des Gottesbundes, durch das Vasallenvertragsdenken nicht verdunkelt. Das drückte sich auch sehr deutlich im Vertragsformular wie im Bundesformular aus: vor der Grundsatzerklärung und den Einzelbedingungen steht im Formular der historische Teil, der die Wohltaten des Bundesherrn aufzählt, die juristisch als Vorleistungen zu betrachten sind, auf Grund deren dann Forderungen an den Vasallen bzw. an Israel gestellt wurden. Das Volk Israel wird also nicht einfach verpflichtet, sondern vorgängig zu seiner Verpflichtung hat Jahwe durch seine ṣ^edāqōt[16] (Herausführung aus Ägypten und Hineinführung ins verheißene Land) Israel den Raum erstellt, in dem es den Willen seines Bundesherrn vernehmen und ausführen kann[17]. Im Sinne einer gebräuchlichen Termino-

---

[16] So werden die „Vorleistungen" des Bundesherrn Jahwe in 1 Sm 12, 7 anscheinend mit einem terminus technicus genannt. Ich möchte am liebsten übersetzen: „Berechtigungstaten Jahwes". Denn sie geben ihm das Recht, be-rechtigen ihn, Forderungen an Israel zu stellen.

[17] *M. Noth* kam schon 1938 durch die Untersuchung der mit dem Bund im AT verbundenen Segens- und Fluchtexte zu einer ähnlichen Beurteilung: „Die mit des Gesetzes Werken umgehen, die sind unter dem Fluch": Gesammelte Studien zum AT (Theologische Bücherei 6; München 1957) 155—171. Wir dürfen annehmen, daß im ursprünglichen Bundesformular Segen und Fluch doch stärker parallel nebeneinander standen als Noth dachte. Von den von ihm herangezogenen nichtbiblischen Texten bleiben ja vor allem die Staatsverträge relevant, bei denen er zugeben muß, daß sie sich nicht ganz in sein Bild fügen. Auch wären Stellen wie Dt 11, 26 f und Dt 30, 15—20 stärker in die Mitte zu stellen gewesen. Dennoch hat Noth im Lichte des Bundesformulars als ganzen recht.

logie darf man also sagen, trotz der rechtlichen Konzeption handle es sich bei den Forderungen des alttestamentlichen Bundes mindestens im Ansatz nicht um „Gesetz", sondern um „Paraklese" [18]. Diese Feststellungen entschärfen das Problem vermutlich beträchtlich. Dennoch bleibt die Tatsache, daß das Verhältnis Israels zu Jahwe als „Vertrag" gemeint war, das heißt als eine Beziehung, in der zwei Partner in Freiheit sich für die Zukunft gegenseitig binden. Und so bleibt letztlich doch die Frage, ob der Mensch denn Gott gegenüber in ein Rechtsverhältnis eintreten könne.

So reizvoll es wäre, an dieser Stelle nun eine grundsätzliche Diskussion des Problems zu beginnen und etwa nach längeren Ableitungen dahin zu gelangen, daß man z. B. die „übernatürliche" Situation (im Sinne der katholischen Unterscheidung von „natürlich" und „übernatürlich") als Möglichkeitsbedingung dafür erkennt, daß der Mensch mit Gott in ein (selbst dann natürlich noch analog zu konzipierendes) „Rechts"verhältnis tritt, soll im folgenden doch der Bereich exegetischen Fragens und Antwortens nicht verlassen werden. Daher ist zunächst zu konkretisieren, worin denn eigentlich die Probleme der rechtlichen Konzeption des Gottesverhältnisses in Analogie zu den Vasallenverträgen der Umwelt beim alten Israel bestanden haben.

Wenn man einmal vom „Bundesformular" ausgeht, dann lassen sich vor allem drei Gefahren erkennen.

1. Im historischen Teil des Bundesformulars werden Jahwes Berechtigungstaten aufgezählt. Sie geben Jahwe das Recht, dann Israels Gehorsam zu fordern. Es sind Taten Jahwes in der Geschichte, vor allem die Herausführung aus Ägypten [19]. Zu ihr tritt die Hereinführung in das Land Kanaan [20]. In voller Form beginnen Jahwes Geschichtstaten schon mit dem Handeln Jahwes an den Erzvätern [21]. Diese Taten wurden als wunderbare und göttliche Taten erfahren und werden als solche nun auch in Bundesurkunde und Kult aufgezählt. Aber es sind Taten im Raum der irdischen Geschichte, und so kann man sich fragen, ob diese Weise der Charakterisierung des Bundespartners nicht dazu führen muß, ihn auf die Dauer immer mehr als einen Faktor innerhalb des endlichen Raums

---

[18] Vgl. *W. Joest*, Gesetz und Freiheit, Das Problem des tertius usus legis bei Luther und die neutestamentliche Paraenese (Göttingen [2]1956); *E. Schlink*, Gesetz und Paraklese: Antwort (K. Barth zum 70. Geburtstag; Zürich 1956) 323—335.

[19] Sie allein steht im Dekalog (Ex 20, 2b = Dt 5, 6b).

[20] Sie steht allein in Ex 34, 11. Herausführung und Gabe des Landes zusammen z. B. in Dt 6, 20—25.

[21] Vgl. Dt 26, 5—9 und Jos 24, 2—13. Über die Beziehung der in Anm. 20 und 21 genannten Texte zum Bundesformular vgl. speziell *C. Brekelmans*, Het „historische Credo" van Israël: Tijdschrift voor Theologie 3 (1963) 1—11 (Auseinandersetzung mit der Klassifizierung dieser Texte als „Glaubensbekenntnis" durch G. v. Rad).

der Geschichte zu sehen und gerade nicht zugleich als den Transzendenten und aller Welt, und damit auch aller Geschichte, letztlich Enthobenen. Mindestens die Gefahr ist gegeben, daß das eigentliche Gottsein Gottes durch das Denken in den Kategorien des Bundesformulars entschwindet[22]. Daß diese Gefahr real war, scheint mir vor allem aus manchen prophetischen Texten hervorzugehen, in denen wir voraussetzen müssen, daß das Volk Jahwe vorwarf, seine Bundesverpflichtungen nicht eingehalten zu haben, so daß jetzt die Propheten im Namen Jahwes gleichsam einen Prozeß führen müssen, in welchem Jahwe der Angeklagte ist und sich rechtfertigen muß[23]. Das setzt doch voraus, daß mindestens bei den Adressaten der prophetischen Reden Jahwe auf das Maß eines irdischen Partners herabgedrückt sein konnte. Eine der Ursachen für eine solche Entwicklung ist die innergeschichtliche Charakterisierung des Bundesgottes im ersten großen Teil des Bundesformulars zweifellos.

2. Der zweite große Teil des Bundesformulars enthält die Bundesbedingungen. Wie das einer rechtlichen Regelung entspricht, bezogen sich die Bundesbedingungen des Jahwebundes mindestens am Anfang auf klar definierbare, äußere Verhaltungsweisen. Selbst das grundlegende Hauptgebot scheint stets in Verbot oder Gebot ein rechtlich greifbares Verhalten genannt zu haben. In der grundlegendsten Fassung verbot es

---

[22] Wobei man für unseren Zusammenhang offenlassen könnte, ob Jahwe von Anfang an als Schöpfergott gewußt wurde oder ob er zunächst eine niedrigere Gottheit war, auf die erst später die Schöpfungsaussage übertragen wurde. Im zweiten Fall wäre das Bundesformular eben aus seiner Struktur heraus geeignet gewesen, es Israel zu erschweren, Jahwe als Schöpfer und einzigen wahren Gott zu erkennen. Allerdings ist hinzuzufügen, daß das Hauptgebot des Bundes Israels genau nach der anderen Seite hin wirksam werden mußte: denn die Forderung ausschließlicher Jahweverehrung war eher geeignet, zum Monotheismus hinzuführen. Faktisch wird es jedoch so gewesen sein, daß „Jahwe" nur ein neuer Name für El, den Schöpfergott des kanaanäischen Pantheons und persönlichen Gott der Patriarchen, war. Vgl. als letzte einschlägige Untersuchung: *F. M. Cross jr.*, Yahwe and the God of the Patriarchs: The Harvard Theological Review 55 (1962) 211 bis 259. Das Bundesformular scheint von Anfang an ein wichtiges Element der Vasallenverträge beseitigt oder nur noch rudimentär mitgeschleppt zu haben: die listenartige Aufzählung von Götterzeugen. Es setzt also offenbar voraus, daß Jahwe nicht innerhalb einer umfassenderen göttlichen Ordnung an niedriger Stelle steht. Das heißt aber, daß die ältere, rein geschichtliche Kennzeichnung Jahwes im Raum der Vorgeschichte des Bundesformulars gattungsmäßig bedingt war und nicht ohne weiteres einen Rückschluß auf das tatsächliche Jahwebild Israels in den älteren Zeiten erlaubt.

[23] Natürlich hat bei den Propheten selbst, die Jahwe verteidigten, Jahwe dann zugleich die Funktion des Richters. Immerhin ist interessant, daß gerade in diesem Zusammenhang die Anrufung von „Himmel und Erde" auftaucht, die auf die Götterzeugenlisten der Vasallenverträge zurückweist. Vgl. *H. B. Huffmon*, The Covenant Lawsuit in the Prophets: The Journal of Biblical Literature 78 (1959) 285—295; *W. L. Moran*, Some Remarks on the Song of Moses: Biblica 43 (1962) 317—320.

andere Kulte als den Kult Jahwes[24]. Damit wird aber in den Bundesbedingungen eine Serie von Dingen definiert, die man ableisten kann. Es besteht damit die Gefahr einer Haltung, die die eigenen Verpflichtungen erfüllt und sich dann Gott gegenüber im Recht fühlt, Gegenforderungen zu stellen. Und muß eine solche Haltung nicht ganz grundsätzlich die Beziehung zwischen Schöpfer und Geschöpf, zwischen gnadenhaft sich erschließender Unendlichkeit und dem Abgrund der Sünde verfälschen? Droht hier nicht vom Ansatz des Bundesdenkens her der „Pharisäer", wie ihn die Evangelien später karikieren, sowie das, was Paulus leidenschaftlich bekämpfen wird als die „eigene Gerechtigkeit" des Menschen, „die aus dem Gesetze stammt"[25]?

3. Das Bundesformular schließt mit feierlichen Segens- und Fluchformeln. Sie sind bedingt: wenn Israel die Forderungen des Bundes erfüllt, dann steht es im Segen; wenn Israel den Bund bricht, dann werden furchtbare Verfluchungen hereinbrechen[26]. Hier dürfte die größte Schwäche des Bundesformulars und der Bundesinstitution liegen. Denn was geschieht nun, wenn Israel den Bund bricht? Ist dann nicht alles zu Ende? Das Bundesformular, wie es von den Vasallenverträgen herkommt, hat gewissermaßen keinen Raum für das, was wir Gnade und Verzeihung nennen. Automatisch müssen bei Bundesbruch die Flüche ihren Lauf beginnen. Und soll die Geschichte des Heils dann dennoch weitergehen, weil Gott sein Heilswalten ja gar nicht von menschlicher Sünde verhindern läßt, dann bleibt ihm doch nichts anderes übrig, als gewissermaßen von „außen" einzugreifen („außen" in bezug auf den Bund) und einen neuen, der inneren Logik des Bundes widersprechenden Anfang zu setzen. Der Bund selbst zerbricht mit dem Versagen Israels und ist aus sich selbst unfähig, einen Fortgang der Heilsgeschichte zu sichern[27]. Ist er aber ge-

---

[24] So etwa im Dekalog: „Du sollst keine fremden Götter haben vor meinem Angesicht." „Vor meinem Angesicht" verweist auf den Kult: vgl. den Fortgang des Textes im Dekalog und *M. Noth*, Das zweite Buch Mose Exodus (Das Alte Testament Deutsch 5) (Göttingen 1959) 130. Besonders deutlich wird der konkrete Charakter des Hauptgebots in der Erweiterungsform von Ex 34, 12—17 (Parallelen in Ex 23, 24 32 f und in Dt 7, 2—5). Das Hauptgebot entfaltet sich hier in das Verbot von Verträgen mit den Kanaanäern, in das Gebot der Vernichtung kanaanäischer Kultstätten, in das Verbot der Herstellung von Götterbildern.

[25] Phil 3, 9, vgl. Röm 10, 3.

[26] Vgl. vor allem Dt 28.

[27] Es ist allerdings zuzugeben, daß hier schon von den Vasallenverträgen her noch ein schwieriges Problem liegt. Die historischen Rückblicke verschiedener Verträge beweisen es, daß es nach Vertragsbruch bei neuerlicher Unterwerfung nun doch wieder möglich war, einen neuen Vertrag zu erhalten. Es muß also eine Überzeugung gegeben haben, daß man die Flüche des Vertrags in ihrem Lauf aufhalten konnte. Oder waren sie gar nicht so radikal gemeint, wie sie klingen, und setzten wie selbstverständlich jenes von unserem

rade damit nicht ungeeignet, die volle Wirklichkeit des Heilswirkens Gottes in Israel zu erfassen, da dieses ja auch über die Sünde Israels hinweg weitergehen will?

Damit zeigt sich der „Bund“ Israels gerade in seinem formgeschichtlich erschließbaren Ansatz als eine theologisch durchaus nicht in jeder Hinsicht positiv zu bewertende Institution und Denkform. Es mag sein, daß hier im Prinzip nicht mehr an Ungeeignetheit für die Erfassung des Gottesverhältnisses vorlag als auch bei jeder anderen Institution und Denkform aufgetreten wäre. Jede Weise, das Verhältnis zum jenseitigen Gott kultisch und denkerisch zu fassen, muß etwas Geschöpfliches auf den Schöpfer übertragen und wird dadurch inadäquat. Indem man etwas auf Gott hin tut oder denkt, muß man zugleich die Inadäquatheit des Getanen oder Gedachten bejahen, damit es überhaupt auf Gott hinzielt: Analogie. So konnte es auch beim „Bund“ in Israel gar nicht anders sein: er mußte Gefahren mit sich bringen, die nur vermieden wurden, wenn er zugleich immer als inadäquater Ausdruck der Gottesbeziehung, als zu ergänzende Institution und als zu kritisierende Vorstellung vollzogen wurde. Die Frage ist nun, ob und wie in Israel eine solche Kritik am Bund geschah. Das ist eine Frage an die Exegese, die im Folgenden für einen bestimmten Bereich des Alten Testaments, das Deuteronomium, skizzenhaft beantwortet werden soll. Das Deuteronomium nimmt für unsere Frage eine Schlüsselstellung ein. Es hat engere Beziehungen zum Bundeskult als andere Textbereiche des Alten Testaments[28]. Da kultische Handlungen sehr

---

sich unterscheidende antike Rechtsdenken voraus, dem es letztlich nie um ein Zutodereiten abstrakter Rechtsforderungen, sondern um die je neue Herstellung des Friedenszustandes ging? Der Möglichkeit neuen Vertragsschlusses nach Vertragsbruch im politischen Raum entspricht im AT bei der Schilderung der Sinaiereignisse (Ex 19—34) die sicher sehr alte Folge „Bundesschluß — Bundesbruch — Bundeserneuerung“ (es ist zu vermuten, daß sie nicht erst durch die Zusammenarbeitung der jahwistischen und der elohistischen Quelle hergestellt wurde — vgl. *N. Lohfink*, Besprechung von Beyerlin, Sinaitraditionen [zit. oben in Anm. 8]: Scholastik 37 [1962] 257). Auch scheint es in Israel von Zeit zu Zeit die (durch Propheten bestätigte) Überzeugung gegeben zu haben, der Bund sei gebrochen, worauf man (nach Prophetenbefragung) den Bund wieder erneuerte. Typisches Beispiel ist die Erneuerung des Bundes unter Josias (2 Kg 22 f). Dazu vgl. *Baltzer*, Bundesformular (zit. in Anm. 5) 48—70. Man kann also fragen, ob nicht ein Wissen um die Möglichkeit der Bundeserneuerung nach Bundesbruch und eine bestimmte Prozedur der Bundeserneuerung doch schon zur Bundesinstitution selbst gehörten. Anderseits ist allerdings zu beachten, daß hier offensichtlich charismatische Propheten eingriffen, deren Sendung in der Freiheit Gottes stand, so daß also mindestens theoretisch und vom Menschen her nicht sicher mit einer Aufhaltung des Fluchs und der Gewährung eines neuen Bundes durch Gott gerechnet werden konnte. So muß man wohl doch sagen, daß der Bund aus sich im Falle eines Bundesbruches Israels hilflos war und an seinem Ende stand.

[28] *G. v. Rad*, Formgeschichtliches Problem des Hexateuch (zit. in Anm. 11), und viele

konservativ sind, haben wir die Aufarbeitung der theologischen Probleme des Gottesbundes vor allem in den kultischen oder kultdeutenden Texten zu suchen. Das Deuteronomium zeigt tatsächlich die Spuren des Ringens mit den durch den formgeschichtlichen Ursprung des Bundes gesetzten Problemen. Einmal schon darin, daß es sich in seiner konkreten Gestalt schon weit vom Bundesformular entfernt hat, auch in seinen ältesten Schichten, obwohl es eindeutig von dort herkommt und das Bundesformular noch überall im Hintergrund sichtbar bleibt[29]. Zwar hat die Weiterentwicklung der Grundform sicher auch viele andere Gründe, aber die theologische Problematik der Grundform war mindestens eine der treibenden Kräfte. Ein weiteres Stück des Wegs können wir dann in den verschiedenen literarischen Schichten des Deuteronomiums genauer verfolgen[30].

1. Eine der ältesten Schichten der deuteronomischen Paränese wird in Dt 10, 12 — 11, 17 greifbar[31]. Der hier (allerdings überarbeitet) vorliegende Text ist noch dekalogunabhängig und war den Texten in Dt 5—6 und 8—10 schon vorgegeben. Vom Schema des Bundesformulars her gesehen, enthält der Text Hauptgebot (in mehreren Formulierungen) und einen Segen-Fluch-Teil. Jeder Formulierung des Hauptgebots folgt eine Begründung. Diese Begründungen enthalten die traditionellen Inhalte der Vorgeschichte des Bundesformulars:

die Erwählung der Patriarchen (10, 14 f),
die Wunder in Ägypten (10, 21 f),
nochmals die ägyptischen Plagen, die Rettung am Schilfmeer und die Führung in der Wüste (11, 2—7),
schließlich die Hereinführung in das Land Kanaan (11, 10—12).

Die Vorgeschichte des Bundesformulars ist also als Serie von Begründungen in den Bereich des Hauptgebots hineingezogen worden. Doch nicht dieser formale Umbau ist jetzt wichtig. Entscheidend ist, daß auch inhaltlich etwas geschehen ist. Es wird nicht mehr ein Geschichtshandeln Jahwes festgestellt, sondern der in der Geschichte handelnde Gott Jahwe wird in einer jeweils der geschichtlichen Tatsache entsprechenden Weise

---

andere. Unter Umständen ist das Deuteronomium sogar die „Bundesurkunde" der Königszeit selbst — vgl. *N. Lohfink*, Die Bundesurkunde des Josias: Biblica 44 (1963).

[29] Zum Bundesformular im Dt: vgl. *Baltzer*, Bundesformular (zit. in Anm. 5) 40—47; *Lohfink*, Hauptgebot (zitiert in Anm. 11) 108—112.

[30] Die Literarkritik des Dt ist allerdings in den letzten Jahren wieder in Bewegung geraten. Für die Zwecke dieser Untersuchung genügen die Ergebnisse von *Lohfink*, Hauptgebot (zit. in Anm. 11), und *H. W. Wolff*, Das Kerygma des deuteronomistischen Geschichtswerks: Zeitschrift für die atl. Wissenschaft 73 (1961) 171—186. Vgl. noch unten Anm. 46.

[31] Zum Folgenden vgl. *Lohfink*, Hauptgebot (zit. in Anm. 11) 219—231.

so charakterisiert, daß er zugleich als der Herr des ganzen Kosmos, als der Schöpfergott erscheint. Der Gott, der die Patriarchen erwählte, ist der Himmelsgott: „Siehe, Jahwe, deinem Gott, gehört der Himmel und der Himmel über dem Himmel, die Erde und alles, was auf ihr ist; doch nur nach deinen Vätern trug Jahwe Verlangen, daß er sie liebte, und euch, ihren zukünftigen Samen, erwählte er aus allen Völkern, wie es heute verwirklicht ist" (10, 14 f)[32]. Es folgt eine Motivierung, die zwar nicht eines der Geschichtsfakten der Vorgeschichte des Bundesformulars benennt, aber doch im Hinblick auf den Aufenthalt der Israeliten in Ägypten, wo sie als „Fremdlinge" lebten, formuliert ist. Dabei wird Jahwe als der „König" charakterisiert, wobei die Sorge für Waise, Witwe und Fremdling — ein wesentliches Merkmal des altorientalischen Königsideals — das Bindeglied zum Gedanken an den Aufenthalt Israels in Ägypten bildet: „Jahwe, euer Gott, ist der Gott der Götter und der Herr der Herren: der große Gott, der Held und der Furchtbare; der, welcher kein Ansehen der Person kennt und sich nicht bestechen läßt; der sich des Rechts der Waise und der Witwe annimmt, der auch den Fremdling liebt, indem er ihm Brot und Kleidung gibt" (10, 17 f)[33]. Die nächste Begründung spricht von den Wundern in Ägypten, aber sie mündet dann bei einem Motiv, das in den kurzen heilsgeschichtlichen Summarien gewöhnlich nicht so stark herausgestellt wird: die wunderbare Vermehrung Israels. Damit ist der in der Geschichte handelnde Jahwe zugleich als der Spender der menschlichen Fruchtbarkeit charakterisiert: „Er ist dein Ruhm und er ist dein Gott, der als dein Helfer jene großen und furchtbaren Taten vollbracht hat, die du mit eigenen Augen gesehen hast; zu siebzig Personen zogen deine Väter hinab nach Ägypten, und nun hat Jahwe, dein Gott, dich zahlreich gemacht wie die Sterne des Himmels" (10, 21 f). Die Nennung des Auszugs aus Ägypten und der Führung durch die Wüste (11, 2—7) wird zweimal konkreter: es wird geschildert, wie Jahwe die Wasser des Schilfmeeres über das Heer, die Rosse und Wagen der Ägypter daherfluten ließ, und es wird geschildert, wie die Erde sich auftat und Datan und Abiram mit ihren Familien und Zelten und allem, was ihnen gehörte, verschlang. Im Geschichtshandeln offenbarte sich Jahwe also zugleich als der Herr der Wasser und der Abgründe. Das Land, das Israel mit Jahwes Hilfe erobert, wird schließlich gekennzeichnet als „ein Land,

---

[32] Übersetzung nach *H. Junker* (Echter-Bibel), mit kleinen Abweichungen. So auch bei den anderen Zitaten aus dem Deuteronomium.

[33] Vgl. *F. C. Fensham*, Widow, Orphan, and the Poor in Ancient Near Eastern Legal and Wisdom Literature: Journal of Near Eastern Studies 21 (1962) 129—139 (mir nicht zugänglich). Daß Israel „Fremdling" in Ägypten ist, ist dann in Dt 10, 19 b ausdrücklich gesagt. Doch muß man damit rechnen, daß dieser Vers in der ältesten Schicht noch nicht stand.

für das Jahwe, dein Gott, Fürsorge trägt, auf dem die Augen Jahwes, deines Gottes, immerfort ruhen, vom Anfang des Jahres bis zum Ende des Jahres" (11, 12). Der Einzug in das Land Kanaan und die Landbeschreibung werden also dazu benutzt, Jahwe als den Spender der Fruchtbarkeit des Ackerbodens zu kennzeichnen. Hier sind zweifellos erhebliche Korrekturen an der alten, einfach Geschichtstaten Jahwes aufzählenden Vorgeschichte des Bundesformulars angebracht. Neue Dimensionen sind in das Bild des Gottes des Auszugs aus Ägypten eingetragen. Diesem Jahwe kann kein Baal mehr Konkurrenz machen, und doch bleibt die alte Folge von Geschichtstaten der Rahmen, innerhalb dessen die neuen Züge aufleuchten. G. v. Rad hat schon vor längerer Zeit einmal gezeigt, daß Israel auch die Schöpfungsaussage innerhalb der heilsgeschichtlichen Aussage situierte[34]. Er ging vor allem von Deuteroisaias und Psalmtexten aus. Hier zeigt sich das gleiche Phänomen in einer der älteren Schichten des Deuteronomiums, und als ausgesprochene Korrektur an einem wohl etwas zu stark einer ursprünglich juridisch-politischen Ordnung angehörigen Gattungselement, an der Vorgeschichte des Bundesformulars.

In Dt 5 und in Dt 9f (die zusammengehören) werden auch, in Anlehnung an die Gattungsstruktur des Bundesformulars, „Vorgeschichten" gegeben: denn es folgen jeweils ermahnende Teile, die dem Bereich des Hauptgebots im Bundesformular entsprechen[35]. Aber hier ist ein noch viel kühnerer Eingriff in das Bundesformular gewagt worden als in dem soeben behandelten Text. Die Vorgeschichte hat einen ganz neuen Inhalt bekommen: die Sinaiereignisse. Diese gehörten ursprünglich nicht zum Inhalt der Vorgeschichte des Bundesformulars. Wir finden sie weder im Dekalog noch in Ex 34, 11, weder in Dt 26, 5—9 noch in Jos 24, 2—13[36]. Das ist auch leicht verständlich: das Bundesformular fordert ja das Sinaigeschehen (historisch oder in kultischer Repetition) als die Situation, in der es gesprochen wird; in einem gewissen Sinn sind die nach dem Bundesformular gestalteten Bundestexte selbst ein Stück Sinaigeschehen. Der Sinai ist der Raum des Bundesformulars, nicht der Gegenstand einer objektivierenden Aufzählung innerhalb seiner Vorgeschichte. Immerhin ist es grundsätzlich nicht unmöglich, auch die Gesetzgebung selbst objektivierend vor sich zu sehen und unter die Heilstaten Jahwes einzureihen. Das zeigt im Bereich des Deuteronomiums etwa Dt 6, 21—24. Hier gipfelt das

---

[34] *G. v. Rad,* Das theologische Problem des atl. Schöpfungsglaubens: Gesammelte Studien zum AT (Theologische Bücherei 8; München 1958) 136—147.

[35] Für das Folgende vgl. *Lohfink,* Hauptgebot (zitiert in Anm. 11), bes. 140—152.

[36] Darin liegt einer der Gründe, aus denen G. v. Rad zur These einer ursprünglich getrennten Überlieferung von Exodus- und Sinaigeschehen kam.

heilsgeschichtliche Summarium im Hinweis auf die Gesetzgebung[37]. Von hier aus ergibt sich dann am leichtesten die Folgerung, daß Israel alle Bundesgebote Jahwes zu beobachten hat (6, 25). In den großen „Vorgeschichten" von Dt 5 und Dt 9f ist nun die Reihe des Typs von Dt 6, 21—24 gewissermaßen auf ihr letztes Glied zusammengeschrumpft: nur noch das Geschehen am Sinai (bzw. im Deuteronomium: am Horeb) bildet die Vorgeschichte. Ebenso wie bei dem soeben betrachteten Phänomen in Dt 10, 12—11, 17 mögen hier verschiedene Ursachen gewirkt haben, aber wieder ist mindestens eine beteiligte Ursache die Kritik an der reinen Aufzählung von Geschichtstatsachen. In diesem Fall könnte man vielleicht vom Bedürfnis nach einer theophanen Charakterisierung Jahwes sprechen. Vor allem in Dt 5 ist neben dem ätiologischen Anliegen[38] in der Darstellung deutlich eine Betonung des theophanen Elements zu erkennen. Der Dekalog wird verkündet „vom Berge, mitten aus dem Feuer"[39]. „Feuer" wird siebenmal genannt[40], ebenfalls fünfmal die „Stimme"[41]. Die Wirkung der göttlichen Theophanie ist, daß der Mensch in die höchste Gefährdung seines Daseins gebracht wird. Er steht am Abgrund von Leben und Tod, wenn er dem Mysterium begegnet. „Siehe, Jahwe, unser Gott, hat uns seine Herrlichkeit und seine Größe gezeigt, und seine Stimme haben wir gehört aus der Mitte des Feuers. Heute haben wir gesehen, wie Gott zum Menschen spricht und dieser am Leben bleibt. Doch warum sollen wir sterben? Denn dieses große Feuer wird uns verzehren. Wenn wir noch weiter die Stimme Jahwes, unseres Gottes, hören, dann müssen wir doch sterben. Denn wo gibt es irgend jemanden unter allem Fleisch, der so wie wir die Stimme des lebendigen Gottes aus der Mitte des Feuers reden hörte und am Leben blieb?" (5, 24—26.) Die Reaktion des Menschen in dieser letzten Infragestellung seines Daseins ist die „Furcht". Daher ist die „Furcht Jahwes" das eigentliche Schlüsselwort von Dt 5 und 6[42]. Mit der Verwandlung der Vorgeschichte des Bundesformulars in die Vergegenwärtigung einer Jahwetheophanie ist wirklich ein weiter Weg zurückgelegt. Von einer Aufzählung innergeschichtlicher Fakten zur rechtlichen Begründung dann folgender Einzelforderungen kann hier keine Rede mehr sein. Die Transzendenz Gottes ist sichtbar

---

[37] Näheres dazu und Auseinandersetzung mit G. v. Rad: *Lohfink,* Hauptgebot (zit. in Anm. 11) 159—163.

[38] Begründung der Mittlerrolle des Moses bzw. Begründung des kultischen Mosesamtes.

[39] Rahmenhaft in 5, 4 und 5, 22 festgestellt.

[40] 5, 4 5 22 23 24 25 26.

[41] 5, 22 23 24 25 26.

[42] 5, 5 29; 6, 2 13 24. Man beachte vor allem 5, 29 (Wunsch Jahwes) und 6, 13 (Kommentierung des Hauptgebots des Dekalogs).

gemacht, und vor dem mysterium tremendum steht der tremens homo, der Gottes Stimme vernimmt. Auf der anderen Seite wird das nicht als Bruch zum alten Inhalt der Vorgeschichte empfunden: das zeigt 6, 21—24, das ja zum gleichen Text gehört.

2. Aus dem Bereich der Bundesbedingungen sei auf Dt 9, 1—24 hingewiesen. Es handelt sich wiederum um eine weitere Entwicklungsstufe des Deuteronomiums. Ein Stück der soeben besprochenen Schicht, 9, 9—22, wird von einem neuen Text umrahmt und dient so dazu, eine neue Gesamtaussage zu gestalten[43]. Zeitlich befinden wir uns mit dieser Schicht wohl schon nahe am Exil. Wenn der Text so redet, als stünde die Landnahme noch bevor, dann ist das nur noch das Gewand, in das traditionell deuteronomische Aussagen gekleidet werden. Auch das militärische Milieu der Aussage, wenigstens an ihrem Anfang, ist dadurch bedingt. Es geht um ganz andere Dinge. Immerhin muß man zu übersetzen wissen. „Höre, Israel, du ziehst nun über den Jordan, um das Gebiet von Völkern in Besitz zu nehmen, die größer und mächtiger sind als du, und große, mit himmelhohen Mauern befestigte Städte, darunter das Gebiet des großen und hochgewachsenen Volkes der Enakiter, von denen du selbst weißt und auch noch (das Sprichwort) vernommen hast: Wer kann den Enakitern widerstehen! Du sollst heute dir bewußt sein, daß Jahwe, dein Gott, es ist, der als verzehrendes Feuer vor dir einherzieht; er wird sie vernichten und wird dir die Oberhand über sie geben, daß du ihr Gebiet erobern und sie in kurzem vernichten kannst, so wie Jahwe dir verheißen hat" (9, 1—3). Hier wird also eine Situation geschildert, in der Jahwe in der Geschichte Israel segnet, ihm Heil schafft. Für die nun folgende Aussage ist die Einkleidung in ein kriegerisches Heil besonders geeignet. Denn es gehört zur alten Kriegsideologie, daß auch der Krieg eine Art Rechtsstreit ist, in dem sich herausstellt, wer im Recht ist und wer im Unrecht ist. Daher führt die Situationsschilderung automatisch zur Frage, ob Israel die andern Völker besiegt, weil es im Recht ist. Dieses Im-Recht-Sein ist dabei zunächst zu sehen als Im-Recht-Sein gegenüber den feindlichen Völkern, gegen die Krieg geführt wird. Im Verlauf der Argumentation wird sich das aber ändern. Zunächst bekommt Israel verboten, aus dem Heil, das ihm Jahwe schafft, zu folgern, daß es im Recht sei: „Wenn Jahwe, dein Gott, sie vor deinem Antlitz verjagt, dann sprich nicht in deinem Herzen: Weil ich im Rechte bin, hat Jahwe mich hergeführt, dieses Land in Besitz zu nehmen, und weil diese Völker im Unrecht sind, vertreibt Jahwe sie vor mir" (9, 4). Auf das Verbot an Israel, sein eigenes Im-Recht-Sein zu erklären, folgt nun die Kennzeichnung des wirklichen

---

[43] Einzelbegründung für das Folgende: *Lohfink,* Hauptgebot (zit. in Anm. 11) 200—218.

Sachverhalts — und hier verschiebt sich nun auch der Begriff des Im-Recht-Seins, der Beziehungspunkt ist auf einmal nicht mehr nur der Gegner, sondern Gott. Das wird deutlich an dem Parallelausdruck, der jetzt hinzutritt, „Geradheit des Herzens", der den Hörer des Deuteronomiums an ein deuteronomisches Sprachklischee erinnert, das er z.B. in Dt 6, 18 gehört hat („tun, was gerade und gut ist in den Augen Jahwes"). Der wirkliche Sachverhalt ist also folgender: „Nicht wegen deines Im-Recht-Seins und wegen der Geradheit deines Herzens kommst du in den Besitz ihres Landes, sondern wegen des Nicht-im-Recht-Seins jener Völker wird Jahwe dein Gott sie vor dir vertreiben sowie um das Wort zu halten, das Jahwe deinen Vätern, Abraham, Isaak und Jakob, eidlich gegeben hat" (9, 5). Durch die Verschiebung des Begriffs des Im-Recht-Seins wird deutlich, was der Autor in der Einkleidung eigentlich meint. Es geht nicht um den konkreten Fall der Landeseroberung, sondern grundsätzlich des Heils, das Israel von Jahwe empfängt, und um die Frage, ob es dieses Heil von Jahwe empfängt, weil es vor ihm im Rechte ist. Es wird nicht nur durch den Ausdruck „Geradheit des Herzens" an Dt 6 angespielt, sondern auch durch das Wort hdp = „verjagen", ein äußerst seltenes Wort, das hier auf Dt 6, 19 zurückverweist. In Dt 6, 18f war das „Verjagen" der Feinde gerade als Lohn Jahwes für die getreue Gesetzesbeobachtung („tun, was gerade ist in den Augen Jahwes") verheißen worden. Israel ist also in der Gefahr, das Heil, das ihm von Jahwe her wird, als etwas zu betrachten, worauf es ein Recht hat, weil es ja die Forderungen von Jahwes Bund gut beobachtet hat. Die Gefahr ergibt sich fast naturnotwendig aus den Formulierungen in Dt 6, und gerade deshalb faßt sie Dt 9 in dieser späteren Schicht ins Auge. Israel darf nie in diese bei innerweltlichem Rechtsdenken normale Haltung kommen. Und deshalb werden ihm die Augen geöffnet über den wirklichen Sachverhalt: „Du sollst dir bewußt sein, daß Jahwe, dein Gott, nicht wegen deines Im-Recht-Seins dir den Besitz dieses schönen Landes verleihen will, weil du nämlich ein Volk mit steifem Nacken bist" (9, 6). Das wird dann im Rest des Textes bewiesen: durch ausführliche Erzählung des sofortigen Bundesbruchs am Horeb und durch Aufzählung anderer Gelegenheiten in der Zeit des Wüstenaufenthaltes, bei denen Israel gegen Jahwe sündigte.

Die Bedeutung dieses kleinen Textstückes aus einer schon recht späten Schicht des Deuteronomiums kann überhaupt nicht überschätzt werden. Das entscheidende Stichwort ist die ṣᵉdaqā Israels, was ich bisher mit Im-Recht-Sein wiedergegeben habe. Griechisch entspricht δικαιοσύνη, und es besteht kein Zweifel, daß hier schon der Schlüsselbegriff etwa des Römerbriefs gebraucht wird. Auch im Römerbrief geht es formal darum, wer sagen darf, er sei gegenüber dem andern „im Recht", Gott oder der

Mensch[44]. Israel muß Paulus dann sagen, daß es, weil es Gottes Im-Recht-Sein nicht erkannte, sein eigenes Im-Recht-Sein zu errichten versuchte und sich nicht in diesem Rechtsstreit zwischen Mensch und Gott als Unterlegener dem Im-Recht-Sein Gottes unterwarf, um dann durch den Glauben von Gott her ein neues Im-Recht-Sein zu erhalten, das Glaubens-Im-Recht-Sein, das eine Mitteilung des eigenen Im-Recht-Seins Gottes an den Sünder ist. Röm 10, 3 dürfte wohl eine bewußte Anspielung des Paulus an Dt 9, 4 sein, wenigstens weist seine Einleitung des Zitats aus Dt 30, 12—14 in Röm 10, 6 durch ihren Rückgriff auf die Formulierung von Dt 9, 4 („Sage nicht in deinem Herzen") darauf hin, daß er diesen Text noch drei Verse nachher im Ohr hatte[45]. Wie bei Paulus ist auch in Dt 9 Israel deshalb nicht im Recht vor Gott, weil es ja faktisch Gottes Bundesordnung ständig gebrochen hat. Wie bei Paulus wird Gottes Verhalten Israel gegenüber nicht durch den eingegangenen Horebbund und dessen Funktionieren, sondern durch einen Rückgriff auf Gottes Verheißungen an die Patriarchen begründet. Damit ist, mitten in den zentralen Texten der alttestamentlichen Bundestheologie, dieser Bund doch schon transzendiert auf eine umfassendere Realität hin, innerhalb deren er eigentlich nur noch die Funktion hat, Israels Halsstarrigkeit sichtbar zu machen. Letzteres wird allerdings nicht mehr begrifflich erarbeitet — doch ist zu beachten, daß alle aufgeführten Sünden nach dem Bundesschluß am Sinai liegen. Man muß sich fast fragen, ob der Verfasser dieser späten Schicht des Deuteronomiums und die Menschen, die er ansprach, den Bund in der Form, wie er im Bundesformular gemeint war, überhaupt noch positiv werteten.

3. In der letzten, spätexilischen Bearbeitungsschicht, die wir im Deuteronomium fassen können[46], tritt das, was in Dt 9, 4 schon greifbar war,

---

[44] Natürlich ist dann dort der Begriff des „Im-Recht-Seins" Gottes auch inhaltlich, ja ontologisch aufgefüllt. Aber er bewahrt dabei noch seine ursprüngliche formale Funktion. Er ist in einem echten Sinn forensisch, aber nicht so, daß er das Verhältnis des Richters zu einem Angeklagten, sondern so, daß er das Verhältnis der unschuldigen Partei zur schuldigen in einem Streitfall zwischen zwei Parteien bezeichnet. Daher ist die Übersetzung durch „Gerechtigkeit" für den heutigen Sprachgebrauch auch ausgesprochen irreführend.

[45] Wenn wir es hier nicht sogar mit einer etwas manierierten (rabbinischen?) Zitationstechnik zu tun haben. Unter den mir bekannten Römerbriefkommentaren erkennt den Zusammenhang von Röm 10, 3 mit Dt 9, 4 nur ein einziger: *F.-J. Leenhardt,* L'Épître de Saint Paul aux Romains, Commentaire du Nouveau Testament VI (Neuchâtel 1957) 152.

[46] Sie entspricht einer Überarbeitung des ganzen deuteronomistischen Geschichtswerks: vgl. *Wolff,* Kerygma (zit. in Anm. 30) 180 ff. Ich nehme an, daß ganz 4, 1—40 dieser Schicht angehört, nicht nur 4, 29—31 (so Wolff). Den Beweis für die Einheit von 4, 1—40 hoffe ich demnächst an anderer Stelle erbringen zu können.

noch deutlicher hervor, und diesmal im Bereich von Segen und Fluch des Bundesformulars. Die im ursprünglichen Bundesformular gleichberechtigt nebeneinanderstehenden Möglichkeiten von Segen und Fluch werden in Dt 4, 25—31 umgebaut und dabei völlig neu interpretiert[47]. Entscheidend ist, daß sie historisiert und als Blick in die Zukunft, Prophezeiung gefaßt werden. Dadurch entsteht als zu erwartende geschichtliche Folge: Bundesbruch — Eintreffen des Fluches — Bekehrung — Verzeihung Gottes. Zunächst der Bundesbruch: „Wenn du Söhne und Enkel bekommst und ihr alteingesessen im Lande geworden seid und dann freventlich handelt, indem ihr ein Bild von irgendwelcher Gestalt anfertigt und tut, was böse ist in den Augen Jahwes, deines Gottes, um ihn zum Zorne zu reizen ..." (4, 25). Es folgt der Fluch, bei dem bald der historische Charakter der Schilderung deutlich wird: er zielt auf das Exil. Mit diesem Fluch kommt die Logik des Bundes an ihr Ende. Nach seinem Eintreffen wäre kein Wort mehr zu sagen, der Bund kennt kein Mittel mehr, Israel aufzuhelfen: „... so rufe ich schon heute Himmel und Erde als Zeugen dafür an, daß ihr schnell wieder verschwinden werdet aus dem Lande, zu dessen Besitznahme ihr jetzt den Jordan überschreiten werdet. Ihr werdet dann nicht lange darin verbleiben, vielmehr gänzlich ausgerottet werden. Jahwe wird euch zerstreuen unter die Völker, und es werden nur wenig Leute von euch übrigbleiben unter den Heidenvölkern, in deren Gebiet Jahwe euch führen wird. Dort müßt ihr Göttern dienen, die von Menschenhand gemacht sind, von Holz und von Stein, die nicht sehen, nicht hören, nicht essen und nicht riechen können" (4, 26—28). Der Bund mit Jahwe ist so rettungslos ans Ende gekommen, daß das, was als Rest Israels übriggeblieben ist, auf andere Götter, hilflose Heidengötter verwiesen ist. Schlimmer kann man wohl in Israel nicht ausdrücken, daß der Bund völlig erledigt ist. Und doch setzt hier eine gewissermaßen nachföderale Hoffnung ein: die Möglichkeit einer Bekehrung Israels im Exil und einer neuen Zuwendung Jahwes zu Israel. Jahwe erscheint dabei nicht mehr als das „fressende Feuer", der „eifernde El" (4, 24), der er als der Gott des Horebbundes war, sondern als der „barmherzige El", der sich an die Patriarchen erinnert: „Von dorther werdet ihr Jahwe, deinen Gott, suchen, und du wirst ihn finden, wenn du ihn suchst aus ganzer Seele. In deiner Bedrängnis, wenn alle diese Worte über dich ge-

---

[47] Zu diesem Phänomen vgl. schon *Baltzer*, Bundesformular (zit. in Anm. 5) 43 (für 4, 27—30). Ich halte es nicht für richtig, in 4, 26 und 4, 40 Fluch- und Segensformeln des alten Stils zu sehen, zu denen 4, 27—30 als spätere Einfügung gekommen wären. 4, 40 ist keine Segensformel, und 4, 26 ist der normale Anfang des Textes, der bis 4, 31 läuft. Dieser Text setzt konventionell ein und entwickelt erst langsam den neuen Denk- und Aussagestil.

kommen sind am Ende der Tage, dann wirst du zu Jahwe, deinem Gott, dich bekehren und auf seine Stimme hören. Denn ein barmherziger Gott ist Jahwe, dein Gott. Er wird dich nicht zugrunde gehen lassen und dich nicht verderben und den Bund mit deinen Vätern nicht vergessen, den er ihnen eidlich bekräftigt hat" (4, 29—31)[48]. Das umfassende Verhältnis Israels zu seinem Gott, das dann wieder sichtbar wird, wenn das am Sinai gestiftete Bundesverhältnis sich selbst zu Ende gebracht hat durch Eintreffen all seiner Flüche, ist der Väterbund, der anders strukturiert ist und so nicht mit dem Sinaibund unwirksam geworden ist. Er entspringt einfach der Liebe Jahwes (4, 37). Diese bleibt als Barmherzigkeit (4, 31).

Zwischen den früheren Schichten des Deuteronomiums und dieser letzten liegen die Propheten, vor allem Osee und Jeremias. Das läßt sich sogar sprachlich aufzeigen[49]. Während die vorschriftlichen Propheten, soweit sie sich innerhalb der Bundesinstitution verstanden, im Sinne des ursprünglichen Sinaibundes vor Bundesbruch warnten, geschehenen Bundesbruch ankündigten und zu einer Erneuerung des alten Sinaibundes ermächtigten, geraten die bedeutenden Schriftpropheten in ein viel kritischeres Verhältnis zum Bund. Das kann hier nicht im einzelnen dargestellt werden, da diese Untersuchung sich auf das Deuteronomium beschränken möchte, aber immerhin läßt sich dies andeuten, daß diese Propheten um einen so tiefgehenden Bruch des Sinaibundes durch Israel wissen, daß auch die Flüche dieses Bundes nun in ihrer ganzen Radikalität eintreffen müssen. Das ist aber nur die erste Hälfte ihrer Botschaft. Sie werden dahin geführt, daß der Sinaibund als ganzer ihnen als etwas Vorläufiges erscheint. Sie erkennen in Gott eine auf Israel hingerichtete Wirklichkeit, die nicht in diesem zu Tode gekommenen Bund aufgeht, sondern noch einen positiven Willen für Israel parat hat, der den Bundesbruch überdauert. Osee erlebt diese Wirklichkeit als irrationale, nicht weiter rückführbare Liebe zu Israel. Jeremias findet für das, was dieser weiterdauernde Gotteswille im Israel der Zukunft schaffen will, den Begriff des „Neuen Bundes" (Jr 31, 31). Aber in aller Deutlichkeit zeigt er, daß dieser „Neue Bund" nicht mehr sein wird wie der nach dem Auszug aus Ägypten (31, 32). Der Unterschied, den Jeremias dann ins Auge faßt, betrifft genau unser Pro-

---

[48] Mit den „Vätern" sind die Patriarchen gemeint, nicht die Sinaigeneration: 1. 'ᵃšär nišba' lahäm bezieht sich im Deuteronomium gewöhnlich auf die Patriarchenverheißung (diese kann in jüngeren Schichten auch die Bezeichnung „Bund" erhalten, vgl. Dt 8, 18 und *Lohfink*, Hauptgebot [zit. in Anm. 11] 88 f); 2. in 4, 37 (zum Text vgl. *R. Kittel*, Biblia Hebraica, Stuttgart, Apparat z. St.) sind unter 'ᵃbotäka zweifellos die Patriarchen gemeint.

[49] Vgl. *Wolff*, Kerygma (zit. in Anm. 30), 184.

blem. Der Bund vom Sinai war auf Tafeln geschrieben und mußte von Generation zu Generation weitergegeben werden. Er war eine rechtliche Institution nach Art innerweltlicher Rechtsinstitutionen. Der „Neue Bund" wird eine Bundesurkunde kennen, die auf die Herzen der Menschen geschrieben ist und die man nicht mehr mahnend von einer Generation zur andern weitergeben muß. Er wird also gerade kein Bund sein in dem Sinne, in dem der Sinaibund es war — er wird nicht mehr ein Vertrag sein. Im Ausdruck „Neuer Bund" ist das Wort „Bund" nur noch eine die Typologie unterstreichende Chiffre, die in Wirklichkeit gerade das leugnet, was den Alten „Bund" zum Bund machte.

Das ist auch der letzten Schicht des Deuteronomiums bewußt, wenn sie auch andere Formulierungen gebraucht als Jeremias. In Dt 30, 1—10 [50] werden die neuen Eigenschaften des Gottesverhältnisses Israels nach der Bekehrung dadurch vom alten Sinaibund abgehoben, daß das, was im alten Bundesformular als Bundesbedingung durch Israel zu erfüllen war und als Forderung dastand — die Liebe Gottes aus ganzem Herzen und aus ganzer Seele (Dt 6, 4) und die Beschneidung der Vorhaut des Herzens (Dt 10, 16) —, nunmehr als Segensgabe Jahwes verheißen ist: Wenn Israel sich bekehrt, dann wird Jahwe es in sein Land zurückbringen, „und dann wird Jahwe dein Herz und das Herz deines Samens beschneiden, so daß du Jahwe, deinen Gott, aus ganzem Herzen und aus ganzer Seele lieben kannst, damit du Leben habest" (Dt 30, 6) [51].

Ich schließe damit die Betrachtung der innerdeuteronomischen Kritik am Bundesformular und an der damit verbundenen Institution des Gottesbundes Israels ab. Diese Kritik hat mindestens in der Theorie die alte Struktur völlig aufgelöst und verwandelt. Eine andere Frage ist, ob sich auch die kultischen Vollzüge, in denen der „Bund" sich realisierte, wandelten und ob sie nicht nach dem Exil trotz verwandelter Ideologie die alte Institution ungebrochen weiterführten. Hierzu läßt sich aus Mangel an Information kaum etwas sagen. Wenn wir aber bedenken, daß die Bundeserneuerung nach dem Exil offenbar zu einer periodisch, genauer: jährlich wiederkehrenden Aktion geworden war [52], dann dürfen

---

[50] Zu diesem Text vgl. neben *Wolff*, Kerygma (zit. in Anm. 30), 180 f, auch *N. Lohfink*, Der Bundesschluß im Land Moab (Redaktionsgeschichtliches zu Dt 28, 69 — 32, 47): Biblische Zeitschrift NF 6 (1962) 41 f.

[51] Auf das Stück 30, 1—10 folgt übrigens unmittelbar die von Paulus in Röm 10, 6 ff für die „Gerechtigkeit aus dem Glauben" in Anspruch genommene Stelle über die Leichtigkeit und Nähe der miṣwā. Man wirft Paulus gewöhnlich vor, er habe das Stück gegen seinen Sinn für den neuen Bund in Anspruch genommen. Sollte nicht vielleicht doch Paulus der verständigere Exeget gewesen sein?

[52] Vgl. *Baltzer*, Bundesformular (zit. in Anm. 5) 68—70.

wir mindestens vermuten, daß auch die institutionellen Vollzüge selbst das neue Wissen ausdrückten. Sie waren nicht mehr die alten, juristisch in Anlehnung an die Vasallenverträge konzipierten Riten. Wenn sie auch äußerlich manches davon bewahrten, waren sie doch jetzt so gestaltet, daß eine umfassendere Wirklichkeit zum Ausdruck kam, die auch mit der Sünde Israels rechnete und, da sie um eine unverbrüchlich in die Zukunft weisende Treue Gottes wußte, zugleich an Gottes Vergebung glaubte.

Hier ist wohl auch das Bundesdenken der Priesterschrift einzuordnen. Wenn sie den Bund als ganz einseitige Aktion Gottes ohne Mitwirken des Menschen konzipiert, dann hat sie schon die alte und strenge Bundeskonzeption überwunden. Auch wenn sie den Bund an drei Stellen in der Geschichte ansetzt[53], bedeutet das unter Beibehaltung des Wortes eine sehr radikale Auflösung der Sache des alten und echten Sinaibundes. Das, was nach der Priesterschrift aber Israel am Sinai geschenkt wird, ist gerade jene große und umfassende kultische Sühneeinrichtung, die, wenn wir das einmal so grob sagen dürfen, durchaus den über jeden Bundesbruch im Sinne des alten Sinaibundes hinausreichenden Heilswillen Jahwes verkörpert.

Der streng als Vertrag konzipierte Bund, wie er sich im Bundesformular ausdrückte, wird am Anfang der Geschichte Israels seine große positive Bedeutung gehabt haben. Denn dadurch, daß Israel im Gegensatz zu den in Kreislaufdenken und Fruchtbarkeitsmythen verlorenen Völkern seiner Umwelt dazu geführt wurde, sein Gottesverhältnis in juristischen Kategorien zu denken[54], wurde es ihm überhaupt erst mög-

[53] Daß P neben Noebund und Abrahambund auch einen Sinaibund kennt, zeigt nicht Lv 26, 45, wie oft versichert wird (denn man kann P nicht ohne weiteres von H her beurteilen), wohl aber Ex 6, 7 („Ich nehme euch zu meinem Volk, und ich will euer Gott sein" — das ist die traditionelle Bundesformel). Vgl. *Haspecker*, Bund (zit. in Anm. 5) 201.

[54] Es gibt eine unveröffentlichte Dissertation von *G. Heinemann*, Untersuchungen zum apodiktischen Recht (Hamburg 1958), die die These aufstellt, Israel habe die den Vasallenverträgen des hethitischen Bereichs verwandte religiöse Bundesinstitution schon als Religionsform in Kanaan vorgefunden und dort für Jahwe übernommen. Sie wird öfters lobend zitiert. Ihre Veröffentlichung wäre schon aus dem Grunde wünschenswert, damit außer der These auch die Beweisgründe Heinemanns bekannt werden. Sollte die in der Bibel bezeugte kanaanäische Verehrung eines Baal Berit bei Sichem der einzige Grund sein, dann scheint mir die These sehr fragwürdig. Daß es in Kanaan eine so unmythologische, juristische Religion gab, wie sie das Bundesformular verlangt, müßte wirklich belegt sein, ehe man es glaubt. Bis derartige Belege da sind, ist es wohl besser, im Anschluß an die Bibel den Sinaibund als typisch israelitisch und absolut unkanaanäisch zu empfinden. Mindestens vorläufig ist mir Mendenhalls Konzeption sympathischer, nach der die Übertragung des Vertragsdenkens auf den religiösen Bereich eine originelle Tat Israels war, die im Zusammenhang mit dem Entschluß stand, sich keinem irdischen Oberherrn mehr zu unterwerfen und vertraglich zu verbinden; vgl. *G. E. Mendenhall*, The

lich, Gott personal gegenüberzutreten, ihn außerhalb jener kosmischen Innerweltlichkeit zu erkennen, in der sonst überall das Göttliche auftrat. Aber diese positive Funktion des Anfangs war nach einer gewissen Zeit erfüllt. Dann traten langsam auch die Schattenseiten der juristischen Konzeption des Gottesverhältnisses hervor.

Wir müssen uns allerdings stets daran erinnern, daß das Bundesformular eine von außen herbeigeholte Form darstellt. Wir müssen also stets damit rechnen, daß es dem tatsächlichen Verständnis des Gottesverhältnisses nicht adäquat entsprach. Israel hat vielleicht von Anfang an sein Gottesverhältnis im konkreten Vollzug viel weniger juristisch verstanden, als es das Bundesformular nahelegen würde. Immerhin mußte dann diese Diskrepanz zwischen Gesamtverständnis und dessen Ausdruck in Texten und Riten mit der Zeit überwunden werden.

Für den Bereich des Deuteronomiums haben wir untersucht, wie die alte Konzeption in Vorgeschichte, Bundesbedingung und Fluch und Segen langsam aufgelöst und verwandelt wurde. Hätte Israel dialektisch gedacht, dann hätte es wahrscheinlich irgendwann den Begriff des Bundes weggeworfen und mit neuen, nicht vorbelasteten Begriffen gearbeitet. Da es aber ausgesprochen konservativ und typologisch dachte, wurde der Begriff bei aller Wandlung nie aufgegeben. In der Bezeichnung „Neuer Bund" wurde das Wort „Bund" zur Chiffre für etwas, was in vielem als das Gegenteil der ursprünglichen Sache gedacht war. Das ist auch für die Verwendung des Wortes διαθήκη im Neuen Testament zu beachten. Das Wort ist ein Verweis auf eine frühere Heilssetzung, zu der eine neue in Gegensatz gestellt wird. Wie weit aber Strukturen des „Alten Bundes" im „Neuen Bund" noch weitergeführt werden, ist sehr genau zu überprüfen[55].

Noch genauer zu überprüfen wäre, in welchem Sinne in einer heutigen Theologie das Wort „Bund" gebraucht werden muß und gebraucht werden darf. Da es ein Schlüsselbegriff der nie an Aktualität verlierenden inspirierten Schrift ist, darf es keinesfalls fehlen. Da es aber in seinem eigentlichen und scharfen Verstande selbst im Alten Testament schon beiseite gelegt wurde und später nichts als eine typologisch zurückweisende

---

Hebrew Conquest of Palestine: The Biblical Archaeologist 25 (1962) 66—87 (es sei jedoch betont, daß ich nicht alle Annahmen dieses sicher sehr anregenden Aufsatzes unterschreiben möchte).

[55] Hier liegt vielleicht eine Schwäche des sonst sehr schönen Büchleins von *L. Krinetzki*, Der Bund Gottes mit den Menschen nach dem Alten und Neuen Testament: Die Welt der Bibel 15 (Düsseldorf 1963): Vor allem für das NT werden die Dinge so dargestellt, als gebe es da noch eine eigentliche Bundesinstitution. Werden da nicht Dinge unter „Bund" subsumiert, die im NT in ganz anderen begrifflichen Koordinatensystemen stehen?

Chiffre für Heilsordnungen als solche war, muß man doch sehr genau überlegen, wo man es in einer heutigen Theologie einsetzt.

Doch das braucht einen Exegeten schon nicht mehr zu kümmern. Er ist hier in einem Bereich angekommen, den wenigstens bei der heutigen Arbeitsteilung der Theologie mit Recht der Dogmatiker als seine Domäne beansprucht. Diese Seiten sind verfaßt, um den Dogmatiker Karl Rahner zu ehren. Vielleicht läßt sich der Dogmatiker durch sie anregen, nun in seinem Felde den schwierigen Problemen des Bundesbegriffs und jeder juristischen Fassung des Gottesverhältnisses nachzugehen.

DIE WESENTLICHE BUNDESWEISUNG IN DER MOSAISCHEN UND FRÜHPROPHETISCHEN GOTTESBOTSCHAFT

VON ALFONS DEISSLER, FREIBURG I. BR.

Wenn ein Alttestamentler in einer Karl Rahner gewidmeten Festschrift das Wort nimmt, dann darf er, sicher im Namen aller seiner Fachgenossen, zunächst ein Wort des aufrichtigen Dankes sagen für die bemerkenswerte Aufgeschlossenheit für biblische Fragen und gerade auch für die Probleme des AT, die in Wort und Werk dieses großen Systematikers anregend und befruchtend gegenwärtig ist. Dieses Danken geht in den Beitrag selbst über, indem es den Gedanken und ihrem Ausdruck im geschriebenen Wort insgeheim jene Flügel leiht, ohne die Erkenntnis nicht zu ihrem Ziele kommt. Ist doch bei der Fruchtbarkeit des Geistes immer das Herz dabei, wie der Hebräer wohl wußte, als er mit seinem Terminus „leb" und „lebab" Herz, Sinn und Geist, also das ganze menschliche Innere umgriff, wie auch Augustinus der Theologie ins Gedächtnis schrieb, wie schließlich gerade Karl Rahner im spürbaren persönlichen Engagement seines scharfsinnigen Fragens, Suchens und Antwortens beispielgebend dartut.

Was für ein Thema sollte ein alttestamentlicher Beitrag zum 60. Geburtstag eines Dogmatikers aufgreifen? Ein dogmatisches natürlich, so wird die Mehrzahl der Leser erwarten, vorab die, welche im imponierenden Lehrgebäude der katholischen Dogmatik sich zu Hause und geborgen fühlen. Die biblische Offenbarung kennt jedoch kein „Lehrgebäude", vor allem keine Systematisierung von theoretischen Dogmen. Nicht als ob keine Dogmen in ihr enthalten seien! Aber die alttestamentlichen Glaubenswahrheiten sind nirgendwo in eine logisch von den Seinskoordinaten bestimmte Liste gefaßt, und sie sind immer, selbst in der „Gotteslehre", auf Tun und Wirken bezogen. Formuliert doch Deutero-Isaias, der größte Zeuge für den theoretisch durchgeklärten Monotheismus, noch so: „Es ist kein Gott außer mir! Einen rechtwaltenden und rettenden Gott gibt es nicht außer mir!" (45, 21.) Nach unserer abendländischen Logik schwächt der zweite Satz den ersten eher ab, für den Propheten und seine Hörer aber verstärkt er ihn. Denn für ihn ist Sein = Effizienz. „Wirklichkeit" ist ihm bewußtseinshaft ein Wirken und Gewirktwerden. Bringt das Offenbarungswort über Gott selbst durchweg — schon Gn 1, 1 ist symptomatisch dafür — den waltenden Gott als Eröffnung des AT zum Aufscheinen, so richtet sich das göttliche Wort an den Menschen nicht erstlich an den nach Seinserkenntnis ausgreifenden Intellekt, sondern an die sich selbst zu verwirklichende Person im ganzen. Weder bei Abraham noch bei Moses steht an dem mit ihrem Namen verbundenen neuen Offenbarungseinsatz schwerpunkthaft eine theoretische Wahrheit, sondern die Weisung zu einem bestimmten Lebensvollzug — und noch bei Jesus dem Christus ist dies nicht anders. Wenn man den Finger auf solche unabweislichen biblischen Tatbestände legt — muß man es nicht gerade aus Hörsamkeit für Gottes Wort, also aus Religion? —, dann kommt man allerdings unversehens bei vielen in den Verdacht, man verwechsle Religion mit Moral oder man wolle gar das Christentum in Ethik auflösen. Solch eine Verdächtigung ficht den im biblischen Worte Gottes Feststehenden — heißt doch Glauben (he'emin) im Hebräischen: sich festmachen, Stand nehmen in Gott und seinem Wort! — nicht an. Denn er weiß es unverbrüchlich, daß die Offenbarungsreligion auch Ethos ist — oder sie ist vor Gott überhaupt nicht —, freilich ein Ethos, das in dem vom Glauben erfaßten Handeln Gottes wurzelt, weil es Gott selbst dort eingewurzelt hat. Damit ist der Gedankenzug dieser Darlegung bereits anskizziert. Es wird zuerst zu fragen sein, in welchem Selbstvollzug des göttlichen Lebens alle Offenbarung gründet, sodann, welcher Selbstvollzug des in der Offenbarung angesprochenen menschlichen Bundespartners als entsprechendste Antwort darauf vom Bundesgott erheischt wird. Bei alledem soll die prophetische Botschaft das entscheidende Wort haben. Ist der nabi (Prophet) doch als „berufener Rufer" — das bedeutet letztlich das Wort nabi! — der zuständigste Informant für Gottes Offenbarung. Dazu gehört auch Moses aus zweierlei Gründen: 1) Die besonders bei den Nordstämmen Israels stets wachgehaltene Erinnerung an die mosaische Epoche nennt Moses ausdrücklich nabi (Os 12, 14; Dt 18, 15; 34, 10). 2) Der verdeckte oder offene Bezugspunkt aller prophetischen Predigt ist immerfort die mosaische Bundescharta.

I. Das Offenbarste am Offenbarungsgott

Das erste Gotteswort an Abraham (Gn 12, 1) ist wohl ein Auszugsbefehl, in welchem die eingreifende Herrscherlichkeit Gottes aufblitzt, aber der Sinn des Auszugs ist der Einzug „in ein Land, das ich dich schauen lassen werde" (Gn 12, 1). Das ist der Ruf eines liebenden Gottes, ein Ruf, der im ersten Ergehen bereits zur großen Verheißung anschwillt: „Ich will dich zu einem großen Volke machen und dich segnen und deinen Namen groß machen, und du sollst ein Segen sein!" (Gn 12, 2.) Als Moses den Offenbarungsgott um die Nennung seines Namens bittet, da tut er es von der ägyptischen Umwelt Israels aus, in der die Überzeugung herrschte, daß der Obergott Ptah sich zwar unter tausend Namen kundgetan, aber seinen ureigentlichen Namen nicht genannt habe, um keinem magischen Einwirkungsversuch zu unterliegen. Daß Gott unter diesen Umständen überhaupt seinen Namen nannte, mußte an sich schon als ein hoher Beweis seines Bundeswillens gewertet werden. Gerade dies hat die Frage des Moses, der ja mit glaubwürdigen Zeugnissen in der Hand vor sein Volk zu treten wünschte, mit veranlaßt (vgl. Ex 3, 13). War das „Daß" der Namensoffenbarung schon ein überaus wichtiges Zeugnis für Gottes Bundeswillen, so muß man erst recht auf das „Was" des Namens, der ja nach orientalischer Sicht idealerweise das existentielle — nicht das „metaphysische" — Wesen des Namensträgers enthüllen soll[1], sein Augenmerk richten. Was aber will „Jahwe" besagen? Die wissenschaftlich am meisten fundierte Etymologie erkennt darin, ganz gleich ob die Vollform auf eine etymologisch anders zu erklärende Vorform aufgepfropft ist oder nicht, eine einfache Substantivierung des Verbums hawah = hajah = sich ereignen, eintreten, geschehen, dasein, sein. Dabei dominiert im Hebräischen weitaus der dynamische Aspekt des Verbums. Schon etymologisch liegt so der Schwerpunkt des Namens auf einem „Da", das Terminus eines Vollzuges ist. Aber die Etymologie ist auch hier nicht das Entscheidende. Der Kontext zeigt, daß Gott sich wie dem Abraham, dem Isaak und dem Jakob so jetzt und von nun an Israel gegenüber als lebendiges „Da" erweisen will. Schon von daher wird klar, was das „Ich bin da, der ich da bin" oder „Ich bin, der *da* ist" besagen will. Nichts anderes als dies: „Ich bin dein hilfreiches Gegenüber, was auch sei, wo es auch sei, wann es auch sei, wie es auch sei."[2] Dies wird ausdrücklich bestätigt durch den Propheten Osee, der als Ephraimite stark von der elohistischen Überlieferung — ihr gehört Ex 3 zu — geprägt ist und den sie tradierenden Levitenkreisen nahestand. Die Aufkündigung des Bundes mit Israel geschieht bei ihm mit dem Gotteswort: „Ihr seid ‚Nicht-mein-Volk' und ich bin ‚Ich-bin-nicht-da' für euch" (1, 9)[3].

[1] „Nach antiker Vorstellung war der Name nicht Schall und Rauch, sondern es bestand zwischen ihm und seinem Träger eine enge, wesensmäßige Bezogenheit. Im Namen existiert sein Träger, und deshalb enthält der Name eine Aussage über das Wesen seines Trägers oder doch etwas von der ihm eigenen Mächtigkeit" (*G. v. Rad,* Theologie des AT, I 183).

[2] Vgl. zu dieser allen Tatbeständen am meisten gerecht werdenden Deutung *Th. C. Vriezen,* 'EHJE 'AŠER 'EHJE: Festschrift Bertholet (1950) 498—512, und *W. Eichrodt,* Theologie des AT^5, I 116 ff.

[3] Für lakem (= für euch) mit Wellhausen, Marti, Nowack, Nötscher, Weiser u. a. 'elohe-

Der Jahwe-Name ist also durch und durch Bundesname. In ihm will Gott nicht zuerst sein metaphysisches Wesen offenbaren — dieses ist in ihm nur impliziert und wird erst von Deutero-Isaias expliziert (vgl. aber die oben genannte Stelle Is 45, 21!) —, sondern jene Verfaßtheit seiner Existenz, die er als absolut freie Person in Selbstverfügung sich gegeben hat, indem er sich entschloß, dem Menschen sein Antlitz zuzukehren und sich ihm in einem personalen Verhältnis, das die Offenbarung „Bund" nennt, zu verbinden. Daß Gott hierbei allein aus seiner Freiheit handelt, wird in der Mosesgeschichte mehrfach bezeugt, vorab in dem jede außergöttliche Verfügbarkeit abweisenden Wort: „Ich neige mich gnädig, wem ich mich gnädig neige; ich erbarme mich dessen, wessen ich mich erbarme" (Ex 33, 19). Diese absolute Freiheit wurzelt in jener schlechthinnigen Transzendenz, die dem Offenbarungsgott als völlig weltunabhängigem Selbst eigentümlich ist. Sie ist ihm zugleich der ermöglichende Grund, sich gleichsam selbst zu transzendieren zum geschöpflichen Menschen hin. Der personale Urakt dieser seiner Selbstverfügung ist für Gott selbst so wesentlich, daß er ihn als seine eigene Existenzmitte im Namen dem Menschen offenlegt. So wird der Bundeswille zum Offenbarsten am Offenbarungsgott. Dies bestätigt er erneut in seiner feierlichen Selbstproklamation als dem ersten Teil der Bundescharta: „Ich bin Jahwe, *dein* Gott, der *dich* aus Ägypten, dem Sklavenhause, herausgeführt hat" (Ex 20, 2; Dt 5, 6). In der herkömmlichen christlichen Verkündigung ist durch die verstümmelte Formel „Ich bin der Herr, dein Gott!" gerade dieses Offenbarste am Offenbarungsgott leider wieder verhüllt worden, und damit wurde der Bundesweisung des Dekalogs ihr ursprüngliches Licht genommen. Nur im Namen Jesus — und auch dies bleibt beklagenswerterweise den Ohren der meisten Christen entzogen — kommt diese alttestamentliche Frohbotschaft neu zum Tönen. Heißt Jeschua doch nichts anderes als: Jahwe ist Heil!

Die Propheten Israels haben die Botschaft vom bundeswilligen Erlösergott Jahwe nach mehreren Seiten hin entfalten und vertiefen dürfen. Zwar macht, materiell betrachtet, die Gerichtspredigt bei den vorexilischen Propheten den Hauptbestand ihrer Verkündigung aus, aber selbst darin erweist sich indirekt noch die grundsätzliche heilswillige Zugekehrtheit Gottes zum Gottesvolk. Denn den Orakelformen Drohung und Verheißung liegt, wie aus ihnen selbst, jedoch noch klarer aus der deuteronomistischen Geschichtsschreibung (Jos; Ri; 1 u. 2 Sm; 1 u. 2 Kg) hervor-

kem (= euer Gott) zu setzen, ist völlig unbegründet. Auch die Septuaginta bestätigt die Lesart des TM und bezeugt durch die Schreibung, daß hier ein Bezug zu Ex 3, 14 vorliegt. Die neueste (14.) Auflage der Pattloch-Bibel liest denn auch: „ich bin für euch der ‚Nichtdaseiende'" (S. 1093).

geht, ein heilsgeschichtliches Korrelationsprinzip zugrunde, das sich so formulieren läßt: Das Ja zum Bundesgott hält das Volk in der im göttlichen Bundeswillen eröffneten Heilssphäre, das Nein des Bundesbruches zerbricht diese Heilsexistenz und bedeutet Durchbruch ins Unheil. So spiegelt sich noch im Gerichtswort die Offenbarung: Jahwe ist das Heil des Menschen. Dieses Licht durften die Propheten aber auch in positiver Weise zum Aufglänzen bringen. Denn der Offenbarungsgott ließ seine Bundeshuld in der prophetischen Botschaft von Jahwe als dem Vater, dem Hirten und dem Gemahl seines Volkes explizieren.

Schon Ex 4, 22 klingt die Botschaft von Jahwe als *Vater* an: „Mein erstgeborener Sohn ist Israel." Osee hat sie in dem unvergeßlichen, väterlich-mütterliche Innigkeit atmenden Gottesspruch 11, 1—9 ins Licht stellen dürfen. Bei seinem geistigen Schüler Jeremias kommt sie aufs neue zum Leuchten (31, 9 20). Is 63, 16; 64, 7; Mal 1, 6; 2, 10, aber auch Dt 1, 31; 32, 6 18 sind ein deutlich vernehmbares Echo davon. Einige Male wird die Intensität der Vaterliebe Jahwes sogar mit dem Bild der Mutter vergegenwärtigt (Is 49, 15; 66, 13), was nicht verwundern kann, da die häufige Bezeichnung Jahwes als „rachum" (meist wiedergegeben mit barmherzig) von Hause aus „mütterlich" bedeutet.

Im Bild vom guten *Hirten* erscheint Jahwes liebendes Walten in den prophetischen Gottessprüchen von Jr 23, 3; 31, 10; Ez 34, 11—16; Mich 4, 6; Soph 3, 19.

Der Höhepunkt der Offenbarung vom liebenden Bundesgott wird in der Darstellung Jahwes als *Gemahl* des Gottesvolkes erreicht. Dabei muß man bedenken, daß diese Vorstellungskategorie dem jahwefeindlichen Baalsglauben als Mutterboden entstammte. Der Prophet Osee (Beginn der Verkündigung um 745) hatte die Aufgabe, den Synkretismus seiner Zeit, in dem Jahwe im Bewußtsein Israels Züge des Baal angenommen hatte, als bundesbrüchigen Abfall zu brandmarken. Aber zugleich hatte er zu verkünden, daß Jahwes bundeswillige Liebe tatsächlich — freilich in ganz anderer Weise, als man es vom Baal glaubte — der bräutlich-ehelichen Liebe vergleichbar sei. „Ich werde dich mir antrauen auf ewig, und ich werde dich mir antrauen um (— im Sinne der Mitgift, die Gott selbst einbringt! —) Recht und Gerechtigkeit, um Huld und Erbarmen, und ich werde dich mir antrauen um Treue. Dann wirst du Jahwe erkennen!" (2, 21 f), so darf der große Prophet die Wiederherstellung des Bundes Jahwe—Israel in einer ungewöhnlichen, ja unerhörten Botschaft ankündigen, die dann Is 54 in feierlicher Form wiederholt. Daß Jahwes Liebe eh und je schon solcher Art war, bezeugen auch ausdrücklich Jr 2, 2 und Ez 16, 8 ff, letztere Stelle in geradezu realistischer Weise.

Wer Ohren hat, zu hören, vermag ohne Mühe aus der atl. Offenbarung als Grundthema ihrer Botschaft von Gott immerfort dieses zu vernehmen: der alleinzige, welttranszendente, unfaßliche, in seiner Selbsthabe absolut unabhängige und sich unendlich selbst genügende Gott hat sich in Freiheit zum Menschen als seinem geschöpflichen Bundespartner herniederneigen und mit ihm eine ewige Gemeinschaft begründen wollen. Dieser göttlichen „Urtat" entspringt alle Geschichte und wird zur Heilsgeschichte durch dieses ein für allemal ausgesprochene und vom göttlichen Sprecher tiefernst gemeinte „Ja" zum Menschen, und zwar zu jeglichem Menschen. Denn ein jeglicher ist „sein Bild, ihm ähnlich" (Gn 1, 26 f).

II. Die Grundweisung an den menschlichen Bundespartner

Die biblische Urbotschaft vom freigeschenkten göttlichen Bundeswillen und liebenden Bundeswalten Gottes ist wie eine vorgegebene Prämisse, aus welcher sich wie von selbst die Folgerung ergibt: Diesem Ja Gottes zum Menschen muß ein Ja des Menschen zu Gott entsprechen. Dieses menschliche Ja trifft dabei immerfort auf den der Herzmitte Gottes entspringenden Urakt seiner Selbstverfassung auf den Menschen hin. Das Ja zu Gott muß hier also Ja zu Gottes Ja zum Menschen werden — oder es ist kein wahres Ja zu Gott! Denn der Offenbarungsgott ist durch Selbstentschluß ewig ein deus hominibus, ein deus nobis.

In der Tat bestätigt die Offenbarung diese Überlegung in höchstem Maße, wie sich an der mosaischen Bundescharta und an der Verkündigung der Propheten leicht erweisen läßt.

1. Die mosaische Bundescharta

Israels Tradition betrachtet den Dekalog von Ex 20, 2—17 und Dt 5, 6—21 als die eigentliche Bundescharta. Das „Bundesbuch", dem in der Bundesschlußperikope von Ex 24 eine schlechthin zentrale Rolle zugewiesen ist (vgl. 24, 7), bezieht sich ursprünglich auf das Zehnwort[4]. Dafür tritt auch das Deuteronomium in 5, 22; 10, 4 ein, gebraucht in 4, 13 sogar „Bund" und „Dekalog" als Synonyma. Daß die literarische Form des Zehnworts ihre Entwicklung hat, zeigt schon ein Vergleich von Ex 20 und Dt 5. Aber die ihnen vorausliegende Urform bzw. ihr Substrat wird von der heutigen formgeschichtlichen Schule wieder — im Gegensatz zur literarkritischen Schule — dem Grundbestand der sakralen Überlieferun-

[4] „Es ist also der Dekalog, auf Grund dessen der Bund in 24, 3—8 geschlossen ist" (O. *Eissfeldt*, Einleitung in das AT, [2]1956, 253).

gen des vorstaatlichen Zwölfstämmebundes zugerechnet. Os 4, 2; Jr 7, 9; Ps 15 und 24 setzen gerade die ethischen Gebote der zweiten mosaischen Tafel als den Kern des Gottesrechtes im Gottesvolk voraus. Keinesfalls kann ein Zweifel daran bestehen, daß der Offenbarungsgott nach dem Zeugnis des AT das Zehnwort als seine Grundweisung an sein Bundesvolk betrachtet wissen will.

Bekanntlich ist die jüdisch-christliche Tradition in der Zählung der Gebote des Dekalogs geteilt, desgleichen in ihrer Aufteilung auf die zwei Tafeln. Einig aber ist man in jedem Fall darin, die sogenannte zweite Tafel als Verzeichnis der Pflichten der Mitmenschlichkeit anzusehen. Wie dem allem auch sei, die Bundescharta enthält als Grundforderung die Ehrung Gottes und die Achtung des Menschen und setzt qualitativ zwischen beide kein Gefälle in dem Sinne, als sei das „direkte" Ja zu Gott in der Gottesverehrung ein höheres und unbedingteres gegenüber dem geforderten Ja zum Mitmenschen. Die apodiktische Kürze der Gebote V—X (nach katholischer und lutherischer Zählung) ist sogar feierlicher, eindringlicher und in der Weglassung begründender Zusätze urtümlicher. Sie sind dabei ausschließlich als mitmenschliches Ethos verstanden. Denn auch das 6. und 8. Gebot sind unter „sozialem" Gesichtspunkt, d. h. vom Mitmenschen her, formuliert. In der mosaischen Bundescharta sind also Religion und Ethos wurzelhaft und unlösbar in ein Ganzes verbunden, und das bleibt so für alle Zeiten. Nirgendwo in der Offenbarung, am wenigsten im NT, läßt der Offenbarungsgott an diesem ursprünglichen Ineinander im leisesten rütteln. Jeder Bruch eines der Gebote gilt als Bruch des Bundes im ganzen. Hier zeigt also der Ur-Sprung wie so oft das eigentliche Wesen der Sache her, und dies in einer Weise, die von vornherein alles spätere Un-wesen richtet und abweist. Im an sich äußerlich zweidimensionalen Dekalog wird im Grunde nur *eine* alles bundespartnerische Verhalten durchwaltende Haltung verlangt, nämlich das prinzipielle Ja zum bundeswilligen Gott, das sich mit und in Gott selbst hinwendet zum Menschen. Aber auch umgekehrt: das Ja zum Mitmenschen trifft in diesem selbst auf den in der Bundespartnerschaft den Menschen umfangenden Bundesgott. Diese Ausdeutung des Zehnworts und seiner inneren Struktur ist keineswegs eine nachträgliche Überinterpretation, etwa gar vom NT her, oder eine spekulative Konstruktion, fern von der Sache selbst. Gewiß ist der Dekalog mit seinen zumeist negativ formulierten Weisungen nur gleichsam der äußerste, allerdings überaus klare Umriß der Struktur des bundespartnerischen Lebens im Gottesvolk, aber dieser Umriß setzt charakteristische Markierungen, die bereits prinzipiell die Wesenszüge festlegen, welche nach Gottes Willen das Antlitz seines menschlichen Bundespartners prägen sollen.

2. Das weisende Wort der Propheten

Wenn man in Auftrag und Wirken der Propheten den Punkt sucht, um den all ihr Reden und Tun schwingt, dann stößt man auf die mosaische Bundescharta. Dieser Tatbestand verführte viele Exegeten von J. Wellhausen bis S. Mowinckel zur Behauptung, der Dekalog sei ein Erzeugnis bzw. der Sieg der Prophetie in Israel. Die Grundbeobachtung der Verwandtschaft beider ist unzweifelhaft richtig, nur deren geschichtliche Erklärung läßt sich so nicht halten. Wie die Propheten die mosaische Botschaft von Jahwe als dem Gott des Bundes bzw. als dem Gott der Erwählung vertiefen und entfalten sollten, so mußten sie auch den wesentlichen Gotteswillen, d. h. die göttliche Grundweisung an das Gottesvolk, immer neu ins Gedächtnis rufen, sie für ihre Gegenwart näher auslegen, profilieren und akzentuieren. Das Gottesrecht vom Sinai—Horeb war stets das offene oder verdeckte Richtscheit ihrer Predigt. Wiewohl diese zunächst der geschichtlichen Stunde galt und damit zeitbedingt war, war sie in ihren wertenden Gesichtspunkten auf jene Grundlagen des Ursprungs bezogen, welche die ganze Heilsgeschichte Gottes mit seinem Volke bestimmen und jeder Generation Ortung und Orientierung ermöglichen sollten. Da Israel sich dieser Möglichkeit häufig versagte, mußten die Propheten im Auftrag Gottes sie zu verwirklichen suchen. Eben darum aber hat ihr geschichtliches Wort zugleich auch eine Bedeutung für die von Gott ausgerichtete Heilsgeschichte aller Zeiten. Aus ihrer Weisung, so zeitbedingt sie auch akzentuiert sein mag, läßt sich eine durchhaltende Wegweisung erheben, und es bleibt immer eine dringliche Aufgabe, sie je und je zu vernehmen.

a) Elias

Nur Erzählungen aus seinem Jüngerkreise berichten uns von dieser großen prophetischen Gestalt aus jener kritischen Zeit im Nordreich (9. Jh. v. Chr.), da der phönizische Baal die Stelle Jahwes in Israel einzunehmen drohte. Das erste Bemühen dieses Mannes, dessen Name wie ein Programm war (Elijahu = Jahwe ist Gott!), war die Durchsetzung des 1. und 2. Gebotes der mosaischen Bundescharta. Die zweite Phase seines Wirkens wird in der Nabotgeschichte besonders deutlich (1 Kg 21). Hier verteidigt der Prophet das alte Gottesrecht Israels, auf das Nabot sich berufen hatte, gegen das absolutistische Königsrecht, in dessen Namen Achab und Jezabel die Bundescharta im 10., 8., 5. und 7. Gebot brachen. Gerade dieser Bruch aber löste nach 1 Kg 21, 18 ff die Katastrophe der Dynastie aus. Der Bundesgott bekennt sich im Sanktionsspruch, der durch Elias übermittelt wird, zum vom Menschen zertretenen Menschen, dem er

Anwalt, ja „Bluträcher" sein will. Das Thema von Gn 4 (der Bruch der Mitmenschlichkeit fordert das Gericht Gottes heraus) wird in der Eliasgeschichte neu demonstriert und eingeschärft.

b) Amos

Durch das Wirken des Elias und seines Jüngerkreises wurde die kritische Stunde der Entscheidung zwischen Jahwe und Baal zugunsten des Jahwismus gewendet. Der von den prophetischen Kreisen (vgl. 1 Kg 19, 16f) favorisierte Jehu hat als König der Jahweverehrung wieder alleinige Geltung verschafft. Er war jedoch in seinen Methoden — sie lassen erkennen, daß bei ihm zugleich rücksichtslose persönliche Machtgier im Spiele war — so blutrünstig, daß er damit das Gericht über sein Haus herabbeschwor, wie Os 1, 4 bezeugt. Der Jahweglaube der Folgezeit, so gesichert er äußerlich war, blieb dennoch nicht ungefährdet. Ein Baalismus feinerer Art wucherte in ihn ein, wie wir der Predigt des Propheten Osee entnehmen. Jahwe gewann für viele in Glaube und Kult Züge des Baal. Das sittlich-personale Konstitutivum der Offenbarungsreligion wurde abgebaut und durch eine wachsende „naturale" Achse der Beziehung Jahwe—Israel ersetzt. Was Jeroboam I. um 930 v. Chr. durch Errichtung der Reichsheiligtümer Bethel und Dan mit ihren goldenen Jungstieren — sie waren allerdings als Symbole Jahwes gedacht! — ins Werk gesetzt hatte, das gewann in der Zeit der großen Wirtschaftsblüte des 8. Jh. neue Vitalität. Religion und Ethos wurden mehr und mehr auseinandergerissen. Man mehrte die Spenden und die Pracht der kultischen Feiern, aber das ethische Gottesrecht der Bundescharta fiel in der Gesellschaft der Besitzenden und Neureichen der Geld- und Machtgier zum Opfer. Auf diese Lage der Dinge ließ Jahwe durch zwei Propheten, Amos und Osee, seine Antwort geben. Aber für Denken und Werten des Offenbarungsgottes ist es höchst instruktiv, an welchem Punkte er zuerst anpacken ließ: nicht, wie wir es wohl erwarten möchten, bei der ersten mosaischen Tafel, sondern bei der zweiten. Von den beiden Zeitgenossen ist nämlich Amos der frühere in der prophetischen Berufung. Seine Botschaft von der Wiederherstellung von Recht und Gerechtigkeit war für Gott anscheinend die dringlichere. Die Frage der Baalisierung des Gottesbildes, der „Kälberdienst" usw., stehen in seiner Predigt ganz im Hintergrund. Er trifft sie hauptsächlich indirekt, indem er gegen die Überbetonung des Kultes auf Kosten des bundesgemäßen Ethos auftritt. Am meisten charakteristisch für seine Botschaft ist der Gottesspruch von 5, 21—27:

21 Ich hasse, verwerfe eure Feste,
eure Feiern mag ich nicht riechen.

22 Fürwahr, wenn ihr mir Brandopfer darbringt,
so nehme ich eure Spenden nicht an,
und auf das Mahlopfer eurer Mastkälber
blicke ich nicht.
23 Weg von mir mit dem Getöse deiner Lieder,
das Spiel deiner Harfen mag ich nicht hören!
24 Es wälze sich dahin wie Wasser das Recht
und die Gerechtigkeit wie ein Dauerbach!
25 Habt ihr mir Schlachtopfer und Gaben dargebracht
die vierzig Jahre in der Wüste,
Haus Israels?
(26 nicht sicher authentisch)
27 Ich verbanne euch über Damaskus hinaus,
spricht Jahwe. Gott der Heerscharen ist
sein Name.

Die Gottesrede beginnt mit einer feierlichen Deklaration, welche die Funktion einer Schelte hat. Dann folgt in V. 23—25 ein Mahnspruch, der wiederum als vorbereitende Schelte für den Gerichtsspruch in V. 27 fungiert. Neuerdings noch tritt A. Weiser in seinem Amoskommentar (ATD Göttingen, ²1956, 173) dafür ein, schon V. 24 als Drohung zu verstehen, ihn nach V. 25 einzusetzen und wie folgt wiederzugeben: „Es wird sich einherwälzen wie Wasser das Gericht, und Gerechtigkeit wie ein gewaltiger Bach!“ [5] Aber Weiser macht nicht plausibel, wieso es — in einer vor allen Textzeugen liegenden Zeit! — zu dieser Umstellung gekommen sein soll, wenn der Vers aus inhaltlichen und formal-stilistischen Gründen an seiner jetzigen Stelle und als Mahnung nicht bestehen kann. Vor allem aber spricht die Terminologie des Satzes gegen eine Auslegung als Drohung. *mišpaṭ* ist bei Amos eine Art Leitmotiv und heißt bei ihm nirgendwo „Gericht“. 5, 15 („Hasset das Böse und liebt das Gute und stellt den *mišpaṭ* [= das Recht im Sinne von Gottesrecht] ins Tor!“) und erst recht 5, 7 („Wehe denen, die Recht in Wermut verwandeln und die Gerechtigkeit zu Boden strecken!“) und 6, 12b („ . . . daß ihr das Recht verwandelt in Gift und die Frucht der Gerechtigkeit in Wermut!“) plädieren eindeutigst für *mišpaṭ* als Recht im Sinne der Bundesordnung. Auch die verwendeten Vergleiche widersprechen der Auffassung der Stelle als Gerichtsspruch. Denn *'ētan* bedeutet nie — außer vielleicht im späten Sir 40, 13 — „gewaltig“, sondern drückt die Dauer und Beständigkeit aus. Der Gegensatz zu *nachal 'ētan* ist der Jr 15, 18 genannte Trugbach, der das erwartete

[5] Im selben Sinne auch einige frühere Kommentare und Übersetzungen (z. B. Henne).

Wasser nicht führt. Während des trockenen Sommers werden die wenigen Dauerbäche in Palästina als Segen empfunden (vgl. Nm 24, 6), wie das Wasser überhaupt (Is 12, 3; 32, 2 20; 41, 17; 43, 19; 44, 3 u.a.). Der Zustand, der in unserem Spruch angezielt ist, gleicht dem von Is 11, 9: „Nirgends handelt man bös und verderbt auf meinem heiligen Berg. Denn angefüllt ist das Land mit der Erkenntnis Jahwes, wie die Wasser das Meer bedecken.“ Nur ist in unserem Vers mit der Idee der Reichlichkeit auch der Gedanke der Fruchtbarkeit, die das Wasser dem Lande schenkt, verbunden. Blühend und fruchtbar vor Gott ist nach Am 5, 24 also nur ein Gottesvolk, in welchem das Gottesrecht der Bundescharta gerade den mitmenschlichen Bereich (vgl. 5, 7 15; 6, 12) durchwaltet und prägt. Es geht dabei nicht um ein bestimmtes ökonomisch-soziales Ordnungsgefüge, sondern, wenn schon eine moderne Kategorie angewandt werden soll, um die im Dekalog garantierte Würde und die Urrechte des Menschen. Kein Geringer soll mehr bedrückt und kein Armer „zertreten“ werden (2, 6—8; 4, 1; 5, 11f; 8, 4ff), d.h., kein Mensch darf als Sache und damit als Objekt und Mittel egoistischer Erfüllungstriebe behandelt werden. Amos wird nicht müde, dieses Thema immer und immer wieder in die Mitte seiner Predigt zu stellen. Nun ist aber Amos mehr als alle andern Propheten ein Botschafter des strengen, ja unerbittlichen Gerichts (vgl. vorab 7, 7ff; 8, 1ff; 9, 1ff). Gerade von daher läßt sich das Gewicht richtig einschätzen, das der Offenbarungsgott selber der mitmenschlichen Gerechtigkeit im Gottesvolk beimißt. So steht also am Anfang des Schriftprophetentums ein gewaltiger Gotteszeuge mit der Botschaft, daß das mitmenschliche Ethos unlösbar zum Wesenskern der Offenbarungsreligion gehöre.

c) Osee

Osee ist als einziger der Schriftpropheten Angehöriger des Nordreiches, das in religiöser Hinsicht von der Nachwelt öfters als quantité négligeable betrachtet wird. Doch weiß man heute, daß gerade die jahwetreuen Leviten Nordisraels in der Überlieferung des mosaischen Erbes und seiner Aktualisierung eine entscheidende Rolle gespielt haben und das Südreich vor und nach der Zerstörung Samarias (722 v. Chr.) durch Jahwegläubige aus dem Norden, die in Juda eine neue Heimstätte (auch für ihre Glaubensüberzeugung!) suchten, mächtige und fruchtbare Impulse empfing. Diesen Kreisen stand Osee, der wohl selber der Aristokratie entstammte, nahe. Er hat seine prophetische Tätigkeit erst ein Jahrzehnt später als Amos aufgenommen, und ihm wurde nun von Gott als Hauptaufgabe zugewiesen, das Gebot „Du sollst keine fremden Götter neben mir haben!“ so durchzusetzen, daß in Denken und Kult alle Spuren des Baalismus verschwänden. Aber die Sorge um die Geltung der zweiten mosaischen Tafel lag ihm ebenfalls stark am Herzen, bzw. er wurde überhaupt dazu bestellt, die integrale Bundescharta Israel neu ins Gedächtnis zu schreiben. Schon das erste seiner Kinder mit dem Symbolnamen Jezreel mußte an „die Blutschuld des Hauses Jehu" (1, 4) erinnern, also an ein Vergehen des Menschen am Menschen. In der Rückschau wagt Osee, Jakob als Betrüger an seinem Bruder zu tadeln (12, 4). Im „Rechtsstreit Jahwes mit seinem Volke", wie man 4, 1—3 überschreiben kann, heißt es: „Höret Jahwes Wort, ihr Israelsöhne! Denn ins Gericht geht Jahwe mit den Bewohnern des Landes. Denn es ist keine Treue, kein Bundessinn, keine Gotteserkenntnis im Lande. Verfluchen, Belügen, Töten, Stehlen und Ehebrechen breiten sich aus im Lande und Blutschuld reiht sich an Blutschuld." Die Treue, von der hier die Rede ist, meint nicht nur, ja nicht einmal zuerst das direkte Gottesverhältnis, sondern die Treue der Volksglieder zueinander, so daß einer dem andern trauen, einer auf den andern bauen kann (vgl. Ri 9, 16 19 u. a.). Auch bei *chesed* = Bundessinn liegt in unserem Text der Akzent augenscheinlich auf der Verbundenheit der Israeliten untereinander, also auf jenem Brudersinn, in welchem zugleich die liebende Offenheit gegenüber dem Bundesgott mitschwingt. „Gotteserkenntnis" meint bei Osee die lebensmächtige Anerkennung des geoffenbarten Gotteswillens, wie er in der im Kult immer neu verkündeten Bundescharta niedergelegt ist. An diese, vor allem an ihre apodiktischen Verbote (zweite Tafel), wird dann eigens, fast zitierend, erinnert. Die Schwere der genannten Sünden wird dadurch unterstrichen, daß sie im Ausdruck „Blutschuld" zusammengefaßt werden. Damit wird nicht speziell, wie manchmal vermutet wird, auf die Königsmorde in den vielen Thronwechseln des Nordreiches hingewiesen, sondern auf alles himmelschreiende Unrecht, dessen natürliches Gefälle über alle möglichen Anschläge auf die personale Würde des Mitmenschen letztlich zu seiner Unterdrückung und Auslöschung führen muß.

Osee widerfuhr das seltene Glück, daß sein Wort — allerdings in einer Unheilssituation Israels — auch einige Wirkung zeigte. In 6, 1—3 wird ein Bußlied des Volkes als Zeugnis seines Umkehrwillens zitiert. Darauf muß der Prophet in einem Gottesspruch antworten: „Was soll ich mit dir tun, Ephraim? Juda, was soll ich mit dir tun? Euer Bundessinn gleicht dem Morgengewölk, dem Tau, der früh vergeht. Drum schlage ich durch die Propheten drein, töte sie durch das Wort meines Mundes. Denn Bundessinn will ich, nicht Schlachtopfer, Gotteserkenntnis, nicht Brandopfer!" (6, 4—6.) Wir erkennen aus dieser Antwort, daß dem Volke die wahre Aufgetanheit des Herzens und die sittliche Entscheidung des Willens, eben der rechte Bundessinn, mangelte. Es wollte seine Umkehr nur in kultischen Opfern bezeugen. So hätte und hat auch das fromme Heidentum getan. Israel aber müßte wissen, daß der sich ihm personal zuwendende Gott auch die sittlich-personale Hinwendung zu ihm als die wesenhafte Antwort will, welche in Gedanke, Wort und Tat ja sagt zu Gott und seiner Willensoffenbarung und in dieser zu seiner alle Menschen umgreifenden Bundeshuld und Liebe. *chesed* = Bundessinn und *daʿat ʾelohim* = Gottes(an)erkenntnis stehen hier in engster Parallele, meinen also, wenn auch unter verschiedenen Aspekten („innen" — „außen"), das gleiche. Die alte griechische Übersetzung hat für *chesed* das Wort *eleos* = Mitleid, Erbarmen gesetzt. In 2, 21 und 4, 1 hat der Terminus auch unverkennbar diese Nuance, in 6, 6 ist er anscheinend umfassender gemeint. Dennoch ist der „Brudersinn" eine Wesenskonstituente des Bundessinnes, wie sich schon zur Genüge zeigte, und darum ist es nicht verwunderlich, wenn in Mt 9, 13; 12, 7 — also zweimal! — unser Prophetenwort im Munde Jesu in der Akzentuierung: „Erbarmen will ich, nicht Opfer!" gehört wird. Völlig unzureichend, ja wegen der heutigen verengten Bedeutung des Wortes in die falsche, im Text und Kontext abgewiesene Richtung führend, ist die immer noch da und dort übliche Wiedergabe des Wortes *chesed* mit „Frömmigkeit". Os 6, 6 ist nicht nur keine Ermunterung zur verbreiteten Praxis, sich eher von der Nächstenliebe als von Frömmigkeitsübungen zu dispensieren, dieser überaus prägnante und frappante Gottesspruch spricht vielmehr das Gericht über solch eine Haltung, und welch ein Gericht nach Os 6, 5 („dreinschlagen" — „töten")!

Im anschließenden Sündenkatalog (6, 7—10) kommt der Prophet erneut auf den strafwürdigen Bruch aller Weisungen der Bundescharta zu sprechen. In 12, 8—9 beklagt er den betrügerischen Egoismus seines Volkes. So gibt er überall zu erkennen, daß auch das Vergehen am Menschen, den Gott im Dekalog in seine schützende und bergende Hand genommen hat, Versündigung am Bundesgott ist. Darum verwundert es nicht, daß Gott nach Os 2, 21 als Gemahl eines erneuerten Gottesvolkes in den Ehebund folgende fünf Güter als Mitgift einbringt: Recht und Gerechtigkeit (vgl. Am 5, 7 24; 6, 12), Bundeshuld und Erbarmen und Treue. Damit wird gewiß zunächst Gesinnung und Walten des göttlichen Bundespartners gekennzeichnet, aber dem Bild wie auch dem Gesamttenor der Oseebotschaft entspricht es, hierin zugleich die Existenzweisen des Bundes zu sehen, in denen auch der menschliche Partner sein bundespartnerisches Leben vollzieht. Er bringt sie zwar nicht mit, aber sie werden ihm vom schenkenden Gott ermöglicht, weil sie von ihm als verbindende Angleichung an ihn gewollt werden. Darum ist das Gottesvolk nur dann und nur dort auch aktuell Gottes Volk, wenn und wo Recht, Gerechtigkeit, Bundessinn, Erbarmen und Treue von Gott geschenkte und vom Menschen ergriffene Lebensvollzüge und Lebensgüter sind.

d) Isaias

Wiewohl man mit Sicherheit Is 40—66 und auch einige Kapitel aus dem ersten Teil dem Jerusalemer Propheten des ausgehenden 8. Jh. absprechen muß, bleibt sein überragender Rang unter den Gotteszeugen. Durch ihn wird Israel deutlich gemacht, aus welcher unfaßlichen, erschreckenden, entmächtigenden Höhe seines Gottseins der „Heilige Israels" — so nennt Isaias den Gott, der Israel erwählt hat — in diese kleine Erden- und Menschenwelt hineinwaltet und seinen völkerumspannenden, aber auf den Sion zentrierten Geschichtsplan durchsetzt. Im eigenen Stillehalten auch auf politisch-militärischer Ebene das Vertrauen nicht auf eigene Größe, sondern ins göttliche Wirken zu setzen ist eine Grundforderung des Isaias an das Gottesvolk. Dieses demütige Glauben ist bekanntermaßen ein Leitmotiv der isajanischen Verkündigung, das in 7, 9 seine frappanteste Formel fand: „Nehmt ihr nicht Stand (sc. in Jahwe, d.h., glaubt ihr nicht), so habt ihr keinen Bestand!" Im faszinierten Blick auf den großräumigen Horizont des Größten der Propheten überliest bzw. vergißt man aber gerne, welche gewaltiger Anwalt der Gottesordnung im zwischenmenschlichen Bereich Isaias war.

Das „Lied vom Weinberg" (5, 1—7) ist einer der bekanntesten Isaiastexte. Sein Schluß gibt den Schlüssel zum Verständnis: „Jahwe hoffte auf Rechtspruch, und siehe da: Rechtsbruch, auf Gerechtigkeit, und siehe da: Weheschrei!" *mišpaṭ* und *ṣedaqah* — wir hören die Sprache des Amos! — hätten also die Trauben sein sollen, die der nun aufzulassende Weinberg vermissen ließ. Von da aus versteht man den erschütternden Gottesspruch: „Eure Neumonde und Feste haßt meine Seele. Sie sind mir zur Last geworden, die zu ertragen ich müde bin. Breitet ihr eure Hände aus, so verhülle ich meine Augen vor euch. Wenn ihr noch so viel betet, ich erhöre euch nicht. Denn eure Hände sind voll Blut. Waschet, reiniget euch! Schafft eure bösen Taten mir aus den Augen! Hört auf, das Böse zu tun! Lernt Gutes tun! Trachtet nach dem Recht! Steuert dem Gewalttätigen! Schaffet der Waise Recht! Tretet ein für die Witwe!" (1, 14—17). Der erste Wehe-Ruf des Propheten trifft die, „die Haus an Haus reihen und Feldstück an Feldstück fügen, bis kein Platz mehr da ist und ihr allein Besitzer im Lande geworden seid" (5, 8), und noch sein letzter denen, „die Satzungen voll Unheil erlassen und Schriftstücke der Bedrückung niederschreiben, um die Geringen vom Gericht zu verdrängen und die Gebeugten meines Volkes des Rechtes zu berauben! So werden Witwen ihnen zur Beute, und Waisen plündern sie aus" (10, 1 f).

Dieser für Irael als Gottesvolk entscheidenden Gerechtigkeit wird in einem erneuerten messianischen Reich durch den Messias selbst Raum geschaffen. Darum wird nach Verkündung der einmalig glanzvollen Titulatur des kommenden Heilskönigs (9, 5) von ihm gesagt: „Er festigt und stützt es (sc. Davids Reich) durch Recht und Gerechtigkeit von nun an bis in Ewigkeit“ (9, 6). Seine umfassende Begabung mit dem Gottesgeist (11, 2) hat die Aufgabe, ihn zum König der großen Gerechtigkeit zu machen: „Nicht nach dem Augenschein wird er richten und nicht nach dem Hörensagen entscheiden. Er waltet vielmehr für die Geringen als gerechter Richter und entscheidet richtig für die Gebeugten im Lande. Den Gewalttätigen schlägt er mit dem Stab seines Mundes und tötet den Frevler mit dem Hauch seiner Lippen. Gerechtigkeit ist der Gurt seiner Hüften und Treue der Gürtel seiner Lenden“ (11, 4 f).

Diese unabweislichen Zeugnisse in der Botschaft des Isaias mögen genügen, um darzutun, was gerade dem heiligen, „ganz andern“ Gott an der Verwirklichung des Gottesrechts, d. h. der von ihm gewollten und ihm entsprechenden zwischenmenschlichen Ordnung im Gottesvolke, liegt. Nicht die kultische, sondern die sittlich-personale Heiligung in der gläubigen Überantwortung des Ichs an den allwaltenden Gott *und* zugleich in der tätigen Bejahung des Mitmenschen ist nach Isaias der wesentliche Gotteswille.

e) Micha

Der jüngere Zeitgenosse des großen Isaias konzentriert seine Verkündigung, hierin dem Amos verwandt, fast ganz auf die Wiederherstellung von Recht und Gerechtigkeit. In einer Zeit, da rücksichtsloses Gewinnstreben der Jerusalemer Herrenschicht zum systematischen „Bauernlegen“ und damit zum Untergang des in der Grundverfassung Israel verankerten Freibauerntums führte, prangert er die Begehrlichkeit als Haltung an (2, 1 f), die im 10. Wort des Dekalogs als gottwidrig gekennzeichnet ist. Sodann richtet er seine Anklage gegen alle bösen Taten, die aus solcher Gesinnung geboren werden: die wirtschaftliche Ausbeutung, die ungerechte Handhabung der Justiz, die gesetzlosen Gewalttaten (vgl. 2, 1 ff 8—10; 3, 2 f 9 f; 7, 1 ff), den Betrug im Geschäftsleben (6, 10 ff), die Entzweiung in den Familien (7, 5). Unausgesprochen oder ausdrücklich ist seine ganze Verkündigung von der Überzeugung getragen, daß sich der Bundeswille des Gottesvolkes vor allem in der Erfüllung der zweiten mosaischen Tafel erweisen muß. Aber dieser Schwerpunkt seiner Botschaft fand taube Ohren. Nur einmal, nach dem Vortrag einer tief anrührenden Gottesklage, die den Bundeswillen Jahwes in zu aller Zeit unvergeßlichen Worten ans Licht stellt (6, 3—5), stellen ihm seine Zuhörer in einem gewissen Umkehrwillen die Frage: „Womit soll ich vor Jahwe treten, mich beugen vor Gott in der Höhe? Soll ich vor ihn treten mit Brandopfern, mit einjährigen Kälbern? Hat er Wohlgefallen an Tausenden von Widdern, an Zehntausenden von Bächen Öls? Oder soll ich meinen Erstgeborenen geben für meinen Frevel, meine Leibesfrucht für meine Sünde?" (6, 6 f.) All diese Fragen sind im Horizont des Opferdienstes gestellt. Hier erklärt man sich zu allem bereit, selbst zum schrecklichen Ritus des Erstgeburtsopfers, in welchem man durch Hingabe des Wertvollsten und Liebsten auf die Gottheit einwirken wollte, und dies leider trotz schweren Verbots auch in Israel (vgl. 1 Kg 16, 34; 2 Kg 16, 3; 21, 6). Da muß der Prophet unter ausdrücklichem Hinweis auf die Bundescharta und das Kerygma der Propheten antworten: „Man hat dir verkündet, o Mensch, was gut ist und was Jahwe von dir heischt: nichts anderes als Recht zu üben, den Brudersinn *(chesed!)* zu lieben und in Dienmut zu wandern mit deinem Gott!" Hier haben wir das bedeutendste Weisungswort des Alten Testamentes vor uns. Knapper, klarer, lapidarer wird nirgendwo der wesentliche Gotteswille gekündet. Im Wort „Recht" (mišpaṭ) wird die Weisung des Amos aufgenommen und an die Spitze gestellt. Wie dort liegt auch hier der Akzent auf dem richtigen Verhalten zum Mitmenschen. Der Terminus *„chesed"* war kennzeichnend für die Botschaft des Osee. Er meint im umfassenden Sinne die gelebte Offenheit des Menschen zum Bundesgott *und* zu den Mitmenschen. Das sind zwei Dimensionen einer einzigen Sache, nämlich der Bundesgesinnung. Nur die Akzentuierung kann verschieden sein. Wie in Os 4, 1 — weniger in 6, 6 — und zumeist auch sonst liegt auch hier der Akzent auf der mitmenschlichen Komponente. Denn der Begriff erhält in unserm Spruch von *mišpaṭ* her sein Relief und meint damit vor allem die an Jahwes alle Menschen umfangender Bundeshuld orientierte Liebe und Güte, welche die Gerechtigkeit als Frucht aus sich hervorbringt, sie aber zugleich im brüderlichen Erbarmen übersteigt. Die dritte Anweisung verwendet eine seltene Wendung, die wohl am treffendsten mit „Dienmut" wiedergegeben werden kann, da im hebräischen Wort die Idee des Zurückhaltens, der Behutsamkeit, der Sorgfalt und der Bescheidenheit steckt. Der Gegensatz dazu ist hochmütiges Autonomiestreben, das von allen Propheten, hauptsächlich aber von Isaias, als gottwidrig verworfen wird. Auch die Israel auf Grund des Wanderdaseins der Erzväter und des Zugs von Ägypten nach dem Gelobten Land so vertraute Wendung „wandern mit deinem Gott", d. h. immer mit Gott zusammen die Entscheidungen fällen und das Leben gestalten, verrät in ihrem Inhalt die Nähe zu Isaias. Über Amos, Osee und Isaias zurück aber wurzelt diese Generalanweisung des Micha im Dekalog der Bundescharta. Nur — und das ist überaus bezeichnend und beachtlich — kehrt sie gewissermaßen die beiden mosaischen Tafeln um. Dahinter steht die Erfahrung, daß das Gottesvolk noch eher dazu zu bringen ist, die „Pflichten gegen Gott", wie man allzu restringierend die ersten drei Gebote gerne nennt, zu erfüllen als die „Pflichten gegen den Nächsten". Gegen jeglichen Versuch, im doppeldimensionalen Gotteswillen eine Haupt- und eine Nebendimension zu unterscheiden, geht die Michaformulierung mit prophetischer Autorität an. Sogar noch der Ausdruck „Wandern mit Gott" enthält implicite einen Hinweis auf den Gang zum Mitmenschen hin. Denn in seinem Bundeswillen ist Jahwe stets unterwegs zu den Menschen.

Die in unsern Texten ermittelte Wesensachse der Willensoffenbarung Gottes — sie ist in Micha 6, 8 auf ihre prägnanteste Formel gebracht — bestimmt alle Heilsgeschichte. Der als neues Haupt eines erneuerten Gottesvolkes im AT verheißene Heilskönig gilt als Repräsentant und Garant eines vollkommenen bundespartnerischen Lebens nach der Grundweisung Jahwes, wie sich aus dem gemeinsamen Substrat aller messianischen Texte der Propheten unschwer ergibt. Am deutlichsten wird dies in jener singulären Heilsgestalt von Is 53, die für die Versöhnung der Menschen mit Gott den Gotteswillen bis ins letzte, bis zur freien Übernahme des Todesschicksals, erfüllt. Im Lebensvollzug dieses vollkommenen Bundespartners — in Is 42, 6 und 49, 8 einfach „Bund des Volkes" genannt — ist das Ja zu Gott und das Ja zu den Brüdern eines, so wie die wesentliche Bundesweisung des Offenbarungsgottes es will.

Im Neuen Bund erscheint in Jesus dem Christus sowohl die in ihre Kulmination kommende Bundeshuld Gottes „in Person", wie man sagen könnte, als auch der ideale menschliche Bundespartner Gottes als Haupt eines neuen Gottesvolkes. Wer die göttliche Urweisung, die durch Moses und die Propheten ergangen ist, erkannt und verstanden hat, wird sich nicht wundern, daß Jesus die Gottes- und Nächstenliebe als untrennbare Grunddimensionen der Willensoffenbarung Gottes freilegt und dabei die Nächstenliebe der Gottesliebe *gleichsetzt.* Letzteres erscheint vom menschlichen Kalkül her unverständlich. Gott sei unendlich, der Mensch aber endlich, also sei das Ja zu Gott das primäre, das Ja zum Menschen das sekundäre Erfordernis, so wagte einmal ein bibelferner Prediger sogar in einer Kathedralkirche den Gläubigen zu verkünden, ohne offenbar zu merken, daß er damit der ganzen Gottesoffenbarung des Alten und Neuen Testamentes widersprach. Ist das, was hier zum Ausdruck kam, nur ein privater, völlig vereinzelter lapsus mentis? Wer die Kirchengeschichte samt der Geschichte der Frömmigkeit auch nur ein wenig kennt, wird angesichts der an Klarheit kaum zu überbietenden biblischen Urweisung an das Gottesvolk sehr nachdenklich werden müssen. Das schwierige Problem der relativen Unfruchtbarkeit des Christentums in Welt und Geschichte erscheint, von daher gesehen, plötzlich in einem besonderen Lichte. Zugleich aber wird dem auf die Bibel Blickenden der Aufbruch im Christentum unserer Tage ein hoffnungsvolles Zeichen. Es ist offenbar die Zeit im Kommen, da man — sit venia verbo! — neben den „Dogmen des Logos“ sich auch wieder des „Urdogmas des zwischenmenschlichen Ethos“ erinnert und erneut seines Gewichtes inne wird, eines Gewichtes, das durch viele und eindeutige biblische Zeugnisse, nicht zuletzt durch die Endgerichtsschilderung Mt 25,31—46 und den Fußwaschungsbericht beim Evangelisten Johannes — er steht an Stelle der synoptischen Eucharistie-Einsetzungsberichte! — entscheidend in die Waagschale geworfen wird. Wenn der „johanneische“ Papst Johannes XXIII. das Wort von Gn 45,4: „Ich bin Joseph, euer Bruder!“ zu einer Art Devise seines Pontifikates machte, so ist damit ein verheißungsträchtiges Signal gesetzt. Möge hiermit eine heilsgeschichtliche Epoche angebrochen sein, in welcher die im neubundlichen Kreuz besiegelte und ein für allemal aktualisierte biblische Weisung: „Gerechtigkeit üben, den Brudersinn lieben, in Dienmut wandern mit seinem Gott!“ (Micha 6, 8) vor jeglichem andern „Pflichtenkatalog“ die Gewissensbildung und die Gewissenserforschung in allen Rängen des Gottesvolkes alltäglich bestimmt!

DIE URSPRÜNGLICHKEIT DER BIBLISCHEN MYSTIK

Von François Vandenbroucke OSB, Löwen

Ins Deutsche übertragen von Herlinde Pissarek-Hudelist, Innsbruck

Läßt sich die christliche Mystik mit der Mystik des Heidentums vergleichen? Wir meinen natürlich jene christliche Mystik, die, gereinigt und in ihren Grundlagen einheitlich, durch die göttliche Offenbarung garantiert ist. Eine Reihe frühchristlicher Zeugen weisen eine derartige Parallelisierung und erst recht eine Angleichung energisch zurück. Hören wir nur das berühmte „Apophthegma" des Abtes Olympios:

„Der Abt Olympios sagte: Ein Priester der Griechen stieg hinunter nach Skete, kam an meine Zelle, und ich gewährte ihm Gastfreundschaft. Nachdem er die Lebensweise der Mönche gesehen hatte, fragte er mich: Erlangt ihr mit dieser eurer Lebensweise irgendeine Schau von eurem Gott? — Nein, erwiderte ich ihm. Und er: Uns aber verbirgt unser Gott, wenn wir ihm Opfer darbringen, nichts, vielmehr enthüllt er uns seine Geheimnisse. Und ihr solltet, wie du mir sagst, keine Schauungen haben, trotz all eurer Mühen, Nachtwachen, Übungen der Sammlung und Askese? Das kann doch nur daher rühren, daß ihr böse Gedanken in euren Herzen hegt, welche euch von eurem Gott trennen. Nur deshalb offenbart er euch seine Geheimnisse nicht." [1]

Gerechtigkeitshalber muß man diesen Text mit einem anderen zusammenhalten, der zwar milieumäßig ähnlich, dem Geist nach aber recht verschieden von ihm ist. Es handelt sich um das *Leben des heiligen Antonius* vom heiligen Athanasius, das bekanntlich nicht bloß ungemein verbreitet war, sondern auch das Verdienst hatte, eine weithin herrschende christliche Mentalität widerzuspiegeln. Dieser Text lautet folgendermaßen:

„(Antonius) lebte so fast 20 Jahre lang als Einsiedler. Er führte ein Leben der Askese, ging nicht aus, zeigte sich nicht. Schließlich wollten mehrere Leute seine Askese nachahmen. Seine Freunde kamen herbei und erbrachen gewaltsam seine Türe. Da kam Antonius heraus wie ein in der Verschwiegenheit des Tempels in

---

[1] Apophthègme Patr., éd. Cotelier, I 582. Vgl. *A. Festugière OP,* L'enfant d'Agrigente (Paris 1941) 121 ff.

die Mysterien Eingeweihter und wie ein vom göttlichen Hauch Inspirierter[ὥσπερ ἐκ τίνος ἀδύτου μεμυσταγωγημένος καὶ θεοφορούμενος] . . . Da sahen ihn die Gekommenen zum erstenmal, und sie bewunderten ihn.“ [2]

Dieser Text bezeugt also das Staunen und die Bewunderung der Zeugen dieser Szene: Antonius glich in seinem Gebaren den Eingeweihten der heidnischen Mysterien. Man hat bemerkt, daß hier das einzige Mal in der *Vita Antonii* wirklich auf die hellenistische Frömmigkeit [3] angespielt wird, und das übrigens zu dem Zweck, die Überraschung der Zeugen hervorzuheben. Immerhin leiht diese Schrift ihrem Helden gerne jenen Zug heiterer Gelassenheit, der ein wenig an Sokrates oder die heidnischen Philosophen im allgemeinen gemahnt:

„Seine Seele war voll Frieden, seine äußeren Sinne blieben in Ruhe. Und die Freude seiner Seele verlieh ihm ein fröhliches Antlitz. An den Bewegungen seines Leibes erkannte man den Zustand seines Herzens . . .“ [4]

Mag dieser Zug des heiligen Antonius auch historisch einwandfrei berichtet sein, im Grunde steht er doch innerhalb der gesamten *Vita* reichlich isoliert da und läßt nur noch deutlicher hervortreten, wie sehr sich die frühen Christen bewußt waren, eine Religion zu praktizieren, die gänzlich anderer Ordnung war als die Mystik heidnischer Provenienz. Bestenfalls könnte man aus dem Widerspruch zwischen den beiden angeführten Texten herauslesen, daß die Hagiographen der heroischen Taten der Einsiedlermönche diesen zweifellos Züge liehen, die zum Teil ihre eigene Stellungnahme gegenüber den heidnischen Mystikern wiedergeben.

Es gibt auch objektivere Zeugnisse, nämlich solche von wirklichen Theologen. Sie stehen, wenigstens im 2. und 3. Jahrhundert, in der Linie des Olympios. Oftmals weisen sie die heidnische Mystik kategorisch zurück. So die Apologeten und die Väter des 2. und 3. Jahrhunderts. Es sei nur die folgende Stelle bei Tertullian angeführt.

„Was haben Athen und Jerusalem, die Akademie und die Kirche, der Häretiker und der Christ gemein? Unsere Lehre stammt aus der Halle Salomos, und Salomo selber lehrt sie uns: man muß den Herrn in der Einfalt des Herzens suchen. Man verschone uns also mit einem stoischen, platonischen und dialektischen Christentum. Nach Jesus Christus hört alle Neugier auf, nach dem Evangelium alles Suchen. Laßt uns glauben und weiter nichts begehren.“ [5]

---

[2] Vita Antonii cap. 14 (PG 26, 864). Zu diesem Text vgl. *M. J. Marx OSB*, Incessant Prayer in the „Vita Antonii“: Antonius magnus Eremita (Studia Anselmiana 38, Rom 1956) 118 ff; *L. Bouyer*, La vie de S. Antoine (Abbaye de S. Wandrille 1950) 114—115.

[3] *Bouyer*, a. a. O.

[4] Vita Antonii 67; PG 26, 393.

[5] De Praescriptione haereticorum 7; CSEL 70, 10—11. Ins Französische übersetzt von

Dieser Text — und es gibt viele ähnliche — offenbart einen entschiedenen Widerstand gegen jedwede Angleichung des Christentums an die heidnische Weisheit, gegen jedes Paktieren. Er läßt vermuten, daß Tertullian, hätte er den Bericht über die kontemplative Ekstase des heiligen Antonius gelesen, darin sicherlich eine Ansteckung durch das Heidentum erblickt hätte. Später wird ein Augustin anders reden, und nicht nur er. Bedeutet das, daß Tertullian und diejenigen, die im 2. und 3. Jahrhundert wie er redeten, nicht begriffen, wie sehr die Vorahnungen des Heidentums, die ahnungsvollen Teilwahrheiten seiner religiösesten Denker in der christlichen Botschaft ihre Erfüllung und ihre Fülle finden sollten? Haben die Christen der ersten Generationen bewußt die außerordentlichen und noch nicht dagewesenen Vorbereitungen, welche die religiösesten Seelen ihrer Zeit der Botschaft Christi öffneten, als verabscheuungswürdig verworfen?

Diese Frage stellt sich A. Festugière, und er bemerkt, daß das Christentum sich „von diesem heidnischen Hintergrund" durch die selbstlose Gottesliebe und durch die Nächstenliebe abhebt, „welche zum eigentlichen Wesen der Liebe zu Gott gehört", und letztlich durch das tätige Wirken dieser Liebe. Das bedeutet, daß „das Christentum auf Erden nicht den mystischen Zustand anstrebt" [6].

Wenn A. Festugière recht hat, muß man sich fragen, ob manche geistlichen Schriftsteller in Vergangenheit und Gegenwart dann auch wirklich ein genaues Bild der wahren christlichen Botschaft zeichnen. Einer alten, 1600 oder 1700 Jahre währenden hagiographischen Tradition folgend, die tatsächlich ungefähr mit der *Vita Antonii* anhebt, haben sich nämlich viele daran gewöhnt, den Gipfel christlicher Heiligkeit aus der kontemplativen, ja „visionären" Perspektive zu betrachten. Heißt das aber nicht, ohne ernsthafte Nachprüfung in das eigentlich christliche Ideal zwar ehrwürdige, letztlich aber heidnische Gedanken hineinzuprojizieren?

So gestellt, fordert das Problem zu einer Befragung der Bibel auf. Denn vor jeder anderen christlichen Quelle muß die Bibel gelesen und verstanden werden. Die Kirchenväter kamen ja erst später, und der Fall des heiligen Athanasius läßt bereits vermuten, daß sie als Kinder ihrer Zeit gewisse eminent biblische und evangelische Aspekte unbeachtet ließen, ja überhaupt nicht kannten, während sie für andere Seiten der Offenbarung ein Verständnis besaßen, das wiederum uns, den mehr als 1500 Jahre später Lebenden, vielleicht verlorengegangen ist.

A. Festugière: La Révélation d'Hermès Trismégiste, t. I (Paris 1944) 66. Über das christliche Verhalten gegenüber dem Heidentum in den ersten Zeiten vgl. *J. Daniélou SJ*, Message évangélique et culture hellénistique aux IIe et IIIe siècles (Paris 1961).

[6] L'enfant d'Agrigente 112 ff.

Wir wollen hier kein Exposé einer „Theologie des Alten Testamentes" oder seiner Leitideen oder gar seiner Institutionen liefern. Mit derartigen Untersuchungen haben sich erst in jüngster Zeit ausgezeichnete Arbeiten befaßt. Uns obliegt es weniger, deren Fragen wiederaufzunehmen, als die für unsere Absicht notwendigen Schlußfolgerungen daraus zu ziehen. Es mag genügen, die Hauptmerkmale der in der Bibel auftretenden geistigen Haltung herauszustellen und Bezugnahmen und Verweise auf einschlägige Arbeiten auf ein Mindestmaß zu beschränken. Eben die große Menge dieser Arbeiten läßt es unnötig erscheinen, im Augenblick mehr zu sagen. Der Leser möge also entschuldigen, daß wir ihn im Laufe unserer Darlegung nur auf die wichtigsten dieser Arbeiten verweisen.

Heilsgeschichte

Dem unbefangenen Leser fällt als erstes Merkmal der biblischen Botschaft ihr historischer Ablauf auf. Die Bibel ist wesenhaft ein erzählender Bericht, und da der Hauptakteur dieses Berichtes Gott selbst ist, ist sie also eine „Heilsgeschichte", wie man gewöhnlich sagt. Hierdurch wird von vornherein deutlich, was die Bibel am meisten von der griechischen Philosophie unterscheidet. Im Gegensatz zu dieser geht es hier nicht um abstrakte, allgemeine und ewige Wahrheiten, auch nicht um spekulative Gedanken über das Wesen Gottes und des Menschen und die Beziehung zwischen Gott und Mensch. Die Bibel sagt, was Gott für den Menschen tat und was er weiterhin für ihn tut. Sie erzählt, wie der Mensch auf die göttliche Initiative reagiert hat und weiterhin reagiert. Die Bibel geht ausschließlich von den Begebenheiten der Menschheitsgeschichte aus, wenn sie vom Wesen Gottes und des Menschen und von ihren wechselseitigen Beziehungen ein Bild geben will. So wird die Geschichte zur Trägerin der Lehre. Man hat daher gesagt, daß die „Heilige Schrift Metaphysik und Theologie im Gewande eines geschichtlichen Berichtes" ist[7]. Mit anderen Worten: einen biblischen Zugang zum Allgemeinen, Zeitlosen, Wesentlichen gibt es nur vom Besonderen, Kontingenten, Existierenden her. In diesem Sinn kann man von einem Existentialismus der Bibel sprechen.

Ist die Geschichte aber lediglich Ausgangspunkt einer Metaphysik und einer Theologie? Das behaupten hieße die Bedeutung der in der Schrift berichteten Ereignisse erheblich unterschätzen. Die Geschichte ist mehr: sie ist heiliges Zeichen. Anders ausgedrückt: in den Augen der inspirierten

---

[7] *Cl. Tresmontant,* Essai sur la pensée hébraïque (Paris [2]1956) 70.

Schriftsteller sind die Begebenheiten nicht bloße Fakten, deren Bericht ihnen genügte, so wie etwa ein moderner Historiker Werturteile über seine geschichtlichen Feststellungen vermeidet. In Israel haben die Tatsachen immer die Valenz von Zeichen. Daher ist die Interpretation der Tatsachen durch die biblischen Schriftsteller wichtiger, als es die Tatsachen selber sind. Mit anderen Worten: dem biblischen Bericht liegt eine „Typologie" zugrunde.

Das auffallendste an dieser Typologie ist ihr literarischer Aspekt. Es ist ja, besonders seit dem heiligen Paulus, gang und gäbe geworden, geistigen und wörtlichen Sinn der biblischen Berichte einander gegenüberzustellen. Die jüdische Mentalität indessen gestattet es nicht, die Ebene des Berichtes von der des berichteten Ereignisses zu trennen. Die den biblischen Berichten zugrunde liegende Typologie übersteigt die literarische Ebene und bezieht sich auf die Tatsachen selbst. Diese haben also nicht bloß den Wert und die Bedeutung von bereits geschehenen Ereignissen, vielmehr bezeichnen sie einen Plan, offenbaren eine Absicht, ein „Erbarmen", eine „Gnade".

Das hebräische Denken entdeckt somit hinter den Tatsachen — und nicht bloß hinter deren Bericht — eine echte „Offenbarung", nämlich die des Planes Gottes mit der Menschheit, näherhin mit Abraham und dessen Nachkommenschaft, und schließlich mit Moses und dem Volk Israel. In diesem Sinn „kann die Geschichte *das Sakrament* der Religion Israels genannt werden. Diese erblickt durch die Geschichte hindurch das Antlitz Gottes, und sie sieht dieses doch unsichtbare Antlitz ständig. Die Einzelheiten dieser Geschichte, die Worte und Taten, die Unterweisungen, die Gefühle und Absichten der Menschen, sind Brot und Wein des Sakramentes, das die Berührung Gottes für alle Zeiten zugleich zum Symbol und zum Werkzeug seiner Gnade wandelt." [8]

Diese hebräische Denkungsweise ist also offensichtlich und grundsätzlich jener anderen entgegengesetzt, der es um die reine Idee, die intellektuelle Spekulation und die reinen Wesenheiten geht. Daraus ergibt sich, daß die Bibel an die Stelle des griechischen Dualismus, welcher der materiellen Erscheinungswelt die geistige Welt als die einzig wahrhafte gegenüberstellt, prinzipiell die Einheit dieser beiden Welten setzt. Für die biblischen Schriftsteller tut sich im sichtbaren, kontingenten Ablauf der Begebenheiten die göttliche Wirklichkeit kund, so wie sich die Haltungen der Seele in die Gesten des Leibes übersetzen.

Zugleich aber steht die hebräische Mentalität in einem höchst eigentümlichen Gegensatz zum modernen Historismus. Sie besitzt nicht jenen

---

[8] *H. Robinson Wheeler,* The History of Israel 12.

im Abendland seit einigen Jahrhunderten erwachten Sinn für die genau beobachtete Einzelheit. Dieser Sinn für die historisch feststehende Tatsache geht ihr erstaunlicherweise ab. Die Bibel ist kein geschichtlicher Traktat, mag der Historiker hier auch manche wertvolle Auskunft finden. Sie ist „Prophetie", und als solche kümmert sie sich wenig um eine irgendwie mathematische Genauigkeit in den Einzelheiten, wie wir sie vom Historiker, vom Chronisten, ja selbst vom Journalisten verlangen. Sie kümmert sich auch wenig um Widersprüche. Und so gut wie nie verweilt sie bei allgemeinen Ideen[9]. Es wäre falsch, in diesem Punkt Altes und Neues Testament einander entgegenzusetzen. Das Alte Testament ist und bleibt dasjenige Dokument, auf das man vorzugsweise zurückgreifen muß, will man das hebräische Denken in seinem ursprünglichen Zustand erkennen. Das Neue Testament bildet die Charta des Urchristentums, das indessen bereits in die hellenistische Welt eingeht. Wie wir weiter unten noch ausführlicher dartun werden, setzt das Neue Testament die von uns skizzierte kraftvolle Linie des Alten Bundes genau fort. Auch das Neue Testament ist ein Bericht, nämlich der Bericht eines in der Geschichte der Menschheit einzigartigen Ereignisses. Es ist der Bericht von der Menschwerdung und von ihren für die erlöste Menschheit nicht mehr aufhebbaren Folgen. Das Neue Testament bildet die Erfüllung einer einstmals ergangenen Verheißung. Es vollendet einen im Alten Testament prophetisch entworfenen Plan. Es ist die Antwort auf eine Erwartung. Und diese Antwort ist nicht begrifflich, sondern „ereignishaft". Dieses Neue Testament setzt daher jenen Bericht fort, dessen erste Kapitel wir im Alten Testament lesen. Genauer gesagt, es setzt den Bericht auf die gleiche prophetische Art und Weise fort, wie sie bereits dem Alten Bund eigentümlich ist. Es ist zwar der Bericht vom Leben Jesu mit einer Darlegung der Lehre des Herrn. Es berichtet überdies von den Anfängen des Christentums und liefert die ersten Versuche einer Synthese des christlichen Geheimnisses, wie bei Paulus und Johannes. Gerade diese beiden jedoch — sosehr sie sich in ihrer Denkweise unterscheiden — erheben sich über die gegenwärtige Zeit und weisen auf die Geheimnisse der Zukunft und des Endes der Zeiten hin. Die Hoffnung Israels galt dem Messias. Nunmehr gilt sie dem kommenden Reich Gottes, in dem die Welt der Materie, unser Leib einbegriffen, an der „Freiheit im Geiste" teilhaben wird, deren „Erstlinge" Christus uns gebracht hat[10].

---

[9] Hierzu vgl. *J. Guitton,* Le développement des idées dans l'Ancien Testament (Paris 1947) 28—29.

[10] Unter anderen Texten kann man hier vor allem Röm 8, 18—39 anführen, der einen ersten Entwurf einer „christlichen Philosophie der Geschichte" enthält.

Die Bundesschlüsse

Die Geschichte des Volkes Gottes, zuerst die Israels, dann der an seine Stelle getretenen und zum „Israel Gottes“[11] gewordenen Kirche Christi, wird durch eine Erwählung bestimmt. Der Herr hat sich ein Volk auserwählt und hat mit ihm ein enges Bündnis geschlossen. Nicht ohne Vorbereitung. Wie die Genesis gemäß der „priesterlichen“ Überlieferung berichtet, war ein erster Bund zwischen dem Herrn und der Menschheit in der Person Noes geschlossen worden. Der Bericht beschreibt die Absicht des Herrn vor der Sintflut:

„Ich werde eine Wasserflut über die Erde kommen lassen ... Mit dir jedoch will ich einen Bund schließen. Du sollst mit deinen Söhnen, mit deiner Frau und den Frauen deiner Söhne in die Arche gehen.“[12]

Nach der Katastrophe erfüllt sich der Plan Gottes:

„Ich schließe jetzt einen Bund mit euch und euren Nachkommen, die nach euch sein werden, und mit allen Lebewesen, die bei euch sind, mit den Vögeln, dem Vieh und allem Wild, das bei euch ist, mit allen Tieren der Erde, die aus der Arche herausgingen. Und zwar schließe ich meinen Bund mit euch dahin, daß kein Geschöpf mehr durch das Wasser der Flut vertilgt werden soll und fürder keine Flut mehr komme, um die Erde zu verheeren. Und Gott sprach: Dies soll das Zeichen des Bundes sein, den ich zwischen mir und euch und allen Lebewesen, die bei euch sind, für ewige Zeiten schließe: Ich stelle meinen Bogen in die Wolken.“[13]

Die Bedingungen dieses Bündnisses werden beschrieben. Der „priesterliche“ Bericht billigt dem Noe und seinen Söhnen die Herrschaft über die Tiere der Erde und die Vögel des Himmels zu, ebenso über die grünenden Pflanzen. Dagegen heißt es:

„Nur Fleisch, das noch seine Lebenskraft, nämlich das Blut, in sich hat, dürft ihr nicht essen. Auch über euer Blut, von dem euer Leben abhängt, will ich Rechenschaft fordern, von jedem Tier will ich darüber Rechenschaft fordern, von dem Menschen, von jedem, selbst seinem Bruder will ich Rechenschaft über das Menschenleben verlangen. Wer Menschenblut vergießt, dessen Blut soll auch durch Menschen vergossen werden. Denn nach Gottes Bild hat Gott den Menschen geschaffen.“[14]

Von vornherein hebt der Bericht den bilateralen Charakter der Bündnisse hervor, dieser künftigen Marksteine der Geschichte des Volkes Gottes. Jedes von ihnen ist ein Geschenk des Herrn an sein Volk, für das dieses seinerseits Verpflichtungen auf sich nimmt. Der Bund mit Noe setzt

---

[11] Gal 6, 16. [12] Gn 6, 17—18. [13] Gn 9, 8—13. [14] Gn 9, 4—6.

dem Mißbrauch, den der Mensch von seinem verkehrten Verstand machen könnte, tatsächlich eine gewisse Grenze: wenn er Tiere tötet, darf er nicht „das Fleisch mit der Lebenskraft, d. h. dem Blut", essen. Und er darf niemals seinesgleichen töten. Wenn diese Bedingung erfüllt wird, „werde ich des Bundes zwischen mir und euch gedenken" [15]. Das ist der Beginn einer neuen Freundschaft, wie sie nach dem Ungehorsam wiederhergestellt worden ist.

Später wird diese Freundschaft noch inniger, und zugleich zeichnen sich die gegenseitigen Verpflichtungen deutlicher ab. Zunächst im Bund mit Abraham. Im Grunde geht dieser kaum über den Bund mit Noe hinaus. Neu ist nur, daß Abraham und seiner Nachkommenschaft die Beschneidung auferlegt wird [16], und dieser Ritus wird zum Zeichen der Zugehörigkeit zum auserwählten Volk. Der Herr seinerseits sichert dem Abraham zu, daß dessen Nachkommenschaft zahlreich sein wird wie die Sterne des Himmels und daß sie die Herrschaft erhalten wird über

„dieses Land vom Bach Ägyptens bis zum großen Strom, dem Euphratstrom, die Keniter, Keniziter, Kadmoniter, Hethiter, Phereziter, Rephaiter, Amoriter, Kanaaniter, Girgasiter und Jebusiter" [17].

Hier wird schon die für die Mentalität Israels selbstverständliche ständige Überzeugung laut, daß politische und irdische Herrschaft sowie materieller Wohlstand das Zeichen göttlichen Wohlwollens seien. Ein im modernen Wortsinn mehr „moralischer" Gesichtspunkt tritt im darauffolgenden Bund zutage, im Bunde des Herrn mit Moses, dem Befreier des auserwählten Volkes. Diesmal handelt es sich nicht mehr um die Menschheit, von der nur noch Noe und dessen vor den Wassern der Sintflut gerettete Familie übriggeblieben sind, noch um das Geschlecht Abrahams, wenngleich der Bund mit diesem die gesamte Nachkommenschaft betraf. Es handelt sich um ein Volk. Das Buch Exodus schildert die Ereignisse am Sinai [18] ausführlich, aber der Bericht verquickt schier unentwirrbar die jahwistische mit der elohistischen Tradition. Immerhin läßt sich vom eigentlichen Bericht der zeremonielle Rahmen bei der Errichtung dieses neuen Bundes unterscheiden — Besprengung mit Blut, Vorlesung des Gesetzes, Mahl — sowie dessen verschiedene Vorschriften. Wie in den vorhergehenden Bündnissen wird auch in diesem Bund zwischen Jahwe und seinem nunmehr auserwählten Volk ein Band neuer, inniger

---

[15] Gn 9, 15. [16] Gn 17, 9 ff. [17] Gn 15, 18—21.

[18] Ex 19—24. Wir verweisen hier auf einen der neuesten Kommentare zum Buche Exodus: *G. Auzou,* De la servitude au service, Étude du livre de l'Exode (Paris 1961), besonders die Kapitel 8—10.

Freundschaft hergestellt, eine engere wechselseitige Zugehörigkeit. Und wie im Fall Noes und Abrahams erwartet der Herr, daß der Vertragspartner einen Kodex von Verpflichtungen einhält:

„Wenn ihr nun meine Stimme hört und meinen Bund haltet, so sollt ihr mir zum besonderen Eigentum sein unter allen Völkern; denn mein ist die ganze Erde. Ihr aber sollt mir ein Königreich von Priestern sein und ein heiliges Volk!“ [19]

So wird Israel zum geheiligten Herrschaftsbereich Jahwes. Als solcher ist es ein heiliges Volk. Und von nun an gewinnt jener Gedanke Gestalt, der gleichfalls den Rest des Alten Testamentes durchzieht und der, kaum verändert, in der Botschaft des Neuen Testaments weiterbesteht, nämlich daß die Heiligkeit zutiefst darin besteht, zum auserwählten Volk zu gehören, zu jenem Volk, das der Herr sich in seiner Freiheit erkor.

Diese Zugehörigkeit erzeugt aber keine „Heiligkeit“, die bloß äußerlich, aufgeklebt wie ein Etikett bleibt und die psychische Wirklichkeit der das Volk Gottes bildenden Einzelnen unverändert läßt. Diesmal enthält der Bund sehr hohe religiöse und moralische Forderungen, die vor allem den „priesterlich“ redigierten Dekalog ausmachen [20], ferner einen „Kodex“, der die Gebote dieses Dekalogs ausfaltet und in dem Elemente des bürgerlichen und des Strafrechts, der sozialen, kultischen und sittlichen Gesetzgebung aufscheinen [21]. Der Kern dieses Ganzen ist eben der Dekalog, er bleibt die zeitlose, für alle Zeitalter der Menschheit gültige Charta ihrer sittlichen Verpflichtungen. Christus selbst hat an seine Vorschriften erinnert, als er dem reichen Jüngling [22] und auch — in allgemeinerer Form — den Scharen, die seiner „Bergpredigt“ lauschten, eine noch höhere Vollkommenheit vor Augen führte. Und die Beweisführungen der Briefe des heiligen Paulus an die Galater und Römer gegen das jüdische Gesetz, von dem „die Freiheit in Christus“ die an ihn Glaubenden befreite, wollten die Bedeutung dieser Grundcharta der Pflichten des Menschen gegenüber Gott und dem Nächsten nicht in Frage stellen: zahlreiche Stellen der Briefe bezeugen ausdrücklich den uneingeschränkten Respekt vor ihr. In alldem kann man leicht im Grunde recht prosaische Anliegen erkennen und aufdecken: eine individuelle und soziale Moral, einen Gesetzeskodex, ein Zeremonialgesetz, und all dies auf einige wesentliche Verhaltungsmaßregeln zurückgeführt. Von Mystik keine Spur, es sei denn die wiederholte Behauptung, die Zugehörigkeit zum Volk Jahwes sei eine Quelle höchster geistiger Werte:

---

[19] Ex 19, 5—6; vgl. Dt 7, 6. [20] Ex 20, 1—17. [21] Ex 20, 22—24; 18.
[22] Vgl. Mk 10, 17—21; Mt 19, 16—21; Lk 18, 18—23.

„Ihr aber sollt mir ein Königreich von Priestern sein und ein heiliges Volk!“ [23]

In den späteren biblischen Schriften wird, wie oft vermerkt wurde, der Sinai-Bund nur selten erwähnt oder beschworen. Jedoch wurde das Andenken an ihn durch liturgische Feste wachgehalten, besonders durch das alljährliche Passah, der gemeinschaftlich begangenen Gedächtnisfeier der dieser für das auserwählte Volk so wesentlichen Begebenheit. Einige Verse des Deuteronomiums verdienen ganz besondere Beachtung. Sie sind gleichsam eine Meditation über die Freiheitstat Gottes, der das auserwählte Volk mit dessen Vorrechten und eben damit als ein abgesondertes Volk gegründet hat:

„Du bist dem Herrn, deinem Gott, ein heiliges Volk. Dich hat der Herr, dein Gott, aus allen Völkern auf Erden auserwählt, damit du ein Volk seiest, das ihm besonders gehört. Nicht weil ihr zahlreicher seid als alle Völker, hat sich der Herr mit euch verbunden — ihr seid ja das kleinste von allen Völkern —, sondern *weil euch der Herr liebt* und weil er den Schwur hält, den er euren Vätern geschworen hat. Deshalb hat er euch mit starkem Arm geführt und euch aus dem Haus der Knechtschaft, aus der Gewalt des Pharao, des Königs von Ägypten, befreit. Du solltest erkennen, daß der Herr, dein Gott, der Gott, der treue Gott ist, der den Bund hält und *denen, die ihn lieben und seine Gebote halten, Barmherzigkeit erweist* bis ins tausendste Geschlecht ... Wenn du nun auf diese Rechte hörst, sie beobachtest und befolgst, so wird auch dir der Herr, dein Gott, den Bund und die Huld bewahren, die er deinen Vätern zugeschworen. Er wird dich lieben, dich segnen und mehren ...“ [24]

Diese Stelle — die einen Gedanken andeutet, den das Johannesevangelium mit Vorliebe weiter ausführt: „wenn ihr mich liebt, so haltet meine Gebote“ — wird verdeutlicht durch zwei Texte, die nicht weit voneinander entfernt sind und ausdrücklich das Gebot aufstellen, den Herrn zu lieben:

„Du sollst Jahwe, deinen Gott, lieben mit ganzem Herzen, mit ganzer Seele und all deiner Kraft!“ [25]

„Nun, Israel! Was verlangt Jahwe, dein Gott, von dir? Nur, daß du Jahwe, deinen Gott, fürchtest, *auf allen seinen Wegen wandelst, ihn liebst* und Jahwe, deinem Gott, mit ganzem Herzen und mit ganzer Seele dienst, indem du die Gebote und Gesetze Jahwes, die ich dir heute gebe, beobachtest, damit es dir wohlergehe.“ [26]

Wir haben hier das Kernstück des Gesetzes vor uns. Mag dieses auch verschiedene und nach unserem Geschmack allzu viele Gebote enthalten — der individuellen und sozialen Moral, des Rechtes, der Kultgesetz-

---

[23] Ex 19, 6. [24] Dt 7, 6—13. [25] Dt 6, 5. [26] Dt 10, 12—13.

gebung —, der Deuteronomist hat begriffen, daß „auf den Wegen Jahwes wandeln", „seine Gebote halten", „ihm dienen" für Israel gleichbedeutend ist mit „ihn lieben". Und diese Liebe soll nach dem Willen dieses Verfassers „mit deinem ganzen Herzen, mit deiner ganzen Seele und mit deiner ganzen Kraft" dargebracht werden.

Einige andere Texte des Alten Testamentes sind ein Widerhall dieser Forderung. So sagt Osee:

„An Frömmigkeit habe ich Wohlgefallen, nicht an Schlachtopfern, an Gotteserkenntnis mehr als an Brandopfern." [27]

So überrascht es keineswegs, daß die Propheten, die so oft jenen sittlichen und zeremoniellen bloßen Legalismus bekämpften, der den echten religiösen Geist des auserwählten Volkes lähmte, von der Ahnung erfüllt waren, es werde der Tag kommen, da dem Volke Gottes ein neuer, diesmal vollkommener und ewiger Bund beschieden sein würde. Dann werde das gegenseitige Sich-Angehören vollkommen sein und ebenso die Erkenntnis des Herrn:

„Siehe, es werden Tage kommen — Spruch Jahwes —, da werde ich mit dem Hause Israel und mit dem Hause Juda einen neuen Bund schließen, nicht einen Bund, wie ich ihn mit den Vätern geschlossen habe, als ich sie bei der Hand nahm, um sie aus dem Land Ägypten zu führen, meinen Bund, den sie gebrochen haben, obwohl ich ihr Herr bin, Spruch Jahwes. Aber dies wird der Bund sein, den ich mit dem Hause Israel nach jenen Tagen schließen werde, Spruch Jahwes: *Ich will mein Gesetz in ihr Inneres legen und in ihr Herz schreiben, ich will ihnen ihr Gott sein, und sie sollen mein Volk sein.* Sie werden sich nicht mehr gegenseitig belehren und einander auffordern: ‚Erkennet den Herrn!' Alle werden mich erkennen, vom Kleinsten bis zum Größten, Spruch Jahwes, denn ich vergebe ihre Missetat, und ihrer Sünden will ich nicht mehr gedenken." [28]

Dieser neue und ewige Bund wird der Sieg des „Geistes" des Herrn sein:

„Ich werde euch meinen Geist einhauchen, und ich werde bewirken, daß ihr nach meinen Gesetzen wandelt." [29]

So ist der Blick auf die Zukunft gerichtet: immer unterströmt die geschichtliche Dimension den biblischen Bericht. „Es werden Tage kommen ..." Daraus erklärt sich, daß die Botschaft der Propheten Israels

---

[27] Os 6, 6; vgl. 2 Kg 23, 25.
[28] Jr 31, 31—34. Vgl. Is 55, 3. Bekanntlich wird diese Stelle in Hebr 8, 6—13 ausdrücklich auf den von Christus begründeten Neuen Bund bezogen.
[29] Ez 36, 25—27.

eben „prophetisch" ist, und zwar nicht bloß in dem Sinn, daß sie die „Sprüche Jahwes" verkünden, sondern daß sie eine neue und ewige Herrschaft der Beziehungen zwischen Gott und seinem Volk verheißen. Sie ahnen die Rolle des Messias, des idealen Königs, dessen bloß schattenhafte, noch allzu menschliche Vor-Bilder die Könige Judas sind.

Mehr noch als die vom Deuteronomisten aufgezeichneten Sprüche wird der Messias auf das Gebot der Liebe hinweisen, und er wird es mit größeren Anforderungen und Beispielen verbinden, als es im Alten Testament der Fall war. Es gilt nicht mehr bloß, seine Freunde, seine Glaubensgenossen und Mitbürger zu lieben, man muß Christus nachahmen, der sein Leben hingab, und daran wird man seine wahren Jünger erkennen. Auf dem Wege über Christus muß man zum Vater gelangen, der die Liebe ist und der die Menschen zuerst geliebt hat; man muß diese Liebe auf sich zukommen, sie unser ganzes menschliches Wesen durchdringen und durch uns hindurch die Menschen, unsere Brüder, erreichen lassen. Diese Botschaft ist sicher eine der erhabensten des Neuen Testamentes, namentlich der johanneischen Schriften. Absichtlich gaben wir keine Stellenhinweise für das vierte Evangelium und den ersten Johannesbrief — sie wären als Belege für das hier Gesagte allzu zahlreich ausgefallen. Lassen wir es bei einigen Versen bewenden, die die Botschaft verkünden, daß die „ewige Liebe" Jahwes zu seinem Volk[30] sich in Christus offenbart hat:

„Gott hat seinen eingeborenen Sohn in die Welt gesandt,
damit wir durch ihn leben.
Und darin besteht seine Liebe:
nicht wir haben Gott geliebt,
sondern er hat uns geliebt und hat seinen Sohn
gesandt als Sühnopfer für unsere Sünden.
Meine Lieben, wenn Gott uns so geliebt hat,
so sind auch wir es schuldig, einander zu lieben."[31]

Die Verähnlichung mit Gott

Diese Richtung gipfelt in der biblischen Lehre von der Verähnlichung mit Gott. Der Mensch ist „nach dem Bilde und Gleichnis Gottes" erschaffen worden. Wir können die Bedeutung dieser Schriftstelle[32] hier

[30] Gemäß Is 54, 8; vgl. Jr 31, 3; Soph 3, 17; Dt 4, 37; 7, 8; 10, 15; Is 43, 4. Diese Liebe gleicht der eines Vaters zu seinen Kindern (Os 11 und passim; Jr 31, 20; Is 49, 14—16), eines Mannes zur Frau (Os 2—3; Jr 2, 2; 31, 21—22; Ez 16, 8 60; Is 62, 4—5).
[31] 1 Jo 4, 9—11. [32] Gn 1, 26—27.

nicht nach den modernen Methoden der Exegese studieren[33]. Sie wurde in der jüdisch-christlichen Tradition bald als Ähnlichkeit des Menschen mit dem unmittelbaren „Bilde“ Gottes, seinem Logos also, interpretiert, bald als bloße Feststellung, daß der Mensch Gott ähnlich sei, ohne daß man sich der Vermittlung eines ersten „Bildes“ bediente. Einige alttestamentliche Texte bilden einen Nachklang der Genesis[34]. Das Neue Testament aber geht weiter: nach Paulus ist das vollkommene Bild Gottes Christus, „das Bild des unsichtbaren Gottes“[35]. Er ist von „göttlicher Daseinsweise“, obwohl „er nicht eifersüchtig an seiner Gottgleichheit festhielt“[36]. Nach Johannes besteht eine solche Ähnlichkeit zwischen Christus und dem Vater, daß es heißen kann: „Wer mich sieht, hat den Vater gesehen.“[37]

Nach Paulus ist der Mensch in seinem Menschsein als solchem bereits „Bild und Abglanz Gottes“[38], womit offenkundig auf den Bericht der Genesis angespielt wird; aber durch die Gnade Gottes ist er „vorausbestimmt, nach dem Bilde seines Sohnes gestaltet zu werden“[39]. Paulus geht noch weiter: dieses Bild entsteht und wächst, indem man Gott in der Gestalt Jesu Christi gleichsam anschaut:

„Mit unverhülltem Antlitz spiegeln wir alle die Herrlichkeit des Herrn wider und werden so, weil es die Herrlichkeit des Herrn, des Geistes ist, in das gleiche Bild umgewandelt zu immer größerer Herrlichkeit.“[40]

So ist Christus das „Bild“, die „Herrlichkeit“ des Herrn. Und wir sind vorausbestimmt, dieses Bild in uns zu gestalten[41] und, was mehr ist, es widerzuspiegeln „mit unverhülltem Antlitz“ und uns so in es umzuwandeln.

Man kann über die genaue Bedeutung dieser Aussagen der Schrift streiten. Zumindest aber läßt sich sagen, daß sie grundsätzlich behaupten,

---

[33] Hierzu vgl. *H. Willms*, EIKΩN. Eine begriffsgeschichtliche Untersuchung zum Platonismus I (Münster i. W. 1935) 38 ff; Theol. Wörterbuch zum NT II 378 ff.

[34] Sir 17, 3; Weish 2, 23; hierzu ist zu bemerken, daß, wenn es ein ewiges „Bild“ Gottes gibt, dieses für den Verfasser des Weisheitsbuches die ewige Weisheit selbst ist (7, 26; vgl. Hebr 1, 3; Jo 1, 9; Kol 1, 15), die die christliche Tradition fast immer mit dem Logos identifizierte.

[35] Kol 1, 15; 2 Kor 4, 4. [36] Phil 2, 6.

[37] Jo 12, 45; 14, 9.

[38] 1 Kor 11, 7. [39] Röm 8, 29.

[40] 2 Kor 3, 18.

[41] Über „die Nachahmung Gottes, Grundlage des sittlichen und geistlichen Lebens“ gemäß dem AT, siehe *E. Jacob*, Théologie de l'Ancien Testament (Neuchâtel 1955) 141 bis 144.

das vollkommene „Bild“ des Vaters sei sein eingeborener Sohn. Wir pflegen diesen Ausdruck in die moderne theologische Sprache zu übersetzen, indem wir sagen, dieser sei dieses Bild von Natur aus, während der Mensch dazu vorherbestimmt ist, dieses Bild durch die Gnade zu werden. Die Tatsache, daß er von der Gnade Gottes berührt worden ist — daß er „gerechtfertigt“ ist, wie die neueren Theologen sagen —, versetzt ihn in eine ungreifbare, unsichtbare, jenseits aller Erfahrung gelegene Wirklichkeit, die aber dennoch Wirklichkeit ist. Greifbar sind vor allem die Wege, auf denen Gott sich an die Menschen wendet: Christus, dessen Menschheit das sichtbare Sakrament seiner Gottheit war, und sodann die gesamte sakramentale Heilsökonomie, die das Wort und die Taten des Heils und des Lebens Christi in Zeit und Raum weitertragen sollte. Diese greifbaren Wege sind erfahrbar, und aus ihnen erahnt der Mensch, worauf der Wille Gottes es absieht, wenn er ihn Gott „gleichgestalten“ und dieser seiner Vorherbestimmung bewußt werden lassen will.

Die angeführte Stelle des 2. Korintherbriefes scheint tatsächlich die Ebene der ungreifbaren Wirklichkeit der Rechtfertigung der Seele aus Gnade zu übersteigen, sie übersteigt selbst jene greifbaren Wege, auf denen die Gnade das Herz des Menschen berührt, und stellt sich auf die Ebene der bewußten Reaktion des Menschen, der vom Erbarmen Gottes erfaßt und getroffen wurde.

Die „Gnosis“ Gottes

Von hier aus erhebt sich die Frage, was die Schrift unter „Kontemplation“ versteht. Diese Frage läßt den gesamten biblischen Kontext der Gotteserkenntnis ins Spiel kommen und damit eben den der jüdischen und christlichen Gnosis. Selbstverständlich können wir dem riesigen Umfang dieses geschichtlichen Problems hier nicht gerecht werden. Wir lassen es für unser Thema und für unsere Zwecke bei den unerläßlichen Hinweisen bewenden und verweisen für ein intensiveres Studium auf die einschlägigen Arbeiten.

Immerhin sei zur Ortung der Frage darauf hingewiesen, daß es seit dem 19. Jahrhundert zwei einander widerstreitende Thesen gibt. Die erste behauptet, das eigentlich alttestamentliche Grundthema der Offenbarung des Herrn und ihrer dem Menschen möglichen Erkenntnis mit all dem, was in der jüdischen Begriffswelt mehr oder weniger damit zusammenhängt — „Schau des Antlitzes Jahwes“, seine „Herrlichkeit“, seine „Gegenwart“ —, habe in den Jahrhunderten unmittelbar vor der christlichen Ära eine Ansteckung durch heidnische Ideen erfahren[42]. Diese bezeichnete man nun in Bausch und Bogen als „Gnosis", eine im Grunde vage, ja zweideutige Bezeichnung, so wie sie die Historiker unbesehen anwenden, ohne sie vorher zu definieren. Diese „Gnosis" sei das Ergebnis einer gegenseitigen Durchdringung religiöser Ideen, herkünftig aus zwei verschiedenen geistigen Welten, dem Orient und dem Hellenismus[43]. Diese These stößt — namentlich seit einigen Jahrzehnten — auf Widerspruch. Eine neue Interpretation der Tatsachen erblickt nämlich in der jüdischen „Gnosis" ein eigenständiges Gut des Judentums. Ihr zufolge liegt diese genau in der Linie des „Prophetentums", das in Israel vor und während der Zeit des Exils blühte, sodann in der Linie der „Weisheitsliteratur", die ihren Höhepunkt erst später erreichte[44]. Die Christen der ersten Generationen hätten ihre Haltung auf diesem Gebiet nicht geändert. Wenn man die Dinge so sieht, muß man wirklich sagen, daß die Christen und die Väter der ersten Jahrhunderte immer in der Überzeugung gelebt haben, die wahre „Gnosis" zu besitzen, und daß die Gnosis der Heiden und Häretiker in ihren Augen nur deren Zerrbild war, eine „Pseudo-Gnosis"[45]. Zudem brachten die Funde von Qumrān eine Bestätigung dieser Sicht, die sehr ernst zu nehmen ist[46].

Wir wollen uns hier nicht mit den Argumenten befassen, die für und wider jene beiden Thesen vorgebracht worden sind, sondern vielmehr versuchen, aus der Bibel selbst abzulesen, welchen Begriff sie sich von der Gotteserkenntnis macht. Zunächst läßt sich mindestens sagen, daß diese Erkenntnis, wie schon weiter oben angedeutet, keine abstrakte Reflexion ist. Es handelt sich bei ihr um eine durch geschichtliche Ereignisse hervorgerufene Bewußtwerdung. Jene Ereignisse offenbaren Gott als den Einen und als den einzigen Herrn, als den heiligen und lebendigen Gott. Diese Offenbarung enthüllt sich fortschreitend in der gesamten Geschichte der Menschheit, so wie die Genesis sie berichtet, sie wird jedoch deutlicher, irgendwie personaler seit der Erwählung Abrahams und mehr noch seit den Ereignissen des Exodus. In dieser Linie kann auch das Prophetentum

---

[42] Zu den neuen Repräsentanten dieser Auffassung zählt *R. Bultmann,* Artikel γινώσκω: Theologisches Wörterbuch zum NT I 688—719.

[43] Hierzu siehe *E. Norden,* Agnostos Theos. Untersuchungen zur Formengeschichte religiöser Rede (Leipzig 1913).

[44] Eines der wichtigsten Werke, in dem es sich um die These Bultmanns und, wenn auch nur indirekt, Nordens in bezug auf Paulus handelte, ist das Buch von *J. Dupont,* Gnosis. La connaissance religieuse dans les épîtres de saint Paul (Bruges-Paris 1949).

[45] Zu diesem Punkt siehe zum Beispiel *R. P. Casey,* The Study of Gnosticism: Journal of Theological Studies 36 (1935) 45—60; *J. Daniélou SJ,* Théologie du Judéo-christianisme (Paris-Tournai 1958) 422—424.

[46] *J. Daniélou,* a. a. O. 421 und 425.

des 8. und 7. Jahrhunderts gesehen werden. Die Propheten dieses Zeitraums sind im Grunde die Fortsetzer anderer „Propheten", die, wenn man sie auch nicht als solche bezeichnete, dennoch im Namen Jahwes gesprochen haben: Abraham und Moses sind Isaias und Amos, Jeremias und Ezechiel vorbereitend vorausgegangen. Das zentrale Ereignis dieser Offenbarung, die sich durch die Begebenheiten der Geschichte des auserwählten Volkes vollzog, war der Exodus. Auf dieses besondere Ereignis bezog sich regelmäßig die Predigt der späteren Propheten. Zugleich wendet der Prophet seinen Blick einem anderen Ereignis zu, dem gegenüber alles Vorhergehende, namentlich der Exodus, bloß ein schattenhaftes Vor-Bild ist: dem Tag Jahwes.

Aus alldem erhellt, daß die „Erkenntnis Jahwes" die Quelle eines unbesiegbaren Vertrauens auf seine Treue und Liebe ist. Diese „Erkenntnis" bezieht sich auf eine in das Leben Israels eingreifende Initiative, deren augenscheinlichstes und anhaltendstes Zeichen der Bund ist. Der Blick ist gerichtet auf den entscheidenden Augenblick, in dem der Bund zwischen Jahwe und seinem Volk geschlossen wurde, auf den Exodus, und auf den Ort, an dem er besiegelt wurde, den Sinai. Auch die Propheten, die später im Namen Jahwes reden, um Israel, das zwischen den großen politischen Mächten seiner Epoche hin und her gerissen wird, in seinem Tun zu ermutigen oder zu verdammen, tun dies stets mit Hinweisen auf den Bund, wenn sie zum Vertrauen auf die Treue und Liebe des Herrn auffordern. So versteht man leicht, weshalb und wie eng das hebräische Denken „Erkenntnis" und „Einigung" miteinander verknüpft. Bekanntlich nimmt das Wort „erkennen" an manchen Stellen der Schrift sogar einen auf die Ehe bezogenen Sinn an[47].

Während des Exils und nachher erhält das Thema Exodus eine neue Nuance. Die biblischen Schriftsteller verlegen den Akzent jetzt auf die Befreiung Israels. Aber der Gesichtswinkel bleibt genau der gleiche wie vorher. Nur in Verbindung mit seinem Eingreifen in die Geschichte wird die Offenbarung Jahwes zur Offenbarung eines Erlösers und in zunehmendem Maße zu der eines Messias, der die endgültige Befreiung des verbannten und unterdrückten Volkes bewerkstelligen wird. So meditiert Israel über das Geheimnis des göttlichen Planes, der sich bereits in den großen Ereignissen der Vergangenheit ankündigte, in einer schon geahnten Zukunft aber die Herrlichkeit des Herrn vollends offenbaren wird. Die

[47] Manchmal wurde Am 3, 2 in diesem Sinne ausgelegt: „Von allen Völkern der Erde habe ich nur dich gekannt"; und Os 13, 4: „Du kennst keine anderen, o Gott, als mich"; vgl. *K. Cramer*, Amos (Stuttgart 1930). Diese Auffassung wird von Bultmann bezweifelt (a. a. O. 698 n. 37).

gegenwärtigen Leiden werden belohnt werden durch den Glanz des Tages Jahwes und das Reich des Messias[48]. Gern betonen die Exilspropheten Jeremias, Ezechiel und Deutero-Isaias, daß dies die Zeit sein werde, da die Erkenntnis des Herrn auch allem Volk zuteil werden wird. Lassen wir wieder Jeremias sprechen:

„Aber dies wird der Bund sein, den ich mit dem Hause Israel nach jenen Tagen schließen werde, Spruch Jahwes. Ich will mein Gesetz in ihr Inneres legen und in ihr Herz schreiben, und ich will ihnen ihr Gott sein, und sie sollen mein Volk sein. *Sie werden sich nicht mehr gegenseitig belehren und einander auffordern: Erkennet den Herrn! Alle werden mich erkennen,* vom Kleinsten bis zum Größten — Spruch Jahwes —, denn ich vergebe ihre Missetat, und ihrer Sünden will ich nicht mehr gedenken." [49]

Diese dem Volk zuteil gewordene Erkenntnis Jahwes ist nicht rein theoretisch, sie geht nicht aus einer abstrakten Reflexion hervor. Sie flößt überdies ein religiöses Vertrauen auf die Treue und Liebe Jahwes ein. Und, was wir jetzt besonders betonen müssen, sie übersetzt sich ganz konkret in die Erkenntnis der Gebote Gottes. So sagt Ezechiel:

„Ich will ein reines Wasser über euch ausgießen, daß ihr gereinigt werdet von allen euren Missetaten. Von allen euren Götzen will ich euch reinigen. Ich will euch ein neues Herz geben und einen neuen Geist in euch legen. Ich will wegnehmen das steinerne Herz aus eurem Leibe, und euch ein fühlendes Herz geben. Ich will meinen Geist in euch legen und *bewirken, daß ihr nach meinen Geboten wandelt, meine Rechte beobachtet, und sie ausführet.*" [50]

Diese „praktische" Seite jüdischen Denkens findet immer mehr Eingang in die nachexilische Weisheitsliteratur. Hier möge nur an einige Psalmen dieser Literaturgattung, die fast ein Drittel des Alten Testaments ausmacht, erinnert werden. So an Psalm 1 und 119[51]. Wenn es eine jüdische Gnosis gibt[52], so ist sie identisch mit der Erkenntnis der Vorschriften der Thora, des geschriebenen wie des mündlich überlieferten Gesetzes, seiner Kommentare und seiner Auslegungen. Der Weise, der diese Gnosis

---

[48] Zum jüdischen Messianismus vgl. *E. Jacob,* a. a. O. 254—275; *S. Mowinckel,* He That Cometh (Oxford 1956). Vgl. *L. Bouyer,* a. a. O. 36—38.

[49] Jr 31, 33—34; zitiert (nach LXX) von Hebr 8, 10—12; 10, 16—17.

[50] Ez 36, 25—27.

[51] Siehe *H. Duesberg OSB,* Les scribes inspirés, Bd. 2 (Paris 1938-39); *E. Jacob,* a. a. O. 203—205; *P. Dubarle,* Les Sages d'Israël, Sammlung „Lectio divina" (Paris 1946).

[52] Das Wort γνῶσις tritt am häufigsten (fünfzehnmal) im Buch der Sprüche auf. „Es wird (hier) in einer schlechthinnigen Weise verwendet, ohne auf das erkannte Objekt näher einzugehen. Neben σοφία faßt γνῶσις wirklich das religiöse und sittliche Ideal zusammen, zu dem es den Leser hinführen will" (*J. Dupont,* a. a. O. 364, Anm. 1).

besitzt, geht auf die Absichten Gottes ein und wird seinerseits fähig, sein Volk die Gnosis zu lehren:

„Ein Weiser war Koheleth. Erkenntnis lehrte er das Volk." [53]

So geschah es, daß die Weisen, hierin nachahmend, was die Schrift von Salomon sagt, eine umfangreiche Literatur zur Belehrung des Volkes hinterließen, daß sie regelrechte Weisheitsschulen unterhielten und oftmals politische Ratgeber der Könige waren, bevor sie nach dem Untergang des Königtums zu „Gesetzeslehrern" und „Schriftgelehrten" wurden und am Ende der alttestamentlichen Epoche die Bildung der Sekte der Pharisäer beeinflußten.

Indessen haben die Weisen genau wie die in die Zukunft blickenden Propheten weiter und tiefer als ihre Zeit gesehen. Die Endzeit stellt sich ihnen mit apokalyptischen Zügen dar, mit der Ankunft des Messias, welcher der Erwählte Gottes, der Gesalbte Gottes, der Sohn Gottes und zugleich der Sohn Davids ist. Diese Apokalypse oder Offenbarung im etymologischen Sinn des Wortes gehört zur Gnosis, obgleich „der Gebrauch von γιγνώσκω in der Apokalypse selten ist" [54], wie man gesagt hat. Die Gnosis ist der Offenbarung der Zukunft des Volkes Gottes nicht fremd — wie übrigens keinem geistigen Bereich —, sie ist und bleibt die Mitgift des Propheten, des Weisen, des Gerechten, die das Geheimnis der Absichten Gottes erforschen und davon ihren Glaubensgenossen Mitteilung machen.

In diesem Sinne sind die zahlreichen alttestamentlichen Anspielungen auf die „Erscheinungen des Herrn" zu verstehen. Gottes Wesen und seine lebendige, tätige Gegenwart bekunden sich Israel auf erstaunlich vielfältige Art und Weise. Selten jedoch sind diese lichtvollen Erscheinungen ohne alle Beimischung von Dunkelheit. Der Gott des Alten Testamentes bleibt ein verborgener Gott. Erscheint er in der Natur, wie z. B. bei der Theophanie am Sinai [55], so ist das ein bloßes Vorspiel zu einer genaueren Erscheinungsweise, nämlich der seines Wortes. Man erinnere sich an die berühmte Szene, als Elias auf dem Gipfel des Horeb den Sturm erlebt, Erdbeben und Blitze und dann ein leichtes Säuseln des Windes, das wie mit sanfter Stimme zu inniger Vertrautheit einlädt, und wie er schließlich — wenigstens in der endgültigen Redaktion dieses Textes — das Wort Jahwes vernimmt, der ihn mit seiner Sendung betraut [56]. Andere Stellen

---

[53] Prd 12, 9; vgl. Spr 22, 21.

[54] *J. Dupont*, a. a. O. 199.

[55] Vgl. Ex 19, 18—19; 20, 18; Ps 29; Job 37 usw.

[56] 1 Kg 19, 9—18.

sprechen von Erscheinungen Gottes in menschlicher Gestalt, wodurch das Vertrauliche seiner Gegenwart unter den Menschen nur noch mehr betont wird[57]. Ungefähr dasselbe gilt von den zahlreichen Stellen, an denen vom „Antlitz Gottes" die Rede ist, das wie das menschliche Antlitz Gefühle des Zorns, der Liebe, der Freude enthüllt. Auch hier wird die lebendige Gegenwart des Herrn intensiv geschildert[58].

Das Gesamtbild der „Erscheinungen" des Herrn im Alten Testament ist jedoch eher eine Beschwörung von Größe und Majestät als von Vertraulichkeit. Man denke nur an die Theophanie bei Isaias im 6. Kapitel. Die Größe Gottes verlangt oft einen „Engel", einen „Boten", einen „Stellvertreter", der beauftragt wird, an seiner Statt den Menschen sein Wort zu überbringen[59]. „Du kannst mein Antlitz nicht schauen, denn der Mensch vermag nicht, mich zu sehen und am Leben zu bleiben."[60] So groß ist der Glanz der „Herrlichkeit Jahwes", daß die inspirierten Schriftsteller ihn spontan mit einem blendenden, dem menschlichen Auge unerträglichen Lichte vergleichen. In diesem Sinn müssen die häufigen Anspielungen auf die „Herrlichkeit Jahwes", die sich im Blitz oder in einer Lichtwolke verbirgt, verstanden werden: so die lichte Wolke, die über dem Bundeszelt schwebte und die Israeliten auf ihrem Weg durch die Wüste begleitete[61]. Die Propheten ahnen, daß diese „Herrlichkeit" eines Tages „allem Fleisch offenbart" wird[62]: dieser Augenblick wird zusammenfallen mit jenem „Tage", an dem der „Rest" des Volkes Israel gerettet wird.

Die „Erscheinungen" des Herrn fanden nicht ausschließlich bei feierlichen Anlässen statt, wie bei der Begegnung am Sinai oder bei der Weihe des Tempels. Später wird die „Gegenwart Jahwes" oder *Schékinah,* wie die rabbinische Tradition sie nennt, mehr und mehr als eine geistige Wirklichkeit verstanden: „Wo zwei oder drei versammelt sind, um über die Thora zu meditieren, da ist die Schékinah mitten unter ihnen."[63] Bei-

---

[57] Vgl. zum Beispiel Gn 18 (Jahwe und die „zwei Männer" erscheinen dem Abraham bei der Eiche von Mambre); Gn 32 (Kampf Jakobs mit Gott). Der hier sich bekundende Anthropomorphismus läßt Raum für das Mysterium der Gottheit, z. B. bei Is 6.

[58] Siehe zum Beispiel Ex 33, 11: „Jahwe redete mit Moses von Angesicht zu Angesicht, wie ein Mensch mit seinem Freunde redet." Dann aber heißt es V. 20: „Du kannst mein Angesicht nicht schauen, denn der Mensch kann mich nicht schauen und am Leben bleiben." Das allzu Anthropomorphe wird energisch zurückgewiesen. Über das „Schauen von Angesicht zu Angesicht", wovon noch 1 Kor 13, 12 spricht, siehe *J. Dupont,* a. a. O. 114—118.

[59] Über den „Engel" Jahwes siehe *E. Jacob,* a. a. O. 60—62.

[60] Ex 33, 20. [61] Siehe Ex 40, 34—38.

[62] Deutero-Isaias 40, 5.

[63] *L. Bouyer,* a. a. O. 40. Vgl. *ders.,* La Bible et l'Évangile, 95 ff.

spiele dieser Art, die Dinge zu sehen, findet man in den Psalmen, die immer wieder das Verlangen zu Worte kommen lassen, die geistige Gegenwart Gottes zu erfahren:

> „Wie lieblich sind deine Gezelte,
> Jahwe Sabaoth!
> Meine Seele hat sich gesehnt, ja verzehrt
> nach den Höfen des Herrn ...
> Heil denen, die wohnen in deinem Haus,
> die dich allezeit preisen ...
> Denn ein Tag in deinen Höfen ist besser
> als tausend woanders.“ [64]

Derartige Akzente finden sich in den Kultpsalmen häufig. Man denke zum Beispiel nur an den 42., 43. und 63. Psalm. Man muß darin weit mehr als ein bloßes Verlangen nach Vertraulichkeit mit Gott erblicken, nämlich das Zeichen einer wirklichen Erfahrung der göttlichen Gegenwart. Die berühmten Worte des Pascalschen „Geheimnis Jesu“: „Sei getrost, du würdest mich nicht suchen, wenn du mich nicht gefunden hättest“, gelten ihrem Geiste nach für so manche Texte des Alten Testamentes.

Zugleich gewinnt die eschatologische Sehnsucht nach der Begegnung Jahwes mit seinem Volk eine neue Dimension. Man findet sie in den Psalmen vom Reich Jahwes. Hier ist die Erwartung bereits erfüllt, und dieses Reich erscheint als eine kosmische Wirklichkeit.

> „Der Herr ist König:
> Die Völker beben.
> Die Erde wankt,
> Groß ist auf Sion Jahwe.“ [65]

> „Der Himmel jubelt. Die Erde jauchzt.
> Es braust das Meer und was es erfüllt.
> Es jauchzt die Flur und was auf ihr wächst.
> Aufjubeln alsdann die Bäume des Waldes zumal
> vor Jahwe, wenn er kommt.“ [66]

Den Gerechten erfüllt hier bereits die Vorahnung der doppelten Gabe, die der Herr eines Tages in Christus geben wird, der Gabe des Lichtes und des Lebens:

> „Der Quell des Lebens ist ja bei dir.
> In deinem Lichte schauen wir das Licht.“ [67]

---

[64] Ps 84, 2 3 5 11. [65] Ps 99, 1—2. [66] Ps 96, 11—13.
[67] Ps 36, 10. Die Dokumente von Qumrān bezeugen, daß die beiden Themen des Lebens

Es ist ohne weiteres verständlich, daß die liturgischen Versammlungen in Israel mit ihren liturgischen Bibellesungen und dem dadurch gespeisten Gebet normalerweise die Erkenntnis des Herrn vermitteln, die Offenbarung seiner Absichten und Verheißungen, das Eindringen in sein Gesetz und endlich die Betrachtung seiner Herrlichkeit. Die liturgische Versammlung ist der Zeitpunkt und der Ort der jüdischen Gnosis. Und diese Gnosis vollendet sich in Danksagung, in Segen: in der und durch die tägliche *berakah.* Hier gewinnt man eine Vorahnung vom Thema des eucharistischen Gebetes der christlichen Liturgien, das in eine neue Welt religiöser Wirklichkeiten transponiert wird und dessen Vor-Bilder das Volk des Alten Gesetzes besaß.

Die neutestamentliche Mystik

Das Neue Testament läßt sich tatsächlich nicht verstehen, ohne daß man die alttestamentlichen Themen beständig transponiert. Es erweist sich als die Erfüllung der „Verheißungen" des Alten Testamentes, genauer gesagt, jene Verheißungen bilden den Schatten der jetzt angebrochenen Wirklichkeit. Läßt man dieses Prinzip gelten, so erkennt man — wie weiter oben gesagt wurde — den „typologischen" Wert des Alten Testamentes an, indem man dem heiligen Paulus folgt, der erklärt:

„Diese Dinge aber sind Vorbilder (τύποι) für uns geworden ... Das aber ist vorbildlich (τυπικῶς) an jenen geschehen, aufgeschrieben aber wurde es zur Warnung für uns, auf die das Ende der Weltzeiten gekommen ist." [68]

In dieser Blickrichtung sind Bund, Gesetz, Erscheinung des Herrn, sein Reich, seine Gegenwart keine abgeschafften Wirklichkeiten:

„Denn ... bis der Himmel vergeht mitsamt der Erde, wird nicht ein Jota oder ein Häkchen vom Gesetz vergehen, bis alles geschehen ist." [69]

Eine neue Ordnung tritt an die Stelle der alten, und die Ursache dieser Veränderung ist Christus. Er ist es, der die Schrift erfüllt. Er ist zugleich der Messias, der Sohn Davids und der Sohn Gottes. In seiner Person ist das den Völkern verkündigte und ihnen allen zugänglich gewordene Reich Gottes zu den Menschen gekommen.

---

und des Lichtes in der Meditation des jüdischen Frommen vorhanden waren; siehe *J. Daniélou,* Les manuscrits de la Mer morte (Paris 1957) 99.

[68] 1 Kor 10, 6 11.

[69] Mt 5, 18.

Mag aber auch in der Person Jesu Christi, der geboren wurde, „unter das Gesetz gestellt“ [70], etwas vom Geheimnis der Pläne Gottes enthüllt worden sein, so bleibt dieses dennoch ein „Geheimnis“. Es ist etwas, das noch nicht gänzlich enthüllt wurde, weil seine Erfüllung noch stückhaft ist. Es gibt zwar nicht mehr die Hoffnung auf die Ankunft des Messias, denn der Messias ist erschienen. Dennoch gibt es noch die Hoffnung auf seine letzte Ankunft am Ende der Zeiten, und diese tritt an die Stelle der früheren Hoffnung. Das Hangen an Christus wird zu einem Hangen am Mysterium, wie es dem heiligen Paulus offenbart worden ist:

> „Ihr habt doch wohl von dem Amt gehört, das mir von der Gnade Gottes für euch verliehen worden ist, daß mir nämlich durch eine Offenbarung das Geheimnis kundgetan wurde (κατὰ ἀποκάλυψιν ἐγνωρίσθη μοι τὸ μυστήριον), wie ich es oben kurz beschrieben habe. Daraus könnt ihr, wenn ihr es lest, meinen Einblick in das Christusgeheimnis ersehen, das in früheren Geschlechtern den Menschenkindern nicht so kundgetan wurde, wie es jetzt seinen heiligen Aposteln und Propheten durch den Geist enthüllt worden ist. Die Heiden sind in Christus Jesus Miterben und Mitglieder und Mitteilhaber der Verheißung durch das Evangelium ... Mir, dem Allergeringsten unter allen Heiligen, ist dieses Gnadenamt anvertraut worden, den Heiden die Frohbotschaft von dem unergründlichen Reichtum Christi zu verkündigen und allen Licht zu bringen über die Verwirklichung dieses Geheimnisses, das seit ewigen Zeiten in Gott, dem Schöpfer des Alls, verborgen war ...“ [71]

Eine solche Stelle bietet mehrere wesentliche Aspekte des paulinischen Denkens. „Bei Paulus ist die Gnosis die Kenntnis der eschatologischen Geheimnisse, des μυστήριον, das in Christus offenbart ist.“ [72] Dieses Geheimnis liegt indessen, wie aus den Texten hervorgeht, genau in der Linie der jüdischen Begriffswelt. Aber es ist nicht nur ein noch nicht vollkommen verwirklichter Plan, es ist vielmehr eine lebendige Wirklichkeit, die jeden Christusgläubigen angeht: „Christus ist unter euch, die Hoffnung auf die Herrlichkeit.“ [73]

Auf diese Weise wird die Wichtigkeit des Glaubens verständlich: er ist nach den Synoptikern [74] der Zugang zum Reich Gottes. Er rechtfertigt, wie die Briefe an die Römer und Galater dartun. Er gewährt den Eintritt

---

[70] Gal 4, 4.

[71] Vgl. Eph 3, 1—13.

[72] *J. Daniélou SJ*, Théologie du Judéo-christianisme (Paris 1958) 421. Für das hier Gesagte muß auf das grundlegende Werk von *J. Dupont*, Gnosis (s. Anm. 44) verwiesen werden, und zwar bes. auf 495—498.

[73] Kol 1, 27.

[74] Hierzu vgl. *Bouyer*, a. a. O. 121—152; *J. Bonsirven*, Théologie du NT (Paris 1951) 149—160.

in das „Geheimnis", von dem die Gefangenschaftsbriefe reden. Das ist wahrlich ein Der-Botschaft-Anhangen, und diese Botschaft betrifft nicht bloß die eschatologische Hoffnung. Die Anzahl der Schriften, die die ersten christlichen Generationen — nicht nur in Gestalt des Neuen Testamentes — hinterließen, genügt, um auf ihrem Grund eine hinreichende „Theologie" [75] aufzubauen; selbstverständlich kann eine solche Systematisierung erst nachträglich stattfinden, indem man sich üblich gewordener Kategorien bedient, um eine Synthese der christlichen Lehre zu bieten: Trinitätstheologie, Christologie, Soteriologie, Ekklesiologie, theologische Tugenden, moralische Tugenden usw. Wollte man das Materialobjekt des Glaubens der ersten christlichen Generationen im einzelnen beschreiben, riskierte man also eine Verfälschung der Perspektiven. Im einzelnen muß man bei der Bestimmung des Begriffs, den diese Generationen sich von Gott und den Beziehungen des Menschen zu ihm machten, ständig auf das spezifisch Christliche in diesem Begriff zurückkommen: die Erkenntnis Gottes stützt sich nicht bloß auf die Vernunft, sondern auf das Wort Gottes selbst, genauer: auf das Fleisch gewordene Wort Gottes, das heißt auf Christus. Denn Glauben bedeutet nicht bloß, daß die Vernunft Wahrheiten anhängt, die sie übersteigen, mag sie in sich selbst auch tatsächlich Einsicht in das Geheimnis sein, und daher gänzlich anderer Ordnung als der „Glaube", von dem Platon in seinem „Staat" als einer untergeordneten Art menschlicher Erkenntnisweise spricht [76]. Der Glaube ist das Hängen an einer lebendigen Person, nämlich an Christus. Und indem man dieser Person mit seinem ganzen Sein und Wesen anhängt, nicht bloß mit der Vernunft, entsteht der Glaube an den Vater: „Wer mich sieht, sieht den Vater." [77] Aus diesem erleuchtenden Glauben aber wird das „Leben" geboren: „Das ist das ewige Leben, daß sie dich, den einzig wahren Gott, erkennen, und den du gesandt hast, Jesus Christus." [78]

Die Frucht dieses gläubigen Hängens an Christus und durch ihn am Vater ist das „Geheiligtsein" der Jünger „in der Wahrheit" [79] und in der Einheit. Indem alle von der gleichen Bestimmung her leben, werden sie „eins wie wir", „eins in uns", „vollkommen eins" [80]. Für den Jünger ist dies eine „Freude in Fülle" [81], denn durch dieses Anhangen ist „die Liebe, mit der du mich geliebt hast, in ihnen und bin ich in ihnen" [82]. Diese

[75] Vgl. besonders *J. Bonsirven,* a. a. O.; *R. Schnackenburg,* La théologie du Nouveau Testament (Bruges 1961); *Bouyer,* a. a. O. 1. Teil, Kap. 2 bis 6.

[76] Buch VI. Hierzu vgl. *Cl. Tresmontant,* Essai sur la pensée hébraïque (Paris ²1956) 136—139.

[77] Jo 14, 19. [78] Jo 17, 3. [79] Jo 17, 17.

[80] Jo 17, 11 21 23. [81] Jo 17, 13. [82] Jo 17, 26.

im Herzen des Jüngers aus barmherziger Gnade geborene Liebe ist die Liebe, mit der der Vater selbst seinen Sohn liebt, und durch den Jünger hindurch erreicht sie die Brüder: „Liebet einander, so wie ich euch geliebt habe!“ [83] Ja, „daran werden alle erkennen, daß ihr meine Jünger seid, daß ihr einander liebet“ [84].

Die christliche Mystik des Neuen Testamentes ist eng verknüpft mit der gesamten Heilsgeschichte, deren Anfänge das Alte Testament berichtet. In diesem Punkt gibt es zwischen den beiden Teilen der christlichen Bibel keine Zäsur. Eine solche besteht nur insofern, als der zweite Teil die Erfüllung der Vorahnungen, der Vorbilder, der „Prophezeiungen“ des ersten Teils in Christus und nach ihm in der Heilsordnung ist, im „Geheimnis“, das von ihm ausgeht.

Diese Mystik gipfelt endlich in einer vollkommenen Angleichung des Einzelnen an Christus, die so überwältigend ist, daß die paulinische Formel „in Christus“ schließlich ungefähr gleichbedeutend wird mit dem Adjektiv „christlich“. Bisweilen wird sie sogar auf gewisse Seiten des profanen Lebens angewendet, die indes, als zum Leben des Christen gehörend, gleichsam geheiligt sind. Paulus ist sich jener Angleichung so stark bewußt, daß er sagen kann: „Nicht mehr ich lebe, sondern Christus lebt in mir.“ [85] Und das ist so wahr, daß er, wenn er, wie so oft in den paränetischen Teilen seiner Briefe, von den zu übenden Tugenden spricht, dies nicht durch Vernunftgründe rechtfertigt — Menschenwürde, Achtung vor der natürlichen Ordnung, Imperative der Vernunft —, sondern durch den existentiellen Glauben der Christen an das Geheimnis Christi: „wie es sich für Heilige ziemt“ [86]. „Ihr seid die Auserwählten Gottes, seine Heiligen und seine Geliebten.“ [87]

Erfahrung Gottes?

Da hier von neutestamentlicher Mystik die Rede war, müssen wir noch untersuchen, inwiefern die Schriften des Neuen Bundes dazu berechtigen, die Erfahrung des Göttlichen als christliches Ideal zu betrachten. „Erfahrung“ des Göttlichen soll hier bezeichnen, was gemeinhin unter Mystik verstanden wird. Von vornherein schließen wir jene übertriebene Meinung aus, nach der jene Erfahrung des Göttlichen gemäß dem Neuen Testament das eigentliche Ziel des christlichen Lebens ist. Dieses Ziel kann, schlicht gesagt, unmittelbar nur die Liebe sein, die ἀγάπη; und in einer

---

[83] Jo 13, 34 und zahlreiche Stellen im 1. Johannesbrief.
[84] Jo 13, 35. [85] Gal 2, 20. [86] Eph 5, 3. [87] Kol 3, 11.

entfernteren Zukunft das Kommen des Reiches. Das ist also etwas anderes. Aber man kann einräumen, daß das Leben in der ἀγάπη, die sich bei den Menschen des eschatologischen Reiches als Beginn und Angeld verwirklicht, zu einer gewissen „Erfahrung des Göttlichen" führt.

Ist diese Erfahrung eine Gnosis? Manche Stellen bei Paulus und Johannes deuten darauf hin und führen zur Annahme (besonders nach Paulus), daß „Wurzel und Fundament des christlichen Lebens die Liebe ist (Eph 3, 17), die Gnosis aber seine Blüte und Krönung" [88]. Es handelt sich dort indessen um die ἀγάπη Christi zu uns, also um eine andere Blickrichtung. Geht es dagegen um unsere ἀγάπη zu Gott und zum Nächsten wie im 1. Korintherbrief, so gibt der Apostel ihr den unbestrittenen Vorrang. Das gilt in noch höherem Maße für Johannes.

Den höchsten Grad dieser Erfahrung des Göttlichen hat Christus verwirklicht. „Niemand kennt den Sohn außer dem Vater, so wie auch niemand den Vater kennt außer dem Sohn und dem, dem der Sohn es offenbaren will." [89] Er „kennt" den Vater (ἐπιγινώσκει nach Matthäus; γινώσκει nach Lukas) in dessen innerstem Wesen, dort, wo das, was dem einen gehört, uneingeschränkt auch der andere besitzt. Dieses „johanneische Logion", wie es oft genannt worden ist, nimmt eines der bezeichnendsten Themen des vierten Evangeliums wieder auf: „Er, von dem ihr sagt, er ist unser Gott", sprach Christus zu den Juden, „den kennt ihr nicht. Ich aber kenne ihn, und wollte ich sagen, ich kenne ihn nicht, so würde ich zum Lügner gleich wie ihr. Aber ich kenne ihn und befolge sein Wort." [90] Daraus erklären sich die Worte: „Alles, was du mir gegeben hast, kommt von dir" [91], „Alles, was mein ist, ist dein, und was dein ist, ist mein" [92], und: „Alles, was ich von meinem Vater gehört habe, das habe ich euch kundgetan" [93].

Die Theologie, welche diese Stellen auslegte und in ein System brachte, hat allmählich und mit einer Überzeugungskraft, wie sie anderen scholastischen Spekulationen nicht gerade immer eignet, herausgearbeitet, daß die menschliche Seele Christi kraft ihres „Ichbewußtseins" tatsächlich wußte, daß sie kein anderes Personsein, kein anderes „Subjekt", kein anderes „Ich" besitze als das Wort Gottes, denn das Personsein Christi war das des göttlichen Wortes. Demnach besaß die Seele Christi dieser Theologie zufolge wenigstens habituell die visio beatifica.

Es geht jedoch im Neuen Testament nicht bloß um Christus. Es geht

---

[88] *J. Dupont,* a. a. O. 528. Über die Beziehungen zwischen ἀγάπη und γνῶσις (namentlich in bezug auf Eph 3, 19) vgl. ebd. Kap. 6 (379—417) und 521—528.
[89] Mt 11, 27; Lk 10, 22. [90] Jo 8, 54—55.
[91] Jo 17, 7. [92] Jo 17, 10. [93] Jo 15, 15.

auch um seine Jünger, die, ihm nachfolgend, ihr Schicksal mit dem seinigen verbinden. Was Paulus den Philippern schrieb: „Seid so gesinnt wie Jesus Christus“ [94], das beziehen sie ganz allgemein auf sich. Durch Christus hindurch und in ihm erkennen die seinem Worte glaubenden Jünger den Vater. Dieses „Kennen“ ist ein Widerschein der vollkommenen Vertrautheit, die Vater und Sohn in deren gegenseitigem „Kennen“ eint. Die Jünger besitzen nicht wie Christus die selige Schau. Ihr Leben der Liebe und Erkenntnis aber läßt sie sich bereits dessen bewußt werden, daß Gott in ihnen wohnt. „Nicht ich lebe, Christus lebt in mir.“ [95] Das wachsende Bewußtsein, dergestalt von Gott bewegt und angetrieben zu sein und mit und durch Christus in seine Erkenntnis einzudringen, ist die Grundlage der christlichen Mystik.

Seit dem Scheiden Christi von der Erde ist der Heilige Geist beauftragt, uns zu lehren, was Christus während seines irdischen Lebens gelehrt hat: „Der Tröster, der Heilige Geist, den der Vater in meinem Namen senden wird, wird euch alles lehren und euch an alles erinnern, was ich euch gesagt habe.“ [96] „Er wird euch in alle Wahrheit einführen, denn er wird nicht aus sich reden, sondern alles, was er hört, wird er reden und euch das Kommende kundtun.“ [97] Wir müssen also dem, was wir vorhin über christliche Mystik sagten, hinzufügen, daß diese Mystik zugleich christologisch und trinitarisch ist [98].

Endlich darf auch ein letztes Merkmal christlicher Mystik nicht unterschätzt werden: daß diese eine sakramentale Erfahrung des Göttlichen ist. Zumindest hinsichtlich der Eucharistie legt das Neue Testament ein Prinzip nahe, das die spätere Theologie entfaltet, indem sie es auf die gesamte sakramentale Ordnung anwendet: die Eucharistie ist normalerweise der Ort der Erfahrung des Göttlichen. Diese Erfahrung ist jedoch (wenigstens nach Johannes) keine erkenntnismäßige, sondern eine Erfahrung des „ewigen Lebens“: „Wer mein Fleisch ißt und mein Blut trinkt, hat das ewige Leben, und ich werde ihn auferwecken am Jüngsten Tage“ [99], und einer bevorzugten Begegnung mit Christus von einer Innigkeit, die, wie es das vierte Evangelium mit schlichten Worten ausdrückt, jede bloß menschliche Vertrautheit übertrifft: „Wer mein Fleisch ißt und mein Blut trinkt, der bleibt in mir, und ich bleibe in ihm.“ [100]

Gewiß „macht der bloße Empfang der Heiligen Eucharistie ... aus dem

---

[94] Phil 2, 5. [95] Gal 2, 20. [96] Jo 14, 26. [97] Jo 16, 13.

[98] Vgl. *A. Stolz*, Theologie der Mystik (Regensburg 1936) Kap. III, wo der trinitarische Charakter der christlichen Mystik betont wird.

[99] Jo 6, 54; vgl. Vers 57—58.

[100] Jo 6, 56.

Christen keinen Mystiker ... Zum Empfang des Sakramentes muß ‚die Erfahrung' hinzukommen. Diese hängt ihrem innersten Wesen nach vom sakramentalen Tun ab." [101]

Die christliche Mystik, vom Neuen Testament als christologische, trinitarische und sakramentale beschrieben, bildet somit eine „Erfahrung des Göttlichen", die sich unmöglich in einer rein psychologischen Terminologie darstellen läßt. Zwar kann die übliche Psychologie des Menschen durchaus nützliche Analogien und Vergleiche liefern, aber man darf sie nur auf ihrer eigenen Ebene gebrauchen. Das Neue Testament treibt keine Metaphysik. Es schildert mit schlichten Worten eine Erfahrung, die eine rein „natürliche" Psychologie übersteigt. In diesem Sinne ist die bereits vorgeschlagene Formulierung „transpsychologische Erfahrung" annehmbar [102].

Daraus erklärt sich, daß das Neue Testament den außergewöhnlichen mystischen Erscheinungen, die meistens wegen ihres ungewöhnlichen Charakters für das eigentliche Wesen mystischer Erfahrung gehalten werden, nur sehr wenig Raum gewährt. Im Falle Jesu läßt lediglich die Verklärung auf dem Tabor [103] daran denken, daß es sich um einen paranormalen psychischen Zustand gehandelt habe, hervorgegangen aus dem Bewußtsein, eins zu sein mit der Person des Wortes. Unter den Jüngern ist es Paulus, der des öfteren versichert, er habe bei seiner Bekehrung mit Gewißheit den Herrn geschaut [104], ein Geschehnis übrigens, das sich in die Erscheinungen nach der Auferstehung einreiht. Im zweiten Teil des 2. Korintherbriefes verteidigt sich Paulus und berichtet von außerordentlichen Erfahrungen:

„Wenn schon gerühmt sein muß — es ist zwar nicht nütze — so will ich auch die Gesichte und Offenbarungen des Herrn erwähnen. Ich weiß von einem Menschen in Christus, der wurde vor 14 Jahren — ob im Leibe oder außerhalb des Leibes, weiß ich nicht, Gott weiß es — bis in den dritten Himmel entrückt, und von diesem Menschen weiß ich — ob er im Leibe oder außerhalb des Leibes war, weiß ich nicht, Gott weiß es —, daß er ins Paradies entrückt wurde und unaussprechliche Worte hörte, die ein Mensch nicht aussprechen darf. Darüber könnte ich mich rühmen, doch meiner selbst werde ich mich nicht rühmen, es sei denn meiner Schwachheiten ... Und damit ich mich bei dem Übermaß der Offenbarungen nicht überhebe, ward mir ein Stachel ins Fleisch gegeben ..." [105]

---

[101] *A. Stolz*, a. a. O. Kap. III.

[102] Ebd. Kap. IX.

[103] Mt 17, 1—8; Mk 9, 2—8; Lk 9, 28—36; 2 Petr 1, 16—18.

[104] Apg 9, 1—19; 22, 5—16; 26, 10—18.

[105] 2 Kor 12, 1—7.

Die Erklärer dieser Stelle haben auf die Verknüpfung solcher charismatischen „Offenbarungen" mit dem Charisma der Gnosis hingewiesen sowie auf die auffallende Ähnlichkeit dieses Textes mit anderen, wo Paulus eine regelrechte Kontinuität zwischen „Offenbarungen" und „Gnosis" behauptet[106]. Liest man Paulus aber unvoreingenommen, so handelt es sich dort um „Offenbarungen", nicht um „Visionen", zum Beispiel der göttlichen Wesenheit[107]. Wenigstens als wohlbegründete Meinung sei auch vermerkt, daß es sich bei Paulus, der Erlebtes berichtet, um eine eschatologische Erfahrung handelt, die zugleich beide Charismen, Gnosis und Offenbarung, enthält, was man keineswegs auf „Visionen" und „Offenbarungen" zurückführen kann, deren Nimbus die Neubekehrten Korinths von ihrer heidnischen Vergangenheit her gekannt hätten[108]. „Und die ungewöhnliche Blüte der charismatischen Gnosis bei den Korinthern bedeutet sicherlich keine Hellenisierung christlicher Erfahrung. Auch sie knüpft an die Terminologie des Judentums an. Sie entspricht dem Begriff der Gotteserkenntnis ... Die *Gnosis* war Gotteserkenntnis, das heißt die wahre Religion. Sie gewann Gestalt in der besonderen Kenntnis der Gesetzesgelehrten ... Die Art, in der sich Paulus über die charismatische Gnosis und über das äußert, was ihr in seinen Augen bei den Korinthern entspricht, verbleibt vollkommen in der Richtung des jüdischen Denkens. Mag sein, daß die Griechen von Korinth das Wort ein wenig anders verstanden, auf alle Fälle aber bieten die untersuchten Texte keinen Anhaltspunkt dafür, daß der Begriff der *Gnosis* durch neu eingeführte Auffassungen abgewandelt worden wäre." [109]

Schluß

Um die kraftvolle Ursprünglichkeit der christlichen Mystik voll zur Geltung zu bringen, bedürfte es einer genaueren Erforschung der philosophischen und religiösen Literatur des Hellenismus. Wir haben sie unternommen und hoffen, ihre Ergebnisse bald vorlegen zu können. Sicherlich sind diese nicht ganz neu, aber sie bilden in ihrer Gesamtheit eine zuver-

---

[106] 1 Kor 14; 13, 2; 2 Kor 11, 5—6. Vgl. *J. Dupont,* a. a. O. 187—190 mit Hinweisen auf die neuere Literatur hierüber.

[107] Unter Berufung auf diese Stelle meinte Thomas bekanntlich, Augustin folgend, daß Paulus das Wesen Gottes geschaut habe — wie übrigens auch Moses (nach Nm 12, 5—8): S. th. 2 II q. 175 a. 3; vgl. I q. 12 a. 11 ad 2. Vgl. *M.-B. Lavaud*, Moïse et Saint Paul ont-ils eu la vision de Dieu dès ici-bas?: Rev. thomiste 35 (1930) 75—83.

[108] *J. Dupont,* a. a. O. 201.

[109] Ebd. 262.

lässige Bestätigung dessen, was auf den vorstehenden Seiten unablässig betont wurde: daß die christliche Mystik anderer Ordnung ist als die heidnische. Das schließt nicht aus, daß sich bisweilen verblüffende Ähnlichkeiten in den Themen und sogar in der literarischen Ausdrucksweise finden. Aber die Dimension der Zeit, die sich in der Geschichte der Bundesschlüsse Gottes mit dem Menschen konkretisiert und die in einer Gnosis gipfelt, die keine von jeglichem theologischen Inhalt losgelöste reine Erfahrung ist, vielmehr Erfahrung des dreieinigen Gottes und des Erlösers Jesus Christus, so wie sie auf ihrem Höhepunkt in der eucharistischen Gemeinschaft gelebt wird, verleiht der biblischen Mystik eine Ursprünglichkeit, auf die gerade heute besonders hingewiesen werden muß, da die Christen von einem Synkretismus bedroht sind, der die eigenständigen Werte ihres Glaubens preisgibt.

„EVANGELIUM“ UND „MITTE DES EVANGELIUMS“

Ein Beitrag zur Kontroverstheologie

Von Franz Mussner, Trier

Das Wort „Evangelium“ ist ein schicksalschweres Wort geworden, insofern es der Ausdruck der christlichen, in der Welt verkündeten Heilsbotschaft wurde, in besonderer Weise aber dadurch, daß die Reformation im Namen des „Evangeliums“ gegen die „Papstkirche“ und ihre Theologie zu Felde zog. Seit diesem einschneidenden Ereignis beruft man sich protestantischerseits immer wieder auf das „Evangelium“ als das Kriterium des wahren Glaubens und hält der katholischen Kirche vor, sie habe das „Evangelium“ verlassen, und eine Aussöhnung mit ihr sei nur möglich, wenn sie zum „Evangelium“ zurückkehre[1]. Der Begriff „Evangelium“ ist auf diese Weise zu einem polemischen Begriff geworden! Das „Evangelium“ wird identisch mit der „reinen“, der römischen Kirche verlorengegangenen Lehre. Dabei scheint aber bei einem unbefangenen Vergleich mit dem Sprachgebrauch des NT das Wort „Evangelium“ eine Bedeutungsverengung erfahren zu haben, und zwar im Sinne dessen, was man auch „die Mitte des Evangeliums“ oder „die Mitte der Schrift“ genannt hat. Angesichts dieser einengenden Sinndeutung des Wortes „Evangelium“ soll der Sprachgebrauch des NT untersucht und gefragt werden, was denn nun nach dem NT eigentlich „Evangelium“ sei[2]. Dabei sei diese Untersuchung nicht als Gegenpolemik verstanden, sondern als Beitrag des mit historischen

---

[1] So wird in RGG³ V s. v. Una Sancta formuliert: „Das ev. Zeugnis in der U.S.B. (= Una-Sancta-Bewegung) müßte . . . lauten: die Einheit der Kirche ist nicht durch ‚Rückkehr nach Rom‘ zu gewinnen, sondern in der ‚Heimkehr aller Konfessionen zum Evangelium‘“ *(J. Lell)*. Und *E. Käsemann* sagt: „Denn allein das Evangelium begründet die eine Kirche in allen Zeiten und an allen Orten“ (Begründet der neutestamentliche Kanon die Einheit der Kirche?: Exegetische Versuche und Besinnungen I, Göttingen 1960, 223). Und *P. Althaus:* „Die evangelische Kritik an Rom läßt sich nicht ohne Kritik innerhalb der Schrift vom Evangelium her vollziehen“ (Die christliche Wahrheit, ³1958, 179).

[2] Aus der Literatur: *A. Harnack*, Evangelium. Geschichte des Begriffs in der ältesten Kirche: Entstehung und Entwicklung der Kirchenverfassung und des Kirchenrechts in den ersten zwei Jahrhunderten (Leipzig 1910) 199—239; *G. Friedrich:* ThW II 705—735 (mit Lit., dem ganzen begriffsgeschichtlichen Material und einschließlich der Begriffe εὐαγγελίζομαι, προευαγγελίζομαι, εὐαγγελιστής); *W. Marxsen*, Der Evangelist Mar-

Mitteln arbeitenden Exegeten zu dem so verheißungsvollen kontroverstheologischen Gespräch unserer Tage, an dem sich auch der mit dieser Festschrift Geehrte intensiv beteiligt[3].

I. „Evangelium" beim Apostel Paulus

Da Paulus im NT am häufigsten den Terminus εὐαγγέλιον gebraucht (60mal) und derselbe vielleicht auch durch ihn in den christlichen Sprachgebrauch eingeführt worden ist[4], sei zunächst sein Sprachgebrauch untersucht. Dies soll nach den Hauptgruppen seiner Briefe geschehen, und zwar nach ihrer zeitlichen Entstehung, damit sich zugleich erkennen läßt, ob es eine Entwicklung im Sprachgebrauch des Apostels hinsichtlich „Evangelium" gibt.

1. Thessalonicherbriefe. 1 Thess 1, 5: „Denn unser Evangelium erfolgte bei euch nicht allein im Wort, sondern auch in Kraft und heiligem Pneuma und viel Zuversicht." Hier ist „Evangelium" deutlich die missionarische Verkündigung des Apostels und seiner Mitarbeiter, unterstützt wohl von Wundern (ἀλλὰ καὶ ἐν δυνάμει) [5]; sie wird in 1, 8 mit dem „Wort des Herrn" identifiziert. Die Thessalonicher haben sich auf diese Verkündigung hin von den Götzen bekehrt, „um zu dienen dem lebendigen und wahren Gott und zu erwarten seinen Sohn vom Himmel her, den er von den Toten erweckt hat, Jesus, der uns vor dem kommenden Zorngericht retten wird" (1, 9f): das nennt zweifellos einen wesentlichen Inhalt des apostolischen „Evangeliums". Nach 2, 2 fand der Apostel „in unserem Gott den zuversichtlichen Mut, bei euch das Evangelium unter vielem Kampf zu verkünden"; im folgenden Vers wird dieses „Evangelium" als „unsere Paraklese" bezeichnet (vgl. das verbindende und begründende γάρ). Paulus redet dabei so, „wie wir von Gott gewürdigt wurden,

---

kus. Studien zur Redaktionsgeschichte des Evangeliums = FRLANT, NF 49 (Göttingen 1956) 77—101; *W. Bauer,* WB s. v. εὐαγγέλιον; *J. Schmid,* Art. Evangelium: LThK² III 1255—59; *M.-A. Chevallier,* L'Esprit et le Messie dans le Bas-Judaïsme et le Nouveau Testament (Paris 1958) 80—82; *P. Bläser,* Art. Evangelium: Handbuch theol. Grundbegriffe I (München 1962) 355—363; *H. Köster,* Synoptische Überlieferung bei den Apostolischen Vätern = TU 65 (Berlin 1955) 6—12 (Sprachgebrauch bei den ap. Vätern).

[3] Vgl. die Aufsätze *K. Rahners* in den letzten Jahrgängen der Zeitschrift „Catholica".

[4] *Harnack* meint, daß nicht Paulus, sondern die hellenistischen Mitglieder der Kirche in Palästina das Wort εὐαγγέλιον in den christlichen Sprachgebrauch eingeführt haben; „da Paulus, Marcus und Lucas (in einer Petrusrede) das Wort εὐαγγέλιον bieten, dazu der in Palästina schreibende Matthäus . . . da Paulus durch nichts verrät, daß er das Wort eingeführt habe und der Name ‚Evangelist' bis nach Palästina zurückreicht . . . so ergibt sich der palästinensische Ursprung" (Evangelium 235, Anm. 1).

[5] Vgl. auch Röm 15, 18 f.

mit dem Evangelium betraut zu werden", nicht Menschen zu Gefallen, sondern Gott (2, 4); und er wünscht in seiner apostolischen Liebe zur Gemeinde, „euch nicht bloß das Evangelium Gottes, sondern sogar unser eigenes Leben zu schenken" (2, 8); unter Mühen und Leiden, bei Tag und bei Nacht „verkündigten wir bei euch das Evangelium Gottes" (2, 9), wozu nach 2, 12 auch die ethische Paraklese gehört. Nach 3, 2 schickt der Apostel den Timotheus, „unseren Bruder und Mitarbeiter Gottes bei dem Evangelium Christi", d. h. bei der ganzen Missionsarbeit. — Nach 2 Thess 1, 8 wird Christus beim Gericht einst Vergeltung üben an denen, „die dem Evangelium unseres Herrn Jesus nicht gehorchen"; und nach 2, 14 hat Gott die Thessalonicher „durch unser Evangelium (= die missionarische Verkündigung) dazu berufen, die Herrlichkeit unseres Herrn Jesu Christi zu erlangen". Die Verkündigung des Evangeliums dient also dem eschatologischen Ziel und Heil der durch dasselbe Berufenen.

2. *Korintherbriefe.* Nach 1 Kor 4, 15 hat der Apostel die korinthische Missionsgemeinde „in Christus Jesus durch das Evangelium gezeugt". Er will alles ertragen, um ja nicht dem „Evangelium Christi ein Hindernis zu bereiten" (9, 12). Offensichtlich ist der Begriff εὐαγγέλιον auch hier recht weit gefaßt im Sinn der christlichen Heilsbotschaft, die die Missionare verkünden; vgl. ähnlich auch in 9, 14: „Die das Evangelium verkünden" dürfen nach der Anordnung des Herrn auch „vom Evangelium leben"[6]. Der Lohn für den Apostel aber besteht darin, daß er „das Evangelium kostenlos verkündigt, um von meiner Vollmacht bei (der Verkündigung des) Evangeliums keinen Gebrauch zu machen" (9, 18), und so tut der Apostel „alles um des Evangeliums willen" (9, 23). Während an all diesen Stellen εὐαγγέλιον Bezeichnung für die apostolische Missionspredigt ist, sowohl gesehen auf den Akt des Verkündigens wie auf den Inhalt der Predigt, wird in 15, 1—5 ein Wesensinhalt derselben (vgl. ἐν πρώτοις = unter den Hauptstücken)[7] als ein fest umrissenes, aus der urgemeindlichen Tradition stammendes εὐαγγέλιον wörtlich zitiert, das Paulus an die Gemeinde in Korinth „weitergegeben" hat: „Christus starb für unsere Sünden gemäß den Schriften und wurde begraben und wurde auferweckt am dritten Tage gemäß den Schriften und erschien dem Kephas, hierauf den Zwölfen."[8] Zweifellos ist damit der Hauptinhalt nicht bloß der

[6] καταγγέλλειν τὸ εὐαγγέλιον = εὐαγγελίζεσθαι (vgl. V. 14 mit V. 16).

[7] Vgl. *H. Lietzmann,* An die Korinther I/II (Tübingen [4]1949) z. St.

[8] Zur Analyse und Herkunftsfrage vgl. etwa *E. Lichtenstein,* Die älteste christliche Glaubensformel: ZKG 63 (1950/51) 1—74; *K.-H. Rengstorf,* Die Auferstehung Jesu (Witten [4]1960) 128—135; *J. Jeremias,* Die Abendmahlsworte Jesu (Göttingen [3]1960) 95—97; *E. Bammel,* Herkunft und Funktion der Traditionselemente in 1 Kor 15, 1—11: ThZ 11 (1955) 401—419.

paulinischen Predigt, sondern des christlichen Glaubens überhaupt formuliert, der das christologische Grundkerygma (Tod, Auferweckung und Erscheinungen Jesu) nennt, dazu die Heilsbedeutung seines Todes („für unsere Sünden“). Das Hauptgewicht liegt dabei auf der Christologie, nicht auf der Soteriologie, aber beide gehören zusammen.

Auch im 2. Korintherbrief ist εὐαγγέλιον die christliche Heilsbotschaft, und zwar immer wieder in Zusammenschau von Akt und Inhalt, so in 2, 12 („Als ich nach Troas kam εἰς τὸ εὐαγγέλιον τοῦ Χριστοῦ“); 8, 18 („wir haben ihm den Bruder mitgegeben, dessen Lob in Sachen des Evangeliums durch alle Gemeinden geht“); 9, 13 (die Mitglieder der mit dem Ergebnis der Kollekte bedachten Urgemeinde preisen Gott ἐπὶ τῇ ὑποταγῇ τῆς ὁμολογίας ὑμῶν εἰς τὸ εὐαγγέλιον τοῦ Χριστοῦ, was wörtlich übersetzt heißt: „wegen der gehorsamen Unterwerfung [Unterordnung] eures Bekenntnisses unter das Evangelium Christi“)[9]; 10, 14 („wir sind mit dem Evangelium Christi bis zu euch gelangt“); 11, 7 („oder habe ich etwa Sünde begangen ... insofern ich euch das Evangelium unentgeltlich verkündet habe?“). Den Ungläubigen bleibt „das Evangelium verborgen“ (4, 3), das in 4, 2 auch als „das Wort Gottes“ und „die Wahrheit“ bezeichnet wird, und sie erkennen nicht „den Lichtglanz des Evangeliums von der Herrlichkeit des Christus, der Gottes Abbild ist“ (4, 4). Wenn der Apostel dann fortfährt (V. 5), daß „wir nicht uns selbst, sondern Christus Jesus als Kyrios verkünden“, so geht daraus hervor, daß zum Inhalt seines „Evangeliums“ besonders das Herrentum Jesu, seine Einsetzung zum himmlischen Kyrios über Himmel und Erde gehört. Ironisch bemerkt er in 11, 4: „Wenn ein Dahergelaufener (ὁ ἐρχόμενος) ... ein εὐαγγέλιον ἕτερον verkündet, das ihr nicht (von uns) empfangen habt, so ertragt ihr es getrost.“ Ob von den „Überaposteln“, wie Paulus seine Gegner in V. 5 nennt, tatsächlich ein „anderes Evangelium“ verkündigt worden ist, darüber spricht sich der Apostel nicht aus.

3. Galaterbrief. Dieser Brief ist für unseren Zusammenhang besonders wichtig, weil in ihm das Thema „Evangelium“ ausdrücklich zur Sprache kommt. Die Galater sind ja dabei, „zu einem anderen Evangelium“ abzufallen, „wo es doch kein ‚anderes‘ (als das vom Apostel bei ihnen verkündete) gibt“ (1, 6). Das „andere Evangelium“, dem diese Bezeichnung aber nicht zusteht, ist die den Galatern von Judaisten vorgetragene These, zur Erlangung des Heils seien „die Werke des Gesetzes“ unumgänglich

---

[9] *W. Bauer* (WB s. v. ὁμολογία 1) meint: „euer Bekenntnis zum Evangelium äußert sich in gehorsamer Unterwerfung unter dessen Forderungen“; aber eher ist daran gedacht, daß das vom Apostel verkündete Evangelium die Norm des Bekenntnisses für die Gemeinde darstellt, die gehorsam übernommen wird (vgl. auch Röm 6, 17).

notwendig. Darin sieht der Apostel einen Versuch, „das Evangelium Christi zu pervertieren" (μεταστρέψαι: 1, 7). Aus dem Brief geht eindeutig hervor, daß das von Paulus bei den Galatern verkündete „Evangelium", das zwar nicht „nach Menschengeschmack" ist (1, 11), die Lehre von dem (neuen) Heilsweg des rechtfertigenden Glaubens an den Christus passus ist (vgl. besonders 1, 16—21). Dieses sein „Evangelium" hat Paulus auch den „Angesehenen" in Jerusalem vorgelegt und ihre Zustimmung erfahren (vgl. 2, 2—9). Für dieses Evangelium kämpft der Apostel, „damit die Wahrheit des Evangeliums bei euch erhalten bleibe" (2, 5; vgl. auch 2, 14), die in der durchgehaltenen Konsequenz desselben besteht[10]. Mit den Jerusalemer Autoritäten kommt er überein, daß er (Paulus) „mit dem Evangelium für die Unbeschnittenheit (die Heiden) betraut ist, wie Petrus (mit jenem) für die Beschnittenheit (die Juden)" (2, 7).

Zweifellos gehören die Darlegungen des Galaterbriefes zum klassischen Bestand der Lehre dessen, was „Evangelium" ist. Es werden die Gefahren sichtbar, denen das Evangelium ausgesetzt ist, speziell durch den Versuch, dasselbe in eine seine „Wahrheit" total verfälschende „Synthese" mit dem alten, durch den Kreuzestod Jesu überholten Heilsweg zu bringen. Für den Apostel gibt es keine derartigen Synthesen der Lehre vom rechtfertigenden Glauben an das allein rettende Kreuz Jesu mit irgendwelchen anderen „Heilswegen", seien sie jüdischer („Werke des Gesetzes") oder heidnischer („Weltelemente") Art. Insofern bietet gerade der Galaterbrief eine bleibende kritische Handhabe für die Erkenntnis der „Wahrheit des Evangeliums". Jedoch ist die Lehre vom rechtfertigenden Glauben an das rettende Kreuz Jesu in den Paulusbriefen nicht der einzige Inhalt seines „Evangeliums".

4. Römerbrief. Was im Galaterbrief mehr in kurzer Polemik zur Sprache kommt, wird dann im Römerbrief in breiter theologischer Thematik entfaltet. Doch ist der Sprachgebrauch des Römerbriefes hinsichtlich εὐαγγέλιον schon wieder differenzierter als im Galaterbrief. Das zeigt sich schon in 1, 1—4, wo der Apostel von sich selbst sagt, er sei „abgesondert für das Evangelium Gottes, das er vorausverkündigt hat ... über seinen Sohn, der geworden ist dem Fleische nach aus dem Samen Davids, der bestimmt wurde zum Sohne Gottes in Macht nach dem Pneuma der Heiligung auf Grund der Auferweckung von den Toten, über Jesus Christus, unsern Herrn". Der Inhalt des „Evangeliums" ist hier zunächst das christologische, aus der Urgemeinde übernommene Kerygma (vgl. auch 1 Kor 15, 3—5; 2 Tim 2, 8). „Im Evangelium seines Sohnes" (von seinem Sohn?) dient der Apostel nach 1, 9 Gott selber; konkret geschieht dieser

[10] Vgl. *H. Schlier*, Der Brief an die Galater (Göttingen [12]1962), zu Gal 2, 5.

„Dienst" in der Missionsarbeit des Apostels (vgl. auch 1, 14 f). Er schämt sich „des Evangeliums" nicht (1, 16a), und er begründet dies sofort damit: „denn eine Gotteskraft ist (das Evangelium) zur Rettung für jeden, der glaubt, für den Juden zuerst und für den Griechen. Denn Gottes Gerechtigkeit wird in ihm (= im Evangelium) geoffenbart aus Glauben zu Glauben, wie geschrieben steht: Es wird aber der Gerechte leben aus Glauben" (1, 16b 17). Das vom Apostel verkündete „Evangelium" offenbart allen Menschen die Gottesgerechtigkeit, insofern sich diese am Kreuz Jesu offenbarte als Gottes gütige und gnädige Bereitschaft, den „Gottlosen" durch den Glauben an das rettende Kreuz seines Sohnes zu rechtfertigen. Insofern gehört Röm 1, 16 f zu den besonders wichtigen Aussagen über das Wesen des „Evangeliums" in paulinischem Verständnis. „Gemäß dem Evangelium" des Apostels wird Gott auch durch Jesus Christus „das Verborgene der Menschen" richten (2, 16), d. h., zum Inhalt des paulinischen Evangeliums gehört auch das kommende Gericht, das die Sünde aller, ob Juden oder Heiden, ans Licht bringen wird[11]. Nach 10, 16 sind leider nicht alle dem „Evangelium", wie es von den Abgesandten Christi verkündet wird, gehorsam, und dies ist speziell gesagt im Hinblick auf das verstockte Israel. Gedacht ist bei εὐαγγέλιον hier offensichtlich an das christologische und das mit diesem zusammenhängende soteriologische Kerygma der Kirche (vgl. Röm 10, 8 f). „Im Hinblick auf das Evangelium"[12] sind die Juden zwar „Feinde um euretwillen"[13] und dennoch hinsichtlich der Wahl Gottes seine geliebten Söhne um der Väter willen (11, 28). Verrichtend den heiligen Dienst „am Evangelium Gottes" (15, 16) konnte der Apostel von Jerusalem aus im ganzen Umkreis (des Imperiums) bis nach Illyrien „das Evangelium Christi" abschließen (15, 19); hier ist mit εὐαγγέλιον wieder eindeutig die ganze Missionsarbeit gemeint „in Wort und Werk, in Kraft von Zeichen und Wundern, in Kraft des Pneuma" (vgl. V. 18 f; dazu auch 1 Thess 1, 5).

5. *Gefangenschaftsbriefe.* In Kol 1, 5 ist von der „Hoffnung" die Rede, „die für euch in den Himmeln bereitliegt"; dazu bemerkt der Apostel: „Von ihr habt ihr (schon) früher gehört durch das Wort der Wahrheit, nämlich durch das Evangelium, das zu euch gekommen ist, wie es auch in der ganzen Welt Frucht bringt und wächst ähnlich wie auch bei euch, seit dem Tag, da ihr es gehört und die Gnade Gottes in Wahrheit erkannt

---

[11] Der Vers bietet im übrigen der Auslegung große Schwierigkeiten, besonders was seinen Zusammenhang mit dem vorausgehenden Gedankengang des Apostels angeht; s. dazu O. *Kuss,* Der Römerbrief (1. Lief. Regensburg 1957) z. St.

[12] κατὰ . . . τὸ εὐαγγέλιον = „in Anbetracht der Art, wie sie sich zum Evangelium stellen" *(H. Lietzmann,* An die Römer, z. St.).

[13] δι' ὑμᾶς = „damit das Heil zu euch Heiden komme" *(Lietzmann,* ebd.).

habt" (1, 5 f). Das Evangelium verkündet also die frohe Kunde von dem eschatologischen Heil der Gläubigen; und es breitet sich aus („wächst"). Von dieser „Hoffnung des Evangeliums" sollen sich die Kolosser nach 1, 23 nicht abbringen lassen, „das ihr gehört habt, das verkündet wurde in der ganzen Schöpfung unter dem Himmel, dessen Diener ich, Paulus, geworden bin". — Nach Eph 1, 13 ist „das Wort der Wahrheit", das die Adressaten einst vernommen und gläubig aufgenommen haben, nichts anderes als „das Evangelium von eurer Rettung", wobei die „Rettung" in der Erweckung von den „Toten" und in der gnadenhaften Teilhabe an der Verherrlichung des Christus besteht (vgl. 2, 5 f). Zum messianischen Heil sind nach 3, 6 auch die Heiden mitberufen „durch das Evangelium, dessen Diener ich geworden bin": das Evangelium verkündet den Heiden in der Welt die Mitteilhabe „an der Verheißung in Christus Jesus". Die Christen sollen nach 6, 15 ihre Füße beschuhen „mit der Bereitschaft für das Evangelium des Friedens", und der von Christus selbst verkündete „Friede" besteht nach dem Epheserbrief vor allem in der Versöhnung der Völker untereinander und mit Gott „in dem einzigen Leib" Christi, den die Kirche darstellt (vgl. 2, 15—18). Die Gemeinde soll nach 6, 19 f für den Apostel beten, daß ihm das rechte Wort gegeben werde, damit er „mit Freimut das Geheimnis des Evangeliums bekanntgebe[14], für das er ein Gesandter in Fesseln" ist. — Nach Phil 1, 5 f dankt der Apostel Gott wegen der lebhaften Teilnahme der Philipper „am Evangelium vom ersten Tag an bis jetzt", also an der Missionsarbeit des Apostels. Die Gemeinde von Philippi war sowohl in seinen Fesseln wie „bei der Verteidigung und Bekräftigung des Evangeliums" Mitgenossin seiner Gnade (1, 7). Seine gegenwärtige Lage (als Gefangener) ist „zur Förderung des Evangeliums ausgeschlagen" (1, 12), d. h. zu seiner weiteren Bekanntwerdung. Das Evangelium verkünden heißt nach 1, 14 f auch „das Wort Gottes verkünden" (τὸν λόγον τοῦ θεοῦ λαλεῖν) oder „Christus verkünden" (τὸν Χριστὸν κηρύσσειν). Leider tun das manche, muß der Apostel feststellen, aus Neid und Streit, andere dagegen „aus Liebe, wissend, daß ich zur Verteidigung des Evangeliums (in Fesseln) liege" (1, 16). Der Apostel mahnt dann die Philipper in 1, 27, „würdig des Evangeliums Christi zu wandeln", „mit einer Seele zusammenkämpfend durch (für?) den Glauben an das Evangelium"[15]. Nach 2, 22 hat Timotheus „wie ein

[14] *H. Schlier* (Der Brief an die Epheser, Düsseldorf 1957, z. St.) vermutet, daß mit dem „Geheimnis des Evangeliums" Christus selbst gemeint sei und daß der Apostel darum bäte, „daß Gott ihm den Mund öffne und ihm das Wort gäbe, damit er das Geheimnis des Evangeliums, Christus, unverhüllt und in unmittelbarer Offenheit verkünde".

[15] In der eigentümlichen Wendung τῇ πίστει τοῦ εὐαγγελίου ist der Genitiv τοῦ εὐαγγελίου wohl Gen. obj. („der Glaube an das Evangelium"), und *E. Lohmeyer* meint, daß

Kind seinem Vater mir für das Evangelium Dienste geleistet"; ähnlich haben nach 4, 3 Evodia und Syntyche mit dem Apostel zusammen ἐν τῷ εὐαγγελίῳ gekämpft, gemeinsam mit Klemens und den übrigen Mitarbeitern; ἐν τῷ εὐαγγελίῳ ist hier eindeutig die Missionsarbeit, deren vornehmster Teil die Verkündigung des Evangeliums ist (vgl. 1 Kor 1, 17). Die Philipper sind als einzige Gemeinde unter allen paulinischen Missionsgemeinden mit dem Apostel „auf Rechnung von Geben und Nehmen" getreten, was sonst „im Anfang des Evangeliums", d. h. der Missionsarbeit, nicht geschehen ist, da Paulus seinen Unterhalt durch seiner eigenen Hände Arbeit verdient hat (4, 15). — Nach Phm 13 soll der Sklave Onesimus dem Apostel dienen „in den Fesseln für das Evangelium".

6. Pastoralbriefe. Gegenüber spitzfindigen „Gesetzeslehrern" ermahnt der Apostel, bei der „gesunden Lehre" zu bleiben, wie sie „das Evangelium von der Herrlichkeit des seligen Gottes" lehrt (1 Tim 1, 6—11); dazu gehört nach dem Kontext die (paulinische) Verkündigung, „daß für einen Gerechten kein Gesetz vorliegt" (1, 9; vgl. auch Gal 5, 18; Röm 10, 4). — Nach 2 Tim 1, 8 soll Timotheus willig sein, „mit (mir) die Leiden zu erdulden für das Evangelium in der Kraft Gottes"; das „Evangelium" ist hier, kurz gesagt, die Christusbotschaft des Apostels. Nach 1, 10 hat „das Evangelium" „unvergängliches Leben ans Licht gebracht", und Paulus ist dafür Gottes Herold, Sendbote und Lehrer; dafür leidet er auch (V. 11). Zum „Evangelium" des Apostels gehört nach dem vorausgehenden Text die Botschaft von unserer Berufung durch Gott und von seiner freien Gnade — „nicht auf Grund unserer Werke" —, die jetzt kundgetan ist „durch die Erscheinung unseres Heilandes Jesus Christus, der den Tod entthront hat" (V. 9 f). Nach 2, 8 soll Timotheus an Jesus Christus denken, „auferweckt von den Toten, aus dem Samen Davids: gemäß meinem Evangelium", für das der Apostel jetzt „wie ein Verbrecher in Fesseln" liegt. Zum „Evangelium" gehört also das uralte christologische Kerygma (vgl. auch Röm 1, 2—4), das Christus als den eschatologischen König und messianischen Davidssohn verkündet.

II. Bemerkungen zum Sprachgebrauch des Paulus

Grundsätzlich läßt sich auf Grund des unter I vorgelegten Materials feststellen, daß der Terminus εὐαγγέλιον bei Paulus sowohl das missionarische

---

hier „der Glaube der eigentliche Streiter im Kampf gegen die Widersacher ist, dem die Gläubigen sich verbunden wissen" (Der Brief an die Philipper, Göttingen [9]1953, z. St.). Das Evangelium tritt gewissermaßen an die Stelle des Herrn (vgl. *M. Dibelius:* HBzNT 11, z. St.).

Verkündigen (häufig unter Einschluß der ganzen übrigen Missionsarbeit) wie die missionarische Verkündigung (das Kerygma; die Lehre) meint.

1. εὐαγγέλιον = das missionarische Verkündigen (die Missionsarbeit): 1 Thess 1, 5; 2, 2 4 8 9; 3, 2; 2 Thess 2, 14; 1 Kor 4, 15; 9, 14 18 23; 2 Kor 2, 12; 8, 18; 10, 14; 11, 7; Röm 15, 16 19; Phil 1, 5—7 12; 2, 22; 4, 3 15; Phm 13; 2 Tim 1, 8.

2. εὐαγγέλιον = der Inhalt des von Paulus (und seinen Mitarbeitern) verkündeten „Evangeliums". Oft wird der Terminus in diesem inhaltlichen Sinn vom Apostel absolut gebraucht (also ohne ein Genitivattribut wie τοῦ Χριστοῦ), so in 2 Kor 4, 3; 11, 4; Gal 1, 6; 2, 2 7; Röm 1, 16; 10, 16; 11, 28; Eph 6, 19 f; Phil 1, 5—7 12 16 27; 2, 22; 4, 3 15; 2 Tim 1, 8.

Darüber hinaus wird das von Paulus verkündete „Evangelium" häufig inhaltlich näher bestimmt. Diese Inhalte sind:

a) Christus (Genitiv τοῦ Χριστοῦ)[16]: 1 Kor 9, 12; 2 Kor 2, 12; 9, 13; 10, 14; Gal 1, 7; Phil 1, 27;

b) das Herrentum (die himmlische Herrlichkeit) des Christus: 2 Thess 1, 8; 2 Kor 4, 4 f;

c) das christologische, auf die Urgemeinde zurückgehende Grundkerygma: 1 Kor 15, 3—5; Röm 1, 1—4 (vgl. auch 1, 9); 2 Tim 2, 8;

d) die iustificatio impii durch den Glauben an den Christus passus (Rechtfertigung): Galaterbrief; Röm 1, 16 f; Eph 1, 13 (zusammen mit 2, 5 f); 1 Tim 1, 6—11; 2 Tim 1, 8—11. Beachtlich ist, daß dieses Thema gerade in den vielleicht als Deuteropaulinen anzusprechenden Pastoralbriefen noch eine so bedeutende Rolle spielt; es gehört zur „gesunden Lehre", zum in der Kirche zu bewahrenden depositum fidei;

e) die Einbeziehung der Heiden in das messianische Heil mit seinem völkerversöhnenden Frieden: Eph 3, 6;

f) Eschata: die kommende Doxa (2 Thess 2, 14); die eschatologische Hoffnung (Kol 1, 5 f 23; 2 Tim 1, 10); das unvergängliche Leben (2 Tim 1, 10); das kommende Gericht (Röm 2, 16); „die (endzeitliche) Herrlichkeit des seligen Gottes" (1 Tim 1, 11);

g) die ethische Unterweisung: vgl. vor allem 1 Thess 2, 3 12 (dazu auch Kol 2, 6 f; Eph 4, 20).

Die Thematik des paulinischen „Evangeliums" ist also recht mannigfaltig; sie schließt sogar die ethische Paränese mit ein. Das „Evangelium" wird nicht als Gegensatz zur bisherigen Paradosis der Kirche verstanden, sondern das als „Überlieferung" weitergegebene Kerygma wird selbst als

---

[16] Der Genitiv will sowohl subjektiv wie auch objektiv verstanden sein: Jesus Christus ist der Ausgang wie der Hauptinhalt des „Evangeliums". *Harnack* will ihn nur als Gen. auct. verstehen und führt dafür beachtliche Gründe ins Feld (Evangelium 216—219).

εὐαγγέλιον bezeichnet (1 Kor 15, 1—5!). Polemischen Sinn besitzt der Terminus εὐαγγέλιον eigentlich nur im Galaterbrief. Die Polemik richtet sich aber nicht gegen bisherige Gehalte der kirchlichen Verkündigung, sondern gegen den „Judaismus", der durch die Beschneidungsforderung und die Deklaration ihrer Heilsnotwendigkeit den neuen, in Christus aufgetanen Heilsweg des Glaubens neutralisiert und so „das Evangelium verdreht" (Gal 1, 7), weil ihm durch die Forderung der Judaisten seine rettende δύναμις (vgl. Röm 1, 16) genommen wird: „Wenn durch Gesetz die Gerechtigkeit kommt, bleibt als Konsequenz (= ἄρα), daß Christus umsonst gestorben ist" (2, 21b). Kritik und Polemik des Apostels im Galaterbrief wenden sich im Namen des „Evangeliums" gegen die Entleerung des neuen Heilswegs, zu der der Judaismus und jede andere falsche Synthese führen. Der Apostel gewinnt seine Einsicht in die „Wahrheit des Evangeliums" durch ein radikales Ernstnehmen jenes eschatologischen Heilshandelns Gottes, wie es sich im heilbringenden Tod Jesu für die Sünder und in seiner Auferweckung von den Toten „geoffenbart" hat (vgl. Röm 3, 21 f). In diesen objektiven Heilstatsachen hat das Evangelium seinen Grund und seine Kraft, aber der Apostel sieht (im Gegensatz etwa zu Marcion) im Evangelium ein Kontinuum wirksam, nämlich zu der im Alten Testament bezeugten „Verheißung" Gottes an Abraham: das Evangelium verkündet die Erfüllung dieser Verheißung (vgl. besonders Röm 1, 1 f; Gal 3, 8 9 14; Eph 3, 6). Paulus denkt nicht primär an das Gesetz, wenn er von „Evangelium" spricht, sondern zunächst an die Erfüllung der Verheißung[17], und die Erfüllung liegt für ihn nicht in einem heilzusagenden „Wort", sondern im lebendigmachenden Pneuma, in dem die verheißene εὐλογία konkret besteht (vgl. Gal 3, 14!)[18].

Umfang und Inhalt des Begriffes εὐαγγέλιον sind also bei Paulus recht groß. Und eine „Entwicklung" im Sprachgebrauch des Apostels hinsichtlich „Evangelium" läßt sich innerhalb des Corpus seiner Briefe eigentlich nicht erkennen. εὐαγγέλιον bezeichnet bei ihm sowohl das missionarische Verkündigen wie auch die Verkündigung selbst, und zwar im Hinblick auf die gesamte Botschaft des Apostels. Der Terminus „Evangelium" ist bei Paulus grundsätzlich „offen", insofern er zur Bezeichnung sehr mannigfacher Inhalte der christlichen Predigt dient. Aber alles, was

---

[17] Vgl. *Harnack* (Evangelium 218): „In Zusammenhängen, in denen bei Paulus das ‚Gesetz' steht, findet sich das Evangelium niemals und umgekehrt." Immerhin bleibt bestehen, daß der Terminus εὐαγγέλιον im Galaterbrief polemischen Sinn besitzt, was durch die Situation bedingt ist. Das konnte in der weiteren Kirchen- und Theologiegeschichte nicht unbeachtet bleiben.

[18] Dies müßte bei der Diskussion über „Gesetz und Evangelium" deutlicher werden.

εὐαγγέλιον bedeutet, hängt unlöslich mit Christus und seinem Heilswerk zusammen, und so kann man mit Recht sagen: Das Evangelium verkünden heißt nach Paulus: Christus verkünden[19].

III. Der Sprachgebrauch der Synoptiker[20]

1. *Der statistische Befund* über den Gebrauch des Terminus εὐαγγέλιον: Mt 4mal; Mk 8mal (einschließlich 16, 15); Lk nur 2mal in der Apostelgeschichte; Jo 0mal.

2. *Markus.* Der Evangelist Markus nennt seine Vita Jesu kurzhin „Evangelium von Jesus Christus, dem Sohne Gottes" (Mk 1, 1)[21]. Das ist nicht als Buchtitel zu verstehen, sondern „am besten als eine Art Überschrift" (J. Schmid), allerdings als eine Überschrift von besonderer Art. Denn sie qualifiziert den ganzen folgenden Bericht des Markus über Jesus von Nazareth als εὐαγγέλιον, und dadurch will die marcinische Vita Jesu wesentlich mehr als ein „neutraler" Bericht über Jesus von Nazareth sein; sie will vielmehr als Ganzes Verkündigung sein. Dies gilt für alles, was in ihr berichtet ist[22]. Indem Markus von Jesus berichtet, verkündet er: der eschatologische Heilbringer ist da! Und er zeigt zugleich, *wie* das Heil durch und in Jesus von Nazareth schon Gegenwart ist. Weil Jesu Wort und Werk das (messianische) Heil für die Welt bedeutet, kann Markus seinen Bericht darüber als εὐαγγέλιον bezeichnen. Und alles, was er über Jesus zu berichten weiß, hat den Rang von „Evangelium" (vgl. Mk 14, 9!). Das gesamte Material der von Markus verarbeiteten Jesustradition wird am Anfang seiner Vita unter das Leitwort εὐαγγέλιον gestellt und bekommt dadurch kerygmatischen Rang[23]. Die Taufgeschichte bildet in diesem „Evangelium von Jesus Christus" den „Anfang": damit begann das messianische, von den Propheten verheißene Heil (vgl. Mk 1, 2 f) Wirklichkeit zu werden (vgl. auch Apg 10, 37)[24]. Aber dadurch unter-

---

[19] Vgl. auch *G. Friedrich:* ThW II 728: „Will man den Inhalt des Evangeliums nach Paulus kurz mit einem Wort zusammenfassen, so lautet er: Jesus der Christus"; vgl. auch *Harnack,* Evangelium 236.

[20] Vgl. dazu vor allem *W. Marxsen,* Der Evangelist Markus 77—101.

[21] Ἰησοῦ Χριστοῦ ist nach der Meinung der meisten Exegeten Gen. obj. („von Jesus Christus"); vgl. Näheres bei *J. Schmid:* RNT 2 z. St.

[22] Vgl. auch *Marxsen,* Der Evangelist Markus 87 („Als Zusammenfassung des Ganzen ist 1, 1 Überschrift geworden").

[23] *G. Bornkamm* formuliert die Absicht des Markus so: „Das irdische Wirken Jesu wird zur Veranschaulichung der Christusbotschaft erzählt" (RGG³ II 749).

[24] „Da also der ‚Anfang' des Evangeliums nicht erst beim Bekenntnis und der Predigt der nachösterlichen Gemeinde, sondern beim historischen Jesus liegt, gehört die Frage nach dem Anfang zu den wichtigsten Themen der neutestamentlichen Theologie" *(E.*

scheidet sich das marcinische Verständnis von εὐαγγέλιον nun doch von dem des Paulus, der das „Evangelium“ sehr stark vom Passions- und Auferstehungskerygma her versteht[25].

In das marcinische Verständnis von εὐαγγέλιον fügt sich auch der Heroldsruf Jesu zu Beginn seiner messianischen Wirksamkeit in Galiläa: „Erfüllt ist die Zeit und nahegekommen die Herrschaft Gottes“ (Mk 1, 15a): die Wartezeit ist deshalb „erfüllt“, d. h. an ihr ersehntes Ziel gekommen, weil der Messias da ist. In seinem Werk bricht die eschatologische Gottesherrschaft schon herein. Die Ansage seiner unmittelbaren Nähe (ἤγγικεν!) geht im messianischen Werk Jesu bereits in Erfüllung[26], und darum ist der verkündigende Bericht über dieses Werk εὐαγγέλιον (1, 1). Weil Jesus als der Messias der Bringer der eschatologischen Gottesherrschaft ist, die in ihm schon Gegenwart wird, darum ist ihre Ankündigung durch ihn in Galiläa eine „gute Nachricht von Gott“, der die Menschen Glauben schenken sollen (1, 14f). Obwohl diese gute Nachricht die „einmalige“ Heroldsbotschaft Jesu ist: „Erfüllt ist die Zeit und nahegekommen die Herrschaft Gottes“, hängt dieses εὐαγγέλιον τοῦ θεοῦ unlöslich mit dem ganzen εὐαγγέλιον Ἰησοῦ Χριστοῦ zusammen, weil Jesus selbst das Evangelium Gottes ist[27]. Daß in Jesus von Nazareth die Eschata schon Gegenwart werden, macht ihn selbst und sein Werk für Markus zum „Evangelium“. Das gibt dem Evangelisten auch die Berechtigung, in 8, 35 und 10, 29 den Worten „meinetwegen“ noch hinzuzufügen „und des Evangeliums wegen“[28]. Zu der Zeit, da Markus sein Evangelium verfaßt, ist eben der Lebenseinsatz für Christus konkret schon auch ein Lebenseinsatz für das „Evangelium“, das Christus als den Heilbringer der Welt verkündet[29]. Auch in 13, 10 („und unter allen Völkern muß zuerst das

---

Lohse: ThLZ 87, 1962, 167). Hier, im Hinblick auf Mk 1, 1, gilt in besonderem Maße, daß der Anfang „echt potentiell“ und der „Ursprung des gezeitigt Gültigen“ ist (vgl. *A. Darlapp:* LThK² I 528). Die biblische Theologie des „Anfangs“ bedarf dringend einer Ausarbeitung.

[25] *Marxsen* formuliert den Unterschied zwischen εὐαγγέλιον bei Paulus und bei Markus so: Paulus verkündet: Jesus Christus ist das Evangelium, wobei Jesus Christus Subjekt und εὐαγγέλιον Prädikat ist; Markus dagegen: das Evangelium ist Jesus, wobei εὐαγγέλιον Subjekt und Jesus das Prädikat ist (Der Evangelist Markus 91 f).

[26] Vgl. dazu Näheres bei *F. Mußner*, Die Bedeutung von Mk 1, 14f für die Reichgottesverkündigung Jesu: TThZ 66 (1957) 257—275; dazu noch *G. Friedrich:* ThW II 725, 28 ff.

[27] Vgl. auch *Marxsen* 88 („Soweit Jesus aber selbst Inhalt des Evangeliums ist, ist τοῦ θεοῦ in 1, 14 eine christologische Aussage“); aber wenn dann M. sagt (89): „Kurz formuliert lautet daher das Evangelium nach Markus: Ich komme bald“, so schwächt er die Gegenwart des eschatologischen Heils in Jesus wieder entscheidend ab. Richtig ist es, zu sagen: „Kurz formuliert lautet daher das Evangelium: *Ich bin da.*“

[28] Vgl. Näheres bei *J. Schmid* zu Mk 8, 35.

[29] Wenn Mt und Lk den Zusatz des Mk „und um des Evangeliums willen“ weglassen,

Evangelium verkündet werden") verrät die Formulierung „vor allem in dem absoluten Gebrauch des Ausdrucks ‚das Evangelium' ... die Hand des Evangelisten" (J. Schmid).

3. Matthäus. Mt hat den Terminus εὐαγγέλιον nur viermal. Er läßt ihn an fünf Parallelstellen zu Mk aus (vgl. Mk 1, 1 14 15; 8, 35; 10, 29), versieht ihn an der Parallele zu Mk 13, 10 mit dem Zusatz τῆς βασιλείας und ergänzt sowohl hier wie auch zu Mk 14, 9 noch ein τοῦτο. Dagegen erweitert er in 4, 23 die knappe Bemerkung bei Mk 1, 39, Jesus habe in den Synagogen von ganz Galiläa gepredigt, durch die Formulierung: „(er lehrte in ihren Synagogen) *und verkündete das Evangelium vom Reich*", ähnlich auch in 9, 35 (verglichen mit Mk 6, 6): in beiden Fällen darf das verbindende καί epexegetisch verstanden werden: „er lehrte in ihren Synagogen, *indem* er das Evangelium vom Reich verkündete". Das bestätigt, was eine Untersuchung des matthäischen βασιλεία-Begriffs auch sonst ergibt: „Reich Gottes (der Himmel)" ist bei Mt zu einem Lehrbegriff geworden[30], und was als „Evangelium vom Reich" gelehrt wird, ist die in der Gemeinde als Paradosis weiterlebende Lehre Jesu über Wesen und Verwirklichung der ewigen Gottesherrschaft. Es ist also nicht wie bei Mk das messianische Leben und Werk Jesu der zentrale Inhalt des „Evangeliums", sondern das Reich Gottes, aber so, wie Jesus es versteht und verkündet.

4. Lukas. Lk hat den Terminus εὐαγγέλιον in seinem Evangelium überhaupt nicht (obwohl er ihn in seiner Mk-Quelle las!), nur zweimal in der Apg: 15, 7 (Petrusrede auf dem Apostelkonzil): „Damit die Heiden aus meinem Mund das Wort des Evangeliums hörten"; „das Wort des Evangeliums" ist die Botschaft von dem messianischen Heil in Jesus von Nazareth; 20, 24 (Paulusrede in Milet vor den Ältesten aus Ephesus): „Ich erachte mein Leben für unwert, wenn ich nur meinen Lauf und den Dienst vollende, den ich vom Herrn Jesus übernommen habe: für das Evangelium von der Gnade Gottes Zeugnis abzulegen." Das klingt gut paulinisch[31]; „das Evangelium von der Gnade Gottes" ist ja jenes, das die im Kreuz Jesu sich offenbarende Gnade Gottes in der Welt verkündet.

Lukas gebraucht aber um so mehr den verbalen Begriff εὐαγγελίζεσθαι

---

so denken beide „historisch": Jesus selbst kann noch nicht in absolutem Sinn vom „Evangelium" geredet haben. Das ist erst nachösterlicher Sprachgebrauch, der sich auch in Mk 16, 15 (im Markus-Nachtrag) findet („Verkündet das Evangelium der ganzen Schöpfung!"). In der Logienquelle fehlt der Terminus εὐαγγέλιον.

[30] Vgl. *W. Trilling,* Das wahre Israel. Studien zur Theologie des Matthäusevangeliums = Erfurter Theol. Stud. 7 (Leipzig 1959) 120 126.

[31] Vgl. *E. Haenchen,* Die Apostelgeschichte (Göttingen [12]1959) z. St. („damit will Lukas ein spezifisch paulinisches Stichwort erklingen lassen").

(10mal im Evangelium, 15mal in der Apg), den Mt nur einmal, Mk und Jo überhaupt nie haben, der aber 21mal auch bei Paulus begegnet. Vielleicht hat Lukas, der die Sprache der Septuaginta liebt, auch diesen Terminus aus ihr entnommen, speziell im Hinblick auf das in Lk 4, 18 von Jesus zitierte Wort aus Is 61, 1: „Der Geist des Herrn ruht auf mir, weil er mich gesalbt hat; zu verkünden Frohbotschaft (εὐαγγελίσασθαι) den Armen, hat er mich gesandt ...“ (vgl. auch Lk 7, 22; 20, 1)[32]. Was Jesus verkünden „muß“ (vgl. 4,43), ist kurzum „das Reich Gottes“ (4,43; 8, 1), dessen Anbruch auch für Lukas mit dem Auftreten Jesu (und schon des Täufers) zusammenhängt, in ihm schon anwesend wird (vgl. 11, 20; 16, 16; 17, 20f)[33]. In der Apg sind die Themen des εὐαγγελίζεσθαι: „Jesus Christus“ (5, 42), „das Wort“ (8, 4), „das Reich Gottes und der Name Jesu“ (8, 12), „Jesus“ (8, 35), „der Friede durch Jesus Christus“ (10, 36), „der Kyrios Jesus“ (11, 20), die Erfüllung der „Verheißung, die den Vätern gegeben wurde“, in Jesus (13, 32f), „das Wort des Herrn“ (15, 35) und die Auferweckung Jesu von den Toten (17, 18). Zweifellos bezieht sich also bei Lukas das Evangelium auf das Heil, das mit Jesus von Nazareth in die Welt gekommen ist. Daß er es auf Grund seiner „historisierenden“ Tendenz „vermieden“ habe, seine Vita Jesu zusammen mit Markus als εὐαγγέλιον zu bezeichnen[34], scheint zweifelhaft zu sein. Sein Sprachgebrauch ist am wenigsten festgelegt und im übrigen an der lingua sacra der Septuaginta orientiert (vgl. auch noch Anm. 32). Lukas sieht außerdem die Geschichte Jesu und die Missionsgeschichte der jungen Kirche als eine zusammenhängende Einheit. Die Jesusgeschichte ist gewissermaßen „Vorentwurf und Beginn der Missionsgeschichte (vgl. Lk 19, 11; 21, 24; 24, 47f; Apg 1, 8)“[35].

Zurückblickend auf den Sprachgebrauch der Synoptiker muß festgestellt werden, daß er keineswegs „einspurig“ ist. Die drei Synoptiker verwenden ihn jeweils mit großer Freiheit: ein Zeichen, daß sich für sie mit dem

---

[32] *M.-A. Chevallier* (L'Esprit et le Messie 82) vermutet, daß Lukas mit dem Terminus εὐαγγελίζεσθαι bewußt den ältesten Sprachgebrauch der Kirche aufgenommen habe, der auf Jesus selbst zurückgehe, da dieser nach Lk 4, 18 seinen Dienst in Zusammenhang mit Is 61, 1 gebracht habe, und deshalb habe Lukas auch das Substantiv εὐαγγέλιον, dem er doch in seiner Mk-Quelle begegnet war, bewußt vermieden. Vielleicht.

[33] Vgl. auch *F. Mußner*, Der nicht erkannte Kairos (Mt 11, 16—19 = Lk 7, 31—35): Biblica 40 (1959) 599—612; *ders.*, „Wann kommt das Reich Gottes?“. Die Antwort Jesu nach Lk 17, 20b 21: BZ, NF 6 (1962) 107—111.

[34] So *Marxsen*, Der Evangelist Markus 95 100.

[35] *W. Trilling*, Jesusüberlieferung und apostolische Vollmacht (Miscellanea Erfordiana, Leipzig 1962) 82. Insofern sind die Zeit Jesu und die Zeit der Kirche in der lukanischen Schau nicht zwei einander folgende „Epochen“.

Begriff εὐαγγέλιον nicht eine einzige bestimmte Sache verbindet. Der Begriff ist noch ganz „offen", ähnlich wie bei Paulus. Nur hängt er unlöslich am Christusereignis und Christusheil.

IV. Im übrigen Neuen Testament

Der Begriff εὐαγγέλιον begegnet im übrigen NT nur noch an zwei Stellen: 1 Petr 4, 17: „Was wird erst das Ende derer sein, die dem Evangelium Gottes nicht gehorchen?"; hier kann mit εὐαγγέλιον nur die christliche Heilsverkündigung gemeint sein[36]. Der Ausdruck „Evangelium Gottes" ist offensichtlich den Lesern des Briefes geläufig. — Apk 14, 6: „Und ich sah einen anderen Engel hoch oben am Himmel fliegen, der ein ewiges Evangelium hatte, um den Bewohnern der Erde ... zu verkünden", und im folgenden Vers gibt er dieses „ewige Evangelium" bekannt: „Fürchtet Gott und gebt ihm die Ehre, denn die Stunde seines Gerichtes ist gekommen." Der Engel kündet also als „ewiges", d. h. unwiderruflich gültiges „Evangelium" die Nähe des Gerichtes an. Das deckt sich in gewisser Weise mit einem wesentlichen Thema der paulinischen Missionspredigt vor Heiden (vgl. 1 Thess 1, 5 9 f)[37].

V. „Evangelium" und „Mitte des Evangeliums"

1. Die Untersuchung des Terminus εὐαγγέλιον im NT ergibt, daß er in einem sehr weiten Umfang gebraucht wird und nicht einer bestimmten Sache, etwa der Lehre von der Rechtfertigung sola fide et gratia, vorbehalten ist, gerade auch nicht beim Apostel Paulus. Anderseits hängt im NT εὐαγγέλιον unlöslich mit dem heilsgeschichtlichen Ereignis zusammen, das Jesus Christus heißt, sowohl bei den Synoptikern wie auch bei Paulus. Am deutlichsten macht das der Apostel bewußt, da er das Evangelium in eine Relation bringt zur Zeit der Verheißung und zur Zeit der Erfüllung. Die Zeit der Erfüllung ist mit dem Messias Jesus angebrochen; es ist die Zeit seiner verborgenen Herrschaft und Gnade. Davon redet das Evangelium, das von den Abgesandten des Herrn in der Öffentlichkeit der Welt verkündet wird.

Das Evangelium kann auch die Form einer fest formulierten, „objektivierten" Paradosis annehmen (1 Kor 15, 3—5!), aber es deckt sich nicht mit ihr in seinem Umfang. Gerade bei Paulus gewinnt man den Eindruck, daß er alle möglichen Gehalte der christlichen Heilsverkündigung als

---

[36] Vgl. auch 1, 25: τὸ ῥῆμα τὸ εὐαγγελισθὲν εἰς ὑμᾶς.
[37] Vgl. auch *A. Wikenhauser:* RNT 9 (Regensburg 1959) 114.

εὐαγγέλιον versteht, eben alles, was mit dem Grundereignis „Jesus Christus" zusammenhängt. Er würde sich deshalb ganz gewiß nicht sträuben, zusammen mit Markus auch die als Martyrion und Kerygma vorgelegten Berichte über das Leben Jesu als εὐαγγέλιον zu bezeichnen oder zusammen mit Matthäus Jesu Lehre über das Reich der Himmel. Und auch Paulus nennt „Evangelium", was bei Lukas — und auch oft beim Apostel selbst — sich mit dem Begriff εὐαγγελίζεσθαι verbindet. εὐαγγέλιον ist im Neuen Testament, kurz gesagt, die Botschaft, daß mit und in Jesus von Nazareth der verheißene Messias, Lehrer, Herr und Heiland der Welt da ist[38].

2. „Das Verdienst, den Gegensatz von Evangelium und Gesetz aus den Briefen des Paulus herausgezogen und für alle Zeiten formuliert zu haben, gebührt dem Marcion." So A. v. Harnack[39], unter Berufung auf Tertullian: separatio legis et evangelii proprium et principale opus est Marcionis (Adv. Marc. I, 19 vgl. auch I, 21; IV, 1). Was Marcion dabei unter „Evangelium" versteht, ist nach der klassischen Formulierung Harnacks „das Evangelium vom fremden Gott", den Jesus gegen den Schöpfergott Jahwe verkündet habe; es ist der Gott der grenzenlosen Liebe und absoluten Vergebung. Marcion hat damit zum erstenmal den Begriff „Evangelium" in einem Sinn verstanden, durch den die inhaltliche Fülle des neutestamentlichen Begriffs „Evangelium" auf eine bestimmte Sache eingeschränkt wurde, die man — zunächst rein formal — auch mit einem viel späteren Ausdruck als summa evangelii oder als „Mitte des Evangeliums" bezeichnen könnte: die Lehre von dem von Jesus bekanntgemachten, bisher unbekannten Gott der Liebe und Vergebung. Das ist nach Marcion jenes „Evangelium", das diesen Namen in Wirklichkeit allein verdient und das zugleich ein kanonkritisches Prinzip darstellt. Marcion hat es auch entsprechend gehandhabt, wie die Geschichte des neutestamentlichen Kanons zeigt. Darauf kann hier nicht näher eingegangen werden[40].

In anderer, aber sich doch wieder gerade an der Frage „Gesetz und

---

[38] Aus der nachapostolischen Literatur seien drei bemerkenswerte Texte angeführt: 1 Klem 42, 1 ff: οἱ ἀπόστολοι ἡμῖν εὐηγγελίσθησαν ἀπὸ τοῦ κυρίου Ἰησοῦ Χριστοῦ, Ἰησοῦς Χριστὸς ἀπὸ τοῦ θεοῦ ἐξεπέμφθη . . . ἐξῆλθον εὐαγγελιζόμενοι τὴν βασιλείαν τοῦ θεοῦ μέλλειν ἔρχεσθαι. Barn 5, 9: . . . τοὺς ἰδίους ἀποστόλους τοὺς μέλλοντας κηρύσσειν τὸ εὐαγγέλιον αὐτοῦ ἐξελέξατο . . . 8, 3: οἱ ῥαντίζοντες παῖδες οἱ εὐαγγελισάμενοι ἡμῖν τὴν ἄφεσιν τῶν ἁμαρτιῶν καὶ τὸν ἁγνισμὸν τῆς καρδίας, οἷς ἔδωκεν τοῦ εὐαγγελίου τὴν ἐξουσίαν . . . εἰς τὸ κηρύσσειν.

[39] Evangelium 232.

[40] Vgl. dazu etwa *W. G. Kümmel*, Notwendigkeit und Grenze des neutestamentlichen Kanons: ZThK 47 (1950) 285—287. Marcion hat aus einem gewiß noch nicht abgeschlossenen, aber in den Hauptumrissen sich schon anzeigenden Kanon „neutestamentlicher" Schriften kritisch ausgewählt.

Evangelium" entzündenden Weise entstand die Frage nach dem „Evangelium im Evangelium" oder nach der „Mitte des Evangeliums" und damit zusammenhängend eines Kanons im Kanon wieder in der Reformation. Denn was Harnack so formuliert: „Marcion ist nicht der einzige Ausleger des Paulus gewesen, der paulinischer als Paulus war; auch zahlreiche moderne Exegeten sind geneigt, die paulinischen Glaubensvorstellungen möglichst singulär zu fassen und von den sonstigen urchristlichen abzurücken"[41], gilt mutatis mutandis schon für Martin Luther[42], der bekanntlich die These vertreten hat: scriptura est non contra, sed pro Christo intelligenda, ideo vel ad eum referenda vel pro vera scriptura non habenda. Quodsi adversarii scripturam urserint contra Christum, nos urgemus Christum contra scripturam (WA 39, 1, 47). Das kanonkritische Prinzip, das Luther aufstellt (und etwa gegen den Jakobusbrief einsetzt), formuliert er als „Christum treiben": „Auch ist dies der rechte Prüfestein, alle Bücher zu taddeln, wenn man sihet, ob sie Christum treiben oder nicht" (WA, DB 7, 385, 26). Hinter diesen Äußerungen steht augenscheinlich ein bestimmter Begriff von „Christus" und „Christum treiben", der wesentlich zusammenhängt mit dem lutherischen Verständnis von „Evangelium": „Evangelium aber heysset nichts anders, denn ein predig und geschrey von der genad und barmhertzikeytt Gottis, durch herren Christum mit seynem todt verdienet und erworben" (WA 12, 259/5 ff). Dieser Begriff von „Evangelium" kann sich gewiß auf den Galater- und Römerbrief des Paulus berufen, aber nicht auf den gesamtneutestamentlichen, der einen viel größeren Bedeutungsumfang hat, wie auch beim Apostel selbst. An und für sich könnte man Luthers Bestimmung des „Evangeliums" gelten lassen, solange sie nicht zu einem kanonkritischen Prinzip wird, was sie in der Tat geworden ist, wie etwa Luthers Kritik am Jakobusbrief *im Namen des „Evangeliums"* beweist. Im Sinn des lutherischen Verständnisses von „Evangelium" „treibet" der Jakobusbrief in der Tat Christum nicht. Aber treibet nicht auch gerade der in der Kirche Christum — so lautet unsere Frage —, der die Bergpredigt unverfälscht nachspricht und für ihre Verwirklichung in der Kirche eintritt? Eine traditionsgeschichtliche Untersuchung der Paränesen des Jakobusbriefes zeigt, daß in ihnen die Forderungen Jesu, wie sie uns in der Bergpredigt erhalten sind, zur

---

[41] Evangelium 216.

[42] Zu M. Luthers Stellung in der Kanongeschichte vgl. etwa *J. Leipoldt*, Geschichte des neutestamentlichen Kanons II (Leipzig 1908) 60—88; *G. Eichholz*, Jakobus und Paulus. Ein Beitrag zum Problem des Kanons = Theol. Existenz heute, NF 39 (München 1953) 10—22; *W. Maurer*, Luthers Verständnis des neutestamentlichen Kanons: Fuldaer Hefte 12 (Berlin 1960) 47—77.

Geltung gebracht werden![43] Der Evangelist Matthäus, dessen Werk zum neutestamentlichen Kanon gehört, versteht die Predigt Jesu vom Reich Gottes, wozu die Forderungen der Bergpredigt gehören, als „Evangelium"! So zeigt sich die Verengung, die der Begriff „Evangelium" im Verständnis Luthers erfahren hat.

Luthers „dogmatische Kanonskritik" (W. Maurer) hat in unserer Gegenwart in der in der protestantischen Theologie sehr umfassend und leidenschaftlich geführten Diskussion um die Geltung des neutestamentlichen Kanons eine Neubelebung erfahren, die auch wesentlich mit dem Schlagwort „Frühkatholizismus" zusammenhängt[44]. W. G. Kümmel nennt in seinem wichtigen Diskussionsbeitrag[45] „eine Neubesinnung auf Notwendigkeit und Grenze des neutestamentlichen Kanons eine unumgängliche Aufgabe einer an das Evangelium gebundenen Theologie". Aufschlußreich für unseren Zusammenhang ist an diesem Satz, daß diese Forderung als eine unumgängliche Aufgabe einer an das *Evangelium* gebundenen Theologie erhoben wird. An welches „Evangelium"? Diese Frage erhebt sich sofort. Kümmel sucht darauf eine Antwort zu geben[46]; es ist nach ihm die „zentrale Christusverkündigung", die sich aus einer Zusammenschau der drei ältesten Formen der neutestamentlichen Verkündigung (Botschaft Jesu; das älteste Kerygma der Urgemeinde; die dieses Kerygma durchdenkende Theologie des Paulus) ergäbe; „so haben wir eine zentrale Verkündigung gewonnen, an der das übrige Zeugnis des Neuen Testaments gemessen werden kann"[47]. „Die eigentliche Grenze des Kanons läuft also durch den Kanon mitten hindurch", und diese „‚innere Grenze' des Ka-

---

[43] Siehe Näheres dazu in meinem kommenden Kommentar zum Jakobusbrief; ferner *M. H. Shepherd*, The Epistle of James and the Gospel of Matthew: JBL 75 (1956) 40—51.

[44] Vgl. darüber meinen knappen Bericht im LThK² VI 89 f (mit der wichtigsten Literatur); dazu jetzt noch *K. Aland*, Das Problem des neutestamentlichen Kanons: NZSTh 4 (1962) 220—242; *H. Küng*, Strukturen der Kirche = Quaestiones disputatae 17 (Freiburg i. Br. 1962) 141—161; *K. H. Schelkle*, Spätapostolische Briefe als frühkatholisches Zeugnis: Neutestamentliche Aufsätze (Festschrift für J. Schmid, Regensburg 1963) 225—232; *H. Küng*, Der Frühkatholizismus im NT als kontroverstheologisches Problem: ThQ 142 (1962) 385—424.

[45] Notwendigkeit und Grenze des ntl. Kanons (s. Anm. 40) 279 f.

[46] Vgl. ebd. 309—312.

[47] Vgl. auch noch folgende Sätze: „Daraus [nämlich aus der Tatsache eines sehr vielfältigen und differenzierten Zeugnisses im ntl. Kanon] ergibt sich, daß eine Schrift des Neuen Testaments, aber ebenso auch nur ein Abschnitt einer neutestamentlichen Schrift, um so sicherer zum normativen Kanon gerechnet werden muß, je eindeutiger der Text auf die geschichtliche Christusoffenbarung hinweist und je weniger er durch außerchristliche Gedanken oder durch spätere christliche Fragestellungen verändert ist. Was aber von dieser Christusoffenbarung und ihrer Bedeutung für den Glaubenden nicht redet, hat nur in einem beschränkten oder auch in gar keinem Maße Anteil am normativen Charakter des Kanons" (309).

nons kann nur durch ständig neue Besinnung auf die zentrale Christusverkündigung *und* durch Prüfung des gesamten neutestamentlichen und außerkanonischen frühkirchlichen Schrifttums an dieser zentralen Verkündigung erkannt und gesichert werden". „Die Grenze des neutestamentlichen Kanons ist darum historisch geschlossen, sachlich aber immer von neuem zu bestimmen." Es erhebt sich aber die Frage: Was ist die „zentrale Christusverkündigung", inhaltlich gesehen? Gehört dazu nur das Kerygma von dem heilbringenden Tod Jesu und seiner Auferstehung oder auch jenes von seiner Präexistenz, seiner Geburt aus der Jungfrau Maria, seiner Erhebung zum himmlischen Kyrios, seiner Wiederkunft, seiner Stiftung einer eigenen Gemeinschaft, die wir „Kirche" nennen, usw.? Nach dem NT ist das der Fall! Und es erhebt sich weiterhin die Frage: Ist die „sachliche" Grenze des Kanons wirklich „immer von neuem zu bestimmen"? Evangelium und Kanon (Schrift) sind zwar gewiß nicht einfach identisch (s. u.), aber es ist zu bezweifeln, ob jene „Sache", von der das „Evangelium" redet, immer wieder neu zu bestimmen sei. Sie scheint im Neuen Testament schon für immer bestimmt zu sein. Die Aufgabe ist allerdings, diese „Sache" theologisch immer wieder neu zu durchdenken, besonders in ihren Konsequenzen, und sie sich immer wieder neu existentiell zu vergegenwärtigen und anzueignen. In der neutestamentlichen Homologese hat jedenfalls diese „Sache" (wenigstens teilweise) einen streng objektivierten Ausdruck gefunden, und es wird ihr sogar eine heilbringende Funktion zugesprochen (vgl. etwa Röm 10, 9; 1 Kor 15, 2)[48].

---

[48] Die obigen Fragen gelten auch gegenüber *E. Käsemann*, der sich mit der Frage nach dem „Evangelium" besonders in seinem Aufsatz: Zum Thema der Nichtobjektivierbarkeit (Exegetische Versuche und Besinnungen [s. Anm. 1] 224—236) beschäftigt. Für ihn ist „das dialektische Verhältnis von Schrift und Evangelium ... für die Reformation kennzeichnend" (229). „Man betont gegenüber dem Enthusiasmus, der sich des Evangeliums über die Schrift hinweg zu bemächtigen sucht, die Schrift. Zugleich betont man in der Antithese zum katholischen Traditionalismus das Evangelium, und zwar als kritische Instanz, an welcher selbst die Schrift gemessen wird. Mit dieser Dialektik wird aber nicht bloß eine beunruhigende Spannung erzeugt, sondern ebenso eine dauernde Aufgabe gesetzt. Man kann diese Dialektik nur festhalten, indem man sie stets neu und sachgemäß übt, also aus wirklichem Verständnis sowohl der Schrift wie ihrer Botschaft für die jeweilige Gegenwart" (229 f). „Die Autorität der Bibel ist abgeleitete Autorität des Evangeliums. An und für sich hat die Bibel keine andere Autorität als die einer ehrwürdigen und aufschlußreichen historischen Urkunde" (232). Daß man dennoch an ihr festhält, ist „ein Entscheid des Glaubens". „Die Bibel ist weder Gottes Wort im objektiven Sinn noch das System einer Glaubenslehre, sondern Niederschlag der Geschichte und Verkündigung der Urchristenheit. Die Kirche, welche sie kanonisierte, behauptet jedoch, daß sie eben auf diese Weise Trägerin des Evangeliums sei. Sie behauptet das, weil sie die hier festgehaltene und sich bekundende Geschichte unter dem Aspekt der Rechtfertigung des Sünders gestellt sieht, und kann es nur insofern behaupten" (232). Hier wird nun deutlich, daß für Käsemann „das Evangelium", von dem in seinen vorausgehenden

3. Muß im Namen des „Evangeliums" eine „innere Grenze" des Kanons gesucht werden, die nicht zusammenfällt mit seiner äußeren, historisch gewordenen?[49] Muß im Namen des „Evangeliums" eine „Mitte" der Schrift gesucht und gefordert werden? Das NT selbst kennt so etwas wie eine „Mitte der Schrift" oder eine „Mitte des Evangeliums" eigentlich nicht. Die Frage nach einer solchen „Mitte" ist vielmehr erst nachträglich auf Grund einer bestimmten Glaubensentscheidung an das NT herangetragen worden, so im 2. Jahrhundert durch Marcion und wieder im 16. Jahrhundert durch die Reformatoren. Natürlich kann man unvoreingenommen nach einer „Mitte" des Evangeliums im NT suchen. Man könnte als derartige „Mitte" etwa das εὐαγγέλιον vom Anbruch der eschatologischen Heilszeit in Jesus Christus bestimmen[50]. Von dieser Botschaft lebt ja das „Evangelium" im ntl. Verstand, wie sich gezeigt hat; sie bildet gewissermaßen die verbindende Klammer im ntl. Kanon und läßt keinen Kanon im Kanon zu. In diesem Kerygma hat auch die Rechtfertigungslehre einen organischen und sehr bedeutsamen Platz[51]. Erhebt man aber ein ganz bestimmtes Einzelkerygma wie die iustificatio impii durch den Glauben an den Christus passus zur „Mitte" des Evangeliums oder gar zum alleinigen „Evangelium", dann wirkt das nur allzuleicht als Sprengstoff innerhalb des neutestamentlichen Kanons, wie die geschichtliche Erfahrung zeigt.

Ausführungen in fast geheimnisvoll klingender Andeutung immer wieder die Rede ist, nichts anderes als die Rechtfertigungslehre ist. Sie ist „die Mitte der Schrift" (232). Dazu hier nur die eine Frage: Wie verhält sich zu dieser so bestimmten Mitte etwa Jesu Reichgottespredigt? Der protestantische Neutestamentler *W. Marxsen* wendet gegen die so bestimmte „Mitte der Schrift" ein: „Wer das versucht, muß sich darüber klar sein, daß er dann faktisch auch bereits die Schrift verlassen hat; bevor er auf sie stößt, weiß er schon, was er hören wird" (Der „Frühkatholizismus" im Neuen Testament, Neukirchen 1958, 5). Das kann man schwerlich bezweifeln.

[49] Wer an das Wirken des Gottesgeistes in der Kirche glaubt, für den ist die Bildung des neutestamentlichen Kanons in der Zeit der alten Kirche kein „zufälliger" Prozeß, sondern ein Werk dieses Gottesgeistes, der die Kirche dabei geführt hat. Das betont erfreulicherweise auch *K. Aland* (s. Anm. 44), für den „das tatsächliche Resultat des Kanons" „unerklärbar bleibt", „wenn man nicht hinter dem Handeln der Menschen und ihren fragwürdigen Maßstäben das Walten der providentia Dei voraussetzt, das Wirken des Heiligen Geistes" (236 f).

[50] Vgl. meinen Aufsatz: Die Mitte des Evangeliums in neutestamentlicher Sicht: Cath 15 (1961) 271—292.

[51] In gewisser Hinsicht kommt unserer Auffassung über die „Mitte" des Evangeliums *W. Künneth* nahe, wenn er in der Auferweckung Jesu von den Toten und seiner Inthronisation zum Kyrios „die Selbstsetzung der Schriftmitte durch Gott" sieht (vgl. seinen Aufsatz: Zur Frage nach der Mitte der Schrift: Dank an Althaus, Gütersloh 1958, 121—140 [128]) und in diesen Ereignissen den „Wendepunkt der Menschheitsgeschichte" erkennt. Zu den Fragen, die K. gegenüber bleiben, gehört aber vor allem die: Wie verhält sich die so bestimmte „Schriftmitte" zur Predigt Jesu?

Dann erfährt das „Evangelium" eine Einengung, die dem neutestamentlichen Sprachgebrauch und der mit ihm gemeinten Sache nicht mehr entspricht.

Das NT selbst kann zu Hilfe kommen, indem man εὐαγγέλιον weiterhin (und wieder) in der umfassenden „katholischen" Weite gelten läßt, die der Terminus und die mit ihm bezeichnete Sache in ihm besitzt. Der ntl. Begriff „Evangelium" ist grundsätzlich „offen", wie unsere Untersuchung wieder gezeigt hat. Er ist offen für *alle* Heilsgehalte der ntl. Verkündigung, schon bei Paulus selbst und erst recht in der Zusammenschau des ntl. Sprachgebrauchs. So könnte eine Besinnung über diesen grundsätzlich offenen und umfassenden Sinn des ntl. Terminus εὐαγγέλιον eine gute Hilfe sein für das Una-Sancta-Gespräch. Man muß den getrennten Brüdern, die sich auf das „Evangelium" gegen die katholische Kirche berufen, zurufen: Bedenkt, was die Schrift selbst unter „Evangelium" versteht! Man wird sie fragen müssen: Engt ihr den Begriff „Evangelium" nicht in einer Weise ein, die dem NT nicht entspricht? Ist eure Kritik am ntl. Gesamtzeugnis im Namen des „Evangeliums" wirklich berechtigt?[52]

Die Besinnung auf das „Evangelium" im ntl. Sinn ist aber auch eine stete Aufgabe katholischer Theologie. Sie darf nie vergessen, daß εὐαγγέλιον im NT auch polemischen Sinn hat, wie besonders der Galaterbrief bewußt macht. Die Polemik des Apostels im Namen des von ihm verkündigten „Evangeliums" richtete sich gegen die judaistische „Pervertierung des Evangeliums" (Gal 1, 7), d. h. in grundsätzlicher Formulierung: gegen die Mißachtung des *Neuen,* das mit Jesus Christus in die Welt gekommen ist, und gegen alle Versuche einer falschen, das heilsgeschichtliche Handeln Gottes in Jesus Christus außer Geltung setzenden oder abschwächenden „Synthese" des Neuen mit dem Alten (die Jesus selbst schon entschieden zurückgewiesen hat; vgl. Mk 2, 22 par.). Die „Verdrehung des Evangeliums" bezieht sich nach dem Apostel auf den Heilsweg: Wer den neuen, von Gott in Christus aufgetanen Heilsweg des Glaubens „ohne des Gesetzes Werke" leugnet oder auch nur abschwächt, „verdreht" das Evangelium. Dies kann nicht nur in der Weise des „Judaismus" geschehen; es kann auch geschehen, indem etwa bestimmten Gehalten der ntl. Heilsverkündigung ein Rang zugesprochen wird, der ihnen im Gesamtorganismus der apostolischen Überlieferung nicht zukommt. Wer etwa Maria von ihrem Sohne Christus, dem alleinigen Heilbringer, lösen und sie zu einer zweiten Heilbringerin neben oder gar ohne Christus machen würde, „ver-

---

[52] Vgl. auch *H. Schürmann,* Das Testament des Paulus für die Kirche. Apg. 20, 18—35: Unio Christianorum, Festschr. für Erzbischof Lorenz Jaeger (Paderborn 1962) 108 bis 146 (bes. 144 f).

dreht" dadurch das Evangelium[53]. Oder wer in Sachen des Heils auf seine Leistungen und ihre Zahl vertrauen würde statt auf das gnädige Heilshandeln Gottes in Christus, würde das Evangelium „verdrehen". Hier könnte noch vieles genannt werden. Luthers Polemik im Namen des „Evangeliums" gegen die Kirche seiner Zeit war zweifellos auch stark durch eine unerleuchtete Praxis des kirchlich-religiösen Lebens bedingt — von den eklatanten Mißständen ganz abgesehen. Eine stete Neubesinnung auf das „Evangelium" wird deshalb der Kirche und der Theologie immer zum Heile werden. Das gilt intra et extra muros.

Für eine Besinnung intra muros bietet K. Rahner wichtige Anregungen in seinem Aufsatz: Theologie im Neuen Testament[54], die auch dem Anliegen jener extra muros, die eine „Mitte" des Evangeliums fordern, entgegenkommen. Rahner spricht hier von „dem inneren Kanon der Schrift" und von einem „eigentlichen Grundinhalt des Christentums" (35) und fragt: „Welches ist diejenige historische Selbstaussage, die Jesus von sich selbst macht derart, daß auf ihr die ganze Christologie und Soteriologie der übrigen Schriften des NT basiert?" (36). Er unterscheidet „zwischen dem kerygmatischen und theologischen Inhalt des Neuen Testaments" (42) und betont, daß der „ursprüngliche Offenbarungsvorgang, der auch in der Schrift vor der Theologie liegt, nicht einfach schlechthin mit einer bestimmten Objektivation in ausgewählten Sätzen des NT in Identität gesucht werden muß. Er liegt diesen zugrunde, ist aber nicht mit bestimmten begrifflich objektivierenden Sätzen identisch, auch wenn diese die absolut verpflichtende und richtig vermittelnde Objektivation des ursprünglichen Offenbarungsvorgangs für uns sind" (43 f). Rahner sieht den „kerygmatischen Kern der Botschaft des NT", ohne diesem Problem ausführlicher nachzugehen, *in der absoluten, radikalen Selbstmitteilung Gottes, in seinem Nahekommen in Christus und seiner Gnade* (vgl. 42 f). Das ist zweifellos das eigentliche „Evangelium" im NT, das vor allen be-

[53] Doch sollte auf protestantischer Seite auch mehr bedacht werden, daß Maria als die Mutter des Messias Jesus in das Evangelium gehört (vgl. die Kindheitsgeschichten Jesu bei Mt und Lk, dazu noch Lk 11, 27 f; Jo 19, 27; Gal 4, 4; *K. H. Schelkle,* Die Mutter des Erlösers. Ihre biblische Gestalt, Düsseldorf 1958). Der Preis Mariens bei allen kommenden Geschlechtern ist in Lk 1, 48 vorausgesagt (Futur μακαριοῦσιν); dies kann nicht mit der Zensur „lukanisch" abgetan werden. Und ist die katholische Mariologie nicht eine Konsequenz der Christologie? Und der Glaube Mariens (vgl. Lk 1, 37 38 45) nicht in exemplarischer Weise jener rechtfertigende Glaube an den Gott, der die Toten erweckt und das Nicht-Seiende ins Dasein ruft, wie ihn Abraham besaß (vgl. Röm 4, 16—24)? Das wird allerdings nur der bejahen, der mit dem NT die Präexistenz Christi, seine wesenhafte Gottessohnschaft und die „Jungfrauengeburt" festhält. Wenn die katholische Theologie das weiterhin tut, so hat sie sich dadurch nicht vom „Evangelium" entfernt.

[54] Einsicht und Glaube, Festschrift für G. Söhngen (Freiburg-Basel-Wien 1962) 28—44.

grifflichen „Objektivationen" liegt und das auch die iustificatio impii — das „Evangelium" in protestantischem Verständnis — in sich schließt, aber „offener", umfassender, „katholischer", als dieses ist. Was das NT dabei in seinem Kerygma mitverkündet, ist der mit dieser Botschaft unlösbar verbundene „Zeitkoeffizient": *Jetzt,* mit der Epiphanie des Messias Jesus in diesem Raum und in dieser Zeit, ist das eschatologische Heil zu den Menschen gekommen![55] Eine solche Besinnung auf den „Kern", wie ihn Rahner versteht, könnte das μεσότοιχον τοῦ φραγμοῦ (Eph 2, 14) zwischen den Konfessionen abtragen helfen, worin das Friedenswerk des Herrn der Kirche fortgesetzt würde. Auch nach katholischer Auffassung ist das Evangelium nicht identisch mit dem Kanon! Ist das aber auch immer genügend bewußt, intra et extra muros?

---

[55] Vgl. dazu meinen Aufsatz: Die Mitte des Evangeliums in neutestamentlicher Sicht (s. Anm. 50) passim.

DIE ERKENNTNIS GOTTES NACH DEN BRIEFEN DES APOSTELS PAULUS[1]

VON HEINRICH SCHLIER, BONN

Der Apostel Paulus war in zweifacher Weise vor die Frage nach der Erkenntnis Gottes gestellt worden. Das eine Mal durch seine Verkündigung an die „Völker" außerhalb des Volkes Israel. Das andere Mal durch seine Auseinandersetzung mit einer für uns nicht mehr recht durchschaubaren Frühgnosis in Korinth[2] und später in einigen kleinasiatischen Gemeinden[3], für die, wie immer sie sich dort und hier unterscheiden mag, eine bestimmte Art von „Erkenntnis Gottes" vorzüglich den Heilsweg darstellte. So treffen wir Paulus in seinen Briefen mitten im Nachdenken über die Gotteserkenntnis an und können dieses Nachdenken am Ursprung seiner Formulierung fassen. Freilich kommt das Problem selten thematisch zur Sprache. Das setzt unseren Versuch, das paulinische Verständnis von dem, was Erkenntnis Gottes ist, zu klären, einem nicht geringen Risiko aus. Anderseits haben wir die Chance, eine, wenn man so sagen darf, bewegte Antwort zu erhalten.

I

Die erste These, die wir angesichts der Aussagen unserer Texte aussprechen können, läßt sich in drei Sätze fassen: Erkenntnis Gottes ist ein Wesensvollzug des Geschöpfes. Der geschichtliche Mensch versagt sich ihr. Doch hält sich ihm ein Wissen um Gott durch. Diese Behauptungen gehen

---

[1] Zur Literatur vgl. *E. Norden,* Agnostos Theos (1913) 83—115; *A. Schlatter,* Der Glaube im NT (⁴1927) 388 ff; *R. Bultmann,* Art. γινώσκω, γνῶσις usw.: ThW I 688—719; *E. Prucker,* Γνῶσις θεοῦ (Cassiciacum IV) (1937); *J. Dupont,* Gnosis. La connaissance religieuse dans les épîtres de S. Paul (1949); *H. H. Féret,* Connaissance biblique de Dieu (1955).

[2] Vgl. *W. Schmithals,* Die Gnosis in Korinth. Eine Untersuchung zu den Korintherbriefen (1956); *U. Wilkens,* Weisheit und Torheit. Eine exegetisch-religionsgeschichtliche Untersuchung zu Korinther 1 und 2 (1959).

[3] Vgl. *M. Dibelius - H. Greeven,* Hdb. z. NT 12, An die Kolosser/Epheser. An Philemon (³1953); *H. Schlier,* Der Brief an die Epheser (⁴1963); *G. Bornkamm,* Die Häresie des Kolosserbriefes: Das Ende des Gesetzes. Paulusstudien (1952) 139—156.

vor allem aus den Ausführungen in Röm 1, 19—25 hervor, die wir deshalb als die Basis unserer Überlegungen zitieren wollen. Dort heißt es: „Das, was von Gott erkennbar ist, ist ihnen offenbar. Denn Gott hat es ihnen offenbar gemacht. Wird doch sein unsichtbares Wesen seit der Schöpfung der Welt an dem Geschaffenen denkend wahrgenommen, seine ewige Macht und Göttlichkeit. Daher sind sie unentschuldbar. Denn obwohl sie Gott erkannt haben, haben sie ihm nicht das Ansehen als Gott gegeben oder gedankt, sondern eitel geworden sind sie in ihren Erwägungen, und finster wurde ihr unverständiges Herz. Sie sagen, sie seien weise, und sind Toren geworden. Und sie haben den Abglanz des unverweslichen Gottes eingetauscht in das Abbild eines verweslichen Menschen und von Vögeln, Vierfüßlern und Gewürm. Deshalb gab sie Gott in den Begierden ihrer Herzen der Unreinheit preis ... sie, die die Wahrheit Gottes mit der Lüge vertauschten und an Stelle des Schöpfers der Schöpfung Verehrung und Dienst leisteten ...“

Die Erkenntnis des Menschen, der hier durch den Heiden repräsentiert wird, ist ursprünglich auf Gott ausgerichtet, Röm 1, 21; vgl. 1, 28, auf Gottes unsichtbares Wesen, 1, 20, soweit sich dieses überhaupt zu erkennen gibt, 1, 19. Sie haftet an seiner ewigen Macht und Göttlichkeit, 1, 20. Sie zielt auf die Wahrheit Gottes, 1, 25. Dieser unsichtbare, ewigmächtige, wahre Gott ist der sich offenbarende Gott. So richtet sich die Erkenntnis Gottes auf den Gott, der sich in seiner erkennbaren Wahrheit selbst zu erkennen gibt. Sie beruht auf seiner Selbstoffenbarung, die in der Schöpfung in der Weise geschieht, daß er sich im Geschaffenen ausweist. Mit dem Geschaffenen, in dem er seine ewige Macht und Göttlichkeit zu erkennen gibt, ist der wahre Gott offenbar. An der Schöpfung, durch die er sich wahr-nehmen läßt, wird man seiner gewahr.

Wie dieses Offenbarsein Gottes im Geschaffenen, in dem die Gotteserkenntnis des Geschöpfes als Gabe gründet, nach Paulus des näheren zu denken ist, erfahren wir nur andeutungsweise. Wenn der Apostel nämlich von den Heiden sagt, daß sie den Abglanz (δόξα) Gottes eingetauscht haben in ein Abbild (ὁμοίωμα εἰκόνος) der Schöpfung, durch das sie sich auf diese als Gott und zu ihrer Verehrung verweisen lassen, dann können wir daraus entnehmen, daß eben dieser „Machtglanz“ Gottes, in dem Gott *sich* offenbart, auf der Schöpfung ruht, so daß sie als solche auf ihn verweist. Dieser „Machtglanz“ Gottes strahlt mit, in und aus dem Geschaffenen, und eben darin eröffnet sich der Schöpfer und *gibt* Gott sich zu erkennen. Hier denkt Paulus im Sinn des späteren AT. So heißt es z. B. im Ps 18, 2ff.:

„Die Himmel erzählen die Herrlichkeit (LXX: δόξαν) Gottes,
Das Werk seiner Hände verkündet die Veste.

Ein Tag ruft dem andern zu das Wort (LXX: ῥῆμα),
Eine Nacht kündet der anderen Erkenntnis (LXX: γνῶσιν),
Da sind nicht Sprache noch Worte (LXX: λαλιαὶ οὐδὲ λόγοι),
Ihre Stimmen hört man nicht.
Über die ganze Erde ging aus ihr Schall,
Und zum äußersten Erdkreis ihre Worte" (LXX: τὰ ῥήματα).

Gottes Glorie kündet das Geschaffene und läßt so in sich durch ein Wort, das kein Wort ist, den Schöpfer erkennen[4].

Anders versteht Paulus in 1 Kor 1, 21 das Offenbarwerden Gottes in der Schöpfung. Dort nennt er die Weise des geschöpflichen Seins ein „in der Weisheit Gottes sein" und läßt erkennen, daß diese Weisheit, die die Schöpfung darbot, zugleich der Weg war, auf dem es zur Erkenntnis Gottes hätte kommen können. Auch das erinnert an die spätere atl. Aussage — in der atl. Weisheitsliteratur[5] —, wonach die Weisheit Gottes, die die Schöpfung schuf und in der die Schöpfung ruhte, weise auf den Schöpfer wies. Wir dürfen wohl folgern: Der Machtglanz Gottes, der in der Schöpfung aufgeht und die Geschöpfe auf Gott hin angeht, ist die Glorie seiner Weisheit.

Sie aber, die Weisheit Gottes, kommt in dem Wort zur Sprache, durch welches Gott, wie es Röm 4, 17 b, wieder unter Aufnahme später atl. und jüdischer Motive[6], heißt, „das Nicht-seiende als Seiendes ruft". In solchem „Rufen", das ein Hervorrufen aus dem Nichts ist, geschieht das „Gründen" der „Gründung"[7], wie wir mit Paulus für Schöpfung auch sagen können. Die Welt kommt vor in dem gründenden Ruf Gottes. In ihm wird sie hervor-gerufen und aus-gelegt. In ihm kommt sie zu Wort. In ihm, und d. h. in dem Ruf der Weisheit des Machtglanzes des Schöpfers, ergeht sie als Zuruf und Anruf für die Geschöpfe.

Mit solchem „Wort" der Schöpfung, in dem Gott sich offenbarend den Geschöpfen ans Herz legt, ist nun auch schon die Gotteserkenntnis des Geschöpfes gegeben. Sie ist nichts anderes als des Geschöpfes eigener und freier Aufenthalt im Wort des Geschaffenen. Im Erkennen Gottes als des Schöpfers geht der Mensch als Geschöpf eigens auf dieses Wort ein. Gotteserkenntnis ist des Menschen ant-wortender und ver-antworteter Aufenthalt in dem Wort, in dem er steht. In der Erkenntnis Gottes ent-spricht

---

[4] Vgl. auch Ps 8, 2; 103, 31; Sir 42, 16; Röm 3, 23; 1 Kor 11, 7.

[5] Vgl. vor allem Job 28, 20 23 26 f; Spr 8, 22 ff; Weish 7, 21 25 f; 8, 1 3 f; 9, 4 9; Sir 1, 4 9 f; 24, 3 ff.

[6] Vgl. z. B. Am 5, 8; 9, 6; Is 48, 13; Ps 33, 6; 142, 4; 147, 15 ff; 148, 8; Weish 9, 1; 11, 25; Sir 39, 17 b 31; 42, 15 u. a.; syr. Bar 21, 4; 48, 8; *Philo*, De creat. princ. 7.

[7] Vgl. Röm 1, 20 25; 8, 19 ff; 1 Kor 11, 9; Kol 1, 15 16 (23); ThW III 999—1034 *(Förster)*.

das Geschöpf dem An-spruch der Sprache, in der die Schöpfung, als Geschaffenes hervorgerufen, spricht.

Auch die Art dieser Entsprechung erhellt sich ein wenig aus unserem leitenden Text. Gotteserkenntnis ist zunächst eine Wahrnehmung (καθορᾶν), die sich denkend (νοεῖν) vollzieht: „Sein unsichtbares Wesen wird ... an den geschaffenen Dingen denkend wahrgenommen.“ [8] Solche denkende Wahrnehmung führt in „Erwägungen“ (διαλογισμοί) [9] zum Verständnis und zur „Einsicht“. Diese denkende Wahrnehmung geschieht — und auch das ist Fortbildung atl.-jüdischer Anschauung — primär im „Herzen“. Das Herz [10] aber ist für Paulus die ihm selbst unzugängliche innere Mitte des Menschen, 1 Kor 14, 25, in der er Gott und dem Geist offensteht, 1 Thess 2, 4; Röm 8, 27, von der seine Neigungen, Röm 10, 1, Begehrungen, Röm 1, 24, Absichten, 1 Kor 4, 5, Beschlüsse, 1 Kor 7, 37, ausgehen, von der her er umkehrt, Röm 2, 5, gehorcht, Röm 6, 17; Eph 6, 5, glaubt, Röm 10, 9 f, und letztlich auch sieht, 2 Kor 4, 6; Eph 1, 18. Im denkenden Wahrnehmen des Herzens, das licht ist im Glanz des ursprünglichen Schöpfungswortes, in dem sich der Schöpfer dem Geschöpf zu bedenken gibt, vollzieht sich anfänglich das Erkennen Gottes. Dieses aber ist des weiteren ein „Gott in der Erkenntnis festhalten“ (τὸν θεόν ἔχειν ἐν ἐπιγνώσει),wie uns Röm 1, 28 belehrt. Dieses Moment liegt an sich im deutschen Begriff von er-kennen, wenn man ihn prägnant versteht. Er muß aber nach unseren Texten ausdrücklich betont werden. Es handelt sich bei dem Denken, in dem sich die Wahrnehmung Gottes vollzieht, seiner inneren Struktur nach nicht um einen jeweiligen Augenblick, sondern um einen verweilenden Anblick. Es ist ein wahrnehmendes Denken,

---

[8] Es ist bei der abgeschliffenen Bedeutung von καθορᾶν und νοεῖν schwer zu sagen, wie der ganze Ausdruck verstanden werden will. Wir versuchen es mit der angegebenen Übersetzung (vgl. auch ThW IV 949, 20, *Behm*), durch die zum mindesten zweierlei angedeutet wird: 1) daß es sich um ein καθορᾶν handelt, das sich unter dem νοεῖν vollzieht (νοούμενα ist modales Partizip, vgl. *Blass-Debrunner,* Neutestamentliche Grammatik, [11]1961, § 418, 5); 2) daß der ganze Vorgang gerade nicht wie unter dem Einfluß hellenistischer Popularphilosophie in der jüdischen Weisheit und Apokalyptik (vgl. z. B. Weish 13, 1 ff; syr. Bar 54, 17 f; Test XII Napht. 3, 4) als eine conclusio, sondern als unmittelbare Erschließung gedacht ist. *G. Bornkamm,* „Die Offenbarung des Zornes Gottes“ (Das Ende des Gesetzes. Paulusstudien, 1952, 13), hat mit anderen an sich recht, wenn er meint, daß „die sachlichen Beziehungen“ zwischen jenen popularphilosophischen Traditionen (in Weish und bei Philo) und den Ausführungen des Paulus in Röm 1, 18 ff weit reichen. Um so bemerkenswerter sind die Unterschiede, die in unserem Fall daher kommen, daß bei Paulus wieder atl. und der Sache nach ursprünglichere Erkenntnisse aufbrechen.

[9] Ein hellenistisches Wort. Vgl. Dn 2, 29 u. ö.; Θ 2, 30; Ps 138, 2; Weish 7, 20; Sir 13, 26 u. a. m.; Mt 15, 19; Mk 7, 21; Lk 2, 35; 5, 22 u. a.; 1 Kor 3, 20 (Ps 93, 11) u. a. m.

[10] Vgl. ThW III 609—616 *(Baumgärtel/Behm).*

das das Wahrgenommene und Bedachte im An-denken verwahrt. Das Erkennen Gottes geschieht in der An-dacht des Herzens. Diese Andacht des Herzens nennt Paulus „Gott als Gott das Ansehen schenken" (τὸν θεὸν ὡς θεὸν δοξάζειν) und „Danken" (εὐχαριστεῖν), Röm 1, 21[11]. Darin erfüllt und verwahrt die Gotteserkenntnis ihr Wesen. Das Andenken des wahrnehmenden Denkens sammelt sich in die An-dacht der Anerkennung Gottes als Gott. Diese erweist sich im Danken[12]. Die Gotteserkenntnis ist in dem Dank beheimatet, in dem sich das Geschöpf Gott ver-dankt. Ihr An-denken ist das des Dankes. Dabei können wir uns erinnern, daß in der deutschen Sprache Dank Verbalnomen zu denken ist[13]. Wir können also auch sagen, daß sich die Erkenntnis Gottes in der Erkenntlichkeit des Geschöpfes vollzieht.

So ist denn auch mit der Gotteserkenntnis dem Menschen „das Leben Gottes" erschlossen und vertraut. Das geht freilich nur indirekt aus einer späten Bemerkung des Apostels Paulus hervor. In solcher Gotteserkenntnis hätte der Heide, der jetzt „ohne Hoffnung und ohne Gott in der Welt wohnt", „nahe" sein können, wie Israel „nahe" war. Aber nun ist er „fern" und „dem Leben Gottes entfremdet", Eph 2, 13 17; 4, 18. In der ursprünglichen Gotteserkenntnis hält sich das Geschöpf das Leben aus Gott offen. Gotteserkenntnis er-eignet das Leben aus Gott. Sie ist ein Lebensvollzug.

Wir stellen also fest: Gotteserkenntnis, wie der Apostel Paulus sie versteht, meint das eigene Sich-Einlassen des Geschöpfes auf den mit dem Geschaffenen erhobenen Ruf des sich zu erkennen gebenden Gottes. Sie ist Ant-wort auf das im Geschaffenen ergehende Wort der Glorie seiner Weisheit. Sie vollzieht sich als Nach-denken der im Geschaffenen sich zu bedenken gebenden Weisheit, das im erkenntlichen An-denken des Dankes geborgen ist. In ihr hält sich der Mensch vom Herzen her Gott nahe und das Leben aus Gott offen. Drei formale Grundzüge kennzeichnen die Gotteserkenntnis von vorneherein: 1) Sie setzt das mit der Schöpfung gegebene Erkanntsein der Dinge und des erkennenden Menschen voraus und ist nichts anderes als das ant-wortende Ergreifen des Wortes, durch das und in dem das Geschaffene als Hervorgerufenes sein Wesen hat.

---

[11] Εὐχαριστεῖν ist absolut zu nehmen. Es meint hier einen δοξάζειν ähnlichen Vorgang. Das ἤ ist = „noch", in negativen Aussagen, vgl. *W. Bauer,* Wörterbuch zum NT ([5]1958) s. v.

[12] Es handelt sich bei Paulus nicht darum, daß aus einem „theoretischen" Erkennen „praktische" Konsequenzen gezogen werden, wie unsere Stelle meist ausgelegt wird. Sondern das γινώσκειν *ist* ein ἐν ἐπιγνώσει ἔχειν, damit aber ein γινώσκειν, das als solches erst im δοξάζειν ἤ εὐχαριστεῖν vollendet ist.

[13] Vgl. *Kluge-Götze,* Etymologisches Wörterbuch der Deutschen Sprache ([15]1951) 124.

2) Sie vollzieht sich als unmittelbares Denken des dankend an-denkenden Herzens und nicht als ein reflektierendes Verstehen in der Weise der Folgerung der auf den Ursache-Wirkung-Zusammenhang reflektierenden „Vernunft". Solches Verstehen ist vielmehr erst ein sekundärer Modus jenes Denkens. 3) So ist sie nicht ein Vorgang neben oder gar im Gegensatz zum Vorkommen des Lebens, sondern der Grundvollzug, in dem das Leben sich erschließt. Sie ist eine Lebenserfahrung.

Solche Gotteserkenntnis wurde und wird nach dem Apostel Paulus von dem Menschen, wie er in der Geschichte von Adam her vorkommt, immer wieder preisgegeben. Der Heide versagt sich vom Herzen her dem sich im Geschaffenen zu erkennen gebenden Gott. Er ent-spricht nicht mehr der eigentlichen Sprache, in der die Welt waltet. Das wird von Paulus nicht begründet, sondern als das Faktum festgestellt, das den Heiden charakterisiert. Der Mensch, so wie er von Adam her, vgl. Röm 5, 12 ff, vorkommt und wie ihn der Heide präsentiert, will Gott nicht anerkennen und sich ihm nicht ver-danken. Eben damit erlosch das Licht seines Herzens, das im dankenden Ansehen Gottes sich dem Machtglanz seiner Weisheit offenhielt und darin licht war. Das Herz verschloß sich im Ungehorsam und Undank. Damit verschloß es sich das Licht, in dem es erkannte. So hat es keine „Einsicht" mehr, sondern ist „uneinsichtig" (ἀσύνετος) [14] geworden. Seine „Gedanken" sind „eitel" geworden (ἐματαιώθησαν). Verblendet und daher blind für die Wirklichkeit, wie sie im Licht des Schöpfungsrufes zutage liegt, denken sie „Nichtiges" [15]. In Eph 4, 17 f wird in solchem Zusammenhang von der „Unwissenheit" (ἄγνοια), ja von der „Verhärtung" oder „Versteinerung" (πώρωσις) [16] des Herzens gesprochen. Es ist undurchlässig für den Andrang der Wahrheit geworden, deren Licht aus der im Wort Gottes ausgelegten Schöpfung eindringen will. In unserem Leittext redet Paulus von der „Eitelkeit" der Gedanken, die sich von der Finsternis des Herzens herleiten. Diese „Finsternis" ist also Zwielichtigkeit, in der die Dinge zweideutig erscheinen. Wie das gemeint ist, zeigt sich sofort daran, daß Paulus als das fundamentale Unterfangen der heidnischen Existenz das Eintauschen und Vertauschen des Schöpfers gegen die und mit der Schöpfung und der Schöpfung gegen den und mit dem Schöpfer sieht. Der im Ungehorsam und Undank Gott abgeneigte und sich zugeneigte Mensch vermag im Zwielicht seines Herzens die Grunddifferenz des Daseins, nämlich die zwischen Gott und Welt, nicht mehr klar zu sehen. Er kommt in solcher Indifferenz

---

[14] Vgl. *W. Bauer*, s. v. und s. v. σύνεσις.

[15] Vgl. ThW IV 525—529 *(Bauernfeind); J. Dupont*, a. a. O. 25 f; LThK² VII 942 f.

[16] Vgl. *W. Bauer*, s. v.

vor. Dabei ist ihm das Unvermögen der Differenz nicht einmal bewußt! Denn er hält diese Torheit für Weisheit. „Sie sagen, sie seien weise, und sind Toren geworden", Röm 1, 22. Sie halten den Grundaspekt des fundamentalen Ungehorsams und Undanks für den der Wirklichkeit der Dinge angemessenen.

Das Unvermögen zu differenzieren erweist sich darin, daß dem Menschen Welt und eigenes Dasein nicht mehr in einer vorgängigen Auslegung auf Gott begegnen, sondern auf sich selbst als auf den Schöpfer verweisen. Der Mensch samt seinem Dasein steht nicht mehr in der Wahrheit des Geschöpfseins, sondern in der „Lüge" des Schöpferseins. Gott erscheint nur noch in den Göttern. Die Götter sind die apotheosierte Welt samt dem apotheosierten Menschen. Und so vollzieht sich die Erkenntnis Gottes im zweideutigen Spruch des Herzens, das dem zweideutigen Anspruch seiner im ungehorsamen Undank zweideutig gewordenen Welt entspricht. In diesem Sinn ereignet sich das Erkennen Gottes nur noch im Verkennen. Aber auch das Verkennen Gottes schließt noch ein Erkennen, oder sagen wir besser: so etwas wie ein Erkennen ein. Die Geschöpflichkeit des Geschöpfes hält sich nach Paulus auch in dem geschichtlichen Menschen, wie er von Adam herkommt, in einem gewissen Sinn durch. Die Welt steht von Gott her nach wie vor im Glanz seiner Weisheit und ihres verschwiegenen Wortes. Sonst gäbe es keine Sprache. Denn es gäbe kein Ent-sprechen, welches ja die menschliche Sprache ist. Aber das gehört nicht hierher. Es gäbe jedenfalls nicht das Ansprechen der Welt (und des eigenen Daseins) als ewigen Äon und als „Gott". Es gäbe nicht mehr das Sich-Anweisen-Lassen auf Welt und eigenes Dasein *als* auf Gott. Es gäbe nicht mehr das, was Paulus den ehemals heidnischen galatischen Christen vorwirft: daß sie „Göttern dienten, die es von Natur nicht sind", Gal 4, 8. In diesen Göttern hält Gott sie noch fest. In diesen Göttern wissen sie noch um Gott. Sie wissen freilich um ihn nicht mehr *als* Gott, d. h. als den „wahren und lebendigen Gott", zu dem sie sich vielmehr erst kehren müssen, 1 Thess 1, 10. Und *so* sind sie, die Götter haben, für Paulus οὐκ εἰδότες θεόν, Gal 4, 8, oder τὰ ἔθνη τὰ μὴ εἰδότα θεόν, 1 Thess 4, 5; vgl. 1 Kor 15, 34; auch 2 Thess 1, 8; Eph 2, 12[17]: solche, die Gott nicht kennen oder erkennen. Das ist analog einem anderen Tatbestand, der innerlich mit dem eben erwähnten zusammenhängt, auch wenn der Apostel diesen Zusammenhang nicht ausdrücklich entwickelt. Der geschichtliche Mensch, wie er von Adam her vorkommt, weiß nach Paulus auch noch um seine Verantwortlichkeit und um das Gesetz Gottes. Es kommt vor,

[17] Zu dem atl. Ausdruck vgl. Is 5, 13; 26, 13; Jr 24, 7; Job 18, 21; 36, 12. — Vgl. ThW V 120f, Art. οἶδα *(H. Seesemann)*.

daß der Heide danach handelt. Er weiß nicht nur darum, daß lasterhaftes Handeln Strafe verdient, Röm 1, 32, sondern er steht auch von dem ihm ins Herz geschriebenen Anspruch her — dem „Werk" der Liebe, das gefordert ist — unter dem Zeugnis des Gewissens, das solchen Anspruch vermittelt und das den Menschen in seinen Erwägungen verklagt oder verteidigt, je nachdem er handelt. So sind die Heiden selbst sich Gesetz, Röm 2, 14 f. Freilich gilt auch hier: sie vernehmen diese Stimme der Anweisungen Gottes aus dem Herzen durch das Gewissen, die nicht verstummt ist und nie verstummen wird, nicht *als* die Stimme Gottes, sondern als den Anruf der Götter oder der zu Gott erhobenen Welt und des Menschen selbst[18]. Das geht aus Gal 4, 8 ff hervor, wonach die heidnischen Galater sich von den als Göttern mißverstandenen kosmischen Mächten Gebote haben auferlegen lassen. Das heidnische Wissen um das Gebot Gottes mag dabei hinsichtlich seines Inhaltes hie und da sehr klar sein. Der Heide interpretiert dieses Gebot von vorneherein als Welt- oder Eigengebot, als Gebot der Götter. Er weiß also um dieses Gebot Gottes als um eines, bei dessen Erfüllung er letztlich seinen eigenen oder seiner Welt Anspruch erfüllt. Darin steht er im übrigen, wie aus Gal 4, 1 ff hervorgeht, auf einer Linie mit den Juden, deren Gesetzesverständnis und Gesetzeserfüllung nach Paulus eigen-mächtig und eigen-süchtig ist[19].

Der Tatbestand, daß der Heiden Wissen um Gott nur eine Weise ihres Gott-Nicht-Erkennens ist, läßt sie auch in jener Lebensferne und Fremde weilen, von der wir gesprochen haben. Sie erweist sich darin, daß der sich selbst und seiner Welt anheimgegebene, von Gott sich selbst und seiner Welt überlassene Mensch trotz des unermüdlichen Einspruchs des Gewissens in einer Flut von Lastern versinkt und sich selbst erschöpft, ja zerstört, Röm 1, 25 ff; Eph 4, 17 f. Die Spannung, in der das Geschöpf in seiner Gotteserkenntnis sich von Gott zu Gott hin, und damit in sich selbst, gehalten weiß, ist „erschlafft". So schweift der Mensch aus, sich und das Leben zu suchen, in Unzucht und Habgier[20]. Aber er findet sich nicht. Er findet sich erst, wenn er Gott wiedererkannt hat, oder wie Paulus selbst sich verbessert: wenn Gott ihn wiedererkannt hat.

II

Welcher Art ist solche Gotteserkenntnis? Halten wir uns auch zur Beantwortung dieser Frage einen paulinischen Leittext vor Augen. Es ist der Satz in 2 Kor 4, 6: „Der Gott, der da sprach: Aus der Finsternis leuchte

---

[18] Vgl. *H. Schlier,* Der Brief an die Galater ([12]1962) 201 f.

[19] Vgl. a. a. O. 176—188, Exkurs: Die Problematik des Gesetzes bei Paulus.

[20] Es sind die im Sinn des Paulus typisch heidnischen Laster.

Licht!, er ist es, der in unseren Herzen aufgeleuchtet ist, so daß hell wurde die Erkenntnis der Herrlichkeit Gottes auf dem Angesichte Christi." Paulus spricht hier davon, daß der Gott, der durch sein Schöpferwort hat Licht aufgehen lassen, noch einmal aufgeleuchtet ist[21], und zwar „in unseren Herzen". Dabei denkt er wohl an sein eigenes Herz[22], aber so, daß er sich in der Reihe vieler anderer sieht. Mit dem Lichtwerden des Herzens im Aufleuchten Gottes erstrahlte von neuem die „Erkenntnis" Gottes[23]. Das Aufleuchten Gottes ist das neue Aufleuchten seiner δόξα. Freilich ist es jetzt eine andere δόξα, nämlich die Glorie, die mit Jesus Christus als dem Abbild Gottes gegeben ist und in ihm zur Erscheinung kommt, vgl. 2 Kor 4, 4. Es ist nicht die majestas Gottes, die aus dem Geschaffenen in das Herz des Geschöpfes dringt und es Gott erkennen läßt, sondern der Machtglanz Gottes, der das Verhängnis des Herzens durch Jesus Christus durchbricht und seine Finsternis lichtet und neue Erkenntnis schafft. Paulus denkt dabei an den Vorgang, den er Gal 1, 12 als „Offenbarung Jesu Christi" (ἀποκάλυψις Ἰησοῦ Χριστοῦ) bezeichnet und als Ereignis dessen umschreibt, „daß Gott seinen Sohn mir offenbarte", Gal 1, 16[24]. Nach seinen anderen Aussagen vollzog sich diese Offenbarung so, daß Christus ihm „erschien" und er „unseren Herrn Jesus gesehen hat", 1 Kor 9, 1; 15, 8, daß Jesus Christus sich ihm also zu sehen gab. Gott leuchtete in der Offenbarung Jesu Christi dem Apostel auf, und so fiel der Glanz seiner Macht in des Apostels Herz und erleuchtete es zur Erkenntnis. Diese ist demnach nichts anderes als der Widerschein des in der Erscheinung des erhöhten Jesus Christus aufscheinenden Gottes.

---

[21] Λάμπειν ist trans. und (meist) intrans. gebraucht, vgl. ThW IV 17, 10 ff; 26, 4 ff. Wenn man ἔλαμψεν gleich dem λάμψει intrans. übersetzt, so ist eine äußere Parallelität der Begriffe gewahrt. Bei einer trans. Wiedergabe von ἔλαμψεν haben wir eine parallele Aussage zum ganzen Satz V. 6 a. Aber der Sache nach ist die Aussage, daß Gott in den Herzen aufleuchtete, kühner und vielleicht Paulus angemessener. Ἐν ταῖς καρδίαις ἡμῶν als εἰς τὰς καρδίας ἡμῶν zu verstehen, wie *Oepke*, ThW IV 26, 8 ff will, besteht keine Notwendigkeit.

[22] Das geht aus dem Gedankengang des Kontextes hervor, der von der apostolischen διακονία spricht. Paulus argumentiert, wenn wir seine Gedanken etwas zusammenzwingen, in 2 Kor 4, 1 ff etwa so: Wir verfälschen das Wort Gottes nicht, sondern lassen die Wahrheit an den Tag kommen. Wenn unser Evangelium manchen verborgen ist, so liegt es nicht an ihm, sondern an den verblendeten Herzen. Denn wir verkünden nur Christus Jesus als den Herrn. Denn in unseren Herzen ist Gott, und d. h. die Erkenntnis seiner Herrlichkeit in Christus, aufgeleuchtet. V. 6 knüpft über V. 5 hinweg, der eine Art Zwischengedanke mit Motiven aus V. 2 ist, an V. 4 an.

[23] Zum Begriff φωτισμὸς τῆς γνώσεως vgl. *J. Dupont*, a.a.O. 38: Os 10, 12 LXX; Sir 45, 17; Test XII Levi 4, 3 u. a.

[24] Zu ἐν ἐμοί vgl. *H. Schlier*, a.a.O. 55 f.

Paulus hebt noch ein anderes Moment hervor. Wie das Aufstrahlen der Herrlichkeit der Weisheit Gottes in dem Geschaffenen die Gotteserkenntnis zur Andacht des Gehorsams und Dankes überwältigte, so stellt auch die in der Erscheinung Jesu Christi aufgegangene Gotteserkenntnis eine Übermächtigung des Apostels dar. Phil 3, 12 nennt Paulus den Vorgang der Offenbarung Jesu Christi an ihn ein von Jesus Christus Ergriffen-worden-Sein. Dabei spielt das κατελήμφθην wohl auch hier in den Sinn von Begriffen-worden-Sein hinüber[25]. Das Aufleuchten Gottes und seiner Glorie auf dem Angesicht Jesu Christi im Herzen des Apostels, das den Widerschein der Erkenntnis Gottes hervorrief, riß ihn in dies Licht hinein und ließ ihn Gott und sich selbst und auch den Menschen, vgl. 2 Kor 5, 11, offenbar sein. Gotteserkenntnis ist Erkenntnis des von Gott Erkannten. Sie ist das Begreifen dessen, der (von Gott) begriffen ist.

Solche Erkenntnis Gottes gewinnt für Paulus Gestalt im Evangelium. Im Evangelium nimmt die apostolische Gotteserkenntnis das verschwiegene Wort[26] auf, das in der Offenbarung Jesu Christi ergangen ist. Paulus bringt sein Evangelium eng mit der Offenbarung der δόξα Jesu Christi zusammen. Er übernahm es keineswegs, sagt er Gal 1, 11 f; 1, 15 f; 2, 7, aus menschlicher Überlieferung und Belehrung, sondern es wurde ihm „auf dem Wege von Offenbarung" zuteil. Nach 2 Kor 4, 4 kann man im Glauben „das Licht des Evangeliums" sehen, in dem die δόξα τοῦ Χριστοῦ, ὅς ἐστιν εἰκὼν τοῦ θεοῦ aufleuchtet. Sein, des Apostels, Evangelium trägt den Glanz Gottes in sich, weil die Erkenntnis Gottes in seinem Herzen aufgeleuchtet ist. So läßt denn Gott auch durch den Apostel „den Duft seiner Erkenntnis" verbreiten und Paulus selbst einen „Wohlgeruch Christi" sein. Das aber als solchen, der „das Wort Gottes unverfälscht sagt" und „von Gott her vor Gott in Christus redet", 2 Kor 2, 14—17. Im Evangelium bringt sich der Aufglanz der Weisheit Gottes in Jesus Christus so zu Wort, daß ihr Abglanz, die Gotteserkenntnis, sich darin verkündet. Die Weisheit Gottes ist jetzt der gekreuzigte Jesus Christus. Wird das Evangelium oder, wie Paulus auch gern sagt, das Kerygma, gepredigt, so begegnet dieser als „Gottes Macht und Gottes Weisheit", 1 Kor 1, 24. Er ist den Gläubigen durch die Verkündigung „von Gott her Weisheit geworden", 1 Kor 1, 30. Die Weisheit Gottes, der gekreuzigte (und auferstandene) Jesus Christus, der als Erhöhter Paulus in seiner δόξα

---

[25] Vgl. *M. Dibelius*, An die Philipper ([2]1937) z. St.; *E. Lohmeyer*, Der Brief an die Philipper (1954) z. St.; *J. Dupont*, a. a. O. 501 ff. In Eph 3, 18 f steht καταλαβέσθαι neben γνῶναι. Auch auf Jo 1, 5 und 1, 10 f kann man verweisen, vgl. *W. Bauer*, Das Johannesevangelium ([3]1933) zu 1, 6; *R. Bultmann*, Das Evangelium des Johannes ([13]1953), Ergänzungsheft 1957 z. St.

[26] Auch hier könnte man mit Ps 18, 4 sagen: „Da sind nicht Sprache noch Worte."

erschien und so die Erkenntnis Gottes aufstrahlen ließ bis in das Evangelium hinein, kommt jetzt von dorther Juden und Heiden wieder entgegen. Die sich ihr im Glauben überlassen, erhalten Anteil an dieser Weisheit, d. h. an dem durch das Evangelium vermittelten Jesus Christus.

Aber Paulus kennt neben diesem grundlegenden und als solches bleibenden Evangelium auch eine zu ihm gehörende und es von innen entfaltende „Weisheitsrede“, ein σοφίαν λαλεῖν, 1 Kor 2, 6. Die apostolische Gotteserkenntnis umfaßt beides: einmal das Kerygma[27] als immer von neuem grundlegende Verkündigung der grundlegenden Offenbarung Jesu Christi, das im Glauben angenommen wird und aus dem der Glaube den gekreuzigten und auferstandenen Jesus Christus als die Weisheit Gottes anerkennt. Zweitens aber auch die geistgewirkte Auslegung des Kerygmas, die Ausfaltung Jesu Christi als der Weisheit Gottes im Geist für den, aus dessen hörendem Glauben sich die ihm implizite Erkenntnis erhebt.

Diese Unterscheidung läßt sich an zwei Beispielen aufhellen. In der berühmten Stelle 1 Kor 1, 17 ff redet Paulus gegenüber einer Gruppe von korinthischen Christen, die in den Geistesgaben und darunter besonders in dem Charisma der Gnosis, wie sie sie verstanden, die eschatologische Erfüllung sahen, davon, daß Gott alle menschliche Weisheit durch das in den Augen der Menschen „törichte“ Kerygma zunichte gemacht habe. Gott rette durch dieses törichte Kerygma von dem gekreuzigten Christus, der die Weisheit Gottes ist, die Glaubenden und nicht die Wissenden. Freilich habe auch er, Paulus, eine Weisheit, d. h. eine Gnosis[28], ein Wissen. Und diese Weisheit sei keineswegs „Weisheit der Welt“, 1 Kor 1, 20 27, „Weisheit dieses Äons“, 1 Kor 2, 6, Weisheit, die der Tiefsinn dieses mächtigen, aber vergänglichen Äons ist. Sie sei auch nicht Frucht menschlicher Einsicht, gewonnen auf der Suche nach ihr aus menschlicher Dialektik, 1 Kor 1, 19 20 22 27. Sie sei vielmehr unerhörte, ungeschaute, unbegreifliche, verborgene Weisheit, die nur als Geheimnis zu Wort kommt, 1 Kor 2, 7 9. Auch sie eröffnet sich nur durch „Offenbarung“,

---

[27] Vgl. Röm 16, 25; 1 Kor 1, 21; 2, 4; 15, 14; 2 Tim 4, 17; Tit 1, 3 mit verschiedenen Nuancen des Begriffes. Vgl. LThK² VI 122—125, Art. Kerygma. I. Im NT *(H. Schürmann); I. Hermann,* Kerygma und Kirche: Neutestamentliche Aufsätze, Festschrift J. Schmid (1963) 110—114.

[28] So darf man wohl sagen, da sich σοφία und γνῶσις für Paulus nicht wesentlich unterscheiden. 1 Kor 12, 8 ist mit *Lietzmann* u. a. (gegen *U. Wilkens,* a. a. O. 46 Anm. 1) als plerophorische Aussage zu verstehen, so wie Kol 2, 3 von den θησαυροὶ σοφίας καὶ γνώσεως die Rede ist, vgl. auch Phil 1, 9 ἐπίγνωσις und αἴσθησις. Nach Eph 1, 17 leitet sich die ἐπίγνωσις (τοῦ θεοῦ) von dem πνεῦμα σοφίας καὶ ἀποκαλύψεως her. Nach den Andeutungen von Eph 1, 8 f beruht die σοφία auf der γνῶσις. Nach Kol 1, 9 waltet die ἐνπίγνωσις ἐν (in der Weise von) πάσῃ σοφίᾳ καὶ συνέσει πνευματικῇ, vgl. auch Kol 2, 2, wo σύνεσις = ἐπίγνωσις zu sein scheint.

nämlich des offenbarenden Geistes, 1 Kor 2, 10. Die Offenbarung, die in der Erscheinung Jesu Christi in das Evangelium oder Kerygma hinein geschah und durch das Evangelium oder Kerygma weiterhin geschieht, setzt sich von da aus fort in der Offenbarung durch die erschließende Kraft des Geistes in der Form der Weisheitsrede. Der Geist Gottes, in dem Gott seine eigene Tiefe erschließt, in dem er als der „den Jesus von den Toten" erweckende Gott sich uns und uns sich erschließt, hält den geoffenbarten Jesus Christus und damit unsere offenbar gewordene Existenz offen, indem er ihn und sie mehr und mehr durch das Evangelium eröffnet. Diese immer tiefere und breitere Aufschließung des geoffenbarten Jesus Christus, und damit unserer Existenz, kommt zu Wort in dem σοφίαν λαλεῖν, der apostolischen Weisheitsrede. In ihren „geistbelehrten Worten", 1 Kor 2, 13, geschieht die legitime charismatische Explikation des Kerygmas. Weil sie dies ist, versteht sie nur der „Vollkommene", der „Geistesmensch", 1 Kor 2, 6 12 14; 3, 1. Das ist der, der das Kerygma nicht aufgibt oder gar verachtet, der es vielmehr als unüberholbar anerkennt und sich ihm im Glauben unterwirft und seinen Glauben in der Liebe wirksam werden läßt. Ihm, der sich darin der Weisheit Gottes in Jesus Christus offenhält, eröffnet sie sich mehr und mehr. Nach dem Zusammenhang von 1 Kor 2 geschieht das in der Weise, daß sie sich als die Weisheit Gottes enthüllt, die von Ewigkeit her zu unserer Glorie bestimmt ist, 1 Kor 2, 8. Mit ihr eröffnet sich, kann man auch nach 1 Kor 2, 12 sagen, das uns von Gott mit Jesus Christus Gewährte. Sie entfaltet also in sich selbst die Tat Gottes in Jesus Christus hinsichtlich ihres *Pro nobis,* ihrer Bedeutsamkeit für unsere Existenz[29].

---

[29] Zum mindesten also kann Paulus vom σοφίαν λαλεῖν des Apostels reden und ihm eine σοφία zubilligen. So ist es ihm gerade *nicht* „verwehrt . . . σοφία zugleich theologisch (bzw. christologisch) *und* anthropologisch zu fassen", wie *U. Wilkens,* a. a. O. 40, meint. Daß Paulus aber auch von der Weisheit bzw. dem Weise-sein der Christen der Sache nach reden kann, ergibt 1 Kor 12, 8; Eph 1, 8 17; Kol 1, 9; 3, 16 eindeutig. Oder — um nur das zu nennen — setzt der charismatische λόγος nicht charismatische Weisheit, also Weise-sein, in der Kraft des Geistes voraus? So liegt 1 Kor 3, 18 f auch nicht „die Destruktion jeglichen eigenen Weise-seins" vor, sondern jeglichen eigenmächtigen Weise-seins, und d. h. für Paulus: jeglicher Weisheit, die sich in ihrer Erkenntnis nicht mehr an das Kerygma gebunden weiß, sich nicht mehr zu ihm zurückrufen läßt, sondern meint, das Kerygma hinter sich lassen zu können. Man kann auch sagen: destruiert wird vom Apostel nicht die charismatische Weisheit der (im Glauben) weise gewordenen Christen, sondern die, die sich in ihrer Weisheit von dem immer zu bewahrenden „Prinzip" dieser Weisheit, dem Glauben, dispensieren wollen. Wer, von der Welt her gesehen, „töricht" geworden ist im Glauben, ist „weise". Er ist es in der Weise, daß diese seine Weisheit des Glaubens sich lebendig erweist in der charismatischen Weisheit, in die er sich erhebt. Vgl. *A. Schlatter,* a.a.O. 393: „Dadurch . . . daß der Apostel, als der, der die Weisheit Gottes kennt, unter der Gemeinde steht, erhält auch

Das andere Beispiel für die Weiterführung der Offenbarungsgnosis in der Geistesgnosis ist der gesamte Epheserbrief. In ihm erscheint ja das Kerygma im Licht der Weisheitsrede, in die es mündet, als solche. Der gesamte Vorgang der Offenbarung ist auf ihr Kundwerden in der charismatischen Gnosis ausgerichtet. So erklärt Paulus im 3. Kapitel, daß ihm „das Geheimnis" kraft Offenbarung bekannt geworden ist, 3, 3. Es ist das Geheimnis, „das in anderen Generationen nicht bekannt geworden ist, so wie es jetzt geoffenbart worden ist seinen heiligen Aposteln und Propheten *im Geist*", 3, 5. Er, der Apostel, „der Geringste aller Heiligen", führt dieses Geheimnis, das vor den bisherigen Äonen in Gott, dem Schöpfer, verborgen war, *durch das Evangelium* ins Licht herauf. So wird „die vielfältige *Weisheit* Gottes" kund, 3, 8 ff. Seine Einsicht in dieses Geheimnis kann man in seinem Brief nachlesen, 3, 4. Solche Interpretation des Evangeliums als Geistoffenbarung, also solches Ineinandersehen von Kerygma und Sophiarede im Sinn des 1 Kor ist aber möglich, ja geboten, weil auch unser Brief das geoffenbarte Geheimnis Gottes in Jesus Christus unter einem das Kerygma entfaltenden Aspekt sieht: daß in Jesus Christus Juden und Heiden geeint sind und aus seinem einen, einigenden Kreuzesleib der eine Leib aus Juden und Heiden, die Kirche, erwuchs, vgl. 2, 16; 3, 6 u. a. Jesus Christus tritt also auch in dieser Weisheitsrede unter dem Gesichtspunkt seiner Bedeutsamkeit für die Menschen ans Licht. Diesmal freilich in Hinsicht darauf, daß sie durch ihn aufeinander gewiesen und miteinander verbunden sind in seinem „mystischen" Leib, der Kirche. So bestätigt sich es auch in dieser Weise, daß für Paulus „die Erkenntnis der Herrlichkeit Gottes auf dem Angesicht Jesu Christi" in der grundlegenden Verkündigung des Kerygma *und* in seiner Entfaltung in der Weisheitsrede zur Sprache gebracht wird. Erkenntnis Gottes ist, auf den Apostel gesehen, Antwort auf die Offenbarung des im Geist anwesenden Jesus Christus. So verdichtet sie sich zum Kerygma und zur Weisheitsrede, die nicht zu trennen, aber wohl zu unterscheiden sind. Das

---

sie den Anteil an ihr, und dieser beruht nicht bloß auf dem apostolischen Wort, weil auch sie, nicht bloß der Apostel, den Geist empfängt, so daß ihr durch das Glauben ein vom Geist geleitetes Forschen möglich wird. Paulus hat ihm eine unbegrenzte Verheißung gegeben. Der, der in der Leitung des Geistes steht, wird zwar allen anderen unverständlich; ihm selber aber wird alles zugänglich, 2, 15. Durch ihn wird Christus uns zur Weisheit, 1, 30, und da das ganze Wirken Gottes in ihm die Vermittlung hat . . . wird die Erkenntnis des Christus in den Vollkommenen zu einer Totalität der Erkenntnisse, die wahrhaft Gottes Weisheit, Aufnahme des göttlichen Denkens ins eigne Erkennen ist, 2 Kor 4, 6; Kol 2, 3." Vgl. zur Auseinandersetzung *U. Wilkens* mit meiner These (Kerygma und Sophia: Die Zeit der Kirche, 1956, 206—232) seinen Aufsatz „Kreuz und Weisheit": Kerygma und Dogma 3 (1957) 77—108.

weist schon darauf hin, daß die Erkenntnis Gottes im Glauben gewonnen und zur Weisheit ausreifen kann.

In beiden, im Kerygma und in der Sophia, kommt daher auch „die Gnade" Gottes zur Geltung. Mit dem Evangelium, in das hinein sich die Offenbarung Jesu Christi ausprägte und die Gotteserkenntnis zur Sprache kam, ist dem Apostel nach Gal 2, 7 ff „die Gnade gegeben worden". Eben diese Gnade kommt auch zum Vollzug in der Aufdeckung des Geheimnisses Gottes im Geist, die an und durch den Apostel geschieht, Eph 3, 2 7 8 f. Mit der Gotteserkenntnis, die in Jesus Christus aufgeleuchtet ist, hebt diese Gnade an. Gotteserkenntnis, verwahrt im Kerygma und in der Weisheitsrede, ist selbst Gnadengeschehen.

III

Die apostolische Gotteserkenntnis setzt sich fort und um in die Gotteserkenntnis der Gläubigen. Wo Paulus diese erwähnt, läßt er an ihr noch eine Reihe von Zügen erkennen, die bisher nicht zur Geltung kamen.

Gotteserkenntnis kann ein umfassender Ausdruck dafür sein, daß die Heiden Christen geworden sind. „Nun aber habt ihr Gott erkannt", schreibt Paulus an die galatischen Christen, Gal 4, 8. Diese Erkenntnis geschah auf das Evangelium hin, Gal 1, 8 f; 3, 1 ff; 4, 13, das der Ruf Gottes ist, Gal 1, 6; 5, 8 13 u. a. m. Das Evangelium, in dem die Gotteserkenntnis zur Sprache kommt, ruft diese bei den Hörenden hervor und entzündet neue Erkenntnis. Auch die Gotteserkenntnis der Gläubigen ist Antwort, nämlich auf das Wort, das die apostolische Erkenntnis den Menschen anträgt. Das wird z. B. 1 Kor 1, 4 ff ausgesprochen, wo der Apostel Gott für die Gnade dankt, die er der Gemeinde gegeben hat, d. h. aber dafür, „daß ihr in allem reich geworden seid in ihm (Christus), in allem Wort und aller Erkenntnis, kraft dessen[30], daß das Zeugnis von Jesus Christus unter euch gefestigt worden ist". Gott schüttet seine Gnade auch in der Form der Erkenntnis aus, die neben anderen Charismen auf Grund der Verkündigung des Evangeliums erwachte. Die Kundgabe des Evangeliums nimmt hier die Stelle der Selbstkundgabe Jesu Christi an den Apostel ein. Der, wie Paulus sagt, „unter euch durch uns verkündete Jesus Christus", 2 Kor 1, 19, erweckt die Gnosis. Er erweckt sie durch seinen schon im Evangelium waltenden Geist, vgl. 2 Kor 3, 7 ff; Röm 15, 18; 1 Kor 2, 13; 2 Kor 10, 4; Eph 6, 17 u. a. In seiner Kraft hält sich Jesus Christus im Evangelium offen, in ihr eröffnet er sich durch das

---

[30] Καθώς hat bekanntlich auch begründenden Sinn, z. B. 1 Kor 1, 6; Röm 1, 28; 15, 7; Eph 1, 4; 4, 32; Phil 1, 7. Vgl. W. *Bauer* s. v.; *Blass-Debrunner*, a. a. O. § 453, 2.

Evangelium zur Erkenntnis der Gläubigen. So kann Paulus 1 Kor 12, 7f sagen: „Dem einen wird durch den Geist ein Weisheitswort gegeben, einem anderen aber ein Wort der Erkenntnis nach demselben Geist ..." So kann er Eph 1, 17f bitten: „Gott gebe euch Geist der Weisheit und Offenbarung, ihn (Gott) zu erkennen, die Augen des Herzens erleuchtet...", vgl. Eph 3, 16ff; 5, 17ff; auch 1 Kor 2, 13. Wo diese Gotteserkenntnis entsteht — im erleuchteten Herzen! —, da erschließt sich Jesus Christus mittels des Evangeliums in der Kraft des Geistes den Glaubenden.

Auch solche Gotteserkenntnis der Gläubigen stellt wiederum den Ausweis dessen dar, daß sie von Gott erkannt sind. So heißt es an der schon erwähnten Stelle Gal 4, 8: „Nun aber habt ihr Gott erkannt, vielmehr seid ihr von Gott erkannt worden." Und 1 Kor 8, 2, einem Text, der uns noch mehr beschäftigen wird, sagt Paulus: „Wenn einer meint, er habe erkannt, der hat noch nicht erkannt, wie man erkennen muß. Wenn einer Gott liebt, der ist von ihm erkannt." Und endlich lautet 1 Kor 13, 12: „Jetzt erkennen wir stückweise, dann werde ich erkennen, wie ich auch erkannt bin." Auch diese Gotteserkenntnis, die durch das Evangelium erweckt wird, ist ein eigens Eingehen (im Erkennen!) in das von Gott Erkanntsein. Sie ist die An-erkennung der Erkenntnis, die Gott uns so zu-erkannt hat, daß wir in ihr als Erkannte stehen[31]. Das Evangelium wird verkündet. In seinem Wort stellt Gott den Menschen, so wie er ihn in Jesus Christus anerkennt, ins Licht. Wer diese Kunde gehorsam anerkennt, läßt sich erkennend auf diese Annahme durch Gott ein. Er antwortet seinem von Gott Erkanntsein. Damit antwortet er aber dem, daß er von Gott von jeher und allem zuvor erkannt ist. „Die er zuvor erkannt hat, hat er auch zuvor bestimmt ... die er zuvor bestimmt hat, hat er auch gerufen ...", Röm 8, 29f. So ist Gotteserkenntnis nichts anderes als das eigens Eingehen auf das immer schon geschehene Erkanntsein durch Gott, das im Evangelium zur Sprache kam und für mich Ereignis wurde. Sie ist nichts anderes als das eigens Sich-Einlassen auf meine ewige Definition durch Gott in Jesus Christus. Sie ist der durch das Evangelium er-eignete Vollzug der in Ewigkeit in Christus von Gott vorgesehenen Eröffnung des menschlichen Daseins für Gott.

Ist aber die Gotteserkenntnis in dieser Weise eine Antwort auf das Wort der im Evangelium fixierten und uns angehenden Gotteserkenntnis des Apostels, so hat sie, wie wir nebenbei schon öfters bemerkten, eine einzigartige Beziehung zum Glauben. Der Glaube, der nach Paulus in

---

[31] Ob Paulus nicht auch 2 Kor 6, 9: ὡς ἀγνοούμενοι καὶ ἐπιγινωσκόμενοι daran denkt, daß er, der bei Menschen Unbekannte, bei Gott bekannt, weil erkannt, ist?

sich die Abkehr von den Göttern und die Hinkehr zum lebendigen und wirklichen Gott vollzieht, 1 Thess 1, 9, ist *die* gehorsame Übernahme der im Evangelium zu Gehör gebrachten Erkenntnis Gottes. Auf das Gehörte hörend, wird der Glaubende im Glauben Gott gehorsam, ihm zu gehören. So schließt der Glaube als Hören schon die Erkenntnis ein, die im Gehörten des Evangeliums aufgeschlossen ist. So kann „glauben" mit „erkennen" bzw. „wissen" (εἰδέναι) wechseln, wie z.B. Röm 6, 3 ff; 2 Kor 4, 13 f, und „erkennen" bzw. „wissen" kann an die Stelle von „glauben" treten, wie z. B. Röm 8, 28; 13, 11; 2 Kor 1, 7; 5, 1 6. So kann Paulus einmal sagen, daß er Gnade und Apostolat empfangen habe, um den Glaubensgehorsam zu erwecken, Röm 1, 7, ein andermal, daß Gott ihn überall den „Duft der Erkenntnis" verbreiten läßt, 2 Kor 2, 14. Die Beseitigung jedes Bollwerks, das gegen die Erkenntnis aufgerichtet ist, geschieht, indem der Apostel alles Denken in den Gehorsam Christi gefangennimmt, 2 Kor 10, 5. Aber die Erkenntnis, die mit dem Glauben gegeben ist, kann sich auch aus ihm erheben. Der Glaube kann und soll im Erkennen zum reifen Glauben werden. Der Mangel an Glaube, von dem Röm 14, 1 spricht, meint Mangel an Erkenntnis des Glaubens, vgl. Röm 14, 5. Wiederholt appelliert Paulus an diese und sucht sie zu fördern, z.B. Röm 6, 3 11; 2 Kor 5, 1; 8, 9; 1 Thess 5, 2[32]. So soll sich die Erbauung der Kirche vollziehen, „bis wir alle gelangen zur Einheit des Glaubens und der Erkenntnis des Sohnes Gottes ...", Eph 4, 13. Philemons „Anteilhabe am Glauben" möge „wirksam werden als Erkenntnis all des Guten, das in uns ist, auf Christus hin", Phm 6[33]. Daß diese Erkenntnis, in die der Glaube sich erhebt, diesen als Basis stets verwahren muß, zeigt, worauf wir schon verwiesen, die Auseinandersetzung des Apostels mit den korinthischen Enthusiasten. Das Charisma der Gotteserkenntnis kommt nur dem zu und bleibt nur bei dem, der sich im Glauben dem Evangelium und darin Christus Jesus, in dem er ja erkannt ist, offenhält. Im Gehorsam des Glaubens, von dem sie herkommt, in dem sie bewahrt wird, zu dem sie sich zurückrufen läßt, erweist sich ihre Wahrheit. In ihm gründet ja auch, als Kennzeichen dieser Wahrheit, ihre grundsätzliche Gemeinsamkeit. Erkenntnis Gottes ist als Entfaltung der allen gebotenen und im Glauben gewährten Erkenntnis des Kerygmas trotz aller individuellen Erfahrung, die sie darstellt, prinzipiell nie Privaterkenntnis, vgl. Eph 3, 18; 4, 13.

Die Erkenntnis Gottes ist aber auch mit der Liebe verbunden. Sie ist das in einem inneren und wesentlichen Sinn und in dem Maß, daß sie

---

[32] Vgl. *R. Bultmann*, Theologie des Neuen Testaments ([3]1958) 326 ff.

[33] Im übrigen wird hier wie auch an anderen Stellen deutlich, daß die Glaubenserkenntnis sich auf den in Christus Jesus geschehenen *und* geforderten Willen Gottes bezieht.

ohne Liebe nichts ist. „Und wenn ich prophetisch verkünde und alle Geheimnisse weiß und alle Erkenntnis (habe) ... und habe die Liebe nicht, so bin ich nichts“, heißt es 1 Kor 13, 2. Die Liebe gibt dem Erkennenden und damit seiner Erkenntnis Realität. Dasselbe besagen jene Sätze in 1 Kor 8, 1ff, die wir schon berührt haben: „Wir wissen, daß wir alle Erkenntnis haben. Die Erkenntnis bläht auf, die Liebe aber baut auf. Wenn einer meint, etwas erkannt zu haben, so hat er noch nicht erkannt, wie man erkennen muß. Wenn einer Gott liebt, der ist von ihm erkannt.“ Die Liebe zu Gott schließt die Erkenntnis ein, die das Von-Gott-Erkanntsein im eigenen Erkennen vollzieht. Die Liebe zu Gott erweist sich aber, wie die folgenden Darlegungen des Apostels zeigen, in der Liebe zum Bruder, den (in diesem Fall) die eigene Erkenntnis noch nicht von der Götterfurcht frei gemacht hat. Nur die Erkenntnis ist wirkliche Erkenntnis, die sich in solcher Liebe bewegt und deshalb sich nicht auf alle Fälle, auch wenn durch sie das Gewissen des Bruders verletzt würde, durchsetzen will. Das wäre ja auch eine Erkenntnis, die sich nicht als Gabe verstünde, sondern als eigene Leistung, deren man sich „rühmt“, auf die man vertraut, aus der man sich erbaut, die man daher auch selbst sichern muß. Die wahre Erkenntnis kann um der Liebe willen zwar nicht auf das verzichten, was sie erkannt hat, z. B. auf die Gewißheit, daß es keine Götter gibt, sondern nur den Gott und Vater Jesu Christi, aber sie kann darauf verzichten, sich gegen das Gewissen des Bruders auf alle Fälle zur Geltung zu bringen. Was sie erkannt hat, ist ihr ja in ihrem Erkanntsein zugesprochen. Aber gerade deshalb kann sie ohne Sorge sein, wenn sie unter Umständen der Liebe den Vortritt läßt. Sie, die wahre Gotteserkenntnis, kann gerade in solcher verzichtenden Liebe zur Geltung kommen. Gotteserkenntnis ist empfangene und deshalb um der Liebe willen sich freigebende Erkenntnis. Sie teilt die Freiheit der Liebe, indem sie ihren Anspruch von der Liebe bestimmen läßt. Sie „sagt die Wahrheit in Liebe“, Eph 4, 15. Kann sie sich der Liebe überlassen, ohne selbst verlorenzugehen, so kann umgekehrt die Liebe sich in die Erkenntnis einlassen und sich in ihr auswirken. Davon spricht Paulus Kol 2, 2, wo die Verbundenheit in der Liebe die Voraussetzung dafür ist, daß die getrösteten Herzen zur Fülle der Einsicht, zur Erkenntnis des Geheimnisses Gottes, gelangen. Und Phil 1, 9 betet der Apostel, die Liebe der Christen möge mehr und mehr zunehmen an Erkenntnis und Verständnis. So nur können sie unterscheiden und entscheiden, worauf es jeweils ankommt, und makellos am Tage Christi dastehen. Die Liebe trägt Erkenntnis des Willens Gottes in sich. Aber es ist das apostolische Gebet, daß diese Erkenntnis sich mehr und mehr erhebe und mit und in ihr wiederum sich die Liebe mehre. So wie der Glaube, so kann auch die

Liebe zur Erkenntnis reifen. Diese bleibt aber an beide gebunden. Dazu erinnern wir noch einmal an den 1. Korintherbrief. Dort betont, wie wir sahen, Paulus gegenüber einer Gruppe von Enthusiasten, die in ihrer Gnosis sich vom Kerygma lösen wollen, daß alle Gnosis aus dem Kerygma erwächst. Dort macht er aber auch darauf aufmerksam, daß solche Gnosis nur etwas für die „Vollkommenen" ist. Das sind für ihn aber nicht die, welche dem apostolischen Kerygma entflohen und in die vermeintlichen Tiefen eigener Erkenntnis sich hinabgelassen haben, sondern die, welche in der Bindung an das Kerygma in Liebe einander ertragen und die Einheit der Kirche bewahren. Nur ihnen vermag Paulus die apostolische Weisheit zu sagen, weil nur sie sie ohne Schaden begreifen. Nur im Glauben löst sich der Mensch von sich selbst ab, und nur in der Liebe gibt er sich frei. So geht er auch nur in Glaube und Liebe ein in die von Gott zukommende Erkenntnis. Gott gibt sich nur dem zu erkennen, der in die Offenheit des von Gott erkannten Lebens eintritt und in ihr verharrt.

Solche Gotteserkenntnis kann den Charakter einer immer tieferen Erfahrung gewinnen. Es gibt für Paulus nicht nur Unterschiede, sondern auch Fortschritte in der Gotteserkenntnis. Der durch die überschwengliche Erkenntnis Christi vom Selbstvertrauen auf Herkunft und Leistung gelöste und an die Gerechtigkeit Christi gebundene Apostel will „Christus gewinnen und in ihm erfunden werden". Und er will es, *um* „ihn zu erkennen und die Macht seiner Auferstehung und die Gemeinschaft seiner Leiden als einer, der sich seinem Tod angleicht, ob ich wohl zur Auferstehung von den Toten gelange", Phil 3, 8 ff. Christus erkannt haben, und das ist Gott erkannt haben, das heißt in eine ununterbrochene Bewegung der Erkenntnis im Zusammenhang mit einer ununterbrochenen Bewegung des gesamten Lebens eingehen, die durch den eigenen Tod zur Auferstehung Christi gelangt. Wer wie Paulus von Christus ergriffen ist, greift nach ihm aus in einer einzigen ergreifenden Bewegung zu ihm hin. „Nicht daß ich es schon ergriffen hätte oder schon vollkommen wäre, ich jage ihm aber nach, ob ich es ergreife, weil ich von Christus ergriffen bin. Brüder, ich meine nicht, daß ich es ergriffen habe. Eines aber: das, was hinter mir liegt, vergesse ich und strecke mich nach dem aus, was vor Augen steht, und jage dem Ziel entgegen, hin zu dem Kampfpreis, zur Berufung Gottes, droben, in Jesus Christus" — lautet das apostolische Bekenntnis von der nie genugsamen apostolischen Erkenntnis, Phil 3, 12—14. Hier wird im übrigen das Erkennen wieder als ein nie endendes existentielles Eingehen in den das gesamte Leben eröffnenden Ruf Gottes in Jesus Christus beschrieben. Die Gotteserkenntnis wird als eine immer intensivere Erfahrung des Mitsterbens mit Christus beschrieben. Damit wird sie aber auch eine Erfahrung, die über das Erkennen hinausweist und hinausgeht. Phil 3, 8 deutet Paulus die Überschwenglichkeit schon der grundlegenden Erkenntnis Christi an. Phil 4, 7 weiß er von einem Frieden, der alles Denken übersteigt. Und Eph 3, 20 sagt er, daß Gott „überschwenglich über alles hinaus, was wir verstehen", handeln kann. Die überschwengliche Erkenntnis hat ihre Grenze an den unfaßbaren Gaben Gottes. Aber an dieser Grenze hört sie nicht auf, sondern transzendiert sich in der sprachlosen Erfahrung. Davon redet Paulus in Eph 3, 16—19. Dort bittet er Gott, den Vater, „er möge es euch gewähren kraft des Reichtums seiner Glorie, stark und mächtig zu werden durch seinen Geist im inwendigen Menschen, daß Christus in euren Herzen wohne durch den Glauben und ihr in der Liebe wurzelt und gründet, damit ihr imstande seid, zusammen mit allen Heiligen zu begreifen, welches die Länge und Breite und Höhe und Tiefe sei, und zu erkennen die Liebe Christi, die alle Erkenntnis übersteigt, auf daß ihr in die ganze Fülle Gottes einbezogen werdet". Wir können den schwierigen Text hier nicht ausbreiten[34]. Aber auch einem flüchtigen Blick zeigt er noch einmal eine Reihe von Grundzügen dessen, was nach Paulus Gotteserkenntnis ist, und ergänzt sie zugleich. Die Erkenntnis wird erbeten. Sie ist eine Gabe. Sie ist Erkenntnis „des inwendigen Menschen", des neuen Geschöpfes, das durch den Geist in der Kraft der überwältigenden Glorie Gottes stark und mächtig wird. Sie setzt den Glauben voraus, in dem sich Christus unser Herz einräumt, und ein in der Liebe gewiß gegründetes Leben. Sie „ergreift". Sie ergreift im Begreifen. Sie begreift nicht für sich allein, sondern in der Gemeinschaft aller „Heiligen", der Kirche. Sie begreift „die Länge und Breite und Höhe und Tiefe". Damit ist chiffrenhaft entweder der alle Dimensionen umfassende Leib Christi am Kreuz oder die Kirche als der universale Himmelsbau gemeint. Die Erkenntnis erkennt jedenfalls das in Christus geschenkte allumfassende Heil. Aber sie erkennt noch mehr. Sie „erkennt" etwas, was sie übersteigt[35]: die in solchem Heil waltende Liebe Christi. Sie erkennt sie nicht mehr erkennend. Und diese Erkenntnis, die in der schweigenden Überwältigung durch das Erkannte endet, das doch nicht mehr erkannt werden kann, zieht den so Erkennenden, dessen Erkenntnis, wenn man so sagen darf, in der Erfahrung zerbricht[36], in die „ganze Fülle Gottes" hinein. Ihr widerfährt Erfüllung.

---

[34] Ich verweise dazu auf meinen Kommentar zum Epheserbrief ([4]1963) 167 ff. Vgl. zum Ganzen jetzt auch *L. Cerfaux,* Le Christ dans la théologie de S. Paul (1962) 461 ff.

[35] Vgl. *J. Dupont,* a. a. O. 493 ff.

[36] Man denkt unwillkürlich daran, daß die Summa theologica des hl. Thomas unvollendet geblieben ist. Nach *J. Pieper,* Hinführung zu Thomas von Aquin (1958) 219 f, hat Thomas „eines genau datierbaren Tages, am 6. Dezember 1273, von der Feier des Meß-

Aber selbst sie, die in solchem Überschwenglichen mündet und vor der Liebe Christi im Schweigen versinkt, Gottes Fülle erfahrend, ist etwas Unvollkommenes und Vorläufiges. Sie ist „Stückwerk". Sie erkennt das Erkannte nur in rätselhafter Spiegelung. Sie ist Lallen von Unmündigen. Sie wird nicht bleiben, sie wird abgetan. Das eigentliche Erkennen, auf das sie nur hinweist, wird kommen, wenn das Vollkommene sich einstellt. Auch das wird ein Erkennen sein. Insofern trägt unser Erkennen jenes schon in sich. Aber es wird ein anderes Erkennen sein, ein entschränktes, unmittelbares, bleibendes, ein Erkennen von Angesicht zu Angesicht. Es wird dem Erkennen ähnlich sein, mit dem Gott mich erkannt hat. Denn es ist so: „... wir gehen (— auch im tiefsten Erkennen auf Erden —) den Weg des Glaubens, nicht des Schauens", 2 Kor 5, 7. Und: „Wir sehen jetzt in einem Spiegel rätselhaft, dann aber von Angesicht zu Angesicht. Jetzt erkenne ich von ungefähr. Dann aber werde ich erkennen, so wie ich erkannt bin", 1 Kor 13, 12.

Versuchen wir zum Schluß, die entscheidenden Züge der Gotteserkenntnis, wie der Apostel Paulus sie versteht, zusammenzufassen. Die Erkenntnis Gottes beruht darauf, daß Gott sich zu erkennen gibt. Er macht sich als der Schöpfer in seiner ewigen Macht und Göttlichkeit dem Geschöpf durch das Geschaffene offenbar. Der Machtglanz seiner Weisheit im Geschaffenen läßt dieses in ihrem Ruf stehen. Gott-Erkennen, das ist das eigens Sich-Einlassen des Geschöpfes in das Wort dieses Rufes und in sein Schweigen. Es geschieht im nachdenkenden und andenkenden Herzen, das seine verstehende Andacht im Ansehen Gottes und im Dank verwahrt. In solchem Erkennen waltet die Offenheit des geschöpflichen Lebens zu Gott und zum Geschaffenen. In ihm wird die Nähe des Lebens zu Gott gehütet.

Des geschichtlichen Menschen Gotteserkenntnis ist (von Adam her) gestört, getrübt, verwirrt. Die Erkenntnis des geschichtlichen Menschen vollzieht sich immer schon im Zwielicht der „Eitelkeit" eines durch Ungehorsam und Undank bestimmten Herzens. Jetzt geschieht das Sich-Einlassen in den Anruf des Schöpfers aus der Schöpfung im Selbstsüchtig-Vagen der fundamentalen Indifferenz. Sie spielt die Auslegung der auf Gott weisenden Schöpfung hinüber in die Ankündigung einer auf sich weisenden Welt. Gott-Erkennen vollzieht sich im Gottestausch als Gott-Verkennen. Gott begegnet in den Göttern. Das Geschöpf erfährt sich als Schöpfer. Gottes Wille wird vernommen als göttlicher Wille der Welt.

---

opfers in seine Zelle zurückkehrend, erklärt, es widerstrebe ihm, weiterzuschreiben. ‚Alles, was ich geschrieben habe, erscheint mir wie Stroh — verglichen mit dem, was ich geschaut habe und was mir offenbart worden ist.'"

So erschließt sich in der Gotteserkenntnis der Heiden nicht mehr die Wahrheit, die unverborgene und gültige Wirklichkeit der Dinge als solche, sondern nur noch unter dem Schleier des Zweideutigen, der Lüge. So ersteht eine Lebensferne des heidnischen Daseins, das für Paulus ja auch durch Trunkenheit und Weltenschlaf charakterisiert wird[37]. Wie im Traum zerstört sich das Leben, das von Gott nur mehr in Göttern träumt.

Noch einmal leuchtet die Gotteserkenntnis rein auf. Sie erhebt sich inmitten der Götter und der Weltapotheose. Gott läßt noch einmal und endgültig in dieser Welt den Machtglanz seiner Weisheit aufgehen, jetzt die Glorie und Weisheit des leidenden Gottes in dem geschichtlichen Menschen Jesus von Nazareth, dem Gekreuzigten und Auferstandenen. Jetzt sammelt sich Gottes Doxa, das leuchtende Gewicht seiner Weisheit, an diesem Ort und bricht in dieser Person in die Götterwelt des Welt-Gottes ein. Jetzt ist das Wort dieser Doxa ein konkret geschichtliches Wort in dem Evangelium und der Weisheitsrede der Apostel und Propheten, in die hinein es offenbar geworden ist. Und jetzt geschieht das Sich-Einlassen in dieses Wort, welches ist die Gotteserkenntnis, im Glauben. Gotteserkenntnis ersteht jetzt im Durchbruch eines verschlossenen Herzens, der ein Abbruch des bisherigen Weges und ein Aufbruch zu dem in der Geschichte erschienenen Gott am Kreuz ist, seinem Wort zu antworten im neuen Begreifen. Gotteserkenntnis birgt sich und verweilt in der Liebe, die den im Glauben zu Gott hin offenen Menschen offenhält und sich schon im verborgenen Gespräch der Erkenntnis bewegt. Es ist die Liebe, die der erwiesenen Liebe der Erscheinung Gottes in Jesus Christus entgegenliebt, in der auch die Liebe des Geschöpfes wieder zu sich kommt. In der Gotteserkenntnis reifen Glaube und Liebe aus. Sie ist in der Kraft des lichtenden Geistes der Lebensvorgang, unter dem sich Gott und Mensch in Christus erschließen. Sie geschieht im Zuge immer tieferer Erfahrung der Liebe Christi, die alle Erkenntnis transzendiert. So ist sie immer auf dem Wege dahin, sich in das Sprachlose zu entsetzen. Aber sie ist nur eine kindliche Vorwegnahme der eigentlichen Erkenntnis, die nicht mehr erkennt, sondern schaut.

---

[37] Vgl. z. B. 1 Kor 16, 13; 1 Thess 5, 6 ff; Eph 5, 14.

DIE KIRCHE UND DIE PARUSIE JESU CHRISTI

VON WILFRIED JOEST, ERLANGEN[1]

Reden wir von der Parusie Jesu Christi, so reden wir vom Kommen der Gottesherrschaft. Beide Themen liegen in der eschatologischen Verkündigung des Neuen Testamentes schlechthin ineinander. Das zeigt sich schon äußerlich etwa daran, daß in der Überlieferung eines und desselben Logions „Wahrlich, ich sage euch, es sind einige, die den Tod nicht schmekken werden" Markus fortfährt: „bis sie sehen kommen die *Königsherrschaft Gottes* mit Macht" und Matthäus dafür einsetzen kann: „bis sie sehen kommen *des Menschen Sohn* in seiner Königsherrschaft". Das Ineinander der beiden Themen zeigt sich auch strukturell daran, daß beide im Neuen Testament in derselben Spannung von Gekommen*sein* und Kommen*werden* erscheinen. Jesus *ist* gekommen, er *hat* vollbracht, ja er ist als der Auferweckte und Erhöhte am Ziel seines Weges. Und doch sind die neutestamentlichen Zeugen, die dies sagen, ganz dahin ausgerichtet, daß er zu einem letzten Ende kommen *wird:* Marana tha. Die Gottesherrschaft ἔφθασεν ἐφ' ὑμᾶς, sie ist ἔντος ὑμῖν — so haben sie die Botschaft des Fleischgewordenen verstanden. Und doch bewahren sie seine Worte auf, die die *Zukunft* der Gottesherrschaft erwarten heißen. Wir können auch in der dogmatischen Reflexion die beiden Themen: Parusie Jesu Christi und Kommen der Gottesherrschaft, nicht auseinandernehmen, sondern wollen sie im Folgenden als *ein* Thema behandeln, und zwar so, daß wir dieses Thema in der ihm eigenen, soeben angedeuteten Zusammengehörigkeit von Perfectum und Futurum zu erfassen suchen. Es kommt uns dabei darauf an, zu verstehen, inwiefern das *künftige* Kommen Jesu und des Reiches kein „Anhang" ist, der zu einer *gegenwärtigen* Bedeutung Jesu und des Reiches nur wie ein Weiteres (und dann eventuell

[1] Diese Ausführungen wurden zusammen mit einem Vortrag von Karl Rahner über dasselbe Thema auf der Tagung eines katholischen und evangelischen Arbeitskreises in Paderborn am 3. 4. 1963 vorgetragen. Mögen sie den verehrten Kollegen nun zu seinem sechzigsten Geburtstag grüßen in dankbarer Erinnerung an vieles Gemeinsame, was wir trotz bleibender Unterschiede gerade zu diesem Thema sagen konnten.

auch zu Entbehrendes oder zu Eliminierendes) hinzukäme, sondern genau diejenige Zukunft, die durch das im Fleisch vollbrachte Werk Jesu eröffnet ist. Es soll gezeigt werden, daß die Hoffnung auf das „endliche" Kommen des Herrn und des Reiches genau in den Glauben an das in Jesus *gegenwärtig* geltende Evangelium hineingehört, so daß dieser Glaube ohne sie das nicht sein könnte, was er ist. In dieser Umklammerung durch das Perfectum, das auf Futurum hin ausrichtet, soll dann die Wirklichkeit der Kirche auf Erden verstanden werden.

I. Das Kommen und Werk Jesu Christi in der Zeit — der Grund des Glaubens an seine Zukunft zum Reich

Warum schließt der Glaube, mit dem wir jetzt an den gegenwärtigen Jesus Christus auf sein vollbrachtes Werk hin glauben, die Erwartung seiner Parusie zu einer künftigen Gottesherrschaft in sich ein? Warum ist dies nicht spekulativer Anhang, sondern integrierendes Element des Glaubens?

1. Wir können in einer ersten Annäherung sagen: Weil dieser Glaube sich an das *Wort* Jesu hält. Jesus aber hat das Kommen der Gottesherrschaft gepredigt. Daß dies *das* Thema seiner Verkündigung war, wird kaum bestritten werden. Umstritten war und ist freilich vielfach die Frage, was Jesus unter der Gottesherrschaft verstanden hat, deren Kommen er verkündigte. Wir können der Diskussion dieser Frage hier nicht nachgehen, sind aber der Überzeugung, daß nicht nur in der (eventuell einem „Reapokalyptisierungsprozeß" erlegenen) Meinung der Evangelien in ihrer Endreaktion, sondern auch in der Meinung Jesu selbst hier von der Zukunft der Weltzeit schlechthin die Rede ist. Wie immer das präsentische Moment in Jesu Ankündigung der Gottesherrschaft zu verstehen sein mag — gemeint ist mit ihr weder ein je gegenwärtiges Ereignis innerer Gottesgemeinschaft noch etwa gar eine in immanenter Entwicklung heraufkommende neue Geschichtsepoche. Gemeint ist das von Gott allein heraufzuführende Ziel alles geschöpflichen Lebens und Ende aller seiner geschichtlichen Entwicklungen und Verwicklungen. Das Kommen der Gottesherrschaft ist der endgültige Sieg der Gottesgerechtigkeit über die Sünde in der irdischen Lebenswirklichkeit des einzelnen Menschen wie der Menschheit im Ganzen und über die in der Sünde herrschende satanische Macht. Das Kommen der Gottesherrschaft ist in eins damit das Vollendungsziel, dem Gott der Schöpfer von Anfang an mit seiner Schöpfung entgegenzielt und das er endlich, allen Widerstreit überwindend, heraufführen wird. Auch im Judentum der Zeit Jesu erwartete man ein

solches Ziel, und Jesu Verkündigung des kommenden Gottesreiches *bezieht* sich auf diese Erwartung. Darin wird die „konsequente Eschatologie" gegenüber modernisierenden Umdeutungen recht behalten. Aber allerdings: Jesu Reichsverkündigung richtet diese Erwartungen zugleich zurecht und sagt ihnen gegenüber ein Neues. Das Zurechtrichtende liegt in der Abwehr des politischen wie des pharisäischen Mißverständnisses: denen, die das *Kreuz* tragen, wird die Teilhabe am Reich verheißen, *Sünder* werden zu ihm gerufen. Das Zurechtrichtende liegt auch in der Ablehnung eines apokalyptischen Terminkalenders, der das Kommen der Wege Gottes an ihr Ziel überschauen und berechnen möchte. Das Neue liegt darin, daß Jesus verkündigt: *Jetzt* steht die Gottesherrschaft vor der Tür — sie ist so herangekommen, daß jetzt die endgültige Entscheidung eröffnet ist, wer in sie gerettet werden oder an ihr scheitern wird. Das Neue liegt vor allem darin, daß Jesus diese Entscheidung an das Verhalten zu ihm selbst bindet: Wer ihn bei sich annimmt, der gehört schon jetzt zum kommenden Reich. In diesem Sinn, und nicht in dem einer Gegenwärtigkeit im Gegensatz zu einem künftigen Kommen, ist das Präsentische in Jesu Reichsverkündigung zu verstehen. Es ist die Gegenwart der auf die letzte Zukunft hin gültigen Entscheidung. Wir fassen zusammen: Das Kommen und Werk Jesu in der Zeit ist als *munus propheticum* in sich selbst die Proklamation der zukünftigen Gottesherrschaft und die Berufung von Menschen zur Teilhabe an ihr kraft ihrer Sammlung um ihn, den Berufenden, selbst.

2. Wir setzen von neuem an: Warum schließt der Glaube, mit dem wir jetzt an Christus auf sein vollbrachtes Werk hin glauben, die Erwartung seiner Parusie zum künftigen Reich in sich ein? und antworten nun: Weil dieser Glaube Glaube an den *gekreuzigten* Christus ist. Und weil die apostolische Predigt vom Kreuz Jesu ebensowenig wie die Predigt Jesu selbst vom Reich zu verstehen ist ohne den Blick auf die kommende Gottesherrschaft, die, die Schöpfung vollendend, über die in ihr waltende Sünde siegt. Dieser Sieg muß ja *Gericht* bedeuten, in dem die Sünde endgültig abgetan wird. Jesus indessen hat die *Sünder* zur Zukunft der Errettung berufen durch den Anschluß an ihn selbst. Es ist nicht selbstverständlich, daß der richterliche Endsieg der Gottesgerechtigkeit die Sünde *so* abtun wird, daß die Sünd*er* gerettet, zum Leben in der Gottesherrschaft angenommen werden. Die Zukunft, die wir von uns her im Endsieg der Gottesgerechtigkeit zu erwarten haben, ist das Abtun des Sünders *in* seiner Sünde, nicht seine Errettung *aus* ihr. Die Berufung der Sünder zur Zukunft des Lebens im Reiche setzt dies, was von uns her als letzte Zukunft zu erwarten steht, außer Kraft — aber wie ist das möglich? Nur so, daß der, der diese Berufung ausspricht und sie denen, die er um sich sam-

melt, verbürgt, sich selbst an die Heiligung des Verwerfungsgerichtes preisgibt, das ihrer Lebenszukunft in der Gottesherrschaft entgegensteht. Und dies ist in den mannigfaltigen Bildern, die sie gebrauchen, der eine Sinn, in dem die apostolischen Zeugen das Kreuz Jesu verstehen — ein streng auf das „Eschaton" bezogener Sinn. Ohne ihn kann man das Kreuz letzten Endes nur als Märtyrertod oder als exemplarische Demonstration betrachten; als Heilsereignis glauben kann man es nur, wenn man es auf unsere und der ganzen Welt Zukunft im richterlichen Endsieg der Gottesgerechtigkeit bezieht. Und zwar so, daß durch das Todesopfer Jesu für die um ihn Gesammelten die ihnen um ihrer Sünde willen zukommende Verwerfung aus dieser Zukunft herausgebrochen, weil geheiligt und zu ihrem Recht gebracht ist. Das Kreuz ist Zukunftswende. Wir werden sterben und gerichtet werden; aber auf Grund des vollbrachten Todes Jesu glauben wir, daß wir nicht in die Verdammnis, sondern in das Leben der Gottesherrschaft hinein sterben und gerichtet werden sollen. Wir fassen zusammen: Das Kommen und Werk Jesu in der Zeit ist als *munus sacerdotale* in sich selbst die in foro coeli rechtsgültige Begründung der Berufung und Rettung von Sündern zu der zukünftigen Gottesherrschaft.

3. Ein drittes Mal: Warum ist der Glaube an Jesus und das Heil in seinem vollbrachten Werk in sich selbst zugleich die Erwartung seiner Parusie zur künftigen Gottesherrschaft? Wir antworten: Weil er Glaube an den *auferweckten* und *erhöhten* κύριος ist. Und weil die neutestamentliche Verkündigung des auferweckten und erhöhten Herrn am allerwenigsten ohne diese Erwartung zu verstehen ist. Ohne sie würde der auferweckte Christus *für uns* im Grunde nichts bedeuten; Heilsbedeutung hat seine Auferweckung und Erhöhung nur, sofern er zu dem Ziel und Ende auferweckt und zum κύριος eingesetzt ist, um die Seinen zu der ihnen zugesprochenen Zukunft in der Gottesherrschaft hin zu heiligen und zu regieren; ja um die ganze Schöpfung in einer uns freilich verborgenen Weise auf ihr Ziel im Gottesreich hin zu regieren. Der Auferweckte wird ja nicht verkündigt als der nur für seine Person Rehabilitierte oder Belohnte, sondern als der Erstling der zu der Zukunft des Gottesreiches zu bringenden Schöpfung: an ihm hat diese Zukunft begonnen. Und der Erhöhte wird nicht verkündigt als der, der nur für sich selbst an der Gewalt Gottes teilnimmt — gleichsam nur für sich in einen zeitlos die irdische Welt überlagernden Himmel versetzt —; sondern er wird verkündigt als der, der „sie von der Höhe her alle zu sich ziehen" will. Ich möchte fast umschreiben: der von der Zukunft her, die in ihm begonnen hat, alle und alles zu dieser Zukunft hin regiert. Denn — ist dies zuviel gesagt? — der Himmel, die „Rechte Gottes", zu der Jesus aufgefahren ist, ist die Gottesmacht, das Reich Gottes als Zukunft und Ziel der Schöpfung heraufzu-

führen und die, denen diese Zukunft in seinem Sterben gegründet ist, zu dem ihnen zugesprochenen Erbe zu bringen durch Heiligung und Gericht. Wir fassen zusammen: Die Gegenwart Jesu als des Auferweckten und Erhöhten auf Grund seines in der Zeit vollbrachten Werkes ist als *munus regium* in sich selbst die Heiligung und Regierung der um ihn gesammelten Berufenen zu der zukünftigen Gottesherrschaft hin.

Eine Zwischenbemerkung ist hier am Platz: Wir haben die wesentliche Beziehung des Kommens und Werkes Jesu in der Zeit auf die Zukunft der Gottesherrschaft verdeutlicht, indem wir seine Predigt auf Erden als munus propheticum auf die Berufung zur kommenden Gottesherrschaft, seinen Kreuzestod als Vollzug des munus sacerdotale auf die rechtsgültige Begründung dieser Berufung für die dem Gericht verfallenen Sünder, seine Auferweckung als Einsetzung in das munus regium auf die Heiligung und Regierung der Berufenen zu dieser ihrer Zukunft hin bezogen. Es muß hinzugefügt werden, daß dies keine Aufspaltung in gegeneinander exklusive Bezüge bedeuten kann, sondern eine diskursive Gliederung dessen, was in Wahrheit ineinander liegt. Die Unterscheidung der drei munera ist eine Denk- und Sagehilfe, nicht die Bezeichnung eines exklusiven Neben- oder gar Nacheinander. Die Predigt Jesu ist ja als Proklamation und Berufung zur Gottesherrschaft bereits auch Zuspruch der Teilhabe an ihr; und sie kann dies nur sein, weil sie schon getragen ist von dem Kreuzesopfer, in dem der Rufend-Zusprechende das göttliche Recht seines Rufes begründen wird. Das Kreuzesopfer wiederum ist Begründung der Annahme der Sünder zur Zukunft des Reiches nicht in sich isoliert, sondern kraft der Auferweckung, mit der Gott dieses Opfer bestätigt und seine priesterliche Frucht in Kraft setzt. Und wiederum geschieht das zur Zukunft des Reiches hin regierende Wirken des Erhöhten nicht ohne, sondern gerade durch das in der Verkündigung fortwirkende munus propheticum seiner Predigt vom Reiche und in der stets gegenwärtigen Kraft seines die Zusagen der Reichszukunft begründenden Sacerdotiums. Wir haben gesondert ausgesagt, was ein Ganzes ist, weil wir nur in Sonderungen reden können, aber wir müssen im Wissen um das unteilbar Ganze diese Sonderungen gleichsam wieder einklammern.

4. Wir haben bisher nur vom Kommen der Gottesherrschaft als solcher gesprochen, indem wir aufzuweisen suchten, inwiefern der Glaube an Jesus auf Grund seines in der Zeit vollbrachten Werkes und gegenwärtigen Wirkens in sich selbst in Erwartung auf dieses Kommen ausgerichtet ist. Wir schließen diesen Aufweis ab mit der Frage: Warum ist die Erwartung der kommenden Gottesherrschaft in sich selbst wiederum zugleich Erwartung der *Parusie Jesu Christi selbst* zu Gericht und Vollendung? Man kann zunächst mit der — von der kritischen Exegese allerdings teil-

weise bestrittenen — Feststellung antworten: Weil Jesus selbst in seiner Verkündigung ausdrücklich den Endsieg der Gottesherrschaft mit seiner, des Menschensohnes, Parusie zum Gericht verband. Aber ob Jesus dies wirklich ausdrücklich oder nur in verhüllt andeutender Weise tat — in jedem Falle gilt es, dies nicht nur als Mitteilung eines apokalyptischen Einzeldatums hinzunehmen. Vielmehr gilt es, zu verstehen, *warum* der Glaube, der jetzt an Christus, sein vollbrachtes Werk und seine regierende Gegenwart glaubt, *wesenhaft* als Erwartung des Kommens der Gottesherrschaft zugleich Erwartung der Parusie Jesu Christi selbst sein *muß*. Diese Erwartung ist darin begründet, daß — und sie ist nur dann begründet, wenn — die Gottesherrschaft von der Person Jesu Christi und die Teilhabe an ihr von der Zugehörigkeit zu der Person Jesu Christi in keiner Weise getrennt werden kann. Würden wir in dem auf Erden gekommenen Jesus nur den bevollmächtigten Propheten des kommenden Reiches sehen, dessen Wort unsern Glauben über ihn selbst *hinaus* auf das Reich verweist, dann allerdings wäre die Erwartung seiner persönlichen Parusie gegenstandslos. Sinnvoll bliebe dann allenfalls die Erwartung, daß er in das kommende Gottesreich vorausgegangen ist und *wir* ihn dort wiederfinden werden; nicht aber, daß *er* zur Aufrichtung dieses Reiches „wiederkommt", d. h., daß wir im Anbruch dieser Zukunft mit ihm als dem Vollzieher unserer Annahme oder Abweisung konfrontiert werden. Nun aber ist Jesus nicht nur als der vollmächtige Prophet, sondern als der *Bringer* zum Ziel der Gottesherrschaft erschienen. In seinem *Sein* mit uns ist unsere Anwartschaft auf die Zukunft des Reiches begründet: in seinem, des Gekreuzigten, Mit-sein in unserm Todesgericht der Zuspruch, daß wir im Tod nicht von Gott verlassen sein, sondern zum Leben seines Reiches angenommen werden sollen; in seinem, des Erhöhten, Sein und Wirken mit uns die Gewißheit, daß wir auf diese Zukunft hin geführt und geheiligt werden. Das heißt aber: daß wir zu dieser Zukunft gelangen, hängt genau daran, daß wir ihn mit uns sein *lassen*. Denn die Gegenwart Jesu zum künftigen Heil ist nicht sachliche Anwesenheit, sondern personhaftes Sich-erbieten zur Gemeinschaft. Sie will angenommen sein und kann auch weggestoßen werden. Darum kann es nicht anders sein: das Kommen der Gottesherrschaft ist zugleich der Endsieg Jesu Christi selbst: sein Sieg *in* denen, die ihn als den zur Zukunft Tragenden annahmen, über alles, was im Weg ihres irdischen Lebens dem Zusammensein mit ihm widerstrebte; sein Sieg *wider* die, die es ablehnten, sich von ihm tragen zu lassen. Weil an dem Annehmen oder Abweisen Jesu selbst jetzt zur Entscheidung steht, ob wir als der Gottesherrschaft Zugehörende oder ihr Widerstrebende der Zukunft entgegengehen, darum wird im Anbruch der Gottesherrschaft er selbst entscheiden, ob wir zu dieser unserer

Zukunft gelangt oder an ihr gescheitert sind. Die Geschichte der Welt mit Gott auf das telos der Gottesherrschaft hin ist seit dem Kommen Jesu Christi eine Geschichte mit oder gegen Christus. Darum kann das Endziel dieser Geschichte nur so vollzogen werden, daß Christus selbst die einbringt, die ihn mit sich sein und bleiben ließen, und die der Verlorenheit überantworten muß, die dabei beharrt haben, ohne ihn zu leben.

5. Es kann nun zusammenfassend etwas darüber gesagt werden, wie von dem eschatologischen Charakter der Christusbotschaft her die *Zeitlichkeit* unseres geschöpflichen Daseins und in ihr die eigenartige Stellung des Glaubens zwischen Perfectum und Futurum zu sehen ist. Wir können auf das Zeitproblem im Rahmen dieses Aufsatzes allerdings nicht in extenso eingehen, sondern beschränken uns auf eine Reihe von Bemerkungen, die weiterer Explikation bedürftig wären.

a) Im Glauben erkennen wir die Zeitlichkeit des geschöpflichen Daseins, und zwar gerade auch in ihrem chronologisch-horizontalen Ablaufscharakter, als Ausdruck und Form dessen, daß die Kreatur im Prozeß und auf dem Wege ist bzw. daß der Schöpfer mit ihr auf dem Wege ist zu der Zukunft einer Vollendung, die er heraufführt, auf die hin er das geschöpfliche Dasein von Anfang an gezielt hat und auf die hin sein je gegenwärtiges Erhalten in jedem Augenblick zielt. Die Zeit ist nicht der nur formale endlose Raum für das Fortbestehen (oder auch die immanenten Verwandlungen) eines Welt- bzw. Schöpfungs*bestandes* und ebensowenig der nur formale Raum für die punktuelle Ereignung jeweiliger *Augenblicke*, die in sich selbst je Ziel und Vollendung sind. Wäre es so, dann wäre ihre Erstreckung in futurum etwas der inneren Dynamik des Daseins gegenüber Gleichgültiges (*hätte* das Dasein dann überhaupt eine solche gespannte Dynamik?). Die Zeit hat vielmehr den Charakter des fliegenden Pfeiles, zu dem *wesentlich* die Frage gehört: Wo hinein landet er? — bzw. das Dasein der Welt und unser selbst hat als zeitlicher „Ablauf" diesen Charakter und ist unter diese Frage gestellt. Die Zeit ist — ob und was immer sie „an sich" sein mag — jedenfalls *für uns*, für unsere Selbst- und Welterfahrung, die Kategorie, in der wir unser eigenes Sein und das der Welt, in die wir verflochten sind, als „Prozeß" erfahren; nicht als Bestand, sondern als Weg, der die Frage erweckt (die man freilich auch ignorieren oder totschlagen kann): Wohinaus? Der Glaube sagt: es ist der Weg Gottes mit seiner Schöpfung zu dem Ziel seines Reiches, zu dem hinzubringen genau wie das Schaffen „im Anfang" in seiner alleinigen Macht steht.

b) Infolge des in seinen Gründen hier nicht zu erörternden Eintretens der Sünde als des geschöpflichen Widerspruches gegen das Abzielen Gottes mit seiner Schöpfung erkennt der Glaube die Zeit zugleich als den

„Geschehens-Raum" des *Kampfes* Gottes hin auf den *Sieg* seines Zielwillens über allen Widerspruch, bzw. als diejenige Kategorie, in der wir unser Dasein und das der Welt unter dem Prozeß dieses auf diesen Sieg hinzielenden Kampfes ablaufend wissen. Von der andern Seite her gesagt: die Zeit ist der Geschehens-Raum, in dem der Prozeß dieses Widerspruchs selbst auf seine endliche Vernichtung zu voranschreitet.

c) Der Glaube erkennt das Kommen und Werk Jesu Christi in der Zeit als die Tat, durch die Gott in das als zeitliches seinem richtend-vollendenden Handeln entgegeneilende Dasein hineingreift, um Sünder aus der Ablaufsrichtung ihres Daseins zur Verwerfung herauszureißen und der Zukunft im Sieg seiner Gerechtigkeit entgegenzutragen. Christus ist, im Bilde gesprochen, der vorgreifende Arm des die Vollendung heraufführenden Gottes, um die, die sich von diesem Arm ergreifen lassen, aus der zum ewigen Tod hinzielenden Ablaufsdynamik heraus dem Ziel des Lebens zuzubringen. An Christus entscheidet sich seitdem, auf welcher Seite in der noch währenden Geschichte des Kampfes des Zielwillens Gottes mit dem geschöpflichen Widerspruch unsere Zukunft sein wird. Dadurch wird die Zeit unseres Daseins seit der Ankunft Jesu Christi in ganz bestimmter Weise qualifiziert: sie ist nun Entscheidungszeit, „letzte Zeit", Kairos. Jetzt entscheidet sich, welchem Ende uns die Zeit entgegenführt.

d) Somit ist dieses noch währende „Ablaufen" von Zeit zwischen der Ankunft und Parusie Jesu Christi der Raum der stets noch ergehenden *Berufung* auf das Fundament des Zum-Ziel-Rettens Gottes in Christus, der *Sammlung* von Menschen in diesen zubringenden Gottesarm, der *Bewährung* des Bleibens in seiner Macht. Die Zeit des Glaubens ist qualifiziert durch die in der Ankunft und Gegenwart Christi gegründete und gewisse *Hoffnung* unserer Vollendung. Sie ist in eins damit die Zeit des gewissen und demütigen *Wartens* auf den Endvollzug des Gerichtes über den „alten Menschen" in uns selbst. Gerade darum gehört zum Zeitbewußtsein des Glaubens *Perfectum und Futurum*. Das Perfectum — denn das Erlöstwerden zum Ziel *ist* zugesprochen, die Kraft, die diesen Zuspruch einlöst, *ist* gegenwärtig, beides in dem Christus praesens pro nobis crucifixus et resurrectus. Das Wohinaus ist nicht mehr in suspenso. Die Hoffnung des Christen ist wirklich gegründet und getragen. Aber darin ist gleichwesentlich mitgesetzt das Futurum — denn das perfektisch Gewißgemachte und Gegründete ist *Hoffnung*. Und zwar wirklich das Futurum, dem diese unsere Welt- und Daseinszeit in ihrem „chronologischen" Ablauf als *dessen* Ziel entgegenläuft — nicht nur ein „je und je" für den Augenblick Zukommendes. Denn was wäre eine Hoffnung, die für das *Ende* unserer laufenden Zeit keine Antwort hat! „Je und je" jetzt, in dieser laufenden Zeit, gibt es ja immer noch Welt, der Christus verborgen bleibt und die ihn nicht als den κύριος anerkennt. „Je und je" jetzt gibt es auch in den Glaubenden immer noch das simul peccator. Das letzte Jetzt, auf das wir innerhalb dieser laufenden Zeit hinblicken können, ist und bleibt der Tod. Darum *kann* der vollendende Sieg der Gottesherrschaft nicht „je jetzt" in dieser Zeit sein. Christus ist nicht darum der Sünde gestorben, daß es noch und immer wieder bei „simul peccator" bleibt; Christus ist nicht darum der jetzt dem Unglauben verborgene κύριος, damit es bei dieser seiner innerzeitlichen Verborgenheit bleibt. Christus ist nicht darum auferweckt, daß der Tod die Grenze bleibt, über die das Hoffen nicht hinausblicken kann. „Hoffen wir nur in diesem Leben auf Christus, so sind wir die Elendesten unter den Menschen." Eine Ablehnung der futurischen — auch im Sinne des Wohinaus der Ablaufszeit futurischen — Eschatologie widerspricht dem tatsächlich im Neuen Testament sich bezeugenden Selbstverständnis des Glaubenden coram Deo. Sie wäre eine schlechte „existentiale Interpretation des Neuen Testamentes" — nicht Interpretation, sondern Amputation. Wir möchten sogar sagen: sofern sie sich auf eine philosophische Existentialanalyse zu beziehen meinte, bezöge sie sich auf eine schlechte Existentialanalyse. Auch philosophisch kann u. E. die Frage „Wohinaus endlich mit diesem zeitlichen Ablauf der Welt und unseres Daseins?" nicht totgeschlagen werden. Doch das näher auszuführen ist hier nicht der Ort.

e) Abschließend muß diesen Erwägungen nun freilich hinzugefügt werden: Das *Eintreffen* des Futurum, der Parusie Jesu Christi zur Vollendung, ist für unser in die Maße der ablaufenden Zeit gebundenes Denken undurchdringliches Geheimnis. So gewiß dieses Eintreffen die wirkliche *Zukunft* unserer ablaufenden Zeit ist, so ist es gerade deshalb nicht mehr von der Kategorie der Ablaufszeit selbst als ein Punkt *innerhalb* ihrer erfaßbar — sowenig wie jener erste „Anfang", in dem Gott die zeitliche Schöpfung entspringen ließ. Darum dürfte es keinen Sinn haben, die Nähe dieser Zukunft oder ihr Ausstehen nach dem messen zu wollen, was wir innerhalb des Zeitlaufs selbst nah oder fern, kurzfristig oder langfristig nennen. Ebenso dürfte es eine Grenzüberschreitung sein, das Problem eines zeitlich-chronologischen „Zwischenzustandes" zwischen dem Münden der Lebenszeit des einzelnen Menschen und dem der ganzen Weltzeit in dem Vollenden Gottes überhaupt zu stellen. Für die Hoffnung des Glaubens ist nur wesentlich, *daß* der Ablauf unseres eigenen Lebens wie der der Menschheitsgeschichte und aller Dinge in die eine Parusie Jesu Christi zum Sieg der Gottesherrschaft hineinführt. Alle weiteren Fragen können getrost in das Geheimnis dieser Parusie hinein begraben werden.

II. Die Kirche — Sammlung des Gottesvolkes auf die Parusie Jesu Christi hin

Es ist nun zu bedenken, was diese Ausrichtung des Glaubens auf den Sieg der Gottesherrschaft in der Parusie Jesu Christi für die irdische Existenz der *Kirche* bedeutet. Wir sagten, daß die Zeit vom Kommen Jesu auf Erden her zu seiner Parusie hin die Zeit ist, in der zum Glauben gerufen wird. Wir können ebensogut sagen: es ist die Zeit, in der die Kirche gesammelt, erhalten und ihrer Zukunft zugeführt wird. Denn zum Glauben gerufen werden heißt in die Kirche gerufen werden, und umgekehrt ist die Kirche die innere Einheit der an Christus Glaubenden mit Christus und untereinander. Sie ist als solche ganz gewiß mehr als nur ein äußerlich zusammenfassender Begriff für die numerische Vollzahl aller glaubenden Individuen, vielmehr *Realität* ihrer Einheit mit Christus und untereinander. Aber real ist diese Realität eben *in* diesen Glaubenden und ihrem Zusammensein, nicht irgendwie hypostatisch *über* ihnen. Bzw. wenn wir fragen, was denn in der Einheitswirklichkeit Kirche *über* dem Zusammensein der glaubenden Menschen ist, so können wir nur noch antworten: Christus selbst, genauer: Gott, der durch Christus im Heiligen Geist ihre Einheit mit sich und untereinander begründet und erhält. Sofern wir aber nach dem *Gegenüber* der Kirche zu Christus fragen — und das tun wir in unserem Thema „Die Kirche und die Parusie Jesu Christi" —, gilt von der Kirche dasselbe, was von dem Glauben des einzelnen Christen in seinem Verhältnis zu dem gekommenen, gegenwärtigen und wiederkommenden Christus gilt und worin er ja eben nicht als Einzelner *für sich,* sondern im Zusammen mit allen Glaubenden lebt. Wie der Glaubende, ja viel mehr: *als* die Sammlung der Glaubenden ist also auch die Kirche wesentlich bestimmt durch das Perfectum des Kommens und Werkes Jesu Christi in der Zeit und durch das Futurum seiner Parusie zum Sieg der Gottesherrschaft zugleich.

1. Sie ist bestimmt durch das Perfectum des Kommens und Werkes Jesu Christi in der Zeit. Von daher kommt der Kirche ein einzigartiges Moment des *Gültigen und Endgültigen* zu, das sie von allen anderen irdischen Sozietäten unterscheidet. Denn sie ist *Frucht* und zugleich *Werkzeug* des das Geschick der Menschen endgültig und zur Zielvollendung hin entscheidenden Gotteshandelns, dessen Träger Jesus Christus ist.

a) Als *Frucht* dieses Gotteshandelns ist sie durch die noch währende Zeit hindurch die Versammlung derer, die zur Teilhabe an dem alle Wege in der Zeit abschließenden und vollendenden Gottesreiche berufen sind. Insofern ist sie eschatologische Gemeinschaft in Prolepse. Die Kirche ist die Schar derer, die Jesus Christus auf dem Grund seines vollbrachten Opfers von der zum ewigen Tode zielenden Dynamis des geschöpflichen Lebens im Widerspruch scheidet und auf die Zukunft des ewigen Reiches hin trägt und heiligt. Damit hängt zusammen, daß wir von der Kirche glauben, was wir von keiner andern irdischen Sozietät zu sagen wagen würden: perpetuo mansura. Denn seit in Jesus Christus der Grund gelegt ist, daß Sünder zur Zukunft des Reiches berufen und geheiligt werden, kann die Sammlung von Menschen in diese Berufung nicht mehr aufhören. Der gelegte Grund kann nicht unfruchtbar werden, wenn anders er das ist, was er ist. Das berufend-heiligende Wirken des Erhöhten kann nicht wieder kraftlos werden, wenn anders er wirklich der lebendige Herr ist.

b) Als *Werkzeug* des zur Vollendung hin entscheidenden Gotteshandelns ist die Kirche die zeitliche „Veranstaltung" der Verkündigung des Wortes, an dessen Annahme sich Tod und Leben für die Ewigkeit entscheidet. Sie hat dem Wort und den Sakramenten, durch die Christus selbst Menschen zur Reichszukunft hin sammelt, als Mund und Hand zu dienen. Damit hängt zusammen, daß die Kirche „Dogma" geltend machen muß. Ihr ist aufgetragen, in den noch währenden Fluß zeitlicher Geschichte, geschichtlich wechselnder Worte und Meinungen hinein das endgültige Wort zu sagen — nicht als das Wort einer soziologischen Gruppe, die ihre eigene Meinung verabsolutiert, sondern als Gottes eigenes endgültiges Wort in Christus, zu dessen Lautwerden er aber die Kirche beansprucht. Die Kirche ist ferner mit dem Vollzug von Handlungen beauftragt, die mitten in dem noch währenden Fluß des zeitlichen, in seiner Wirkung endlichen und relativen Geschehens am Leben von Menschen auf ihre ewige Zukunft hin wirksam werden: sie vollzieht Sakramente der Berufung, Stärkung und Bewahrung zum ewigen Leben. Nicht als ihr eigenes Werk, sondern als menschliches Werkzeug des Christus, der „sie von der Höhe her zu sich zieht".

2. Die Kirche ist aber ebenso bestimmt durch das auch ihr selbst noch ausstehende Futurum der künftigen Gottesherrschaft und der Parusie Jesu Christi zu seinem Sieg. Darum kommt ihr auch ein Moment der *Vorläufigkeit* zu. Würde sie sich selbst nicht mehr durch dieses auch ihr noch ausstehende Futurum bestimmt wissen, so würde alles, was sie als gültig und endgültig geltend macht, zu menschlicher Anmaßung in falscher „Kirchlichkeit" pervertiert werden. Worin liegt dieses Vorläufige der Kirche im Blick auf das auch ihr noch ausstehende Futurum der Parusie? Wir entfalten es in folgenden Momenten:

a) Das Reich der Gottesherrschaft ist die Zukunft der *Welt,* der ganzen Schöpfung. Es ist universal. Die Kirche auf Erden dagegen ist noch nicht die universitas der zur Gottesherrschaft Gehörenden. Sie hat zwar den universalen Auftrag, die Welt unter Christus und zur Zukunft der Gottesherrschaft zu rufen. Sie ist die Versammlung derer, die an ihr teilgewinnen. Aber gerade als solche bleibt sie, solange die Zeit währt, *unabgeschlossen.* Sie hat den Auftrag, beständig zu den Menschen in der „Welt" hin die Grenzen ihres jeweiligen Bestandes zu überschreiten, weil Christus auch diese zu sich sammeln will. Sie darf sich nicht als numerus clausus verstehen. Nun wird kein Christ so töricht sein, die kirchliche Gemeinschaft im wörtlichen Sinn als einen numerus clausus zu verstehen, zu dem keine neuen Glieder mehr hinzukommen können. Es gibt aber in der Kirche die Gefahr eines unausgesprochenen, faktischen numerus-clausus-Bewußtseins und numerus-clausus-Verhaltens: eine introvertierte Kirchlichkeit, in der die Christen damit zufrieden sind, unter sich zu sein und sich der eigenen Übereinstimmung im Glauben zu erfreuen, und nicht mehr von der Frage bewegt werden, wie die „draußen" herbeigerufen werden können. Es gibt die Gefahr einer introvertierten Kirchlichkeit auch der Theologie, in der diese damit zufrieden ist, ihren Besitzstand in *korrekten* Formen zu wahren, und nicht mehr fragt, wie diese — in der sachlichen Korrektheit zu bewahrenden — Formen so ausgelegt werden können, daß sie auch über einen Kreis der Einverstandenen und Eingeübten hinaus *wirksam* und *hörbar* werden. Eine Kirche und Theologie also, die zwar noch der Bewahrung des traditum dient, aber nicht mehr das tradere übt, das ja ein *Weiter*sagen sein muß zu denen, die noch nicht gehört und verstanden haben. Das Wissen um die Parusie Jesu Christi tritt solcher introvertierten numerus-clausus-Kirchlichkeit in den Weg. Denn in ihm steht die Kirche unter dem Herrn, der *seine* Akten noch nicht geschlossen hat über den Bestand derer, die in seinem Reich mit ihm zu Tische sitzen werden, sondern sein Erscheinen zum Kommen des Reiches noch ausstehen läßt, damit viele, die jetzt die Fernen sind, noch zu Nahen und Teilhabern seiner Zukunft werden können.

b) Das Reich der Gottesherrschaft wird die *Vollendung der Kirche selbst* in Christus sein — nicht nur nach der Zahl ihrer Glieder, sondern auch in ihrem eigenen geistlichen Leben. Das heißt aber: die Kirche in der Zeit ist die Sammlung derer, die noch nicht vollendet, sondern unterwegs sind. Wir sagen besser: mit denen Christus zur Vollendung hin unterwegs ist, so daß sie durch ihn auf ihn hin wachsen sollen — „bis wir hingelangen ... zum vollkommenen Menschen, zum Vollmaß der Reife in der Fülle Christi". Der Glaube der Kirche ist endgültig und unüberholbar darin, daß er der Anschluß an die zum Ziel des Reiches hin rettende Gottesgnade in Christus ist und diese verkündigt. Die Durchdringung des Lebens der Kirche und ihrer Glieder durch diesen Glauben, ihre Heiligung in Christus ist noch nicht abgeschlossen. Die Kirche kann nicht über ihren Glauben hinauswachsen. Sie soll aber in das Leben ihres Glaubens hineinwachsen; auch in eine tiefere Erkenntnis der Fülle dessen, an den sie in ihrem Glauben unüberholbar gebunden ist. Dieses Wachsen ist keine Selbstentfaltung der Kirche, so wie ein Organismus aus den in ihm selbst angelegten Kräften wächst. Es ist das Handeln Christi an der Kirche. Eben darum ist es nicht „immanente" Entwicklung zu einer irdischen Vollreife, sondern ein Geschehen, das nur in der Parusie Jesu Christi zu der Vollendung aller Dinge sein Ziel findet. Er selbst wird das vollenden, worin er selbst jetzt am Werk ist. Solange die endgültig vollendende Zukunft Christi aussteht, d. h., solange die Kirche auf Erden ist, muß sie daher immer in die Hand ihres Herrn hinein bereit bleiben, sich reinigen und erziehen zu lassen. Das gilt nicht nur für das individuelle Christenleben, sondern auch für das kirchliche Gesamtleben, das ja nicht wie ein anderes „Etwas" von dem persönlichen Christentum der Glieder unterschieden werden kann, sondern jenes „Zusammen" ist, in dem die Glieder ihr persönliches Christentum leben.

So tritt das Wissen um die ausstehende Parusie Jesu Christi nicht nur einer nach außen sich abschließenden, sondern auch einer nach innen sich für abgeschlossen haltenden Kirchlichkeit in den Weg — einem statischen Perfektionsbewußtsein, in dem die Kirche in einer gegebenen Gestalt ihrer Lebensentfaltung beharren möchte, als sei diese gleichsam schon ein Block vollendeten Gottesreiches mitten in der Welt. Damit würde die Kirche praktisch so tun, als sei für sie mit dem ersten Kommen Jesu alles abgeschlossen, sie würde sich dem auf seine Zukunft hin führenden Wirken des Herrn entziehen oder dieses nur noch auf die „Welt" außerhalb ihrer selbst beziehen. Die Lehre von der Parusie und dem Reich würde dann wirklich zu einem bloß äußerlich-dogmatischen Anhang an das Selbstverständnis der Kirche zu werden drohen. Das Wissen um die Parusie Jesu Christi tritt aber ebenso einem dynamischen kirchlichen Perfektionismus in den Weg, der da meint, durch Eifer und Maßnahmen die vollendet in ihrem Glauben geheiligte Kirche in dieser Weltzeit selbst schaffen zu können. Denn damit würde das auf *sein* Vollenden hin bezogene Wirken des Herrn, dem wir in jeder Zeit bereit bleiben sollen, verwechselt mit einer selbsttätigen Entfaltung, mit der *wir* schließlich „fertig werden" können. Weswegen der perfektionistische Dynamismus in der Christenheit ja sehr oft umschlägt in ein statisches Perfektionsbewußtsein derer, die meinen, in ihrer Gruppe nun wirklich die reine Kirche hergestellt zu haben im Unterschied zu dem großkirchlichen Babel. Wir sehen das an manchen protestantischen Sekten.

c) Das Reich der Gottesherrschaft wird das *Ende der Sünde* sein; und zwar nicht nur der Sünde der sich Christus verschließenden Welt, sondern auch der Sünde in der Kirche. Wir erwarten ja die Parusie Jesu Christi zur endlichen Erlösung von aller Sünde, die zugleich das richterliche Abtun ihrer Wirklichkeit bedeutet. Die Kirche befindet sich der ausstehenden Parusie gegenüber nicht zuletzt darum im Status der Vorläufigkeit, weil in ihr jetzt — und in jedem irdischen Jetzt — noch Sünde ist. Wird sie doch von dem Herrn selbst mit dem Acker verglichen, auf dem mit dem ausgesäten Weizen auch Unkraut wächst, und mit dem Netz, in dem zwischen den guten auch faule Fische sind bis auf die Stunde der endgültigen Sichtung. Und das wird man nicht nur so verstehen dürfen, daß es neben den wahrhaft Glaubenden in der Kirche auch solche Personen gibt, die Heuchler und Scheinchristen sind, so daß die Sichtung nur diese beträfe und der „Stamm" wahrer Christen kein Gericht und keine Sichtung zu erwarten hätte. Sondern auch die Glaubenden sind simul peccatores. Ja sie sind der Versuchung und Möglichkeit des Abfalls vom Glauben noch nicht entnommen. Indem sie die Zukunft Jesu Christi zur Vollendung ihres Wachstums im Leben ihres Glaubens erwarten, erwarten sie zugleich den *Richter,* in dessen vollendender Zukunft ihre Sünde gerichtet und abgetan wird. Und gilt diese Erwartung der Parusie Christi zum Gericht nur für die Glaubenden als Einzelne? Noch einmal: eben indem sie den *Menschen* und ihrem Tun und Unterlassen in der Kirche gilt, gilt sie dieser selbst. Das „Handeln der Kirche" ist ja nicht ein vom Handeln der Menschen in der Kirche isolierbares Geschehen. Sondern das Verkündigen, Bekennen, Verhalten der kirchlichen Gemeinschaft wird geformt durch die Glaubenserkenntnis, die Tatimpulse und ebenso durch Versagen, Lauheit und Irrtum der *Christen,* die in der Kirche handeln. Das gilt nach unserer Überzeugung auch für das Handeln der Träger kirchlichen Amtes, und zwar nicht nur für ihre private Lebensführung, sondern auch für ihr Handeln „im Amt", ihre Lehre, ihre Ordnungsmaßnahmen usw. Gewiß ist das Wirken Christi an der Kirche und durch sie, das Bewegen des Geistes in ihr, das Wort Gottes, das göttliche Handeln durch die Sakramente als solches unfehlbar, und gewiß geschieht das alles nicht in direkter Unmittelbarkeit vom Himmel herab, sondern durch den Dienst der in der Kirche handelnden Menschen. Aber diese Menschen können in der Weise, wie sie das göttliche Wort lautwerden lassen oder es entstellen und verdunkeln, in der Weise, wie sie dem Bewegen des Geistes folgen oder widerstehen, dem Wollen und Wirken des Hauptes dienen oder sich an ihm verfehlen. Darum hat auch die Kirche als ganze Christus als ihren Richter zu erwarten und ihr Lehren und Tun seinem Urteil zu unterstellen, das den Gehorsam und die Treue von dem Ungehorsam und der Entstellung endgültig scheiden wird. So tritt das Wissen um die Parusie Jesu Christi auch der Selbstgewißheit kirchlicher Unfehlbarkeit in den Weg.

3. Das Reich der Gottesherrschaft wird aber auch — damit lenken wir zu dem Moment der Endgültigkeit zurück — die öffentliche Rechtfertigung und Bestätigung dessen aufrichten, was die Kirche jetzt in eine skeptische und widersprechende Welt hinein als Gottes wahres Wort verkündigt. In seiner Parusie wird Jesus Christus sich als der κύριος erweisen, als den die Kirche ihn jetzt bezeugt. Hat die Kirche in der Zeit teil daran, daß der gekreuzigte Christus vielen ein Ärgernis und eine Torheit ist, erscheint auch sie in ihrer Botschaft und ihrem Dasein vielen als eine ärgerniserregende oder törichte Sekte von Sonderlingen, so kann und soll sie diese Schmach ertragen. Denn in seiner Parusie wird Christus sich als die Weisheit und Kraft Gottes erweisen, die jene menschlichen Urteile endgültig ins Unrecht setzt. Die Kirche soll nicht selbstsüchtig nach ihrem eigenen Triumph verlangen. Das verbietet ihr der Ernst, mit dem sie selbst den wiederkommenden Christus auch als ihren Richter zu erwarten hat. Wohl aber darf sie nach *seinem* Triumph verlangen über alles Böse in der Welt und in ihr selbst. So tritt das Wissen um die ausstehende Parusie Jesu Christi auch einer kirchlichen Verzagtheit in den Weg, einer Selbstproblematisierung der Kirche, einer Selbstrelativierung ihrer Botschaft. Der Blick auf die Parusie warnt die Kirche davor, dem Widerspruch der Welt auszuweichen, indem sie sich und ihre Verkündigung Forderungen und Maßstäben anpaßt, die sie zur Verleugnung ihres Auftrags zwingen würden. Er warnt sie davor, diesen Widerspruch vermeiden zu wollen, indem sie den Ärgernis erregenden Anspruch, mit dem endgültigen Wort Gottes beauftragt zu sein, verhüllt und sich selbst und ihren Glauben als eine geschichtliche Größe von nur relativer Bedeutung ausgibt. Die Verheißung der Parusie Jesu Christi ist *Paraklese* im Sinn des Neuen Testamentes: Mahnung und Aufrichtung in einem. Sie mahnt und richtet auf zum Ausharren in Geduld gegenüber aller Ablehnung von außen und aller Anfechtung durch das eigene Versagen; in der gewissen Hoffnung, daß der Christus, der die Zukunft der Welt und der Kirche ist, Ablehnung und Versagen auslöschen wird in den Sieg der Gottesherrschaft hinein.

KIRCHE UND PARUSIE

Von Rudolf Schnackenburg, Würzburg

Die Frage nach dem Kommenden, nach dem, *was* in der Zukunft auf uns zukommt, aber auch nach Dem, *der* nach der urchristlichen Verkündigung einmal in Herrlichkeit kommen wird, ist für die Kirche von vitaler Bedeutung. Denn nach ihrem Selbstverständnis als geschichtlich-eschatologischer Größe kann sie sich nicht mit dem Rückblick auf das geschichtliche Kommen Jesu Christi im Fleisch und im Blut, mit dem Gedenken seines Kreuzes und seiner Auferstehung begnügen. Sofern sie den auferstandenen Herrn bekennt, der ein Zeuge und Zeichen des Eschatologischen ist, muß sie sich den Blick ebenso für die Zukunft offenhalten, und ihr Glaube an die Parusie des auferstandenen und zur Rechten Gottes thronenden Kyrios ist dann die konsequente und konkrete Gestalt dieser Zukunftserwartung. Die Kirche lebt aus dem Geheimnis des Todes und der Auferstehung Christi, sie verwirklicht beides in ihrer gegenwärtigen Existenz, aber eben doch nur in der vorläufigen Weise ihrer geschichtlichen Bindung an diese Weltzeit. Das Auferstehungsleben Christi ist in ihr ebenso wirksam wie sein Todesleiden; aber dieses Christusleben verlangt danach, sich einmal in seiner Herrlichkeit zu enthüllen. Man wird unter dem Aspekt „Kirche und Reich Gottes“ [1] für die Kirche insgesamt nicht anders denken dürfen, als es Paulus für seine und aller Christen Existenz in Christus tut: Einerseits werden Tod und Leben Christi gleicherweise schon jetzt an ihm wirksam (vgl. 2 Kor 4, 16; 13, 3 f), anderseits übernimmt er den Tod Jesu mit seinem sterblichen Leib, damit einst auch das Leben Jesu an diesem Leibe offenbar werde (2 Kor 4, 10 f); will er dem Tode Jesu gleichgestaltet werden, damit er einst auch zur Auferstehung von den Toten gelange (Phil 3, 10 f); trägt er die Leiden der gegenwärtigen Zeit, auf daß die künftige Herrlichkeit an ihm enthüllt werde (Röm 8, 17 f). Die Kirche insgesamt lebt wie jeder einzelne Christ nicht nur in Hoffnung auf die künftige Vollerlösung (vgl. Röm 8, 24 f), sondern auch aus der Kraft der in der Auferweckung Christi bezeugten, verheißenen und schon wirksam werdenden Enderrettung.

---

[1] Vgl. *R. Schnackenburg*, Die Kirche im Neuen Testament (Freiburg i. Br. 1961) 165—172.

Die Frage nach dem Kommenden wirft aber schwerwiegende theologische Probleme auf. Wir können das Thema „Kirche und Parusie" nicht aus dem größeren Rahmen der gesamten Eschatologie herausnehmen, die uns zwingt, über die Art unserer Zukunftserwartung nachzudenken. Gleichzeitig ermöglicht uns das spezielle Thema der Parusie aber auch eine Konzentrierung und eine Konkretisierung des gesamten Problemkreises an einem bestimmten Punkt. Die heutige Fragestellung ist durch die Forderung R. Bultmanns nach Entmythologisierung geprägt; denn ob wir auf seine persönliche Antwort schauen, man müsse das Neue Testament existential interpretieren, oder ob wir uns anderen Versuchen zuwenden, überall ist das gleiche Bestreben bemerkbar, die neutestamentlichen Aussagen nicht mehr in ihrer an ein überholtes Weltbild gebundenen Dinglichkeit, in ihrer räumlich-zeitlichen Konkretheit, in ihrer vordergründigen Anschaulichkeit zu übernehmen, sondern für unser modernes Weltbild zu transponieren, unserem Welt- und Geschichtsdenken zu adaptieren, unserem Daseins- und Selbstverständnis zu integrieren, ohne die verbindlichen Offenbarungsaussagen zu verflüchtigen oder aufzulösen. In dieser Hinsicht treffen sich so verschiedene Antworten, wie etwa C. H. Dodds Interpretation im Sinne einer realized eschatology [2], das Bemühen anderer Exegeten, die Botschaft Jesu selbst von einer erst in der Urkirche einsetzenden apokalyptischen Geisteshaltung abzuheben [3], die Erklärung nicht weniger protestantischer Theologen, die (hier eingeräumte) Bindung Jesu und der Urkirche an die apokalyptische Strömung im damaligen Judentum sei nur eine beiläufige, unerhebliche gewesen und Jesu eigentliche eschatologische Botschaft lasse sich, vom Irrtum der Naherwartung befreit, daraus lösen [4], oder selbst der Versuch katholischer Exegeten, Jesu Zukunftsaussagen vordergründig rein zeitgeschichtlich und nur ein-

---

[2] *C. H. Dodd,* The Parables of the Kingdom (London [2]1936, Nachdr. 1948); kritisch dazu: *R. Morgenthaler,* Kommendes Reich (Zürich 1952).

[3] *T. F. Glasson,* The Second Advent (London [2]1947); *ders.,* His Appearing and His Kingdom (London 1953); *J. A. T. Robinson,* Jesus and His Coming (London 1957); vgl. auch *E. Stauffer,* Agnostos Christos. Joh. II. 24 und die Eschatologie des vierten Evangeliums: The Background of the New Testament and its Eschatology (Festschrift für C. H. Dodd) (Cambridge 1956) 281—299; kritisch dazu: *W. G. Kümmel,* Futurische und präsentische Eschatologie im ältesten Urchristentum: New Testament Studies 5 (1958—59) 113—126.

[4] *W. G. Kümmel,* Verheißung und Erfüllung (Zürich [2]1953) 133—147; *G. Bornkamm,* Jesus von Nazareth (Stuttgart 1956) 82—87; vgl. auch *H. Conzelmann:* Die Religion in Geschichte und Gegenwart[3] II 665—672, bes. 667. Zur „existentialen Interpretation" s. *R. Bultmann,* Jesus (Tübingen 1951) 46—51; *ders.,* Geschichte und Eschatologie (Tübingen 1958); *J. Körner,* Endgeschichtliche Parousieerwartung und Heilsgegenwart im Neuen Testament in ihrer Bedeutung für eine christliche Eschatologie: Evang. Theologie 14 (1954) 177—192.

schlußweise auch endgeschichtlich auszulegen[5]. Es geht also, vom Standpunkt des Glaubens aus gesehen, um die Interpretation der Offenbarungszeugnisse für unsere Zeit. Daß dazu noch ein langes Gespräch zwischen Exegeten und Dogmatikern innerhalb der Konfessionen, aber auch zwischen den Vertretern verschiedener Konfessionen notwendig oder förderlich sein wird, liegt auf der Hand. Auch ein katholischer Exeget kann bei einem Versuch, der Probleme Herr zu werden, nicht der Zustimmung seiner Fachkollegen oder der Dogmatiker sicher sein; deswegen sei die persönliche Sicht der nachstehenden Ausführungen betont. Nach der Problemlage wird es sich für den Exegeten empfehlen, vom Glauben der Urkirche auszugehen, dann weiter nach dem Verhältnis der urkirchlichen Parusie-Erwartung zur Verkündigung Jesu selbst zu fragen, um schließlich eine Antwort darauf zu suchen, wie die heutige Kirche den urchristlichen Glauben aufnehmen und verkündigen solle.

1. Urkirche und Parusie

Der Glaube der Urkirche an die Parusie ihres Herrn ist allgemein und im wesentlichen einhellig, wenn auch nicht unbedeutende theologische Akzentverschiebungen festzustellen sind. Der hellenistisch geprägte Terminus παρουσία zur Bezeichnung der Ankunft Jesu in Herrlichkeit fällt relativ selten, nämlich nur viermal in Mt 24 (V. 3 27 37 39), bei Paulus sechsmal in den Thessalonicherbriefen (1 Thess 2, 19; 3, 13; 4, 15; 5, 23; 2 Thess 2, 1 8) und einmal in 1 Kor 15, 23, ferner in Jak 5, 7 f; 1 Jo 2, 28; 2 Petr 1, 16; 3, 4 12. Damit ist freilich auch schon eine genügende Breite der urchristlichen Erwartung belegt; in den Pastoralbriefen wird statt „Parusie“ der noch stärker hellenistisch klingende Ausdruck „Epiphanie“ bevorzugt (1 Tim 6, 14; Tit 2, 13; 2 Tim 4, 1 8). In den synoptischen Evangelien ist statt dessen vom „Kommen des Menschensohnes“ die Rede (Mk 13, 26 par; 14, 62 par; Mt 10, 23; 16, 27 f; 24, 44; 25, 31; Lk 12, 40; 18, 8), oder „der Menschensohn“ wird in anderer Weise als der Kommende deutlich (vgl. Mk 8, 38; Mt 13, 41; 19, 28; 25, 31; Lk 21, 36). Paulus, aber auch andere neutestamentliche Autoren sprechen öfter vom „Tag des Herrn“ und nehmen so den alttestamentlichen Ausdruck für den großen Gerichtstag Jahwes für die Parusie ihres Herrn in Beschlag, sehen darin aber für die Christen vor allem positiv den Tag der endgültigen

[5] *A. Feuillet,* Art. Parousie: Dict. de la Bible, Suppl. VI (Paris 1960) 1331—1419, hier 1337—1354; vgl. auch *P. Benoit,* L'Évangile selon s. Matthieu traduit (Paris 1950) zu Mt 24, 30 ff (p. 140). Kritisch dazu *B. Rigaux,* La seconde venue de Jésus: La venue du Messie (Recherches Bibl. VI) (Löwen 1962) 173—216, näherhin 212 ff.

Errettung[6]. Dieser Tag heißt im Lukasevangelium auch „der Tag des Menschensohnes" (17, 24 30; vgl. den Plural in 17, 22 26) und im Johannesevangelium der „letzte" (oder „jüngste") Tag (6, 39 40 44 54; 12, 48; vgl. 11, 24). In der Apostelgeschichte verkündigen die Engel den Jüngern bei der Himmelfahrt Jesu, daß der ihnen Entrückte in gleicher Weise kommen werde, wie sie ihn in den Himmel gehen sahen (1, 11), und ermahnt Petrus die Jerusalemer zur Buße, „damit Zeiten der Erquickung vom Angesicht des Herrn kommen und er ihnen den vorherbestimmten Messias Jesus sende, den der Himmel aufnehmen muß bis zu den Zeiten der Wiederherstellung aller Dinge" (3, 20f). In der Apokalypse schließlich wird im brieflichen Eingang das Kommen Jesu Christi mit den Wolken feierlich angekündigt (1, 7), versichert der himmlische Herr seinen Gemeinden, daß er „in Kürze" komme (3, 11; 22, 7 12 20; vgl. 16, 15), und respondiert die Kirche auf Erden mit dem sehnsüchtigen Gebetsruf: „Komm, Herr Jesus!" (22, 20, vgl. 17).

Die *Tatsache* einer breiten und anhaltenden urchristlichen Parusie-Erwartung kann also nicht gut bestritten werden. Ob alle oben aufgeführten und noch zu vermehrenden synoptischen Texte ursprünglich die Parusie betreffen, ist eine andere Frage, die uns erst später (unter 2) beschäftigen wird; daß die überliefernde Urkirche sie so verstanden hat, wird bis auf wenige Texte kaum angefochten. Es dürfte auch schwerfallen, eine Zeit bald nach der Auferstehung Jesu auszumachen, in der nicht überall in der Urkirche dieser Glaube lebendig gewesen wäre; aus der archaischen Stelle Apg 3, 20f läßt sich keine ältere oder älteste Christologie erschließen, die überhaupt noch das Kommen des Messias vor sich gesehen hätte[7]. Der Parusieglaube besagt zwar nicht einfach ein „Wiederkommen" Jesu Christi, aber doch seine Ankunft in Herrlichkeit, der seine Anwesenheit in Niedrigkeit, sein geschichtliches Auftreten, seine Passion und sein Kreuzestod vorausgegangen sind und auf die seine Auferstehung hoffen läßt. So ist der Parusieglaube mindestens seit Ostern da und mit der Gewißheit, daß der Gekreuzigte auferweckt wurde, mitgegeben. Das einzige ernsthafte Problem in diesem Zusammenhang besteht darin, ob etwa Johannes, der vierte Evangelist, die ganze („dramatische") Zukunfts-

---

[6] 1 Kor 1, 8; 5, 5; 2 Kor 1, 14; Phil 1, 6 10; 2, 16; 1 Thess 5, 2; 2 Thess 2, 2; vgl. Eph 4, 30; 2 Tim 1, 12 18; 4, 8 („jener Tag"); Hebr 10, 25; 1 Petr 2, 12; 2 Petr 3, 10.

[7] So *J. A. T. Robinson,* The Most Primitive Christology of all?: Journal of Theolog. Studies 7 (1956) 177—189. Das ist jetzt eine Hauptthese des großen Werkes von *F. Hahn,* Christologische Hoheitstitel. Ihre Geschichte im frühen Christentum (Göttingen 1963), besonders 95—112 und 184—186. Die älteste judenchristliche Gemeinde kenne noch nicht die Vorstellung von der „Erhöhung" Christi, sondern habe nur angespannt auf die Parusie gewartet. Eine Auseinandersetzung mit dieser These würde hier zu weit führen.

erwartung abgebaut und auf den gegenwärtigen Heilsbesitz „uminterpretiert“ hat, ob es also schon in der Urkirche, in fortgeschrittener Entwicklung, ein neues Verständnis der „apokalyptischen“ Aussagen gegeben hat. Bekanntlich beruft sich R. Bultmann zugunsten seiner „existentiellen Interpretation“ auf diese johanneische Theologie, freilich um den Preis, daß er eine Reihe entgegenstehender Aussagen im Johannesevangelium (namentlich 5, 28 f; 6, 39 40 44 54; 12, 48) einer „kirchlichen Redaktion“ zuschreiben muß, die den revolutionären Evangelisten dadurch erst kirchlich tragbar gemacht hätte[8]. Dieses vielerörterte Problem der johanneischen Eschatologie kann hier nicht näher behandelt werden. Selbst wenn man mit einer mehrfachen Redaktion rechnet, die auch den eschatologischen Standpunkt betroffen hätte[9], bleibt zu fragen, ob jener Theologe, der auf eine ganz „vergegenwärtigte Eschatologie“ Wert legte, nicht den Blick auf die künftige Vollendung, und zwar im Sinne wirklicher Ereignisse, offenhalten wollte[10]. Man muß in der Tat zugestehen, daß der vierte Evangelist die bisherige eschatologische Terminologie umgedeutet hat[11]; daraus folgt aber nicht, daß er den bisherigen eschatologischen Glauben aufgeben wollte, sondern zunächst nur, daß er eine gewaltige theologische Gewichtsverlagerung vornahm. Diese mag uns zu denken geben und uns die Spannweite eschatologischer Haltung im Urchristentum vor Augen führen; aber daß Johannes aus dem allgemeinen urchrist-

---

[8] *R. Bultmann,* Das Evangelium des Johannes (Göttingen [4]1953) zu den Stellen; vgl. auch *H. Becker,* Die Reden des Johannesevangeliums und der Stil der gnostischen Offenbarungsrede (Göttingen 1956) 67 ff; zur grundsätzlichen Interpretation s. *R. Bultmann,* Die Eschatologie des Johannes-Evangeliums: Glauben und Verstehen I (Tübingen 1933) 134—152; *ders.,* Theologie des Neuen Testaments (Tübingen [3]1958) 421—439. — Zur Kritik u. a. *G. Stählin,* Die Eschatologie des Johannesevangeliums: Zeitschr. für die neutest. Wissensch. 33 (1934) 225—259; *F. Mussner,* ΖΩΗ. Die Anschauung vom „Leben“ im vierten Evangelium (München 1952) 140—144; *A. Corell,* Consummatum est. Eschatology and Church in the Gospel of St. John (London 1958); *D. E. Holwerda,* The Holy Spirit and Eschatology in the Gospel of John (Kampen 1959); *Th. Müller,* Das Heilsgeschehen im Johannesevangelium (Zürich 1961), bes. 128 f; *J. Blank,* Krisis. Untersuchungen zur joh. Christologie und Eschatologie (Diss. Würzburg 1962); *L. van Hartingsveld,* Die Eschatologie des Johannesevangeliums (Assen 1962).

[9] Vgl. *M.-É. Boismard,* L'évolution du thème eschatologique dans les traditions johanniques: Revue Bibl. 68 (1961) 507—524.

[10] Vgl. die oben in Anm. 8 genannten Arbeiten von Stählin, Mussner, Corell, Holwerda, Blank, van Hartingsveld.

[11] „Ewiges Leben“ und „Gericht“ (3, 19; 9, 39) sind zu gegenwärtigen Größen geworden; „jener Tag“, sonst ein Ausdruck für die Parusie (s. o. Anm. 6), erfüllt sich für die Jünger schon nach der Auferstehung Jesu (vgl. 16, 23 26), ebenso das „ihr werdet mich sehen“ (16, 16 f 19). Die „erfüllte“ Eschatologie zeigt sich auch in der Freude (15, 11; 16, 20 ff) und im Frieden (14, 27; 16, 33; 20, 19 21 26). *A. Feuillet* (a. a. O. 1410) bemerkt: „Die Existenz der Kirche ist wie eine Antizipation der Parusie beschrieben.“

lichen Glaubensbekenntnis ausgebrochen sei, ist unbewiesen und unwahrscheinlich.

Von großer Bedeutung für den urchristlichen Parusieglauben ist die Eucharistiefeier. Der eschatologische Gehalt ist ihr schon von der Stiftung Jesu her mitgegeben (vgl. Lk 22, 16 18; Mk 14, 25; Mt 26, 29) und wird durch den „Jubel“ bei den Gemeinschaftsmahlen der Jerusalemer Urgemeinde (Apg 2, 46) bestätigt; Paulus aber, der das Gedächtnis an den Tod des Herrn betont, fügt gleichwohl das gewichtige Sätzchen hinzu: „bis er kommt“ (1 Kor 11, 26). Außerdem dürfte bei dieser zentralen Gemeindefeier der alte, noch aramäisch überlieferte Gebetsruf „Maranatha“ („unser Herr, komm!“) erklungen sein, der die Sehnsucht nach dem kommenden Herrn zum Ausdruck brachte und wachhielt, wie immer man ihn christologisch deuten mag [12]. Trotz des gegenwärtigen Geistbesitzes lebten die urchristlichen Gemeinden also doch in angespannter Erwartung des Kommenden; sie prägte ihre gegenwärtige Existenz mit und ist aus ihrem Leben nicht wegzudenken.

Die *Vorstellungen* der Parusie und der sie begleitenden Umstände weichen freilich in den einzelnen Zeugnissen zum Teil nicht unerheblich voneinander ab. Die Ausdrucksweise, daß „der Menschensohn auf (oder mit, in) Wolken kommt“ (Mk 13, 26 par; 14, 62 par; Apk 1, 7) [13], bezieht sich deutlich auf Dan 7, 13, kann aber nicht wie dort ein Hinführen des Menschensohnes zum Throne Gottes, sondern nur ein Kommen des Menschensohnes vom Throne Gottes meinen [14], wie auch 1 Thess 4, 16 („... wird vom Himmel herabsteigen“) bestätigt. Das Hinzutreten

[12] Vgl. *K. G. Kuhn:* Theol. Wörterbuch zum NT IV 470—475; *S. Schulz,* Maranatha — Kyrios Jesus: Zeitschr. für die neutest. Wissensch. 53 (1962) 125—144.

[13] Der Wechsel in den Präpositionen hat kaum viel zu bedeuten. Schon in Dan 7, 13 LXX hat der 𝔊-Text: ἐπί, der Θ-Text: μετά. Das Motiv ist nach atl. Ansätzen, daß sich Jahwe Wolken zum Gefährt nimmt (vgl. Is 19, 1; Ps 104, 3), entwickelt und drückt die himmlisch-hoheitliche Macht aus.

[14] Gegen *J. A. T. Robinson,* Jesus and His Coming 43 ff, siehe *H. K. McArthur:* New Testam. Studies 4 (1957—58) 156 ff. Die Antwort von *T. F. Glasson* (ebd. 7 [1960—61] 88—93) mit seiner Bezugnahme auf die jüdische Auslegung von Dan 7, 13 f ist für die christliche Auffassung des Zitates nicht überzeugend, da diese ohnehin neue Wege einschlägt (vgl. die Deutung des „Menschensohns“ auf Jesus). *A. Feuillet,* Le triomphe du Fils de l'Homme d'après la déclaration du Christ aux Sanhédrites: La venue du Messie (Recherches Bibl. VI) (Löwen 1962) 149—171, versucht eine mittlere Lösung, indem er die Ankündigung auf „l'établissement prochain du règne du Christ sur l'univers“ (165) bezieht; die Parusie sei nicht auszuschließen, aber nur der letzte Akt der messianischen Herrschaft Christi nach seiner Erhöhung (165 f). Aber *B. Rigaux* (ebd. 206—210) wird recht haben, daß mit dem „Kommen des Menschensohnes auf den Wolken“ doch direkt die Parusie gemeint ist, aber in der zeitlich verkürzten Perspektive, die für Jesu prophetische Art charakteristisch ist.

zum „Hochbetagten“ dürfte sonst nicht verschwiegen werden; auch kommt es — wie bei allen diesen Schriftanspielungen — nur auf einen bestimmten Zug oder Gedanken an, hier das durch die „Wolken“ angedeutete Erscheinen „in (großer) Macht“ und / oder „Herrlichkeit“ (vgl. noch Mk 9, 1; 2 Thess 1, 7). Der in der „synoptischen Apokalypse“ anschließende Vers (Mk 13, 27 par), der von der Sammlung der Auserwählten aus den vier Himmelsrichtungen spricht, ist zwar unmittelbar mit dem „Kommen des Menschensohnes in Wolken“ verbunden, bringt aber doch einen neuen Gedanken, der in der danielischen Menschensohnvision noch nicht zu finden ist. Da ist der „Menschensohn“ ja selbst Repräsentant des „Volkes der Heiligen“ (vgl. Dan 7, 27), während er in den Evangelien von den „Auserwählten“ unterschieden ist. Mit der Sammlung der Auserwählten wird vielmehr ein anderer Gedanke jüdischer Eschatologie aufgenommen, nämlich die Sammlung der zerstreuten Kinder Israels (vgl. Is 27, 13; Zach 2, 10; 8, 7 f; Ps. Sal. 11 u. a.), nun übertragen auf das wahre eschatologische Gottesvolk. Nach Jo 11, 52 soll der Tod Jesu dazu führen, auch die zerstreuten Gotteskinder (die gläubigen Heiden) zur Einheit zu sammeln; der eschatologische Gedanke ist dabei schon in die Gegenwart der Kirche verlegt. Die Beteiligung der Engel — auch das Judentum wies ihnen verschiedene eschatologische Aufgaben zu [15] — tritt in anderer Weise noch öfter, besonders im Matthäusevangelium (vgl. 13, 41 49; 16, 27; 25, 31), hervor, an sich wieder ein eigener Zug, der zur Sammlung der zerstreuten Kinder des Gottesvolkes nicht notwendig dazugehört. Nach dem von den Synoptikern je etwas verschieden geformten Wort Mk 8, 38c par kommt der Menschensohn aber schon mit den Engeln.

Anders sind Bild und Gedanke in 1 Thess 4, 16 f: Der Herr wird bei einem Befehlsruf, wenn die Stimme des Erzengels und die Posaune Gottes erschallen, vom Himmel herabsteigen. Die in Christus Verstorbenen werden zuerst auferstehen, dann die übriggebliebenen Lebenden mit ihnen zusammen dem Herrn entgegen auf Wolken in die Luft entrückt werden. Ob man dies als „Einholung“ des Kyrios nach hellenistischem Vorbild, so wie nämlich Einwohner einer Stadt einen Herrscher feierlich empfingen und in die Stadt geleiteten [16], oder als Begegnung mit ihm nach Art des Erscheinens vor Gott wie bei der Theophanie am Sinai [17] betrachten soll, ist

[15] Nach aeth Hen 61 holen die Engel die verstorbenen Gerechten, auch die in der Wüste und im Meere umgekommenen, zusammen; meist aber haben sie Gerichtsfunktionen (vgl. Mt 13, 41 f!). Vgl. *P. Volz,* Die Eschatologie der jüdischen Gemeinde im ntl. Zeitalter (Tübingen 1934) 276 f.

[16] Vgl. *E. Peterson,* Die Einholung des Kyrios: Zeitschr. für system. Theol. 7 (1929—30) 682—702, und viele neuere Erklärer.

[17] In diesem Sinne *J. Dupont,* Σὺν Χριστῷ. L'union avec le Christ suivant s. Paul I (Brügge-Löwen-Paris 1952) 64—73.

letztlich nicht entscheidend. Das übrige jüdische Kolorit, besonders die Stimme des Erzengels und der Klang der Trompete, lassen vielleicht eher an das zweite denken; doch ist dann das Entrücktwerden auf Wolken ein neuer Zug. Auf jeden Fall entsteht hier eine andere Szenerie als in der synoptischen Endzeitrede; das ist sicher durch den Blick auf die Auferstehung der Toten bedingt, die in Mk 13 par gar nicht erwähnt wird. Die Erlösten *sind* versammelt, Tote und Lebende ohne Unterschied, um sich ihrerseits mit dem Herrn zu vereinigen. Die Überlebenden haben keinen Vorzug vor den bereits im Herrn Entschlafenen, alle ziehen in verklärter Leiblichkeit gemeinsam dem Herrn entgegen. Darum ist es auch weniger wichtig, wohin sich der eschatologische Zug bewegt, zurück auf die Erde oder in den Himmel (der Luftbereich ist sicher nicht als die endgültige Stätte der Vereinigung gedacht). Auch dürfte eine verwandelte Erde oder ein neuer Himmel, ein verklärtes Universum vorausgesetzt sein; aber der allein wichtige Gesichtspunkt ist: Wir werden dann allezeit beim Herrn sein. Dieser soteriologische Gedanke dominiert hier, da der Apostel die Thessalonicher über das Los der Christen, die vor der Parusie sterben und scheinbar benachteiligt sind, beruhigen und trösten will. Daß sich bestimmte Bilder und Assoziationen je nach dem leitenden Gesichtspunkt einstellen, ersieht man auch daraus, daß der Trompetenklang wieder bei der Schilderung der Auferstehung in 1 Kor 15, 52 verwendet wird. Hier wird aber eins deutlicher: Es findet eine „Verwandlung" aller Christen statt, sowohl der Toten in Unverweslichkeit als auch der Lebenden in einen nicht mehr physisch-vergänglichen Leib, und das Ganze geschieht nicht in einem zeitlichen Nacheinander, sondern in einem „einzigen Augenblick".

Schließlich haben wir noch eine andere Parusieschilderung in 2 Thess 2, 8 und Apk 19, 11—21, nämlich als Triumph Christi über den Antichrist und die ihm hörigen Menschen. Der „Mensch der Bosheit" wird in 2 Thess 2 zunächst (V. 4) als der Widerpart Christi, der Usurpator göttlicher Macht und Würde geschildert und sein Auftreten dann in der gleichen Begrifflichkeit wie die Parusie Christi ausgedrückt (V. 8 f). Aber der Kyrios wird ihn „mit dem Hauche seines Mundes vernichten" und „durch die Erscheinung seiner Ankunft beseitigen" (V. 8). In Apk 19 erweitert und verändert sich das Bild zu einer großen „Messiasschlacht". In himmlischer Herrscherwürde reitet der, dessen Name „das Wort Gottes" ist, begleitet von den Himmelsheeren, aus und schlägt mit dem scharfen Schwert, das aus seinem Munde hervorgeht, die gottfeindlichen Völker. Im Kampf des „Königs der Könige und Herrn der Herren" und seines himmlischen Heeres mit dem „Tier", den Königen der Erde und ihren Heeren werden der Antichrist und sein Helfer, der Pseudoprophet, gefangen und in den

Feuerpfuhl geworfen und die ihnen dienstbaren Scharen mit dem Schwert getötet. Viele Symbole und Schriftanspielungen sind in diese apokalyptische Schilderung verarbeitet und eingeschmolzen, und so entsteht ein eindrucksvolles, einheitliches Bild vom Endsieg über die gottfeindlichen Gewalten auf dieser Erde.

Wenn wir diese verschiedenen Darstellungsweisen überschauen, wird das eine klar: Es ist eine Symbolsprache, die kein Interesse an dem genauen Ablauf der Ereignisse, ihrer Lokalisierung und konkreten Beschreibung hat, sondern jeweils bestimmte Gedanken herausstellt und sie mit meist schon übernommenen Zeichen und Zügen veranschaulicht. B. Rigaux bemerkt richtig zu 1 Thess 4, 16 f, daß diese Dinge, die Paulus erwähnt, nicht zu seiner Argumentation gehören, sondern von ihm nur angeführt werden, wie er sie aus jüdischer und christlicher Tradition empfangen hat. Ihre apokalyptische Art und Färbung benutzte er für sein Ziel; aber er will damit nicht Geschichte in geschichtlicher Weise darstellen, sondern nur einem großen Gedanken Ausdruck verleihen[18]. Was B. Rigaux zu 1 Thess feststellt, kann man auf die verschiedenen Parusieschilderungen ausdehnen und dann, etwas schematisiert, sagen: *In der synoptischen Endzeitrede tritt der ekklesiologische Gesichtspunkt, die Rettung und Sammlung der „Auserwählten", in den Vordergrund, in 1 Thess 4 dominiert der soteriologische christozentrische Aspekt unserer dauernden Vereinigung und vollendeten Gemeinschaft mit Christus, und in 2 Thess 2 und Apk 19 werden antagonistisch Sieg und Triumph Christi über die gottfeindlichen Mächte und über seine eigenen Gegner herausgestellt.* Wiederum lassen sich der soteriologische, ekklesiologische, antagonistische und judiziale Aspekt nicht voneinander trennen. Im Blick auf „Kirche und Parusie" darf man sagen: *Die Kirche tritt bei der Parusie als die eschatologische Heilsgemeinde, als die Gemeinde und Braut Christi ebenso wie als die Siegerin über die sie bis dahin bedrängende gottfeindliche Welt in volles Licht.*

Schließlich können wir in den einzelnen Zeugnissen eine verschiedene Haltung zur *Nähe der Parusie* beobachten oder, anders gesagt, eine nicht gleichmäßige apokalyptische Temperatur. Die gesamte Urkirche hält zwar an der „Nähe" der Parusie fest; aber es ist offensichtlich ein Unterschied, ob wir bei Mt 16, 28 lesen: „Wahrlich, ich sage euch, es gibt einige von denen, die hier stehen, die den Tod nicht kosten werden, bis sie den Menschensohn in seinem Reich kommen sehen", oder ob wir von Lukas hören, daß Jesus den Jüngern, die das Erscheinen des Gottesreiches auf der Stelle erwarteten, ein Gleichnis von einem Fürsten erzählte, der erst

---

[18] *B. Rigaux,* S. Paul: Les Épîtres aux Thessaloniciens (Paris-Gembloux 1956) 541.

noch eine Reise in ein fernes Land unternimmt und seinen Dienern aufträgt, in der Zwischenzeit mit den anvertrauten Minen zu wirtschaften (19, 11f), oder daß Jerusalem von den Heiden niedergetreten werden wird, bis die Zeiten der Heiden erfüllt sind (21, 24). Im 2. Thessalonicherbrief wird eine allzu heiße Naherwartung mit dem Hinweis gedämpft, daß erst noch der Abfall eintreten und der „Mensch der Bosheit" erscheinen soll, dessen Auftreten wieder noch durch einen „Hemmenden" oder ein „Hemmnis" aufgehalten wird (2, 3 6f). Die Antwort an die racheschreienden Martyrer in Apk 6, 10f, sie sollten nur noch eine kurze Zeit warten, bis auch ihre Mitknechte und Brüder vollendet seien, klingt anders als der Trost Jesu für seine Jünger im Johannesevangelium: „Jetzt habt ihr zwar Trauer, aber ich werde euch wiedersehen, und euer Herz wird sich freuen, und eure Freude wird niemand von euch nehmen" (16, 22), ein Wort, das sich nach dem Zusammenhang nur auf das „Wiedersehen" nach der Auferstehung beziehen kann. An der einzigen Stelle des gleichen Evangeliums, wo mit Sicherheit von der Parusie gesprochen wird, nämlich im sog. Nachtragskapitel, wird der Ansicht gewehrt, der Jünger, den Jesus liebte, sollte nicht sterben, bis der Herr komme (21, 22f). Aber auch Paulus dürfte zunächst darauf gehofft haben, die Parusie noch bei Lebzeiten zu erfahren[19]. Es gab also eine akute Naherwartung, und für solche sehnsüchtig Harrende gab es auch eine „Parusieverzögerung". Freilich hat man dieses Problem in der neueren Forschung wiederholt in einer Weise hochgespielt[20], daß man das urchristliche Denken damit sicher verkehrt und entstellt.

Auf der anderen Seite nämlich fehlt es nicht an Zeugnissen dafür, daß die zeitliche Nähe der Parusie niemals eine unumstößliche Gewißheit oder feste Lehre war, sondern eben nur eine, vielleicht heiße Sehnsucht und eine erhoffte Möglichkeit. Bezeichnend dafür ist das Bild vom Kommen des „Tages" wie ein Dieb in der Nacht, das sich sowohl im Gleichnisstoff der Redequelle (Lk 12, 39f; Mt 24, 43f) als auch bei Paulus (1 Thess 5, 2 4), in der Apokalypse (3, 3; 16, 15) und im 2. Petrusbrief (3, 10) findet. Das Bild ließ sich als Warnung vor einem unmittelbar bevorstehenden Ereignis verstehen und wurde wohl zum Teil so verstanden, konnte aber auch als ständige Warnung vor dem unberechenbaren, unerwarteten Einbruch der Parusie aufgefaßt werden, wie dies deutlich in 2 Petr geschieht, wo schon Spötter über den Verzug der Parusie zurückgewiesen werden.

---

[19] *F. Tillmann,* Die Wiederkunft Christi nach den paulinischen Briefen (Freiburg i. Br. 1909) 46—93; *B. Rigaux,* Thess. 222—227 mit weiteren Stimmen.

[20] Zur These des sog. Eschatologismus s. *F. J. Schierse* unter diesem Stichwort im LThK² III 1098f und die dort angegebene Lit.; ferner *R. Schnackenburg,* Art. Naherwartung: ebd. VII 777ff (mit weiterer Lit.).

Den gültigbleibenden Sinn der bildhaften Aussage arbeitet schon Paulus in 1 Thess 5, 1—11 heraus, wenn er den Anruf zur Wachsamkeit und Nüchternheit hervorhebt, zugleich jegliche Angst unter den Christen bannt und die Frage nach dem Zeitpunkt relativiert, da das Ziel unverrückbar bleibt: Wir werden mit Christus zusammen leben. Damit gewinnt er die richtige „Verkündigungsmitte", die das anfordernde Herandrängen des Endes nicht lockert, aber auch jegliches apokalyptische Fieber vertreibt. Offenbar bietet eine solche Verkündigung, die das schon geschenkte Heil, die schon verwirklichte Christusgemeinschaft bewußt macht und zugleich die Spannung auf das Ende hin, die Sehnsucht nach der Vollendung wachhält, die Möglichkeit, nach den jeweiligen Umständen, auch nach der persönlichen Art des Verkündigers den Finger mehr auf das eine oder andere zu legen. Das ist der wahre Grund, warum uns so unterschiedliche eschatologische „Haltungen" oder „Stimmungen" in den neutestamentlichen Zeugnissen begegnen. Das tiefere Zusammenstimmen liegt in dem Wissen, daß man keine wirklichen Termine kennt, aber die Zukunft, die Parusie mit allen anderen eschatologischen Ereignissen mit Sicherheit auf sich zukommen sieht, ohne daß die Heilsgegenwart ihr Gewicht verliert.

Freilich sind damit nicht alle Probleme der urchristlichen Naherwartung gelöst, als ginge die Rechnung bei diesem Generalnenner glatt auf. Schwierig bleibt besonders die Beurteilung der „Vorzeichen", die manche urchristlichen Kreise als erkennbare Marksteine der eschatologischen Entwicklung, als wirkliche Anzeiger des heilsgeschichtlichen Stundenschlags angenommen zu haben scheinen. Wenn man die Komposition der synoptischen Endzeitrede oder 2 Thess 2, 3—7 oder die Anlage der Apokalypse studiert, kann man sich diesem Eindruck kaum entziehen. Sind das nicht doch zeitgeschichtliche Festlegungen und gewisse Vorausberechnungen, von denen sich jene Kreise nicht freihielten? Wenn man aber näher zuschaut, dann sind sämtliche Angaben oder Anspielungen so vage und geheimnisvoll, daß man sie nur als tastende Versuche, zurückhaltende Andeutungen, zeitgeschichtliche Ausrufezeichen werten wird, die keineswegs verbindliche Aussagen über eine zeitlich berechenbare Nähe des Endes machen wollen. In 1 Jo 2, 18 heißt es, daß jetzt „letzte Stunde" ist und daß man dies daraus erkenne, daß jetzt viele „Antichriste" aufgetreten sind; als solche nämlich erklärt der Verfasser die Irrlehrer, die er bekämpft. Aber was heißt „letzte Stunde"? Heißt es mehr, als daß es die Zeit vor dem Ende ist? Damit ist die zeitliche Nähe der Parusie in keiner Weise näher bestimmt. Schon die Deutung des Antichrists, dessen Kommen der Verfasser mit der Tradition als sicher ansieht, auf die Irrlehrer seiner Zeit spricht für die Freiheit, die man sich in der Urkirche für die zeitgeschichtliche Anwendung eschatologischer Erwartungen nahm;

ähnlich groß scheint die Auslegungsbreite für den Begriff der „letzten Zeit" gewesen zu sein.

Darum wird man für das Problem der Naherwartung und der „Vorzeichen" ähnlich wie für die Schilderungen der Parusie sagen dürfen, daß die vordergründig variablen Aussagen nicht in einem absoluten Sinn gemeint sind, sondern zeit- und umweltbedingte Versuche darstellen, die wenigen Aussagen, die als verbindlich überliefert wurden, jeweils auszulegen und auf die konkrete Situation anzuwenden. Freilich gab es offenbar solche festen Punkte, an denen man festhielt, so das Auftreten von Pseudopropheten[21], Pseudomessiassen[22], eines Antichrists oder auch das Eintreten einer großen Drangsal[23]. Hierfür gewinnt die Frage an Gewicht, ob nicht gewisse apokalyptische Anschauungen erst sekundär ins Urchristentum eingedrungen sind. Damit kommen wir zu dem zweiten Problemkreis, wie sich die urchristliche Parusie-Erwartung zur Botschaft Jesu selbst verhält.

2. *Urkirchliche Parusie-Erwartung und Verkündigung Jesu*

Unter kritischem Aspekt ist die Frage, ob Jesus die Parusie des Menschensohnes und damit seine eigene Parusie angesagt hat, äußerst verwickelt. Sie ist nämlich unlöslich mit dem „Menschensohn"-Problem verquickt: Hat Jesus selbst vom „Kommen des Menschensohnes" gesprochen, oder

---

[21] Vgl. Mk 13, 22 par; doch schon als gegenwärtig gesehen in 1 Jo 4, 1; vgl. Mt 7, 15 22; in Apk „*der* Pseudoprophet" als Helfer des Antichrists (Kap. 13), vgl. 16, 13; 19, 20; 20, 10; in 2 Petr 2, 1 = „Falschlehrer". Also auch in diesem Punkte eine Variationsbreite und zeitgeschichtliche „Anwendung". Vgl. noch *G. Friedrich:* Theol. Wörterbuch VI 857 f; 862 f.

[22] Vgl. Mk 13, 6 22 par; es fällt auf, daß solche falschen Anwärter auf den Messiastitel an zwei verschiedenen Stellen der Endzeitrede auftreten, vgl. noch Lk 17, 23 par; Mt 24, 26. Offenbar werden (bes. bei Mt 24, 26a) Erinnerungen an geschichtlich aufgetretene Pseudomessiasse wach; das Ganze ist mehr Hintergrund für die wache Erwartung des wahren (Parusie-)Christus.

[23] Zum Antichrist vgl. *B. Rigaux,* Thess. 259—280; *R. Schnackenburg,* Die Johannesbriefe (Freiburg i. Br. ²1963) 145—149 und die dort angegebene Lit. — Die „große Drangsal", die in der synoptischen Endzeitrede mit palästinisch-zeitgeschichtlichem Kolorit beschrieben wird und eine eigene Phase im endgeschichtlichen Ablauf zu bilden scheint (Mk 13, 14—23 par), ist auch schon ein Topos der jüdischen Apokalyptik (die „letzte, böse Zeit"), vgl. *P. Volz,* Eschatologie 147—163; dazu kommen jetzt die Qumrantexte, in denen aber nicht klar ist, ob „das Ende der Tage" oder „die letzte Zeit" schon eingetreten ist oder noch erwartet wird, vgl. *F. Nötscher,* Zur theologischen Terminologie der Qumran-Texte (Bonn 1956) 164—167. Der gleiche Zweifel besteht für die ntl. Apokalypse. Im ganzen NT ist dieser doppelte Aspekt zu erkennen: Die Zeit vor dem „Ende" ist einerseits Gegenwart, anderseits noch bevorstehende Zukunft (vgl. meine „Johannesbriefe" 141 ff). Das ist eine Warnung vor einer „Periodisierung" des endzeitlichen Geschehens.

sind sämtliche diesbezügliche Logien erst als Bildungen judenchristlicher Kreise anzusehen, die von sich aus in einer apokalyptischen Stimmung die „Menschensohn"-Theologie entwickelt und mit Jesus verbunden hätten?[24] Das Hauptargument gegen diese Auffassung ist, daß der Titel „Menschensohn" in den Evangelien nur im Munde Jesu vorkommt und es bei einer erst später im Urchristentum (wenn auch noch so früh) entstehenden (und bald wieder absterbenden) Menschensohn-*Theologie* unverständlich wäre, daß nicht auch Bekenntnisse zum und theologische Aussagen über den Menschensohn überliefert sind; dieses Argument ist bisher nicht entkräftet worden. Die Menschensohn-Vision des Stephanus (Apg 7, 56) vermag die Existenz einer erst nach Ostern aufgekommenen Theologie ebensowenig zu erhärten wie die wiederholt gegebene Auskunft, Paulus habe den Titel „Menschensohn", durch Adam-Spekulationen oder den Anthropos-Mythus beeinflußt, durch „Mensch" ersetzt und zeuge so indirekt für die vor ihm bestehende Menschensohn-Theologie[25]. Darum wagen die meisten Forscher Jesus wenigstens das eine oder andere Wort über das künftige Erscheinen des „Menschensohnes" nicht abzusprechen, namentlich nicht das in zwei verschiedenen Traditionsschichten überlieferte Logion vom „Sich-Bekennen" des „Menschensohnes" zu den Bekennern Jesu (Lk 12, 8f par; Mk 8, 38 par)[26]. Großes Gewicht besitzt aber in der kritischen Forschung immer noch die z. B. von R. Bultmann vertretene Meinung, Jesus habe zwar vom Kommen des Menschensohnes gesprochen, damit aber einen anderen als sich selbst, nämlich die in manchen jüdischen Kreisen erwartete apokalyptische Gestalt des „Menschensohnes", im Sinne gehabt und erst die Urkirche habe diese mit dem einst wiederkommenden Jesus identifiziert[27]. Aber auch diese Auskunft

---

[24] So *Ph. Vielhauer,* Gottesreich und Menschensohn in der Verkündigung Jesu: Festschrift für G. Dehn (Neukirchen 1957) 51—79; *H. Conzelmann,* Gegenwart und Zukunft in der synoptischen Tradition: Zeitschr. für Theologie und Kirche 54 (1957) 277—296, näherhin 281 ff; *G. Bornkamm,* Jesus von Nazareth 208 u. a.

[25] Vgl. O. *Cullmann,* Die Christologie des Neuen Testaments (Tübingen 1957) 169—186 (der aber für die Echtheit des Titels im Munde Jesu eintritt); *E. Brandenburger,* Adam und Christus. Exegetisch-religionsgeschichtliche Untersuchung zu Röm. 5, 12—21 (1. Kor 15) (Neukirchen 1962) besonders 131—135 (der aber über die Beziehung Pauli zur Urgemeinde nichts sagt). Daß hinter der paulin. Adam-Christus-Parallele überhaupt der Gedanke an den „Menschensohn" steht, ist äußerst fraglich, vgl. *A. Vögtle,* Die Adam-Christus-Typologie und „der Menschensohn": Trierer Theol. Zeitschr. 60 (1951) 309—328.

[26] Vgl. zuletzt bes. *H. E. Tödt,* Der Menschensohn in der synoptischen Überlieferung (Gütersloh 1959) zu Lk 12, 8f: 50—56; zu seiner Interpretation vgl. aber *A. Vögtle:* Bibl. Zeitschr. 6 (1962) 135—138; ferner vgl. *ders.:* LThK² VII 298 ff; auch *F. Hahn,* a. a. O. 33—36.

[27] So *R. Bultmann,* Theologie 29 ff; *G. Bornkamm,* Jesus von Nazareth 206.

stößt auf erhebliche Schwierigkeiten[28]. Mit Recht dürften darum nicht nur katholische Forscher daran festhalten, daß Jesus mit dem verheißenen „Menschensohn" sich selbst bezeichnet hat, in der verhüllenden Weise, die seiner Selbstoffenbarung und seinem besonderen „messianischen" Verständnis entsprach; doch können wir darauf nicht näher eingehen.

Wenn wir unseren Horizont über das Menschensohn-Problem hinaus erweitern, verdient vor allem die von T. F. Glasson und J. A. T. Robinson entwickelte Ansicht Beachtung, Jesus habe nicht sein Erscheinen in Macht von Gott her („visitation"), sondern nur seine Erhöhung und Rechtfertigung bei Gott, also sein ihn bestätigendes Hingehen zu Gott („vindication") angesagt[29]. Auch bei dieser geistreichen Hypothese läge also ein Mißverständnis oder eine Umdeutung seitens der Urkirche vor: sie hätte (wieder von apokalyptischen Gedanken beeinflußt) aus der Erhöhung Jesu, die durch die Erscheinungen des Auferstandenen erwiesen wurde, seine Wiederkunft in Macht und Herrlichkeit gefolgert.

Dabei spielt besonders die Szene vor dem Hohen Rat, die Antwort Jesu an den Hohenpriester (Mk 14, 62 par), eine große Rolle, über die in jüngster Zeit viel geschrieben wurde[30]. Jene englischen Forscher erkennen zwar — im Unterschied zu nicht wenigen anderen — die Geschichtlichkeit des Selbstzeugnisses Jesu im Angesicht seiner Richter an, verstehen das auf zwei alttestamentliche Schriftstellen (Ps 110, 1 und Dan 7, 13) anspielende Wort aber so, daß Jesus zu Gottes Thron hingeführt werde, wie es auch nach der Daniel-Vision anzunehmen sei. Der Zusatz bei Mt 26, 64 „von jetzt an", der auch in der andersartigen Version bei Lk 22, 69 erhalten sei, müsse als ursprünglich gelten und sein volles Gewicht behalten: Jesus spreche von einem bald eintretenden und fortdauernden Geschehen, gleichsam einer „Parusie von jetzt an". Eine ähnliche Interpretation des Wortes, freilich ohne die künftige Parusie in den Gedanken Jesu zu leugnen, findet sich auch auf katholischer Seite (schon bei M.-J. Lagrange); A. Feuillet erklärt: „In der Deklaration Jesu bedeuten das Sitzen zur Rechten Gottes und das Kommen auf den Wolken nichts anderes als die Errichtung der Herrschaft des Menschensohnes über das All"[31]. Damit schafft er sich die Möglichkeit, den Blick Jesu auf die

---

[28] Vgl. *R. Schnackenburg*, Gottes Herrschaft und Reich (Freiburg i. Br. ²1961) 113 f 116; vgl. auch *W. G. Kümmel*, Verheißung und Erfüllung 38 ff.

[29] *T. F. Glasson*, The Second Advent 63—68; *J. A. T. Robinson*, Jesus and His Coming 43—51. — Vgl. im übrigen Anm. 14.

[30] Vgl. außer der Lit. in Anm. 14 und 29 noch *G. Friedrich:* Zeitschr. für Theol. und Kirche 53 (1956) 305 f; *O. Linton:* New Test. Studies 7 (1960—61) 258—262; *P. Lamarche:* Recherches de Science Rel. 50 (1962) 74—85.

[31] *A. Feuillet:* Dict. de la Bible, Suppl. VI 1342 f; vgl. auch seinen in Anm. 14 zitierten Aufsatz.

unmittelbar bevorstehende Zukunft zu begrenzen und doch in entfernter Weise alles Künftige, auch die Parusie, einzuschließen oder offenzulassen.

Indes, diese Deutung der Antwort Jesu in Mk 14, 62 par ist schwerlich richtig. Vor allem ist der Auferstandene nach allen Berichten nur Glaubenden erschienen, und das hat seinen inneren Grund (vgl. Jo 14, 19 22), so daß die Gegner Jesu seine göttliche Rechtfertigung und himmlische Einsetzung persönlich nicht erfahren konnten, wie es doch das „ihr werdet sehen" voraussetzt. Mit vollem Recht bemerkt B. Rigaux: „Jesus konnte nicht daran denken, ihnen zu versprechen, sie würden ihn in seiner göttlichen Herrlichkeit sehen, und jedes Spekulieren auf die Unmöglichkeit einer solchen Vision außerhalb des Glaubens ist lächerlich."[32] Aber auch die übertragene Deutung des Kommens auf den Wolken auf ein anderes Ereignis als die Parusie unterliegt ähnlichen Bedenken. Das ist auch der Haupteinwand gegen die konsequent zeitgeschichtliche Interpretation der Endzeitrede in Mk 13 par, also gegen den Versuch A. Feuillets und einiger anderer Exegeten, die auf dem Höhepunkt der Rede stehende Aussage nur als bildhafte Einkleidung für das Gottesgericht über Jerusalem zu verstehen; darin werde, so meint Feuillet, der messianische Triumph Jesu sichtbar und kündige sich letztlich das eschatologische Gericht über die Welt an[33]; im übrigen kommt es in Mk 13, 26 f, wie wir sahen, nicht auf das Gericht, sondern auf die Sammlung und Rettung der Auserwählten an. J. A. T. Robinson gibt darum diesen Text als Wort Jesu preis[34]. In der Tat bleibt, wenn man die beiden Stellen in der Endzeitrede und vor dem Hohen Rat nicht als Ankündigung der Parusie durch Jesus zugeben will, kaum ein anderer Weg frei, als sie für Gemeindebildungen zu erklären.

Nun gibt es aber noch einige mehr versteckte Andeutungen der Parusie in Jesusworten, die nach ihrer Gestalt und Überlieferung auch bei kritischer Betrachtung Anspruch auf Ursprünglichkeit erheben dürfen. Da ist zunächst der Spruch vom Jonaszeichen (Lk 11, 29 f; Mt 12, 39 f). A. Vögtle hat in sorgfältiger Untersuchung gezeigt, daß er im Munde Jesu nichts anderes besagen kann als eine Drohung gegenüber „diesem"

---

[32] *B. Rigaux,* La seconde venue 210.

[33] *A. Feuillet* (DBS VI 1349) will die Antwort Jesu vor dem Synhedrium und Mk 13, 26 f in gleicher Weise verstehen als „le triomphe parfait du Messie comme contrepartie de ce qui paraissait être l'anéantissement de son œuvre: sa mort dans la réponse faite aux Sanhédrites, la ruine du Temple de Jérusalem dans le présent discours" und bemerkt dann: „En ce sens on peut parler d'une *véritable annonce de la fin du monde.* Mais, comme dans les tableaux des prophètes, cette fin est contemplée à partir d'un événement concret qui lui sert de prélude."

[34] *Robinson,* a. a. O. 128—130.

ungläubigen, ein Himmelszeichen fordernden Geschlecht[35]. Ein beglaubigendes Wunderzeichen, durch das sich die Gegner aus ihrer verstockten Haltung doch noch bekehren sollten, hat Jesus stets abgelehnt, wie ja auch die Markus-Parallele das Wort vom Jonaszeichen nicht bringt und so eine absolute Ablehnung des geforderten Zeichens bezeugt (Mk 8, 12). Der kommende Menschensohn in seiner Person wird dem ungläubigen Geschlecht der Juden ein Zeichen von Gott sein, wie es Jonas den Niniviten war, aber ein Unheilszeichen, da es dann zur Umkehr zu spät ist. Das Wort vom Jonaszeichen ist überlieferungsgeschichtlich darum so wertvoll, weil wir schon bei Mt 12, 40 eine sekundäre Deutung auf das Verweilen Jesu im „Herzen der Erde", auf Grab und Auferstehung vorfinden. Für die an Jesus glaubende Urkirche wurde die Auferstehung Jesu allerdings schon ein „Jonaszeichen" in einem anderen Sinn, nämlich in Erinnerung an das Verweilen des Propheten im Leib des Meerungeheuers, und seine Errettung ein beglaubigendes Heilszeichen — übrigens ein schönes Beispiel dafür, wie eine kritische überlieferungsgeschichtliche Feststellung zu einer positiven Erhärtung eines Jesuswortes werden kann.

Ebenso hartes Urgestein dürfte jener Ausspruch Jesu sein, der uns in der Logientradition bei Mt/Lk aufbewahrt ist, im Anschluß an das Wort über die Prophetenmörderin Jerusalem und Jesu vergebliches Bemühen, die Kinder Jerusalems zu sammeln, wie eine Henne ihre Brut unter ihre Flügel sammelt: „Siehe, euer Haus wird euch überlassen. Ich sage euch aber (Mt: nämlich): Ihr werdet mich (Mt: + von jetzt an) nicht sehen, bis ihr sagt: Gepriesen ist, der da kommt im Namen des Herrn" (Lk 12, 34 f = Mt 23, 37 ff). Die Deutung auf den Einzug Jesu in Jerusalem versagt, bestimmt für Matthäus, wo der Einzug bereits stattgefunden hat. Es muß sich um ein künftiges und doch wohl nah geschautes Ereignis handeln. Mag man es als Droh- oder Trostprophetie auffassen, man entgeht kaum der Annahme, daß Jesus an die Parusie gedacht hat.

Vielleicht kann man auch mit W. G. Kümmel[36] und B. Rigaux[37] an das Wort vom Sitzen der Zwölf auf Thronen, um die zwölf Stämme Israels zu richten (oder zu regieren) (Mt 19, 28; vgl. Lk 22, 30b), erinnern. Der eschatologische Horizont läßt sich hier wegen der Bezugnahme auf das eschatologische Israel (in der Vollzahl der zwölf Stämme) nicht bestreiten. Die vorausgesetzte Situation kann keine andere sein, als daß die „Zwölf" Beisitzer und Mitregenten des „Menschensohnes" sind, auch wenn Lukas

[35] *A. Vögtle,* Der Spruch vom Jonaszeichen: Synoptische Studien (Festschr. für A. Wikenhauser) (München 1954) 230—277; vgl. *J. Jeremias:* Theol. Wörterbuch III 411—413.
[36] *W. G. Kümmel,* Verheißung und Erfüllung 40—42.
[37] *B. Rigaux,* La seconde venue 211.

einen von Matthäus abweichenden Text bietet. Bultmann und andere bestreiten freilich auch dieses Logion als echtes Jesuswort[38]. Wenn man sich die „Zwölf" als eine erst in der Urgemeinde von Jerusalem aufgekommene und nicht lange bestehende Größe denkt[39], mag man Grund dazu haben; aber wodurch sonst als durch dieses Logion wäre zu erweisen, daß sie sich als künftige Herrscher über Israel verstanden, und wie sonst wären sie auf diesen Anspruch gekommen? Verkehrt man hier nicht Grund und Folge?[40]

Doch brechen wir ab und verzichten wir aus methodischen Gründen auf andere umstrittene Worte. Ein einziges unanfechtbares Jesuswort, das seine eschatologische Richter- und Retterfunktion andeutet, würde genügen, um den urchristlichen Parusieglauben auf festen Boden zu stellen. Wir glauben freilich, daß Jesus mehrfach von seiner Parusie gesprochen hat, wenn auch noch in verhüllter Weise. Vor dem Hohen Rat feierlich nach seinem messianischen Anspruch befragt, hat er sich dann auch öffentlich dazu bekannt. Der Weg aus der Niedrigkeit zur Erhöhung bei Gott und zum einstigen Kommen in Macht war, so schließen wir aus den Texten, auch schon sein eigenes Verständnis des Heilsratschlusses Gottes.

Bei der Zurückhaltung Jesu im Zeugnis über sich selbst, aber auch in der Offenbarung zukünftiger Dinge können wir von vornherein nicht erwarten, daß er Näheres über die *Art und Weise der Parusie* gesagt hätte. Darum ist es auch müßig, darüber zu streiten, ob einzelne Wendungen auf ihn selbst zurückgehen oder von der Urkirche bzw. den Evangelisten geprägt worden sind. Wenn Jesus die Tatsache selbst ins Auge faßte, hatte die Urkirche nach Ostern das Recht, manche Gedanken zu verdeutlichen und zu veranschaulichen, wie wir dies oben (unter 1) tatsächlich feststellten. Wichtig ist höchstens die Frage, ob Jesus gewisse „Vorzeichen" angeben wollte. Nur die Endzeitrede könnte dazu verleiten, diese Frage zu bejahen. Demgegenüber gibt es aber eindeutige Aussprüche, nach denen Jesus gerade das unvermutete und unberechenbare Eintreffen der Parusie betont hat. Die alte und weniger systematische Zusammenstellung eschatologischer Logia in Lk 17, 20—37 ist dafür besonders aufschlußreich. Das Gottesreich kommt nicht unter Beobachtung (V. 20); wie der Blitz, wenn er aufzuckt, von einem Ende des Himmels bis zum anderen leuchtet, so wird es auch mit dem Menschensohn an seinem Tage sein

[38] *R. Bultmann,* Geschichte der synoptischen Tradition (Göttingen ³1958) 170 f; *Ph. Vielhauer,* a.a.O. 61—64.

[39] So *G. Klein,* Die zwölf Apostel (Göttingen 1961) 34—38; *W. Schmithals,* Das kirchliche Apostelamt (Göttingen 1961) 56—64.

[40] Vgl. *B. Rigaux,* Die „Zwölf" in Geschichte und Kerygma: Der historische Jesus und der kerygmatische Christus (Berlin 1960) 468—486.

(V. 24); das Endzeitgeschlecht wird ähnlich überrascht werden wie die Menschen in den Tagen Noes und die Einwohner Sodoms (V. 26—30). Der Tenor aller dieser Sprüche (vgl. noch Lk 12, 40 46 par) geht auf die ständige Bereitschaft und Wachsamkeit, zu der Jesus prophetisch rufen und mahnen wollte. Sieht man aber die große Endzeitrede in Mk 13 par, die nach allgemeinem Urteil ebenfalls eine Komposition aus mancherlei Einzelstücken ist, näher an, so entdeckt man auch in ihr als eigentliches Ziel den Anruf, die Nöte, Verfolgungen und Anfechtungen der Zeit vordem „Ende" auszuhalten und sich für das Kommende und für den Kommenden offen- und bereitzuhalten. Viermal klingt in Mk 13 das charakteristische „habt acht!" auf (βλέπετε V. 5 9 23 33), dreimal steht am Schluß die Mahnung „wachet!" (V. 33 35 37). Wieweit sich in der Komposition eine gewisse Anwendung auf die Lage der Urkirche und eine Anpassung an den Geist der Hörer und Leser verrät, brauchen wir nicht zu untersuchen; viel bedeutsamer ist, daß unter der Decke einer vielleicht stärker „apokalyptischen" Darstellung noch immer das kerygmatisch-paränetische Anliegen am stärksten ist, das die Intention Jesu festhält und aufbewahrt. Der englische Forscher Beasley-Murray bemerkt mit Recht: „Wenn das Kapitel (scil. Mk 13) in Anpassung an den apokalyptischen Stil einer geheimen Instruktion auf einem Berge abgefaßt wurde, so kann es nichtsdestoweniger eine verläßliche Tradition der Lehre unseres Herrn enthalten." [41]

Man möchte statt „Lehre" freilich lieber „Prophetie" sagen; denn nach allem überlieferten Redegut wollte Jesus weniger Enthüllungen über die Zukunft geben als seinen gegenwärtigen Hörern den Blick für die Zukunft öffnen und sie für das auf sie Zukommende bereitmachen. Darin ist die Gewißheit wirklicher künftiger Ereignisse miteingeschlossen; aber Jesus trägt das nicht in Form einer Lehre, sondern — ähnlich wie die alten Propheten — in Form von Warn- und Trostsprüchen, als Mahnung und Verheißung vor. Nur so gewinnen wir auch einen Zugang zu dem Problem, das uns in Jesu Verkündigung ähnlich wie in der urchristlichen Predigt begegnet: der *Naherwartung*. Wenn wir die oben für die Parusie angeführten Logien prüfen, so dürften sie insgesamt dieses Moment enthalten, ganz zu schweigen von den bekannten Texten, in denen eine Begrenzung auf die noch lebende Generation vorzuliegen scheint (Mk 9,1 par; Mt 10, 23; Mk 13, 30 par). Es wäre eine schlechte Apologetik, diesen auf die nächste Zukunft gerichteten Blick Jesu leugnen zu wollen, außerdem ein gefährliches Unternehmen, da dann die Naherwartung in der Urkirche erst recht bedenklich würde. Man muß Jesu Verkündigung, daß

---

[41] *G. R. Beasley-Murray,* A Commentary on Mark Thirteen (London 1957) 10.

die eschatologischen Ereignisse „nahe" sind (vgl. Mk 13, 28 f), daß das Gottesreich „nahe herbeigekommen" ist (Mk 1, 15 u. ö.), ernst nehmen, aber als prophetische Botschaft verstehen, die nicht über den Zeitpunkt belehren (vgl. Mk 13, 32 par), sondern auf die Bedeutsamkeit der Stunde, den Kairos der Entscheidung (vgl. Lk 12, 54—56), das Andringen des Eschaton aufmerksam machen will.

Ohne auf weitere Teilprobleme einzugehen, z. B. das Verhältnis der Reich-Gottes-Verkündigung zu den Menschensohn-Worten[42], fragen wir nun noch einmal grundsätzlich: Ist Jesu Botschaft selbst eschatologisch akzentuiert, enthält sie also unaufhebbar die Ansage des Kommenden und mächtig-andringlich auf uns Zukommenden, oder ist sie an sich nur eine religiöse Rede, die uns unmittelbar vor Gott und sein Handeln stellt, uns seine Barmherzigkeit, aber auch seinen Anspruch an uns nahebringt, und hat erst die Urkirche das eschatologisch-apokalyptische Moment in ihrer Verkündigung herausgestellt und dementsprechend in Jesu Lehre und Predigt eingetragen? Die letztere Auffassung, die eine grundlegende Erkenntnis der neutestamentlichen Forschung seit der Jahrhundertwende in Frage stellt, neuerdings aber an Boden zu gewinnen scheint[43], dürfte aus folgenden Gründen abzulehnen sein:

a) Nach der gesamten synoptischen Überlieferung, besonders den für die originale Jesuspredigt nicht zu bestreitenden Gleichnissen, hat Jesus eine Botschaft über das Gottesreich ausgerichtet, und zwar eine eschatologische Botschaft, da dieser Begriff bei ihm wesentlich eschatologisch geprägt ist[44]. Das kann schon deswegen keine Erfindung der Urkirche sein, weil Begriff und Gedanke des Gottesreiches in ihrer Predigt spürbar zurücktreten, nämlich zugunsten der Verkündigung von Jesus Christus, dem Gekreuzigten und Auferstandenen. Mit dem reichen Material der Basileia-Predigt Jesu hat sie wirkliche Jesustradition weitergegeben.

---

[42] Die These *Vielhauers* in seinem oben (Anm. 24) genannten Aufsatz, daß die Worte vom Menschensohn und die von der Gottesherrschaft offenbar zwei verschiedenen Überlieferungssträngen der Herrenworte angehörten, weil in den erstgenannten nie von der Basileia gesprochen werde, und daß die Menschensohnworte sämtlich aus der Gemeinde (bzw. von urchristlichen „Propheten") stammten, schlägt nicht durch, wenn man auf die jeweiligen Gesichtspunkte achtet (das gilt z. B. für Lk 12, 8 f par). Gegen ihn spricht schon Mt 19, 28, wenn man dieses Logion nicht voreilig Jesus abspricht.

[43] Vgl. außer Anm. 3: *E. Stauffer,* Die Botschaft Jesu damals und heute (Bern-München 1959) (meint S. 10, daß die Überlieferung der „jesuanischen Botschaft" durch einen „Rejudaisierungsprozeß" hindurchgegangen sei); *E. Käsemann,* Zum Thema der urchristlichen Apokalyptik: Zeitschr. f. Theol. u. Kirche 59 (1962) 257—284, besonders 260 f. — Einen extrem gegenteiligen Standpunkt (Jesus ein Apokalyptiker) vertritt *A. Strobel,* Die apokalyptische Sendung Jesu (Rothenburg o. d. T. 1962).

[44] Vgl. *Schnackenburg,* Gottes Herrschaft und Reich 49—56 110 ff.

b) Die Wahrscheinlichkeit einer solchen Verkündigung Jesu wird durch die Lage und Stimmung im damaligen Judentum erheblich gesteigert. Es war eine messianisch erregte Zeit; überall blickte man gespannt in die nächste Zukunft und erwartete eine Wende, so verschieden auch die Vorstellungen im einzelnen waren. Das wird jetzt erneut durch die Qumrantexte bestätigt und bekräftigt[45].

c) Wenn es auch falsch ist, Jesus in eine bestimmte messianische oder apokalyptische Richtung einzuordnen, so erklärt sich sein Widerhall im Volk doch nur, wenn er in der Unruhe der Zeit mit einer bestimmten eschatologischen Botschaft hervortrat. Nun läßt sich aber, gerade nach seiner Gleichnispredigt[46], auch die Eigenart dieser Botschaft noch klarer erkennen. Man kann sie vielleicht am besten mit dem „Geheimnis des Gottesreiches" charakterisieren, von dem in Mk 4, 11 die Rede ist: Die Gottesherrschaft ist im Kommen; sie steht zwar in ihrer Herrlichkeit noch bevor, bricht aber schon mit dem Wirken Jesu in die Welt ein, kündigt sich machtvoll an, ist eine schon spürbare Größe für alle, die Augen haben zu sehen. Anders lassen sich die vielfachen Hinweise Jesu auf das, was sich in seinem Wirken ereignet, Gottes Erbarmen mit den umkehrenden Sündern, Dämonenaustreibungen und Heilungen, vollmächtiges Künden und Entscheiden sittlicher Fragen, nicht verstehen. Die Spannung des Schon und Noch-nicht ist bereits in der Predigt Jesu angelegt und wird in der Urkirche nach Ostern, besonders durch die Geisterfahrung, nur in neuer Weise aufgenommen und festgehalten.

d) Gewiß darf man Jesu Predigt nicht auf die Ansage der eschatologischen Wende einschränken oder ihm gar die forcierte Ankündigung des „Weltendes" unterstellen. Was ihm vor allem am Herzen liegt, ist ein neues unmittelbares Verhältnis zu Gott in kindlichem Vertrauen, in vollständiger Hingabe an ihn und seinen Dienst, besonders in der Liebe zum Nächsten; aber dieses neue Gottesverhältnis wird doch wesentlich mitbestimmt von der heilsgeschichtlich-eschatologischen Stunde, die Jesus ansagt. Man könnte sagen: Das Eschatologische ist ein integrierendes Moment seiner Botschaft, ein unaufhebbares Motiv seiner Forderung, ein unverrückbarer Blickpunkt seiner religiösen Unterweisung.

e) Was die Parusie im besonderen betrifft, so scheint sie Jesus besonders unter dem Gesichtspunkt „Erniedrigung und Erhöhung" ins Auge gefaßt zu haben. Die am wenigsten anfechtbaren Worte stellen die konträre Entsprechung des „Jetzt und Einst" heraus: Wer sich zu ihm auf Erden be-

---

[45] Vgl. *A. Vögtle,* Das öffentliche Wirken Jesu auf dem Hintergrund der Qumranbewegung (Freiburg i. Br. 1958).

[46] Vgl. besonders *J. Jeremias,* Die Gleichnisse Jesu (Göttingen ^{6}1962) 115—124.

kennt, zu dem wird sich auch der „Menschensohn" vor Gott bekennen (Lk 12, 8 f); der Verwerfung und Verurteilung durch die Menschen wird die Erhöhung zur Rechten Gottes und das Kommen in Macht folgen (Mk 14, 62); diesem ungläubigen Geschlecht wird der Menschensohn zu einem Zeichen von Gott werden (vgl. Lk 11, 29). Das erklärt auch in etwa, warum die Worte über die Parusie nicht in der frühen und breiten Volkspredigt stehen, auch nicht mit der Reich-Gottes-Verkündigung verbunden sind, sondern später auftauchen und einer Zeit angehören, in der sich Jesus wachsendem Unglauben gegenübersieht und für den Todesweg bereitmacht. Der Blick auf die Parusie ist eher ein prophetischer Ausblick, und Jesu Aussprüche darüber sind knapp und prophetisch-geheimnisvoll.

Wenn wir von daher das Verhältnis der Botschaft Jesu zur eschatologischen Predigt der Urkirche, namentlich zu ihrer Parusie-Erwartung, bestimmen wollen, können wir wohl folgendes sagen:

a) Der Parusieglaube der Urkirche findet Grund und Recht in der Verkündigung Jesu, fällt aber naturgemäß stärker ins Auge als die Aussprüche Jesu. Er konnte sich auch erst nach Ostern, da die Jünger Jesus zur Rechten Gottes erhöht wußten, voll entfalten, bestärkt durch die Sehnsucht, mit ihm wiedervereint zu sein. Diese Sehnsucht wurde besonders durch die Eucharistiefeier genährt, der Jesus selbst schon die eschatologische Blickrichtung gegeben hatte. Aber man war sich auch der Gegenwart des Erhöhten, der Verbundenheit mit ihm, des Geistbesitzes bewußt und konnte so gelassen und zuversichtlich harren. Das hat nach dem Zeugnis der einzelnen neutestamentlichen Schriften zu recht unterschiedlichen eschatologischen Haltungen geführt.

b) Jesu karge Äußerungen über die Zukunft verlangten nach einer Verdeutlichung und Interpretation, die, wie wir bei Paulus sehen, aus apostolischer Vollmacht gegeben wurde (vgl. 1 Kor 15, 50—53; 1 Thess 4, 13—17). Wieweit urchristliche „Propheten" zu den eschatologischen Anschauungen beitrugen, läßt sich nicht sicher feststellen; doch gibt es genug Anzeichen für eine kritische Prüfung der Geister; anerkannt wurde sicher nur eine Prophetie, die im Einklang mit dem Glauben der Urkirche stand. Eine Übernahme von Prophetensprüchen als Worten des erhöhten Herrn in die Überlieferung der Worte Jesu läßt sich nicht erweisen[47].

c) Größere Freiheit gab es in der bildhaften Schilderung der Parusie und der damit verbundenen Ereignisse. Auch Jesus hatte auf gewisse Bilder und Symbole, die das Alte Testament und die lebendige Tradition

---

[47] Vgl. zu dieser durch Bultmann und seine Schüler (bes. *E. Käsemann,* Sätze heiligen Rechts im Neuen Testament: New Test. Studies 1 [1954—55] 248—260) vertretenen Auffassung *F. Neugebauer,* Geistsprüche und Jesuslogien: Zeitschr. für die neutest. Wissenschaft 53 (1962) 218—228.

seines Volkes boten, nicht verzichtet. So durfte auch die Urkirche eine kerygmatische Sprache entwickeln, wie sie den Gläubigen verständlich war. Wieweit eine solche Sprechweise in die Überlieferung der Worte und Reden Jesu eingedrungen ist, kann nur von Fall zu Fall geprüft werden. Noch schwieriger ist die Frage zu beantworten, ob zusätzliche Anschauungen, etwa aus der jüdischen Apokalyptik, übernommen wurden. Sofern sich solche Aussagen in den Rahmen der Endzeitschilderungen einfügen (vgl. z. B. die Abkürzung der Drangsal um der Auserwählten willen Mk 13, 20), muß man nach Intention und Sinn fragen (Gott rettet die Standhaften, vgl. Mk 13, 13).

d) Auch eine zeitgeschichtliche Anwendung der Worte Jesu und der Apostel hat man sicher hier und da versucht, ohne sich doch gleichsam dogmatisch festzulegen. Auch dies kann dem Geist der prophetischen Predigt Jesu entsprechen. Die Zusammenstellung bestimmter Jesusworte etwa konnte unter diesem Gesichtspunkt erfolgen (vgl. die Endzeitrede nach den einzelnen Synoptikern). Die Zeiterscheinungen drängten dazu, in das Licht des Glaubens gerückt zu werden. Daß sich der Glaube selbst, etwa unter dem Eindruck einer „Parusieverzögerung", gewandelt habe, läßt sich nicht erweisen.

e) Die Stärke und Intensität der Parusie-Erwartung ist nach einzelnen Gruppen und Verkündigern in der Urkirche verschieden gewesen. Im Verhältnis zu Jesus kann man vielleicht von einer „(Re-)Apokalyptisierung" in einzelnen Kreisen sprechen, obwohl präzise Feststellungen kaum möglich sind. Andere Theologen, besonders Johannes, hätten dann wieder dem religiösen Grundanliegen Jesu stärkere Geltung verschafft; aber von einer „Enteschatologisierung" kann auch bei Johannes keine Rede sein. Er hat die Botschaft Jesu in die Zeit des Geistes und der Kirche übersetzt, ihren tragenden Grund, die Kunde vom Gott der Gnade und des Heils, aufgedeckt und im Aufblick zum gegenwärtigen Herrn die Heilsgegenwart und ihre Güter betont, aber die Zukunft nicht verstellt. Die entscheidenden theologischen Aspekte der Zukunftshoffnung hat schon Paulus, durch die eigene Erfahrung belehrt, herausgestellt: Nicht Zeit und Umstände der eschatologischen Ereignisse sind bedeutsam, sondern ihre Gewißheit und die Verheißung, die in ihnen für die gegenwärtige Heilssituation des Christen liegt.

Damit kommen wir zur Frage, wie die heutige Kirche die Ansage der Parusie durch Jesus und die Parusie-Erwartung der Urkirche aufnehmen und verkündigen soll.

3. Heutige Kirche und Parusie

Karl Rahner hat theologische Prinzipien aufzustellen gesucht, um zu einer Hermeneutik eschatologischer Aussagen in der Bibel zu gelangen[48]. Seinen Grundsätzen kann der Exeget von seiner Seite aus Unterstützung bringen, indem er an Hand der Texte nachweist, daß man sowohl auf die literarische Gattung (Prophetenspruch, apokalyptische Schilderung) als auch auf die jeweilige Aussageabsicht der neutestamentlichen Autoren achten muß. Daraus ergibt sich für die unaufgebbare eschatologische Verkündigung der Kirche, wie die bisherigen Darlegungen zeigen konnten, folgendes:

a) Am Ereignischarakter der Parusie (und der anderen eschatologischen Ereignisse) muß die Kirche, auch um ihres Selbstverständnisses willen, festhalten. Denn sie ist die Heilsgemeinde Jesu Christi in der Zeit zwischen seiner Erhöhung und Wiederkunft, von Christus berufen und mit seinen Gewalten ausgerüstet, um die Heilsanwärter in das vollendete Gottesreich zu führen (vgl. Mt 16, 18 f; 18, 18; 28, 18 ff), sein Werk durch Verkündigung und Mission fortzusetzen und mit der Kraft des Heiligen Geistes in der Welt durchzusetzen (vgl. Lk 24, 47 ff; Apg 1, 8 11; 3, 19 ff), die Braut Christi, die ihrer messianischen Hochzeit entgegensieht (vgl. 2 Kor 11, 2), das mit den Gütern und Kräften der zukünftigen Welt erfüllte, aber die Erfüllung der letzten Verheißung noch erwartende eschatologische Gottesvolk (vgl. Hebr 6, 4 f; 3, 7 — 4, 11), die mit der himmlischen Gemeinde verbundene (vgl. Eph 2, 19; Hebr 12, 22 f; Apk passim), aber noch auf Erden kämpfende, leidende, der Bewährung ausgesetzte Schar der Erlösten und Erwählten, mit den „Rechttaten der Heiligen“ geschmückt (Apk 19, 8), aber auch durch unwürdige Glieder durchsetzt und befleckt (vgl. Mt 7, 21 ff; 13, 24—30 36—43 47—50; 22, 11—14; 24, 10 ff) und in der Welt zerstreut und noch nicht zur letzten Einheit gesammelt (vgl. Jo 11, 52; Phil 2, 15; 1 Petr 1, 1; 5, 9). Diese innerweltlich-himmlische, geschichtlich-eschatologische Existenz der Kirche verlangt, die Parusie Christi als ein vollendendes, von Gott her erfolgendes, wirklich neues Geschehen zu betrachten, durch das der jetzige Zustand der Welt beendet und der bisherige Status der Kirche aufgehoben wird, in dem doppelten Sinn, daß die Kirche in ihrer irdisch-geschichtlichen Seinsweise aufhört und zugleich in die höhere und bleibende des kosmischen Gottesreiches aufgenommen wird.

b) Das Ereignis der Parusie darf aber nicht bloß als abschließender Vorgang der innerweltlichen, menschlich-irdischen Geschichte betrachtet

---

[48] *K. Rahner,* Theologische Prinzipien der Hermeneutik eschatologischer Aussagen: Zeitschr. für kath. Theologie 82 (1960) 137—158 (= Schriften zur Theologie IV, 1960, 401—428).

werden, sosehr es auch diese betrifft. Die Parusie, die den ganzen Geschichtsprozeß beendet, ist zugleich ein metahistorisches Ereignis, das vom „Ende" her den verborgenen, im Heilsgeschehen von Kreuz und Auferweckung Christi für den Glauben freilich schon offenbaren Sinn der Geschichte vor aller Welt und für alle Menschen enthüllt. Sie steht ähnlich am Abschluß der Geschichte, noch zu ihr gehörend und sie zugleich transzendierend, wie die Schöpfung der Welt und die Erschaffung der Menschen an ihrem Anfang steht. Sie leitet nämlich unmittelbar die „Neuschöpfung" ein, führt die durch Gott erneuerte und vollendete Welt herauf; dabei bringt sie freilich gerade das Neue, das durch die Erlösung Jesu Christi für Menschheit und Welt angezeigt und bewirkt wurde, zur Geltung und Erscheinung: Sie integriert in vollendeter Weise die Erlösung in die Schöpfung. Wichtig ist aber, daß sich die Parusie wegen ihres streng „eschatologischen" Charakters nicht in die Kategorien unserer raumzeitlichen Wirklichkeit einordnen und eingrenzen läßt.

c) Darum sind die verschiedenen für die Parusie gebrauchten Bilder und Aussageweisen auf die in sie eingehüllten Gedanken hin zu befragen und die Bindungen an das damalige Weltbild soweit als möglich zu lösen. Das gilt nicht nur für die räumlichen Anschauungen, sondern auch für die zeitgeschichtlichen Anspielungen und scheinbaren Angaben von „Vorzeichen", soweit sie sich als eine Konkretisierung der Hoffnung und eine Akkommodation an die jeweilige Situation erkennen lassen. Zeichen der unter die Herrschaft des Bösen gefallenen Welt, ihrer gestörten, noch nicht wiederhergestellten Ordnung und Einheit, aber auch der gegen Gott und Christus noch immer aufbegehrenden, die Kirche bedrängenden und verfolgenden Gewalten, gibt es heute wie damals, und sie können als Merkmale der Zeit vor dem „Ende" begriffen werden; aber sie dürfen nicht zu einer Terminberechnung oder zeitlichen Ansage des Endes verführen.

d) Der Sinn jener Schilderungen und zeitgeschichtlichen Deutungen liegt vielmehr, wie sich aus den in prophetischem Stil gegebenen Jesuslogien, aber auch aus den Kompositionen der Herrenworte in der Urkirche und den apostolischen Mahnungen in der Briefliteratur ergibt, in der unmittelbaren Anrede und dem Weckruf an die Hörer. Das dem Unglauben, der Verstockung, der sittlichen Verdorbenheit drohende Gericht steht nicht als fernes Ereignis vor ihnen, sondern schwebt stets gefährlich über ihnen; die den Glaubenden verheißene Enderrettung erweist ihre Kraft schon jetzt in Ansporn und Trost.

e) So ist letztlich gerade die Überwindung einer „apokalyptischen" Haltung gefordert, die eine falsche Sicherheit sucht und die Aufgaben in dieser Welt vernachlässigt, aber auch die Belebung der eschatologischen Hoffnung, die zu ständiger Wachheit, Bereitschaft, Nüchternheit, Tatkraft und Standhaftigkeit ruft. Dieses wahre eschatologische Bewußtsein aktiviert die Kirche und ihre Glieder in ihrem geschichtlichen Verhalten, indem es die Geschichte von ihrem Telos her begreifen läßt. Die Auslegung der eschatologischen Texte kann geradezu daran überprüft werden, wieweit sie jene christliche eschatologische Haltung hervorzutreiben fähig ist. Dabei versagt aber die moderne existenztheologische Interpretation, da sie den Ereignischarakter der zukünftigen Geschehnisse nicht ernst nimmt und den Blick auf das Existenzverständnis des Einzelnen einengt. Mit der Parusie, wie sie das Neue Testament verkündigt, ist auch immer die Kirche als Heilsgemeinde Christi angesprochen und ein kosmischer Horizont aufgetan.

Wenn wir darum schließlich noch einmal nach der Bedeutung der Parusie für die Kirche und der Kirche für die Parusie fragen, können wir feststellen, daß die Parusie, die Ankunft Jesu Christi in Herrlichkeit, verschiedene Aspekte umgreift, die im Gewand biblischer Symbolsprache, unter der Decke wechselnder Schilderungen, zum Teil an zeitgeschichtliche Deutungen und Anwendungen gebunden, hervortreten, in ihrem Offenbarungsgehalt aber gültig bleiben, das Selbstverständnis der Kirche befruchten und auch heute der Kirche Verpflichtung und Hilfe für ihren Weg und ihr Verhalten in der Welt sind.

Der zunächst ins Auge fallende *christologische Gesichtspunkt,* daß der während seines Erdenwirkens verborgene und erniedrigte Christus dann vor aller Welt als der Erhöhte erscheinen wird, ist für die Kirche schon insofern wichtig, als sie darin den Ruf zur Nachfolge und die Richtung ihres eigenen Weges erkennen muß. Was den Jüngern Jesu gesagt ist, gilt auch ihr insgesamt als der Gemeinde der Christusgläubigen: „Der Knecht ist nicht größer als sein Herr. Wenn sie mich verfolgt haben, so werden sie auch euch verfolgen; wenn sie mein Wort gehalten haben, so werden sie auch das eurige halten" (Jo 15, 20). Die Kirche bleibt umstritten und angefochten, in ihrer Größe verborgen und angezweifelt, ein Stein des Anstoßes für viele Menschen, bis Christus vor aller Welt in seiner Herrlichkeit erscheinen und damit auch ihre Herrlichkeit enthüllen wird.

Damit ist zugleich der *heilsgeschichtliche* Gesichtspunkt gegeben, daß der Weg und das Werk des eschatologischen Heilbringers noch nicht vollendet sind. Auch mit der Auferweckung und Erhöhung Jesu ist sein Wirken noch nicht abgeschlossen und nicht nur zu einem dauernden präsentischen Heilshandeln und Gnadenausteilen geworden. Die Kirche kann sich nicht nur ihrer gegenwärtigen Christusgemeinschaft und Gottesnähe erfreuen, sondern muß sich auch stets der noch ausstehenden Vollendung erinnern. Sie ist das wandernde Gottesvolk, das noch in die „Ruhe" eingehen (Hebr 4, 8 ff), noch die künftige Gottesstadt erreichen (Hebr 13, 14) muß.

Soteriologisch gesehen, „kostet“ die Kirche zwar die himmlische Gabe Gottes, hat sie teil am Heiligen Geiste, „schmeckt“ sie Gottes köstliches Wort und die Güter des kommenden Äons (Hebr 6, 4 f), besitzt sie aber doch erst die Anfangsgabe, das „Angeld“ des Heiligen Geistes (Röm 8, 23; 2 Kor 1, 22; 5, 5; Eph 1, 13 f) und erwartet sie noch die Offenbarung der Herrlichkeit. „Erlösung“ im Vollsinn wird auch ihr erst die Parusie des Herrn bringen (vgl. Lk 21, 28; Röm 8, 23; Eph 4, 30).

Im Kreis der Parusieaussagen finden diese Aspekte ihre konkrete Form in dem öfter wiederkehrenden Gedanken, daß *die Kirche mit ihrem himmlischen Herrn vereinigt* werden wird. Sosehr sie jetzt schon zu Christus gehört, wird sie erst dann ihre volle Lebensgemeinschaft mit ihm finden (vgl. 1 Thess 4, 17; 5, 10). Durch die vollkommene Vereinigung mit dem Herrn der Herrlichkeit wird auch sie selbst in die Herrlichkeit erhoben (vgl. Kol 3, 3 f) und erlangt so durch ihn die Fülle des Heils[49]. Am schönsten wird dieser Gedanke durch das Bild der Hochzeit, die Christus mit seiner messianischen Braut halten wird, veranschaulicht.

Damit erreicht aber auch die Kirche ihre letzte, ja ihre wahre und eigentliche Gestalt: Erst dann wird sie aus der Zerstreuung gesammelt (vgl. Mk 13, 27; Mt 13, 41 43), werden ihre Einheit, die Zugehörigkeit aller Erwählten, aller „Gesegneten des Vaters“ (Mt 25, 34) zu ihr und die innere Verbundenheit aller Gotteskinder (vgl. Jo 11, 52; 10, 16; 17, 21 ff) aufgedeckt. Das ist, wenn man so sagen darf, der *ekklesiologische* Aspekt im engeren Sinn, weil er das Wesen der Kirche betrifft, das bisher in dieser Welt durch menschliche Unzulänglichkeit und irdische Verhältnisse verdunkelt war. Dann tritt die wahre und ideale Gestalt der Kirche zutage[50].

---

[49] Der christologische Gesichtspunkt (die durchgängige Heilsmittlerschaft Christi) wird damit als der führende und entscheidende erwiesen; die Parusie ist eben die Parusie *Christi* und keines anderen. Vgl. *Rahner*, a. a. O. 148: „Der Christ, der die Offenbarung Christi annimmt, weiß, um Christus zu kennen und *weil* er ihn kennt, daß die Vollendung eben die Christi ist, und sonst weiß er von ihr eigentlich nichts“; weiter: „Christliche Anthropologie und christliche Eschatologie sind letztlich Christologie in der Einheit der verschiedenen und doch nur in einem möglichen und greifbaren Phasen des Anfangs, der Gegenwart und des vollendenden Endes“.

[50] Die Eschata bringen nur zur Erscheinung, was in der Heilsgegenwart schon angelegt, aber noch verborgen und überdeckt ist. Die enthüllende Funktion der letzten Ereignisse, die das Verborgene von allem Verdeckenden befreit und zugleich zur vollen Wirklichkeit führt, ist das Entscheidende. Das ist auch *Rahners* Grundanliegen, vgl. S. 150: „Biblische Eschatologie muß immer gelesen werden als Aussage von der Gegenwart als geoffenbarter her auf die echte Zukunft hin, nicht aber als Aussage von einer antizipierten Zukunft her in die Gegenwart hinein. Aus-sage von Gegenwart in die Zukunft hinein ist Eschatologie, Ein-sage aus der Zukunft heraus in die Gegenwart hinein ist Apokalyptik.“

Die Zwischenzeit aber, in der die Kirche in diesen Äon gestellt ist, wird für sie eine Zeit der sittlichen Anstrengung und Bewährung. Dieser *ethische* Gesichtspunkt drängt sich vor, wo die Parusie zu einem Motiv der Paränese wird, besonders bei Paulus, der wiederholt mahnt, freilich im Vertrauen auf Gottes Treue und Hilfe, unanstößig und tadelsfrei bis zur Ankunft oder dem Tag Christi zu sein (1 Thess 3, 13; 5, 23; 1 Kor 1, 8; Phil 1, 6 10). Der Gedanke ist aber auch in der synoptischen Tradition greifbar, wo Jesu Mahnungen zur Umkehr, Wachsamkeit, Bereitschaft, sittlichen Lauterkeit auf die Situation der Gemeinden hin ausgelegt und angewendet erscheinen. Besonders in der Darstellung des Matthäus erkennt man die Kirche als eine auch mit unwürdigen Gliedern durchsetzte Gemeinschaft (s. o.), und bei Lukas dürften mehrfach die Vorsteher angesprochen und zur Verantwortung und Treue (vgl. 12, 42—48), zu tatkräftigem Wirken (vgl. 19, 12—26) und brüderlichem Dienen (22, 24—27) aufgerufen sein. So wird hier die irdische, noch unvollkommene Gestalt der Kirche sichtbar, die sich unter der Führung des Heiligen Geistes (vgl. Apg) läutern muß.

Damit stellt sich die Parusie auch unter dem *Gerichtsaspekt* dar. Auch die Christusgläubigen, alle Glieder der Kirche müssen vor dem Richterstuhl Christi erscheinen (2 Kor 5, 10; Röm 14, 10). Alle Übeltäter in ihr, selbst solche, die im Namen Christi Dämonen austrieben und Wunder vollbrachten, werden entlarvt und von Christus abgewiesen werden (Mt 7, 22 f). Die Kirche als Ganzes freilich wird und kann nicht dem Gericht verfallen, da sie ja die messianische Endgemeinde ist, zur Teilnahme am Gottesreich berufen und zur seligen, Gott verherrlichenden Gemeinschaft der Erlösten erkoren (vgl. Apk 7; 14, 1—6; 21, 9—27; 22, 3 ff). Der Gerichtsaspekt öffnet den Blick aber vor allem auf die ungläubige Welt, der sich die Kirche in ihrer irdischen Zeit gegenübersah und deren Verwerfung nun offenbar wird. Jetzt erfüllen sich die Warnungen und Drohungen Jesu an das „ungläubige Geschlecht". Der „Menschensohn" sitzt auf dem Thron seiner Herrlichkeit als Richter (Mt 19, 28; 25, 31; vgl. 13, 41; 16, 27), er wird zum Ankläger der ihn verleugnenden, sein Wort mißachtenden Menschen (vgl. Lk 12, 8 f par; 11, 29 f; Mk 14, 62 par). Die Kirche wird damit in ihrem Zeugnis und Wirken gerechtfertigt.

So fällt vom Ende her nochmals ein Licht auf den Kampf, den die Kirche in dieser Welt führen muß. Dieser *antagonistische* Gesichtspunkt findet im Neuen Testament durch die vielfachen und ausführlichen Schilderungen der Zeit vor dem Ende Ausdruck. Es ist ein unerbittlicher, sich verschärfender, die Kirche äußerlich bis an den Rand der Vernichtung treibender Kampf, der von den Widersachern Gottes und Christi mit allen irdischen Machtmitteln, mit teuflischer List und Verführung geführt wird, aus dem die Kirche aber in der Kraft ihres am Kreuze siegreichen Herrn triumphierend hervorgeht.

Dann zeigt sich, wie die Kirche durch das Zeugnis ihres Wortes und das Blut ihrer Martyrer (vgl. Apk 12, 11) eine kosmische Wirksamkeit entfaltet und eine *kosmische Bedeutung* angenommen hat. Sie war mit ihrer Verkündigung, ihrem zeugnishaften Leben der Heiligkeit und ihren Mitteln der Heiligung ein Organ Christi in dieser Welt und allein schon durch ihr Bestehen und Durchhalten ein Zeichen unter den Völkern. In diesem Sinn kann man auch von einer Bedeutung der Kirche *für* die Parusie sprechen, nicht so, als würde sie durch ihr menschliches Bemühen, ihre missionarische Tätigkeit und ihr Streben nach Heiligkeit das Nahen der Parusie beschleunigen, aber doch so, daß sie, Christi Auftrag erfüllend, eine Voraussetzung für sein Kommen in Herrlichkeit ist.

Der letzte Gesichtspunkt aber ist kein anderer als der *doxologische*. Wie Christus selbst sein Werk zur Ehre des Vaters vollbringt, so ist die Kirche in all ihrem Tun, Leiden und Kämpfen zum Preis und zur Verherrlichung Gottes gerufen, wie dies besonders in den kultischen Gesängen und Hymnen der Apokalypse zum Ausdruck kommt. Der Sieg des Lammes, die Beendigung der Unheilsherrschaft der gottfeindlichen Gewalten, die Sammlung der Auserwählten, die Vereinigung der Kirche mit ihrem himmlischen Bräutigam, das alles bedeutet letztlich das Eintreten der vollendeten Gottesherrschaft, die Ankunft des kosmischen Gottesreiches. Und darum spricht die Kirche zu jeder Zeit, durch alle Zeiten bis zum „Ende", das die Erfüllung, die „Vollendung" bringt: „Wir danken dir, Herr, Gott, Allherrscher, der ist und der war, daß du deine große Macht ergriffen und dein Königtum herbeigeführt hast" (Apk 11, 17).

DAS HERMENEUTISCHE HAUPTPROBLEM DER VERKÜNDIGUNG JESU

Eschato-logie und Theo-logie im gegenseitigen Verhältnis*

Von Heinz Schürmann, Erfurt

In der zweiten Hälfte des vorigen Jahrhunderts war die Exegese — besonders in der Tübinger Schule — weitgehend in das Prokrustesbett idealistischer Denkschemata gespannt und das Verständnis Jesu der idealistischen Religionsphilosophie verpflichtet. Jenes Schema aber und dieses Verständnis wurden gesprengt, als im Gefolge der religionsgeschichtlichen Forschung auch die spätjüdische Apokalyptik entdeckt wurde. In ihrem Lichte vermochte nun J. Weiß die Verkündigung Jesu neu zu sehen als die „Predigt Jesu vom Reiche Gottes" [1].

Die neue Erkenntnis besagte, Jesu Verkündigung sei durch und durch eschatologisch gewesen, zusammenfaßbar in dem Verkündigungsruf des Markus (1, 15): „Erfüllt ist die Zeit und herangekommen das Königtum Gottes; kehrt um und glaubt an die Frohbotschaft." Seit jenem epochalen Vorstoß von J. Weiß ist die Erkenntnis des eschatologischen Charakters der Verkündigung Jesu fast Allgemeingut der Forschung, der protestantischen sowohl wie der katholischen. Den Begriff „Königtum Gottes", der im religiösen und theologischen Sprachgebrauch der Zeit nur ein Winkeldasein führte, hat Jesus unverkennbar zum Zentralbegriff gemacht, der seiner gesamten Verkündigung ihren Mittelpunkt gibt, zum Rahmenbegriff, der sie umfaßt und zusammenhält [2]. Es scheint kein Zurück mehr zu geben hinter das Jahr 1892.

Freilich — im näheren Verständnis dieser eschatologischen Botschaft ist sich die Forschung sehr uneinig; sie schwankt bis heute zwischen zwei Polen: Auf der

---

* Gastvorlesung, gehalten am 24. 11. 1959 vor der Theologischen Hochschule der Evangelischen Kirche der Kirchenprovinz Sachsen in Naumburg a. d. Saale (hier überarbeitet und erweitert).

[1] (Göttingen 1892, [2]1900). — Vorgänger von J. Weiß nennt *W. G. Kümmel*, Eschatologie im ältesten Christentum: NTS 5 (1959) 113 f; vgl. *ders.*, Das Neue Testament; Geschichte der Erforschung seiner Probleme (Orbis Academicus; Freiburg-München 1958), bes. 261 ff.

[2] Vgl. zusammenfassend *R. Schnackenburg*, Gottes Herrschaft und Reich (Freiburg i. Br. [2]1961).

einen Seite steht — im Gefolge von J. Weiß — die „konsequente Eschatologie“ A. Schweitzers[3] und seiner geistigen Nachfahren M. Werners[4], F. Buris[5] und anderer[6]; den gegensätzlichen Pol bildet die realisierte Eschatologie von C. H. Dodd[7]. Dazwischen gibt es nun freilich noch sehr verschiedenartige Positionen (wie man übersichtlich bei E. Grässer[8] nachlesen kann), die nur selten den Spannungsreichtum der eschatologischen Verkündigung Jesu durchhalten[9].

Es ist aber heute nicht nur allgemein anerkannt, daß die Basileia Zentral- und Rahmenbegriff der gesamten Verkündigung Jesu war, Jesu Verkündigung also eschatologisch bestimmt war; darüber hinaus meint man weitgehend, Jesus habe im Grunde gar nichts weiter als die Nähe der Basileia verkündet, und es gelte daher, umzukehren[10]. Wir stehen einem verbreiteten „Paneschatologismus“ gegenüber, wobei dann das dem heutigen Menschen gewiß fremde eschatologisch-mythologische Weltbild unterschiedlich interpretiert wird: etwa auf die Ehr-

---

[3] Vgl. bes.: Das Messianitäts- und Leidensgeheimnis; eine Skizze des Lebens Jesu (Tübingen-Leipzig 1901, [3]1956); *ders.*, Geschichte der Leben-Jesu-Forschung (Tübingen 1906, [6]1951).

[4] Die Entstehung des christlichen Dogmas (Tübingen [2]1954); *ders.*, Der protestantische Weg des Glaubens I (Bern 1955); *ders.*, Was bedeutet für uns die geschichtliche Persönlichkeit Jesu?: Der historische Jesus und der kerygmatische Christus (Berlin [2]1961) 614—646.

[5] Die Bedeutung der neutestamentlichen Eschatologie für die neuere protestantische Theologie (Zürich-Leipzig 1935); *ders.*, Theologie der Existenz (Bern 1954); *ders.*, Dogmatik als Selbstverständnis des christlichen Glaubens I (Tübingen 1956); *ders.*, Die Substanz des christlichen Glaubens — ihr Verlust und ihre Neugewinnung (Tübingen 1960).

[6] Vgl. die Lit. für und wider bei *F. J. Schierse,* Art. Eschatologismus: LThK[2] III (1959) 1096 f.

[7] The Parables of the Kingdom (London 1935, repr. New York 1961); *ders.*, The Apostolic Preaching and its Development (London 1936, [2]1944).

[8] Das Problem der Parusieverzögerung in den synoptischen Evangelien und der Apostelgeschichte (Berlin [2]1960).

[9] Vgl. spannungsreich *R. Schnackenburg,* LThK[2] III (1959) 1089: „Von der prophet. Verkündigung her gesehen, erfüllen sich die eschatolog. Verheißungen bereits und setzt die Erfüllung doch wieder neue Verheißungen aus sich heraus. Die E. differenziert sich in eschatolog. Gegenwart u. Zukunft ... doch ist es nur ein einziges eschatologisches Geschehen; das Gegenwärtige ist eine gewisse Vorausnahme des Kommenden, das Zukünftige die Manifestation u. volle Realisierung des Gegenwärtigen.“ — Ebd. 1092 f und RGG[3] II (1958) 672 die wichtigste Lit. zur Frage.

[10] Wir glauben uns einstweilen nicht mit *E. Stauffer* — der weitere und begründetere Ausführungen ankündigt — auseinandersetzen zu müssen, nach dem nun wieder „die Botschaft von der neuen Moral ... in den Augen Jesu die wichtigste“ gewesen sein soll (Die Botschaft Jesu damals und heute, Bern-München 1959, 11), wobei er das Wesen dieser „neuen Moral“ eine „autonome und vorbehaltlose Humanitas“ (ebd. 134) sein läßt. Er hält die urchristliche Naherwartung, anscheinend aber darüber hinaus den Großteil der „Zukunftsworte“ und mit ihnen die Eschatologie für „Rejudaisierung“ der Jesusbotschaft (Jesus, Gestalt und Geschichte, Bern 1957, bes. 120).

furcht vom Leben hin (so A. Schweitzer[11]), existential (mit R. Bultmann[12]), idealistisch auf die „Christus-Idee" hin (so M. Werner[13]) oder auf das das Schöpfungsgeheimnis erschließende „Christussymbol" (F. Buri[14]) — oder wie immer sonst[15]. Besteht dieser Paneschatologismus aber zu Recht? War Jesus letztlich nur ein eschatologischer Verkünder? War er nicht mehr als eine aus religionsgeschichtlichen und zeitgeschichtlichen Umweltsfaktoren zu rekonstruierende Funktion des eschatologisch bestimmten spätjüdischen Zeitgeistes? Muß daher alle Weisung Jesu gänzlich von seiner eschatologischen Verkündigung her verstanden werden?[16]

Ohne Zweifel ist mit diesen Fragen das hermeneutische Hauptproblem der Verkündigung Jesu (sowie des ganzen NT) angedeutet. K. Rahner betont mit Recht, „die richtige Methode", dieses Problem anzugehen, müßte „zunächst eine bibeltheologische" sein. „Bei der genauen Frage nach dem eigentlich Ursprünglichen, dem ‚Sitz im Leben', oder hier genauer: nach der absolut originären Offenbarungserfahrung, der gegenüber alle anderen eschatologischen Aussagen Derivate und Auslegungen sind und als solche auch gemeint sind . . . wäre es durchaus möglich, am Leitfaden der biblischen Sachaussagen gewisse Prinzipien abzulesen, nach denen die Schrift in diesen Aussagen selbst interpretiert werden will."[17] Auf den folgenden Seiten möchten wir der Frage nach der „absolut originären Offenbarungserfahrung" näherkommen, indem wir den Blick auf das Nebeneinander und Miteinander zweier Aussagereihen im Worte Jesu lenken: der eschato-logischen und theo-logischen. „Das unverbundene Nebeneinander" derselben scheint nun auch H. Conzelmann „das wichtigste und zu wenig beachtete Problem zu sein"[18]. Freilich können wir hier nur einige unzulängliche Hinweise zur Problematik geben. Denn um es

---

[11] Vgl. z. B.: Aus meinem Leben und Denken (Leipzig 1957) Epilog 211—233.

[12] Vgl. nur: Neues Testament und Mythologie: Kerygma und Mythos (Theologische Forschung 1; Hamburg-Volksdorf 1951) 15—48, und verteidigend jüngst: Das Verhältnis der urchristlichen Christusbotschaft zum historischen Jesus (Sb. Heidelberger A. d. W., Phil.-hist. Kl. 3; Heidelberg 1960).

[13] Vgl. a. a. O. (Anm. 4).

[14] Vgl. a. a. O. (Anm. 5).

[15] Vgl. das Referat von *A. N. Wilder,* New Testament Hermeneutics Today: Current Issues in New Testament Interpretation (In hon. of O. A. Piper; New York 1962) 38—52.

[16] So heute auch — wenn auch verschieden modifiziert — weitgehend das katholische Verständnis der Ethik Jesu: Vgl. *J. Schmid,* Das Evangelium nach Matthäus (RNT 1; [3]1956) 156 ff; *R. Schnackenburg,* Die sittliche Botschaft des NT (München [2]1962), bes. 3—17 110—123; *E. Neuhäusler,* Anspruch und Antwort; zur Lehre von den Weisungen innerhalb der synoptischen Jesusverkündigung (Düsseldorf 1962) 37—42; vgl. 9—13.

[17] Theologische Prinzipien der Hermeneutik eschatologischer Aussagen, jetzt: Schriften zur Theologie IV (Einsiedeln-Zürich-Köln 1960) 403 f.

[18] Zur Methode der Leben-Jesu-Forschung: ZThK 56 (1959) Beiheft 1, S. 10.

wieder mit den Worten K. Rahners zu sagen: Es fehlt uns noch „eine Gnoseologie und Hermeneutik, die speziell den eschatologischen Aussagen zugeordnet ist“ [19].

Zunächst (I) soll im Folgenden das gespannte Nebeneinander von eschato-logischer Verkündigung und theo-logischer Gottesoffenbarung im Worte Jesu herausgestellt, danach dann (II) dieses als ein zentriertes Miteinander verständlich gemacht werden.

I. Das gespannte Nebeneinander von eschato-logischen und theo-logischen Aussagen in der Verkündigung Jesu

Die paneschatologische Deutung der Verkündigung und Weisung Jesu ist theologiegeschichtlich als Antithese zum idealistisch-liberalen Jesusverständnis zu begreifen, das — fast anachronistisch spät — seine klassische Formulierung in *A. Harnacks* „Wesen des Christentums“ [20] gefunden hat: Jesus offenbart den Vater. Aber sahen nicht vielleicht *A. Harnack* und die Jesusdeutung des 19. Jahrhunderts doch etwas, was *J. Weiß* [21] und die heutige kerygmatische Theologie weitgehend übersehen, und sah nicht anderseits *J. Weiß* etwas, was *A. Harnack* und die liberale Theologie nicht gesehen haben? Wie verhalten sich Gottes-Offenbarung und Basileia-Verkündigung in der Botschaft Jesu? Liegt nicht vielleicht im zentrierten Miteinander dieser beiden Faktoren der eigentliche Spannungsreichtum der Botschaft Jesu? Darf eines dieser beiden Momente zugunsten des anderen eliminiert werden?

Führende Exegeten der letzten Jahrzehnte haben wohl immer mal — in verschiedener Weise — eine Doppelpoligkeit in der Verkündigung Jesu gesehen; sie haben auch hier und da versucht, je auf ihre Weise beide Momente in ihrem gegenseitigen Verhältnis zu verstehen [22]. Man hat aber den Eindruck, daß das Problem als solches doch nicht genügend ins exe-

---

[19] LThK² III (1959) 1095. Vgl. jedoch die bedeutungsvollen Ansätze *K. Rahners* dazu, ebd. 1096 ff und in dem oben (Anm. 17) genannten Beitrag.

[20] (Leipzig 1900, Stuttgart ²1950).

[21] Auch schon *J. Weiß* hat die „‚Sittensprüche‘ voll reinster tiefer Weisheit“ im Worte Jesu gesehen, „die nichts von eschatologischer Erregung verraten, sondern einfach und ruhig das aussagen, was sein lauteres, klares, gottinniges Gemüt als selbstverständlich empfindet“; freilich befriedigt seine Lösung nicht: „Der prophetische Geist tritt intermittierend auf“ (a. a. O. — s. Anm. 1 — 135 f).

[22] Außer auf *R. Bultmann* (s. o.) wäre hier besonders auf *H. Windisch* (s. Anm. 50), bes. 5—24; *H. D. Wendland*, Die Eschatologie des Reiches Gottes bei Jesus (Gütersloh 1931) 108; *R. Otto* (s. Anm. 31) 36 43 f; *E. Lohmeyer* (s. Anm. 93); *A. N. Wilder*, Eschatology and Ethics in the Teaching of Jesus (New York ²1950), bes. 176; *E. Käsemann*,

getische Allgemeinbewußtsein gelangt ist — vermutlich weil zunächst das konsequent-eschatologische Verständnis verdrängend und dann die existentiale Interpretation der eschatologischen Verkündigung Jesu in der Kerygmatheologie verharmlosend wirkte.

Das dürfte so sein, obgleich gerade R. Bultmann es war, der bei der Erforschung der synoptischen Tradition sehr hart auf diese Frage stieß und das Problem auch immer wieder neu zur Diskussion gestellt hat: „Weder die Forderung der ‚Bergpredigt' noch die Kampfworte gegen die gesetzliche Moral werden durch den Hinweis auf das drohende Weltende motiviert." [23] Für Bultmann wird aus dieser Erkenntnis das Problem, „wie sich die eschatologische und die sittliche Verkündigung Jesu zueinander verhalten... In der Tat ist es nicht leicht zu sagen, wie ein eschatologischer Prophet, der das Ende der Welt vor der Tür sieht, der das Gottesreich schon hereinbrechen spürt und um des Gottesreiches willen die Zeitgenossen, die dafür bereit sind, seligpreist (Matth. 13, 16 u. 17; 5, 3—9; 11, 5 u. 6 usw.) — wie dieser über Gesetzesfragen diskutieren kann und Weisheitssprüche prägen wie ein jüdischer Rabbi..., Worte, die nichts von jener eschatologischen Spannung enthalten (z. B. Matth. 6, 19—21; 25, 34; 7, 1 u. 2; 7; 10, 29; Luk. 14, 7—11; Mark. 2, 27; 4, 21). Wellhausen sah die sittlichen Forderungen als das echte geschichtliche Gut an und glaubte, daß die eschatologischen Worte wesentlich von der Gemeinde gebildet sind, die nach seinem Tode in die Glut messianischer Erwartung hineingeriet. Andere, wie J. Weiß und A. Schweitzer, hielten umgekehrt die eschatologische Verkündigung für die charakteristische Predigt des geschichtlichen Jesus und ignorierten die sittlichen Weisungen oder deuteten sie um als ‚Interimsethik', d. h. als Forderungen, die keine allgemeine Gültigkeit haben, sondern nur für diese letzte Spanne Zeit gelten, die dem Ende noch voraufgeht." [24]

Bultmann konstatiert als Exeget richtig [25], „daß die eschatologische wie die sittliche Verkündigung Jesu in gleicher Weise der ältesten Schicht der Überlieferung angehören, so daß man schwerlich die eine oder die andere Seite als sekundär streichen kann [26]. Man kann auch nicht die sittlichen Weisungen Jesu als ‚Interimsethik' ... verstehen; denn seine Forderungen haben absoluten Charakter und sind in ihrer Formulierung keineswegs

---

Zum Thema der urchristlichen Apokalyptik: ZThK 59 (1962) 261, hinzuweisen. *H. Conzelmann*, a. a. O. (s. Anm. 18 u. Anm. 54); *E. Schweizer*, a. a. O. (s. Anm. 63); vgl. auch die Anm. 43 und Anm. 57—59 genannten Arbeiten. — *E. Jüngel*, Paulus und Jesus (Hermeneutische Untersuchungen zur Theologie 2; Tübingen 1962) 206 Anm. 4, hält — auf Grund seiner hermeneutischen Voraussetzungen — die Alternative zu Unrecht für „überholt". Vgl. auch die Kritik von *U. Wilkens*, a. a. O. (s. Anm. 55) 455 Anm. 35.

[23] Theologie des Neuen Testaments (Tübingen ³1958) 20.

[24] *Ders.*, Die Erforschung der synoptischen Evangelien (Gießen 1925, Berlin ³1960) 15 f.

[25] Ebd. 50.

[26] Vgl. dagegen auch: Theologie (s. Anm. 23) 19 f; *ders.*, Jesus (1926, Tübingen 1958) 104 ff.

beeinflußt durch den Gedanken, daß das Ende dieser Welt bevorstehe. Daher muß man beide Seiten der Verkündigung Jesu, die eschatologische und die ethische, als zusammengehörig zu begreifen versuchen."

Wir dürfen hier schon Zweifel anmelden, ob das Problem richtig gesehen ist, wenn die eschatologische und die ethische Verkündigung als die zwei Seiten des Wortes Jesu verstanden sind. Im Folgenden werden wir uns zunächst (1) mit der heute gängigen Sicht des Problems in der existentialen Interpretation auseinandersetzen müssen, um in dieser Auseinandersetzung dann (2) zu einer sachgerechteren Fassung der Frage zu kommen.

1. Wie gesagt, stellt sich *R. Bultmann* das Problem seit vierzig Jahren durchgehend als das von „eschatologischer und sittlicher Verkündigung" [27] dar, oder „wie sich auch sagen läßt: zwischen Jesus als Propheten, der das Hereinbrechen der Gottesherrschaft verkündigt, und als Rabbi, der das Gesetz Gottes auslegt" [28]. Hinter dieser Fragestellung bewegt ihn letztlich aber doch das grundsätzlichere und seine Gesamttheologie entscheidend berührende Problem: „Allgemeine Wahrheiten und christliche Verkündigung" [29].

Wenn R. Bultmann den Versuch macht, „beide Seiten der Verkündigung Jesu, die eschatologische und die ethische, als zusammengehörig zu begreifen", als „wirkliche Einheit beider Elemente", dann weist er darauf hin, „daß in der eschatologischen wie in der sittlichen Verkündigung Jesu im Grunde die gleiche Anschauung von Gott und vom Menschen wirkt. Die eschatologische Erwartung erwächst aus der Einsicht, daß Gott die letzte Wirklichkeit ist, vor der alles Irdische versinkt und vor der der Mensch in seiner Fragwürdigkeit und Nichtswürdigkeit vergeht. Nur die Zukunft, die Gott schenkt, kann dem Menschen Heil bringen, und diese Zukunft bestimmt den Menschen jetzt, in der Gegenwart, und fordert von ihm die Entscheidung für die Welt oder für Gott. Eben diesen Sinn hat auch die sittliche Forderung Jesu ... Er lehrt den Menschen, daß der Augenblick des Jetzt für ihn der Augenblick der Entscheidung ist, in dem es gilt, alle eigenen Ansprüche hinzugeben und unter Gottes Willen gehorsam zu sein. Gerade der Weg des guten Willens, den Jesus predigt, führt den Menschen zur Besinnung auf seine Frag- und Nichtswürdigkeit vor Gott, auf seine eigentliche Situation als ein Stehen in der Entscheidung, und gerade er lehrt am tiefsten verstehen, was Gottes Vergebung ist, die man nur empfangen kann wie ein Kind." [30] In solcher existentialer Interpretation sind nun aber beide Aussagereihen entscheidend verkürzt und nicht mehr als theologische Aussagen echt miteinander in Beziehung gesetzt.

---

[27] Vgl. Die Erforschung (s. Anm. 24) 15 50; Theologie (s. Anm. 23) 19—21; Jesus (s. Anm. 26), bes. 104—113.

[28] Theologie (s. Anm. 23) 19.

[29] Vgl. jetzt: Glauben und Verstehen III (Tübingen 1960) 166—177.

[30] Die Erforschung (s. Anm. 24) 50 f.

Zu Fehldeutungen des Problems muß es immer dann kommen, wenn (a) entweder die eschato-logischen Aussagen in der Verkündigung Jesu durch falsche Interpretation enteschatologisiert oder wenn (b) die theologischen Aussagen als solche verkannt werden. R. Bultmann und seine Schüler können nur darum glauben, das Miteinander der beiden Aussagereihen richtig bestimmt zu haben, weil sie weder der einen noch der anderen gerecht werden.

a) Wir können hier nur andeutend sagen, daß R. Bultmanns Entmythologisierung und existentiale Interpretation der *eschatologischen Verkündigung* im Grunde auf eine Enteschatologisierung derselben hinausläuft. Schon R. Otto wandte seinerzeit heftig — aber nicht ganz unrichtig — reagierend ein: „Nicht meine Existenz stellt Christi Bußruf in Frage, sondern meine Gerechtigkeit vor Gott, und nicht Sicherung meiner Existenz stellt seine Botschaft in Aussicht, sondern das ‚Heil‘. Die Frage nach dem Heil aber auf ‚Existenz-Fragen‘ zu reduzieren oder sie überhaupt nur mit ihnen in die Reihe zu bringen, ist wohl die fatalste Verfilosofierung und Profanisierung, die original religiösen Konzeptionen widerfahren kann.“ [31] Mit Recht weist W. Künneth darauf hin, daß „nur von einem Punkt außerhalb des immanenten Seinszusammenhanges aus eine neue Sicht der Dinge und der Menschenexistenz gewonnen werden kann. Es könnte ja sein, daß die anthropozentrische Perspektive der Modernen gar nicht die eigentliche Wirklichkeit erfaßt, sondern vielmehr ein verzerrtes Bild des Daseins bietet.“ [32] In Jesus Christus stellt sich „die Wirklichkeit des Lebens schlechthin dar“. „In der Begegnung mit ihm wird die Grenzhaftigkeit des menschlichen Seins und aller Weltexistenz ins Bewußtsein erhoben ... Das endgültige Leben heißt Jesus Christus und darum enthüllt sich in ihm die wahre Wirklichkeit, das echte Dasein überhaupt. Indem die moderne Existenz sich vor Jesus gestellt sieht, gehn ihr die Augen über das eigentliche Sein auf. Jetzt ereignet sich die Umwertung aller Werte; denn nunmehr wird deutlich, daß das wahre Leben gerade nicht das ist, was der Mensch von sich aus naturaliter, als Existenz ansieht und verehrt.“ [33] So meint auch K. Rahner: „Eine Interpretation der eschatologischen Aussagen der Schrift, die diese schlechthin ‚entmythologisierend‘ so *ent*eschatologisieren würde, daß alle solche so gemeinten oder so formulierten (auf ‚das in einem ganz gewöhnlichen, empirischen Sinn zeitlich noch Ausständige‘ zielenden) Aussagen der Schrift nur ein je jetzt in der Existenz des Einzelnen und seiner je jetzt fallenden Entscheidung

[31] Reich Gottes und Menschensohn (München [2]1940) 35.

[32] Glauben an Jesus? Die Begegnung der Christologie mit der modernen Existenz (Hamburg 1962) 299.

[33] Ebd. 303 f.

sich ereignendes Geschehen meinten, ist theologisch nicht annehmbar", vor allem darum nicht, weil „auch die Schrift selbst in ihrem noch so existentiell interpretierten Selbstverständnis eine solche Enteschatologisierung zweifellos ausschließt" [34]. Wenn wir hier auf einen Schrifterweis verzichten, vielmehr statt dessen das vorausgesetzte Existenzverständnis in Frage stellen, können wir vielleicht mit K. Rahner formulieren: Die „Zukunft west in dem eschatologischen Andenken aus dem plural-vielschichtigen Wesen des Menschen heraus selbst entsprechend dieser Vielschichtigkeit (des Seins, der Zeit usw.) des Menschen *verschieden* an. Wenn es sich aber um das eschatologische Andenken des *Heils* handelt, kann in diesem Andenken, weil Heil die Vollendung des *ganzen* Menschen ist und nicht nur einer einzelnen Dimension des Menschen, die Vollendung bestimmter Schichten des Menschen, oder besser gesagt: die Vollendung des einen Menschen unter allen Aspekten seiner einen ganzen und doch pluralen Wirklichkeit, nicht ausfallen. Die Prognose muß sich auf den ganzen Menschen beziehen nach all den Aussagenotwendigkeiten, die mit einem pluralen Wesen gegeben sind und die nicht aufeinander reduziert werden können. Wo der Bezug auf eine reale ausständige Zukunft, und zwar unter allen Wesensaspekten des Menschen, ausfallen würde, oder in einer vermeintlichen ‚Entmythologisierung' zugunsten eines existentiellen Aktualismus eliminiert würde, oder wo übersehen würde, daß zum Menschen auch in der Heilsfrage seine physische, raumzeitliche, leibhaftige Existenz gehört und immer auch von *daher* die Verfassung des Menschen und also auch die seiner einen und ganzen Vollendung ausgesagt werden muß, da würde der Mensch und sein Selbstverständnis in Wahrheit mythologisiert, weil seine echte lineare Zeitlichkeit auf das zeitlich noch Ausständige, also eine Dimension seiner Geschichtlichkeit, ausfiele, in der er doch auch mit seinem Gott sein Heil betreibt, und so sein Heil gar nicht mehr geschähe, wo wir wirklich sind." [35] Es ist also ebenso wie ein falsches „apokalyptisches" Verständnis der Eschatologie als einer antizipierten Reportage späterer Ereignisse auch „eine ‚entmythologisierende' absolute Existentialisierung" derselben abzuwehren, „die vergißt, daß der Mensch in echter auf wirklich noch ausständig Zukünftiges gerichteter Zeitlichkeit und in einer Welt lebt, die nicht bloß abstrakte Existenz ist und mit all ihren Dimensionen (auch der profan-zeitlichen Zeitlichkeit) das Heil erlangen muß" [36].

Daß Jesu Botschaft von der nahenden Basileia ein aus und auch noch in der Zukunft zukommendes Heil und Gericht ansagt, den als Retter und Richter in die hiesige und jetzige Welt kommenden Gott, kann also nicht

---

[34] A. a. O. (s. Anm. 17) 404 f. [35] Ebd. 411. [36] LThK² III (1959) 1096.

hinweginterpretiert werden. Jesu Eschatologie verheißt und bringt das Heil, was mehr ist als Ermöglichung einer nur menschlichen Existenz.

b) Nicht minder als die eschato-logischen Aussagen werden in der existentialen Interpretation die *theo-logischen* verkürzt und mißverstanden.

α) *R. Bultmann* fragt: „Ist nicht schon die Verkündigung Jesu, obwohl sie ihrem Wesen nach eschatologische Verkündigung der hereinbrechenden Gottesherrschaft ist, reich an allgemeinen Wahrheiten?“[37] Dabei versteht er „die allgemeinen Wahrheiten“ als „Wahrheiten, die jedermann zugänglich sind, weil sie aus menschlicher Besinnung auf den Menschen, seinen Situationen (wenn sie sogenannte Grenzsituationen sind), seiner Problematik, seinen Freuden und Leiden stammen“[38]. Er akzeptiert sie so, „daß allgemeine Wahrheiten, sofern sie in der konkreten Situation als Anrede begegnen, ihren notwendigen Platz in der Verkündigung des Evangeliums haben“[39]; sie gewinnen in der „konkreten Situation — nämlich im Blick auf die bevorstehende Gottesherrschaft — ihre Aktualität als Anrede“[40].

Eine andere Art von allgemeinen Wahrheiten darf die anredende Verkündigung nach *R. Bultmann* dagegen nicht vortragen wollen, nicht etwa „eine sogenannte christliche Weltanschauung oder christliche Lehren, Sätze einer christlichen Dogmatik“, also solche „allgemeine Wahrheiten ... die freilich nicht dem menschlichen Geist, der Vernunft entstammen, sondern durch sogenannte Offenbarung gegeben und legitimiert sind“. Freilich weiß Bultmann, daß in den „allgemeinen Wahrheiten“ auch etwas „mitgeteilt“ wird: „Das Ereignis der in Jesus Christus geschehenen Offenbarung der Gnade Gottes“[41]. Aber diese richtige Erkenntnis wird gleich kerygmatisiert, weil hier Mitteilung nicht von einer *geschehenen* Offenbarung gemacht wird, sondern weil das Kerygma hic et nunc immer wieder geschehende Offenbarung ist.

Ähnlich kann auch *G. Bornkamm* formulieren: „Die Forderungen Jesu tragen in sich selbst die letzten Dinge“, sie enthielten eine „verborgene“ Eschatologie[42], weil Jesu Gebot darauf zielen soll, „aus Gottes Gegenwart und im Angesicht seiner Zukunft zu leben“: „Hier werden Jesu Botschaft von der Nähe des Gottesreiches und seine Verkündigung des göttlichen Willens völlig eins. Beide lassen den reinen und unverhüllten Willen Gottes vernehmen. Beide bezeugen seine Herrschaft und sind das Gericht über ein Leben, das nur aus dem Irdisch-Vorfindlichen, seinen vermeintlichen Realitäten und Maßstäben sich bestreitet.“[43]

---

[37] A. a. O. (s. Anm. 29) 168. [38] Ebd. 167. [39] Ebd. 175.

[40] Ebd. 172; vgl. auch *ders.*, Theologie (s. Anm. 23) 20; *ders.*, Jesus (s. Anm. 26) 111 ff.

[41] Ebd. 167 f. [42] Jesus von Nazareth (Stuttgart 1956) 100.

[43] Ebd. 99; vgl. *ders.*, Die Bedeutung des historischen Jesus für den Glauben: Die Frage nach dem historischen Jesus (Exegetisches Forum 2; Göttingen 1962) 65 f. — Nach NT Abstracts 4 (1959) 19 nimmt zur Frage der „allgemeinen Wahrheiten“ in der Verkündigung Jesu auch *T. Aukrust*, Hvilken plass og betydning har såkalte „almene sannheter“

β) Eine vertiefte Sicht der Beziehung zwischen der Ethik Jesu und der Eschatologie finden wir bei *Schülern R. Bultmanns*, die stärker als ihr Lehrer die Gegenwart des Eschatons im Verhalten oder in der Person Jesu betonen. Hier wird der sittliche Imperativ stärker im christologischen Indikativ begründet.

Nach *E. Käsemann* müssen wir bei der Deutung der Verkündigung Jesu davon ausgehen, „daß wir um die eschatologische Ausrichtung seiner Botschaft wissen", wovon man „unter gar keinen Umständen abstrahieren" dürfe. Käsemann ordnet die „moralischen Wahrheiten" dann der eschatologischen Verkündigung ein, in welcher er freilich das Gegenwartsmoment, die „Gnade", aus der die „Forderung" resultiert, stärker sieht: „Jesus kam nicht, um allgemeine religiöse oder moralische Wahrheiten zu verkündigen, sondern um zu sagen, wie es sich mit der angebrochenen Basileia verhält, daß nämlich Gott dem Menschen in Gnade und Forderung nahegekommen sei. Er brachte und lehrte die Freiheit der Kinder Gottes, die Kinder und frei nur bleiben, solange sie im Vater ihren Herrn finden." [44]

Für *E. Fuchs* ist „die Hauptaufgabe der Auslegung" jetzt nicht mehr die nach der Einheit der Verkündigung Jesu, sondern die, warum sich Jesu Verkündigung *einerseits* „eschatologisch", *anderseits* „ethisch" entfaltet[45]. *E. Fuchs* betont: „Die Sendung Jesu ist in Wort und Tat ein Akt der Liebe Gottes gewesen ... Weil wir kraft der Sendung Jesu in der Liebe Gottes stehen, darum *sollen* wir Gott und den Nächsten lieben. Und wir *können* sowohl Gott als den Nächsten lieben, weil wir kraft der Sendung Jesu in der Liebe Gottes stehen ..."[46] So hat denn „die Nächstenliebe eine Regel in sich, sofern sie gerade auf die in Jesus geoffenbarte Liebe Gottes hinweisen soll, so daß die wahre Nächstenliebe in dem konkreten Glaubenszeugnis besteht, mit dem wir unser Handeln als einen Hinweis auf Jesus Christus gestalten. Es gibt also sehr wohl so etwas wie eine christliche Ethik!"[47] Auch *E. Jüngel* versteht als Schüler von *E. Fuchs* die Forderung Jesu ausschließlich von dem in der Verkündigung und im Verhalten Jesu sich auswirkenden Eschaton her: „In der Geschichte Jesu schafft sich das Eschaton seine eigene Geschichte als Geschichte der Liebe." „Die sittliche Verkündigung erkennt die gegenwärtige Macht der zukünftigen Gottesherrschaft als Macht der Liebe an ... Von hier aus fügen sich Jesu eschatologische Verkündigung der Basileia und Jesu sittliche Verkündigung insofern zu einer Einheit zusammen, als einsichtig wird, warum sich Jesu Verkündigung einerseits eschatologisch, andererseits ethisch entfalten kann." [48]

---

i Jesu forkynnelse etter de tre første evangelier?: NorskTeolTid 60 (1959) 21—33, Stellung (mir nicht zugänglich). Auch nach ihm wären die „allgemeinen Wahrheiten" eingebaut in die eschatologische Verkündigung Jesu.

[44] Das Problem des historischen Jesus (1954): Exegetische Versuche und Besinnungen I (Göttingen 1960) 212.

[45] Glaube und Geschichte im Blick auf die Frage nach dem historischen Jesus: Zur Frage nach dem historischen Jesus (Freiburg 1960) 206 f.

[46] Was heißt: „Du sollst deinen Nächsten lieben wie dich selbst"?: ebd. 12.

[47] Ebd. 14 f. [48] Paulus und Jesus (s. Anm. 22) 211 f.

Es ist richtig und wichtig, zu sehen, daß der Imperativ, speziell das Liebesgebot, in der Verkündigung Jesu nicht nur in der nahegekommenen Zukunft begründet ist, sondern auch im angekommenen Eschaton. Jesus sieht das Eschaton soteriologisch als Heil, und zwar als schon gegenwärtiges Heil[49]. Es darf aber bezweifelt werden, ob das uns mit der Verkündigung Jesu aufgegebene Problem mit der Frage, wie sich die eschatologische und die sittliche Verkündigung Jesu zueinander verhalten, überhaupt richtig formuliert ist.

2. Nicht mit „Eschatologie und Ethik" sind die beiden im Worte Jesu zusammengebundenen Aussagereihen adäquat erfaßt; es bekundet sich vielmehr im Worte Jesu „Eschato-logie und Theo-logie", da es Mitteilung vom Kommen der Basileia und solche von Gott macht, wie wir nunmehr *negativ* in Auseinandersetzung (a) und *positiv* (b) dartun wollen.

a) *H. Windisch* sah das Problem richtiger in der „Spannung zwischen Eschatologie und Weisheit". Dabei warnte er (gegen H. D. Wendland, Die Eschatologie des Reiches Gottes, 108 f) vor Versuchen einer Synthese, der „alle Weisheit eschatologisch ist" und „alle Eschatologie sich im Jetzt und in der Weisheit des Augenblicks und des diesseitigen Lebens verwirklicht"[50]. Er betonte, „daß die israelitisch-jüdische Weisheit, wie die antike Weisheit überhaupt, von Haus aus gegenüber Gesetzlehre und Eschatologie ein eigenständiges Gebilde ist"[51] ... und „daß diese Weisheit Jesu durch den ganzen Ernst des Gottesgedankens bestimmt ist"[52].

An Gedanken von *H. Windisch* wird *H. Conzelmann* angeknüpft haben. Er opponiert gegen den Versuch Bultmanns, Jesu „Ethik als eschatologische zu verstehen bzw. zu zeigen, daß sich in beiden dasselbe Existenzverständnis dokumentiert"; Bultmann scheint ihm „das Verhältnis der beiden Sachgebiete zu kurz geschlossen zu haben"[53]. „Es ist nicht zu übersehen, daß die materiale einzelne Forderung von Jesus *nicht* mit der Nähe des Reiches begründet wird, sondern höchstens mit dem Gericht als solchem, der Drohung des Hinausgeworfenwerdens, mit der Aussicht auf Lohn, also einfach mit dem Willen Gottes und seiner Macht zu vergeben, oder aber mit der jedem Menschen offenstehenden unmittelbaren Einsicht in Gottes Walten, in die Ordnung der Welt, also mit dem Appell an die Vernunft ..." Es fragt sich also, ob es sinnvoll sei, „Jesu Ethik als ‚eschatologische' zu charakterisieren"[54]. Conzelmann glaubt nun, in der Lehre Jesu drei Themen finden zu können, zwischen denen keine Quer-

---

[49] Vgl. *W. G. Kümmel* (s. Anm. 106) 122 124 und den Nachweis in dem Anm. 59 genannten Aufsatz, bes. 54—58.

[50] Der Sinn der Bergpredigt (Leipzig ²1937) 24.

[51] Ebd. 20. [52] Ebd. 23. [53] A. a. O. (s. Anm. 18) 11.

[54] Ebd. 11; vgl. *ders.*, Art. Jesus Christus: RGG³ III (1959) 637 f.

verbindungen bestehen sollen: die Gottesanschauung, die Eschatologie und die Ethik: „Dieses unverbundene Nebeneinander der drei Sachgebiete scheint mir das wichtigste und zu wenig beachtete Problem zu sein." [55]

Wir dürfen kritisch einwenden, daß das eigentliche Problem nicht jene Dreiheit ist, sondern die Zweiheit Basileia-Verkündigung und Gottes-Offenbarung, die beide hinter Jesu sittlichen Forderungen stehen; die drei Themen Conzelmanns liegen nicht auf gleicher Ebene. Wenn wir die Überlieferung an synoptischen Herrenworten nach Verkündigungsthemen ordnen, stellen wir fest, daß der überaus größte Teil dieser Logien — wenn nicht fast alle — ethisch interessiert ist. Dadurch wird deutlich: Jesu Wort ist primär gar nicht Kerygma — vielmehr ist es Bußruf, Ruf zur Umkehr, der — wir werden es noch sehen — hier eschato-logisch, dort theo-logisch motiviert ist. Seine Basileia-Verkündigung wie seine Gottes-Offenbarung — beides gibt Jesus meist indirekt, eingehüllt in seine sittlichen Appelle. Oder anders gesagt: die sittlichen Appelle Jesu ruhen auf seiner Basileia-Verkündigung bzw. seiner Gottes-Offenbarung auf, einmal stärker auf dieser, einmal stärker auf jener. Wenn wir also sachgerecht vorgehen wollen, müßten wir die sittliche Botschaft Jesu auf ihre Motivation und Voraussetzungen hin abtasten. Die Motivforschung müßte uns weiterführen können. Auf diesem Wege dürfte zu erkennen sein, ob die Basileia-Verkündigung oder Gottes-Offenbarung, ob Kerygma oder Homologese das Denken Jesu zentraler bestimmen. Das Problem des Nebeneinanders zweier Aussagereihen wird entscheidend verkannt, wenn es reduziert wird auf die Frage nach der Einheit von Jesu eschatologischer und sittlicher Verkündigung, aber auch wenn neben das eschato-logische und theo-logische Thema auf eine Ebene gleichberechtigt das sittliche gestellt wird. Es legt sich uns also die Ausdeutung nahe, Jesu Predigt sei nicht nur Verkündigung der nahenden Basileia, sondern auch Gottes-Offenbarung gewesen. Zwar ist es richtig, daß in der Botschaft Jesu die allgemeinen Wahrheiten „direkt oder indirekt ... als Appell gesprochen" sind, wobei „der Appell im Imperativ" redet [56]; aber eben auch die Basileia-Verkündigung Jesu ergeht primär in der Gestalt des Anrufs. Jesu Wort verkündet vor allem die Forderungen Gottes, wenn auch so, daß es gleichzeitig damit Gnade und Gericht, die Nähe der Basileia ansagt, so den Appell motivierend. Analog bieten die „allgemeinen Wahrheiten", die Weisheits- und Gesetzesworte Jesu, indirekt hinter aller Forderung auch offenbarende „Mitteilungen"

---

[55] Ebd. 10 f. — *U. Wilkens,* Das Offenbarungsverständnis in der Geschichte des Urchristentums: Offenbarung als Geschichte (hrsg. von *W. Pannenberg - R. Rendtorff - T. Rendtorff - U. Wilkens)* (Göttingen 1961) 455 Anm. 35 opponiert zu Unrecht gegen C.: „Die Unmittelbarkeit zu Gott ... gründet in der eschatologischen Grundvorstellung Jesu."

[56] *R. Bultmann,* a. a. O. (s. Anm. 29) 173.

über Gott, nämlich von seinem Herr- und Vater-Sein. Man muß also Jesu sittliche Weisungen auf dem Hintergrund sowohl seiner Basileia-Verkündigung wie seiner Gottes-Offenbarung zu verstehen versuchen und muß beides aus ihr heraushören.

Nach Beobachtungen an den Herrenworten[57], nach Analysen des Betens Jesu[58] und Motivuntersuchungen zu den ethischen Forderungen Jesu[59] kann nicht gezweifelt werden: In der Predigt Jesu sind zwei Aussagereihen zu unterscheiden — wir dürfen sagen: eine eschato-logische und eine theo-logische, Kerygma und Homologese. Damit aber scheint das Problem sachgerecht gestellt: Problematisch ist das gespannte Nebeneinander von eschato-logischen und theo-logischen Aussagen und Motivationen in der Bußpredigt Jesu.

b) Was hier vorerst Behauptung ist, dürfte deutlicher werden, wenn wir auf die Hintergründe der Forderungen Jesu in Kürze hinweisen:

α) Jesus schildert unser Verhältnis zu Gott immer wieder als das von „Sklaven" und „Söhnen", also jedesmal von Menschen, die nicht nur zu irgendwelchen Sachleistungen, sondern zu *existentieller Hingabe verpflichtet* sind auf Grund eines vorgegebenen Rechts- und Liebesverhältnisses. Wir stehen vor Gott als unserem „Herrn" und „Vater" als „Sklaven" und „Söhne" in so abgründiger Schuldigkeit, weil wir doch immer zurückbleiben hinter der Forderung des ausschließlichen und steten Dienstes (Mt 6, 24; Lk 17, 10) und der Liebe „aus ganzem Herzen" (Mk 12, 28—31), die Gott gibt, was Gottes ist (Mk 12, 17; vgl. 12, 41—44), und die dem Nächsten reaktionslos (Lk 6, 27 f) und radikal (Lk 6, 29 f) gut ist wie „sich selbst" (Mk 12, 31; Lk 6, 31), universal (Lk 10, 29—37) und grenzenlos (Lk 14, 12 ff). Diese Forderung vollkommener Gänzlichkeit (Mt 5, 48; vgl. 5, 20 21 f 27 f 33 f 37) ist es, die so abgründig schuldig werden läßt. Dem Menschen bleibt grundsätzlich nur noch die Möglichkeit der Bitte: „Gott, sei mir gnädig, mir Sünder!" (Lk 18, 13; vgl. Mt 18, 26) — „vergib uns unsere Schuld!" (Mt 6, 12a.) In seiner grenzenlosen Schuldigkeit erfährt sich der Mensch schließlich aber doch immer erst, wenn er vor das Antlitz des fordernden Gottes gerät; hier wird er schuldig, wie ihn keine eschatologische Situation — weder eine futurische noch eine präsentische — schuldig machen kann.

---

[57] Vgl. *H. Schürmann*, Worte des Herrn (Leipzig [3]1960) bes. 421 f.

[58] *Ders.*, Das Gebet des Herrn (Leipzig [3]1959) bes. 25 f und 36 f (vgl. auch ebd. Anm. 62).

[59] *Ders.*, Eschatologie und Liebesdienst in der Verkündigung Jesu: Kaufet die Zeit aus (Festgabe für *Th. Kampmann*, hrsg. von *H. Kirchhoff;* Paderborn 1959) 39—71. Vgl. zustimmend *W. Grundmann*, Ergänzungsheft zu: Die Geschichte Jesu Christi (Berlin 1959) 29 f, und: Der historische Jesus und der kerygmatische Christus (Berlin 1960) 307 ff. Vgl. auch *R. Schnackenburg:* GuL 32 (1959) 426; *A. Vögtle:* LThK[2] V (1960) 926; *Fr. Neugebauer*, Zur Auslegung von Röm 13, 1—7: KuD 8 (1962) 162 ff.

Seinerzeit hatte schon R. Otto sehr emphatisch gegenüber einem einseitigen eschatologischen Verständnis der sittlichen Forderungen Jesu betont: Gottesforderung „besteht immer und gleich, hat den Grund ihrer Gültigkeit und ihres Anspruchs nicht im Kommen des Reiches, sondern in sich selber, nämlich in Gottes Heiligkeit. Das Gebot, Gott zu lieben über alle Dinge und den Nächsten wie sich selbst, gilt nicht, weil ‚das Reich kommt', sondern stellt den Menschen durch sich selbst ‚in die Situation' der Bußbedürftigkeit und kann in seiner Emphase durch die eschatologische Situation nicht einmal gesteigert werden. Denn da es an sich selber heiliges Gottesgebot ist, so ist es absolut, Absolutes aber läßt keine Steigerung zu."[60] Es ist also nicht die Nähe des Endes, die dem Menschen letztlich das Wissen um seine abgründige Sündigkeit gibt; höchstens kann der Gedanke an das nahe Ende ein solches Wissen akzidentell aktualisieren.

Hinter der Forderung Jesu — mag sie auch akzidentell eschatologisch begründet sein — wird ein „Vor-wissen" deutlich: das Wissen um die absolute Heiligkeit Gottes, die zu letzter Theozentrik aufruft. Nicht zufällig läßt Jesus darum auch im Vaterunser um die Heiligung des Namens bitten, bevor er den Wunsch um das Kommen des Königtums sagen läßt (Lk 11, 2). Letztlich geht es Jesus in allen sittlichen Forderungen immer radikal um Gott: Daß Gottes große Heiligkeit doch ja nicht angetastet werde! — hier hat die Radikalität vieler Forderungen Jesu ihren Ursprung. Daß doch die Forderung Gottes ja nicht verkürzt werde! — hier wurzelt Jesu Kampf gegen das pharisäische Thora-Verständnis. Jesu ethische Forderungen geben also indirekt Gottes-Offenbarung, wollen deutlich werden lassen, wer Gott ist, indem sie sagen, was er als Gott alles fordern muß. Hinter Jesu Weisungen leuchtet Gottes Heiligkeit und Herrlichkeit auf: Gott ist der absolute Herr und König. Jesus stellt die sittliche Forderung Gottes — gereinigt von aller Verkürzung und Verbiegung —, ihre Gänzlichkeit, so schonungslos heraus, weil es ihm um Gott geht, weil Gott Recht und Ehre widerfahren muß. Wer sie befolgt, legt damit ein tätiges Gottesbekenntnis ab, spricht eine Homologese: „Ich preise dich ... Herr Himmels und der Erde ..." (Mt 11, 25).

β) Unter den Forderungen Jesu gibt es eine zweite Gruppe, die den Verweis auf die *Güte des „Vaters"* enthält — ein Hinweis, der auch hinter Jesu eschatologischer Verkündigung zu stehen scheint. Auch hier wird uns — in anderer Weise — eine offenbarende Gottes-Mitteilung gegeben: nämlich daß Gott der „Vater" ist.

Wir sahen schon, daß Jesu eschatologische Verkündigung die Gegenwart betont und diese gegenwärtige Gegebenheit als Heil versteht; Jesus faßt sie eminent soteriologisch. Diese spezifische Besonderheit der eschatologi-

---

[60] A. a. O. (s. Anm. 31) 36, vgl. auch 43 f; s. nun auch *H. Conzelmann*, a. a. O. (s. Anm. 54) 637.

schen Verkündigung Jesu muß einen Grund haben, der nicht in der Eschatologie selber liegt. Dieser ist deutlich von außen determiniert. Jesu Deutung der eschatologischen Stunde als Heilsgegenwart bedarf einer Interpretation von anderswoher, eines vorgegebenen hermeneutischen Prinzips, eines Vorwissens. Wo das zu suchen ist, läßt sich aufweisen: Es darf nämlich nicht übersehen werden, daß die Zusagen und Forderungen Jesu durchaus nicht immer eschatologisch begründet werden, sondern häufig durch den Verweis auf die „Güte des Vaters". Hier kommen wir einer Vorgegebenheit auf die Spur, die die Eschatologie Jesu determiniert.

Es ist das Wissen um die Vaterliebe Gottes, welche Vergebung erhoffen läßt, wie das „Gleichnis vom verlorenen Sohn" (es müßte „die Parabel von der Vaterliebe Gottes" heißen) deutlich macht (Lk 15, 11—32). Es ist der „Vater", der seine Sonne aufgehen läßt über Böse und Gute und regnen läßt über Gerechte und Ungerechte (Mt 5, 45), der „barmherzig" ist (Lk 6, 36) und in dieser seiner Barmherzigkeit Vorbild und Ermöglichungsgrund aller Feindesliebe (Lk 6, 27 f 32—35), aller Liebe überhaupt (Mt 5, 9). Ist es doch der „Vater", der „barmherzig" ist (Lk 6, 36), der um die „Kleinen" besorgt ist (Mt 18, 14), der weiß, was die Jünger Jesu „nötig haben" (Lk 12, 30; Mt 6, 8) und der für sie sorgt wie für die Feldlilien und Raben (Lk 12, 22—30; vgl. Mt 10, 29), der bereit ist, „Gutes" (Mt 7, 9 ff), selbst „das Reich zu geben" (Lk 12, 32). Der Sünder, der von Gott Vergebung erflehen muß, braucht somit nicht in die Zukunft zu schauen und sich nicht an den kommenden Richter zu wenden, er kann im gegenwärtigen Augenblick „aufschauen" zum gegenwärtigen „Vater": darum kann er ihn auch mit der Opfergabe um Vergebung angehen (Mt 5, 23 f) und im Gebet; denn der Vater gewährt Vergebung dem, der ihn bittend darum angeht (Lk 18, 9—14a; Mk 11, 25; Mt 6, 12a; vgl. Lk 15, 11—32).

Neben, in und über dem Wissen, daß das Eschaton Gottes Vergebung und Heil bringt, steht Jesu Wissen um die Vaterliebe Gottes. Der Jünger Jesu sieht sich nicht nur dem Gott gegenüber, der nunmehr in seinem Königtum *kommen* will, sondern immer auch dem Gott, der sein „Vater" *ist.* Gottesbegegnung gibt es für Jesus nicht nur im Hinübergang über die Brücke der Erwartung in der Zukunft, sondern vorher immer schon auch im Augenblick, in der Gegenwart.

Wir dürfen *zusammenfassen:* Mögen die sittlichen Weisungen Jesu in ihrer Motivation auch eschatologisch akzentuiert sein, sie bleiben doch zuinnerst und wesentlich von der Theozentrik her bestimmt[61]. Jesus zeigt nicht

---

[61] Auch *E. Grässer,* Das Problem der Parusieverzögerung in den synoptischen Evangelien und in der Apostelgeschichte (Beihefte zur ZNW 22; Berlin ²1960), anerkennt nicht-eschatologische Motivierungen in der Botschaft Jesu, um sie aber dann doch gänzlich der Eschatologie unterzuordnen: Diese „steht doch überall im Hintergrund! Durchmustert man die

nur — das auch —, wie man sich dem Gott gegenüber situationsgerecht verhält, der nun in seinem Königtum kommt, sondern auch — und das besonders —, wie man sich dem Gott gegenüber wirklichkeitsgerecht verhält, den Jesus als Herrn und Vater offenbart. Aus dem *Sein* Gottes, seinem Herr-Sein folgt die radikale Forderung, aus dem Vater-Sein die des grenzenlosen Vertrauens. Der Sinn der Forderung Jesu wird verkürzt, wenn man nur das situationsgerechte Verhalten vor dem sich hier und jetzt nahenden Gott, nicht aber das wirklichkeitsgerechte Verhalten vor dem sich hier und jetzt offenbarenden Herr- und Vater-Sein Gottes sieht. Es ist nicht nur die „Gottesherrschaft, die die Entscheidung des Menschen für Gott gegen alle weltlichen Bindungen fordert". Der Zusammenhang zwischen eschatologischer Verkündigung und sittlicher Forderung ist nicht nur der, daß beide „den Menschen auf sein Gestelltsein vor Gott, auf Gottes Bevorstehen" weisen, „in sein Jetzt als in die Stunde der Entscheidung für Gott" [62]. Jesus verweist nicht nur auf die Entscheidungssituation, die die nahende Basileia bedeutet, sondern argumentiert auch von der Heiligkeit und Güte Gottes her, der gegenüber der Jünger sich wirklichkeitsgerecht zu verhalten hat — was in der Entscheidungssituation nebenher dann auch noch zu einem situationsgerechten Verhalten wird. Jesu Forderungen sind nicht anthropozentrisch gemeint; es geht Jesus primär in aller ethischen Forderung um die Heiligkeit und Ehre Gottes. Läßt man die sittlichen Forderungen Jesu sein, was sie sein wollen, so ist Jesu Wort also nicht mehr nur eschatologische Verkündigung, die in die Entscheidung stellt; neben sie tritt die Offenbarung der wahren Wirklichkeit Gottes. Sofern sich also hinter den sittlichen Forderungen Jesu auch Offenbarungsaussagen finden, müssen wir urteilen: Jesus verkündet nicht nur das baldige Kommen des Königtums und den schon eingetretenen Anbruch der Erfüllungszeit — er macht auch „Mitteilungen" über Gott, offenbart, daß dieser der königliche Herr und gnädige Vater ist [63]. Jesu Botschaft bringt

---

ethischen Texte auf ihre Motivierung hin, so ergibt sich als häufigstes Motiv die Furcht Gottes ... und die Liebe zu Gott oder Christus ... Das aber sind *eschatologische* Motive, sofern es nur Abwandlungen des Bewußtseins sind, daß das Kommen der Basileia unmittelbar bevorsteht" (72 f). Dieses Urteil verkennt die Wirklichkeit, die Jesus als absoluten Herrn und Vater offenbart, unabhängig von der eschatologischen Stunde! Keineswegs ist die „ethische Botschaft Jesu" so kurzschlüssig „ganz und gar im Lichte seiner eschatologischen Verkündigung zu sehen". Keineswegs ist „sie ... das Motiv, dem alle anderen ein- und unterzuordnen sind", und keineswegs ist „jeder Versuch, der darauf aus ist, das ‚Bleibende' in der ethischen Botschaft Jesu herauszustellen ... — im Sinne Jesu wenigstens — von vornherein verfehlt" (72; ebd. Anm. 5 weitere Autoren dieser Meinung).

[62] *R. Bultmann,* a. a. O. (s. Anm. 23) 20 f; vgl. Die Erforschung (s. Anm. 24) 35 f.

[63] Auch *E. Schweizer:* ZNW 50 (1959) 186, beobachtet, von *H. Conzelmann* darauf ge-

nicht nur eschatologische Kunde, auch nicht „eigentlich", „richtig interpretiert". Die Doppelpoligkeit der Predigt Jesu ist nicht mit „eschatologischer Verkündigung und sittlicher Forderung" gültig bestimmt, vielmehr geht es um die beiden Aussagereihen „Eschato-logie und Theo-logie", um Kerygma und Homologese. Beides zusammen ergibt erst die Fülle des Wortes Jesu.

Damit sind wir zu dem Problem gekommen, das sich hinter der Kontroverse „Kerygma und Mythos" [64] verbirgt, hinter dem besonders lutherische Theologen mit Recht das Problem „Kerygma und Dogma" [65] zu lösen versuchen und in dem das von „Personalismus und Ontologie" [66] in der Theologie nach einer Lösung ruft. *E. Schlink* hat darauf hingewiesen, daß sich „im Lobpreis Gottes, in der Verherrlichung seiner Anfang und Ende der Welt umgreifenden Treue . . . notwendig Seins- und Wesensaussagen ergeben" [67]. So lehrt er neben dem „Kerygma" die „Doxologie" sehen. Freilich scheint das „Bekenntnis", die „Homologese", in ihrer ursprünglichen Undifferenziertheit von „Gebet und Zeugnis, Doxologie und Lehre" neben dem Kerygma die urtümlichere Antwort auf das Offenbarungswort als speziell die Doxologie zu sein [68]. Zudem möchten wir — unsere vorstehenden Ausführungen berechtigen uns wohl dazu — den Ursprung der Seins- und Wesensaussagen wurzelhafter ansetzen: Wir möchten bezweifeln, ob letztlich „die ontologische Aussage . . . ihren ‚Sitz im Leben' in der Doxologie" [69] hat. Zwar ist „die Wurzel des Dogmas . . . das Christus-Bekenntnis" [70]; zuletzt bezieht

stoßen (ebd. Anm. 3), daß „die ethischen Anrufe, wie sie z. B. in der Bergpredigt gesammelt sind, in unserer Tradition weithin ohne sichtbare Verbindung mit der Verkündigung des Gottesreiches erscheinen". Er sieht richtig, daß beides „aus einer Gesamtkonzeption der Verkündigung Jesu" erklärt werden muß. *E. Schweizer* nimmt an, daß erst die Gemeindetradition häufig Worte Jesu „als allgemeine Gebote Jesu tradiert" hat, die bei Jesus noch eschatologischen Bezug hatten, rechnet immerhin aber doch auch damit, „daß Jesus mindestens gelegentlich Menschen vor Gottes Forderung stellte, ohne über die jetzt gerade zu treffende Entscheidung hinauszuweisen, weil sich Gottes Herrschaftsanspruch und Gottes gnädige Zuwendung eben in der gerade jetzt gestellten Forderung und in dem im Augenblick zu Tuenden darstellte".

[64] So die von *H. W. Bartsch* herausgegebene Reihe in „Theologische Forschung", Hamburg-Bergstadt.

[65] Vgl. die so benannte Zeitschrift unter der Schriftleitung von *W. Joest*, Göttingen 1 (1955 ff).

[66] Vgl. den referierenden Aufsatz von *H. Diem*, Dogmatik zwischen Personalismus und Ontologie: EvTh 15 (1955) 408—415.

[67] Weisheit und Torheit: KuD 1 (Lizenzdr. Berlin 1956) 21.

[68] Vgl. auch *E. Schlink*, Die Struktur der dogmatischen Aussage als oekumenisches Problem: KuD 3 (Lizenzdr. Berlin 1959) 176; vgl. auch *D. M. Stanley*, Didache as a Constitutive Element of the Gospel-form: CBQ 17 (1955) 345.

[69] So *G. Gloege*, Der theologische Personalismus als dogmatisches Problem: KuD 1 (Lizenzdr. Berlin 1956) 46. Freilich weiß auch *G. Gloege*, daß Gott selbst sich offenbart, „bis ins Ontisch-Vorfindliche hinein" (ebd. 47); vgl. auch *H. Schlier*, Kerygma und Sophia. — Zur ntl. Grundlegung des Dogmas: Die Zeit der Kirche (Freiburg i. Br. 1956) 206—232.

[70] *E. Schlink* a. a. O. (s. Anm. 68) 179.

sich aber doch die Homologese und mit ihr jegliche ontologische Lehraussage auf das Offenbarungswort Jesu zurück, insofern nämlich dieses nicht nur „Kunde" ist, sondern auch offenbarende „Mitteilung". „Verkündigung" und „Homologese" sind bereits reagierende Wortformen; sie setzen offenbarende „Kunde" und „Mitteilung" von einem personalen Offenbarungsgeschehen und einer ontischen Offenbarungswirklichkeit voraus. Jesus kündet primär vom Heilshandeln Gottes und macht die Heilswirklichkeit Gottes offenkundig. K. Rahner hat — weiter unterscheidend — darauf hingewiesen, daß auch schon im Worte Jesu „die Grundoffenbarung in der Gnade" und ihre „amtliche Objektivation", „die begriffliche Vorstellung und Gerichtetheit an alle von verpflichtender Kraft" zu unterscheiden ist[71]. Wenn der eigentliche (sich primär im Sohnesbewußtsein Jesu erschließende) Kern der Offenbarung ist, „daß das absolute Geheimnis Gottes nicht nur als die richtende Ferne für uns da-sein wollte, sondern sich in einer absoluten, radikalen Selbstmitteilung uns in Gnade als den innersten Inhalt unseres Daseins und so gerade als das nahegekommene Geheimnis bleibender Art für die Annahme in Liebe schenken wollte"[72], dann kann die begriffliche Mitteilung, Ausdeutung und reflexe Vergegenständlichung dieses Offenbarungsvorganges nicht nur kündend angesagt werden; es muß auch etwas „mitgeteilt" werden, was *ist* und angekündigt wird. Jesu ansagende „Kunde" wird dann weitergetragen in der apostolischen „Verkündigung", Jesu offenbarende „Mitteilung" in der apostolischen „Homologese". Weil sich im „Christusgeschehen" die „Christuswirklichkeit" eröffnet, im „Ankommen" Gottes das „Sein" Gottes, darum gibt es auch in der apostolischen Predigt neben und in den Verkündigungsformeln noch Bekenntnisformeln[72a].

Unsere Darlegungen über die zwei Aussagereihen im Worte Jesu geben *G. Gloege* recht, wenn er glaubt, konstatieren zu müssen: „Die personalistischen Kategorien reichen zum vollen Verstehen weder des Alten noch des Neuen Testamentes aus. Sie treffen Wesentliches, ja Entscheidendes: *das* jeweils Wesentliche und *das* jeweils Entscheidende. *Aber sie sind unzureichend.* Wollte man sie allein anwenden, würde das in letzter Konsequenz die Tendenz des alt- und neutestamentlichen Gesamtzeugnisses ebenso verzeichnen wie die Fülle seiner Einzelaussagen beschränken."[73] Und auch *W. Künneth* betont richtig, daß die heute weithin verachteten „ontologischen" Begriffe, die Seinsurteile, ihre theologische, speziell christologische Notwendigkeit besitzen. „Scheut man sich, von ‚Fakten', von ‚objektiven' Geschehnissen zu reden, die allerdings nichts mit dem antiken ‚Subjekt-Objekt-Schema' zu tun haben, von einer ‚realen' Wirklichkeit, welche außerhalb meiner ‚Wertung' und ‚Deutung', außerhalb meines ‚Seinsverständnisses' und meines ‚Glaubens' existieren, dann hat man den Weg beschritten, die Christologie

---

[71] Theologie im Neuen Testament: Schriften zur Theologie V (Einsiedeln-Zürich-Köln 1962) 52.

[72] Ebd. 50.

[72a] Vgl. *H. Schürmann,* Aufbau und Struktur der neutestamentlichen Verkündigung (Paderborn 1949).

[73] A. a. O. (s. Anm. 69) 40.

gerade an ihrem Fundament zu verkürzen und in eine subjektive Bewußtseinstheologie aufzulösen, sosehr man sich auch gegen diese Bezeichnung sträuben mag.“ [74]

II. Das zentrierte Miteinander der eschato-logischen und theo-logischen Aussage in der Verkündigung Jesu

Wer nicht geneigt ist, sich dem Totalitarismus der mit hermeneutischem Absolutheitsanspruch auftretenden existentialen Interpretation bedingungslos zu beugen, wird das Nebeneinander der beiden Aussagereihen im Worte Jesu — der eschato-logischen Verkündigung Jesu und seiner Gottes-Offenbarung — unverkürzt bestehen lassen. Sie können aber in ihrem Nebeneinander nur verstanden werden, wenn in der Gesamtverkündigung Jesu für sie ein Beziehungspunkt aufweisbar ist, in dem sie zu einem zentrierten Miteinander finden. Psychologische (1) und theologisch-christologische (2) Überlegungen können helfen, die hintergründige Einheit der beiden zunächst so unterschiedlich scheinenden Aussagen im Worte Jesu im Zusammen und Aufeinanderhin zu verstehen.

1. Mehrfach hat man den gewiß berechtigten Versuch gemacht, *vom religiösen Bewußtsein her* das Neben- und Miteinander der unterscheidbaren Aussagereihen verständlich zu machen. Dabei kann man von allgemeinen religionspsychologischen Beobachtungen ausgehen (a) oder speziell auf das Selbstbewußtsein Jesu reflektieren (b).

a) Eine richtige Beobachtung finden wir bei *H. Windisch:* „Die Tatsache, daß sowohl die Weisheit als die Eschatologie bei Jesus zu radikaler Forderung vertieft ist, gibt eine der wichtigsten Erklärungen für die Verbindung der beiden von Haus aus einander wesensfremden Verkündigungsgestalten.“ [75] Denn woher stammt die „Radikalität“ in diesen Aussagereihen? Es ist „der in seiner Reinheit aufgefaßte Gottesbegriff, der sowohl die ‚Weisheit‘ wie seine ‚Profetie‘ bestimmt und der beiderseits die Forderung zu radikaler Losgelöstheit von allem Nichtgöttlichen verschärft“ [76]. Es ist also das Wissen um Gott, der heilig „ist“ und damit radikale Ganzhingabe fordert, und um Gott, der in seiner Heiligkeit „erscheint“ und damit ebenso radikale Ganzhingabe fordert. Hier führen die religionspsychologischen Erklärungsversuche von *R. Otto* weiter, der grundsätzlicher alle Eschatologie überhaupt von der Idee des „Heiligen“

---

[74] A. a. O. (s. Anm. 32) 134; vgl. auch *E. Kleineidam,* Die Bedeutung der Kategorienlehre für die Theologie: Theologisches Jahrbuch 1963 (hrsg. von *A. Dänhardt;* Leipzig 1963) 186—204.

[75] A. a. O. (s. Anm. 50) 20.

[76] Ebd. 20.

her zu verstehen sucht. Otto sieht die „Eschatologie ... in ihrer wesensmäßigen Verknüpftheit ... mit dem Heiligen“ [77], und zwar in doppelter Hinsicht: Zunächst sieht er den Zusammenhang so, „daß Heiligkeit und Gerechtigkeit in hiesigem irdischem fleischlichem weltlichem Sein und in weltlicher Seins- und Zustands-Form nicht möglich ist, sondern die ‚Wunderbarmachung‘, die ‚Verwandlung‘, die ‚Verklärung‘ als ontologische Voraussetzung ihrer Möglichkeit erfordert. Und nur diese Logik aus der Idee der Heiligkeit selber heraus trägt in Wahrheit echt religiöse Eschatologie und eschatologische Metafysik. Die Idee aber eines solchen Eschatons, d. h. die Idee, daß Gerechtigkeit als Geheiligt-sein und daß Seligkeit nicht möglich sind bei weltlicher Seins-weise, sondern nur in der ganz anderen Seins-weise, die Gott geben wird, daß sie nicht sein können ‚in diesem Äon‘, sondern nur in einem ‚neuen Äon‘, daß sie nicht sein können in ‚der Welt‘, sondern nur ‚im Himmel‘ und in einem ‚Himmelreich‘ —, diese Idee ist die geheime Triebfeder in der Bildung ‚eschatologischer‘ Vorstellungen im Unterschiede von bloß ‚messianischen‘: ... Heilig ist der schlechthin überweltliche *Wert*, und dieser fordert zu seiner Verwirklichung überweltliches ‚Sein‘. Heilig kann man nur sein ‚im Himmel‘.“ [78] — *R. Otto* sieht aber nicht nur, daß „echte Eschatologie ... die Idee der ‚Wunderbarmachung‘, d. h. des ‚Himmelreiches‘ als neue und andere ‚Sphäre‘ und Daseins-form geheiligten und darum notwendig nicht mehr weltlichen Daseins im Gegensatz des *dortigen* und zum *hiesigen*“, einschließt, er sieht auch, daß damit zugleich „die Idee realen ‚Kommens‘ desselben im Gegensatz des *Einstigen* zum *Jetzigen*“ gegeben ist.

Man wird beiden Behauptungen *R. Ottos* beipflichten müssen. Tatsächlich ist die Annahme einer transzendenten Eschatologie nur die selbstverständliche Konsequenz eines Gottesglaubens, der Gott in seiner geschiedenen Überweltlichkeit und seinem absoluten Anderssein konsequent denkt [79]. Darum mußte der alttestamentliche Jahwe-Glaube auch aus sich heraus schon die altisraelitische Diesseits-Eschatologie aufsprengen zur spätjüdischen Jenseits-Eschatologie — Babylon und der Iran haben mit ihren Eschatologien dabei höchstens mäeutische Dienste geleistet. Besonders *W. Eichrodt* hat aufgewiesen, daß „der Gottesglaube als der Wurzelboden anzusehen“ ist, „auf dem die kühne Zukunftserwartung Israels erwuchs ... Wer Gott kennt, der kennt auch Gottes Zukunft“ [80]. — Aber nicht nur

---

[77] A. a. O. (s. Anm. 31) 32 A. 1. [78] Ebd. 33 f.

[79] Auch *R. Bultmann* kann — freilich existentialistisch verstanden — schreiben: Die „eschatologische Erwartung erwächst aus der Einsicht, daß Gott die letzte Wirklichkeit ist, vor der alles Irdische versinkt und vor der der Mensch in seiner Fragwürdigkeit und Nichtswürdigkeit vergeht“: a. a. O. (s. Anm. 24) 35.

[80] Theologie des Alten Testaments I (Berlin [5]1957) 341.

die Eschatologie überhaupt, auch speziell das Drängen der eschatologischen Naherwartung dürfte seinen letzten Grund haben in dem theozentrischen Wunsch, daß doch endlich Gottes Name „geheiligt" werde. Nicht zufällig steht diese Bitte im Gebet des Herrn vor der um das Kommen des Reiches (Lk 11, 2). Denn die nahende Basileia wird erst verwirklichen, was hienieden nicht verwirklicht werden kann: sie wird Raum schaffen für Gottes Heiligkeit. Das eigentlich erregende Moment in der Basileia-Erwartung Jesu scheint doch zu sein: daß Gott endlich König werde und herrschen könne, daß er in seiner Heiligkeit und Herrlichkeit sichtbar werde und throne[81].

Auch wenn wir um die Begrenztheit der religionspsychologischen und religionsphilosophischen Kategorien *R. Ottos* wissen — sie können uns doch einen Hinweis geben für eine Beobachtung, die an Jesu Worten abzulesen ist: Sosehr es auch wahr ist, daß für uns Gottes Herr- und Vatersein letztlich erst in seinem eschatologischen Handeln offenbar wird — die Theozentrik bewegt Jesus ganz ohne Zweifel doch mehr als die Eschatologie, die Offenbarung und Sichtbarmachung des Herr- und Vaterseins Gottes letztlich doch grundlegender als die Kunde von der Nähe der Basileia. Nur wer die unerhörte Theozentrik aus den Worten Jesu heraushört, wird letztlich die divergierenden Formen und Aussageelemente seiner Verkündigung verstehen.

b) Nun ist es gewiß mißlich, die Verkündigung Jesu von der Allgemeinheit des religiösen Bewußtseins aus verstehen zu wollen. Es befriedigt nicht recht, wenn *R. Otto* auf die „Irrationalität" des religiösen Bewußtseins rekurriert, in welchem „bei Jesus (wie bei Zarathustra, Mohammed, Franziskus und Luther) in paradoxem Nebeneinander Platz haben sollen einerseits das lebendige Gefühl für unmittelbaren Hereinbruch des überweltlich Künftigen, andererseits eine dadurch in ihrer Zeit- und Welt- und Lebensbeziehung durchaus ungestörte Verkündigung, die mit Dauer, Fortgang in der Welt und Zeit und Welt-gegebenheiten rechnet und darauf sich bezieht"[82]. *R. Bultmann* wird es auch noch als einen bösen Rückfall in historisch-psychologische Betrachtungsweise und als Verrat an der existentialen Interpretation bedauern, wenn sein Schüler *H. Conzelmann* speziell auf das *Selbstbewußtsein Jesu* reflektiert und meint, „die eschatologischen Aussagen" wie die „übrigen Inhalte seiner Lehre" könnten „nicht vom Selbstbewußtsein Jesu gelöst werden"; „von seinem Selbst-

---

[81] Vgl. Das Gebet des Herrn: a. a. O. (s. Anm. 58) 79.

[82] *R. Otto*, a. a. O. (s. Anm. 31) 45. Vgl. schon *J. Weiß* (s. Anm. 21), ferner auch O. *Kuß*, Enthusiasmus und Realismus bei Paulus: Auslegungen und Verkündigung I (Regensburg 1963) 216—217.

bewußtsein her wird erst die Einheit seiner Gedanken sichtbar"[83]. Ähnlich wie *R. Otto* findet *H. Conzelmann* zwar keine ausdrückliche, wohl aber eine sachliche Einheit von „Gottes allgemeinem Walten und der eschatologischen Begrenzung der Welt" bei Jesus. „Nur liegt sie nicht in einer *logischen* Verknüpfung der beiden Weltaspekte, sondern irgendwo hinter denselben. Bultmann rührt an die Sache mit seiner Bestimmung der *Dialektik vom fernen und nahen Gott* (Theologie des NT, 1953, 21 ff). Er berücksichtigt aber m. E. nicht genügend das spezifische Nebeneinander von Dauer und Begrenzung der Weltzeit ..."[84]

Hier führt *K. Rahner* weiter, der in seiner der Exegese in vielfacher Hinsicht helfenden Trierer Gastvorlesung „Dogmatische Erwägungen über das Wissen und Selbstbewußtsein Christi"[85] die eschatologische Verkündigung Jesu — für Jesu Gottes-Offenbarung dürfte das gleiche evident sein — speziell vom Sohnesbewußtsein Jesu her verständlich zu machen sucht. *K. Rahner* versteht die Gottesschau Jesu „als eine ... ursprüngliche und ungegenständliche, unthematische radikale Grundbefindlichkeit der kreatürlichen Geistigkeit Jesu"[86]; er weist von daher einen Weg, wie — um *K. Rahner* selbst sprechen zu lassen[87] — „das eschatologische Bewußtsein Jesu seine genauere Erklärung und Deutung erhalten kann. Es ist nicht die antizipierte Vorwegnahme der Eschata, sondern deren Entwurf aus dem Wissen in Grundbefindlichkeit von seiner Sohnschaft und Gott-Unmittelbarkeit. Er weiß diese Eschata, und er weiß sie insoweit, weil, indem und in der Art er sich als Sohn und seine Unmittelbarkeit zu Gott weiß: in dieser Unmittelbarkeit absolut, in der gegenständlichen Vermittlung seiner Grundbefindlichkeit in der Weise und in dem Maße, in dem diese geschichtliche und aposteriorisch bedingte Vermittlung in dieser Frage tragen kann."[88] *K. Rahner* sieht, daß „es in der Eschatologie Jesu doch schon so viel anderswoher historisch Vorgegebenes" gibt, daß man nicht jedes Wort Jesu schon „für sich allein" als „ursprünglichen Vorgang der Offenbarung" nehmen muß, daß man vielmehr auch „schon wohl sachlich von einer Theologie Jesu sprechen" kann, „die zur überlieferten Eschatologie *eines* hinzufügt und sonst nichts, dadurch aber diese überlieferte Eschatologie radikal revolutioniert, nämlich daß er selbst der Angelpunkt

---

[83] A. a. O. (s. Anm. 18) 10. [84] Ebd. 11. [85] Schriften V (s. Anm. 71) 222—245.
[86] Ebd. 245. [87] Ebd. 244.
[88] Vielleicht darf man hier das drückende Problem der „Naherwartung" weiterdenken: Insofern die eschatologischen Aussagen eine „existentielle" Wesens-Nähe Gottes meinen, spricht sich in ihnen die Gottunmittelbarkeit des Sohnesbewußtseins Jesu aus; sofern sie speziell auch eine zeitliche Aussage sein wollen, liegt eine „geschichtlich und aposteriorisch bedingte" „Exegese" jener „Grundbefindlichkeit" vor, wie sie auch in der perspektivisch verkürzenden Verkündigungs- und durch die Drohung bedingten Mahnrede der Propheten begegnet.

der Weltgeschichte, der Heilsbringer in Person und nicht nur ein Prophet" sei[89]. „Die faktische eschatologische Verkündigung ... Jesu ist durchaus verstehbar als prospektive Aussage über die Vollendung dessen, was Jesus von sich und seiner Sendung als Gegenwart verkündet. Denn was Jesus an Eschatologie inhaltlich sagt, geht eigentlich nur in einem Punkt, der freilich entscheidend und alles umgestaltend ist, über die Eschatologie seiner Zeit hinaus, nämlich darin, daß er selbst in Person das Heil und das Gericht ist, schon jetzt und unüberholbar und darum eben auch am Ende, das aber im übrigen mit den Vorstellungsschemata der zeitgenössischen Eschatologie ausgesagt wird." [90]

Ohne Zweifel legt sich in der Gottes-Offenbarung Jesu, in seiner offenbarenden Mitteilung, daß Gott der absolute Herr und gnädige Vater sei, das eigene Sohnesbewußtsein Jesu aus — das bedarf keines eigenen Beweises. Wenn wir nun aber mit *K. Rahner* annehmen dürfen, daß auch die eschatologische Verkündigung Jesu ein „Entwurf aus dem Wissen in Grundbefindlichkeit" von der „Sohnschaft und Gottunmittelbarkeit" ist, dann haben wir im Sohnes-Bewußtsein Jesu den gesuchten Einheitspunkt gefunden, der die beiden Aussagereihen der Verkündigung Jesu von einer Mitte her zusammenhält und psychologisch verständlich macht.

Damit hätten wir aber zu einer These durchgefunden, die dem exegetischen Verständnis seit J. Weiß diametral entgegensteht: Jesu Selbstbewußtsein wäre nicht eine Funktion des allgemeinen eschatologischen oder apokalyptischen Zeitbewußtseins, sondern umgekehrt wären die aus dem eschatologischen und apokalyptischen Zeitbewußtsein von Jesus aufgenommenen Vorstellungselemente nur unzulängliche Mittel, mit denen Jesus sein eigenes Sohnesbewußtsein exegesiert. Es ist also nicht durch „die Jesusüberlieferung völlig klar erweisbar, daß Jesu Verkündigung überhaupt und insbesondere der in seinem Selbstbewußtsein zum Ausdruck kommende persönliche Anspruch aus der Vorstellungstradition der jüdischen Apokalyptik erwachsen ist" [91]. Eben diese verbreitete Annahme möchten wir in Frage gestellt haben.

---

[89] A. a. O. (s. Anm. 71) 45.

[90] A. a. O. (s. Anm. 17) 419 Anm. 13. — Was *E. Käsemann*, a. a. O. (s. Anm. 27) 272, von der nachösterlichen Apokalyptik sagt, gilt schon von der Jesu: Man wird sie „als den sachgemäßen Ausdruck dafür anzusehen haben, daß in Jesus der Welt letzte Verheißung begegnet".

[91] *U. Wilkens*, a. a. O. (s. Anm. 55) 54. — *U. Wilkens* gelangt jedoch nahe an die Wahrheit heran, wenn er schreibt: „Für die Entstehung des einzigartigen Vollmachtsanspruchs Jesu muß . . . ein besonderes, gänzlich kontingentes Widerfahrnis Jesu vorausgesetzt werden, das vielleicht im Zusammenhang des gut bezeugten Ausganges Jesu vom Umkreis Johannes des Täufers zu suchen ist ... Nun hat der Täufer im Blick auf das nahe eschatologische Gericht die letzte Umkehr gepredigt; Jesus hat seinerseits diesen Bußruf

2. Der Theologe wird weiter fragen, ob hinter dem Sohnesbewußtsein Jesu, das sowohl seine eschatologische Verkündigung wie seine Gottes-Offenbarung verständlich macht, auch im „Ontologischen" eine Mitte gefunden werden kann, von der aus sich beide Aussagereihen als Notwendigkeiten erweisen; oder anders formuliert: ob das Neben- und Miteinander der eschato-logischen Verkündigung und theo-logischen Gottes-Offenbarung nicht *christologische Aussagen* erlaubt. Man kann das Neben- und Miteinander seinshaft im Vater-Sein wie im Sohn-Sein Jesu begründet finden, so daß sich (a) theo-logische wie (b) christo-logische Überlegungen nahelegen.

a) Einen scharfen Blick für die Eigenständigkeit der *theo-logischen* Aussagereihe neben der eschato-logischen hatte immer *E. Lohmeyer:* Er sah, „daß die synoptische Überlieferung von dem Gottesreiche nur eine Seite der größeren und reicheren Verkündigung widerspiegelt, welche in Jesu Worten enthalten ist"; daneben stehe der „Gedanke des Vatertums" [92]. „Beide Begriffe entsprangen verschiedenen Sphären."

E. Lohmeyer denkt seinen philosophisch-theologischen Voraussetzungen entsprechend [93] — von der *Idee Gottes* her: „Gott ist heilig, darin liegt auch das Moment einer reinen Mächtigkeit oder mächtigen Reinheit, welche Gottes Wesen und Wirklichkeit bestimmt." [94] Da für *E. Lohmeyer* das Tun Gottes „nicht ein Akzidenz in einem bleibenden Wesen Gottes" ist, sondern „alles Tun ... sein Wesen" ist und prägt [95], offenbart sich Gottes Heiligkeit in Schöpfung und Geschichte, vor allem aber im eschatologischen Werk [96]. — Wie Gottes Heiligkeit,

---

aufgenommen, begann aber, zugleich und vor allem das eschatologische *Heil* zuzusprechen ... Ist so wahrscheinlich innerhalb des allgemeinen Rahmens der Apokalyptik die Eschatologie des Täufers die unmittelbare geschichtlich-biographische Voraussetzung der Eschatologie Jesu, so unterscheidet sich Jesus von Johannes zugleich durch eben jene Unmittelbarkeit, in der Jesus die Vollmacht der eschatologischen *Heilsteilgabe* für sich selbst beansprucht hat: Hängt die Trennung vom Täuferkreis (nach dem Tode des Johannes?) und der Beginn seiner eigenen Wirksamkeit mit einem besonderen, inspirativ-visionären Widerfahrnis Jesu von seiten Gottes zusammen, das die urchristliche Überlieferung in seiner Taufe am Jordan lokalisierte, weil die christliche Taufe mit dem Empfang des Geistes für die urchristliche Erfahrung den Beginn christlich-eschatologischer Existenz bewirkte?" (ebd. Anm. 31.) — Sosehr *W* richtig sieht, daß für die Wirksamkeit Jesu — speziell für sie als Heilsmitteilung — eine Beauftragung postuliert werden muß — die eschatologische Gesamtverkündigung Jesu wie seine unerhört theozentrische Gottes-Offenbarung muß tiefer angesetzt werden: Sie kann nicht in einem apokalyptischen Akt Gottes gründen, sondern nur in dem vorgegebenen Sohnesbewußtsein.

[92] Das Vater-Unser (Göttingen ³1953) 35; vgl. *ders.*, Vom Sinn der Gleichnisse Jesu: Urchristliche Mystik (Darmstadt 1955) 123—157. Vgl. auch *Fr. Neugebauer* (s. Anm. 59) 162 ff; *H. Conzelmann*, a. a. O. (s. Anm. 54) 641.

[93] Vgl. *E. Esking*, Glaube und Geschichte in der theologischen Exegese Ernst Lohmeyers (ActaSemNTUps XVIII; Uppsala 1951).

[94] A. a. O. (s. Anm. 92) 47. [95] Ebd. 48. [96] Vgl. ebd. 41—49.

so offenbart sich aber auch sein Vatertum eschatologisch. *E. Lohmeyer* sieht das Thema des vierten Evangeliums: „Ich habe deinen Namen ihnen kundgetan" (17, 26) und die Verkündigung der synoptischen Evangelien: „Das Reich Gottes ist nahe herbeigekommen" (Mk 1, 15 par) „in dem großen Gedanken des eschatologischen Vatertums" geeint[97]. Beide Aussagen sieht *E. Lohmeyer* ineinander, weil „in dem, was jetzt und hier geschieht, jetzt und hier verkündet wird und in Bälde geschehen soll, Gott sich als der Vater offenbart und offenbaren wird. Die eschatologische Wirklichkeit und Gegenwärtigkeit dieser einen Tat und einen Sache, eben des Vatertumes Gottes, ist also das Neue, das auch in der Anrede ‚unser Vater' gelegen ist ... Wie der Geist Gottes, durch den allein die Gläubigen ‚abba Vater' rufen können, den Beginn der eschatologischen Vollendung als Mittel und Weg verbürgt, so offenbart sich dieses Vatertum Gottes als der Vollendung Grund und Ziel." [98] *E. Lohmeyer* ist „der eschatologische Charakter des Vatergedankens klar: Weil er den eschatologischen Vollender mit eschatologisch mächtigem Werk gesandt hat, deshalb ist Gott ‚der Vater' geworden"[99]. Weil „der Sohn gekommen ist, deshalb und darum ist auch Gottes eschatologisches ‚Vatertum' offenbar geworden" [100].

Richtig wurde hier gesehen: Gottes Herr- und Vater-Sein wird (auch) herausgeschaut und erkannt aus der eschatologischen Offenbarung Gottes, denn auch und vorzüglich im eschatologischen Handeln Gottes offenbart sich seine überweltliche Wirklichkeit. Wenn Gottes Wesen aber nicht aktualisiert und damit die ontische Aussagereihe nicht der eschatologischen geopfert werden soll, muß etwas hinzugesagt werden: Gott ist nicht „Herr" und „Vater", weil er sich als der ferne und nahe Gott eschatologisch offenbart, sondern er ist das wesenhaft vor und nach aller eschatologischen Offenbarung. Nur eine Theologie, die Gottes Herr- und Vater-Sein seinem „Kommen" und „Gekommensein" radikal vorzuordnen wagt und dieses von jenem her versteht, wird den im Worte Jesu aufleuchtenden Tatbeständen gerecht. Denn wir sahen (oben [101]): Jesu Vor-Wissen um das absolute Herr-Sein Gottes drängt ihn zur Verkündigung des nahenden Königtums, und nur von dem Vor-Wissen um Gottes Vater-Sein her versteht sich die Eschatologie Jesu, sofern sie von einer gnädigen Vorankunft Gottes, vom Anbruch der Erfüllung, des verheißenen Heiles weiß. Nur von diesem theologischen Vor-Wissen um das gütige Vatersein Gottes her, ist die spezifische Eigenart der eschatologischen Verkündigung Jesu zu verstehen.

Aber nur dann, wenn man um das vorgegebene Herr- und Vater-Sein Gottes weiß, wird man auch den theo-logischen Aussagen Jesu neben und in den eschato-logischen gerecht und muß erstere nicht — wie *E. Lohmeyer* teilweise — letzteren unterordnen. Gottes absolutes Herr-Sein offenbart sich nicht nur darin, daß er einst als Richter kommen wird; sein

[97] Ebd. 212. [98] Ebd. 25. [99] Ebd. 29. [100] Ebd. 34. [101] Unter II, 1 b.

gütiges Vater-Sein nicht nur darin, daß nun in Jesus Gottes Gnade und Heil gegenwärtig ist. Sosehr dem so ist: Gottes Herr- und Vater-Sein offenbart sich Jesus auch schon in der Schöpfung und in seiner waltenden Vorsehung einerseits, in seinen immer gültigen Forderungen anderseits, auch vor, neben und hinter aller Eschatologie — sosehr wir, um Gottes Wesen zu erkennen, entscheidend an seine eschatologische Offenbarung gewiesen sind. Wenn Jesus aber Gottes Herr- und Vater-Sein nicht nur am eschatologischen Werk Gottes sichtbar macht, sondern auch an der Schöpfung und der waltenden Vorsehung Gottes und seinen absoluten Forderungen, dann zeigt das, daß Gott für Jesus größer ist als sein eschatologisches Werk und daß neben, hinter und über der eschatologischen Verkündigung auch theologische Seinsaussagen erfaßt werden müssen, wenn wir Jesu Wort ganzheitlich und unverkürzt verstehen wollen.

Der transzendente Gott, der „ist" und der da „kommt", ist es, der die theo-logischen und die eschato-logischen Aussagen zusammenbindet. Die „Wirklichkeit" Gottes offenbart sich in seinem „Kommen", das „Kommen Gottes" aber ist das In-Erscheinung-treten seiner Wirklichkeit. Wenn Gott sich offenbarend personal begegnet, begegnet er darin als das wirkliche Sein; und wenn er nicht die Wirklichkeit schlechthin wäre, würde er nicht begnadigend und richtend begegnen. Jede theo-logische Aussage wird irgendwie ihren eschato-logischen Aspekt und damit ihren soteriologischen Sinn haben müssen; jede eschato-logische Aussage aber wird ihren Rückbezug zu einer theo-logischen wahren müssen, wenn sie echte Heilszusage geben und sich nicht existential verflüchtigen soll. Man darf sagen: Weil Jesus von dem Gott weiß, der da transzendent „ist" und der begnadigend und richtend „kommt", gibt es die beiden Aussagereihen in der Botschaft Jesu: Gottes-Offenbarung und Basileia-Kunde — und zwar beides im Mit- und Ineinander.

b) Jesu Aussagen über Gott und sein Kommen werden letztlich theologisch aber erst von der *Christologie* her unmißverständlich. Darum genügt es nicht, auf die jenseitige „Heiligkeit" des begnadenden und richtenden Gottes zu verweisen, wenn wir einer nur religionspsychologischen Betrachtung entgehen wollen. Auch *E. Lohmeyer* hat gesehen, daß der „Name ‚Vater' nicht diese Botschaft von dem Gottesreiche, sondern einer anderen Quelle seinen sachlichen Ursprung verdankt und mit dem Sohnestitel Jesu zusammengehalten werden muß" [102]. Es dürfte nicht genügen,

---

[102] Ebd. 33; wobei er freilich die Christologie arg relativiert: „Das ist nicht so gemeint, als sei dieses ‚Vatertum' auf das Verhältnis Gottes zu dem Menschensohn beschränkt" (34); und das, weil E. Lohmeyer meint, es komme bei dem „Verhältnis Gottes zu dem Menschensohn . . . nicht auf ein substanzielles Sein, sondern auf eine eschatologische Funktion an" (34).

auf das Vaterverhältnis Jesu, auf sein Sohnes-Bewußtsein zu verweisen, in dem dieser um den seienden und um den kommenden Gott weiß. Eine theologische Besinnung wird das Sohnes-Bewußtsein Jesu in seinem Sohn-Sein begründet wissen wollen.

Weil Jesus „gekommen“ ist, ist letztlich das eschatologische Heil Gegenwart, ist Erfüllungszeit; und weil der Sohn „da ist“, kann Offenbarung erfolgen über den „Vater, den Herrn des Himmels und der Erde“ (Mt 11, 25). Gerade die charakteristische Eigenart der Botschaft Jesu, welche die Vorankunft, die Gegenwart des Eschatons, und zwar in der Form der Vergebung und des Heils proklamiert, ist letztlich vorentworfen, verankert und garantiert im Sohn-Sein Jesu, in welchem Gott der Welt als der Vater und Herr gewaltig „nahe“ ist. „Die neutestamentlichen Aussagen vom Kommen des Reiches Gottes reden in ihrer eigentlichen Vielgestaltigkeit von nichts anderem als davon, daß Gott in Christus der gnädige Herr der Zeit ist“ [103]; es geht „in der neutestamentlichen Eschatologie um die Gnade Gottes in Jesus Christus“, um „christologische Eschatologie“ [104]. „Das eigentliche Novum der Eschatologie Jesu“ scheint auch *H. Conzelmann* in dem „‚Dasein‘ dessen“ zu liegen, „der das nahe Reich ansagt. Diese gegenwärtige Ankündigung gehört zur Struktur dieser Eschatologie.“ Dabei ergibt sich aus Jesu „Bewußtsein, *der* Ansager zu sein, daß er nicht meint, das Reich in seiner Person zu repräsentieren. Er lehrt nicht eine Präsens des Gottesreiches, eine αὐτοβασιλεία, sondern eine Präsens der *Zeichen*, welche dessen *Nähe* verbürgen.“ [105] Auch *W. G. Kümmel* sieht mit Recht: „In dem für die älteste christliche Verkündigung kennzeichnenden Miteinander und Ineinander von Erfahrung der Gegen-

---

[103] *R. Morgenthaler*, Kommendes Reich (Zürich 1952) 107.

[104] Ebd. 112.

[105] A. a. O. (s. Anm. 18) 9 f. Vgl. auch *ders.*, a. a. O. (s. Anm. 54) 642: Jesus ist „zum konstitutiven Faktor in der Eschatologie geworden.“ — Der Fehler der an sich richtigen Unterscheidung H. Conzelmanns liegt darin, daß er — seiner Kerygma-Theologie entsprechend — die Bedeutsamkeit des „Da-Seins“ Jesu auf die verbale Reichsansage reduziert. Jesu Reichsansage wäre aber unbegründet, wenn sie nicht in seinem Gekommen-Sein und Da-Sein ihre Legitimation hätte. Freilich muß man H. Conzelmann beipflichten, wenn er sich sträubt, Jesus eine „Präsens des Gottesreiches“ zuzuschreiben. Ein Fehler entsteht aber wieder, wenn man die Basileia mit dem Eschaton identifiziert. In der Verkündigung Jesu meint „Basileia“ — einige scheinbare Ausnahmen wären freilich zu besprechen — die noch ausstehende endgültige Totalverwirklichung des Eschatons, nicht aber dieses selbst. Mit Jesus ist das Eschaton, die „Erfüllung der Zeit“, da, die Basileia dagegen steht „nahe bevor“ (vgl. Mk 1, 15). Das Eschaton ist der Welt mit dem Gekommen-Sein und Da-Sein Jesu gegeben. In Jesu Wort und in seinen Zeichen bekundet sich dieses sein Da-Sein doppelt: Der Anbruch der eschatologischen Erfüllungszeit kommt uns in den Worten und Zeichen Jesu zu und die noch ausstehende Basileia sagt sich in ihnen wirkmächtig — und im Gekommensein Jesu garantiert — an.

wart als eschatologischer Heilszeit und brennender Ausschau auf die bevorstehende eschatologische Heilsvollendung gibt sich ... in zeitgebundener, aber durchaus sachgemäßer Form der Glaube Ausdruck, daß der eine Gott, der Schöpfer und Vollender, uns sein Heil zuwendet in dem geschichtlichen und auferstandenen Jesus Christus, dem einen Herrn." [106] Im NT „wird die jüdisch-nationale Messianik mit ihrer Begrifflichkeit und Terminologie ebenso wie die Menschensohn-Erwartung mit ihrer himmlisch-apokalyptischen Szenerie mehr oder weniger zur Symbolsprache einer Heilswirklichkeit, die sich schließlich im Bekenntnis zum κύριος und zum υἱὸς Θεοῦ ihren eigenen Ausdruck geschaffen hat" [106a]. So ist Christus als der gekommene „Sohn" das „hermeneutische Prinzip aller eschatologischen Aussagen. Was nicht als christologische Aussage verstanden und gelesen werden kann, ist auch keine echte eschatologische Aussage, sondern Wahrsagerei und Apokalyptik, oder eine nicht verstandene Redeweise, die das christologisch Gemeinte nicht sieht." [107] Jesu Gekommensein ist das eigentliche eschatologische Faktum, in welchem Gott der Welt wesenhaft nahegekommen ist und in welchem sein noch zukommendes Kommen gründet und garantiert ist. So wird verständlich, wie im Da-Sein des Sohnes sowohl alle eschato-logischen wie alle theologischen Aussagen wurzeln und zusammengehalten sind.

Abschließend ist eine hermeneutische Bemerkung notwendig: Schon die Sicht des aufgeworfenen Problems, aber auch die vorstehend angeführten Lösungsversuche sind von philosophischen [108] und dogmatischen Voraussetzungen mitbestimmt, die sich in ihnen — wo nicht gar als „konstitutive Prinzipien" — zumindest doch als „regulative Ideen" [109] bis in die exegetischen Eruierungen hinein auswirken. Mit der hier vorgetragenen These ist es nicht anders: Der Problemstellung wie deren Lösung leuchtet von außen — ohne konstitutives exegetisches Erkenntnisprinzip zu werden — die Idee des Sohn-Seins Jesu voran. Ist doch das Verhältnis von eschatologischer Kunde und Gottesoffenbarung, das von Kerygma und Homologese im Worte Jesu, das von Personalismus und Ontologie, von existentiellen und essentiellen Aussagen überhaupt, durch ein Hören auf

---

[106] Futurische und präsentische Eschatologie im ältesten Christentum: NTS 5 (1958—59) 126; vgl. *ders.*, Verheißung und Erfüllung; Untersuchungen zur eschatologischen Verkündigung Jesu (Zürich [3]1956), bes. 133—147.

[106a] *K. Weiß*, Messianismus in Qumrān und im Neuen Testament: Qumranprobleme (Berlin 1963) 365 f.

[107] *K. Rahner*, a. a. O. (s. Anm. 17) 425.

[108] Vgl. *E. Kleineidam*, a. a. O. (s. Anm. 74) 188.

[109] *G. Söhngen*, Philosophische Einübung in die Theologie (München 1955), bes. 59 ff (nach Kant).

das Schriftwort allein kaum richtig zu bestimmen[110]. Die Schrift interpretiert sich nur für den selbst, der das Pneuma hat. Es ist aber keine bibelfremde und unvernünftige Voraussetzung, wenn einer das Pneuma nicht sich allein zuspricht, sondern wenn er im Raume der Kirche Jesu Christi zu hören und zu deuten versucht. Hier aber hat es von Anfang an nur immer ein Schriftverständnis gegeben: vom Sohn-Sein Jesu her. Ein kirchliches Schriftverständnis wird nie das Sohnesbewußtsein Jesu von der Eschatologie her relativieren können; es wird im Gegenteil mit resolutem Mut alle eschatologischen Aussagen vom Sohn-Sein Jesu aus zu verstehen suchen. Wir möchten aber auch als Exegeten, die sich um „Voraussetzungslosigkeit" immerhin bemühen[111], meinen: Das christologische Dogma der Kirche eröffnet eine Möglichkeit, das hermeneutische Hauptproblem der Verkündigung Jesu in einer Weise anzugehen, die die exegetischen Tatbestände nicht vergewaltigt, die vielmehr ihre unterschiedlichen Aussagereihen im Neben- und Miteinander verständlich werden läßt.

---

[110] Freilich sollte die (sehr verbreitet weiterwirkende) These von *E. Käsemann,* Begründet der neutestamentliche Kanon die Einheit der Kirche?: Exegetische Versuche und Besinnungen I (Göttingen 1960) 214—223, nicht zu theologischem Agnostizismus verleiten.

[111] Das wird man tun, wenn man *R. Bultmann,* Ist voraussetzungslose Exegese möglich?: Glaube und Verstehen III (Tübingen 1960) 142—150, nicht bedingungslos beipflichtet.

EXEGETISCHE ERWÄGUNGEN ÜBER DAS WISSEN UND SELBSTBEWUSSTSEIN JESU

Von Anton Vögtle, Freiburg i. Br.

„Dogmatische Erwägungen über das Wissen und Selbstbewußtsein Christi" waren das Thema einer richtungweisenden Gastvorlesung, die K. Rahner am 9. Dezember 1961 vor der Theologischen Fakultät Trier gehalten hat[1]. Es ist kein geringes Angebot, das der Jubilar mit der hier vorgetragenen Erklärung der kirchlichen Lehre von der unmittelbaren Schau Gottes durch die menschliche Seele Jesu der neutestamentlichen Exegese entgegenbringt. Es geht ihm um nicht weniger als darum, „dem Exegeten eine dogmatische Auffassung des Selbstbewußtseins Jesu und seines Wissens anzubieten, von der er vielleicht leichter als bisherigen Auffassungen gegenüber zugeben kann, daß sie mit seinen historischen Befunden sich verträgt"[2]. Und in voller Anerkennung der Möglichkeit und Tatsache, daß die dogmatischen Aussagen über diesen Gegenstand nicht unmittelbare Thesen des Exegeten sein müssen oder auch können, fügt Rahner gleich hinzu: „Wir sagen: sich verträgt. Denn mehr ist nicht erforderlich." Beide, der Exeget wie der Dogmatiker, mühen sich doch um ein immer tieferes Verständnis ein und derselben Jesusgeschichte, ein und derselben Christusoffenbarung, wenn sie auch je von verschiedenen Fragestellungen ausgehen. Welcher katholische Exeget würde deshalb nicht mit brennendem Interesse gerade in Fragen des Wissens Jesu nach einer so großmütigen Verständnishilfe ausblicken, wie sie uns hier von der dogmatischen Theologie angeboten wird! Die Frage nach dem Wissen Jesu hat nun einmal zentrale Bedeutung für die Behandlung des heikelsten Problems der Leben-Jesu-Forschung. Und das ist anerkanntermaßen die Frage nach dem eschatologischen Verständnis Jesu.

---

[1] Jetzt veröffentlicht in *H. Vorgrimler,* Exegese und Dogmatik (Mainz 1962) 189—211 (danach wird hier zitiert) und in: *K. Rahner,* Schriften zur Theologie V (Einsiedeln 1962) 222—245.

[2] A. a. O. 192 f.

I

Beginnen wir mit den vordergründigen Daten der evangelischen Jesusüberlieferung, die die Frage nach dem Wissen Jesu stellen lassen.

1. Dem großen Offenbarungswort *Mt 11, 27 // Lk 10, 22* zufolge begründete Jesus seine einzigartige Qualifikation als Offenbarer Gottes und seines Heilsplanes mit der unmittelbaren und unvermittelten, exklusiven und unübertragbaren Kenntnis des Vaters, die er als „der Sohn", der einzigartige Sohn, besitzt. Warum diesem Wort, das sich heute nicht mehr so leicht wie früher dem historischen Jesus absprechen läßt, für das Selbst- und Sendungsbewußtsein Jesu fundamentale Bedeutung zukommt, werden wir später noch zu bedenken haben.

An dieser Stelle ist zunächst einfach eine gewisse Spannung zur Kenntnis zu nehmen, die zwischen diesem Wort und dem Logion *Mk 13, 32 // Mt 24, 36* empfunden wird. Wie ist es mit Mt 11, 27 Par zu vereinbaren, daß sich Jesus hier als „der Sohn", als derselbe Sohn, die Kenntnis eines künftigen Zeitpunktes abspricht? Mit Recht nahm die Theologie diese Frage immer sehr ernst. Es geht hier ja nicht um den künftigen Zeitpunkt eines rein natürlichen, innerweltlichen Geschehens, hinsichtlich dessen die Dogmatiker immer schon unbedenklich ein echtes Nichtwissen Jesu bzw. fortschreitende innere und äußere Erfahrung konzedierten. Hier handelt es sich vielmehr um das entscheidende abschließende Ereignis der von Jesus selbst geoffenbarten Heilsökonomie. Es geht, so müssen wir weiter präzisieren, nach dem Zeugnis der Evv. sogar um ein Ereignis, bei dem Jesus selbst, seiner eigenen Voraussage zufolge, entscheidend mitwirken wird, eben als der an „jenem Tage" zum Gericht erscheinende Menschensohn. Gewiß kommt in der aufsteigenden Reihe Engel—Sohn—Vater eine auch die Engel unbestreitbar überragende Stellung des Sohnes zum Ausdruck, der selbst nur noch vom Vater überragt wird. Man kann mit gutem Gewissen betonen, das Nichtwissen des Sohnes erscheine so für die Hörer als etwas, was deren Erwartungen gänzlich widerspricht. Aber das ändert nichts an der kaum bestreitbaren Tatsache: unter der Voraussetzung, daß das Wort Mk 13, 32 in seiner vorliegenden Fassung von Jesus gesprochen wurde, hat sich dieser die Kenntnis des Zeitpunktes der Endoffenbarung abgesprochen, und zwar als „der Sohn".

So verständlich sich der dogmatische Schriftbeweis im Verein mit der älteren Exegese bislang mit der Unterscheidung zwischen scientia communicabilis und incommunicabilis behalf, kann diese vom exegetischen, näherhin vom philologischen und historischen Standpunkt doch schwerlich befriedigen. Die Kenntnis des Vaters können wir nur als ein scire simpliciter verstehen. Diesem Wissen ist das Nichtwissen der Engel und des

Sohnes gegenübergestellt. Nichts berechtigt zu der Annahme, das Nichtwissen des Sohnes sei von anderer Art als das zweifellos echte Nichtwissen der Engel. Unmöglich konnte Jesus seinen Hörern den Gedanken zumuten, er operiere hier mit einer restrictio mentalis[3]; er wolle im Grunde nicht sagen, was die Engel und der Sohn selbst nicht wissen — vielmehr was der Sohn bzw. die Engel und der Sohn für sie, die Hörer, nicht wissen, d. h. diesen nicht mitzuteilen haben. Auf diese Sinngebung: ich als der Sohn kenne den Termin der Parusie, aber nicht für euch, oder auch — unter Einschluß der Engel — sowohl die Engel (als Gottesboten) als der Sohn kennen den Termin der Parusie, aber nicht für euch, konnte wohl die später reflektierende Theologie kommen, die das „für euch“ bzw. die Unterscheidung zwischen scientia communicabilis und incommunicabilis einführte, um das hier ausgesagte Nichtwissen in ein Nichtoffenbaren zu verwandeln. Das dürfte aber vom exegetischen Standpunkt nicht viel weniger eine Verlegenheitsauskunft sein als die neuerdings von P. Sosio Pezzella vorgeschlagene Lösung, die zweite göttliche Person wolle sagen, daß sich die Kenntnis des Gerichtstages allein vom Vater als der Quelle und dem Prinzip der Offenbarung herleitet[4]. So wird man es den neueren katholischen Exegeten nicht verübeln, wenn sie Jesus mit diesem Wort unumwunden ein echtes, absolutes Nichtwissen bezüglich des Zeitpunktes der Parusie behaupten lassen[5].

2. Zugleich in einer gewissen Spannung zu Mk 13, 32 Par stehen die eher noch als schwieriger empfundenen Naherwartungsaussagen, vor allem drei Logien, die eine regelrechte Terminangabe enthalten: *Mk 9, 1 Par; 13, 30 Par; Mt 10, 23.* Soweit protestantische Exegeten, vor allem auch konservativer Richtung, diese als genuine Jesuslogien verteidigen, sprechen sie hier kurzerhand von einem Irrtum oder einer Selbsttäuschung Jesu. Weil Jesus die Nähe des Gottesreiches so konkret betone, daß er die Weltdauer mit der Lebenszeit seiner Generation begrenzte, sei es „unmöglich zu behaupten, Jesus habe sich in dieser Frage nicht geirrt. Es muß vielmehr unumwunden zugegeben werden, daß die eschatologische Verkündigung Jesu zum mindesten an diesem Punkt in einer zeitbedingten

---

[3] Die Verwendung einer solchen mit Jo 7, 6 ff begründen zu wollen, wäre überaus gewagt.

[4] Marco 13, 32 e la scienza di Cristo („De die autem illo vel hora nemo scit . . . neque Filius . . .“): Rivista Biblica VII (1959) 142—152.

[5] So *R. Schnackenburg,* Gottes Herrschaft und Reich (Freiburg [2]1961); *B. Rigaux,* La Seconde Venue de Jésus: La venue du Messie (Rech. bibliques VI, Bruges 1962) 190 f; vgl. auch *J. Schmid,* Das Evangelium nach Markus (RNT 2; Regensburg [4]1958) 248; *B. M. F. van Iersel,* „Der Sohn“ in den syn. Jesusworten (Supplements to Novum Testamentum III; Leiden 1961) 122. Im gleichen Sinne äußert sich auch *J. R. Geiselmann,* Art. Jesus Christus: *H. Fries,* Handbuch theologischer Grundbegriffe I (München 1962) 751.

Form gefangen blieb, die durch die Entwicklung jenseits des Urchristentums als unhaltbar erwiesen wurde." Das habe freilich nicht viel zu bedeuten, weil die Zahl der termingebundenen Texte außerordentlich klein sei und für Jesus nicht die konkrete Zeitangabe, sondern „die Gewißheit des auf die Vollendung abzielenden Heilshandelns Gottes", die Gewißheit der Vollendung des jetzt Begonnenen die Hauptsache war[6].

Demgegenüber haben gerade auch katholische Exegeten ihr Möglichstes versucht, für die genannten Stellen Erklärungen zu finden, die Jesus daselbst nicht von der Endoffenbarung sprechen bzw. diese jedenfalls nicht für den Zeitraum seiner gegenwärtigen Generation voraussagen lassen. Das ist indes bis heute noch nicht befriedigend gelungen, wenigstens nicht für jede dieser Stellen.

Am besten gelingt das noch für das Logion *Mk 13, 30 // Mt 24, 34 // Lk 21, 32.* Mit dem, was geschehen werde, ehe „dieses Geschlecht" vergeht, habe Jesus nämlich die Zerstörung des Tempels, das Gericht über Jerusalem gemeint. Nun bezieht sich aber unser Logion, sowohl zufolge seines Kontextes in der Mk-Vorlage als auch nach seinem vorliegenden Wortlaut (ταῦτα πάντα), auf alles zuvor Gesagte, zugleich auch auf die Parusie des Menschensohnes. Also versteht man ἡ γενεὰ αὕτη nicht als Bezeichnung der gegenwärtigen Generation, sondern ausschließlich als eine Qualitätsbezeichnung des jüdischen Volkes überhaupt oder auch im allgemein eschatologischen Sinne. Gemeint sei das böse, ungläubige Judenvolk als ganzes, das bis zur terminmäßig unbekannten Parusie existieren werde. „Das Dasein des Judenvolkes durch alle Zeiten der Geschichte hindurch ist für die übrigen Völker das große Zeichen für die Wahrheit und Wahrhaftigkeit der Worte Gottes und Jesu." [7] Oder nach einer anderen Deutung, die den Begriff γενεά gänzlich von seinem biologischen Sinne löst, dachte Jesus an „das Geschlecht der eschatologischen Endzeit, die mit dem Erscheinen Jesu ihren Anfang genommen hat, dessen Ende aber nicht abzusehen ist" [8]. Mit diesen Erklärungen, wenigstens mit der erstgenannten, könnte man sich allenfalls noch zufriedengeben, wenn Mk 13, 30 Par das einzige Wort dieser Art und der einzige Beleg für den Ausdruck γενεὰ αὕτη wäre. Nun läßt sich aber nicht bestreiten: sosehr dieser Ausdruck immer auch einen stark qualitativen Nebenton hat, nämlich die widerspenstige und ungläubige Art des Judenvolkes kennzeichnet, wie auch schon im AT, meint er doch immer zugleich unbestreitbar die Zeitgenossen Jesu, die von ihm angesprochene Generation, der sein ganzes Bemühen gilt[9].

Dazu kommt, daß unser Wort in *Mk 9, 1 // Mt 16, 28 // Lk 9, 27* eine Par-

---

[6] So u. a. *W. G. Kümmel,* Verheißung und Erfüllung (Abh. z. Theologie des AuNT 6; Zürich [2]1953) 141—145; ebd. weitere Autoren.

[7] *F. Mussner,* Was lehrt Jesus über das Ende der Welt? (Freiburg 1958) 64. So u. a. auch schon *M. Meinertz,* Theologie des NT I (1950) 61.

[8] *J. R. Geiselmann,* Art. Jesus Christus, a. a. O. 746.

[9] Belege und Autoren bei *R. Schnackenburg,* Gottes Herrschaft 143 f.

allele hat, deren Formulierung überhaupt keinen Zweifel duldet, daß im Vordersatz vom Nichtaussterben dieser Generation die Rede ist und im Nachsatz von der Endoffenbarung der Gottesherrschaft, diese nämlich noch vor dem völligen Aussterben der angesprochenen Generation erfolgen soll. Von den verschiedenen Versuchen, eine Voraussage der baldigen Endoffenbarung aus diesem Wort zu tilgen[10], erfreuen sich katholischerseits vor allem zwei großer Beliebtheit. Einmal die schon von den Vätern aus dem Mk-Kontext abgeleitete Erklärung, Jesus habe mit Mk 9, 1 auf seine nachfolgende Verklärung hingewiesen und diese als „Vorschau" (= Vision) des endgültigen Kommens der Gottesherrschaft verstanden[11]. Sodann und noch mehr die Auslegung, das Kommen der Gottesherrschaft in Macht sei „wohl von der machtvollen Ausbreitung des Evangeliums zu verstehen"[12]. Es steht an dieser Stelle wohlverstanden nicht das mögliche Verständnis des Wortes seitens der einzelnen Evangelisten zur Diskussion, sondern einzig die Frage, welchen Sinn Jesus selbst mit diesem Logion verbunden haben könnte. Daß Jesus aber mit dem Kommen der Gottesherrschaft nur die endzeitliche Volloffenbarung derselben gemeint haben konnte, die erwähnten Sinndeutungen deshalb als gutgemeinte Verlegenheitsauskünfte gelten müssen, läßt sich schon im Hinblick auf den Sprachgebrauch Jesu kaum bezweifeln[13].

Nicht viel geringere Schwierigkeiten bereitet das nur bei Mt bezeugte Logion *10, 23*[14]. Das dürften gerade auch die neuesten katholischen Bemühungen, dem Wort einen im Munde Jesu unanstößigen Sinn abzugewinnen, vollauf bestätigen. Nach J. Dupont soll sich das Logion Mt 10, 23 b, das von 23 a zu trennen sei und in der alten Überlieferung mit 10, 5 b—6 zusammengehöre, auf die Galiläamission der Jünger beziehen. Die Menschensohnbezeichnung gehe auf das Konto des Evangelisten, der hier ein ursprüngliches „ich" durch die Menschensohnbezeichnung ersetze. Jesus selbst habe nämlich mit diesem Wort 10, 23 b nur sagen wollen: ihr werdet eure missionarische Tournée noch nicht beendet haben, bis ich wieder unter euch bin[15]. Demgegenüber bestreitet H. Schürmann den Zu-

---

[10] Eine Übersicht bei *W. G. Kümmel,* Verheißung 19—22 (hier auch besonders zur Gewaltlösung von C. H. Dodd); *C. E. B. Cranfield,* The Gospel acc. to St. Marc (Cambridge 1959) 285—289; *B. Rigaux,* Seconde venue 184.

[11] Vgl. *J. Schildenberger,* Verheißung und Erfüllung: Biblica 24 (1943) 213—218; *F. J. Schierse,* Historische Kritik und theologische Exegese der syn. Evv., erläutert an Mk 9, 1 par.: Scholastik 29 (1954) 520 bzw. 524—536.

[12] So mit vielen Kommentaren auch *J. Bonsirven,* Le règne de Dieu (Paris 1957) 56; *J. R. Geiselmann,* Art. Jesus Christus a. a. O. 747. Verwandt damit ist die Deutung auf die Geistausgießung, an die bis heute auch prot. Autoren denken: *A. Richardson,* An Introduction to the Theology of the New Testament (London 1959) 63 f 89 99.

[13] Vgl. außer *W. G. Kümmel* (Verheißung 19—22) *V. Taylor* (The Gospel acc. to St. Marc, London 1952, 385 f) u. a. auch *R. Schnackenburg,* Gottes Herrschaft 142 f; *B. Rigaux,* Seconde Venue 197.

[14] Vgl. zur Diskussion *R. Bultmann,* Die Geschichte der syn. Tradition, Ergänzungsheft (^{2}1962) 20 zu S. 129.

[15] „Vous n'aurez pas achevé les villes d'Israël avant que le fils de l'homme ne vienne" (Mt X, 23): Novum Testamentum 2 (1958) 228—244.

sammenhang des Logions mit der gegenwärtigen und späteren Mission. Mt 10, 23 (a und b), das zusammen mit Lk 12, 11 f (= Mt 10, 19) eine traditionsgeschichtliche Einheit apokalyptischer Verfolgungslogien bilde, sei ursprünglich im Munde Jesu ein „Trostwort für die Verfolgungen der letzten Drangsal". Die Begrenzung der Zufluchtsmöglichkeiten auf die Städte Israels sei lediglich als „Vorstellungsgewand", als „perspektivisch verkürzender" Zug, nicht als „eigentlicher Aussagegehalt" zu erklären [16].

Nach diesen beiden hat sich neuerdings A. Feuillet in einer ausführlichen Untersuchung, die zugleich eine bunte Reihe bisheriger Erklärungsversuche kritisch Revue passieren läßt [17], zu unserem Logion geäußert. Die erwähnte Hypothese von J. Dupont nennt er „une véritable échappatoire" [18]. Die literarkritischen Ergebnisse Schürmanns aufnehmend, meint auch er, das Logion 10, 23 a und b sei nicht ein Rat für die Mission, sondern ein tröstliches Versprechen der gleichen Art wie Lk 12, 11 f für die Verfolgungszeit und sei zum mindesten die logische Konsequenz von Mt 10, 5 b—6. In weitgehendem Anschluß an die „wahrhaft befreiende" Exegese der eschatologischen Texte durch J. A. T. Robinson [19] kommt Feuillet aber zu einem völlig anderen Verständnis des Wortes als Schürmann. Er möchte der von angesehenen Autoren [20] wie auch von ihm selbst vertretenen Deutung des Kommens des Menschensohnes auf das Strafgericht über die ungläubigen Juden „jeden Anschein einer ausflüchtigen Apologetik" nehmen und gleichzeitig das in der Diskussion obwaltende Dilemma „Zerstörung Jerusalems oder Weltende" überwinden. Dementsprechend verficht er die These, Jesus habe in seiner gewöhnlichen Verkündigung den Akzent nicht so sehr auf das letzte Kommen, auf die Parusie des Menschensohnes zum Endgericht gelegt, sondern auf das nahe göttliche Strafgericht über das sich seinem Heilsangebot hartnäckig versagende jüdische Volk. Den in diesem Gottesgericht sich bekundenden vollkommenen Triumph des Menschensohnes, der an erster Stelle auch ursprünglich in der sogenannten synoptischen Apokalypse gemeint sei, künde Jesus in Mt 10, 23 b als tröstliches Gegenstück zum Ruin des jüdischen Volkes an. Gewiß könne man dieses „Kommen des Menschensohnes", das für die christliche Gemeinde einer Befreiung gleichkomme (vgl. Lk 21, 20 38), zugleich als Garantie und Vorankündigung des Weltenendes und Weltgerichts verstehen, aber auch nicht mehr! Mt 10, 23 b ist für Feuillet sogar „eine der Stellen, die mit allergrößter Evidenz die Unmöglichkeit aufzeigen, aus allen eschatologischen Texten der Evangelien ohne Unterschied ebensoviele Ankündigungen der Parusie im streng verstandenen Sinne herauszulesen" [21].

---

[16] Zur Traditions- und Redaktionsgeschichte von Mt 10, 23: BZ NF 3 (1959) 82—88.

[17] Les origines et la signification de Mt 10, 23b. Contribution à l'étude du problème eschatologique: CBQ 23 (1961) 189—192.

[18] A. a. O. 187. Der spätere Ersatz eines ursprünglichen „ich" durch die Menschensohnbezeichnung dürfte sich nicht durch den andersgelagerten Fall Mt 16, 13 ff stützen lassen.

[19] Jesus and his Coming (London 1957).

[20] U. a. M.-J. Lagrange, B. Buzy, P. Benoit.

[21] A. a. O. 192; zur kritischen Würdigung Feuillets vgl. *B. Rigaux,* Seconde Venue 195. Im

Die Erklärung Schürmanns hat zweifellos den unbestreitbaren Vorzug, daß sie das Kommen des Menschensohnes eindeutig von der Parusie und nur von dieser versteht, was sich allein als Sprachgebrauch Jesu begründen und rechtfertigen läßt. Seine Hypothese stellt den bislang optimalsten Versuch[22] dar, Jesus von der Zusicherung zu befreien, die von ihm Angesprochenen würden noch zu ihren Lebzeiten die Parusie erleben, wie sonst unter Voraussetzung der Echtheit des Logions vertreten wird, ob man nun in jenen alle Jesusgläubigen oder aber nur die zur Israelmission ausgesandten Jünger angesprochen sieht. Indes würde man sich dieser Lösung ungleich lieber anvertrauen, wenn Jesus keines der beiden Logien Mk 9, 1 und 13, 30 als Aussagen über den Zeitpunkt der Endoffenbarung verstanden bzw. gesprochen hätte. Freilich bliebe auch unter dieser Voraussetzung das bereits geäußerte Bedenken, ob die Erklärung, „die Städte Israels“ seien lediglich eine prophetische Verkürzung der Perspektive, ganz zu beruhigen vermag. Sie wäre jedenfalls glaubhafter, wenn sich wahrscheinlich machen ließe, daß Jesus in seinem Erdenwirken nicht nur die Aufnahme der Heiden in das Endheil für die Stunde der Parusie verheißen (Mt 8, 11 f Par), sondern auch bereits die Heidenmission — also die Herbeirufung der Heiden in einem der Parusie voraufgehenden, der derzeitigen Israelmission analogen Missionsprozeß — vorausgesetzt oder gar angeordnet hätte. Wäre angesichts der wohl unbestreitbaren Tatsache, daß Jesus sein und seiner Jünger öffentliches Wirken ausdrücklich auf Israel beschränkte, bezüglich der Heiden jedoch, im gut atl.-prophetischen Sinne der eschatologischen Völkerwallfahrt auf Sion, lediglich deren Aufnahme in das Gottesreich für die Stunde der Parusie verhieß, nicht doch zu erwarten, daß Jesus als bis zur Parusie bestehende Zufluchtsmöglichkeiten für die Gläubigen oder, nach anderer Auslegung, für die bei der Missionsarbeit verfolgten Jünger wenigstens nicht ausdrücklich „die Städte Israels“ nennen würde, wenn er im Grunde genommen nicht nur an die von ihm angesprochenen Israeliten (zu denen sicher und wenigstens auch der Jüngerkreis gehörte) gedacht hätte, sein Blick für die Zeit bis zur Parusie in Wirklichkeit nicht auf Palästina als geographischen Horizont beschränkt gewesen wäre?[23] Vom Standpunkt der Hörer, an die Jesus unser Trostwort gerichtet hatte, müssen wir das gleiche feststellen. Setzen wir also voraus, die von Jesus Angesprochenen in ihrer Gesamtheit oder speziell die mit der Mission beauftragten Jünger vernahmen aus dem Munde Jesu den tröstlichen Rat, bei Verfolgungen sich nicht der Gefahr auszusetzen, sondern getrost in eine andere Stadt zu fliehen, weil sie

---

gleichen Sinne erklärte *A. Feuillet* die übrigen Parusielogien; so in seinem Art. Parousie: Dict. de la Bible, Suppl. VI (1960) 1337—1354 und im Aufsatz La triomphe du Fils de l'Homme d'après la déclaration du Christ aux Sanhédrites: La venue du Messie: Recherches Bibl. 6 (1962) 149—171.

[22] Vgl. auch die Zustimmung von *R. Schnackenburg,* Gottes Herrschaft 142. Anders *E. Bammel,* der Mt 10, 23 ebenfalls als Trostwort versteht, aber sich von Schürmanns Rekonstruktion eines genuinen Jesuswortes distanziert: Matthäus 10, 23: StTh 15 (1961) 79—92, vgl. 79 Anm. 8 und 92 Anm. 7.

[23] Vgl. *A. Vögtle,* Jesus und die Kirche: M. Roesle - O. Cullmann, Begegnung der Christen (Frankfurt 1959) 69—71.

bei ihrer Flucht gar nicht alle Städte Israels angehen, absolvieren können, ehe der Menschensohn kommen wird. Mußten da die Hörer aus diesem Wort nicht doch notwendig die Versicherung heraushören, daß sie selbst, die verfolgten und fliehenden Israeliten, die Parusie des Menschensohnes als das große, sie befreiende Ereignis erleben werden?

Es ist zweifellos das richtige Gespür für diese notwendige Konsequenz, das andere Autoren, die unseren Spruch als genuines Jesuswort erklären möchten, das Kommen des Menschensohnes auf ein Ereignis der absehbaren Zukunft deuten läßt, das die von Jesus mit Mt 10, 23 bzw. wenigstens mit 10, 23b Angesprochenen noch erleben können. Insofern diese Versuche (J. Dupont, A. Feuillet u. a.) jedoch nicht überzeugen können, vor allem weil ein im Munde Jesu vorausgesetztes „bis der Menschensohn kommt" mit H. Schürmann in der Tat auf die Parusie am Ende der Geschichte bezogen werden muß, läßt sich der exegetische Vorteil der Autoren, die, wie neuerdings auch der angesehene Löwener Exeget B. Rigaux[24], Jesus mit Mt 10, 23 und den anderen Naherwartungstexten die Parusie für die Zeit seiner Generation voraussagen lassen, schwerlich bestreiten.

3. Ganz abgesehen von diesen ausgeprägtesten Naherwartungstexten, die geradezu eine Terminangabe enthalten (besonders Mk 9, 1), läßt die evangelische Überlieferung nach heutiger Überzeugung nicht mehr bestreiten, daß Jesus das Kommen der Gottesherrschaft bzw. des Menschensohnes „für eine nahe Zukunft" angesagt hat. Katholischerseits kam besonders B. Rigaux auf Grund einer erneuten Überprüfung der eschatologischen Aussagen der Evangelien wie auch der paulinischen Grundtexte zu einer so starken Betonung der Naherwartung Jesu, daß er unter unumwundener Anerkennung der eben besprochenen termingebundenen Aussagen zusammenfassend Autoren wie O. Cullmann und W. G. Kümmel beipflichtet, denen zufolge Jesus mit einer nur kurzen Zwischenzeit bis zur Volloffenbarung des Reiches rechnete[25]. „Jede eschatologische Erwartung", so schreibt Rigaux unter Verweis auf die Erwartung der atl.-jüdischen Apokalyptik (besonders der ältesten Daniel-Apokalypse), sodann der Qumranerwartung, der Endzeiterwartung Jesu wie der der Urkirche, „scheint mir die Erwartung einer unmittelbar bevorstehenden Intervention gewesen zu sein. Die Erwartung eines Geschehens, das eine andere Generation betrifft, wird niemals eine politische oder religiöse Bewegung hervorrufen."[26] Die Resultate seiner Studie über das Gottesreich und den Menschensohn zusammenfassend, konstatiert er noch einmal „... que présent et fin sont liés par un temps qui pourrait ne pas dépasser

---

[24] Seconde Venue 194 f.

[25] A. a. O. 173—216, bes. 197.

[26] A. a. O. 190.

une génération ...“[27] Wie dem auch sei, es werden vor allem drei Momente wohl zu bedenken sein.

a) Auch wenn man die termingebundenen Naherwartungstexte völlig ignoriert, will es nicht gelingen, den Begriff des „nahe“ (ἐγγύς), des „bald“ aus der Verkündigung Jesu zu streichen oder auch die spezielle Wendung vom „Naheherbeigekommensein des Gottesreiches“ in der summarischen Zusammenfassung der Botschaft Jesu von Mk 1, 14 f gänzlich auf das Konto der nachösterlichen Naherwartung zu setzen. Selbst wenn dies gelänge, bliebe immer noch als unzweifelbar genuiner Bestandteil der Verkündigung Jesu das „plötzlich“, das „unerwartet“ und die darauf gründende Mahnung zur Stetsbereitschaft und Wachsamkeit, eine Verbindung, die wir in der sehr aufschlußreichen Paränese über die Wachsamkeit von 1 Thess 5, 1—11 bezeugt finden[28].

b) In voller Anerkennung des heilsgeschichtlichen Unterschieds zwischen den Völkern und Israel, dem Eigentumsvolk Gottes, hat sich sodann Jesus mit seinen eigenen und seiner Jünger missionarischen Bemühungen grundsätzlich an Israel und nur an dieses gewandt (Mk 7, 27 Par; Mt 10, 6; 15, 24). Israel will Jesus für die gläubige Aufnahme seiner Heilsbotschaft gewinnen, als eschatologische Gemeinde zurüsten, und zwar in seiner Gesamtheit, Sünder und Gerechte, weshalb Jesus während seines öffentlichen Wirkens auch nicht einen aussondernden Zusammenschluß der umkehrbereiten Israeliten beabsichtigte. Wenn Jesus, sogar unter Ausschluß der Söhne des Reiches, den Heiden aus aller Welt die Teilnahme am eschatologischen Mahl verheißt, so ist das seiner primären Intention nach als der schärfste, freilich auch als ungeheuerlich empfundene Versuch zu werten, mit dem Jesus den Israeliten als den auf ihren Erstanspruch pochenden Trägern der Verheißung den absoluten Gnadencharakter des Heils und die ungeheure Verantwortung der ihnen aufgegebenen Heilsentscheidung, die furchtbare Folge einer unbußfertigen Ablehnung des Heilsangebots, zum Bewußtsein bringen will. Jesus wollte mit Mt 8, 11 f (Lk 13, 28 f; vgl. Lk 11, 31 f Par) und mit ähnlichen Drohworten, in denen die ihn abweisenden Israeliten den gnadefindenden Heiden gegenübergestellt werden, schärfstens an die Verpflichtung Israels appellieren, sich als Heilserben, als Gottesvolk der endzeitlichen Vollendung gewinnen zu lassen.

Bei diesem Bemühen Jesu läßt sich insonderheit die Dringlichkeit nicht übersehen, mit der Jesus seine Jünger zur Unterstützung und Fortführung seiner eigenen Verkündigung aussandte. Gewiß haben die Evangelisten

---

[27] A. a. O. 212.
[28] A. a. O. 183—187.

offenbar keine detaillierten Überlieferungen zur Verfügung über den konkreten Hergang der Jüngermission, den Zeitpunkt usw. So läßt sich bis heute nicht sicher entscheiden, ob Jesus speziell die Zwölf und nur die Zwölf aussandte oder aber einen größeren Jüngerkreis, den Lukas meint mit der runden Zahl 70 bzw. 72, wofür einige Gründe sprechen könnten[29]. Vom Standort der eigenen nachösterlichen Mission interessierten die Überlieferung naturgemäß am meisten die Aussendungsunterweisungen, deren Versionen sich in allen Hauptquellen unserer Evangelien, in Markus, der Logienquelle, im Lk- und Mt-Sondergut, finden. Schon deshalb wird man diese nicht samt und sonders als sekundäre Niederschläge der späteren Praxis und Erfahrung der missionierenden Urkirche erklären können. Vor allem der Zug, der in diesen konkreten Anweisungen am meisten festgehalten ist, muß als ursprünglich gelten, nämlich die Betonung der Dringlichkeit der Aufgabe.

Die Jünger haben nichts mitzunehmen auf den Weg außer einem Wanderstab (Mk 6, 8). Sie sollen niemanden unterwegs grüßen (Lk 10, 4 b). Sie sollen die sich ihnen erstbietende gastliche Aufnahme annehmen und sich dort aufhalten, bis sie weiterwandern (Mk 10, 10 Par). Warum? Weil ihre Aufgabe drängt! „Und wo euch ein Ort nicht aufnimmt und man euch nicht hören will, da gehet fort und schüttelt den Staub von euren Füßen, ihnen zum Zeugnis" (Mk 6, 11 Par). Die Geste soll bedeuten, daß die Botschaft angeboten, aber nicht angenommen wurde, und der Ort soll deshalb verlassen werden wie ein heidnischer Ort, der mit dem wahren Israel nichts zu tun hat. Warum? Weil die Zeit drängt und der Augenblick gekommen ist, wo man sich entscheiden muß, wo das Wort gilt, das Mt und Lk anläßlich der pharisäischen Anklage auf das Teufelsbündnis berichten: „Wer nicht mit mir ist, ist gegen mich." Seine Jünger sind nicht unbestimmte beliebige Wanderprediger, sondern Abgesandte des eschatologischen Offenbarers, die in seinem Namen den Frieden wünschen: „Wer euch aufnimmt, der nimmt mich auf, und wer mich aufnimmt, der nimmt den auf, der mich gesandt hat" (Mt 10, 40).

Begreift sich diese Dringlichkeit der Bekehrung Israels, die Dringlichkeit, den Leuten, die vom national-irdischen Befreier träumen, klarzumachen, daß das Gottesreich nahegekommen ist und dies gläubige „Umkehr" im Vollsinne Jesu bedeutet, nicht eben auch nur aus der Hoffnung auf eine Bekehrung Israels, gewissermaßen in der letzten Stunde, die dem Kommen der vollen Offenbarung der Gottesherrschaft vorangeht?[30] Und dieses dringliche Missionsunternehmen läßt sich sogar ohne Schwierigkeit

---

[29] Vgl. *A. Vögtle,* Der Einzelne und die Gemeinschaft in der Stufenfolge der Christusoffenbarung: J. Daniélou - H. Vorgrimler, Sentire ecclesiam (Freiburg 1961) 65—88.
[30] A. a. O. 70—75.

in die uns bekannten Daten der Überlieferung einordnen[31]. Die Führer des Pharisäismus haben Jesus des Bündnisses mit dem Teufel angeklagt, was bereits die Voraussetzung zur Ausstoßung aus dem Volk und zu seiner Vernichtung bedeutet. Sie haben ihn ausgestoßen aus den Synagogen und überwachen ihn. Die Pharisäer haben sich vielleicht schon mit den Herodianern beredet, ihn zu vernichten. Aber bevor die Unbußfertigkeit Israels Jesus zur schmerzlichen Gewißheit wird und er sich zur Unterweisung seiner Jünger in außerpalästinisches Land zurückzieht, erweitert er durch die bevollmächtigende Aussendung seiner Jünger, die als paarweises Gehen und Kommen zu denken ist (Mk 6, 7), sein eigenes missionarisches Bemühen, um Israel gewissermaßen noch in letzter Stunde als Heilserben zu gewinnen. Gemeinhin kommt uns die Dringlichkeit dieser Tage und Wochen kaum mehr recht zum Bewußtsein, weil wir bereits den Fortgang der Offenbarungsökonomie kennen, vom notwendigen Sühnesterben für die Ungezählten aus allen Völkern und von der Auferwekkung Jesu wissen[32]. Aber eben davon, daß Jesus sterben müsse, daß er mit seinem Sühnesterben einen weiteren heilsmittlerischen Akt setzen müsse, der auch Israel das Erben des Gottesreiches erst ermöglicht, ist in diesen Instruktionsworten in keiner Weise die Rede.

c) Das führt uns zu einem weiteren Punkt. Allem nach hat Jesus den an die israelitische Öffentlichkeit ergehenden dringlichen Ruf, angesichts des schon vergewissernd auf die kommende Volloffenbarung hinweisenden Anbruchs der Gottesherrschaft, angesichts des drohenden, plötzlich und unerbittlich ergehenden Gerichts sich sofort und kompromißlos dem Heils- und Heiligkeitswillen Gottes zu öffnen und stets bereitzuhalten, auch nicht durch retardierende Momente abgeschwächt. Solche würden bereits die Verkündigung seines bund- und kirchenstiftenden Sühnesterbens und noch drastischer die ausdrückliche oder doch vernehmliche Verheißung einer dem Ende voraufgehenden Weltmission darstellen.

Es fehlt jeder Anhaltspunkt dafür, daß Jesus außerhalb des Jüngerkreises in der jüdischen Öffentlichkeit von der Heilsnotwendigkeit seines stellvertretend sühnenden und bundstiftenden Sterbens sprach. Weder er selbst noch seine mitmissionierenden Jünger haben bis zum Karfreitag sein Sühnesterben als einen

---

[31] Vgl. *A. Nisin,* Histoire de Jésus (Paris 1960) 250—256. Das wäre selbstverständlich eine andere Situation, als sie A. Schweitzer voraussetzte, nach dessen völlig unbegründeter Annahme Jesus vor der Parusie die Rückkehr der Jünger nicht mehr erwartet hätte; zur Kritik vgl. *W. G. Kümmel,* Verheißung 55—57; *H. Schuster,* Die konsequente Eschatologie der Interpretation des NT kritisch betrachtet: ZNW 47 (1956) 1—25; *T. Nepper-Christensen,* Das Mt-Ev. ein judenchristliches Ev.? (Aarhus 1958) 190, Anm. 53.

[32] *A. Nisin,* Histoire 252.

weiteren heilsmittlerischen Akt verkündet, der als Heilsbedingung zur Erfüllung der von Jesus proklamierten religiös-sittlichen Forderungen hinzukommen werde und müsse. Dem entspricht völlig, daß Jesus der Überlieferung zufolge in der jüdischen Öffentlichkeit weder in bezug auf sein gegenwärtiges Wirken noch auch nur im Hinblick auf die Zukunft von einer Bundesstiftung bzw. von der Neukonstituierung der Heilsgemeinde, nämlich der auf Simon als Fels zu bauenden Kirche, sprach [33].

Gewiß demonstrieren sodann seine wohl nur als Ausnahme zu verstehenden Heilungen von Heiden [34] die Aufhebung einer grundsätzlichen Bindung des Heils an die Abrahamskindschaft. Die Streichung aller nationalen Hoffnungen und Rachegedanken aus der Enderwartung [35], ferner die Individualisierung der rein religiös-sittlichen Heilsbedingungen wie des Gerichts sind desgleichen Voraussetzungen in der Verkündigung Jesu, die als solche grundsätzlich ein missionarisches Heilsangebot auch an die Heidenwelt ermöglichen. Gewiß verhieß er darüber hinaus, wie schon erwähnt, auch Heiden Anteil am Endheil, sogar unter Androhung des Ausschlusses Israels. Aber es ist bezeichnend, daß das ausdrücklichste Logion Mt 8, 11 f Par — gleich anderen Jesusworten über das Endschicksal der Heiden — nichts sagt über die Voraussetzung ihres Hinzukommens zum Heil: etwa über ein der Parusie vorausgehendes missionarisches Heilsangebot an dieselben. Darüber, in welcher Weise und woraufhin die Heiden zum eschatologischen Mahl kommen, wird in keiner Weise reflektiert. Und dies dem ganzen Tenor nach aus dem schon oben erwähnten Grunde, der Jesus primär jedenfalls überhaupt im Stile der atl. Verheißung [36] ausdrücklich von der Teilnahme der Heiden am eschatologischen Mahl sprechen ließ. Eine kritische Sichtung der ntl. Überlieferung bietet keine Belege dafür, daß sich Jesus auch nur gegen Ende seines Lebens der Heidenmission zugewandt hätte [37]. Ebensowenig erbringt sie ursprüngliche Worte, in denen der Jesus des öffentlichen Wirkens ausdrücklich oder doch vernehmbar auch nur eine dem Ende voraufgehende Weltmission verheißen hätte, wie besonders Mk 13, 10 Par und 14, 9 Par einem kritiklosen Leser nahelegen [38]. Ganz abgesehen von den unverkennbaren Anzeichen sekundärer Bildung, müßte die Annahme, Jesus habe mit oder ohne Rücksicht auf das faktische Versagen Israels die Aktualität seiner Umkehr- und Bereitschaftsforderung durch die ausdrückliche Verheißung der Evangeliumsverkündigung in aller Welt abgeschwächt und geradezu entkräftet, bereits als innerlich unwahrscheinlich gelten. Wir sind auch nicht berechtigt, im Hinblick auf die spätere, ohnedies erst durch äußere Anstöße ausgelöste Entwicklung zur Heidenmission oder auch aus einer sachlich völlig unbegründeten Sorge um die Verankerung des Völkermissionsgedankens im Denken Jesu den hart exklusiven Sinn des Programm-

---

[33] *A. Vögtle,* Christusoffenbarung 75—79.

[34] *J. Jeremias,* Jesu Verheißung für die Völker (Stuttgart 1956) 24—27.

[35] A. a. O. 35—44.

[36] A. a. O. 47—53.

[37] A. a. O. 27—31.

[38] Vgl. *A. Vögtle,* Christusoffenbarung 69, Anm. 56.

wortes Jesu und seines strikten Verbots der Samariter- und Heidenmission abzuschwächen, etwa zu einem: „Zieht *‚noch‘* nicht zu den Völkern ... geht vielmehr *‚zuerst‘* zu den verlorenen Schafen des Hauses Israel“ (Mt 10, 5 f).

Wir sehen uns so einem sehr problemgeladenen Tatbestand gegenüber. Neben dem erklärten Nichtwissen Jesu über „jenen Tag und (oder) die Stunde“ steht in der Verkündigung Jesu die seinem ausschließlichen und dringlichen Bemühen um die Bekehrung des gegenwärtigen Israel zugeordnete Naherwartung, stehen darüber hinaus sogar Worte, die — sofern sie von Jesus selbst gesprochen sind — eine redliche Exegese nicht anders denn als Vorhersage der Endoffenbarung vor dem Aussterben seiner Generation verstehen zu können scheint. Anderseits hat Jesus wenigstens von einem bestimmten Zeitpunkt an mit seinem gewaltsamen Ende gerechnet und das Todesschicksal als ein zu seinem gegenwärtigen Wirken hinzukommendes göttliches „Muß“ angesehen (Mk 10, 38 f // Lk 12, 50; 13, 32 f), sogar als schmerzlichen Durchgang zu einem siegreichen Zustand (so eventuell schon Lk 11, 29 Par). Und unsere Überlieferung bietet keinen begründeten Anlaß, zu bezweifeln, daß Jesus von einem späteren Zeitpunkt seines Wirkens an im Jüngerkreis, und nur in diesem, nicht nur vom „Muß“ seines Sterbens sprach, sondern auch von dessen entsündigender, bundstiftender und damit kirchenstiftender Kraft. Lassen sich diese Daten einigermaßen befriedigend analysieren und gleichzeitig zu einem widerspruchslosen Ganzen vereinen?

II

1. Auf Grund seines Verständnisses des Verhältnisses zwischen hypostatischer Union und visio immediata erscheint es K. Rahner durchaus möglich und sinnvoll, dem Geiste Jesu eine gottunmittelbare Grundbefindlichkeit absoluter Art von Anfang an zuzuschreiben, die nichts anderes ist als „das ursprüngliche, ungegenständliche Gottessohnbewußtsein“, und „gleichzeitig eine Entwicklung dieses ursprünglichen Selbstbewußtseins absoluter Weggegebenheit der kreatürlichen Geistigkeit an den Logos“. Dabei nimmt die Linke keineswegs zurück, was der Verfasser mit der Rechten eben so mutig gab. Es kann nach Rahner „durchaus unbefangen von einer geistigen, ja religiösen Entwicklung Jesu gesprochen werden“, von einer aposteriorisch zu erhebenden Geschichte seiner Selbstinterpretation. Und sosehr der Dogmatiker betonen muß, daß sich diese Entwicklung „nicht auf die Begründung der gottunmittelbaren Grundbefindlichkeit, sondern auf die gegenständliche, in menschlichen Begriffen geschehende Thematisierung und Objektivierung dieser Grundbefindlich-

keit" bezieht, präsentiert er der aposteriorischen Leben-Jesu-Forschung gerade damit, wenigstens grundsätzlich, eine einzigartige Möglichkeit, die Fragen des Wissens und Selbstbewußtseins Jesu in Angriff zu nehmen: „Eine solche Geschichte seiner Selbstaussage braucht wenigstens grundsätzlich gar nicht nur als Geschichte seiner pädagogischen Anpassung interpretiert zu werden, sondern darf ruhig auch als Geschichte seiner Selbstinterpretation für ihn selbst gelesen werden." [39]

2. Selbstverständlich kann es sich für einen Exegeten nur um einen Versuch handeln, von den Erfordernissen und Möglichkeiten dieser dankbar aufgegriffenen Grundsatzlösung her die Daten der evangelischen Jesusüberlieferung abzuhören und abzuwägen. Dabei muß der Exeget selbst zum voraus einen recht widerspruchsvoll klingenden Tatbestand zu bedenken geben. Die bereits heute gewonnene Einsicht in die Eigenart unserer Quellen bringt es mit sich, daß der Versuch, die Geschichte der Selbstinterpretation Jesu zu erheben — sofern es eine solche überhaupt gab —, heute schwieriger und leichter zugleich denn je ist.

a) Für die Erhebung einer eventuellen Geschichte des Selbst- und Sendungsbewußtseins Jesu könnte man sich naturgemäß mehr Aussicht versprechen, wenn die unsere Evangelien speisende Überlieferung vordergründig an dem exakten und detaillierten Pragmatismus des offenbarenden Wirkens Jesu interessiert gewesen wäre und dementsprechend auch unsere Evangelien den geschichtlichen Prozeß des offenbarenden Wirkens Jesu möglichst erschöpfend und mit protokollartiger Exaktheit darstellen würden. Dann wüßten wir stets, was, wie, vor wem, in welcher exakten Abfolge alles und jedes Einzelne im Erdenwirken Jesu geschah und gesprochen wurde: wir könnten beobachten, welche Reaktionen das Wirken Jesu der Reihe nach auf seine Umgebung auslöste und wie jene wiederum auf Jesus selbst zurückwirkten. Eine derartige strikt historiographische Darstellung, wie sie vor allem der Fundamentaltheologe sich wünschte, wollen und können unsere Evangelien nun einmal nicht geben.

Die hier angedeutete Problematik drängt sich Schritt für Schritt auf. Offensichtlich muß man zwischen der öffentlichen Verkündigung Jesu und seiner Belehrung der Jünger, vorab des Zwölferkreises unterscheiden. Für eine geschichtswissenschaftliche Rekonstruktion des offenbarenden Wirkens Jesu wäre es z. B. wichtig, zu wissen, an welchen Zuhörerkreis gewisse Worte Jesu ursprünglich

---

[39] *K. Rahner,* Dogmatische Erwägungen 203 206 f. Im Anschluß an die Unterscheidung zwischen aktuellem und habituellem Wissen Christi bei Bonaventura gibt auch schon *E. Gutwenger, S.J.* (Wissen und Bewußtsein Christi, Innsbruck 1960; vgl. S. 131) eine Interpretation der Gottesschau Christi, die der Exegese Raum für die Annahme eines wirklichen Erkenntnisfortschrittes Jesu läßt, indem er eine Abstufung in der Selbstmitteilung Gottes durch die visio vertritt.

gerichtet waren, ob an die Jünger oder aber an die gesamte israelitische Öffentlichkeit. Ebenso, wie wir uns die Entwicklung des Jüngerkreises selbst, insbesondere die Zuordnung eines größeren Nachfolgerkreises und der Zwölfergruppe zu denken haben; zu welchem Zeitpunkt etwa Jesus den Zwölferkreis konstituierte; wann er einen der Zwölfe mit dem Beinamen Kepha auszeichnete und diesen Beinamen mit Mt 16, 18 f erklärte. Letzteres zu wissen wäre bedeutsam, insofern die hiermit vorausgesagte Neukonstituierung des Gottesvolkes unter der verantwortlichen Leitung Simons den Gedanken an das bundstiftende Sühnesterben Jesu „für die Vielen" voraussetzt. Es läßt sich aber schwerlich behaupten, unsere Überlieferung habe den genauen Zeitpunkt oder auch nur den konkreten Umstand und Hergang der Bildung des Zwölferkreises oder den Zeitpunkt der Auszeichnung Simons mit dem Kepha-Namen bzw. der Mt 16, 18 gebotenen Namenserklärung festgehalten.

Oder denken wir an die schwierige Frage, in welchem Umfang und in welchem Sinn Jesus selbst von „dem Menschensohn" gesprochen haben kann und hat[40]. Setzt man den in unseren Evangelien vorliegenden Umfang der Verwendung der Menschensohnbezeichnung unbesehen für Jesus selbst voraus, kann sinnvollerweise nicht im geringsten bezweifelt werden, daß Jesus nicht nur den kommenden Menschensohn-Endrichter verkündigte, sondern sich immer schon selbst mit diesem identifizierte. Andere, und zwar auch sehr verschiedene Möglichkeiten der Zukunftsperspektive Jesu ergeben sich hingegen unter der vielfach und nicht ohne beachtliche Gründe geteilten Voraussetzung, daß sich ursprüngliche Menschensohnworte nur unter den futurisch-eschatologischen Aussagen finden, unter denen vor allem der sehr verschieden auslegbare und einfügbare Doppelspruch vom Bekennen und Verleugnen (Mk 8, 38 Par; Lk 12, 8 f Par) aufschlußreich sei und wohl auch ist. Unter dieser Voraussetzung wird die Auffassung verständlich, Jesus habe den Menschensohn als einen Dritten verkündet; oder er habe offengelassen, wer der Menschensohn-Endrichter sein werde, er selbst oder ein anderer; oder er habe nur sagen wollen, daß das Verhalten zu ihm eschatologische Konsequenzen habe, ohne überhaupt die Frage nach dem „Wer" dieses Menschensohnes gestellt haben zu wollen (wie z. B. die entmythologisierende Auslegung vertritt)[41]; oder er habe sich zunächst jedenfalls noch nicht als den kommenden Menschensohn betrachtet bzw. habe nicht erwartet und nicht erwarten können, daß seine Hörer aus dem Spruch Lk 12, 8 f Par // Mk 8, 38 Par seine Identität mit dem künftigen Menschensohn heraushörten; oder er habe selbst sich erst mit dem Menschensohn gleichgesetzt (wie es unmißverständlich Mk 14, 62 Par geschieht), nachdem er seinen Tod als einen der Parusie vorausgehenden heilsnotwendigen Akt erkannt habe.

Welche Probleme gerade die Frage des Zukunftsverständnisses Jesu aufwirft, bestätigt auch die Diskussion des maschal vom Jonaszeichen (Mt 12, 39 = Lk 11,

---

[40] Vgl. zusammenfassend den Art. Menschensohn: LThK² VII (1962) 298—300.

[41] Davon sind die Autoren zu unterscheiden, denen zufolge Jesus überhaupt nicht vom Menschensohn sprach (E. Käsemann, H. Braun, Ph. Vielhauer, H. Conzelmann), was eine konsequent existentiale Interpretation naturgemäß noch mehr erleichtert.

29): Gott wird diesem bösen Geschlecht kein Zeichen geben als das Zeichen des Jonas. Dieses Jonaszeichen wird bis heute entweder auf die Verkündigung Jesu, vorab seine Buß- und Gerichtspredigt, oder aber auf die Wiederholung des dem Jonas widerfahrenden Wunders, also auf die Parusie des wunderbar aus dem Tode erretteten Jesus gedeutet. Jede dieser Deutungen hat ihre Vor- und Nachteile. Bei der ersten entfällt eine Schwierigkeit, die man aus der zweiten ablesen kann: insofern nämlich das die ungläubig Fordernden widerlegende Zeichen, die Erfahrung des aus dem Tode Erretteten (nämlich beim Gericht) der gegenwärtigen Generation in Aussicht gestellt wird. Anderseits kommt mit der Annahme der ersten Deutung, die seitens der protestantischen Exegese überwiegend vertreten wird[42], ein Beleg dafür in Wegfall, daß Jesus seine Parusie als Endrichter erwartete[43]. Das ist nicht belanglos. Denn das im zweiten Sinne verstandene Jonaszeichen könnte die bis heute stark angefochtene Geschichtlichkeit der — angeblich vom nachösterlichen Christusbekenntnis und Schriftbeweis geprägten — Jesusantwort vor dem Synedrium bestens stützen, der zufolge Jesus auch dann, wenn er zuvor nur rein objektiv vom künftig kommenden Menschensohn gesprochen hätte, wenigstens jetzt, im Augenblick seiner Überantwortung in den Tod, sagte, wer „der Mensch" ist, der in göttlicher Erscheinungsweise erfahrbar werden wird, nämlich kein anderer als er selbst.

b) Sosehr der Umstand, daß die im Dienste der praktischen Glaubensverkündigung stehende Jesusüberlieferung die Geschichte des offenbarenden Wirkens Jesu bis hin zu unseren Evangelien in einem gewissen Umfange zugleich aktualisierend, interpretierend und applizierend wiedergibt und daß insbesondere die in den einzelnen Evangelien ohnehin vielfach sehr unterschiedliche Einordnung der meist situationslos überlieferten Jesuslogien nicht ohne weiteres der historischen Abfolge und Situierung im Leben Jesu entspricht, die versuchsweise Rekonstruktion einer eventuellen Geschichte des Selbst- und Sendungsbewußtseins Jesu erschwert, bietet diese Eigenart der Überlieferung zugleich eine echte Chance. Grundsätzlich besteht jedenfalls die Möglichkeit, sogar die Notwendigkeit, primäre und sekundäre Elemente zu unterscheiden. Weil der Exeget methodisch berechtigt, ja verpflichtet ist, nach dem Sitz einer Einheit im Leben

---

[42] So leicht abgewandelt auch von *H. Rengstorf* (Art. σημεῖον im ThW VII, 227 ff), der unter ausdrücklicher Ablehnung der Deutung auf eine analoge Wiederholung des Jonaswunders (231, Anm. 229) Jonas als denjenigen kennzeichnen läßt, „in dem Gott selbst auf sich als mit dem Propheten gegenwärtig und durch ihn und sein Bußwort wirksam hinweist" (231, 20 ff). Rengstorf scheint aber gleichzeitig Lk 11, 30 als möglicherweise authentischen Hinweis auf die Parusie des Menschensohnes nicht auszuschließen (a. a. O. 232, 20 ff).

[43] Ein solcher Beleg läge auch dann vor, wenn beide als Menschensohnworte formulierte Deutesprüche sekundär wären und sich die ursprüngliche Antwort Jesu, wie sogar wahrscheinlich ist, auf Mt 11, 39 // Lk 11, 29 beschränkte.

zu fragen, und zwar nicht nur im Leben der Urkirche und des einzelnen Evangelisten, sondern im Leben Jesu selbst, kann zumindest die Möglichkeit nicht bestritten werden, daß sich insbesondere bei Jesusworten eine für die „Geschichte" der Selbstinterpretation Jesu relevante Situierung und zeitliche Abfolge — im weitesten Sinne dieses Wortes — wenigstens hypothetisch rekonstruieren läßt. Freilich werden sich solche Versuche größter Vorsicht befleißigen müssen und meist über hypothetische Möglichkeiten nicht hinauskommen. Die Geschichte der neueren Exegese bietet Beispiele genug dafür, wie leicht Versuche, durch ein bestimmtes Arrangement von Jesusworten bzw. des gesamten evangelischen Überlieferungsstoffes die Entwicklung des offenbarenden Wirkens und Sendungsbewußtseins Jesu, die Geschichte seiner Vorstellung vom Kommen des Gottesreiches zu rekonstruieren, in gewaltsame und unhaltbare Entwürfe abgleiten[44]. Das braucht uns aber nicht an einem Versuch zu hindern, die uns angebotene Grundsatzlösung an einigen wesentlichen Punkten der Jesusüberlieferung zu erproben.

III

Die nachösterliche Überlieferung mochte, wie wohl verständlich ist, dazu neigen, frühere Aussagen Jesu über seinen Endausgang in Jerusalem zugleich im hellen Lichte der späteren faktischen Ereignisse zu sehen, wie besonders unverkenntlich die sogenannten thematischen Leidens- und Auferstehungsweissagungen verraten. Nichtsdestoweniger hat die synoptische Überlieferung sicher einen wesentlichen Punkt des Pragmatismus des Erdenwirkens Jesu festgehalten, wenn sie Jesus erst von einem bestimmten Zeitpunkt an von seinem Sühnesterben sprechen läßt, und zwar im Jüngerkreis (Mk 10, 45 Par; 14, 22—25 Par). Eben an diesem Punkt drängt sich die Frage auf, ob hier nicht nur ein Offenbarungsfortschritt vorliegt, sondern auch mit einem echten Fortschritt in der Erkenntnis des göttlichen Heilswillens gerechnet werden muß. Der Heiland, der sich seinem unbußfertigen Volk ebenso verpflichtet wußte wie dem Heils- und Heiligkeitswillen Gottes, wäre dann erst auf Grund der tödlichen Feindschaft seitens der geistigen Machthaber seines Volkes, vorab der Pharisäer, und auf Grund der Ablehnung, die Israel als Ganzes dem in ihm ergangenen Heilsangebot entgegenbrachte, dazu geführt worden, in der Funktion des stellvertretend für die Schuld Israels leidenden Ebed (Is 53, 4—12) den gottgewollten Sinn seines Prophetenschicksals zu entdecken, den über-

[44] Vgl. *W. G. Kümmel,* Verheißung 131 f; zu den Versuchen von C. J. Cadoux, T. W. Manson u. a. meinen Beitrag Christusoffenbarung a. a. O. 54—65.

raschenden Gnadenakt, in dem sich Jahwes Rechtsentscheid vollzieht, für „die Vielen", d. h. für „die Ungezählten aus allen Völkern"[45], für Israel und die Völker (42, 6f; 49, 5—8; 53, 11f). Dieser Annahme pflichtet neuerdings offenbar auch R. Schnackenburg bei: „Die Ablehnung der Botschaft Jesu durch den Großteil des Volkes führt zur Frage, wie Gott seinen Heilsplan *trotz* des jüdischen Unglaubens (vgl. Mk 4, 11f Par) verwirklicht. Dabei wird (auch empirisch) Jesus die Notwendigkeit seines Todes gewiß, die er auch seinen Jüngern offenbart (Mk 8, 31 Par u. ö.): er soll stellvertretend Sühne leisten ‚für Viele' (Mk 14, 24), d. h. für alle, auch die Heiden."[46]

1. Die Vorzüge dieser Annahme lassen sich kaum verkennen.

a) Einmal läßt sie den Sendungsanspruch des öffentlichen Wirkens Jesu und dessen konkrete Äußerungen ohne Widerspruch und ohne eine recht unnatürliche, ja — man müßte fast sagen — „unwürdige" Spannung verstehen. Wenn Jesus von Anfang an bzw. bis zum Zeitpunkt der missionarischen Aussendung seiner Jünger nicht schon des Versagens Israels gewiß war und nicht schon satzhaft wußte, daß er zur Verwirklichung des göttlichen Heilsplans den Sühnetod sterben muß, dann versteht man ohne Schwierigkeit, daß er mit ganzer Kraft und Hingabe Israel für das Heil der angebrochenen und auf die kommende Volloffenbarung hindrängenden Gottesherrschaft zu gewinnen suchte, daß er sich unablässig um die unaufschiebbare und kompromißlose Umkehr — „Umkehr" verstanden in seinem Sinne als völliges Sichausliefern an den von ihm geoffenbarten Heils- und Heiligkeitswillen Gottes — und um die wache Stetsbereitschaft Israels bemühte; ja, daß er eben seine Jünger mit einer für den Orientalen geradezu anstößigen Eilfertigkeit und Dringlichkeit zur Gottesreichverkündigung aussandte. Man würde verstehen, daß Jesus nicht schon in aller Öffentlichkeit sein erlösendes Sterben als einen über die Umkehrforderung hinausgehenden, den eschatologischen Heilsbesitz erst ermöglichenden Akt verkündete; daß er vielmehr die gläubige und umkehrbereite Annahme seiner Botschaft als einzige Bedingung für das „Eingehen in das Reich", „in das Leben" verkündete, und zwar so, als ob die Zulassung zum oder der Ausschluß vom Endheil ausschließlich von der persönlichen Reaktion des Menschen, von der Erfüllung der religiös-sittlichen Forderungen Jesu durch den Einzelnen abhinge. Auch der Umstand, daß sich Jesu Heilsverkündigung auf Israel beschränkte, würde voll verständlich. Ja erst von dieser Voraussetzung her würde das zielstrebige Handeln Gottes nicht nur ungebrochen aufleuchten, sondern zugleich als ein echt geschichtlicher Prozeß begreiflich werden, in dem die zweiten Ursachen voll zur Aus-

---

[45] *J. Jeremias,* Verheißung 62. [46] Art. Kirche: LThK² VI 168.

wirkung kommen. Gott läßt Israel erst dann zum Werkzeug für einen neuen Gnadenakt werden, der die Heilsgewinnung der unbußfertig gebliebenen Israeliten wie der noch nicht angesprochenen Heidenvölker ermöglicht, nachdem Israel, das für die Bibel nun einmal der unmittelbare Heilsempfänger und der Ort der eschatologischen Offenbarung Gottes ist, sich dem an es ausschließlich und nachdrücklichst ergangenen Heilsangebot versagte und seine geistigen Führer auf die gewaltsame Vernichtung des eschatologischen Offenbarers sannen.

Setzt man hingegen das schließliche Sichversagen Israels und die Heilsnotwendigkeit des Sühnesterbens für die Vielen als gegenständliches Wissen Jesu voraus, so müßte man das Bewußtsein Jesu etwas pointiert notgedrungen folgendermaßen darstellen: Ich bemühe mich mit aller Kraft und Dringlichkeit darum, euch, die Söhne des Reiches, dem von mir verkündeten Heils- und Heiligkeitswillen Gottes zu erschließen. Aber ich weiß ja selbst, daß dieses Bemühen nicht nur keinen Erfolg hat, sondern rein objektiv auch gar nicht genügt. Selbst wenn ihr meine religiös-sittlichen Forderungen erfüllen würdet, genügte das noch nicht zur Teilnahme am Heil des kommenden Gottesreiches. Denn in Gottes Heilsplan ist eine weitere, und zwar entscheidende Bedingung für eure Heilserlangung vorgesehen, nämlich mein stellvertretendes Sühnesterben, dessen entsündigende und heiligende Kraft ihr euch aneignen müßt und das zugleich die Voraussetzung für einen völligen Neuansatz der Heilsverkündigung begründet, nämlich unter Einbeziehung der Heidenvölker.

Besteht unsere Hypothese zu Recht, so läßt sich diesem Nichtwissen Jesu wohl unbedenklich eine positive Funktion zuschreiben; es läßt sich begreifen als „die Einräumung eines offenen Raumes für Freiheit und Tat“[47].

b) Ein zweiter Gewinn betrifft den möglichen Fortschritt im „eschatologischen Zeitplan“ Jesu, der ja herkömmlich als ein Haupthindernis gegen die Intention einer Kirchenstiftung Jesu gilt. Sofern und sobald Jesus im Verlauf seines öffentlichen Wirkens dazu kam, den von ihm erwarteten gewaltsamen Tod als gottgewolltes Sühnesterben für die Vielen zu verstehen, und zwar als die Stiftung eines die Heiden mit einschließenden Bundes, und er deshalb im Hinblick auf diese völlig neue, von der seines Erdenwirkens grundverschiedene heilsökonomische Situation einen Neuansatz der Heilsverkündigung und Heilsvermittlung ins Auge faßte und dem Jüngerkreis, spätestens etwa am Vorabend seines Leidens[48], die Konstituierung der durch seinen Tod entsühnten Gemein-

---

[47] *K. Rahner,* Dogmatische Erwägungen 196.

[48] Wenn wir mit dieser Möglichkeit rechnen, so nicht im Sinne der Hypothese von

schaft der Heilserben als auf Simon Kepha zu errichtenden Neubau verhieß, gehen in der jetzt gewonnenen Zukunftsschau Jesu dem Kommen des Gottesreiches und des Menschensohnes jedenfalls heilsökonomische Geschehnisse voraus, die ein gewisses zeitliches Interim zwischen seiner Erdengegenwart bzw. seinem Tod und der Endoffenbarung verlangen.

Eine historische Prüfung der Quellen berechtigt freilich nicht zur positiven Annahme, Jesus habe, als er die Abendmahlsworte sprach bzw. der auf Petrus zu bauenden Kirche den Fortbestand bis zum Ende dieses Äons garantierte, Generationen und Jahrhunderte vor sich gesehen, „gewußt". Man darf die hier andrängenden Probleme gewiß nicht mit leichter Hand abtun oder einfach ignorieren. Die akute Naherwartung und auf deren Hintergrund noch mehr die faktische zur Heidenmission führende Entwicklung, insbesondere auch das uns bekannte missionarische Verhalten der Zwölfe erlauben gewiß nicht die positive Folgerung, die Zwölfe hätten — ganz zu schweigen von der Frage ihrer Kenntnis eines expreß universalen Missionsbefehls — aus „den Vielen" der Abendmahlsworte die Berechtigung und Verpflichtung herausgehört, nicht nur Israel, sondern den Ungezählten aus allen Völkern, der Heidenwelt das erlösende Sterben, das Heil zu verkünden, obwohl sie das Kommen des Menschensohnes in nächster Zukunft erwarteten. Trotzdem dürfte unsere Folgerung bestehenbleiben: unter der Voraussetzung, daß Jesus gegen Ende seines öffentlichen Wirkens und erst da die Heilsnotwendigkeit seines bundstiftenden Sterbens erkannte, läßt sich für das Bewußtsein Jesu seit diesem Zeitpunkt ein ausdrückliches, wenn auch nicht positiv begrenzbares zeitliches Interim sichern, das deshalb zu einer gespannteren Enderwartung seines bisherigen missionarischen Bemühens nicht in Widerspruch stünde.

2. Aber hat Jesus entgegen unserer Hypothese die Heilsnotwendigkeit seines Sühnesterbens nicht doch schon in den Tagen seines öffentlichen Auftretens bzw. von Anfang an als satzhaftes Wissen in sich getragen? Das scheint im katholischen Bereich bis auf vereinzelte frühere Ausnahmen wie R. Guardini[49] bis jüngst allgemein angenommen worden zu sein. Eine besonnene Evangelienforschung kann diese Annahme aber schwerlich positiv belegen.

Von welchem Augenblick an Jesus erkannte, daß ihm die getreue Erfül-

---

O. *Cullmann,* der Mt 16, 18 f, Lk 22, 31 f und Jo 21, 15 ff auf *eine* von Jesus in der Situation von Lk 22, 31 f gesprochene Antwort Jesu reduzieren möchte: L'apôtre Pierre instrument du diable et instrument de Dieu: NT Essais. Studies in Memory of T. W. Manson (Manchester 1959) 94—105; Petrus (Zürich ²1960) 208—214. Vgl. dazu *P. Benoit:* RB 60 (1962) 442 f.

[49] Der Herr (Aschaffenburg ⁵1948) 109 f.

lung seiner Sendung nicht nur den tödlichen Haß der Gegner, sondern das Prophetenschicksal selbst einbringen werde (Lk 13, 32f), lassen die Quellen schon deshalb nicht mehr sicher erkennen, weil sie eine auch nur ungefähre zeitliche Fixierung aller Ereignisse und Aussprüche Jesu nicht beanspruchen. Nichts hindert zudem die Annahme, daß die Gewißheit seines Todesschicksals und seine Todesbereitschaft, die Jesus auch von seinen Jüngern forderte, der Erkenntnis der Heilsbedeutung seines und nur seines Sterbens vorausging, also auch von ihm früher ausgesprochen wurde.

a) Für unseren Aspekt genügt im übrigen die Feststellung, daß die außerhalb des Jüngerkreises situierten Stücke der sogenannten verdeckten Leidensweissagungen in keiner Weise schon den Gedanken des *Sühne*-sterbens zum Ausdruck bringen. Das gilt sicher von Lk 13, 32f und vom Spruch vom Jonaszeichen (Mt 12, 39//Lk 11, 29), sofern dieses als reiner Rätselspruch gemeint war und ein dem Jonaswunder analoges Geschehen der Zukunft meinte (s. o. II 1 a). Dasselbe wird so gut wie sicher auch von den ohnedies im Jüngerkreis gesprochenen schwierigen Bildworten Mk 10, 38f und Lk 12, 50[50] gesagt werden müssen, so deutlich diese, wenigstens das erste, die Überzeugung Jesu bekunden, daß das Reich für ihn und seine Jünger erst nach seinem Todesschicksal zu erwarten ist. Diese Logien enthielten nur dann einen Hinweis auf den *Sühne*-charakter des Sterbens Jesu, wenn Jesus im Sinne vereinzelter Exegeten bei der Wahl dieses Symbols an seine Jordantaufe gedacht und diese gleichzeitig als Vorwegnahme seines künftigen Sterbens[51], sogar als Ausdruck seiner stellvertretenden Sühneleistung verstanden hätte[52]. Dies wird indes durch nichts nahegelegt[53].

b) Falls sich Jesus selbst auch in bezug auf sein gegenwärtiges Wirken als Menschensohn bezeichnete, und zwar in aller Öffentlichkeit von Anfang an, so schloß diese Selbstbezeichnung als solche den Leidensgedanken noch nicht ein, und schon gar nicht den Sühnegedanken. Das wäre nur der Fall, wenn eine schon vorchristliche Synthese von apokalyptischem Menschensohn und stellvertretend

---

[50] Vgl. die neue Untersuchung von *G. Delling,* βάπτισμα βαπτισθῆναι: NT 2 (1957) 92—115; dazu *R. Schnackenburg,* Gottes Herrschaft 132f.

[51] So *P. Lundberg,* La typologie baptismale dans l'ancienne église (ASNU 10, Leipzig-Uppsala 1942) 221—227.

[52] *R. H. Fuller,* The Mission and Achievement of Jesus (London 1954) 61; noch entschiedener O. *Cullmann* (Die Christologie des NT, Tübingen 1957, 66) und *A. Legault,* Le baptême de Jésus et la doctrine du Serviteur souffrant: ScEccl 12 (1961) 160—166.

[53] Vgl. etwa *W. G. Kümmel,* Das Urchristentum: ThR 18 (1950) 39f; auch nach O. *Kuss* zwingt nichts dazu, die beiden Synoptikerstellen in irgendeine Beziehung zur Johannestaufe oder zur christlichen Taufe zu bringen, weil es sich um eine Metapher für das erwartete Leiden handle: Zur vorpaulinischen Tauflehre: Auslegung und Verkündigung I (Regensburg 1963) 110, Anm. 64.

leidendem Ebed existiert hätte. Diese ist aber bis heute nicht nachzuweisen und im übrigen innerlich so unwahrscheinlich wie nur möglich[54].

Jüngst stellte E. Schweizer einen sehr anregenden Lösungsversuch des Menschensohnproblems zur Diskussion, der schon deshalb besonderes Interesse verdient, weil er entgegen dem herrschenden Trend die genuine Verwendung der Menschensohnbezeichnung vor allem in Gegenwartsaussagen erblickt. Demzufolge hat Jesus nicht sein (Wieder-)Kommen mit den Himmelswolken als Menschensohn-Endrichter vorausgesagt, sondern nur seine Erhöhung in den Himmel und sein Mitwirken als entscheidender Zeuge für die Seinen und gegen seine Verfolger beim letzten Gericht Gottes angekündigt. Er wie die nicht einem besonderen apokalyptischen Kreis zugehörende Masse seiner Hörer könnten mit dem Menschensohnbegriff „zuerst die Vorstellung eines auf Erden lebenden Knechtes Gottes, wie z. B. des Ezechiel oder des israelitischen Märtyrers in der Makkabäerzeit Daniels“ verbunden haben, „vielleicht auch die Erwartung seiner Erhöhung und Rechtfertigung vor Gott, wie sie Dan. 7, 13 und besonders deutlich äth. Hen. 70 f schildern“. Die Vorstellung vom Menschensohn könnte Jesus dazu gedient haben, „die Doppelheit seines Wirkens als Irdischer in Niedrigkeit und Leiden, als Erhöhter in Vollmacht und Herrlichkeit zu umschreiben“, wobei Jesus vom zweiten nur ganz verhalten und andeutend gesprochen habe[55].

Mit dieser Hypothese dürfte schwerlich der ursprüngliche Gebrauch und Sinn der Menschensohnbezeichnung Jesu getroffen sein. Doch abgesehen von den Bedenken, die gegen diese Menschensohnhypothese als solche sprechen, verlangt auch diese jedenfalls nicht die Vorstellung, daß sich Jesus von Anfang an zum Sühnesterben oder auch nur zum Erleiden des Märtyrertodes berufen wußte. Bei den in Frage kommenden Logien — die späteren in den Jüngerkreis verlegten Aussagen vom leidenden Menschensohn scheiden ohnedies aus — lassen sich ohne Überinterpretation nicht einmal Mt 8, 20 Par und 11, 19 Par als Aussagen über die Berufung zum Leiden, zum Märtyrertod beanspruchen, sicher nicht — was E. Schweizer selbst freilich auch keineswegs behauptet — zum Sühneleiden „für die Vielen“. Das Wort vom Jonaszeichen versteht Schweizer z. B. nicht als Leidenshinweis. Im übrigen mahnen die uns bekannten religionsgeschichtlichen Daten zur größten Vorsicht. Obwohl die Vorstellung vom Sterben für eigene Sünden und als stellvertretende Sühne im palästinischen Judentum verbreitet war, fehlt der für Is 53 charakteristische Gedanke einer Sühne „für Viele (alle)“ und der Wiederherstellung des mit Gott geschlossenen Bundes. Das ganze Spätjudentum meidet in seinen Sühneaussagen eine Beziehung auf den Abschnitt Is 52, 13—53, 12 mit dem fünfmaligen „rabbim“ konsequent[56]. Es finden sich

---

[54] Vgl. zusammenfassend *E. Sjöberg*, Der verborgene Menschensohn in den Evangelien (Lund 1955) 70—98 255—273; *J. Schmid*, Mk 162; *E. Lohse*, Märtyrer und Gottesknecht (FRLANT NF 46, 1955) 104—110; *F. Hahn*, Christologische Hoheitstitel (FRLANT 83, Göttingen 1963) 152 f 159 f.

[55] Zusammenfassend jetzt *Schweizer* in: Erniedrigung und Erhöhung bei Jesus und seinen Nachfolgern: AThANT 28 (Zürich ²1962) 33—52.

[56] So zuletzt im Anschluß an die Untersuchung von *E. Lohse* (Märtyrer und Gottesknecht, Göttingen 1955, 38 ff 64 ff) auch *F. Hahn* 56 f.

eben keinerlei Anzeichen dafür, daß die Märtyrertheologie die apokalyptische Menschensohnvorstellung bzw. auch eine anderswoher genommene Menschensohnbezeichnung mit dem leidenden Gottesknecht von Is 53 oder wenigstens mit dem Gedanken der Sühnebedeutung des Verfolgungsschicksals bzw. des Martyriums des Gerechten in Verbindung brachte[57].

c) Als zeitlich fixierbarer Beleg dafür, daß sich Jesus schon vor Beginn seines Wirkens zum Sühnesterben bestimmt wußte, käme schließlich die Taufgeschichte in Frage. O. Cullmann[58] hat die katholischerseits neulich von A. Legault[59] modifiziert aufgenommene Erklärung zur Geltung gebracht, Jesus habe bei der Taufe im Jordan seine Berufung zur Funktion des stellvertretend sühnenden Gottesknechts erfahren. Schwerlich können jedoch die Texte selbst diese Erklärung aufnötigen oder auch nur zu dieser berechtigen.

Die Taufgeschichte des Markus besteht strukturell aus zwei Teilen. Nämlich aus 1, 9 mit dem kurzen Bericht, daß Jesus von Johannes in den Jordan hineingetaucht wurde; dann aus der mit der Mk-Formel (41 mal) καὶ εὐθύς neuansetzenden Darstellung der beim Heraussteigen aus dem Wasser erfolgten Gottesoffenbarung der VV. 11 und 12. Die Frage, wie diese Gottesoffenbarung zu verstehen ist, gilt als die eigentliche crux interpretum. Vor allem interessiert die Frage, ob diese Gottesoffenbarung als ein strikt biographisches Ereignis zu verstehen ist, wobei dann notwendig die Frage gestellt und beantwortet werden muß, wem diese Gottesoffenbarung galt, der Öffentlichkeit, dem Täufer und seinen Jüngern und sonstigen anwesenden Israeliten oder nur dem Täufer und Jesus, oder aber Jesus allein[60].

α) Nach den Vertretern unserer Erklärungsrichtung war die Gottesoffenbarung nur für Jesus bestimmt. Und zwar zitierte die Himmelsstimme nach O. Cullmann ausschließlich Is 42, 1; sie redete Jesus an mit den Worten: „Du bist mein erwählter Knecht...“ Durch diese Himmelsstimme „hat Jesus *im Augenblick seiner Taufe* das Bewußtsein erlangt, die *Ebed-Jahwe*-Rolle übernehmen zu müssen“. „Die übrigen Juden begeben sich zu Johannes dem Täufer, um sich für

[57] Bezeichnend ist der Erklärungsversuch von *C. K. Barrett* zu Mk 10, 45: The Background of Mark 10:45: NT Essays, Studies T. W. Manson (Manchester 1959) 11—18.

[58] Zuletzt in seiner „Christologie“ 65—67.

[59] Baptême, a. a. O. 156—166. Im gleichen Sinne äußern sich u. a. *A. Nygren* (Christ and his Church, London 1957, 70—74), *A. M. Hunter* (The Work and Words of Jesus, London 1951, 37), *J. A. T. Robinson* (The One Baptisme as a Category of NT Soteriology: Scot. J. T. 6, 1953, 257—274; The baptism of John and the Qumran Community: HThR 50 [1957] 183—187; vgl. dagegen *H. Braun*, Qumran und das NT: ThR 28 [1962] 156 f; *G. W. H. Lampe*, The Seal of the Spirit [London 1951] 37—41); *V. Subilia* (Gesù nella più antica tradizione cristiana, Torre Pelice 1954, 72—75). *C. L. Mitton* (Gospel acc. to St. Mark, London 1957, 7), *W. Barclay* (Gospel of Mt ²I, Edinburgh 1959, 53), *C. E. B. Cranfield* (The Gospel acc. to St. Mark [Cambridge 1959] 52 55).

[60] Vgl. zu diesem Fragenkreis auch unten zu Punkt V.

ihre eigenen Sünden taufen zu lassen. Jesus dagegen hört in dem Augenblick, da er wie alles Volk getauft wird, eine göttliche Stimme, die ihm implizit verkündet: Du wirst nicht für deine Sünden getauft werden, sondern für die Sünden des ganzen Volkes. Denn du bist der, dessen stellvertretendes Leiden für die Sünden der anderen der Prophet vorhergesagt hat. So mag auch das Wort vom ‚Erfüllen aller Gerechtigkeit' (Mt 3, 15) zu verstehen sein. Das bedeutet aber, daß Jesus im Hinblick auf seinen *Tod* getauft wird, daß er in seinem Sterben eine Generaltaufe an seinem Volk vollziehen wird." [61]

β) Es ist sicher wohlbegründet, daß diese Erklärung wie auch andere Erklärungsrichtungen (Beginn bzw. Bestätigung des Gottessohn- oder Messiasbewußtseins Jesu, Messiasweihe) von der Priorität des Mk-Berichtes ausgeht und die Gottesoffenbarung als ein nur Jesus angehendes Geschehen zu erklären versucht. Einmal sprechen anerkanntermaßen starke Gründe dagegen, daß außer Jesus auch nur der Täufer in die Vision und Audition miteinbezogen war [62]. Aufs

---

[61] Christologie 65 f.

[62] Es sei hier nur auf einige wenige Gesichtspunkte hingewiesen. Das Problem ist schon gestellt durch folgenden überlieferungsgeschichtlichen Tatbestand: Die Frage, warum Jesus an den Jordan kam, ob der Täufer ihn erkannte, etwa als den von ihm angekündigten „Stärkeren", wird in Mk 1, 9—11 überhaupt nicht berührt. Als Empfänger der Gottesoffenbarung erscheint ausdrücklich Jesus und nur dieser. Bei Mt und nur bei diesem geht ein kurzes Zwiegespräch zwischen den beiden voraus, in dem der Täufer den von ihm als eschatologischen Täufer-Messias erkannten Jesus am Taufempfang zu hindern sucht, da die Rollen vertauscht werden müßten. Das Jo-Ev., das seinerseits die Taufe selbst nicht berichtet, läßt den Täufer versichern, daß er Jesus als den Ranghöheren, als den Geisttäufer nicht gekannt habe, diesen als solchen vielmehr erst auf Grund eines ihm privilegiert geoffenbarten Zeichens erkannt habe, nämlich daran, daß er den Geist wie eine Taube vom Himmel herabkommen und auf ihm bleiben sah (1, 31—34). Erkannte nun der Täufer Jesus als Messias schon vor dessen Taufe (Mt) oder erst nach derselben (Jo), oder weder vorher noch nachher, wie man aus der Mk-Darstellung schließen könnte? Unter der Voraussetzung, daß der Täufer Jesus schon vor der Taufe als den nach ihm kommenden „Stärkeren", als den eschatologischen Täufer kannte und diese Erkenntnis von Jesus bestätigt erhielt (Mt 3, 14 f), oder daß er — wenn man will sogar zusätzlich — auf Grund einer vorausgehenden Offenbarung unmittelbar nach der Taufe Jesus als den Geisttäufer erkannte (Jo 1, 31—34), bereitet u. a. nicht nur der zweifellos echte Zweifel von Mt 11, 2—5 Par Schwierigkeiten, sondern auch die Tatsache, daß der Täufer weder abtrat noch sich mit seinen Jüngern Jesus anschloß, sondern mit diesen weiterwirkte (Mk 1, 14 Par; Jo 3, 22 ff), und aus den Johannes-Jüngern sogar die Täufersekte erwuchs. Abgesehen davon, daß sich Mt 3, 14 f und Jo 1, 31—34 bis heute nicht befriedigend als historiographisch verstandene Angaben vereinbaren ließen, ist Mt 3, 14 f auch katholischen Exegeten „unverkennbar eine spätere Reflexion über die im Empfang der Bußtaufe scheinbar zutage tretende Inferiorität Jesu gegenüber dem Täufer" (*J. Schmid,* Das Ev nach Mt [RNT 1 ⁴1959] 61; *A. Descamps,* Les Justes et la Justice dans les Évangiles [Löwen 1950] 111—119; *J. Dupont,* Les Béatitudes [Brügge 1954] 252—254; *A. Legault,* Baptême 150—152). Ebenso ist das für das 4. Ev. charakteristische Täuferzeugnis von 1, 31—34 längst als joh. Verwendung und Redigierung der Gottesoffenbarungsszene erkannt, die die wirkliche Überlegenheit Jesu und seiner Taufe — selbstverständlich durchaus dem heilsgeschichtlichen Tatbestand entsprechend — beredt zum Ausdruck bringt;

Ganze gesehen, sprechen mehr und stärkere Indizien gegen als für die Annahme, daß die beiden Seitenreferenten Mt und Lk eine Taufgeschichte in der Redenquelle kannten, die andere Empfänger der Gottesoffenbarung als Jesus voraussetzen würde. Daß der ursprünglich isoliert existierende Taufbericht des Markus, der ausdrücklich Jesus als Empfänger der Gottesoffenbarung nennt, die älteste uns vorliegende Fassung ist, die von den beiden Seitenreferenten verschieden bearbeitet wurde, wird heute denn auch ganz überwiegend vertreten[63].

Diese Erklärung der Offenbarungsszene als Berufung Jesu zum stellvertretend sühnenden Gottesknecht würde gewiß eine Intervention Gottes der vorausgesetzten Art rechtfertigen. In der Cullmannschen Form würde sie vom rein exegetischen Standpunkt auch dem betonten, Jesus aus anderen Israeliten heraushebenden σύ gerecht, im Gegensatz zu der von A. Legault vertretenen Abwandlung. Dieser läßt die Himmelsstimme Jesus als „Du bist mein geliebter Sohn" anreden, trotzdem aber Jesus bei dieser Gelegenheit lediglich seine Bestimmung zum *stellvertretend leidenden* Gottesknecht — als der er sich für das sündige Israel taufen lassen müsse — offenbaren, da sich Jesus schon zuvor als Sohn Gottes, als Messias und Knecht wisse[64]. Auch die spezielle Voraussetzung Cullmanns, die Himmelsstimme sei in ihrer ursprünglichen Fassung ausschließliches Zitat aus Is 42, 1, läßt sich wohl begründen und wird auch ohne seine weitgehende Folgerung vertreten[65].

Trotzdem dürfte diese auf den ersten Blick sehr ansprechende Erklärung auf sehr schwachen Füßen stehen, auch wenn man die Frage nach der literarischen Form der Perikope völlig ignoriert. Zunächst wäre man von vornherein bereit, es als Vorzug einer Erklärung der Offenbarungsszene zu werten, wenn diese zugleich die Frage beantwortet, warum sich Jesus von Johannes taufen ließ, mit welcher Absicht er zu diesem Zweck in den Jordan hineinstieg. Eine Antwort auf diese Frage wird hier aber in Wirklichkeit gar nicht gegeben. Sie wird nur vorgetäuscht, dadurch, daß man die Gottesoffenbarung einschließlich des Ertönens der Himmelsstimme pia fraude nicht erst beim Heraussteigen aus dem Wasser,

---

vgl. neuestens aus katholischen Stimmen *A. Legault* (Baptême 163—165) und *M.-E. Boismard* (Les traditions johanniques concernant le baptiste: RB 70, 1963, 5—42, bes. 38 f). Jo 1, 31 f repräsentiert unverkenntlich eine fortgeschrittenere Form der Reflexion gegenüber Mt 3, 14 f. Während sich dieser Dialog zwischen dem Täufer und Jesus abspielt und nicht gesagt wird, woher und woran der Täufer den auf ihn zukommenden Jesus als Messias erkannt hatte, wird bei Jo die als Christuszeugnis den Anwesenden gebotene Erkenntnis des Person- und Sendungsgeheimnisses Jesu sehr nachdrücklich auf ein eindeutiges Offenbarungsgeschehen zurückgeführt, das überhaupt keinen Zweifel duldet.

[63] Beachtlicherweise auch dort, wo diese Frage ohne Rücksicht auf eine bestimmte Auslegung behandelt wird.

[64] Baptême 156—159. Zusammenfassend schwächt Legault seine Deutung noch weiter ab: „C'est au moment de son Baptême que Jésus reçoit sinon la révélation première, du moins la confirmation de sa vocation au rôle de Serviteur souffrant" (166).

[65] So u. a. von *J. Jeremias*, (Art. παῖς θεοῦ: ThW V 699) und *F. Gils*, Jésus Prophète d'après les Évangiles Synoptiques (Löwen 1957) 62 (ebd. Anm. 38 weitere Autoren) und 72.

sondern bereits und wenigstens im Augenblick des Taufempfangs erfolgen läßt. Zum wenigsten ein Versehen ist sodann die Behauptung, durch die Himmelsstimme werde „der ganze Heilsplan, den er (Jesus) wird verwirklichen müssen ... offen vor ihm ausgebreitet". Der Sendungsanspruch Jesu erschöpft sich doch nicht in seinem stellvertretenden Sühnesterben. Woher weiß Jesus dann um die völlig originale, von ihm geoffenbarte Art der Heilsverwirklichung?[66] Sodann kann die Himmelsstimme schwerlich die Aussage tragen, daß Jesus die Rolle des stellvertretend für die anderen sühnend leidenden Ebed-Jahwe zu übernehmen habe bzw. im Hinblick auf seinen Sühnetod getauft worden sei. Einmal zitiert die Himmelsstimme keinen Leidenstext. Und zum anderen gestattet die atomistische Art der Verwendung und Auslegung der sogenannten Ebed-Jahwe-Lieder im Spätjudentum wie bei den ntl. Autoren schwerlich den Schluß, daß ein Zitat wie das von Is 42, 1 schon ein Mitklingen des Inhalts der anderen Lieder, also die gewissermaßen moderne einheitliche Vorstellung des Ebed einschließlich seines Sühneleidens nach sich zieht[67]. Deshalb haben auch katholische Exegeten die Eintragung des Gedankens an den leidenden Knecht sicher zu Recht abgelehnt[68].

Vor allem darf man sodann das grundlegende und zweifellos themagebende Moment der Gottesoffenbarung nicht übersehen. Und das ist das Herabsteigen des Geistes auf Jesus, das von der Himmelsstimme als Ausdruck der Erwählung erklärt wird. Dieser innere Zusammenhang von Geistherabkunft und Himmelsstimme erweist sich rein exegetisch als geradezu sicher, sobald man einerseits das Nebeneinander von Erwählung und Geistbegabung berücksichtigt, das in Is 42, 1 bzw. auch in anderen deuterojesaianischen Texten vorliegt, und anderseits Is 42, 1 als ein jedenfalls wesentliches Moment der Himmelsstimme anerkennt, was denn auch allgemein geschieht. Erst recht gilt das, wenn man mit Cullmann die Himmelsstimme in der ursprünglichen Form sogar ausschließliches Zitat aus Is 42, 1 sein läßt. Sowohl der unmittelbare Kontext des Zitates aus Is 42, 1 (der von Jahwe Erwählte ist der Ebed, auf den Gott seinen Geist gelegt hat) als der Kontext der Himmelsstimme, nämlich das Nebeneinander von Herabkunft des Geistes und erklärendem Gotteswort, weisen also auf die Ausstattung des Angeredeten mit dem Geiste als zentralen Inhalt des Offenbarungsgeschehens, nicht aber auf die Berufung Jesu zum stellvertretend leidenden Knecht. Nicht ohne Grund entfällt bei Cullmann und anderen eine Erklärung des Herabsteigens des Geistes. Er benötigt eben das ἐν σοὶ εὐδόκησα bzw. die ganze Himmelsstimme, um diese bedenklich kontextwidrig die spezielle Bestimmung Jesu für die Aufgabe des stellvertretend sühnenden Knechtes aussprechen zu lassen.

Schließlich kann auch die Berufung auf das johanneische Täuferzeugnis (Jo 1,

---

[66] Vgl. unten V 3 b β).

[67] Vgl. *J. Jeremias,* Art. παῖς θεοῦ, a. a. O. 681, 10 f; *E. Sjöberg,* Der verborgene Menschensohn 244, Anm. 1; *J. M. Sevenster:* Ned.Theol.Tijd. 13 (1958—59) 42—46 bzw. 30 ff.

[68] Vgl. etwa *O. Kuss* (Zur Vorpaulinischen Tauflehre, a. a. O. 115) und *F. Gils,* der das Vorliegen des Leidensgedankens auch für das Verständnis der Evangelisten bestreitet (Jesus 62—72), weiter *J. E. Ménard,* Pais Theou as Messianic Title in the Book of Acts: CBQ 19 (1957) 86 f.

29 und 1, 34: ἐκλεκτός als ursprüngliche Lesart) sogar als „die stärkste Stütze" die Überinterpretation der synoptischen Himmelsstimme ebensowenig retten[69] wie der als spätere Reflexion[70] anerkannte Dialog Mt 3, 14 f. Die erst im Ebioniten- und Hebräerevangelium auftauchende Frage, warum der sündelose Jesus die Johannestaufe empfing, wird im NT keineswegs als Problem sichtbar, eben auch nicht in Mt 3, 14 f. Denn hier geht es um die Antithese der beiden Täufer, des bloß wegbereitenden und des eschatologischen Täufers (ἐγώ — σύ, Johannes — Jesus), damit um die Frage, wer von wem getauft werden muß, nicht aber um die bei obiger Erklärung vorausgesetzte Antithese: sündiges Volk — sündeloser Jesus[71]. Die Evangelien berichten ja auch von Jesus kein Sündenbekenntnis; nirgendwo wird gesagt, Jesus sei getauft worden wie einer von den Vielen, die die Bußtaufe zur Sündenvergebung empfingen (Mk 1, 4 // Lk 3, 3), indem sie ihre Sünden bekannten (Mk 1, 5 // Mt 3, 6). Hätte die Gottesoffenbarung im Verständnis der Überlieferung den ihr von der Gottesknechthypothese zugeschriebenen Sinn gehabt, so hätte Jesu Empfang der Jordantaufe als solcher der Verkündigung soteriologisch höchst bedeutsam sein müssen. Unter dieser Voraussetzung wird geradezu unverständlich, daß das Getauftwerden Jesu eher als Schwierigkeit empfunden, in den Berichten „zunehmend aus dem Mittelpunkt an den Rand des Interesses" gedrängt[72] und im verschleierten Taufbericht Jo 1 überhaupt nicht mehr erwähnt wurde. Es wäre dann eigentlich zu erwarten, daß spätere Erklärungsversuche der Mt 3, 14 f bezeugten Art mit einem Zitat aus Is 53 auf die vorausweisende Heilsbedeutung der Taufe Jesu hinweisen würden.

IV

Im vorhin behandelten Fall der Erkenntnis der heilsgeschichtlichen Notwendigkeit des Sühnesterbens wäre ein echter Fortschritt von einem als positiv bewertbaren Nochnichtwissen zu einem gegenständlichen Wissen festzustellen. Ungleich größere Schwierigkeit bereiten der Erklärung hingegen zweifellos das Wort Mk 13, 30 und noch mehr die Texte, in denen sich Jesus dem Wortlaut bzw. dem Zusammenhang nach ausdrücklich auf eine wenigstens relative Angabe des Zeitpunktes der Endoffenbarung festlegte, die sich als unzutreffend erwies. Demnach würde hier am historischen Jesus ein Bewußtseinsphänomen zum Vorschein kommen, das mehr

---

[69] Vgl. außer den Kommentaren O. *Kuss*, Todestaufe 115; *E. Fascher*, Christologie oder Theologie?: ThLZ 87 (1962) 889 f.

[70] Vgl. Anm. 62.

[71] Außer den Anm. 62 genannten Autoren vgl. die ausführliche Begründung in einer Dissertation der kath.-theol. Fakultät Strasbourg von *J. Dutheil*, Le Baptême de Jésus au Jourdain (Maschinenschrift 1961) 72—86 134—149.

[72] *H. Braun*, Entscheidende Motive in den Berichten über die Taufe Jesu von Mk bis Justin: ZThK 50 (1953) 39.

ist als „das Bewußtsein des Fragenden, des Zweifelnden, des Lernenden, des Überraschten ..." [73]. Kann hier die Berufung auf die prophetisch verkürzende und andringliche Redeweise noch voll befriedigen? Jedenfalls läßt unsere dogmatische Grundsatzlösung die Frage nicht umgehen, wie sich diese Logien als Jesusworte erklären lassen, wenn die Geschichte der Selbstinterpretation Jesu eben nicht besagt, „daß Jesus ‚auf etwas kommt', was er schlechterdings bisher nicht wußte, sondern daß er immer mehr ergreift, was er schon immer ist und im Grunde schon weiß" [74].

1. Es stehen uns, soweit ich sehe, in der heutigen katholischen Exegese zwei zusammenfassende Stellungnahmen zu diesen termingebundenen Stellen zur Verfügung, die mit diesen Ernst machen. Die zeitlich erste stammt von *R. Schnackenburg*. Abschließend erklärt er: Diese nur wenigen Einzellogien „zu erhellen, war nicht möglich; es schien, daß auch schon die Urkirche diese kantigen Traditionssplitter nicht sauber in das Gefüge der eschatologischen Predigt Jesu einzuordnen wußte. Vielleicht weist sie uns mit ihrem Verhalten den besten Weg: aus Jesu prophetisch eindringlicher Predigt die lebendige eschatologische Hoffnung zu nähren, aber aus gewissen Einzellogien nicht falsche Schlüsse auf Jesu Vorhersage zu ziehen." [75] Ausdrücklich fügt er in diesem Zusammenhang noch mit Recht hinzu, die „größte Schwierigkeit" unter den Naherwartungstexten bereite nach wie vor das Logion Mk 9, 1 Par [76]. Gerade ob dieses redlichen Verzichtes markiert diese vor fünf Jahren ausgesprochene mutige Stellungnahme Schnackenburgs einen beachtlichen Fortschritt innerhalb der katholischen Exegese.

B. Rigaux versucht weiterzukommen mit der Unterscheidung zwischen apokalyptischer Erwartung, d. h. einem Verhalten, einem Empfinden, einerseits und der Belehrung anderseits. Er geht dabei mit Schnackenburg bei der Beurteilung der prophetischen Art der Verkündigung Jesu von Mk 13, 32 aus. Dieser für die eschatologische Exegese fundamentale und klare Text ist nach Rigaux formell, ausdrücklich [77]. Die lehrhafte Grundaussage Jesu betrifft also das absolute Nichtwissen vom Zeitpunkt der Endoffenbarung. Davon ist zu unterscheiden Jesu Erwartung der baldigen Vollendung des Begonnenen, also die Erwartung, daß der Menschensohn und das Gottesreich nach einer kurzen Zwischenzeit zwischen dem gegenwärtigen Wirken Jesu und dem Ende der Geschichte kommen werden. In den Logien, die besonders ausdrücklich den Termin der Parusie fixieren

[73] *K. Rahner*, Dogmatische Erwägungen 202.
[74] A. a. O. 207. [75] Gottes Herrschaft 146 f.
[76] A. a. O. 144.
[77] Seconde Venue, a. a. O. 190; vgl. 197.

(Mk 9, 1 und 13, 30), brachte Jesus in apokalyptischen Termini diese seine Erwartung eines nahen Kommens des Reiches zum Ausdruck. „En replaçant ces formules dans leur genre apocalyptique, on les retire du domaine du vrai et du faux, de l'enseignement et de l'illusion, pour les inclure dans la thématique de l'exhortation, du souhait, de l'espérance, de la vigilance... Ce sont des affirmations conjecturales auxquelles le genre littéraire impose une forme absolue. Paul et Jean n'y ont pas échappé." Jesus hat somit die Endoffenbarung vor dem Aussterben seiner Generation nicht *gelehrt,* er hat sich somit auch nicht getäuscht; der Annahme einer Selbsttäuschung würde ja auch die Aussage Mk 13, 32 widersprechen[78].

Das ist zweifellos eine ebenso ideale wie geniale Erklärung, die sich anstandslos mit unserer Grundsatzlösung vereinbaren läßt. Die termingebundenen Aussagen haben der Sache nach dieselbe Bedeutung wie die übrigen Aussagen über die Nähe des Gottesreiches. Jene bringen die für jede Apokalyptik charakteristische Erwartung, das Ende in der gegenwärtigen Generation zu erleben, lediglich deutlicher zum Ausdruck. Insofern sie gerade dadurch ihr charakteristisch apokalyptisches Genre verraten, sind sie eben nicht Ausdruck eines gegenständlichen, thematisierenden Wissens, das im Hinblick auf den faktischen Verlauf nicht nur als Nichtwissen, sondern als positiver Irrtum bezeichnet werden müßte. Die heikelste Schwierigkeit wäre glatt gelöst! Man kann insofern nur wünschen, diese Hypothese möge sich durchsetzen!

Trotzdem wird man sich von der historisch-exegetischen Seite her doch auf gewisse Bedenken gefaßt machen müssen.

a) Abgesehen davon, daß in keinem der zur Debatte stehenden Logien (Mk 13, 32 einerseits — 9, 1; 13, 30 und Mt 10, 23 anderseits) eine typisch apokalyptische Schilderung vorliegt, wird man zunächst fragen dürfen, ob die angeblich formelle, lehrhafte Aussage von Mk 13, 32 der Thematik nach weniger apokalyptisch ist als die angeblich bloßen Erwartungsaussagen von Mk 9, 1 u. a. Der Gedanke, daß der Zeitpunkt des Endes unbekannt ist, daß nur Gott die im voraus bestimmten Zeiten kennt, und deshalb nur der in den Plan Gottes eingeweihte Apokalyptiker Aussagen über die Dauer und das Ende dieser Weltzeit bzw. über den Zeitpunkt des Kommens des neuen Äon machen kann — und Jesus hätte in beiden Fällen als Offenbarer gesprochen —, ist ein vertrauter Zug der apokalyptischen Eschatologie[79].

b) Ist sodann die Unterscheidung zwischen Lehre und Erwartung in bezug auf die in Frage kommenden Logien wirklich ganz überzeugend? Gewiß darf man keinen gesteigerten Wert legen auf die feierlich versichernde Einleitungsformel „wahrlich, ich sage euch". Diese bezeugt, für sich genommen, nicht schon ein

---

[78] A. a. O. 191—198.

[79] Vgl. *H. Ringgren,* Apokalyptik II: RGG² I 465 f; vgl. jetzt auch 1 QpHab VII 7 ff.

genuines Jesuswort, da sie z. B. von Mt nachweislich zweimal sekundär in Mk-Worte eingetragen wurde (Mt 19, 23; 24, 2) und unter den 13 Amen-Worten des Mk das von 14, 9 zumindest „in seiner vorliegenden Gestalt von Markus geprägt ist“ [80]. Aber es bleibt doch beachtlich, daß gerade auch die beiden kritischsten termingebundenen Texte (Mk 9, 1 und 13, 30) diese Einleitungsformel tragen. Jedenfalls geht es bei diesen Worten in sich und zunächst nicht weniger um Aussagen über den Zeitpunkt der Endoffenbarung als bei Mk 13, 32. Es ist deshalb nicht ohne weiteres einzusehen, warum jene nicht ebenso verbindlich gemeint sein sollen wie die Aussage über das Nichtwissen des Zeitpunktes der Parusie (Mk 13, 32) [81]; oder auch wie etwa das Logion über die dynamische Gegenwärtigkeit der endzeitlichen Gottesherrschaft (Lk 11, 20 = Mt 12, 38), das sich wohl kein Exeget als assertorische, lehrhafte, geradezu logisch begründende Aussage über das Wirksamwerden der Gottesherrschaft im exorzistischen Wirken Jesu entwinden lassen möchte.

c) Wir quälen uns an dieser Stelle nicht lange mit der Frage ab, in welchem Sinne Jesus die zwei kritischsten Worte in das apokalyptische Genre eingeordnet haben könnte, im androhend-mahnenden oder verheißend-tröstenden Sinne, obwohl diese Frage einer historischen Betrachtung nicht erspart werden kann. Sie ist schon deshalb schwer zu beantworten, weil der unmittelbare historische Kontext dieser Logien nach der übereinstimmenden Ansicht der Autoren nicht überliefert ist. Mk 9, 1 wird man, für sich genommen, bereits auch im Blick auf die Verwendung des Ausdruckes Gottesreich, nur als tröstliche Verheißung auslegen können. Schwieriger ist dies bei dem Wort Mk 13, 30, insofern es in seiner heutigen Fassung mit „dieses alles“ alle zuvor genannten Dinge, sowohl die Zerstörung Jerusalems als die Parusie, einschließt. In bezug auf die Zerstörung des Tempels müßte Jesus die Voraussage als Drohwort gegenüber dem unbußfertigen Israel verstanden haben. Im Hinblick auf die Parusie könnte und müßte man es hingegen nach dem Zusammenhang von Mk 13 gleichzeitig als tröstliche Verheißung verstehen, da die Parusie hier als das ersehnte, die Auserwählten befreiende Endereignis dargestellt wird. Muß nicht schon diese Deutungsschwierigkeit die Frage stellen lassen, was es mit dem ταῦτα πάντα und damit mit dem ursprünglichen Bezug dieses Logions Mk 13, 30 Par auf sich hat?

d) Setzt man sowohl Mk 13, 32 Par als auch die termingebundenen Aussagen Mk 9, 1 Par und 13, 30 Par als Aussagen Jesu über die Endoffenbarung voraus, dann müßte man diese — jedenfalls solange auf die zweifelhafte Annahme verzichtet wird, Jesus habe seine Zukunftsvorstellung geändert (nämlich etwa von der Aussage Mk 13, 30 über 9, 1 zu der von 13, 32) — zu folgender Gesamtaussage zusammenreimen: die End-

---

[80] *J. Schmid,* Mk 254. Auch *J. Jeremias,* der sachkundige Wiederentdecker der Amen-Formel, rechnet mit vereinzelten Hinzufügungen derselben: Kennzeichen der ipsissima vox Jesu: J. Schmid - A. Vögtle, Synoptische Studien (München 1953) 92.

[81] Daß diese ihrer Tendenz nach alle apokalyptische Berechnung gerade ablehnt, bleibt deshalb unbestritten.

offenbarung erfolgt noch vor dem Aussterben der jetzigen Generation (Mk 9, 1; 13, 30; Mt 10, 23), ihr genauer Zeitpunkt ist aber unbekannt (Mk 13, 32). Insofern Mk 9, 1 und 13, 30 ein absolutes Wissen vom Zeitpunkt der Endoffenbarung bekunden (nämlich: jedenfalls noch vor dem Aussterben dieser Generation), könnte man in diesem Fall Mk 13, 32 sinnvollerweise nur von einem relativen Nichtwissen verstehen, was nämlich den genauen Zeitpunkt in der Spanne einer Generation betrifft. Vom Ausdruck „jener Tag und (oder) die Stunde" her gesehen, ist dieses Verständnis nicht unmöglich: die (genaue) Zeit des Kommens „des Tages" kennt nur Gott[82]. Wirkt aber ein solches Nebeneinander von Erklärungen des absoluten Wissens und eines gleichzeitigen relativen Nichtwissens in bezug auf dasselbe Ereignis, den Termin der Endoffenbarung, nicht zum wenigsten recht sonderbar? „Sicher weiß ich, daß die Endoffenbarung noch vor dem Aussterben dieser Generation kommt, ich weiß nur nicht: wann." Gewiß entzieht sich Rigaux' Erklärung verständlicherweise dieser Konsequenz durch die These, lediglich Mk 13, 32 mache eine Aussage über ein eigentliches Wissen Jesu, behaupte nämlich ein absolutes Nichtwissen des Endtermins überhaupt, während Mk 9, 1 u. a. nur Ausdruck der Erwartung Jesu sind, „des affirmations conjecturales auxquelles le genre littéraire impose une forme absolue". Aber man wird auf Grund der oben angestellten Erwägungen das Bedenken nicht los, ob hiermit nicht vorausgesetzt ist, was erst zu begründen, wirklich glaubhaft zu machen wäre.

Man könnte diesem Nebeneinander nur entgehen durch den Versuch, diese Logien im Sinne einer sich ändernden Enderwartung Jesu chronologisch hintereinanderzuschalten. Eine solche Anordnung läßt sich aber aus den Quellen nicht begründen, mag man etwa Mt 10, 23 als Ausgangspunkt der Entwicklung im völlig willkürlichen Sinne der konsequenten Eschatologen oder in dem eher zu begründenden Sinne W. G. Kümmels[83] bei der Aussendung der Jünger zur Palästinamission gesprochen sein lassen. Abgesehen davon würde hier ein „Fort-Schritt" der Erkenntnis Jesu angeboten werden, der den Dogmatiker gewißlich nicht entzücken könnte, denn es würde Jesus nach wie vor — wenn auch nur vorübergehend — eine irrtümliche Aussage über den Endtermin zugeschrieben werden.

Das erwähnte Nebeneinander eines erklärten absoluten Wissens und eines gleichzeitigen relativen Nichtwissens des Termins der Endoffenbarung wird man nur annehmen können, wenn sich jenes überzeugend in die Gesamtverkündigung Jesu einordnen läßt. Und das erscheint mir sehr

---

[82] *G. Voos,* The Self-Disclosure of Jesus (Gr. Rapids-Michigan 1954) 167; auch *Sh. E. Johnson,* The Gospel acc. to St. Mark (London 1960) 219.
[83] Vgl. unten S. 647.

fragwürdig, vor allem was die beiden als Voraussagen der Endoffenbarung verstandenen Logien Mk 9, 1 und 13, 30 betrifft.

Bis heute wird diskutiert, ob und inwieweit εἰσίν τινες ὧδε τῶν ἑστηκότων οἵτινες (Mk 9, 1) eine Abschwächung gegenüber ἡ γενεὰ αὕτη von Mk 13, 30 bedeutet.

Eine solche anzunehmen, liege, so wird erklärt, kein Grund vor, „weil ja selbstverständlich innerhalb einer Schar von Menschen immer nur einzelne bis zu einem bestimmten ferneren Zeitpunkt am Leben bleiben“[84]. Diese Feststellung ist selbstverständlich richtig. Deshalb will auch die Aussage „diese Generation wird nicht vergehen, bis dies alles geschieht“ sicher keineswegs behaupten, „alle“, die im Augenblick, da dieses Wort gesprochen wird, leben, werden die künftigen Ereignisse bei ihren Lebzeiten noch erfahren. Über den Kreis der das Künftige Erlebenden wird in Mk 13, 30 in keiner Weise reflektiert. Dies geschieht aber offensichtlich in der Aussage Mk 9, 1, insofern hier einem Ausschnitt aus der Generation Jesu gesagt wird, daß einige der bei Jesus Stehenden, wenigstens einige oder nur einige (also nicht alle), das Kommen der Gottesherrschaft noch zu ihren Lebzeiten sehen werden, während die anderen, wie G. Bornkamm zu Recht ergänzt, „noch vor diesem Zeitpunkt sterben werden“[85]. Autoren wie Bornkamm[86] und E. Grässer[87] haben also sicher recht damit, wenn sie beim Vergleich der beiden Logien eine gewisse Gegenüberstellung von „einigen“, einer beschränkten Zahl, zu „allen“ gegenwärtig Lebenden heraushören. Gewiß braucht τινες keine starke Einschränkung darzustellen[88]. Und es wäre selbstverständlich von vornherein müßig, sich Gedanken über den durch τινες angezeigten Prozentsatz machen zu wollen, da wir ja die Gesamtzahl „der hier Stehenden“ nicht kennen. Trotzdem geht es in Mk 9, 1 „nicht mehr nur um die Verkündigung, daß über dieses ‚Geschlecht‘ noch die Eschata hereinbrechen werden, sondern um die Zusage, einige werden bei der Parusie noch am Leben sein“[89].

Jedenfalls werden wir folgendes feststellen müssen. Hatte Jesus selbst beim Logion Mk 13, 30 die Endoffenbarung im Auge, dann konnten, ja mußten seine Hörer, die von ihm mit so unerbittlichem Ernst zur sofortigen Umkehr und Stetsbereitschaft gerufen wurden, aus diesem Wort heraushören, Jesus erwarte selbst die Endoffenbarung wenigstens nicht in unmittelbarer Nähe. Und aus Mk 9, 1 hätten sie noch deutlicher einen

---

[84] *W. G. Kümmel* 21 f.

[85] Die Verzögerung der Parusie: *W. Schmauch*, In memoriam E. Lohmeyer (Stuttgart 1951) 117.

[86] A. a. O. 116—118.

[87] Das Problem der Parusieverzögerung in den syn. Evv. und in der Apg: BhZNW 22 (1957) 131 f.

[88] Insofern darf man dem Einwand von *W. Marxsen* recht geben: Der Evangelist Markus (FRLANT NF 49, 1956) 140, Anm. 1.

[89] *G. Bornkamm*, Verzögerung 118.

für die Umkehr verbleibenden Spielraum heraushören können, insofern dieses Wort communiter contingentibus das Kommen des Gottesreiches noch vernehmlicher in die zweite Halbzeit der gegenwärtigen Generation rückt. Eben da scheint sich das von mir schon früher ausgesprochene Bedenken aufzudrängen, ob es glaubwürdig ist, daß Jesus die Aktualität und Dringlichkeit seiner Umkehr- und Bereitschaftsforderung je durch retardierende Zeitangaben der genannten Art abgeschwächt habe. Jesus verkündete den erfolgten Beginn des endzeitlichen und endgültigen Handelns Gottes, das die Menschen zur Entscheidung zwingt. Wenn er nun die bedrängende Dringlichkeit dieser Entscheidung mit der Androhung des plötzlich und unerwartet ergehenden Endgerichtes begründete, wenn er seinen Zeitgenossen den an sie ergehenden Heils- und Bußruf mit letztem Ernst dringlich machen wollte, er sie in der Tat „zur Besinnung und Umkehr führen, aus der Lethargie und den Alltagssorgen aufwecken, zum leidenschaftlichen religiösen Suchen und Gott-Anhängen anspornen" wollte[90], hätte er dann mit einem Wort wie Mk 9, 1 nicht selbst dieser Dringlichkeit die eigentliche Spitze abgebrochen? Genau das empfindet wohl auch R. Schnackenburg, wenn er schreibt, methodisch müsse man der Tatsache, daß Jesus die Hörer in einer andringlichen Weise zur Entscheidung gerufen habe, ohne ihnen berechenbare Ereignisse vorauszusagen, „ihr Gewicht lassen und darf nicht sofort Texte, die eine ‚Terminangabe' zu enthalten scheinen, in den Mittelpunkt rücken"[91]. Sicher darf man das nicht! Sosehr wir diese auch zu Recht aus dem Mittelpunkt rücken, bleiben sie indes als empfindliche Hypothek der evangelischen Jesusüberlieferung bestehen, die eine Erklärung verlangen.

2. Lassen sich die Voraussagen des relativen Zeitpunktes der Endoffenbarung in das gesicherte Ganze der Verkündigung Jesu nicht befriedigend einfügen, so kann der Ausblick nach einer weiteren geschichtswissenschaftlichen Erklärungsmöglichkeit bei der heutigen Einsicht in die Eigenart der Evangelien zumindest nicht schon a priori dem Verdikt einer gewaltsamen Ausflucht oder gar des Vergehens gegen den Wahrheitsanspruch der Evangelien verfallen. Auch hier müssen wir uns auf eine grobe Skizze beschränken.

a) Mit R. Schnackenburg und B. Rigaux bewerte auch ich das Logion Mk 13, 32 Par, dessen Ursprünglichkeit, zum wenigsten seine wesentliche, mit zwingenden Gründen verteidigt wird[92], ebenfalls als einen Eckpfeiler und eine Art Maßstab für die Rekonstruktion des eschatologischen Ver-

---

[90] *R. Schnackenburg,* Gottes Herrschaft 138.

[91] A. a. O. 138.

[92] Vgl. die zusammenfassende Diskussion bei *B. M. F. van Iersel,* Der Sohn 117—122.

ständnisses Jesu. Insofern dieses Wort das Unbekanntsein des Zeitpunktes der Parusie behauptet, läßt es sich auch widerspruchslos in das Anliegen der Verkündigung Jesu einfügen. Einmal kann man sich die damals lebendige und erst recht durch die Verkündigung Jesu herausgeforderte Frage nach dem Zeitpunkt der Parusie sehr wohl als dessen Sitz im Leben Jesu denken, auch wenn wir die konkrete Situation nicht ausfindig machen können. Sodann impliziert es keinen irgendwie retardierenden Hinweis auf das Endgeschehen. Im Gegenteil könnte die Hinzufügung von „Stunde" sogar das Unvorhergesehene, „die Plötzlichkeit und alles Irdische vernichtende Macht" [93] jenes Tages unterstreichen. Schließlich steht das Logion wohl einzigartig da in der evangelischen Überlieferung, insofern das Wissen des Endtermins auch Jesus ausdrücklich abgesprochen wird, und zwar als „dem Sohn"; keineswegs aber, was die Betonung des Unbekanntseins des Endtermins als solche angeht. Mit Recht stellt Schnackenburg unser Logion als zweiten Eckpfeiler der Zukunftsprophetie Jesu neben das von Lk 17, 20 mit seiner ausdrücklichen Ablehnung jeglicher Vorausberechnung der Endoffenbarung von seiten Jesu; des weiteren neben solche Logien, die das Ende als schlechthin ungewiß bezeichnen (Mt 22, 44 // Lk 12, 40; Mt 24, 50 // Lk 12, 46; Mt 25, 13) bzw. die den plötzlichen und unerwarteten Anbruch der Endereignisse betonen (Lk 11, 21 34 f; vgl. 17, 26—30 34 Par). Es gibt also zweifelsohne „eine breitere Basis in unserer Überlieferung dafür, daß Jesus den Zeitpunkt der Parusie oder des Endes überhaupt in Dunkel hüllte" [94].

b) Das ist aber doch wohl nur ein Grund mehr, zu bezweifeln, ob die termingebundenen Worte in der vorliegenden Fassung von Jesus stammen, und zwar alle, auch Mk 13, 30, mit Bezug auf die Endoffenbarung gesprochen wurden. Gewiß gilt es generell zu Recht als prekär und verdächtig, gerade bei besonders als unbequem empfundenen Logien zu Unechtheitserklärungen zu greifen. Die beiden kritischsten, nämlich Mk 9, 1 und 13, 30, sind denn auch sicher nicht gänzlich sekundäre Bildungen. Indes scheint mir die These, alle termingebundenen Worte seien in der vorliegenden Fassung genuine Voraussagen einer kurzen Zwischenzeit bis zur Parusie, ebenso unbewiesen und fragwürdig wie die gegenteilige weitverbreitete Auffassung, alle diese Texte seien völlig sekundäre Bildungen im Dienste der nachösterlichen Naherwartung und deren Apologie [95]. Die Erwägung, das Nichteintreffen der Voraussage Mk 9, 1 habe so starke

---

[93] *E. Lohmeyer,* Das Ev. des Mk (Göttingen 1951) 283.

[94] Gottes Herrschaft 146.

[95] Vgl. etwa *E. Grässer,* Parusieverzögerung 128—141 (mit Literatur); zur Kritik vgl. *J. Gnilka,* Parusieverzögerung und Naherwartung in den synopt. Evv. und in der Apg: Catholica 4 (1959) 277—290.

Schwierigkeiten bereiten müssen, daß man sie sich schwerlich erst selber geschaffen hätte[96], wird kein besonnener Forscher leicht in den Wind schlagen. Indes muß man selbst mit diesem an sich gewichtigsten Argument vorsichtig zu Werke gehen. Der Umstand, daß ein Wort als unerfüllte Voraussage Anstoß erregen mußte, sagen wir nach dem Jahre 70 oder schon früher, beweist zunächst noch „nicht die Echtheit, sondern lediglich das hohe Alter eines Spruches"[97]. Deshalb sind auch eventuelle Anzeichen dafür, daß ein Logion von den späteren Evangelisten als schwierig empfunden wurde, für sich genommen, noch kein Beweis für die völlige Ursprünglichkeit desselben. Darf man also nicht doch fragen, ob es in den ersten Jahren oder auch Jahrzehnten eine Situation gab, aus der sich der schwierigste Text Mk 9, 1 als sekundäre Bildung bzw. als aktualisierende Umformung eines anderen Jesuswortes verstehen ließe? Das scheint mir zum mindesten erwägenswert[98].

c) Seit längerem empfindet man mit Recht eine Verwandtschaft zwischen Mk 9, 1 und 13, 30. R. Bultmann vermutete in Mk 13, 30 eine Variante von 9, 1, die für den vorliegenden Zusammenhang zurechtgemacht ist[99]. Ebenso war Mk 13, 30 nach G. Lindeskog ursprünglich mit 9, 1 identisch und hat sich erst sekundär davon wegentwickelt[100], während E. Grässer den umgekehrten Vorgang für ebenso denkbar hält[101]. Nur dieser läßt sich m. E. plausibel machen, d. h. Mk 9, 1 läßt sich ohne Gewalt als Variante zu Mk 13, 30 erklären.

Unter anderen vertrat in letzter Zeit V. Taylor die Annahme, das ταῦτα πάντα in dem Logion Mk 13, 30 habe sekundär „replaced a reference to some definite event, probably the destruction of the Temple and the fall of Jerusalem"[102]. Der Einwand W. G. Kümmels, dieses Einzelwort vertrage eine derartige Beschränkung nicht, wird von E. Grässer sicher mit Recht als nicht ausreichend empfunden, gerade auch unter der von Kümmel geteilten Voraussetzung, daß Mk 13 nicht den ursprünglichen Kontext festgehalten hat; mit anderen älteren Exegeten erachtet Grässer deshalb die Annahme Taylors als „eine erwägenswerte Ver-

---

[96] *W. G. Kümmel,* Verheißung 21.

[97] Wie *Ph. Vielhauer* bezüglich eines anderen Spruches, nämlich Mt 23 b, feststellt: Gottesreich und Menschensohn: W. Schneemelcher, Festschrift für Günther Dehn (Neukirchen 1957) 60.

[98] Vgl. meinen Beitrag: Christusoffenbarung, a. a. O. 74, Anm. 45.

[99] Geschichte 130.

[100] Logiastudien: StTh 4 (1950—52) 181; auch nach *Sh. E. Johnson,* Mk 218, ist Mk 9, 1 ein verallgemeinerndes „rewriting" in allgemeinerer Form.

[101] Parusieverzögerung 130 Anm. 3.

[102] Mk 521.

mutung"[103]. Auch nach R. Schnackenburg ist diese Beziehung für das ursprüngliche Logion „nicht ausgeschlossen"[104]. Vers 30 kann jedenfalls sehr wohl die Antwort auf die Frage von V. 4 sein, der dann die Antwort würde: noch in diesem Geschlecht!

Wendet sich indes dasselbe Bedenken, das wir gegen Mk 13, 30 als genuine Voraussage des Zeitpunkts der Endoffenbarung durch Jesus geltend machten, nicht auch gegen eine ursprüngliche Beziehung des Wortes auf die Zerstörung des Tempels? Fügen wir dazu den Einwand Kümmels, es wäre „eine merkwürdige Aussage, daß *bestimmte* Ereignisse *vor* dem Ende auf die Zeit dieser γενεά beschränkt würden, da damit ja dann doch nichts über den allein wichtigen Zeitpunkt des Endes ausgesagt wäre", und es deshalb nicht zweifelhaft sein könne, daß Mk 13, 30 von Hause aus sagen will: „Die Ereignisse bis zum Ende werden eintreten, ehe die Zeit dieser γενεά zu Ende ist."[105] Beide Einwände dürften sich jedoch entkräften lassen, wenn man folgende Momente in Anschlag bringt. Einmal wieder den kompositorischen Charakter von Mk 13. Ganz abgesehen von den anerkannt sekundären apokalyptisch verstärkenden Zügen, verlangt dieser eben nicht, daß Jesus diese „Rede" hielt, nämlich in der vorliegenden Zusammenordnung von der Zerstörung Jerusalems und dem Kommen des Menschensohns sprach. Dann läßt sich angesichts der Jüngerfrage 13, 4 nichts gegen die Möglichkeit, sogar Wahrscheinlichkeit einwenden, daß V. 30 die nur im Jüngerkreis ausgesprochene Antwort Jesu auf die Frage nach dem Gericht über Jerusalem ist. Insofern Jesus Mk 13, 30 nicht in der jüdischen Öffentlichkeit gesprochen hätte, sondern im gleichen Personenkreis, dem er sein bund- und kirchenstiftendes Sterben sowie den Neubau seiner Heilsgemeinde voraussagte, kommt Mk 13, 30 nicht als retardierende Zukunftsvoraussage in Betracht, die die an Israel gerichtete Umkehr- und Bereitschaftsforderung abschwächen würde. Wer zugesteht, daß Jesus im Zwölferkreis von seinem bundstiftenden Sterben und der Kirchenstiftung sprach[106], muß unseren früheren Überlegungen zufolge vom Zeitplan Jesu her ohne weiteres die Möglichkeit einräumen, daß Jesus gegen Ende seines Erdenwirkens im Jüngerkreis die Zerstörung des Tempels als innergeschichtliches, nämlich vor dem Aussterben dieser Generation erfolgendes Strafgericht voraussagte, ohne dieses mit der Parusie zu verknüpfen bzw. mit dieser zeitlich zusammenfallen zu lassen.

Trotzdem werden wir uns mit der Hypothese, daß Mk 9, 1 eine Art

---

[103] Parusieverzögerung 129 Anm. 4; vgl. auch *F. V. Filson,* A Commentary on the Gospel acc. to St. Mt (London 1960) 257.

[104] Gottes Herrschaft 144. [105] Verheißung 54.

[106] Was W. G. Kümmel freilich nicht tut.

Weiterbildung des so verstandenen Jesuswortes Mk 13, 30 ist, nur in dem Maße befreunden können, als sich diese Weiterbildung auch traditionsgeschichtlich wahrscheinlich machen läßt.

Nach wohlbegründeter Annahme hat die faktische Erwartung der ersten Generation die vorausgesagte Zerstörung Jerusalems zeitlich mit der Parusie des Menschensohnes und der Endoffenbarung des Gottesreiches engstens zusammengebracht. Das bestätigt uns auch die sicher vor dem Jahre 70 erfolgte Komposition Mk 13[107], sosehr Mk selbst die auf das Ende bezogene Gegenwart gleichzeitig von dem noch ausstehenden Ende absetzen will, wie vor allem 13, 10 zeigt[108]. Unserer Hypothese zufolge sagte Mk 13, 30 nun von Haus aus das Strafgericht über Jerusalem voraus. Die eigentliche Sehnsucht der ersten Generation, speziell des palästinischen Christentums, richtete sich aber zweifellos nicht auf die Zerstörung Jerusalems, in ihrer Zukunftsvorstellung also auf ein Moment der endzeitlichen Notzeit. Während Jesus bei gewissen Gleichnissen den Akzent auf den plötzlichen *Anbruch* der Notzeit legte, richtete die Urkirche, wie R. Schnackenburg mit J. Jeremias zu Recht betont, den Blick bezeichnender- und verständlicherweise auf das *Ende* der Notzeit[109]. Und dieses wird eben dasein mit der machtvollen Offenbarung der Gottesherrschaft, mit der erlösenden Aufnahme der getreuen Christen in das Endheil des Gottesreiches durch den richtenden Menschensohn. So wäre verständlich, daß das Logion Mk 13, 30 — wie viele andere auch — aus seinem ursprünglichen Kontext herausgelöst, der ursprüngliche Nachsatz, der dem Sinne nach nur besagte „bis *dies* geschieht", ersetzt wurde durch „bis sie die Gottesherrschaft in Macht gekommen sehen" und das Logion in dieser Form verselbständigt wurde. Es könnte übrigens sehr wohl der heutigen Fassung eine ältere Zwischenstufe vorausgegangen sein, die etwa lautete: Wahrlich, ich sage euch: dieses Geschlecht wird nicht vergehen, bis die Gottesherrschaft (in Macht) kommt oder gekommen sein wird. Da die Modifizierung des Logions Mk 13, 30 im Sinne dieser Hypothese auf das Erleben des Endheils abhebt, wäre wohl verständlich, daß das Urlogion nicht zu einem Spruch vom „Kommen des Menschensohnes" umgebildet wurde, mit dem primär die Vorstellung des Richters, also auch des vernichtenden Gerichtes, verbunden ist, sondern zu einem Spruch vom „Kommen des Gottesreiches", an dem ausschließlich die Vorstellung des Heilserbes haftet.

Mk 9, 1 dürfte sich aber auch im einzelnen als aktualisierende Um-

---

[107] Vgl. u. a. *Ch. Perrot,* Essai sur le Discours eschatologique: RSR 47 (1959) 481—514.
[108] Vgl. *H. Conzelmann,* Geschichte und Eschaton nach Mk 13: ZNW 50 (1959) 218—221.
[109] Gottes Herrschaft 170 f.

formung von Mk 13, 30 zu dem jetzt vorliegenden versichernden Trostwort begründen und einsichtig machen lassen.

α) Unbestreitbar hat Mk 9, 1 zunächst die Struktur des Logions 13, 30 gewahrt, und zwar im ganzen und im einzelnen. So zunächst die feierliche Einleitung mit ἀμὴν λέγω ὑμῖν (ὅτι).

β) In beiden Fällen steht sodann die Feststellung des Nichtaussterbens dieser Generation vor dem Eintritt des künftigen Ereignisses voran, und zwar als Hauptsatz. Ebenso ist die typisch semitische Art der Zeitbestimmung mit לא־ עד [110], die die grammatische Struktur beider Formen bestimmt, beibehalten: οὐ μὴ παρέλθῃ . . . — οὐ μὴ γεύσωνται θανάτου.

γ) Der Ausdruck „den Tod schmecken", speziell die negative Wendung *„den Tod nicht schmecken"*, begegnet oft in aramäischen und rabbinischen Texten [111]. Sie drückt „mit sinnlicher Kraft die harte, schmerzvolle Wirklichkeit des Sterbens aus, die der Mensch erfährt . . ." [112] Diese Formel ist also zweifelsohne der passende Gegenschlag zu dem die Umformung bestimmenden Leitbegriff ἰδεῖν τὴν βασιλείαν τοῦ θεοῦ, zumal die Rabbinen auch die gegensätzliche Wendung kennen: „etwas von der zukünftigen Welt schmecken" [113].

δ) Trotzdem scheint der Hauptsatz *„einige der hier Stehenden werden den Tod nicht schmecken"* auf den ersten Blick ziemlich weit von dem als Vorlage postulierten Hauptsatz *„dieses Geschlecht wird nicht vergehen"* abzuliegen. Gerade hier wird man indes mit der Frage nach dem Sitz im Leben einsetzen müssen. Neben der schon genannten tröstlichen Hoffnung auf das Erleben des Kommens der Gottesherrschaft, die als thematisierendes Motiv der Modifizierung gelten muß, wirkte sich ein zweites Motiv aus. Das war zweifelsohne die Erfahrung, daß seit dem Erdenwirken Jesu doch schon manche seiner Zeitgenossen gestorben sind, diese das machtvolle Kommen der Gottesherrschaft also nicht mehr erlebten. Damit war die Frage gegeben: Wird diese Generation tatsächlich nicht vergehen, bis die Gottesherrschaft kommt? Wird diese Generation das Kommen des Gottesreiches erleben? Daß diese Frage existierte und bei der Wiedergabe unseres Wortes wirksam werden konnte, muß durch anderweitige Daten als gesichert gelten, ohne daß man damit die Parusieverzögerung zum Leitgedanken der ersten Generation macht. Man kann heute kaum mehr bestreiten, daß sich die besondere heilsgeschichtliche Lage der Urkirche, die heiß um das Kommen des Herrn flehte („maranatha!") und die Zeit verstreichen sah, in der Gestaltung der Jesusüberlieferung, vor allem der Gleichnisse, widerspiegelt, und dies nicht erst etwa bei Lukas [114]. Anspielungen auf eine gewisse Verzögerung der Parusie (etwa Mt 24, 48; 25, 5 19; Lk 19, 11 f) dürften sehr

---

[110] Vgl. *K. Beyer,* Semitische Syntax im NT I 1 (Göttingen 1962) 132 f.

[111] *P. Billerbeck,* Kommentar z. NT aus Talmud und Midrasch I (München 1922) 751; vgl. auch *J. Behm,* Art. γεύομαι: ThW I 675, 8 ff.

[112] *J. Behm,* a. a. O. 676, 3 ff.

[113] Belege bei *J. Behm,* a. a. O. 675, 12 f.

[114] Vgl. auch *R. Schnackenburg,* Gottes Herrschaft 168—170.

wohl auf das Konto der Überlieferung gehen. Der Gedanke, daß der Zusammenhang der akuten Parusieerwartung mit der Erfahrung des Todes in der Urkirche eine gewisse Rolle spielte[115], erscheint keineswegs abwegig.

Sobald man nun diese beiden für die aktualisierende Umformung des Logions Mk 13, 30 bestimmenden Motive berücksichtigt, nämlich einerseits die tröstliche Hoffnung auf das Erleben der Endoffenbarung und anderseits die Erfahrung, daß seit dem Auftreten Jesu doch schon manche seiner Generation gestorben sind, die Volloffenbarung der Gottesherrschaft also nicht mehr erlebten, läßt sich eine erstaunliche Affinität zwischen Mk 13, 30 und 9, 1 entdecken. Der Ausdruck „diese Generation" im Urwort Jesu enthielt ja bereits den demonstrativen Hinweis auf seine Zeitgenossen, der in dem ὧδε οἱ ἑστηκότες[116] enthalten, in dieses aufgenommen ist, freilich mit der schon erwähnten gewissen Einschränkung des Kreises der Erlebenden.

Daß nicht in engerem Anschluß an die Vorlage gesagt würde: „einige *dieser Generation*" würden den Tod nicht kosten, läßt sich m. E. wohl erklären. Diese Ausdrucksweise würde den Zeitpunkt des machtvollen Kommens der Gottesherrschaft um einiges stärker als die gewählte Formulierung auf das Ende der Generation Jesu hinausschieben, da diese bis auf einige ausgestorben ist. In dieser Formulierung würde das Logion, sagen wir in den Jahren 35, 40, 45, die Hoffnung auf das baldige Erleben der Endoffenbarung eher abschwächen als bestärken. Die Formulierung „einige der hier (gerade bei Jesus) Stehenden"[117] bot der Möglichkeit eines baldigen Erlebens der Parusie mehr Raum, zumal jene nichts besagt über die Gesamtzahl und das Alter der hier Stehenden. Warum soll die Umbildung des Logions nicht eben zu einer frühen Zeit erfolgt sein, da es diesen Zweck einer tröstlichen Versicherung bestens erfüllte, da die Erfahrung des Sterbens wie die lebendige Parusieerwartung *diese* Formulierung, eine gewisse Einschränkung des Ausdrucks „diese Generation" zu „einigen der hier Stehenden" verlangte? Die Wendung „einige dieser Generation" wäre hier auch deshalb weniger passend gewesen, weil am Ausdruck „diese Generation" immer auch der vorwurfsvolle Tadel gegenüber der ungläubigen und gottwidrigen Art der Generation Jesu haftet. So angebracht dieser in der Androhung des Gerichts über Jerusalem war, so wenig paßte er in eine als tröstliche Zusage formulierte Weiterbildung dieses Logions. Die personale Fassung von Mk 9, 1, also die Verwendung von Verben des Erlebens im Vordersatz und Nachsatz, wäre demnach direkt durch das τινες ὧδε τῶν ἑστηκότων bedingt, indirekt durch die grundlegende Änderung des Nachsatzes: das Erleben der volloffenbaren Gottesherrschaft.

ε) Auf Standort und Sprache der Urkirche weist auch das ἐν δυνάμει, das sich ungleich leichter als nachösterliches Interpretament denn als genuiner Sprach-

---

[115] Vgl. *G. Bornkamm,* Verzögerung, a. a. O. 119; *E. Grässer,* „Parusieverzögerung" 134 bis 136.

[116] οἱ ἑστηκότες allein kann schon „die hier Stehenden" bedeuten, wie E. Klostermann z. St. bemerkt.

[117] Zur Diskussion der Formulierung vgl. *W. G. Kümmel,* Verheißung 22.

gebrauch Jesu verstehen und belegen läßt[118]. Die Urkirche unterstrich damit verständlicherweise, und im übrigen durchaus sachgemäß, den den Anbruch der Gottesherrschaft im Erdenwirken Jesu überbietenden Charakter des bevorstehenden Kommens der Gottesherrschaft, wie es ihrem Blick auf den zum Sohne Gottes ἐν δυνάμει Eingesetzten (Röm 1, 4) entsprach[119], nicht weniger auch ihrer Art, das „Kommen des Menschensohnes mit den (Himmels)Wolken", das für sich schon das machtvolle Kommen zum Ausdruck bringt, zusätzlich durch μετὰ δυνάμεως πολλῆς καὶ δόξης (Mk 13, 26 Par) zu interpretieren. Auch das hier mit βασιλείαν τοῦ θεοῦ verbundene perfektische ἐληλυθυῖαν, das in den Gottesreichaussagen Jesu singulär wäre und das in Verbindung mit ἐν δυνάμει so stark auf den in noch erlebbarer Zukunft erfolgten Eintritt der Endoffenbarung hinweist, scheint mir zu der vorausgesetzten urchristlichen Modifizierung des Drohwortes Mk 13, 30 als sehnsüchtiger und versichernd verheißender Ausdruck des nachösterlichen Standortes bestens zu passen.

Mk 9, 1 läßt sich also sehr wohl als eine schon frühe Weiterbildung des auf die Tempelzerstörung gehenden Urlogions Mk 13, 30 erklären[120].

d) Es verbleibt das nicht ganz so kritische Logion Mt 10, 23, dessen traditionskritische Erhellung jedoch vor größere Schwierigkeiten stellt als die beiden genannten. Wir erwähnten schon die sich von der unhaltbaren Auffassung A. Schweitzers und M. Werners absetzende Auffassung, Jesus habe mit dem Logion 10, 23b seinen zur Palästinamission ausgesandten Jüngern das Eintreten der Gottesherrschaft „vor der *völligen* Erledigung ihres Missionsauftrags" verheißen[121]. Auch vereinzelte katholische Autoren, wie A. Nisin, verlegen 10, 23b in diese Situation am Ende der galiläischen Tätigkeit. Das Wort sei gesprochen „dans l'attente d'une venue imminente du Royaume, quand le Fils de l'Homme ne s'est pas encore identifié au Serviteur souffrant d'Isaïe, quand le Fils obéissant n'a pas encore dû prévoir que son obéissance devrait aller jusqu'à la mort, et à la mort de la croix" [122]. Wäre dem so, dann hätte Jesus unbestreitbar über die oben anerkannte Dringlichkeit des Sendungsauftrages hinaus die Parusie des Menschensohnes terminmäßig festgelegt, und zwar für die allernächste Zeit. Diese Erklärung erscheint mir indes von sachkritischen

---

[118] Jesus unterscheidet sonst nicht zwischen dem künftigen Kommen der Gottesherrschaft ἐν δυνάμει und dem gegenwärtigen Anbruch, der nicht ἐν δυνάμει erfolgen würde. Auch in der Gegenwart manifestiert sich die Gottesherrschaft als δύναμις (vgl. Mt 12, 28 // Lk 11, 20), wenngleich diese Machtoffenbarung freilich noch begrenzt ist.

[119] Vgl. auch *A. Feuillet*, Origines a. a. O. 187.

[120] Die Diskussion der höchst interessanten Frage, in welchem Sinne unsere Evangelisten, angefangen mit Mk, Mk 9, 1 Par in ihre Schriften eingliederten, müssen wir uns ersparen.

[121] So u. a. *W. G. Kümmel*, Verheißung 57; *W. E. Bundy*, Jesus and the First Three Gospels (Cambridge 1955) 161.

[122] Histoire 254.

Erwägungen her weder zwingend noch auch nur voll befriedigend, auch wenn man 23b allein als Jesuswort voraussetzt, also 23a als ursprüngliche Einleitung abschneidet, was an sich ohne weiteres möglich wäre.

Wie hätte Jesus dann unser Wort verstanden? E. Grässer sieht mit Recht zwei Verständnismöglichkeiten: „*Entweder* meint das Wort einen *Ansporn* zur Eile durch Intensivierung der Naherwartung: Macht euch auf, aber wisset, ihr kommt nicht weit! Die Parusie ist eher da! Darum tut größte Eile not! *Oder* es meint einen *Trost* angesichts der beschwerlichen Aufgabe: beginnt nur einmal und scheut die Mühe nicht! Es geht sowieso nicht lange, dann ist der Menschensohn da!“ [123] Keine dieser Möglichkeiten erscheint mir situationsgemäß. Denn in beiden Fällen würde ja, im Grunde genommen, entgegen dem Tenor der gesicherten Aussendungsworte der Ernst der Aufgabe der Jünger und die Aussicht auf ihren Erfolg bedenklich abgeschwächt werden. Wird ihnen gesagt, daß sie doch nicht weit kommen, da die Parusie schon bald da ist, so ist das ein zweifelhafter Ansporn zur Eile. Eher wäre das Logion als Trostwort verständlich, wenn die übrigen Aussendungsanweisungen nicht nur mit Ablehnung der Boten und der Botschaft, sondern mit Verfolgung rechnen würden. Das ist aber nicht der Fall (vgl. auch Mk 6, 30; Lk 9, 10; 10, 17), solange man nicht schon die anerkannt sekundäre, auf die nachösterliche Situation aller Christen abgestellte Sonderkomposition Mt 10, 17ff selbst zum Auslegungskanon der Jüngeraussendung macht. Aber auch wenn man Mt 10, 23a zu 23b hinzunähme, erhielte die Empfehlung zur Flucht ein Eigengewicht, die erst recht nicht in die Situation der Jüngeraussendung passen würde. Ließe man im übrigen Jesus auch nur im Hinblick auf die „beschwerliche“ Aufgabe ihres missionarischen Wanderlebens, die man aus den übrigen Aussendungsanweisungen in der Tat heraushören kann, versichern, es gehe nicht lange, bis das Kommen des Menschensohnes allen Strapazen ein Ende setzt, dann stößt sich bereits diese Sinngebung mit dem selbstverständlichen unbekümmerten und unnachsichtlich vorwärtsdrängenden missionarischen Eifer, den die Anweisungen Jesu verlangen [124].

Mit gutem Grund darf eine traditionsgeschichtliche Betrachtung unseres Logions mit H. Schürmann u. a. Mt 10, 23a+b als eine Sprucheinheit voraussetzen, die ihrem unmittelbaren Sinne nach ein Trostwort für Verfolgte und Flüchtige ist. Das οὐ μὴ τελέσητε τὰς πόλεις τοῦ Ἰσραήλ von 10, 23b konnte nie ohne die Bezugnahme auf ein logisches Subjekt (Missionare oder verfolgte Missionare oder verfolgte Christusanhänger) existieren. Verlangt die bei Mt vorfindliche Zusammenstellung von 23a und 23b eindeutig, daß die Angeredeten Verfolgte und Flüchtige sind, so dürfen wir in dieser Verbindung jedenfalls eine Interpretation von 23b seitens des Evangelisten bzw. schon der ihm vorliegenden Überlieferung erblik-

[123] Parusieverzögerung 138.

[124] Siehe oben I 3b.

ken. Darüber hinaus darf man aber fragen, ob die Worte 10, 23a und (oder) b, die als genuines Jesuswort bislang keine Erklärung fanden, die sowohl vom exegetischen als dogmatischen Standpunkt befriedigt, in der vorliegenden Form von Jesus gesprochen sein müssen. Zwischen der Erklärung, Mt 10, 23 sei ursprünglich ein apokalyptisches Trostwort Jesu für die Verfolgungen der letzten Drangsal (H. Schürmann), und ihrem Gegenstück, nämlich der Erklärung, Mt 10, 23 sei ein apokalyptisches Trostwort der palästinischen Christenheit, „eines prophetisch inspirierten Christen an seine Brüder in der Situation einer Verfolgung"[125], scheint mir noch eine dritte Möglichkeit zu liegen. Die letztgenannte Erklärung verweist sicher zu Recht auf die Situation der frühen judenchristlichen Kirche und ihrer missionarischen Schwierigkeiten, dazu auf die Anreicherung ihrer Zukunftserwartung mit traditionellen Zügen des apokalyptischen Enddramas. So sind die Flucht vor Verfolgung und das baldige plötzliche Ende der eschatologischen Bedrängnisse auch in Mk 13, 14—20 Par verbunden, wobei daselbst zur Flucht auf die Berge gemahnt wird[126]. Auf der anderen Seite unterläßt es diese Erklärungsrichtung, nach dem Sitz unserer Spruchеinheit im Leben und in der Verkündigung Jesu selbst zu fragen, der erst eine befriedigende Erklärung ermöglichen dürfte.

Ohne weiteres erklärt sich die Hoffnung auf das von Jesus verheißene *Kommen des Menschensohnes.* Bedenkt man, daß Jesus selbst den Jüngern Verfolgungen voraussagte und Verfolgungen als Zeichen des nahen Endes verstanden wurden, so wird der dem V. 23 zugrunde liegende Gedanke, daß das Kommen des Menschensohnes den Verfolgungen der Angeredeten ein rechtzeitiges Ende setzt und die getreuen Christen nicht ihren Verfolgern erliegen läßt, voll verständlich.

Woher kommen aber *die Städte Israels* als Zufluchtsmöglichkeiten, das Motiv der Flucht *von einer Stadt in eine andere?* Auch dies dürfte sich erklären lassen als weiterbildende Anwendung eines überlieferten, nämlich bei der Aussendung der Jünger zur Palästinamission gesprochenen Jesuswortes auf die nachösterliche Situation, die Verfolgungen erfährt und mit solchen rechnen muß. Dem Logion Mt 10, 14//Lk 10, 10f zufolge sollen die Jünger aus jenem Haus oder jener Stadt, die sie nicht aufnehmen und hören, weggehen. Dem entspricht, eben in Anwendung auf die Verfolgungssituation, die Aufforderung von 23a: „Wenn sie euch in dieser Stadt verfolgen, so flieht in eine andere." Gedanklich könnte auch

---

[125] *Ph. Vielhauer,* Gottesreich 60; unter stärkerer Betonung des missionarischen Hintergrundes: *E. Grässer,* Parusieverzögerung 137—139; *H. E. Tödt,* Der Menschensohn in der synoptischen Überlieferung (Gütersloh 1959) 58f. Für sekundäre Bildung u. a. auch *B. H. Streeter,* The Four Gospels (London 1926) 255; *T. W. Manson,* The Sayings of Jesus (London 1954) 182; *D. M. Beck,* Through the Gospels to Jesus (New York 1954) 198; *E. Bammel,* a. a. O. 79—92.

[126] *Ph. Vielhauer,* Gottesreich 59. Zu diesem ideellen Hintergrund vgl. jetzt auch *E. Bammel* a. a. O. 80—92.

noch die Erinnerung an Mt 10, 5b—6 (Begrenzung des Missionsauftrages auf Israel) im Hintergrund stehen[127]. Begründet wird die aus einem Wort Jesu selbst herausgehörte erleichternde Empfehlung zur Flucht in eine andere Stadt Israels mit dem ebenfalls von Jesus selbst versicherten und von der ersten Generation lebendig erwarteten Kommen des Menschensohnes: ehe die Städte Israels als Zufluchtsmöglichkeiten erschöpft sind und die Verfolgten ihren Verfolgern zum Opfer fallen, wird der Menschensohn-Endrichter kommen, die Verfolgten erretten und die Verfolger bestrafen! Aus diesem ideellen Zusammenhang begreift sich auch die Verwendung der bekräftigenden Einleitungsformel „*Wahrlich, ich sage euch*", die auch für das versichernde Verheißungswort Mk 9, 1 beansprucht wurde. Denn der Ton soll zweifellos auch in Mt 10, 23 auf der verheißungsvollen Versicherung liegen, die Jesus selbst so nachdrücklich ausgesprochen hatte: der Menschensohn wird kommen! So ließe sich die hier vorliegende Verbindung von Anweisung und Verheißung doch wohl zwanglos erklären.

Der Rückgriff auf eine Aussendungsanweisung Jesu (Mt 10, 14 Par) könnte auch auf einen ursprünglichen Zusammenhang mit der missionarischen Tätigkeit hinweisen. An diese wird auch deshalb gedacht werden dürfen, weil die Verfolgungen meist durch die missionarische Tätigkeit der Jünger und anderer Evangelisten hervorgerufen wurden[128]. Im jetzigen Mt-Kontext, in dem, wie allgemein anerkannt ist, die Situation der Jüngeraussendung verlassen ist und von V. 17 an nicht mehr eigentliche missionarische Instruktionen gegeben werden, sondern „den Jüngern Jesu im allerweitesten Sinn, d. h. den Christen insgesamt" Verfolgungen durch jüdische und heidnische Behörden angekündigt und Weisungen gegeben werden[129], gilt die Versicherung sicher nicht nur den Missionaren. In seinem Zusammenhang will Mt mit 10, 23 die Situation der Christen ins rechte Licht rücken. „Das Wort bedeutet große Verheißung für den, der an das Synedrium, die Synagoge, die heidnische Behörde ausgeliefert wird (17f); für den, der sich verantworten muß im Verhör (19f); für den, der in diesem allen schon die endzeitlichen Drangsale zu spüren bekommt (21), der den letztzeitlichen Haß wegen seines Bekenntnisses zum Namen Jesu zu tragen hat; für den, der Mühe hat, bis zum Ende durchzuhalten, um gerettet zu werden (22)."[130] Bei dieser Einordnung mußte Mt das „bis der Menschensohn kommt" deshalb auch nicht als Schwierigkeit empfinden.

Ist Mt 10, 23 ein vor allem das Jesuswort Mt 10, 14 Par und die versichernde Verheißung vom Kommen des Menschensohnes aufnehmendes Trostwort, das als Ganzes in der palästinischen Christenheit entstand, dann lassen sich die in der Situation Jesu und in seinem Munde anstößigen Momente ungezwungen erklären: der präsentische Hinweis auf Verfolgungen, die Mahnung, sich der Verfolgung durch Flucht zu entziehen

[127] Vgl. *A. Feuillet,* Origines 185 f.
[128] Wie übrigens auch *Ph. Vielhauer* selbst bemerkt: Gottesreich 59.
[129] *J. Schmid,* Mt 180.
[130] *H. E. Tödt,* Menschensohn 84 f.

(während Jesus sonst von den Jüngern das furchtlose Bekenntnis verlangt, das auch den Tod nicht scheut), vor allem aber die Tatsache, daß als geographischer Horizont bis zur Parusie des Menschensohnes nur Palästina ins Auge gefaßt wird, und zwar die Städte Palästinas[130a].

3. Falls unser Erklärungsversuch der termingebundenen Aussagen bestehen kann, so hätte Jesus selbst die Zeitdauer bis zur Endoffenbarung in keiner Weise befristet; er hätte deren Termin nicht auf die Zeit vor dem Aussterben seiner Generation festgelegt. Jesus hätte mit Mk 13, 30 gegen Ende seines Wirkens im Jüngerkreis wohl die Zerstörung des Tempels vorausgesagt. Mk 9, 1 Par und Mt 10, 23 würden in je verschiedener Weise auf Jesusworte zurückgehen; sie wären aber in der vorliegenden Form nicht ipsissima verba Jesu. Diese beiden Verheißungsworte wären je verschieden bedingter Ausdruck der festen Naherwartung der ersten Generation, ebenso die erst sekundäre gleichzeitige Beziehung des Logions Mk 13, 30 auf die Parusie.

Unter dieser Voraussetzung ließe sich Jesu Ablehnung einer Vorausberechnung der Parusie und die Betonung des Nichtwissens ihres Zeitpunktes[131] widerspruchslos verstehen. Dieses Nichtwissen Jesu ließe sich im Verein mit seiner Verkündigung der nahegekommenen Gottesherrschaft, seinem bedrängenden Anruf und dringlichen Bemühen, das gegenwärtige Israel und nur dieses zur sofortigen Umkehr und Stetsbereitschaft zu gewinnen, als etwas verstehen, das für diese seine Aufgabe besser war als ein positives Wissen. Könnte so nicht auch die vorgeschlagene Unterscheidung zwischen Belehrung und Erwartung unbedenklicher zu ihrem Recht kommen? Jesus hätte mit dem schon baldigen Kommen des Menschensohnes, mit der baldigen Vollendung des Begonnenen gerechnet, er hätte diese aber nicht nur nicht terminlich festgelegt, sondern deren Zeitpunkt ausdrücklich als ausschließliches Majestätsreservat Gottes bezeichnet. Man könnte so bezüglich seiner Gottesreichverkündigung wohl mit mehr Recht sagen: „Das ist nicht Prophetie im temporalen Sinn, sondern verschärfter prophetischer Anruf im Sinne einer Wirklichkeit, mit der der Angerufene beständig rechnen soll und die er deshalb um so ernster nehmen muß.“[132]

Hat Jesus bei seinem angestrengten Bemühen um die jüdische Öffent-

---

[130a] Nur an diese ist sicher von Haus aus gedacht (*T. Nepper-Christensen*, Mt-Ev 187 f); anders könnte der Evangelist selbst den Ausdruck verstehen, vgl. *G. Strecker*, Der Weg der Gerechtigkeit (1962) 41 f.

[131] Auf die Diskussion einer möglichen Überlieferungsgeschichte von Mk 13, 32 können wir hier nicht eingehen.

[132] *J. Gnilka*, Parusieverzögerung, a. a. O. 290; vgl. weiter *R. Schnackenburg*, Art. Naherwartung: LThK [2]VII 778.

lichkeit wohl mit der baldigen Volloffenbarung der Gottesherrschaft gerechnet, ohne diese aber terminlich festlegen zu können, so böte sich widerspruchlos Raum für den schon avisierten Erkenntnisfortschritt. Ohne sich im geringsten mit einem vorgängigen Wissen über den Zeitpunkt der Parusie zu stoßen, hätte Jesus die Einsicht gewinnen können, daß das durch ihn bis jetzt an Israel ergangene Heilsangebot nicht Gottes einziges und letztes Wort zur Heilsverwirklichung ist, Gottes Heilswille durch ihn vielmehr vor dem Kommen des Gottesreiches weitere heilsökonomische Veranstaltungen forderte, die einen Neuansatz der Heilsverkündigung und -vermittlung begründen. Insofern Jesus nur den Zwölfen den bundstiftenden Sinn seines Sterbens und die künftige Neukonstituierung der messianischen Heilsgemeinde (Mt 16, 18 f) offenbarte, damit den Zwölfen und nur diesen ein ausdrückliches, wenn auch in keiner Weise positiv bestimmtes zeitliches Interim zwischen seinem Tod und der Parusie zu verstehen gab, läßt sich das Logion Mk 13, 30 Par, eben als an die Zwölfe gerichtete Voraussage der vor dem Aussterben der gegenwärtigen Generation erfolgenden Zerstörung des Tempels, ohne Schwierigkeit in den Zeitplan Jesu einfügen.

Abgesehen davon, daß hier ausschließlich die historische Frage nach dem Wissen und Bewußtsein Jesu zur Diskussion steht, wird man diese Hypothese nicht schon abtun können mit der Entgegnung, diese würde irrtümliche Aussagen über den Zeitpunkt der Endoffenbarung Jesus nur dadurch abnehmen, daß diese der Urkirche zugeschoben werden. Die Situation der Verkündigung Jesu war nicht schon die der nachösterlichen Kirche.

In angelegentlichem Flehen (maranatha!) erwartete diese die Parusie zweifellos in großer Nähe. Und das ist voll verständlich. Wir können uns hier nicht mit den ernstlichen Argumenten beschäftigen, die gegen eine explizit universalistische Form des Missionsbefehls durch den Auferstandenen ins Feld geführt werden. Ist mit einem solchen nicht zu rechnen, dann mußte sich die erste Generation durch kein Jesuswort genötigt sehen, eine längere, Generationen umfassende Zeit bis zur Parusie ins Auge zu fassen. Auch nicht durch ein Bevollmächtigungswort wie Mt 18, 18, das sich begründeterweise dem Auferstandenen zuschreiben läßt, und Mt 16, 18 f, insofern diese Kirchenbauverheißung in der Tat nur Simon anspricht und weder über Nachfolger noch über die Dauer der Weltzeit reflektiert. Dazu kamen die Erfahrung der Auferweckung Jesu und der Geistsendung, also von Ereignissen, die vom Standpunkt der biblischen Eschatologie in einem noch potenzierteren Sinne als Beginn der Endvollendung selbst empfunden werden konnten und mußten als das einstige Erdenwirken Jesu.

Daß es sich jedoch für die Urkirche wirklich nur um eine glaubensvolle Sehnsucht handelte und speziell Mk 9, 1 Par und Mt 10, 23 bzw. die Beziehung von Mk 13, 30 auf die Parusie als konkretisierender Ausdruck dieser sehnsuchtsvollen Hoffnung verstanden werden dürfen, nicht aber als dogmatische, auf eine konkrete Terminangabe Jesu gestützte Lehre, kann man unbesorgt zugeben. Die Parusiehoffnung des nachösterlichen Christusglaubens, der Mk 13, 32 Par und Lk 17, 20 (Jesu Wort vom Überholtsein der Terminfrage) offensichtlich nicht vergessen hat, stand gewiß auf geoffenbarten, „dogmatischen" Wahrheiten und Tatsachen, auf der Lehre Jesu vom künftigen Kommen des Menschensohnes und der noch ausstehenden vollen Realisierung der Gottesherrschaft, auf dem Kerygma von dem in Christus bereits gewirkten und durch den in göttlicher Machtoffenbarung wiederkommenden Christus zu vollendenden Heil. Aber sie stand nicht auf dem Wissen von einem „geoffenbarten" Termin. Nur so ist es zu verstehen, daß das Nichterleben der Parusie für die Kirche der ntl. Zeit zu keinem Punkt ein echtes theologisches Problem, eine Grundsatzfrage wurde, daß es nicht im geringsten eine „Grundlagenkrise" auslöste.

Wie schon bei Jesus selbst, galt das eigentliche Interesse der nachösterlichen Verkündigung und Reflexion nicht den quantitativen Verhältnissen der Zeit, deren Maßen und Fristen, sondern vielmehr dem Faktum des Eingreifens Gottes in diese Weltzeit, der durch das Christusgeschehen qualifizierten, nämlich absolut qualifizierten Zeit. Das entspricht genau der Eigenart des israelitischen Zeitempfindens, das sich am Standpunkt und Bewußtsein des Redenden und Miterlebenden orientiert und das deshalb an der Dauer, an den quantitativen Verhältnissen relativ uninteressiert ist, um so interessierter aber am besonderen Inhalt, an der Qualität einer Zeit; im Fall der nachösterlichen Kirche: „an der mit Jesus begonnenen, vor allem aber der durch die Auferweckung des Menschensohnes und die Geistsendung begründeten Zeit" [133].

4. Verträgt sich aber Jesu Nichtwissen von Mk 13, 32 Par, das sich nach unserem Ergebnis ohne Schwierigkeit in die Gottesreichverkündigung Jesu einordnen läßt, auch mit Mt 11, 27 // Lk 10, 22? Die Frage stellt sich, wie schon erwähnt, mit einer gewissen Zuspitzung, wenn man mit guten Gründen voraussetzt, daß Mk 13, 32 Par nicht nur dem Hauptgedanken nach (nur Gott kennt die Zeit der Parusie), sondern dem überlieferten Wortlaut nach aus dem Munde Jesu hervorging. Wiederum müssen wir auf eine detaillierte Diskussion verzichten. Die Auslegung von Mt 11, 27 Par [134] wird u. a. kompliziert durch die Frage, ob Mt oder Lk die ursprünglichere Formulierung wiedergibt, noch mehr durch die Frage nach dem möglichen Sitz im Leben Jesu, der nicht ohne weiteres aus der in der Redenquelle bezeugten Verbindung mit Mt 11, 25 f // Lk 10, 21 erhoben werden kann.

a) Nach der sehr geistvollen Hypothese B. M. F. van Iersels war Mt 11, 27 Par in einem vorsynoptischen Traditionsstadium eine Antwort Jesu auf

---

[133] Vgl. meinen Beitrag: Zeit und Zeitüberlegenheit im biblischen Verständnis: Zeit und Zeitlichkeit (Freiburger Dies Universitatis Nr. 8, 1960—61) 99—116.

[134] Zur neueren Literatur und Diskussion vgl. *B. M. F. van Iersel,* Der Sohn 146—161; *A. M. Hunter,* Crux Criticorum — Matt. XI. 25—30 — A Re-appraisal: NTS 8 (1962) 241—249 bzw. 244—247.

die Mk 6, 2—3 Par (vgl. auch Jo 6, 42; 7, 27) aufgeworfene Frage nach dem Ursprung seiner Autorität. Das Logion sei schon an und für sich geladen genug, um sich später verselbständigen zu können. Der Akzent läge dann im ersten Stichos nicht auf πάντα, sondern auf ὑπὸ τοῦ πατρός μου. Die Frage berührte in erster Linie den Ursprung der Weisheit Jesu, auf die sich deshalb πάντα vornehmlich beziehe. Dabei erscheint es van Iersel nicht selbstverständlich, daß die Lk-Fassung eine Vereinfachung der von Mt bezeugten sei; u. a. deshalb, weil die einfache Antwort des Lk viel eher der Fragestellung entspreche. Die Tatsache, daß man Jesu Vater zu kennen vermeine, sei ja gerade der Ausgangspunkt und eigentliche Grund dazu, seine Weisheit verdächtig zu finden. Die Antwort Jesu soll jedenfalls besagen: „Ihr denkt, den Sohn zu kennen, weil ihr zu wissen glaubt, wer sein Vater ist — in Wahrheit aber kennt ihr weder den einen noch den anderen. Wirklich kennen nur beide einander." [135] Sofern die auf diese hypothetische Rekonstruktion des Sitzes im Leben gegründete Erklärung des Logions zutrifft, würde das seinem Wesen nach eindeutig als exklusiv verstandene Verhältnis zwischen Vater und Sohn wohl eine einzigartige, eben als Sohnschaft bezeichnete Gottunmittelbarkeit Jesu verlangen, die ihn als Offenbarer qualifiziert. Jesus würde aber mit diesem Logion nicht schon dasselbe gegenständliche, alle möglichen Erkenntnisinhalte in ihrer distinkten Einzelheit und satzhaft formulierten Aussagbarkeit enthaltende Wissen Gottes, wie es dem Vater zukommt, für sich beanspruchen.

b) Wir sind indes nicht einzig auf diese Hypothese angewiesen. Setzt man Mt 11, 27 Par als Wort des irdischen Jesus voraus, dann darf man das πάντα μοι παρεδόθη ὑπὸ τοῦ πατρός μου sicher nicht schon im Sinne der Inthronisationsproklamation des aus dem Tode zum universalen Pantokrator Erhöhten von Mt 28, 18 verstehen. πάντα meint im Zusammenhang, wie heute die meisten Exegeten mit Recht annehmen, alle für die Offenbarung des Heilswillens Gottes notwendige Kenntnis [136], wobei der Gedanke an die Realisierung derselben, zu der eben auch die Tatverkündigung gehört, m. E. durchaus im Hintergrund stehen dürfte. Das Verbum legt einen Kontrast zur παράδοσις der Schriftgelehrten nahe, die ja auch die vorausgehenden Logien Mt 11, 25 f Par und die nachfolgenden Mt 11, 28—30 im Auge haben. Während ihr „Weitergeben", ihr Überliefern von Mensch zu Mensch geht, kommt dieses hier direkt von Gott: „All I need to know for my task has been thaught me by the father." [137]

Auch bei dieser Erklärung des Logions Mt 11, 27 Par könnte dieses

[135] Der Sohn 151—159.
[136] Vgl. *A. M. Hunter,* Crux Criticorum a. a. O. 246.
[137] *A. M. Hunter,* a. a. O. 246.

widerspruchslos neben Mk 13, 32 Par bestehen. Wenn Jesus mit πάντα nicht schon alles gegenständlich Wißbare bezeichnen würde, sondern alles das, was und wie er es zu offenbaren hat, so ließe sich mit diesem seinem Anspruch auf absolute Offenbarerqualifikation doch wohl nicht nur ein echtes Fortschreiten im Erkennen, sondern ein echtes Nichtwissen vereinbaren, nämlich bezüglich des Zeitpunkts der Endoffenbarung; sicher dann, wenn die Auslegung die Lk-Fassung beachten oder gar von dieser ausgehen darf: „und niemand erkennt, wer der Sohn ist, als nur der Vater, und wer der Vater ist, als nur der Sohn".

V

Mit der Beanspruchung einer exzeptionellen Sohnesstellung und eines ebenso unübertragbaren Sohnesbewußtseins werden wir auf einen letzten, den dogmatisch belangreichsten Punkt gewiesen. Zu der „innersten, ursprünglichen, alles andere Wissen und Tun tragenden Grundbefindlichkeit" gehört bei Jesus eine Gottunmittelbarkeit „absoluter" und „*be*wußter" Art, „in der Wirklichkeit und ihr Bewußthaben noch ungeschieden eins" sein können, die ein inneres Moment subjektiver Art an der hypostatischen Aufgenommenheit der menschlichen Geistigkeit Jesu durch den Logos ist, die aber noch nicht als ein gegenständliches Vorsichhaben der Wesenheit Gottes zu denken ist und als „unmittelbare Gottesschau, die es wirklich gibt, gar nichts anderes ist als das ursprüngliche, ungegenständliche Gottessohnbewußtsein . . ." [138]

1. Diese gottunmittelbare Grundbefindlichkeit, ein so verstandenes ursprüngliches Sohnesbewußtsein kann der Exeget qua Exeget für den Jesus des Erdenlebens entschieden mit mehr Grund beanspruchen als diesem absprechen. Er ist dabei nach meiner ehrlichen Überzeugung nicht einmal auf den singulären locus classicus Mt 11, 27 Par allein angewiesen, sosehr die wesentliche Ursprünglichkeit dieser wohl sachlich, aber nicht schon ausdrucksmäßig und strukturell „johanneischen" Stelle [139] mit guten Gründen verteidigt wird. Wie ein so berufener Interpret der gut semitischen Ausdrucksweise unseres Logions wie G. Dalman schon längst erklärte, besteht hiernach zwischen Gott und Jesus „ein so einzigartiges volles gegenseitiges Verständnis, daß notwendig andere nur durch Vermittlung des Sohnes Teil an der vollen Erkenntnis des Vaters erhalten können" [140].

---

[138] *K. Rahner,* Dogmatische Erwägungen 203 f.

[139] Vgl. *L. Cerfaux,* L'évangile de Jean et „le Logion Johannique" des synoptiques: Recherches Bibliques III (Brügge—Paris 1958) 146—159; *B. M. F. van Iersel,* „Der Sohn" 149—151.

[140] Die Worte Jesu I (Leipzig 1930) 232.

Als der ausschließliche, nur Gott bekannte Sohn beansprucht Jesus eine ebenso ausschließliche, nur ihm eigene Kenntnis Gottes, die ihn zum einzigen und absolut zuverlässigen Offenbarer befähigt. Die Evangelien kennen keine Aussagen Jesu darüber, wie er selbst über die Entstehung seines Sohnesbewußtseins dachte. Vom rein historischen Standpunkt können wir nur — und das ist gewiß nicht wenig — wiederum demselben G. Dalman zustimmen, daß Mt 11, 27 Par und andere von diesem angeführte Stellen so klingen, als ob Jesus kein Anfang desselben bekannt gewesen sei"[141]. Kann man auch nicht behaupten, daß die Formulierung von Mt 11, 27 Par die Präexistenz des Sohnes zum Ausdruck bringe, so bezeichnet van Iersel die Auslegung O. Cullmanns zu Recht als gültig: „Die Worte des 27. Verses ‚können aus dem Bewußtsein der Präexistenz herausgesprochen sein'."[142]

2. Als Aussage Gottes — nicht Jesu — käme die an Jesus gerichtete Himmelsstimme nach der Taufe in Betracht für den Versuch, die exklusive Gottessohnschaft bzw. wenigstens die subjektive Bewußtheit derselben in diesem Augenblick beginnen zu lassen.

Soweit die katholische Exegese die Offenbarungsszene Mk 1, 10f Par als historiographischen Bericht über ein konkretes, beim Heraussteigen Jesu aus dem Wasser erfolgtes Offenbarungsgeschehen und -erlebnis erklärte — und das mußte sie, solange die Evangelienforschung keine andere Erklärungsmöglichkeit erkennen ließ — und dies bis heute tut, wendet sie sich im allgemeinen gegen diese Annahme. Sie ließ und läßt z. T. bis heute deshalb, in den mannigfachsten Abwandlungen und Nuancierungen, die Gottesoffenbarung auch anderen als Jesus, sogar wesentlich diesen, wenigstens dem Täufer, gelten: so daß diesen und nicht Jesus das Trinitätsgeheimnis geoffenbart wird[143] oder diese wenigstens erfahren, daß Jesus der geliebte (= einzige) Sohn Gottes ist, der die Kraft des Gottesgeistes besitzt und immer schon besaß[144] bzw. jetzt lediglich gleich den Berufungserlebnissen von Gottesmännern des Alten Bundes den

---

[141] A. a. O. 233; nach Lk 2, 48f ließ schon der Zwölfjährige ein einzigartiges Gottessohnbewußtsein durchblicken.

[142] Der Sohn 161.

[143] *J. Knackstedt,* Manifestatio SS. Trinitatis in Baptismo Domini?: VD 38 (1960) 76—91; vgl. auch *L. Pirot,* Mk (La Ste. Bible, 1935, Neudruck 1950) 409f; *J. F. Crump,* Pneuma in the Gospels: The Cath. University of America Studies in Sacred Theology 82 (1954) 30—37; *H. Boumann,* The Baptism of Christ with Special Reference to the Gift of the Spirit: Concordia Theol. Monthly 28 (1957) 1—14 (nach New Testament Abstracts 1 [1957] N. 377).

[144] So z. B. auch *M. Meinertz,* Theologie des NT I (Bonn 1950) 26f; *J. A. O'Flynn,* St. Mark (A Cath. Commentary on Holy Scripture [London 1953]) 909.

Antrieb des Geistes erfährt, sein messianisches Wirken zu beginnen[145]. Als ein wahres Kunstwerk dieser Auslegungsrichtung darf der neueste Erklärungsversuch von A. Feuillet genannt und anerkannt werden, der u. a. schärfstens die auch von katholischen Exegeten vertretene Deutung auf die nur Jesus widerfahrene messianische Investitur und Messiasweihe ablehnt.

Seiner Erklärung zufolge, die trotz zahlreicher ausgezeichneter Einzelbeobachtungen leider von willkürlichen und unhaltbaren Voraussetzungen ausgeht, erhielt Jesus den Geist nicht für sich allein, zu seiner eigenen Ausstattung, sondern wesentlich für die anderen: als Repräsentant des neuen, des eschatologischen Gottesvolkes, als dessen Begründer und Chef er nach der Taufe den anwesenden Israeliten geoffenbart wurde. Ebensowenig wurde er hier in die Gottessohnschaft oder Messianität eingesetzt. Die Himmelsstimme redet Jesus ausschließlich der Anderen wegen an mit: „Du bist mein Sohn, mein Erwählter." Diese Sohnesanrede hat gleichzeitig einen dreifachen Sinn. Sie bezeichnet den „Messie-Serviteur", den persönlichen, einzig wirklichen Gottessohn und zugleich den Adoptivsohn im kollektiven Sinne, das sind die Kinder des eschatologischen Gottesvolkes; durch letzteren Sinn bestätige die Himmelsstimme zugleich, daß die Herabkunft des Geistes Jesus als dem Repräsentanten des eschatologischen Gottesvolkes galt. Wenn die damals Anwesenden aus der Himmelsstimme auch nur die Offenbarung des messianischen Gottesknechtes und des kollektiv gemeinten Adoptivsohnes heraushörten, also erst Jesus allein die Sohnesanrede im Sinne von Mt 11, 27 verstand, so war die Offenbarung der persönlichen, natürlichen Gottessohnschaft doch eingeleitet, d. h. später, wenigstens nach Ostern, haben die Jünger auch diesen dritten Sinn erfaßt[146].

Alle diese Versuche, Mk 1, 10f als ein andere mitangehendes Offenbarungserlebnis zu erklären[147], leitet ein durchaus richtiges Empfinden. Wenn es sich um ein ausschließlich zwischen Gott und Jesus stattgehabtes Offenbarungsgeschehen handelte, so mußte die Jesus als „Sohn" anredende Himmelsstimme die Stimme des „Vaters" sein und konnte die Sohnesbezeichnung nicht einfach im atl.-spätjüdischen Sinne den Messias meinen. Dann kommt aber eine ungekünstelte Exegese, welche die nun einmal vorfindliche betont hervorhebende und identifizierende Einführung „*du* bist mein geliebter Sohn" ernst nimmt, nicht um das Zugeständnis herum, daß Jesus erst bei dieser Gelegenheit von seiner einzigartigen

[145] So schon *M.-J. Lagrange,* Évangile selon St. Marc (Paris 1910, ^{4}1928) 11—13; vgl. auch *L. Pirot,* Mk 410; *M. E. Boismard,* La révélation de l'Esprit Saint: RThom 63 (1955) 5—21.

[146] Le baptême de Jésus d'après l'Évangile selon St. Marc (1, 9—11): CBQ 21 (1959) 468—490.

[147] Die Gesichtspunkte der gegensätzlichen Auslegungen versucht neuestens *F. Zehrer* zu vereinen: Synoptischer Kommentar I (Klosterneuburg 1962) 130—135.

Sohnschaft erfahren haben müßte oder wenigstens — nach der abschwächenden Auslegung konservativer protestantischer Autoren[148] — dieser gewiß wurde. Anders gewendet fragt man sich auf Grund des anderweitig bezeugten Sohnesbewußtseins Jesu: Hatte Jesus, sofern er sich schon vorher als einzigartigen Gottessohn wußte, es nötig, so angeredet zu werden, gesagt oder versichert zu bekommen, daß *er* — und kein anderer — der geliebte Sohn Gottes ist, daß *er* als solcher eben den Geist erhalten hat oder seines bereits vorhandenen Geistbesitzes versichert wurde? Wir können auf die z. T. schon angedeuteten Gründe, die vom historisch-exegetischen Standpunkt gegen diese Versuche, Mk 1, 10f Par als ein zugleich oder wesentlich andere angehendes Offenbarungsgeschehen zu erklären, geltend gemacht werden, nicht eingehen. Soweit auch die katholische Exegese immer wieder zu Versuchen ansetzte, die Offenbarungsszene als im einen oder anderen Sinne strikt biographisches Ereignis zu erklären, bekunden diese die bis heute nicht gelöste Schwierigkeit, eine Sinndeutung zu gewinnen, die sowohl dem Text Mk 1, 10f selbst, insbesondere der Verbindung von der Herabkunft des Geistes und der Himmelsstimme, gerecht wird als auch dem von den Evangelien her vorauszusetzenden Selbst- und Sendungsbewußtsein Jesu.

3. Unsere Thematik erfordert es indes, daß wir uns wenigstens einem neuesten katholischen Versuch stellen, der Mk 1, 10f Par als Beginn der exklusiven Gottessohnschaft und gleichzeitige Geburtsstunde des einzigartigen Sohnesbewußtseins Jesu erklären möchte.

a) Im Rahmen seiner sehr anregenden „Histoire de Jésus" rechnet A. Nisin — sosehr er die Schwierigkeit betont, aus der bei Mk noch am wenigsten bearbeiteten Offenbarungsszene den historischen Kern herauszufinden — wenigstens mit der Möglichkeit eines inneren Berufungserlebnisses Jesu, einer im Grunde unaussprechlichen privilegierten Erfahrung, die Jesus im Stil der Theophanie seinen Jüngern später berichtete. Der zur Taufe erscheinende Jesus weiß sich solidarisch mit dem gegenüber der prophetischen Täuferbotschaft und Umkehrforderung gehorsamen Israel. „Als gehorsamer Sohn konformiert sich Jesus der göttlichen Absicht und erklärt sich durch seine Taufe mit seinem Volk solidarisch. Er tritt mit den Sündern in die Solidarität der Bekehrung. Und eben hier vernimmt er dann die Bestätigung seiner Wahl zum Sohn — zum Sohn par excellence — im Sinne eines Messianismus des Gottesknechtes", nämlich des totalen Gehorsams. Die Taufstimme ist, wie Nisin an anderer Stelle sagt, die Approbation und Bestätigung der Bereitschaft Jesu zum totalen Gehorsam, die feierlich bestätigte Berufung zum „Sohn — Knecht" von Is. Das Sohnesbewußtsein Jesu setzt nach Nisin eine „personnalisation" von Schrifttexten voraus, die auf Israel angewandt

[148] Wie z.B. *V. Taylor*, Mk 618; *A. M. Hunter*, The Gospel acc. to St. Mark (London [5]1957) 28 f; *C. L. Mitton*, Mk 6 f; *W. Barclay*, Mt I 53; C. E. Cranfield, Mk 55.

wurden. Und diese „personnalisation" sei sehr wohl eine erste Etappe auf dem Weg der sühnenden Substitution, aber auch nicht mehr. Sosehr die bei der Taufe proklamierte göttliche Sohnschaft in der Linie des totalen Gehorsams liege und die fleischlichen Sohnschaften in den Schatten stelle, enthalte sie die Endrichtung des Lebens Jesu doch erst im Keim. Das heißt: Jesus dachte zu diesem Zeitpunkt noch nicht an sein Schicksal und seine Bestimmung als leidender Gottesknecht[149].

b) Sicher geht Nisin wohlbegründet von der Priorität des Mk-Berichtes aus, der nur Jesus als Empfänger der Gottesoffenbarung nennt. Abgesehen davon, daß unsere Perikope in keiner Weise als ein Bericht Jesu über ein ihm nach der Taufe zuteil gewordenes Erlebnis gekennzeichnet wird, wird man wohl auch keinen stichhaltigen Einwand dagegen erheben können, daß der Autor nicht mit einer regelrechten objektiven Vision und Audition Jesu rechnet, sondern nur an eine innere Erfahrung denkt, die Jesus später für seine Jünger veranschaulicht, nämlich in visionäre und auditionäre Form gekleidet hätte[150]. Jedenfalls ist dieser Punkt von sekundärer Bedeutung. Seine Erklärung wird sodann dem Text im ganzen zweifellos mehr gerecht als die früher erwähnte von O. Cullmann. Sie respektiert das Nacheinander von Taufe und Gottesoffenbarung und vermeidet wenigstens die Überinterpretation der Himmelsstimme auf den stellvertretend sühnenden Gottesknecht. Ebenso mag sie den Grund des Taufempfangs Jesu treffend angeben.

Sodann kann sich Nisin für „mein Sohn" (statt „mein Knecht") als Anrede Jesu zweifellos auf den vorliegenden Wortlaut berufen. Auch er kann die Jesus hervorhebende Anrede „*Du* bist mein geliebter Sohn" bestens verständlich machen, insofern eben Jesus als einziger unter allen Täuflingen von Gott erfährt, was die anderen nicht erfahren: daß er der einzig wahre Nachkomme Abrahams ist, daß er als der wirklich gehorsame Israelit, als der Sohn par excellence von Gott anerkannt und bestätigt ist. Obwohl so das Sohnesbewußtsein Jesu bis zum Augenblick dieses Berufungserlebnisses ganz und gar das des total gehorsamsbereiten Israeliten Jesus von Nazareth, insofern also eindeutig kreatürlich ist, erhält es nach der Taufe, und erst jetzt, zugleich einzigartigen[151], sogar exklusiven Charakter, nämlich durch die jetzt von Jesus erfahrene göttliche Approbation als des gehorsamen Sohnes und Knechtes schlechthin. Nimmt man diese Erklärung ernst, so wird man freilich nur von einer filiatio adoptiva sprechen können, von der Adoption des Menschen, des Israeliten Jesus, die erst nach der Taufe begründet worden wäre, nämlich erst jetzt einen exklusiven Charakter erhalten hätte, sicher aber für Jesu Selbst- und Sendungsbewußtsein erst von jetzt an existierte. Schwerlich könnte aber bei Jesus von einer ursprünglich, wenn auch ungegen-

[149] Histoire 129—138.

[150] Mit Lk 10, 18 läßt sich kein Parallelfall einer Vision Jesu erklären, weil Jesus daselbst nach der herrschenden wohlbegründeten Auffassung nicht ein visionäres Erlebnis beschreibt, sondern in bildlicher Weise eine übernatürliche Tatsache seines Wirkens bzw. auch des Wirkens seiner mitmissionierenden Jünger konstatiert.

[151] Schon ἀγαπητός drückt die Einzigartigkeit aus. Vgl. die zusammenfassenden Belege bei *E. Lövestam,* Son and Saviour (Coni. Neotest. 18 [Lund 1961]) 91 Anm. 1 und 96 f.

ständlichen, unthematischen Grundbefindlichkeit absoluter Art gesprochen werden. Doch bleiben wir bei der Fragestellung unseres métier. Kann diese Hypothese über den Anfang des einzigartigen Gottessohn- und Sendungsbewußtseins Jesu vom Standpunkt der historisch-exegetischen Betrachtung als zwingend oder auch nur als befriedigend gelten? Diese Frage werden wir verneinen müssen.

α) Blicken wir erst auf die Exegese der Offenbarungsszene selbst. Sicher läßt sich die Nähe und Verbindung des Sohnes- und Gehorsamsgedankens aus dem AT bestens begründen. Damit ist aber noch nicht bewiesen, daß Jesus von der Himmelsstimme deshalb als „mein geliebter Sohn" angesprochen wird, weil er der Israelit par excellence sei. Die Verwendung von Ps 2, 7, den auch unser Autor mit Is 42, 1 zu „einer neuen originalen Einheit" verbunden sieht, könnte man geltend machen, wenn die Verbindung des messianischen Sohnes von Ps 2, 7 mit Is 42, 1 im Sinne des gehorsamen Knechtes („...le fils — Serviteur d'Isaïe")[152] schon für den jüdischen Bereich nachzuweisen wäre[153]. Sosehr die Bezugnahme der Himmelsstimme auf Ps 2, 7 bis heute fast als sententia communis vertreten wird, erscheint es mir abwegig, bei der Auslegung überhaupt von Ps 2 auszugehen. Auch wenn die Himmelsstimme von Haus aus „mein Sohn" bot, spricht schon der Wortlaut gegen die Annahme, daß sich die Himmelsstimme ursprünglich unmittelbar an Ps 2, 7 anlehnte. Daselbst lautet das Gotteswort im NT wie in der hebräischen und griechischen Bibel: „mein Sohn bist du" (υἱός μου εἶ σύ); hier dagegen „*du* (σύ) bist mein Sohn (εἶ ὁ υἱός μου). Dort, nämlich in Ps 2, 7, liegt der Ton der Aussage auf dem Sohnsein, genauer auf der Einsetzung in die Sohnschaft des königlichen Herrschers, und zwar auf die jetzt erfolgende Adoption zum Sohne, welche die christologische Interpretation der apostolischen Verkündigung bekanntlich durch die Auferweckung erfüllt sieht. Hier dagegen liegt der Ton auf dem σύ, auf der Feststellung, daß dieser irdische, eben aus dem Wasser gestiegene Jesus der Sohn *ist*, an dem Gott Wohlgefallen fand. Selbstverständlich kann man auch nicht von der Lesart D bei Lk 3, 22 her zugunsten einer ursprünglichen Anknüpfung an Ps 2, 7 argumentieren. Denn sofern diese Lesart in Lk ursprünglich wäre, ginge sie zweifellos auf dessen Konto. Sie wäre durch die typisch lukanische Verwendung der Taufgeschichte bzw. durch deren Verknüpfung mit den ihr nachfolgenden Perikopen (Genealogie, Versuchung, Nazarethperikope) bedingt[154]. Die Himmelsstimme dürfte also von Haus aus mit Ps 2, 7 nichts zu tun haben[155]. Und wenn, ließe sich von dieser Anlehnung

[152] Histoire 135 f.

[153] Der diesbezügliche sehr hingebungsvolle Versuch von *E. Lövestam* (a. a. O. 95—103) scheint mir doch sehr stark auf anfechtbare Rückschlüsse aus ntl. Daten angewiesen zu sein.

[154] Vgl. zusammenfassend *H. Dutheil*, Baptême 226 f.

[155] Vgl. auch *J. Dupont*, „Filius meus es Tu": RSR 35 (1948) 526; *F. Gils*, Jesus 62—64. Die geistreiche und unter einem bestimmten Aspekt sehr ansprechende Hypothese von *M. A. Chevallier*, der ursprüngliche Taufbericht habe seine Inszenierung durch Ps 2 (und Is 11, 2) erhalten, die jedoch schon früh, längst vor Mk, gänzlich dem Einfluß der Pais-Christologie erlegen sei (L'Esprit et le Messie dans le Bas-Judaïsme et le Nouveau Testament: EHPhR 49, 1958, 57—67 71—96), dürfte sich als unnötig kompliziert erweisen.

her jedenfalls nicht der Gedanke des wirklichen, einzig gehorsamen Israeliten und Sohnes begründen. Denn von Ps 2, 7 aus kommt man zwar sehr wohl zur Vorstellung der Adoption zum Sohne Gottes, aber eindeutig als Bezeichnung des messianischen Herrschers.

Als Anhaltspunkt für die Bestimmung der Sohnschaft im Sinne unseres Autors käme überhaupt nur die Verwendung von Is 42, 1 durch die Himmelsstimme in Frage. Von daher kann man wohl die Frage stellen, ob „mein Knecht", und nicht „mein Sohn" als ursprünglich vorauszusetzen ist. Wie schon früher festgestellt werden mußte, weist aber in jedem Falle sowohl der unmittelbare Kontext des Zitates aus Is 42, 1 als der Kontext der Himmelsstimme, nämlich das Nebeneinander von Herabkunft des Geistes und dem erklärenden Gotteswort, auf eine andere Deutung: der Grund bzw. die Folge der von der Himmelsstimme festgestellten Erwählung ist das Herabkommen des Geistes auf Jesus, seine Geistbegabung. Die Gottesoffenbarung dürfte so, rein exegetisch gesehen, im wesentlichen jedenfalls, die Erfüllung des prophetischen Gotteswortes Is 42, 1 an Jesus, nämlich dessen Erwählung zum geistbegabten Knecht Gottes, also zum Messias feststellen, nicht aber die göttliche Approbation Jesu als des vollkommen gehorsamen Israeliten, der als solcher zum geliebten einzigartigen Sohn berufen würde[156].

β) Noch entscheidender ist indes die Frage, ob sich aus dem von Nisin vorausgesetzten Berufungserlebnis Jesu die wesentlichen, kritisch gesicherten Züge des Selbst- und Sendungsbewußtseins Jesu ableiten lassen. Das dürfte nicht gelingen.

Gewiß ist der Wille zur totalen Hingabe an Gott als Herrn und Vater eine wesentliche Komponente des Sendungsbewußtseins Jesu. Bestens ließe sich aus diesem Sendungsbewußtsein, mit dem sogar die termingebundenen Stellen als Voraussagen der Endoffenbarung vereinbar wären, auch die spätere Erkenntnis der Heilsnotwendigkeit des Sühnesterbens erklären. Aber das Sendungsbewußtsein Jesu erschöpft sich nun einmal keineswegs in dem durch Is abgesteckten Programm des gehorsamen Knechtes. Jesus beginnt mit der Verkündigung des in seinem Reden und Tun erfolgten Anbruchs der endzeitlichen Gottesherrschaft. Eben diese Vorstellung von der Art und Weise der eschatologischen Heilsverwirklichung und seiner speziellen Aufgabe als Heilsmittler ist aber nun, rein geschichtlich gesehen, völlig, ja revolutionär und befremdend neu. Gewiß galt es allen Israeliten der Tage Jesu als selbstverständlich, daß sich die Gottesherrschaft einmal offenbaren werde. Das Judentum stellte sich aber deren Kommen vor allem als eine innerweltliche Änderung der Machtverhält-

---

[156] Diese vom nächsten Kontext verlangte Auslegung könnte auch schwerlich durch den synoptischen Anschluß der Versuchungsperikope in Frage gestellt werden, obwohl es bei der Versuchung selbstverständlich auch um den Gehorsam Jesu gegenüber Gott geht (vgl. *E. Lövestam* 97—101).

nisse vor, verbunden mit einer Potenzierung des Lebens auf dieser Erde. Jedenfalls ist die kommende Welt der Gottesherrschaft nach allgemein jüdischer Vorstellung entweder schlechthin da, schlechthin gekommen, oder aber noch zukünftig. Man konnte sich aber keinen Heilbringer denken, der eine erst begrenzte, einleitende Wirksamkeit der endzeitlichen Gottesherrschaft in dieser noch bestehenden und weitergehenden alten Welt verkünden würde, wie es Jesus tat. Schon gar nicht hatte das Judentum aus dem AT die Vorstellung eines Heilsführers herausgelesen, der die Wunder wirken würde, die Jesus wirkte, und der diese als Beginn des erlösenden Handelns Gottes verstehen würde. Daß Jesus mit dieser Botschaft vom Kommen der Gottesherrschaft auftrat, daß er ihren Anbruch in einem von seinen Feinden geknechteten Israel verkündete und nicht im leisesten daran dachte, in die irdischen Machtverhältnisse einzugreifen, daß er sogar die Bezahlung der Kaisersteuer als eine religiös belanglose Angelegenheit erklärte, all das war vom Standpunkt jeder zeitgenössischen Heilbringererwartung schlechthin befremdend, unverständlich, ja ärgerniserregend. Trotz der Vielfalt seiner Heilbringervorstellungen hatte das Judentum der Zeit Jesu auch nicht entfernt die im AT verstreuten Züge der Heilsprophetie je zu dem Bild der Heilsverwirklichung und des Heilbringers vereinigt, der Jesus sein wollte. Eben deshalb stellt sich die Frage: wie hätte Jesus auf Grund der ihm zuteilgewordenen göttlichen Approbation als der Sohn par excellence, der als solcher den Weg des vollkommenen Gottesknechtes zu gehen hat, ohne weitere Berufungserlebnisse zu dieser originalen Vorstellung von der Heilsverwirklichung und zu diesem originalen Anspruch der vollmächtigen und wirksamen Gottesreichverkündigung kommen sollen?

Wir können weitere Fragen nur andeuten. Genügt als eigentliche Wurzel und als Wesensmerkmal des Sohnesbewußtseins Jesu ein tiefstmögliches Ergriffensein von der Heiligkeit und dem Heilswillen Gottes, wie sich diese in den heiligen Schriften Israels bekunden, und dazu das Bewußtsein, daß Gott ihn als den „fils — Serviteur d'Isaïe" approbiert hat? Wäre da nicht zu erwarten, daß Jesus den anderen Israeliten, insofern sich diese ebenfalls dem Willen Gottes, dem von Jesus verkündeten Heils- und Heiligkeitswillen Gottes öffnen, die Teilnahme an seiner Sohnschaft auch schon für die Gegenwart verheißen würde? Warum subsumiert Jesus die anderen Israeliten nie unter seine Sohnschaft, warum betrachtet er die Sohnschaft der anderen im Unterschied zu seiner eigenen als eine erst künftige Gnadengabe Gottes (Mt 5, 9; Lk 20, 36)? Weist nicht schon dies auf Mt 11, 27 Par, auf ein Sohnesbewußtsein, das eine durch die vollkommene Hingabe des Israeliten Jesus an Gott und durch die göttliche Adoption konstituierte Sohnschaft transzendiert?

Zum gleichen Ergebnis führt erst recht der jedes Judentum sprengende unerhörte Anspruch Jesu auf die direkte, nicht abgeleitete Autorität seines lehrenden und verpflichtenden Redens und Handelns. Jesus erhebt den Anspruch, daß er, und erst er, und zwar unmittelbar, kraft seines vollmächtigen ἐγώ Gottes absoluten Willen kennt, offenbart, in Person repräsentiert, deshalb auch souverän über das als Offenbarung des Willens Gottes anerkannte atl. Gesetz verfügt. Er vergibt Sünden (Mk 2, 5 Par) und macht das ewige Schicksal jedes Menschen vom Verhalten gegenüber seiner Person und seiner Proklamation des Gotteswillens abhängig. Jesu neuartige Beteuerungsformel „wahrlich, ich sage euch (dir)" weist auf eine verborgene, nicht direkt ausgesprochene Vorgeschichte seines feierlichen Redens und bestätigt dieses als Offenbarungsvorgang: „... und niemand erkennt den Vater als der Sohn, und wem der Sohn ihn offenbaren will" (Mt 11, 27). Sie bringt das Ja zum Vater und zu dessen Heilsplan zum Ausdruck, den Jesus als der Sohn kennt, und leitet gleichzeitig die Offenbarung an die Menschen ein. Diese einleitende Beteuerung schließt den Gedanken ein, daß seine unmittelbare Offenbarerautorität in seiner einzigartigen, unmittelbaren Kenntnis Gottes gründet, die ihm als dem Sohn eigen ist[157].

Man wird sich also damit abfinden müssen, daß sich das Sohnesbewußtsein Jesu weder aus natürlichen geschichtlich gegebenen Prämissen ableiten läßt, noch aus der Taufperikope ein Offenbarungserlebnis Jesu als zeitlicher Beginn seines Sohnesbewußtseins nachgewiesen werden kann.

Ein positiver Erklärungsversuch der crux interpretum Mk 1, 10 f Par steht hier nicht zur Diskussion. Es sei nur auf zwei Momente hingewiesen, die Beachtung verdienen. Weil einerseits die Himmelsstimme Jesus nicht etwa bloß an-

---

[157] Wer auf seiten Jesu nicht eine Gottunmittelbarkeit absoluter Art voraussetzt, äußert mit Recht das Empfinden, es bedürfe zur Erklärung des Offenbarer- und Heilbringeranspruchs Jesu eines einschneidenden Offenbarungserlebnisses Jesu. Beachtung verdient in dieser Hinsicht eine Bemerkung *U. Wilkens.* Innerhalb des allgemeinen Rahmens der Apokalyptik war ihm zufolge die Eschatologie des Täufers die unmittelbare geschichtlich-biographische Voraussetzung der Eschatologie Jesu. Jesus unterscheide sich aber von Johannes „zugleich durch eben jene Unmittelbarkeit, in der Jesus die Vollmacht der eschatologischen Heilsteilgabe für sich selbst beansprucht hat". Wilkens stellt dann bezeichnenderweise die Frage: „Hängt die Trennung vom Täuferkreis (nach dem Tode des Johannes?) und der Beginn seiner eigenen Wirksamkeit mit einem besonderen, inspirativvisionären Widerfahrnis Jesu von seiten Gottes zusammen, das die urchristliche Überlieferung in seiner Taufe am Jordan lokalisierte, weil die christliche Taufe mit dem Empfang des Geistes für die urchristliche Erfahrung den Beginn christlich-eschatologischer Existenz bewirkte?": Das Offenbarungsverständnis in der Geschichte des Urchristentums, in: Offenbarung als Geschichte (hrsg. von W. Pannenberg - R. Rendtorff - U. Wilkens, 1961) 54 Anm. 31.

redet mit „mein geliebter (= einziger) Sohn, an dir habe ich mein Wohlgefallen gefunden" oder auch nach anderem Vorschlag „mein Knecht, mein erwählter ...", sondern heraushebend und identifizierend feststellt: „Du bist mein geliebter Sohn ..." („Du bist mein erwählter Knecht ..."), könnte eine Erklärung, die Mk 1, 10 f Par als ein Jesus angehendes Offenbarungserlebnis verstehen möchte und diese Jesus widerfahrende göttliche Offenbarung zugleich ernst nimmt, ihr also auch eine entscheidende Bedeutung für das Bewußtsein Jesu beimißt, schwerlich der Folgerung entgehen, Jesus habe erst in diesem Augenblick von seiner Sohneswürde bzw. seiner Erwählung zum geistbegabten Knecht erfahren oder sei wenigstens dieser Sohnes- bzw. Gottesknechtwürde und Geistausstattung gewiß geworden. Auf der anderen Seite muß der Exeget einen ebenso unerhört souveränen und originalen Autoritäts- und Offenbareranspruch Jesu feststellen, der jedes auf jüdischem Boden vorfindliche und denkbare prophetische Bewußtsein sprengt und nach Jesu eigenem Wort im vorgängigen status seiner strikt exklusiven und unübertragbaren Gottessohnschaft und exklusiven Kenntnis Gottes, für die das AT keine Parallele bietet, begründet ist. Von diesem ausschließlichen Sohnsein spricht Jesus in einer absoluten Weise, die eher das Bewußtsein der Präexistenz nahelegt, die ihm von der apostolischen Verkündigung (vgl. schon Gal 4, 4 f) und der ausdeutenden Wiedergabe der Jesusworte im Jo-Evangelium ausdrücklich zuerkannt wird, als die Vorstellung, Jesus denke an ein diese Sohnesstellung bzw. dieses Sohnesbewußtsein erst begründendes Erlebnis am Jordan. Jedenfalls begründet Jesus seinen Offenbareranspruch nie damit, daß er von Gott als einziger Sohn angesprochen und erklärt wurde, oder auch nur, daß er nach der Taufe die Kraft des Gottesgeistes empfangen habe. Ebensowenig lautet das Jüngerbekenntnis bei Cäsarea Philippi (Mk 8, 29 Par; vgl. Jo 6, 68 f) etwa: du bist der Messias, oder auch: du bist der Sohn Gottes und Messias, weil dich Gott mit dem heiligen Geist gesalbt und er selbst gesprochen hat: Du bist mein geliebter Sohn, an dem ich mein Wohlgefallen gefunden habe o. ä.[158]

Gerade der katholische Exeget, der diese Tatsachen insgesamt respektiert, wird deshalb für die schon seit längerem diskutierte Frage Verständnis haben, ob es sich nicht anders erklären lasse, daß Jesus in dieser Perikope als Empfänger der Vision und Audition erscheint, ohne daß er sich deshalb schon mit einer der geläufigen Sekundärerklärungen zufriedengibt. Will die der Taufe nachfolgende Offenbarungsszene von Hause aus wirklich darüber Auskunft geben, wann und bei welcher Gelegenheit Jesus von Gott als einziger Sohn oder auch nur als erwählter Knecht angesprochen, erklärt wurde und als solcher mit der Gotteskraft ausgestattet wurde bzw. von seinem Geistbesitz erfahren hat oder dessen sicher geworden sei (oder wie die verschiedenen Auslegungsversuche im einzelnen lauten)?[159] Oder war die auf Jesus bezogene Offenbarungsszene etwa von Haus

[158] Zur Erklärung des Messiasbekenntnisses bei Mt vgl. meinen Beitrag: Messiasbekenntnis und Petrusverheißung: BZ NF 2 (1958) 95—99.

[159] Abgesehen von der Taufgeschichte wird übrigens nirgendwo im NT direkt gesagt, Jesus habe nach seiner Taufe und erst hier den Geist empfangen und sei dadurch zum Messias gesalbt worden; auch in Apg 10, 38 nicht, obwohl Lukas hier an die Taufperikope

aus weder für Jesus noch für den Täufer bzw. Anwesende bestimmt, sondern für die urchristlichen Hörer? Sollten diese etwa erfahren, wer und was der von Johannes getaufte und insofern diesem untergeordnete Jesus in Wirklichkeit ist? [160]

VI

Es sind nur einige wenige Punkte, die wir zur Frage des Wissens und Bewußtseins Jesu anreißen konnten. Hat unsere aposteriorische Betrachtung eine Linie erreicht, die sich einerseits vom überlieferungsgeschicht-

---

denken mag. Solange man die evangelischen Taufgeschichten nicht schon als beweisend ansieht, werden sich die Darlegungen von *C. Beach* kaum widerlegen lassen. Es stehe seitens der christlichen Überlieferung nicht fest, daß Jesus bei der Taufe zum Messias gesalbt wurde. Die Urkirche scheine nach dem Beginn der Messianität Jesu nicht gefragt zu haben: The Gospel of Mark (New York 1959) 52 f 70.

[160] Ein positiver Erklärungsversuch von Mk 1, 10 f steht hier nicht zur Diskussion. Es sei nur vermerkt: Auch unter der noch am besten zu begründenden Voraussetzung, Jesus selbst habe im Anschluß an die Taufe ein ihn und nur ihn angehendes, für sein Sendungsbewußtsein entscheidendes Offenbarungserlebnis gehabt, verbleiben einige befremdende Momente, die eher gegen als für die Annahme sprechen, Mk 1, 10 f wolle als Bericht über ein Jesus und nur ihn angehendes Offenbarungserlebnis — was dieses auch bedeuten möge — verstanden werden. Einmal müßte man, wenigstens unter der Voraussetzung, daß Mk 1, 15 Jesus historisch zutreffend erst nach der Inhaftierung des Täufers mit seiner eigenen und gegenüber dem Täufer selbständigen Gottesreichverkündigung Jesu auftrat, fragen, warum Jesus sein messianisches Wirken erst nach der gewaltsamen Beendigung der Täuferwirksamkeit begann und nicht schon nach der Taufe. Diese synoptische Angabe spricht jedenfalls nicht für die Annahme, in der Überlieferung wirke das Bewußtsein nach, Jesus selbst habe bei der Taufe die für ihn und seine heilsgeschichtliche Aufgabe entscheidende, sein messianisches Auftreten ermöglichende und wohl auch zu diesem verpflichtende Ausstattung mit dem Geist erfahren bzw. bestätigt erhalten. Zum andern fehlen, wie schon oft beobachtet wurde, alle Merkmale einer Berufungsgeschichte. Es fehlt nicht nur ein eigentliches Auftragswort an Jesus, sondern vor allem jegliche subjektive Reaktion Jesu auf die Gottesoffenbarung, ganz zu schweigen von einer Reaktion auf Johannes oder sonstige Anwesende. Am Seelenleben Jesu ist die Taufgeschichte nicht im geringsten interessiert, was gerade auch im Vergleich mit atl. Parallelen von der Ausstattung einzelner Menschen mit dem Geist auffällt. Die Himmelsstimme fordert Jesus in keiner Weise zu einer Aufgabe auf, etwa zur Verkündigung der Gottesherrschaft, zur Heils- und Bußpredigt. Sie stellt ausschließlich fest, wer und was Jesus ist. Die Perikope nimmt sich in der Tat ganz und gar aus wie eine Aussage über Jesus; und es gibt bei Mk keine andere Geschichte, die so endete (*E. Lohmeyer*, Mk 20). Warum ist sodann die Gottesoffenbarung bzw. die ganze Taufgeschichte nicht als Jesusbericht gekennzeichnet, obwohl sie christologisch nicht als weniger bedeutsam hätte empfunden werden können als das sogenannte Messiasbekenntnis bei Cäsarea Philippi? Dabei liegt es auf der Hand: unter der Voraussetzung, daß Jesus der alleinige Empfänger der Vision und Audition bzw. eines Offenbarungserlebnisses war, könnte das Wissen von demselben nur auf die Mitteilung Jesu zurückgehen. Die Geschichte von der Verklärung auf dem Berge ist kein vergleichbares Analogon. Da diese ausdrücklich für Anwesende bestimmt war, konnte sie deshalb auch von diesen erzählt werden.

lichen und exegetischen Standpunkt verteidigen läßt und sich anderseits mit der von K. Rahner angebotenen Grundsatzlösung verträgt? Man gestatte noch einmal die Bemerkung: diese Skizze sieht sich als ein rein hypothetischer Versuch ganz und gar auf die Kritik, vielleicht auch auf eine diakritisch helfende Stellungnahme beider Disziplinen, der Exegese wie der Dogmatik, angewiesen. Die aposteriorische Leben-Jesu-Forschung ist sicher weit davon entfernt, von einer einer anderen Größe der Geistesgeschichte vergleichbaren Geschichte der geistigen Entwicklung Jesu sprechen zu können. Zwei prinzipielle Gesichtspunkte dürften sich indes doch als gut begründbar erweisen.

a) Sofern die dogmatische Christologie die Annahme eines echten Fortschreitens Jesu in der Erkenntnis des göttlichen Heilsplans und der Art seiner Verwirklichung, darüber hinaus auf seiten Jesu das echte Nichtwissen des Zeitpunkts der Endoffenbarung gestattet, würde dem Exegeten die Anerkennung gewisser, schwer zu bestreitender Tatbestände des offenbarenden Wirkens Jesu ermöglicht. Die Annahme einer bloß pädagogischen Anpassung Jesu würde in der Tat eine befriedigende Erklärung der in den Abschnitten I und III behandelten Daten der Verkündigung Jesu nicht gestatten. Anderseits erscheint mir die Möglichkeit, daß der Exeget dem Dogmatiker hinsichtlich des Ausmaßes der Begrenzung des gegenständlichen Wissens Jesu entgegenkommt, nämlich die Verkündigung Jesu von gewissen direkt termingebundenen Aussagen über die Endoffenbarung entlastet (Abschnitt IV), bei den heutigen Einsichten in das Werden und Wesen der Jesusüberlieferung bis hin zu ihrer Fixierung in unseren Evangelien als wenigstens diskutabel.

b) Sofern der Dogmatiker im Bewußtsein Jesu auf die ursprüngliche Grundbefindlichkeit einer Gottunmittelbarkeit absoluter Art bestehen und betonen muß, daß sich die Entwicklung des ursprünglichen Gottessohnbewußtseins Jesu „nicht auf die Begründung der gottunmittelbaren Grundbefindlichkeit, sondern auf die gegenständliche, in menschlichen Begriffen geschehende Thematisierung und Objektivierung dieser Grundbefindlichkeit“ bezieht[161], kann der Exeget seinerseits dem Dogmatiker mit gutem Gewissen beipflichten. Eine redliche Exegese sieht sich nicht imstande, auch nur einen Zeitpunkt des Beginns im exklusiven und unübertragbaren Gottessohnbewußtsein Jesu historisch nachzuweisen. Ich meine, was der Jubilar von der aposteriorischen Leben-Jesu-Forschung erwartet, läßt sich schon heute als gerechtfertigt dartun: „Wenn sie richtig vorangeht, wird sie mindestens in ihrem aposteriorisch erhobenen Material nichts finden, was gegen eine solche ursprüngliche Grundbefindlichkeit einer absoluten

---

[161] *K. Rahner,* Dogmatische Erwägungen 206.

Gottunmittelbarkeit spricht, sie wird vielleicht überdies auch geschichtlich zu der Erkenntnis kommen, daß die Einheit dieser Geschichte des Selbstbewußtseins Jesu, ihre innere Ungebrochenheit, Klarheit und Unerschütterlichkeit auch dann nur von dieser Grundbefindlichkeit her genügend erklärt werden kann, wenn historisch die Einzelheiten des begrifflichen Materials, des allgemeinen Hintergrundes dieses Selbstbewußtseins aus der religiösen Umwelt Jesu im weitesten Ausmaß hergeleitet werden können oder könnten."[162] Nicht nur der generelle, besonders deutlich in Mt 11, 27 Par begründete Anspruch Jesu, daß seine Qualifikation als einziger Offenbarer Gottes und dessen Heilsplanes in seiner strikt exklusiven Sohnschaft begründet ist, sondern auch der konkrete, alle alttestamentlichen und bisherigen Kategorien sprengende und überbietende Vollmachtsanspruch sowie die diesem zugeordnete, völlig originale Konzeption von der Heilsverwirklichung müßten den Exegeten geradezu eine „innerste, ursprüngliche, alles andere Wissen und Tun tragende Grundbefindlichkeit"[163] der in Mt 11, 27 Par beanspruchten Art postulieren lassen (Abschnitt V).

In seinem Bemühen um das vertiefende Verständnis der Geschichte Jesu und seines offenbarenden Wirkens darf sich so der Exeget doch wohl auf dem Weg zum gleichen Ziele sehen, das der Dogmatiker von seinen Voraussetzungen aus und mit seinen Methoden verfolgt: das Verbum incarnatum in seinem letztlich unauflösbaren Geheimnis zur Geltung zu bringen: das Göttliche, das historisch Unableitbare, vor und über dem Menschlichen, dem „Geschichtlichen" des Phänomens Jesus von Nazareth nicht zu übersehen und das Menschliche, das „Geschichtliche", neben dem Göttlichen nicht zu verkürzen.

---

[162] A. a. O. 207 f.

[163] A. a. O. 204.

QUAESTIONES DISPUTATAE

Herausgegeben von Karl Rahner und Heinrich Schlier.

Bisher sind erschienen:

Band 1: Karl Rahner, Über die Schriftinspiration. 3. Auflage, Oktav, 88 Seiten, engl. brosch.

Band 2: Karl Rahner, Zur Theologie des Todes. 4. Auflage, Oktav, 106 Seiten, engl. brosch.

Band 3: Heinrich Schlier, Mächte und Gewalten im Neuen Testament. 3. Auflage, Oktav, 64 Seiten, engl. brosch.

Band 4: Karl Rahner, Visionen und Prophezeiungen. 3. Auflage, Oktav, 108 Seiten, engl. brosch.

Band 5: Karl Rahner, Das Dynamische in der Kirche. 2. Auflage, Oktav, 148 Seiten, engl. brosch.

Band 6: Bernhard Welte, Über das Böse. Oktav, 56 Seiten, engl. brosch.

Band 7: Paul Overhage, Um das Erscheinungsbild der ersten Menschen. 2. Auflage, Oktav, 108 Seiten, engl. brosch.

Band 8: Heinz Robert Schlette, Kommunikation und Sakrament. Oktav, 78 Seiten, engl. brosch.

Band 9: Felix Malmberg, Über den Gottmenschen. Oktav, 122 Seiten, engl. brosch.

Band 10: Karl Rahner, Kirche und Sakramente. 2. Auflage, Oktav, 104 Seiten, engl. brosch.

Band 11: Karl Rahner — Joseph Ratzinger, Episkopat und Primat. 2. Auflage, Oktav, 126 Seiten, engl. brosch.

Band 12/13: Paul Overhage — Karl Rahner, Das Problem der Hominisation. 2. ergänzte Auflage, Oktav, 400 Seiten, engl. brosch.

Band 14: Rudolf Schnackenburg, Die Kirche im Neuen Testament. 2. Auflage, Oktav, 172 Seiten, engl. brosch.

Band 15/16: Karl Rahner — Herbert Vorgrimler, Diaconia in Christo. Oktav, 658 Seiten, engl. brosch.

Band 17: Hans Küng, Strukturen der Kirche. 2. Auflage, Oktav, 356 Seiten, engl. brosch.

Band 18: Josef Rupert Geiselmann, Die Heilige Schrift und die Tradition. Oktav, 288 Seiten, engl. brosch.

Band 19: Leonhard M. Weber, Mysterium magnum. Oktav, 126 Seiten, engl. brosch.

Band 20/21: Paul Overhage, Die Evolution des Lebendigen. Das Phänomen. Oktav, 264 Seiten, engl. brosch.

Band 22: Heinz-Robert Schlette, Die Religionen als Thema der Theologie. Überlegungen zu einer „Theologie der Konfessionen". 128 Seiten, engl. brosch.

Durch alle Buchhandlungen erhältlich

HERDER FREIBURG · BASEL · WIEN